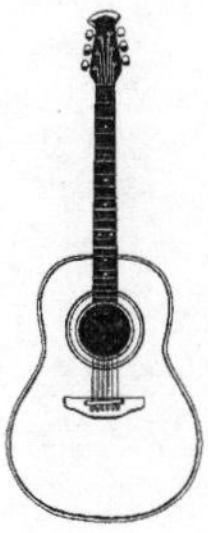

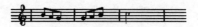

吉他自学者的最佳教程

吉他自学三月通

刘天礼　孙鹏　著

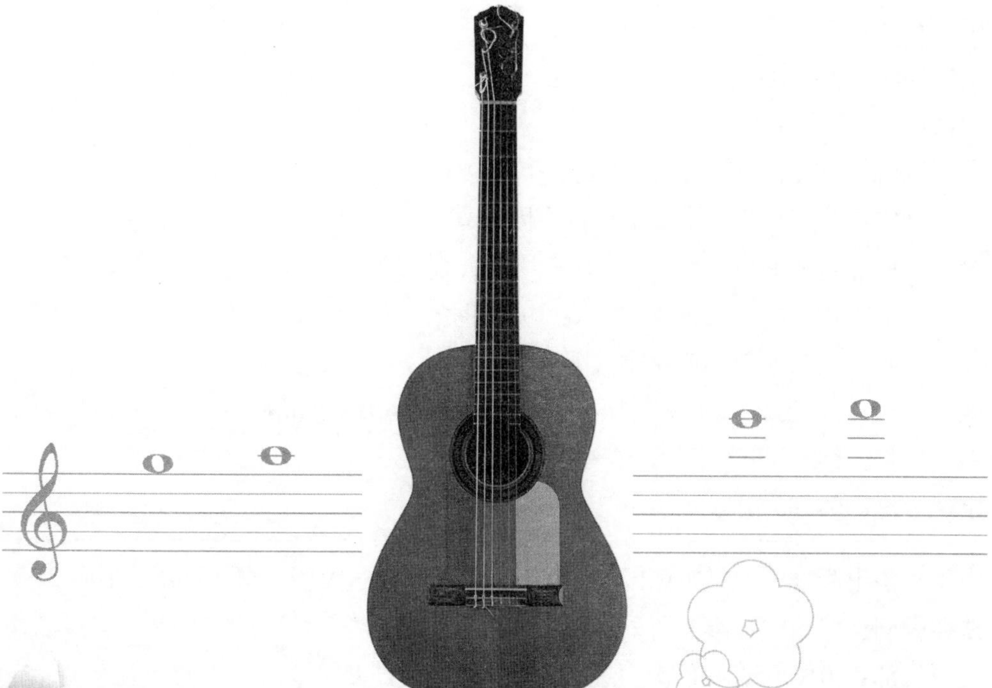

中国華僑出版社

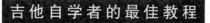

图书在版编目 (CIP) 数据

吉他自学三月通／刘天礼，孙鹏著．—北京：中国华侨出版社，2011.10

ISBN 978-7-5113-1748-3

Ⅰ．①吉… Ⅱ．①刘… ②孙… Ⅲ．①六弦琴－奏法 Ⅳ．① J623.26

中国版本图书馆 CIP 数据核字（2011）第 192541 号

吉他自学三月通

作　　者：刘天礼　孙　鹏
出 版 人：方　鸣
责任编辑：怡　涛
封面设计：王明贵
文字编辑：肖玲玲
图文制作：北京星晨华谱图文设计有限公司
经　　销：新华书店
开　　本：1020mm × 1200mm　1/10　印张：40　字数：500 千字
印　　刷：北京中创彩色印刷有限公司
版　　次：2012 年　1 月第 1 版　2012 年　1 月第 1 次印刷
书　　号：ISBN 978-7-5113-1748-3
定　　价：39.80 元

中国华侨出版社　北京市朝阳区静安里 26 号通成达大厦三层　邮编：100028
法律顾问：陈鹰律师事务所
发 行 部：(010) 58815875　传真：（010）58815857
网　　址：www.oveaschin.com
E-mail：oveaschin@sina.com

如果发现印装质量问题，影响阅读，请与印刷厂联系调换。

前 言

很多年来，我们收到了无数的来电、来信，除了对我的鼓励和感谢之外，还有很多是建议，希望我们能编写一本系统的、全面的、正规的吉他教材，让它能为所有的吉他爱好者提供帮助，也就是适用于各种水平的朋友们。这个要求很好，也是我们多年来的一个愿望。如今，我们终于整理、编写出这样一本教材，希望对广大的朋友们有所启迪，有所引领。

在这本教材中，有许多学习吉他需要了解、学习的乐理知识及其他常识，这些当然都很重要，需要我们学习、掌握。但我认为，不要孤立地、单独地去学习理论知识部分，不要想着把乐理知识都搞通了再学习弹吉他，而应该同时启动、齐头并进，只有能快速地弹奏一两首小曲子，才能极大地提高初学者的兴趣和自信心，有了一点成绩就能使我们逐渐扩大领域，比如《敖包相会》弹下来了，很快《渔舟唱晚》也弹下来了……

正因为需要立竿见影的学习效果，所以我们的教材力求简单、实用，适于自学，希望大家按照教材中的要求先弹几首 G 调的小曲子，而后再练习按出三四个和弦，比如“Am、Em、Dm、G”等，只要一个多月的时间，我们与吉他就不陌生了，并产生很大的兴趣，也建立起十足的信心。

有一点要求，即最初学习的前面几首小乐曲，要练得特别熟，越熟越好，因为前面练习的几首乐曲就是后面乐曲的“基本功”，前面曲子的熟练程度直接影响、关系到后面练习的质量和进度。所以，在前面的乐曲多花些时间是值得的。

最后，希望这本书成为你们的良师益友，成为你们的忠诚伙伴！

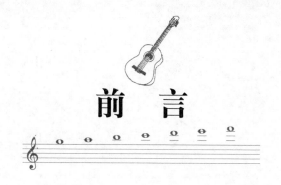

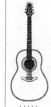

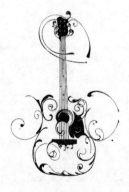

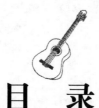

目录

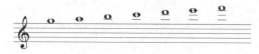

第一章　认识吉他……………………(1)

第一节　吉他的历史……………………(1)
第二节　吉他的种类……………………(2)
第三节　吉他构造图……………………(3)
第四节　吉他的选购与保养……………………(4)
第五节　持琴姿势……………………(5)
第六节　左右手的分工……………………(6)
第七节　调弦方法……………………(7)

第二章　基本乐理知识……………………(9)

第一节　简谱知识……………………(9)
第二节　记谱符号……………………(13)
第三节　节奏与节拍……………………(20)

第三章　认识六线谱……………………(25)

第一节　六线谱简介……………………(25)
第二节　常用标记简介……………………(27)
第三节　认识和弦图……………………(29)
第四节　常用技巧简介……………………(30)

第四章　各调音阶及常用和弦图……(32)

第五章　各式练习总汇……………………(44)

第一节　各调入门音阶练习……………………(44)
第二节　入门小练习十条……………………(66)
第三节　练习曲……………………(68)

第六章　匹克吉他简介……………………(69)

第一节　拨片的材料选择和做法……………………(69)
第二节　匹克吉他演奏法……………………(69)
第三节　拨片奏法标记……………………(70)
第四节　拨片基础练习……………………(71)
第五节　半音阶练习……………………(72)
第六节　音阶模进练习……………………(73)
第七节　音阶回旋练习……………………(74)
第八节　五声音阶练习……………………(75)
第九节　练习曲……………………(76)
第十节　分解和弦练习……………………(80)
第十一节　越弦练习……………………(85)
第十二节　小蜜蜂……………………(86)
第十三节　草原牧歌……………………(88)
第十四节　关于双音的奏法……………………(91)
第十五节　双音音阶练习……………………(92)
第十六节　双音模进练习……………………(92)

第七章　乐曲部分……………………(93)

黄　昏……………………(93)
世上只有妈妈好……………………(94)
敖包相会……………………(95)
弹起我心爱的土琵琶……………………(97)
美丽的故乡……………………(98)
渴　望……………………(100)
心　恋……………………(102)
小舞曲……………………(103)
送　别……………………(104)
牧羊曲……………………(105)
千言万语……………………(106)
初恋的地方……………………(107)
想你想断肠……………………(109)
月亮代表我的心……………………(111)
老人与海……………………(113)
毕业生……………………(115)
虾球传……………………(117)
三月三……………………(118)
随风飘去……………………(120)
珊瑚颂……………………(122)
梁　祝……………………(124)
渔舟唱晚……………………(125)
瑶族舞曲……………………(128)
紫竹调……………………(130)
北国之春……………………(133)
绿岛小夜曲……………………(135)
祝福……………………(137)
潜海姑娘……………………(140)
彩云追月……………………(142)
运动员进行曲……………………(146)
运动的旋律……………………(149)

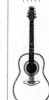

爱的罗曼史……(151)
叶塞尼娅……(153)
罗密欧与朱丽叶……(154)
秋日的私语……(155)
蓝色的爱……(157)
爱的协奏曲……(159)
爱情的故事……(162)
绿袖子……(163)
月　光……(166)
雨　滴……(168)
童年的回忆……(171)
鸽　子……(173)
西班牙女郎……(176)
少女波尔卡……(179)
悲伤的西班牙……(181)
水边的阿狄丽娜……(183)
珍珠项链……(185)
四只小天鹅……(187)
致爱丽丝……(188)
西班牙斗牛士……(192)

第八章　怎样为歌曲配和弦……(195)

第一节　音　级……(195)
第二节　音　程……(195)
第三节　三和弦……(197)
第四节　七和弦……(198)
第五节　调　式……(200)
第六节　调式音级与和弦……(201)
第七节　和弦外音……(203)
第八节　三和弦的应用……(204)
第九节　七和弦的应用……(206)
第十节　旋律与和弦转位……(210)
第十一节　低音的进行……(211)
第十二节　终止式……(213)
第十三节　曲　式……(214)
第十四节　转　调……(214)
第十五节　关系大小调与同主音大小调……(215)
第十六节　其他常识……(215)

第九章　歌曲部分……(217)

世上只有妈妈好……(217)
童　年……(218)
光阴的故事……(220)
丁香花……(223)
第一次爱的人……(226)
看月亮爬上来……(230)
明天过后……(233)
故　事……(235)
四　季……(238)
礼　物……(241)
蓝莲花……(244)
爱情买卖……(247)
传　奇……(250)
偏　爱……(253)
小酒窝……(255)
启　程……(257)
生命的意义……(262)
没有人比我更爱你……(265)
画　心……(267)
姑娘我爱你……(269)
我要的飞翔……(272)
不是因为寂寞才想你……(274)
彩　虹……(276)
青花瓷……(279)
城　府……(282)
叹　服……(285)
犯　错……(289)
真的爱你……(291)
不再犹豫……(295)
看得最远的地方……(299)
隐形的翅膀……(303)
亲爱的那不是爱情……(306)
为你写诗……(308)
爱是力量……(310)
外面的世界……(314)
我真的受伤了……(317)
女人花……(321)
爱我别走……(323)
朋友别哭……(326)
感恩的心……(329)
天使的翅膀……(331)
有没有人告诉你……(334)
棉花糖……(337)
突然想爱你……(341)
让我为你唱首歌……(345)
不弃不离……(348)
勇　气……(352)
我决定……(355)
突然的自我……(358)
小小的太阳……(361)
死了都要爱……(365)
等一分钟……(368)
有多少爱可以重来……(371)
大　海……(374)
心　墙……(377)
醉清风……(379)
小情歌……(381)
痴心绝对……(384)
和你一样……(387)

第一章 认 识 吉 他

第一节 吉他的历史

吉他的祖先，可以追溯到公元前两三千年前古埃及的耐法尔，古巴比伦和古波斯的各种古弹拨乐器。考古学家找到的最古老的类似现代吉他的乐器，是公元前 1400 年前生活在小亚细亚和叙利亚北部的古赫梯人城门遗址上的“赫梯吉他”。“8”字型内弯的琴体决定了吉他特有的声音共鸣和乐器特点，这也成为吉他与其他弹拨乐器的最显著特点。

在 13 世纪的西班牙，由波斯语逐渐演化成的西班牙语吉他一词就已经形成，在当时种类繁多的乐器中，已经出现了“摩尔吉他”和“拉丁吉他”。其中“摩尔吉他”琴体为椭圆形，背部鼓起，使用金属弦，演奏风格比较粗犷；“拉丁吉他”琴体为与现代吉他类似的“8”字型平底结构，使用羊肠弦，风格典雅。

文艺复兴时期是吉他的鼎盛时期。16 世纪四对复弦的吉他和它的近亲——用手指弹奏的比维拉琴，在演奏与创作方面都达到了很高的水准。吉他和比维拉琴不仅深受民众喜爱，而且还常常成为宫廷乐器。当时的吉他——比维拉大师有米兰、纳乐瓦埃斯、穆达拉，以及 17 世纪时五组复弦的巴洛克吉他时代大师桑斯、科尔贝塔、维赛等。他们的许多作品现在仍是现代古典吉他曲目中的不朽财富。当时吉他——比维拉琴等乐器所使用的记谱方法还不是现在的五线谱，而是用横线来代表各弦，用数字或字母表示音位和指法，与现在民谣吉他中使用的六线谱类似的图示记谱法。

18 世纪后期鲁特琴和比维拉琴逐渐退出了历史舞台，五对复弦和其后出现的六对复弦吉他也渐渐完成了它们的历史使命。1800 年前后，全新的六根单弦的吉他以其清晰的和声及调弦方便等优点很快得到了几乎全欧洲的青睐，古典吉他的黄金时代终于到来了。

19 世纪初，活跃在当时吉他音乐中心巴黎、维也纳还有伦敦的最著名的吉他大师有索尔、阿瓜多、朱利亚尼、卡罗利和卡尔卡西。其中索尔和朱利亚尼除了是吉他大师外还是出色的音乐家，他们以杰出的才华为六弦古典吉他创作了包括协奏曲在内的第一批大型曲目，为六弦吉他日后的发展奠定了基础。尤其索尔在创作上承袭海顿、莫扎特的古典音乐传统，除写作歌剧、舞剧音乐外，还为吉他创作了包括系统的练习曲、教程在内的大量优秀作品，被音乐评论家称为“吉他音乐的贝多芬”。

19 世纪后期著名的吉他音有乐家考斯特、默茨、卡诺、雷冈第等，他们为吉他创作的很多优秀作品都成为了 19 世纪吉他音乐的经典。吉他能在 20 世纪蓬勃发展并达到前所未有的辉煌，在很大程度上应归功于“近代吉他之父”泰雷加对吉他从制做、乐器性能、演奏技术直至曲目等各方面的深入研究和革新。泰雷加和他的老师阿尔卡斯一直致力于与吉他制作家托雷斯合作，并最终生产出了琴体扩大、音量增大、乐器性能明显改善的现代古典吉他。

吉他成为和钢琴、提琴一样被人们广泛喜爱的高雅乐器，在全世界流行开来，还吸引了许多专业作曲家为吉他写下了大量高水平的音乐作品。

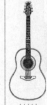

第二节 吉他的种类

现代吉他是一个大家族，按照其外形、构造及演奏方法的不同，常分为以下几类：

1. 古典吉他(Classical Guitar)

被誉为同钢琴、小提琴并列的“世界三大乐器”之一。在指板上由弦枕到琴柄与琴箱结合处是 12 品格，指板较宽，使用尼龙弦，音质纯厚。主要用于演奏古典乐曲，从演奏姿势到手指按弦都有严格要求，技巧精深，被认为是吉他艺术的最高形式。

2. 民谣吉他(Folk Guitar)

吉他家族中最“平民化”的成员。在指板上由弦枕到琴柄与琴箱结合处是 14 品格，指板较窄，使用钢弦，声音清脆明亮。主要用于给歌唱者伴奏，适用于乡村、民谣及现代音乐，演奏形式较为轻松、随意。民谣缺角吉他是其中一种现代改良形式。近年来出现的电箱两用民谣吉他给舞台表演者带来了莫大的方便。

3. 佛拉门哥吉他(Flamenco Guitar)

西班牙民族乐器。外形与古典吉他基本相同，面板上有护板，使用尼龙弦，但音色较古典吉他硬脆。用于演奏西班牙民间音乐，节奏复杂，技巧丰富，后流传世界各地，成为一种具有鲜明的西班牙民族风格的世界性乐器。

4. 夏威夷吉他（Hawaii Guitar）

传统的夏威夷吉他外形类似于古典吉他，使用钢丝弦。演奏时平放在腿上，一手持金属滑棒按弦，另一只手带金属指套拨弦，音色华丽，是一种擅长表现旋律的乐器。

5. 匹克吉他（Pick Guitar）

也称爵士吉他，面板和背板都呈弧形，琴颈细长，使用钢丝弦，共鸣箱小而薄，面板两侧各有一个 f 形孔，外形与提琴近似。适于演奏爵士乐。

6. 电吉他（Electric Guitar）

琴颈类似于民谣吉他，使用钢丝弦，无共鸣箱，使用磁性拾音器，根据弦振动到电声转换的原理，然后用扬声器发声，加上效果器可发出各种各样丰富多彩的音色，是现代流行音乐及摇滚乐必不可少的乐器。

第三节　吉他构造图

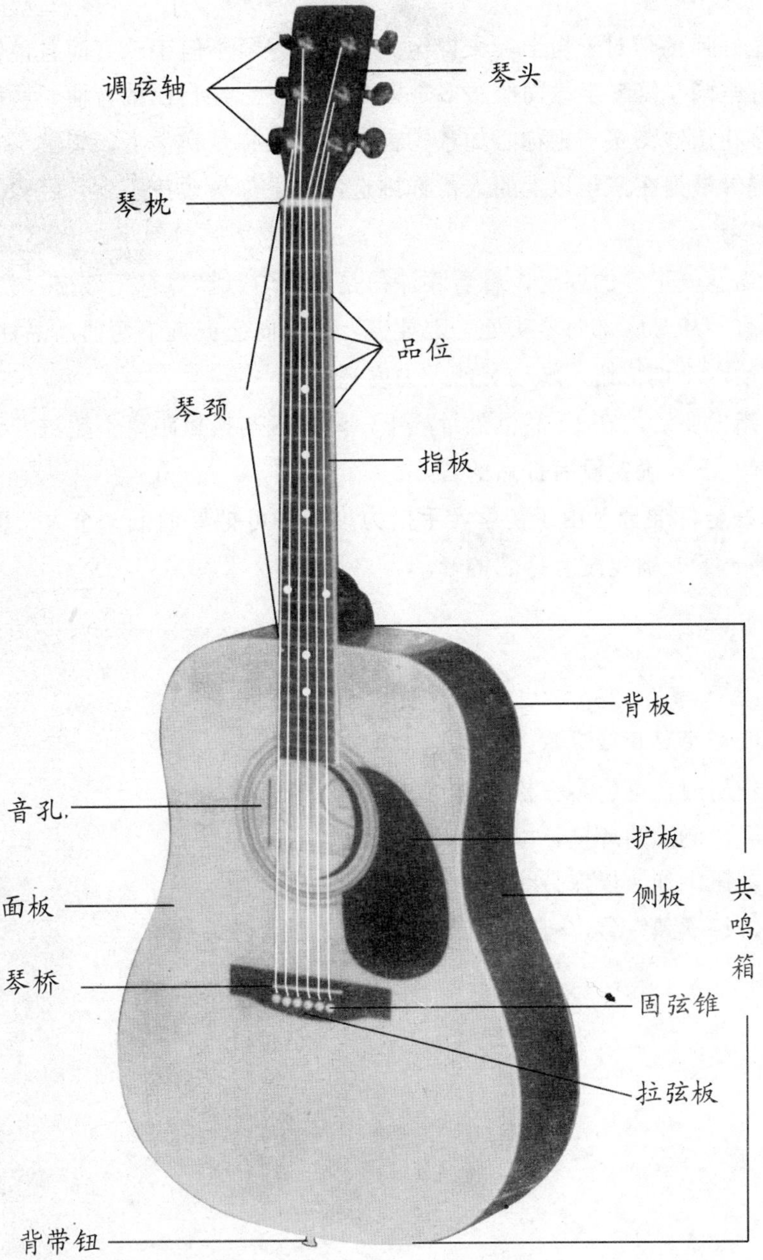
调弦轴
琴头
琴枕
品位
琴颈
指板
背板
音孔
护板
面板
侧板
共鸣箱
琴桥
固弦锥
拉弦板
背带钮

第四节　吉他的选购与保养

一、选购

能够有一把好弹的琴对于初学者来说至关重要。好琴不但手感好而且能够提高学琴的兴趣和积极性。有些同学练琴半途而废很多是因为没有挑选好自己的吉他。所以，建议大家在可能的情况下多花点钱购买一把称心如意的吉他。如果你是初学者，想购买吉他时，你需要一位老师或者弹琴最好在三年以上的人帮你挑选，如果你身边找不到有经验的人，给大家一些建议，以供参考。

1. 首先，要看一下琴的外观，看看漆涂得是否均匀，琴体有无破损，胶合处是否结实。
2. 指板要直，从琴底部向琴头处一定要直，不能向上或向下弯曲，品柱不能宽出指板。
3. 依次转动六个调弦钮，转动灵活，力度适中。
4. 琴弦距指板要近。在 12 品位处量一下，琴弦应与指板距离不超过 5 毫米。在每根琴弦的各品位处弹一下，确定没有打品的音。
5. 把琴调好至标准音（由于初学者手指力度小，可把琴调低一个大二度。），在每根琴弦的各品位处弹一下，确定没有打品的音。

二、保养

1. 给琴选购一个琴套或琴盒。避免重压或碰撞。
2. 长期不使用时，可将琴弦松掉。
3. 避免高温、潮湿的环境，以免琴体开胶。
4. 经常给琴钮上油，以保持琴钮的顺利转动。
5. 天热时，每次弹完琴，可用棉布擦掉琴弦上的汗渍。

第五节　持琴姿势

持琴姿势的掌握是我们学习吉他的第一步，注意以下一些要领。

一、坐式

本书是以介绍民谣吉他为主的教程，民谣吉他在坐式弹奏时不像演奏古典吉他那样有严格的坐姿标准。通常弹奏民谣吉他时可平坐、可翘腿；比较随意，但是也有一定基本要领需要注意。如图所示：

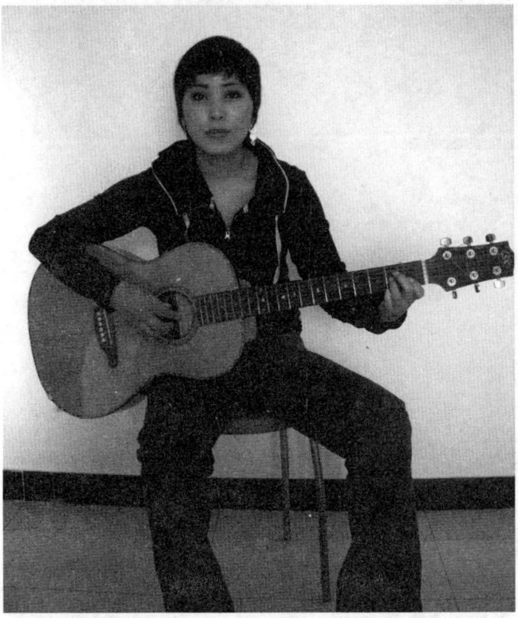

平坐式持琴

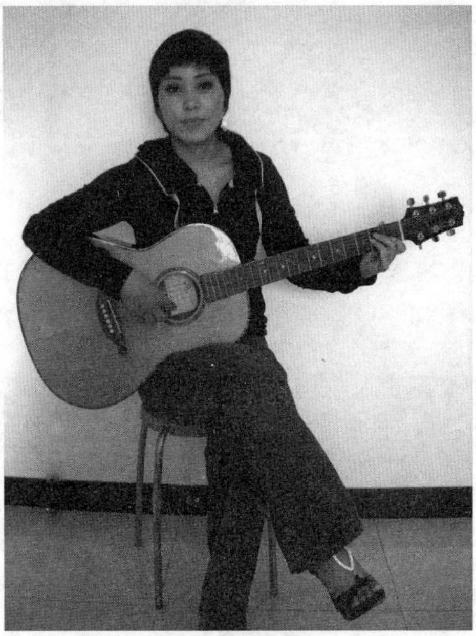

翘腿式持琴

二、站立式

民谣吉他在弹奏、弹唱表演时，时常采用站立式持琴并伴以身体动作加强表演效果。如右图所示：

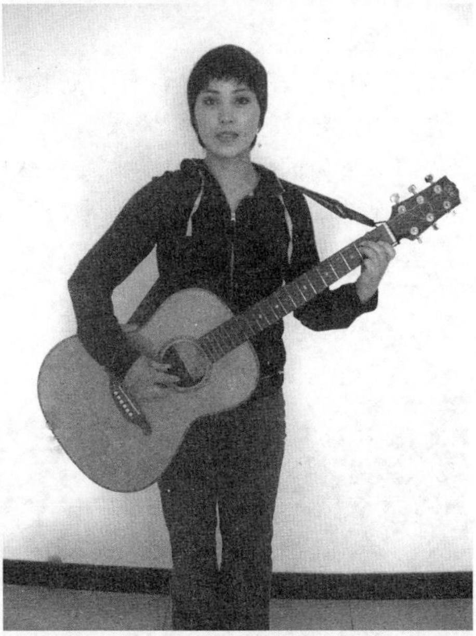

站立式持琴

第六节　左右手的分工

一、右手的分工

右手负责弹弦，一般来说右手拇指负责下拨弹响“6”“5”“4”弦，如图所示：

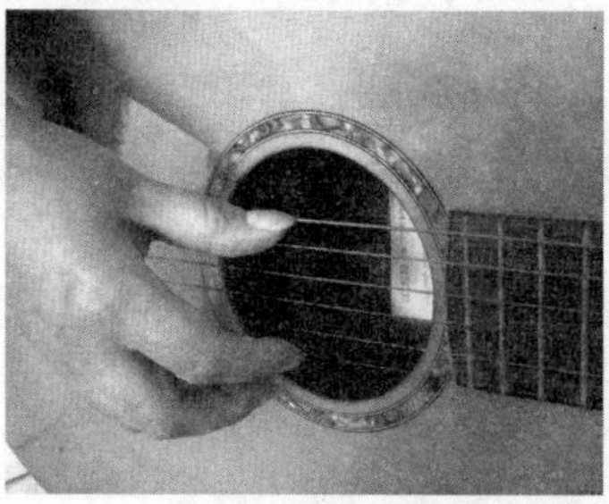
弹 6 弦

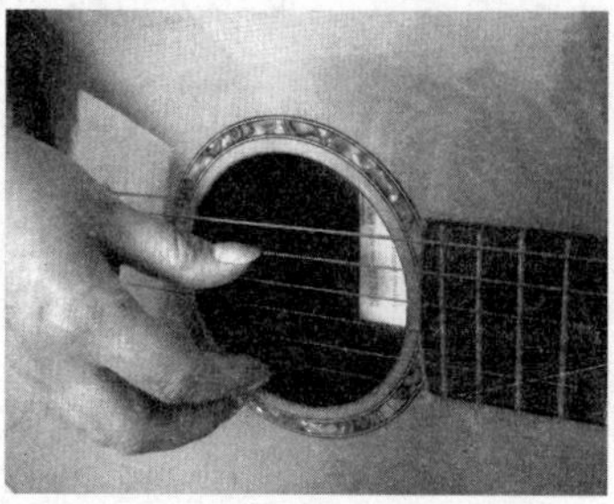
弹 5 弦

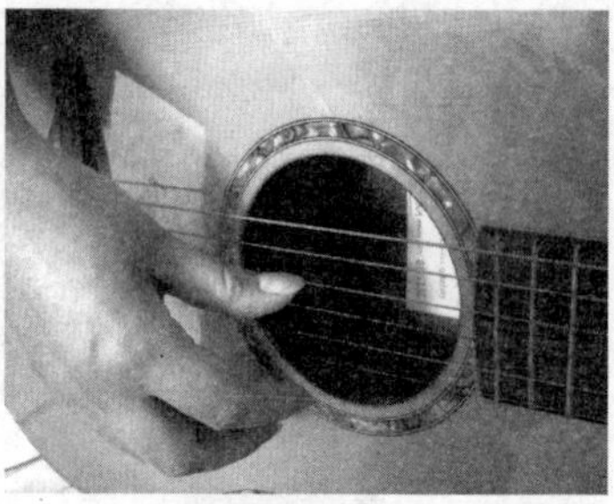
弹 4 弦

其余三根弦是：食指负责上勾弹响“3”弦，中指负责上勾弹响“2”弦，无名指负责上勾弹响“1”弦。如下图所示：

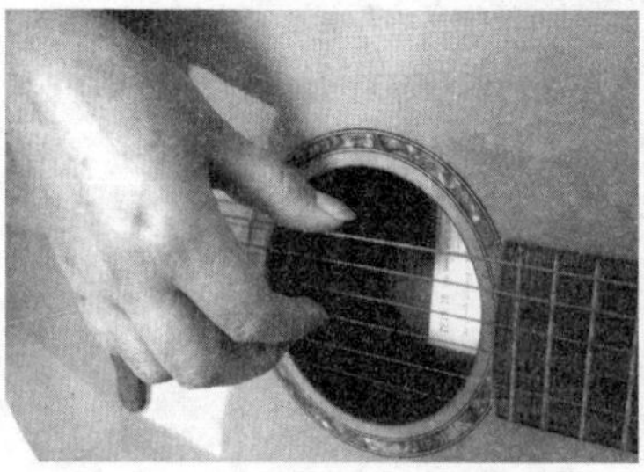
弹 3 弦

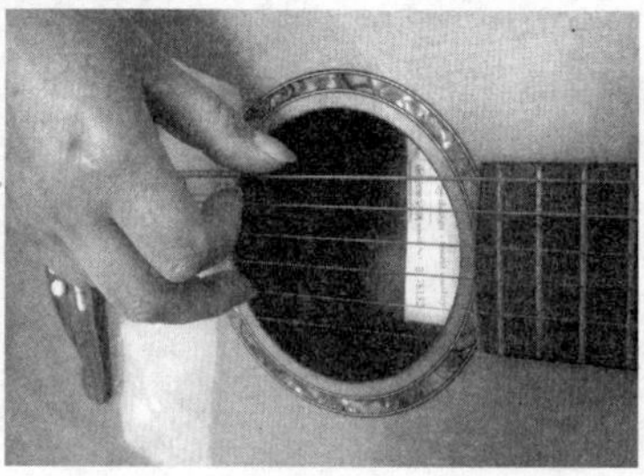
弹 2 弦

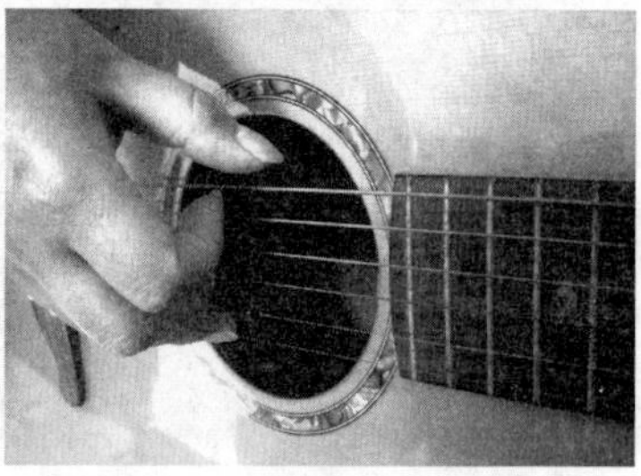
弹 1 弦

注：初学者在练习时，右手需要注意几点：

1. 一定要放松，不要紧张。
2. 手型如同握着一只玻璃杯，然后将杯子拿走，但手型不变。
3. 弹弦动作的幅度尽量放小，以免出错。

二、左手的分工

左手负责按住琴弦，如下图所示：

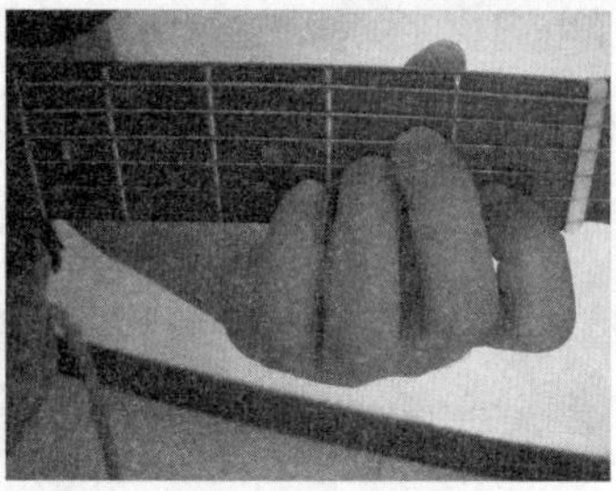

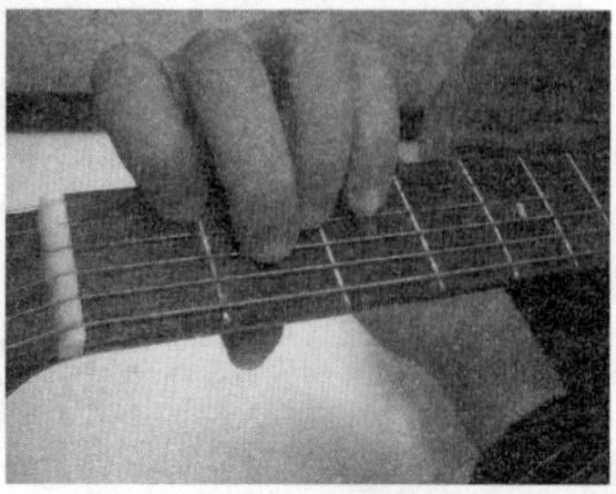

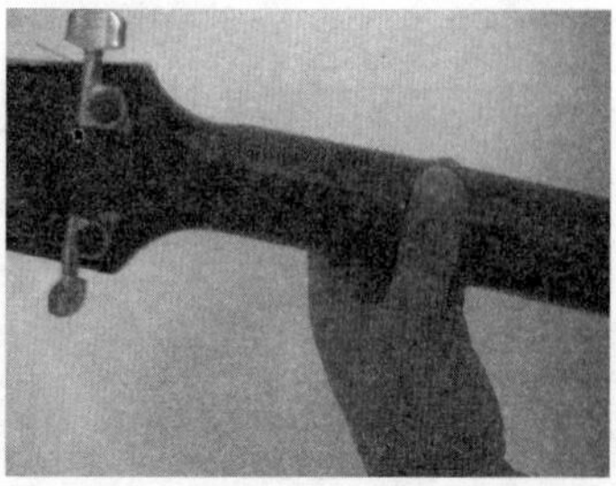

左手按弦时需注意几点：
1．首先也是放松，不要紧张。
2．手指自然弯曲，指尖垂直于指板。左手指甲要经常修剪，以免影响按弦。
3．一般来说，拇指与中指前后相对。

第七节 调弦方法

一、借助钢琴，口琴或其他乐器定音

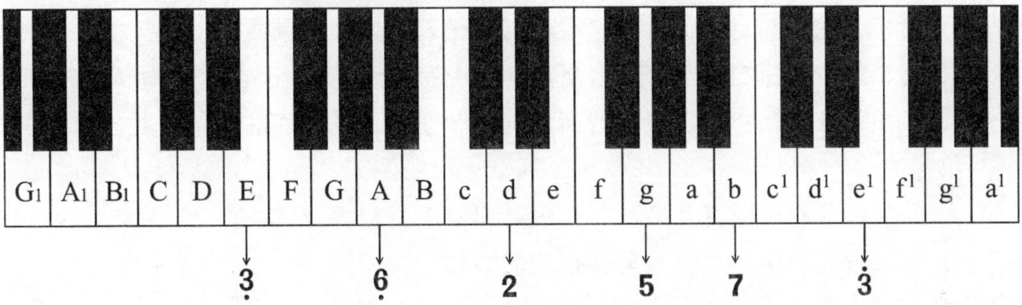

吉它空弦音 (1=C) 标准音	⑥弦	⑤弦	④弦	③弦	②弦 ①弦

二、借助工具定音

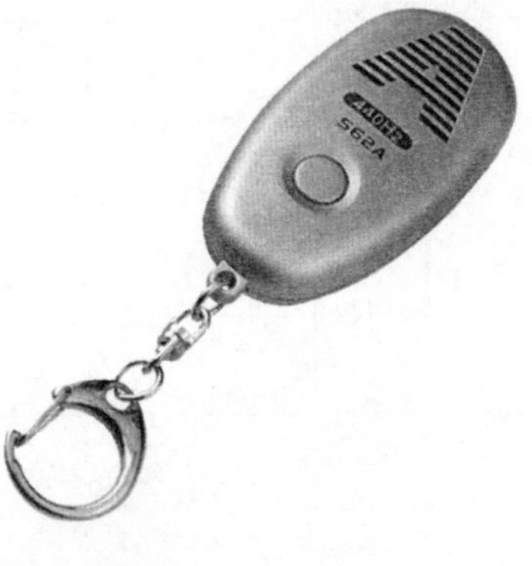

吉他 电子定音器

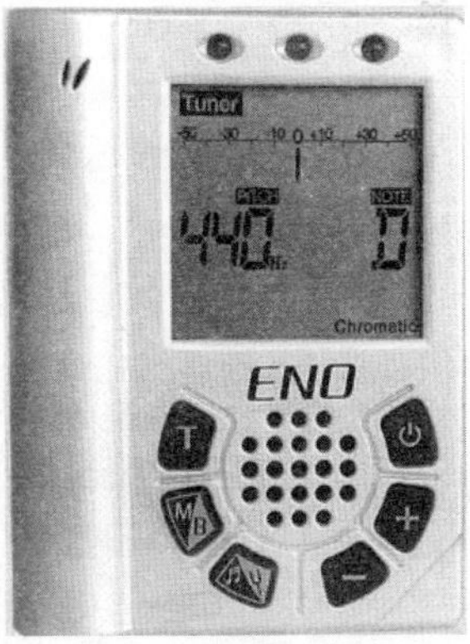

吉他电子定音器

三、运用共振原理定音

同度音感调弦法，先校准①弦 e′，音高不固定，再照下列步骤依次校准各弦。

1．弹响②弦五品音，音高应与①弦空弦音相同。
2．弹响③弦四品音，音高应与②弦空弦音相同。
3．弹响③弦九品音，音高应与①弦空弦音相同。

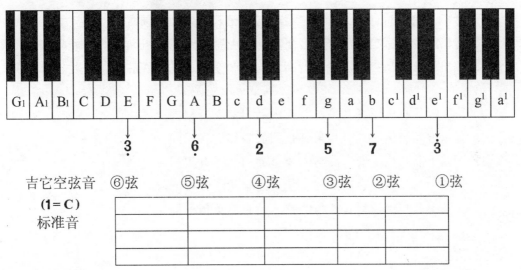

4. 弹响④弦五品音，音高应与③弦空弦音相同。
5. 弹响④弦九品音，音高应与②弦空弦音相同。
6. 弹响⑤弦五品音，音高应与④弦空弦音相同。
7. 弹响⑤弦十品音，音高应与③弦空弦音相同。
8. 弹响⑥弦五品音，音高应与⑤弦空弦音相同。
9. 弹响⑥弦十品音，音高应与④弦空弦音相同。

四、泛音调弦法

泛音调弦法有两种

第一种

1. 奏出④弦七品自然泛音，音高应与①弦五品音高相同。
2. 奏出⑤弦七品自然泛音，音高应与①弦空弦、②弦五品、③弦九品音高相同。
3. 奏出⑥弦七品自然泛音，音高应与②弦空弦、③弦四品、④弦九品音高相同。

第二种

1. ①弦七品自然泛音音高与②弦五品自然泛音相同。
2. ②弦五品自然泛音音高与③弦四品自然泛音相同。
3. ③弦七品自然泛音音高与④弦五品自然泛音相同。
4. ④弦七品自然泛音音高与⑤弦五品自然泛音相同。
5. ⑤弦七品自然泛音音高与⑥弦五品自然泛音相同。

五、吉他品位与音名对照

空弦音		第一品	第二品	第三品	第四品	第五品	第六品	第七品	第八品	第九品	第十品	第十一品	第十二品	
3̇	E	F	♯F♭G	G	♯G♭A	A	♯A♭B	B	C	♯C♭D	D	♯D♭E	E	一弦
7	B	C	♯D♭D	D	♯D♭E	E	F	♯F♭G	G	♯G♭A	A	♯A♭B	B	二弦
5	G	♯G♭A	A	♯A♭B	B	C	♯C♭D	D	♯D♭E	E	F	♯F♭G	G	三弦
2	D	♯D♭E	E	F	♯F♭G	G	♯G♭A	A	♯A♭B	B	C	♯C♭D	D	四弦
6̣	A	♯A♭B	B	C	♯C♭D	D	♯D♭E	E	F	♯F♭G	G	♯G♭A	A	五弦
3̣	E	F	♯F♭G	G	♯G♭A	A	♯A♭B	B	C	♯C♭D	D	♯D♭E	E	六弦

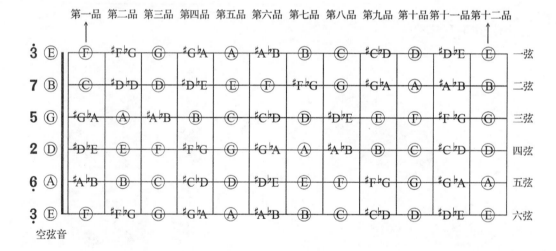

第二章　基本乐理知识

第一节　简谱知识

一、简谱记谱法

音乐是时间的艺术，如何才能将律动的音乐记录下来呢？人们用一些符号来记录音乐中的音，并将音的高低、长短、强弱明确表示出来，这种方法就是记谱法。记谱的方法主要有两种：五线谱记谱法和简谱记谱法。

简谱记谱法，是指音乐家把音乐的曲调，用阿拉伯数字缀加其他符号来标记的一种记谱法。

许多人认为简谱是中国人发明的，其实不然。16 世纪欧洲已出现用数字代表音符的记谱法，后经法国思想家、文学家、作曲家、音乐理论家卢梭制成简谱，于 19 世纪末从日本传入我国，并被广泛运用。

二、音

1. 音的产生

音的产生是一种物理现象，是由发音体的振动所产生的。在自然界中，人所感受到的音很多，但并不是所有的音都可以作为音乐的素材，在音乐中所使用的音，则是人们在长期的音乐实践中挑选出来的，组成为一个固定的体系，用以表达音乐的思想和塑造音乐形象的。

2. 音的种类

根据发音体振动状态的规则与不规则，音被分为乐音和噪音两种。

（1）乐音。发音体振动状态规则的，发出的音高明显的音叫做乐音，乐音听起来比较悦耳，如钢琴、小提琴所奏出的优美的旋律就是一种乐音。

（2）噪音。发音体振动状态不规则的，发出的音高不明显的音叫做噪音。噪音听起来比较刺耳，如锣、架子鼓等打击乐器所发出的声音就是一种噪音，不过这种噪音是有一定规律的。

音乐中所使用的音主要是乐音，但噪音在音乐中也占有重要的位置。

3. 音的性质

（1）音的高低。音的高低是由发音体每秒钟振动次数（即频率）的多少决定的。振动次数越多，音越高；振动次数越少，音越低。频率以 Hz（赫兹）为单位。音乐中的 a'音（la）震动次数为 440 次/秒（Hz），称为标准音。

（2）音的长短。音的长短是由发音体振动时间的长短决定的。振动时间越长，音越长；振动时间越短，音越短。

（3）音的强弱。音的强弱是由发音体振动幅度的大小决定的。振幅越大，音越强；振幅越小，音越弱。

（4）音色。音色是由发音体的质地、形状、振动方式、发音方法及泛音多少、强弱等因素决定的。

音的以上四种性质，是音乐表现中非常重要的因素，尤其是音的高低和音的长短。

三、音符、唱名与音名

1. 音符

用来记录乐音的长短、高低的符号，叫做音符。音符用 **1、2、3、4、5、6、7** 七个阿拉伯数字来标记。

2. 唱名

唱歌时用的 do（哆）、re（来）、mi（咪）、fa（发）、sol（梭）、la（拉）、si（西）就是唱名。

3. 音名

对固定高度的音所定的名称，叫做音名。音名用 C、D、E、F、G、A、B 七个英文字母来标记。

级数:	Ⅰ	Ⅱ	Ⅲ	Ⅳ	Ⅴ	Ⅵ	Ⅶ
简谱:	**1**	**2**	**3**	**4**	**5**	**6**	**7**
唱名:	do	re	mi	fa	sol	la	si
音名:	C	D	E	F	G	A	B
功能:	主音	上主音	中音	下属音	属音	下中音	导音

四、音的高低

音的高低犹如数字的大小，数字越大，音越高；数字越小，音越低。如 **2** 比 **1** 大，re 比 do 高；**2** 比 **3**；re 比 mi 低，等等。

1. 音组、音区

（1）音组。音乐中只有七个音是不够的，如想唱得更高或更低些，那就要以 **1 2 3 4 5 6 7** 为一组，循环重复使用这七个音，这样便产生了许多音名、唱名相同而音高不同的音。为了区别音名、唱名相同而音高不同的各音，将乐音体系中的音分成几个组，这就是音的分组。简称音组。

（2）音区。根据音高和音色的特点，将音域划分成的若干部分叫做音区。音区分为：高音区、中音区、低音区。

在这七个音的上方或下方加一个或两个小圆点可以改变音的高低。在音符的上方加一个小圆点，表示高一个八度，称为高音；如再加一个小圆点，即两个小圆点则表示又高一个八度，称为倍高音。记在音符上方的小圆点叫做高音点。

在音符的下方加一个小圆点，表示低一个八度，称为低音；如再加一个小圆点，即两个小圆点，则表示又低一个八度，称为倍低音，记在音符下方的小圆点叫做低音点。

倍高音：	$\ddot{1}$	$\ddot{2}$	$\ddot{3}$	$\ddot{4}$	$\ddot{5}$	$\ddot{6}$	$\ddot{7}$
高　音：	$\dot{1}$	$\dot{2}$	$\dot{3}$	$\dot{4}$	$\dot{5}$	$\dot{6}$	$\dot{7}$
中　音：	1	2	3	4	5	6	7
低　音：	$\underset{\cdot}{1}$	$\underset{\cdot}{2}$	$\underset{\cdot}{3}$	$\underset{\cdot}{4}$	$\underset{\cdot}{5}$	$\underset{\cdot}{6}$	$\underset{\cdot}{7}$
倍低音：	$\underset{\cdot\cdot}{1}$	$\underset{\cdot\cdot}{2}$	$\underset{\cdot\cdot}{3}$	$\underset{\cdot\cdot}{4}$	$\underset{\cdot\cdot}{5}$	$\underset{\cdot\cdot}{6}$	$\underset{\cdot\cdot}{7}$

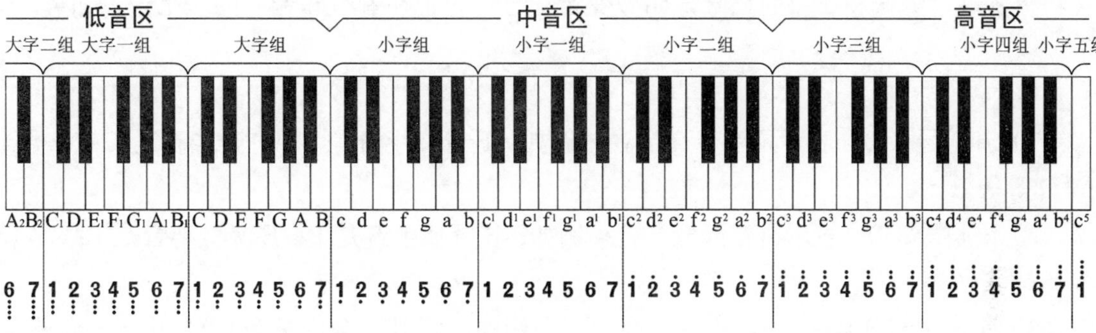

2. 乐音体系与音列

乐音体系是指音乐中所使用的全部乐音的总和。

音列就是乐音体系中的音按照音高顺序，由低到高或由高到低排列起来。

3. 半音与全音

半音是音与音之间的最小距离，用$\frac{1}{2}$来标记。在键盘上，相邻两个键（不分黑键和白键）之间的音高距离为半音；如在吉他上，相邻的两个品位之间的音高距离为半音。一个全音等于两个半音。全音用 1 来标记。在键盘上，相隔一个键（不分黑键和白键）之间的音高距离为全音；如在吉他上，相隔一个品位之间的音高距离为全音。

在音1234567中，除 3 和 4 之间、7 和 $\dot{1}$ 之间是半音外，其他两音之间都是全音。

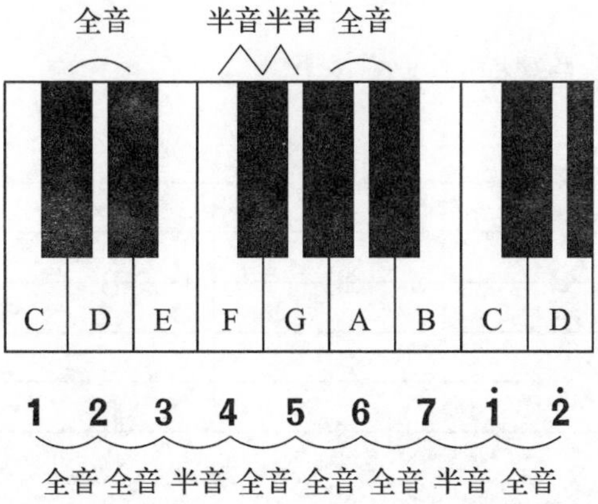

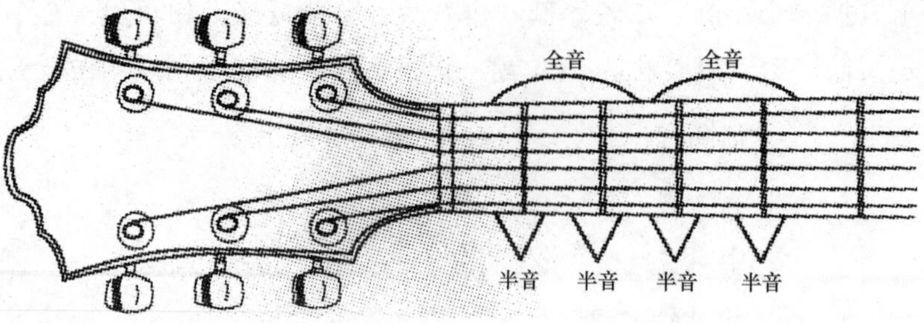

4. 变间记号

将音升高、降低和还原的记号，叫做变音记号，它记在音符和音名的左上方，如♯**4**、♯**6** 或♯F、♯A 等等。

变音记号有五种：

（1）升记号（♯）：表示将音升高半音，例如：F 升高半音是♯F；C 升半音是♯C；G 升半音是♯G 等等。

（2）降记号（♭）：表示将音降低半音。例如：B 降低半音是♭B；E 降低半音是♭E； A 降低半音是♭A 等等。

（3）重升记号（𝄪）：表示将音升高全音。例如：F 升高全音是𝄪F；G 升高全音是𝄪G 等等。

（4）重降记号(♭♭)：表示将音降低全音。例如 F 降低全音是♭♭F；B 降低全音是♭♭B 等等。

（5）还原记号(♮)：表示将已经升高或降低（包括重升、重降）的音还原。例如：♯G 还原后是 G；♭♭B 还原后是 B；♯F 还原后是 F 等等。

将变音记号的正确运用概括如下：

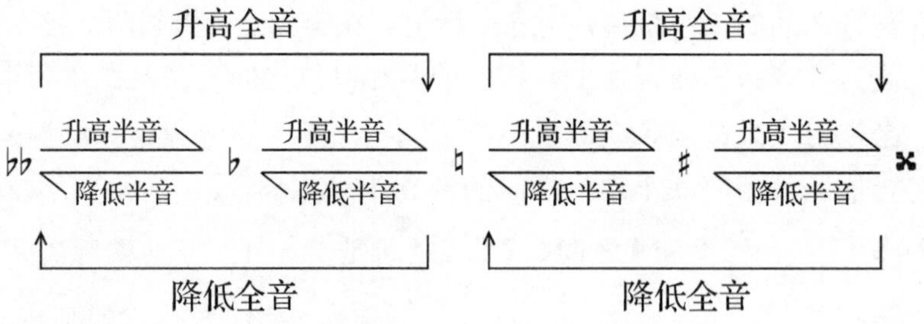

在吉他指板上，变化音是这样的：

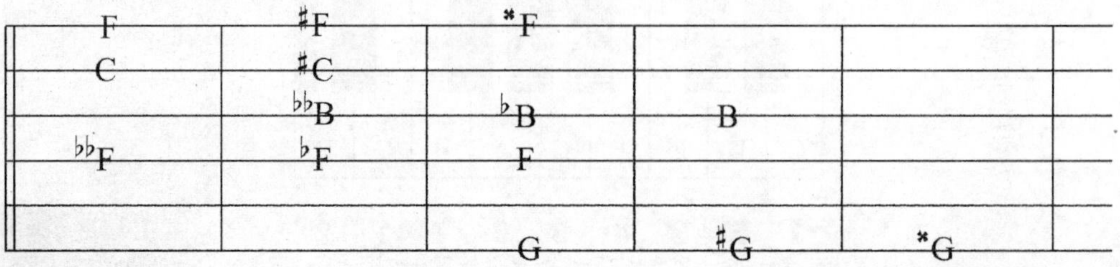

注意：临时变音记号通常对此记号后一小节内相同高度的音起作用，但对跨小节相邻的、加延音域的同高度的音也有效。

5. 等音

音高相同，记法和意义不同的音叫做等音。例如：♯C=♭D、♯F=♭G、𝄪F=G、♭♭B=A 等。

除♯G 和♭A 各有一个等音外，其他每个音都有两个等音。

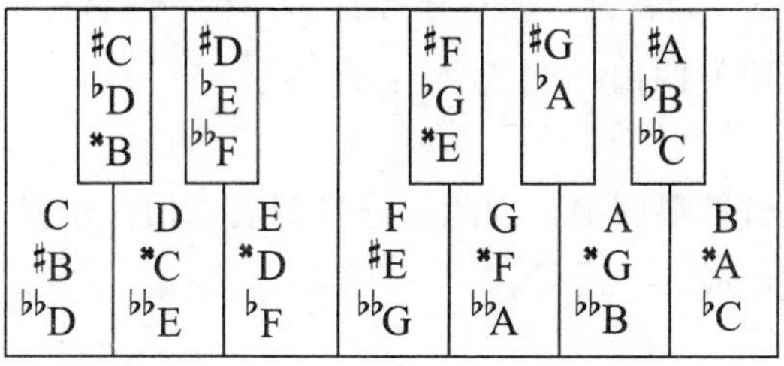

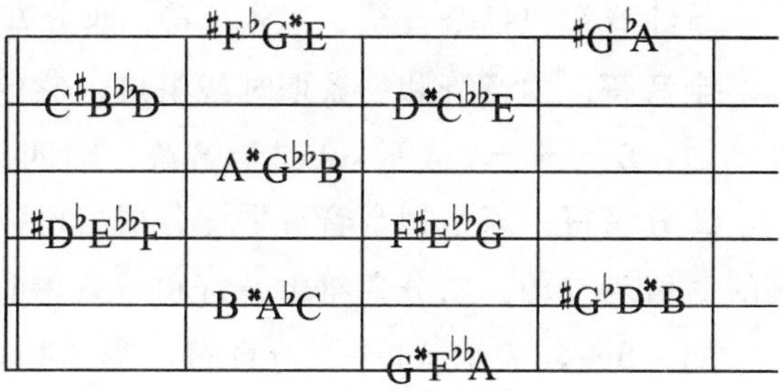

五、节奏

节奏的声音就像钟表的“嘀哒”声、心脏的跳动声，它的快慢、强弱是很均匀有序的。在音乐进行中，这些有规律的快慢、强弱和长短的交替就形成了音乐中的节奏。

节奏是音乐的骨架，是构成音乐的重要要素之一。因此学习音乐掌握好节奏，而掌握好节奏首先要学会打拍子。

如何打拍子呢？首先伸出右手，在空中均匀地划一个对号“ V ”，一下一上为一拍。注意连续打拍子时，每拍的速度是相同的，避免时快时慢地打拍子。也可以用脚打拍子，先把脚抬起，落下去再抬起是一拍。熟练后，则在心里默数即可。

六、时值

演唱或演奏时，每个音发声或停顿的长度就叫做时值，也就是说，音的时值就是音的长度，即唱几拍。

时值用几分音符或几分休止符来记录，它是用“拍”来计算的，当我们说到音符或体止符的时值时，就是在说此音符或休止符唱奏几拍。

如：**5** 的时值是一拍、**5 –** 的时值是两拍。

第二节　记谱符号

一、音符与休止符

音符就是在乐谱中记录音的高低、长短的符号。音符由阿拉伯数字、增时线、减时线等符号组成。音符分单纯音符和附点音符两种。

增时线：表示增加音符的时值，一条增时线的时值为一拍，依次类推。

减时线：表示减少音符的时值，一条减时线减少该音符时值的一半，依次类推。

休止符是用来表示休止的符号。通俗地说，休止符就是表示音乐中的声音暂时停止，但节奏仍在进行的一种符号。休止符由阿拉伯数字中的零（**0**）、减时线等符号组成。休止符后没有增时线。

休止符分为单纯休止符和附点休止符两种。

1. 单纯音符与单纯休止符

（1）单纯音符

单纯音符包括全音符、二分音符、四分音符、八分音符、十六分音符、三十二分音符等。

全音符：由音符和三条增时线组成，它的时值为四拍。

如：**5 - - -**，表示 sol 是全音符，唱四拍。

二分音符：就是把全音符平均分成二份，全音符唱四拍，因此二分音符唱二拍，也就是它的时值为二拍。二分音符由音符和一条增时线组成。

如：**5 -**，表示 sol 是二分音符，唱二拍。

四分音符：是把全音符平均分成四份，每一份唱一拍，因此四分音符唱一拍，也就是它的时值为一拍。四分音符只有一个音符构成。

如：**5**，表示 sol 是四分音符，唱一拍。

八分音符：是把全音符平均分成八份，每份唱$\frac{1}{2}$拍，因此八分音符唱$\frac{1}{2}$拍，即半拍，也就是它的时值为$\frac{1}{2}$拍。八分音符由音符和一条减时线构成。

如：$\underline{\mathbf{5}}$，表示 sol 是八分音符，唱$\frac{1}{2}$拍。

十六分音符：是把全音符平均分成十六份，每份唱$\frac{1}{4}$拍，由一个音符和两条减时线构成，它的时值为$\frac{1}{4}$拍。

如：$\underline{\underline{\mathbf{5}}}$，表示 sol 是十六分音符，唱$\frac{1}{4}$拍。

三十分音符：是把全音符平均分成三十二份，每份唱$\frac{1}{8}$拍，由一个音符和三条减时线构成，它的时值为$\frac{1}{8}$拍。

如：$\underline{\underline{\underline{\mathbf{5}}}}$，表示 sol 是三十二分音符，唱$\frac{1}{8}$拍。

常用单纯音符的名称、形状、时值如下：（以 5 为例）

名　称	形　状	时　值
全 音 符	5 - - -	4 拍
二分音符	5 -	2 拍
四分音符	5	1 拍
八分音符	$\underline{5}$	$\frac{1}{2}$ 拍
十六分音符	$\underline{\underline{5}}$	$\frac{1}{4}$ 拍
三十二分音符	$\underline{\underline{\underline{5}}}$	$\frac{1}{8}$ 拍

（2）单纯休止符

单纯休止符与单纯音符相对应，也分全休止符、二分休止符、四分休止符、八分休止符、十六分休止符、三十二分休止符等，其时值与相对应的音符时值也相同，只是音符是唱奏出来的，而休止符则是休止的、无声的。

常用音符与休止符名称、形状、时值对照如下页：（以 5 为例）

音符名称	形　状	休止符名称	形　状	时　值
全　音　符	**5 – – –**	全休止符	**0 0 0 0**	4拍
二分音符	**5 –**	二分休止符	**0 0**	2拍
四分音符	**5**	四分休止符	**0**	1拍
八分音符	$\underline{5}$	八分休止符	$\underline{0}$	$\frac{1}{2}$拍
十六分音符	$\underline{\underline{5}}$	十六分休止符	$\underline{\underline{0}}$	$\frac{1}{4}$拍
三十二分音符	$\underline{\underline{\underline{5}}}$	三十二分休止符	$\underline{\underline{\underline{0}}}$	$\frac{1}{8}$拍

休止符与音符的主要区别是：休止符是音乐中无声的节奏进行，音符则是音乐中有声的进行，但它们相对应的几分音符或几分休止符所进行的时值是相同的。例如，四分音符与四分休止符它们的时值都是 1 拍，四分音符是唱奏 1 拍，四分休止符则是无声地打 1 拍（打拍子）。

2. 附点音符与附点休止符

（1）附点音符

在音符的右下方加一个或两个小圆点，这个小圆点叫附点。而带有附点的音符叫做附点音符。

附点的作用是增加前面音符时值的一半（$\frac{1}{2}$）。

例：附点四分音符（**5.**）中，四分音符唱一拍，附点则是增加四分音符的一半，也就是附点唱半拍，因此附点四分音符共唱一拍半，即$1\frac{1}{2}$拍。

附点音符的时值 ＝ 音符的时值 ＋ 附点的时值。

附点音符与音符相对应，也分为附点全音符、附点二分音符、附点四分音符、附点八分音符等，只是附点全音符和附点二分音符直接用音符和增时线来标记。

例：附点二分音符记为 **5 – –**。

常用附点音符的名称、形状、时值如下：（以 5 为例）

名　称	形　状	时　值
附点全音符	**5 – – – – –**	6 拍
附点二分音符	**5 – –**	3 拍
附点四分音符	**5.**	$1\frac{1}{2}$拍
附点八分音符	$\underline{5}.$	$\frac{3}{4}$拍
附点十六分音符	$\underline{\underline{5}}.$	$\frac{3}{8}$拍

（2）附点休止符

带有附点的休止符叫做附点休止符。

附点休止符与附点音符相对应，也分为附点全休止符、附点二分休止符、附点四分休止符、附点八分休止符等，只是附点全休止符和附点二分休止符直接用休止符（**0**）来标记。如附点二分休止符标记为 **0 0 0**。

附点休止符与相对应的附点音符的时值是相同的，只是一个是把附点加在音符后面唱出来，另一个是加在休止符的后面无声的休止而已。

附点休止符的时值 = 休止符的时值 + 附点的时值。

常用附点音符与附点休止符的名称、形状、时值对照如下：（以 5 为例）

附点音符名称	形　状	附点休止符名称	形　状	时　值
附点全音符	5 - - - - -	附点全休止符	0 0 0 0 0 0	6 拍
附点二分音符	5 - -	附点二分休止符	0 0 0	3 拍
附点四分音符	5·	附点四分休止符	0·	$1\frac{1}{2}$ 拍
附点八分音符	$\underline{5}\cdot$	附点八分休止符	$\underline{0}\cdot$	$\frac{3}{4}$ 拍
附点十六分音符	$\underline{\underline{5}}\cdot$	附点十六分休止符	$\underline{\underline{0}}\cdot$	$\frac{3}{8}$ 拍

3. 复附点音符与复附点休止符

（1）复附点音符

在音符的右下方，带有两个小圆点（附点）的音符，叫做复附点音符。

由附点的作用可推出，第一个附点是增加前面音符时值的一半（$\frac{1}{2}$），第二个附点就是增加第一个附点时值的一半（$\frac{1}{2}$），两个附点共增加前面音符时值的 $\frac{3}{4}$。

复附点音符的时值 = 音符的时值 + 第一个附点的时值 + 第二个附点的时值
或复附点音符的时值 = 音符的时值 + 此音符时值的 $\frac{3}{4}$

例如：在四分音符 **5** 的右下方加两个小圆点（**5..**）,即复附点四分音符,四分音符唱一拍,第一个附点唱 $\frac{1}{2}$ 拍(前面音符时值的一半),第二个附点唱 $\frac{1}{4}$ 拍(第一个附点时值的一半),因此,复附点四分音符唱 $1\frac{3}{4}$ 拍。

复附点音符与音符相对应的也分为复附点全音符、复附点二分音符、复附点四分音符、复附点八分音符等，只是复附点全音符的时值直接用音符和增时线来标记。

例：复附点全音符应标记为 **5 - - - - - - -**。

常用复附点音符的名称、形状、时值如下：（以 5 为例）

名　称	形　状	时　值	等　于
复附点全音符	5 - - - - - -	7 拍	5 - - - 5 - 5
复附点二分音符	5 - - 5	$3\frac{1}{2}$ 拍	5 - 5 5
复附点四分音符	5..	$1\frac{3}{4}$ 拍	5 5 5
复附点八分音符	5..	$\frac{7}{8}$ 拍	5 5 5

（2）复附点休止符

在休止符右下方，带有两个小圆点（附点）的休止符，叫做复附点休止符。

复附点休止符的时值与复附点时值的算法相同，即第一个附点增加前面休止符时值的一半（$\frac{1}{2}$），第二个附点增加第一个附点时值的一半（$\frac{1}{2}$），两个附点共增加前面休止符时值的$\frac{3}{4}$。

复附点休止符的时值 = 休止符的时值 + 第一个附点的时值 + 第二个附点的时值或复附点休止符的时值 = 休止符的时符 + 此休止符时值的$\frac{3}{4}$

常用复附点音符与复附点休止符名称、形状、时值对照如下（以5为例）：

复附点音符名称	形　状	复附点休止符名称	形　状	时　值
复附点全音符	5 - - - - - -	复附点全休止符	0000000	7 拍
复附点二分音符	5 - - 5	复附点二分休止符	0 0 0 0	$3\frac{1}{2}$ 拍
复附点四分音符	5..	复附点四分休止符	0..	$1\frac{3}{4}$ 拍
复附点八分音符	5..	复附点八分休止符	0..	$\frac{7}{8}$ 拍

二、常用记号

1. 连音线（⌒）

用弧线"⌒"标记，表示要将连线所连接的两个或更多的音，连贯地唱奏出来，当连音线连接在音高相同的两个或两个以上的音时，则表示它们要唱成一个音，其时值为这几个音符时值的总和。

例：

1=C $\frac{2}{4}$

6 - | 6 - | 6. 1 2 3 1 2 | 2 2 3 1 6 5 1 | 6 6. |

6 - | 6. 2 1 6 6 | 5. 6 5 4 1 4 | 2 2. | 2 - ‖

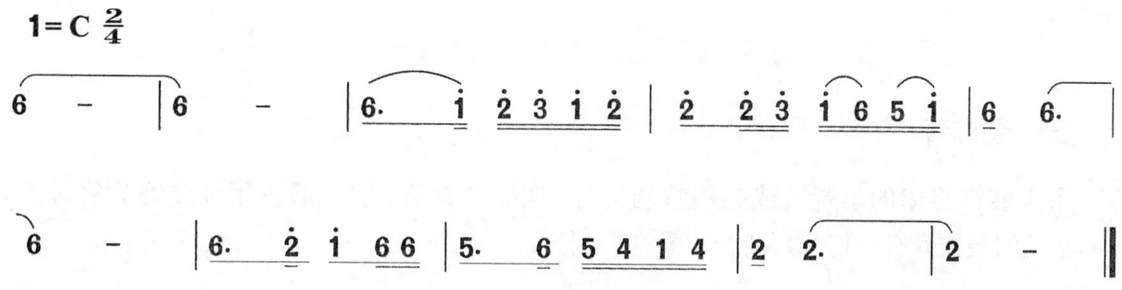

本例中，第一小节与第二小节的**6**唱成一个音，时值为四拍；第三小节的**6. $\dot{1}$**表示唱的连贯些。

2. 延音记号（𝄐）

延音记号用弧线加一个圆点“𝄐”标记，它记在音符或休止符的上方，表示此音符或休止符要延长，一般延长此音符或休止符时值的一倍；当记在小节线上时，则表示小节之间休止片刻；当记在复纵线或终止线上时，则表示乐曲告一段落或结束。

3. 呼吸记号（V）

顾名思义，呼吸记号就是到此处要换口气，弹奏时，此处则不要连贯。呼吸记号标记为“ V ”。

4. 反复记号

(1) 记法： A | B :‖ C | D ‖

奏法： A | B | A | B | C | D ‖

(2) 记法： A | B ‖: C :‖ D ‖

奏法： A | B | C | C | D ‖

(3) 记法： A | B |[1.] C :‖[2.] D ‖

奏法： A | B | C | A | B | D ‖

(4) 记法： A | B ‖(Fine) C | D ‖(D.C.)

奏法： A | B | C | D | A | B ‖

(5) 记法： A | B ‖𝄋 C ‖(Fine) D ‖(D.S.)

奏法： A | B | C | D | C ‖

(6) 记法： A ‖𝄋 B ‖𝄌 C ‖𝄌(D.S.) D ‖(Fine)

奏法： A | B | C | B | D ‖

三、装饰音

用来装饰旋律的小音符或某些特别记号，叫做装饰音，它一般占用被装饰音的时值。常见的装饰音有：倚音、波音、颤音、回音。

1. 倚音

记在主要音前、后的小音符，叫做倚音。倚音分为：前倚音和后倚音。

（1）前倚音：倚附在主要音的左上角的小音符，叫做前倚音。

例：

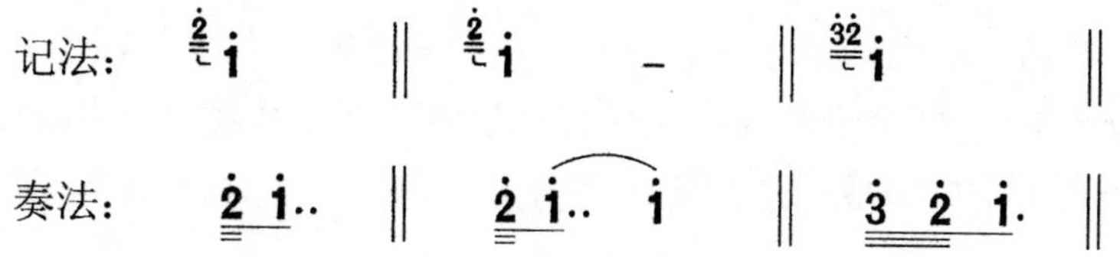

（2）后倚音：倚附在主要音的右上角的小音符，叫做后倚音。

例：

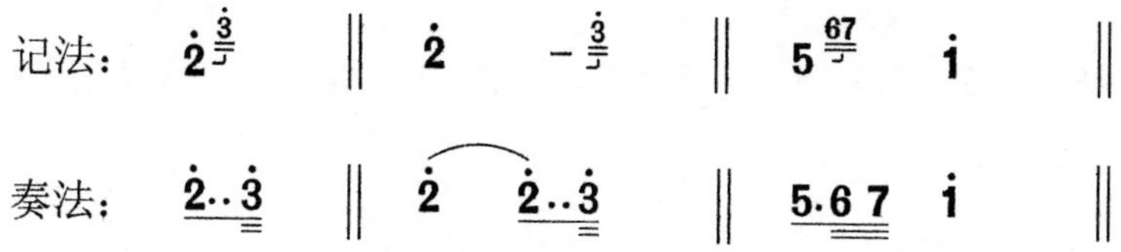

2. 波音

在主要音上方或下方加入的辅助音并迅速交替，叫做波音。波音记号标在音符的正上方。波音有：顺波音、复顺波音、逆波音、复逆波音。

（1）顺波音（𝆗）：先弹主要音，后弹上方音，再回到主要音。

（2）复顺波音（𝆗𝆗）：反复顺波音。

（3）逆波音（𝆘）：先弹主要音，后弹下方音，再回到主要音。

（4）复逆波音（𝆘𝆘）：反复逆波音。

例：

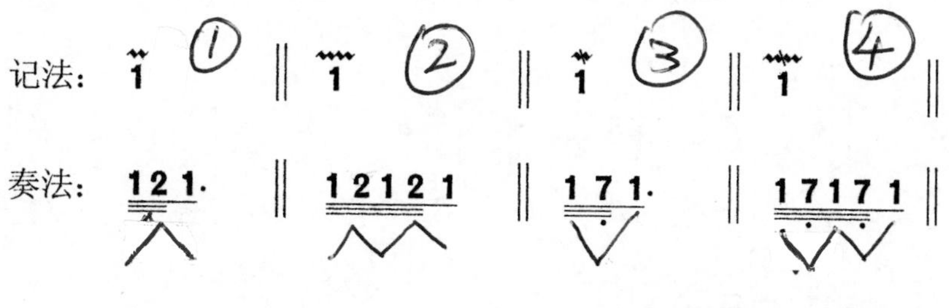

3. 颤音

颤音是由主要音与上方二度音迅速、均匀、反复交替而形成。颤音记号记在音符的正上方。在颤音记号上方标有变音记号时，表示将上方音相应地升高、降低或还原。

例：

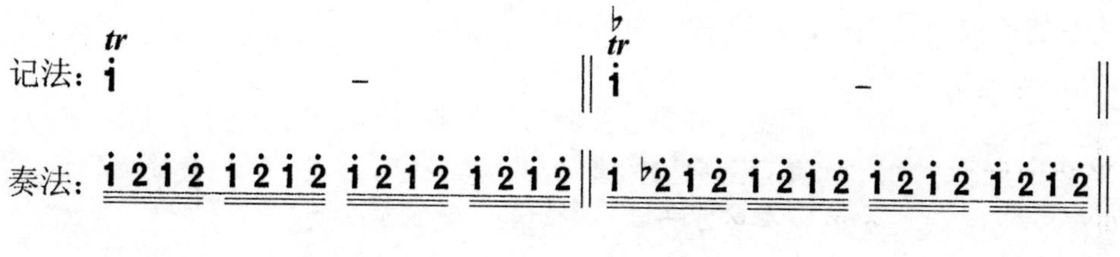

4. 回音

围绕主要音上、下二度形成的四个音或五个音的旋律型，叫做回音。回音符号记在音符正上方或两个音符之音。

回音分为：顺回音和逆回音。

（1）顺回音（∾）：由四个音组成的顺回音，是由上方音开始，到主要音，再到下方音，然后回到主要音；由五个音组成的顺回音，是由主要音开始，其余与四个音的顺回音相同。

（2）逆回音(∾)：由四个音组成的逆回音，是由下方音开始，到主要音，再到上方音，然后回到主要音；由五个音组成的逆回音，是由主要音开始，其余与四个音的逆回音相同。

例：

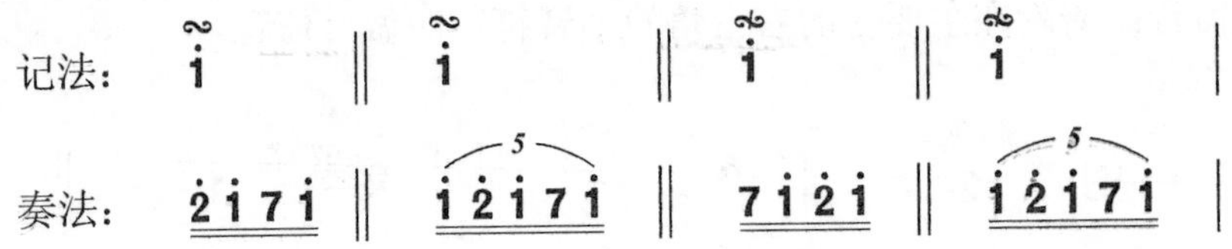

第三节　节奏与节拍

一、小节、小节线、复纵线与终止线

1. 小节：两条相邻的竖线之间的部分，称为小节。
2. 小节线：划分小节的竖线叫做小节线。
3. 复纵线：在乐曲中用以划分段落的、由两条细竖线构成的线，叫做复纵线。
4. 终止线：记在乐曲结束处的、一细一粗的两条平行竖线，叫做终止线。用以表示全曲的终止。

例：

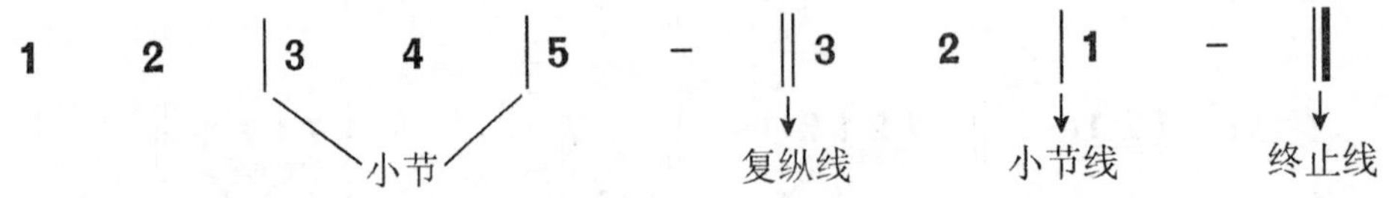

二、节拍、拍子与拍号

1. 节拍

乐曲中强（重音）弱（非重音）音有规律的反复，叫做节拍。节拍是用强弱关系来组织音乐的，节拍中的每个单位，叫做单位拍。

有重音的单位叫做强拍，非重音的单位叫做弱拍。

强弱　强弱　强弱弱　强弱弱

●○　●○　●○○　●○○

（●表示强、○表示弱、◐表示次弱）

注意：小节中的第一拍通常为强拍，若再有强拍则为次强拍。

2. 拍子

在音乐中，将单位拍用固定的音符（如二分音符、四分音符、八分音符）来代表，叫做拍子。如可以以二分音符为一拍，也可以以四分音符为一拍，或以八分音符为一拍等。拍子是用分数来标记的。

3. 拍号

表示拍子的记号叫做拍号。如 $\frac{2}{4}$、$\frac{3}{4}$、$\frac{4}{4}$ 等。

拍号用分数形式标记，分子（横线上方的数字）表示每小节的单位拍数，分母（横线下方的数字）表示单位拍的音符时值。如 $\frac{4}{4}$ 拍子表示以四分音符为一拍，每小节有四拍；$\frac{3}{4}$ 拍子表示以四分音符为一拍，每小节有三拍。

读拍号时应由下往上读，只读数字。如 $\frac{2}{4}$ 拍子，读作四二拍子，而不应读成数学中的分数：四分之二拍。

现将旋律、节奏、节拍、拍子之间的关系并列如下：

旋律：　　11 3 2.321 1.　　53 | 33 3 2.321 1　 —　‖

节奏：　　X X X X.XXX X.　　XX | X X X X.XXX X　 —　‖

节拍（四拍）：●　○　◐　○　| ●　○　◐　○　‖

拍子（$\frac{4}{4}$）：X　X　X　X　| X　X　X　X　‖

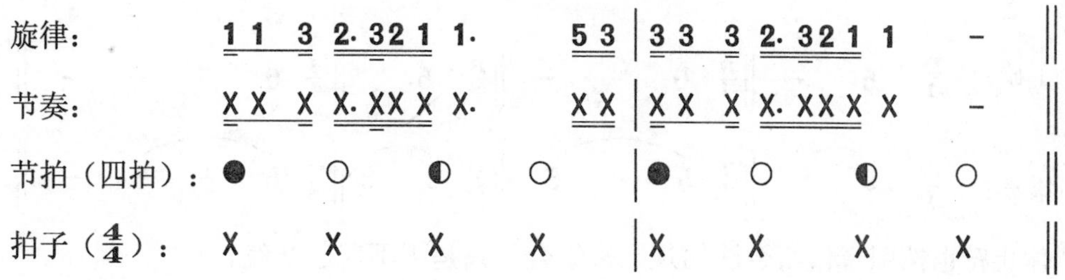

三、音值组合法

将时值不同的音符，按照拍子的结构特点进行组合的记谱方法，叫做音值组合法。

使用音值组合法可以便于读谱和辨认各种节奏型。

音值组合法的几种情况：

1. 单位拍一般要用共同的减时线连成音群，单位拍之间要分开，因此有几个单位拍就有几个音群。

例：

正确：$\frac{2}{4}$　5 5　5 5 | 5555 5555 | 5 55 5 55 ‖

错误：$\frac{2}{4}$　5 5　5 5 | 5555 5555 | 5 55 5 55 ‖

正确：$\frac{3}{4}$　5 5 5 5 5 | 5　5 5 5 5 | 5 555 555 ‖

错误：$\frac{3}{4}$　5 5 5 5 5 | 5　5 5 5 5 | 5 555 555 ‖

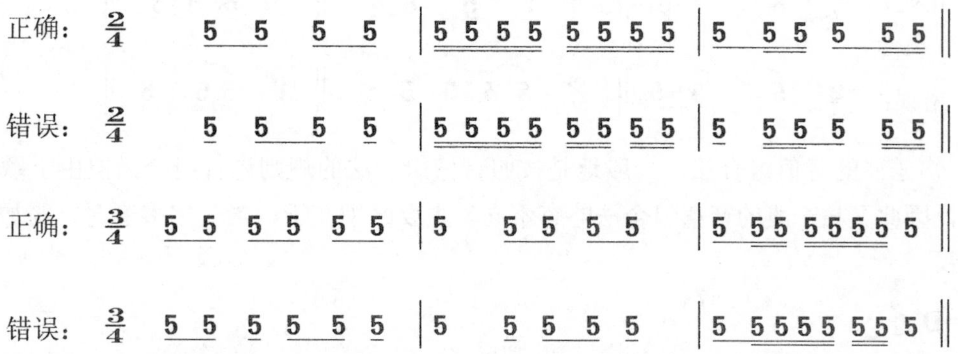

2. 在节奏划分比较繁琐的情况下，每一个主要的音群可以再分成两个或四个相等的附属的音群，第一条减时线可以不分开。

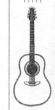

例：

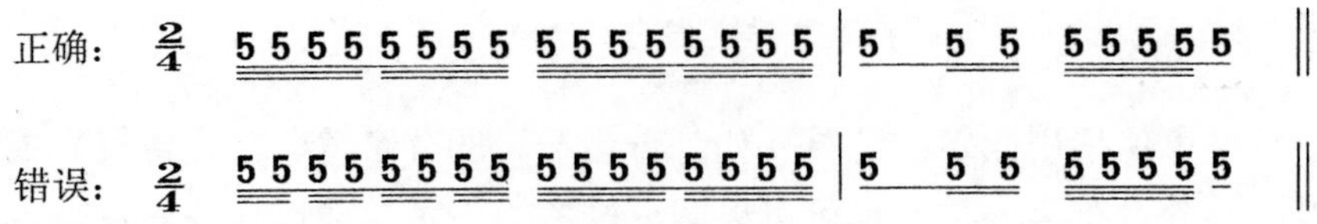

3．以八分音符或十六分音符为单位拍时，应把小节内所有的单位拍用共同的减时线连接在一起，第二、第三条减时线再按单位拍分开。

例：

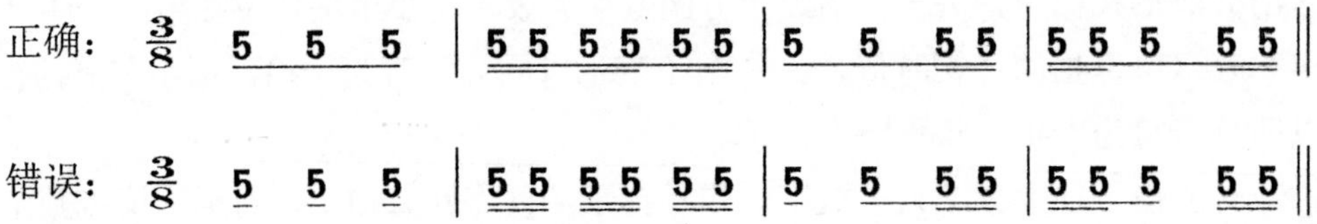

4．占整小节的时值时，用一个音符来标记。

例：

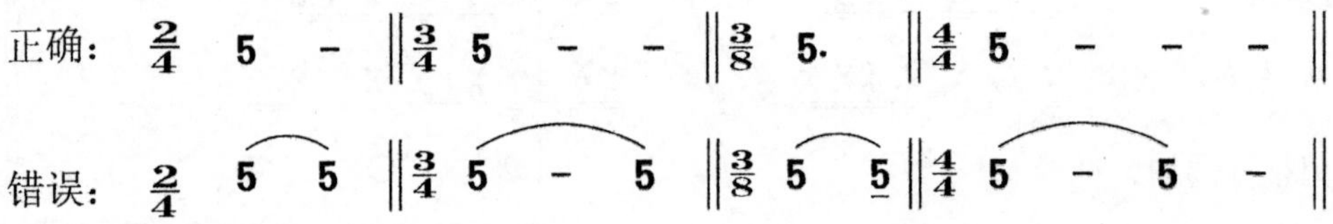

5．休止符也按照音值组合法的规则来组合，只是用不着连音线。

例：

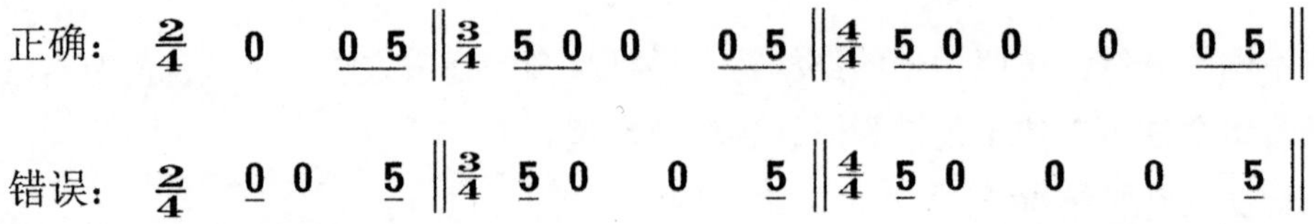

6．附点音符无须按单位拍分开。

例：

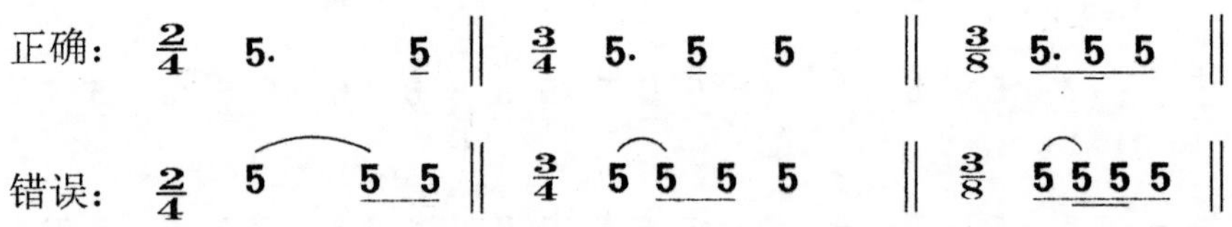

7．声乐曲的音值组合法，一般地是按照音值组合法的规则进行组合，但由于歌曲中带有歌词，因此又与一般的音值组合法略有不同。主要区别在于，当一字多音时，需加连线。

例：

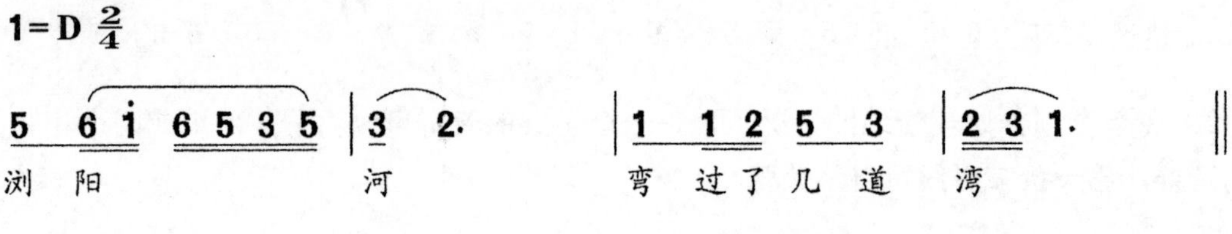

四、连音符

在音乐中，将音符的时值用自由均分来代替音符的基本划分（一分为二），叫做连音符。连音符记在音符的上方，用弧线和数字来标记。

常见连音符有：（以 5 为例）

1. 三连音

三连音就是将音均分为三部分来代替两部分，其时值为两部分的时值。

例：

$$\overset{3}{5\ 5\ 5} = 5\ 5 = 5 \ -\ \| \overset{3}{\underline{5\ 5\ 5}} = \underline{5\ 5} = 5\ \| \overset{3}{\underline{\underline{5\ 5\ 5}}} = \underline{\underline{5\ 5}} = \underline{5}$$

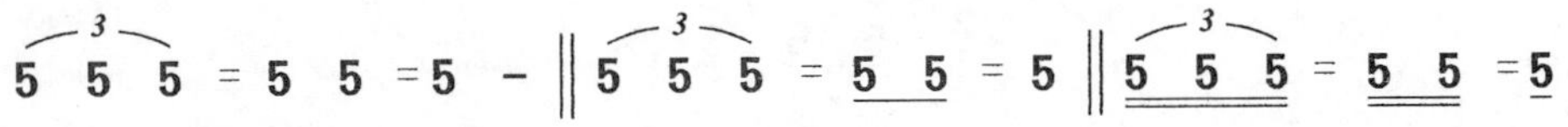

2. 五连音、六连音、七连音

将音符均分为五部分、六部分、七部分来代替四部分，叫做五连音、六连音、七连音。

例：

$$\overset{5}{5\ 5\ 5\ 5\ 5}、\overset{6}{5\ 5\ 5\ 5\ 5\ 5}、\overset{7}{5\ 5\ 5\ 5\ 5\ 5\ 5} = 5\ 5\ 5\ 5 = 5\ -\ -\ -$$

$$\overset{5}{\underline{5\ 5\ 5\ 5\ 5}}、\overset{6}{\underline{5\ 5\ 5\ 5\ 5\ 5}}、\overset{7}{\underline{5\ 5\ 5\ 5\ 5\ 5\ 5}} = \underline{5\ 5\ 5\ 5} = 5\ -$$

$$\overset{5}{\underline{\underline{5\ 5\ 5\ 5\ 5}}}、\overset{6}{\underline{\underline{5\ 5\ 5\ 5\ 5\ 5}}}、\overset{7}{\underline{\underline{5\ 5\ 5\ 5\ 5\ 5\ 5}}} = \underline{\underline{5\ 5\ 5\ 5}} = 5$$

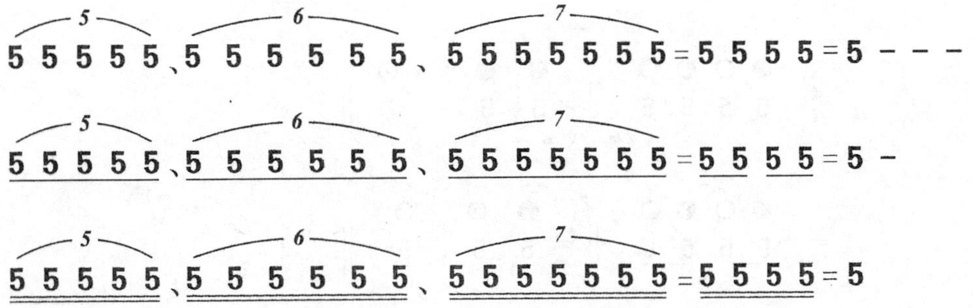

3. 九连音、十连音、十一连音……十五连音

将音符均分为九、十、十一……十五部分来代替八部分，叫做九连音、十连音、十一音……十五连音。

例：

$$\overset{9}{5\ 5\ 5\ 5\ 5\ 5\ 5\ 5\ 5}$$

$$\overset{10}{5\ 5\ 5\ 5\ 5\ 5\ 5\ 5\ 5\ 5} = 5\ 5\ 5\ 5\ 5\ 5\ 5\ 5 = 5\ -\ -\ -$$

$$\overset{11}{5\ 5\ 5\ 5\ 5\ 5\ 5\ 5\ 5\ 5\ 5}$$

$$\overset{9}{\underline{5\ 5\ 5\ 5\ 5\ 5\ 5\ 5\ 5}}$$

$$\overset{10}{\underline{5\ 5\ 5\ 5\ 5\ 5\ 5\ 5\ 5\ 5}} = \underline{5\ 5\ 5\ 5\ 5\ 5\ 5\ 5} = 5\ -$$

$$\overset{11}{\underline{5\ 5\ 5\ 5\ 5\ 5\ 5\ 5\ 5\ 5\ 5}}$$

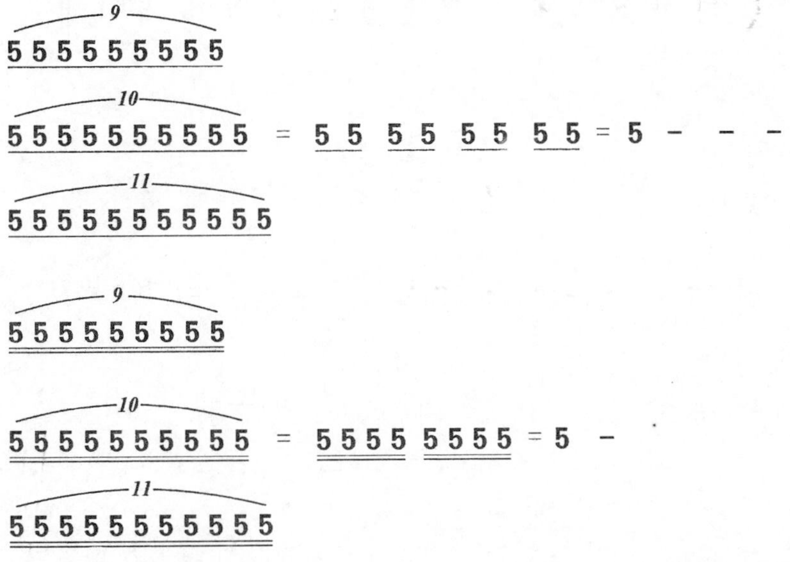

为方便记忆，我们可以记住用三代替二；五、六、七代替四；八以上的代替八。

注意：连音符中可以包含休止符。

五、切分音

切分音就是弱拍或弱位的音，延续到强拍或强位上而变为强音，这个音叫做切分音，含有切分音的节奏，叫做切分节奏。我们通常说切分音是X X X，其实这是切分节奏，切分音应是切分节奏X X X的中间那个音。

那么，什么是强拍、强位、弱拍、弱位呢？

通常小节中第一拍为强拍，第二拍为弱拍；而第一拍（强拍）的前半拍为强位，后半拍为弱位，第二拍（弱拍）的前半拍为弱拍中的强位，后半拍为弱拍中的弱位。

例：

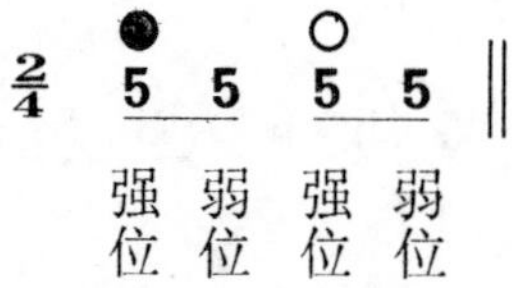

切分音最大的特点就是：改变了原有节奏中的强音位置，在弱拍上产生的强音，因此切分音与节拍重音形成了两个重音。

例：

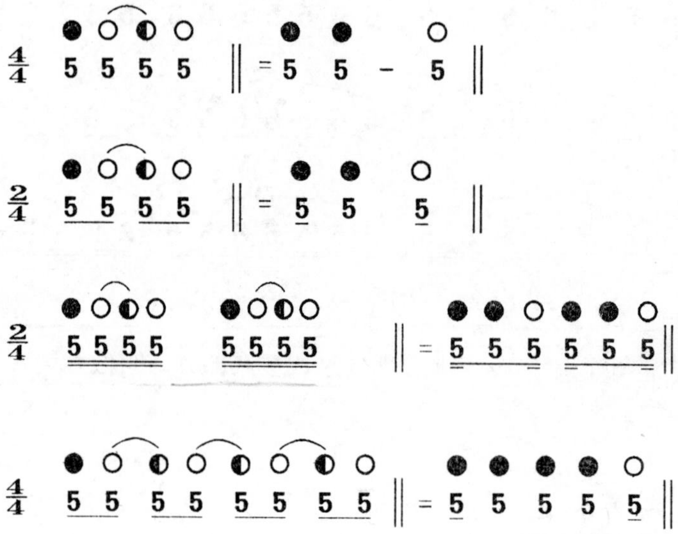

第三章　认识六线谱

第一节　六线谱简介

一、六线谱图解

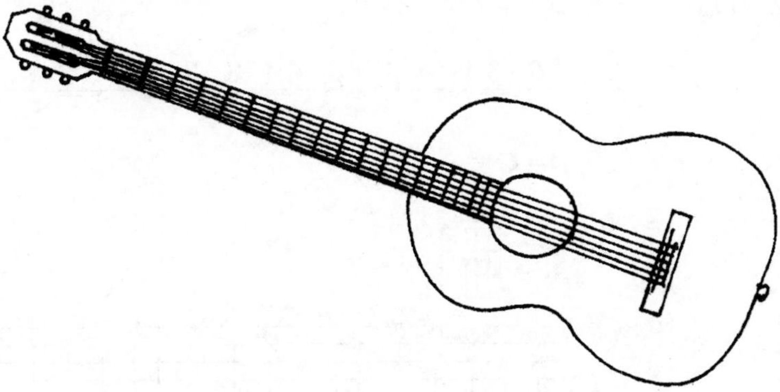

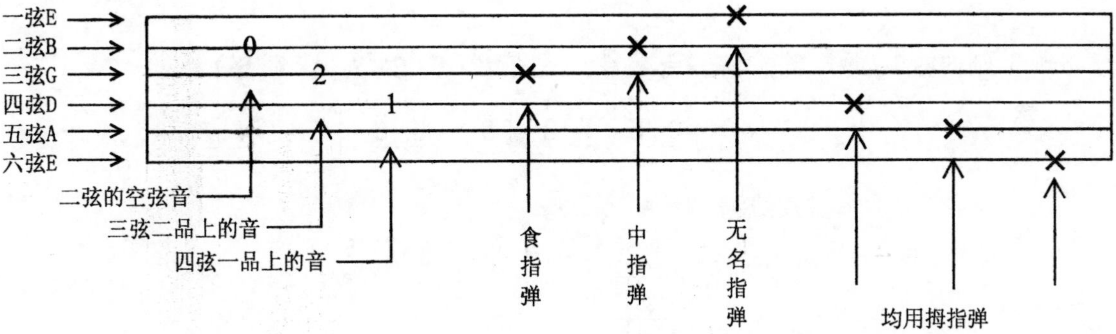

二、六线谱的音符

① “↑ – – –” = 全音符 = “1 – – –”

② “↑ –” = 二分音符 = “1 –”　　③ “↑” = 四分音符 = “1”

④ “♪” = 八分音符 = “$\underline{1}$”　　⑤ “♬” = 十六分音符 = “$\underline{\underline{1}}$”

六线谱的休止符：（与五线谱中的一样）

① “𝄽” = 四分休止符　② “𝄾” = 八分休止符　③ “𝄿” = 十六分休止符

“𝄽” = 简谱的“0”　“𝄾” = 简谱的“$\underline{0}$”　“𝄿” = 简谱的“$\underline{\underline{0}}$”

三、六线谱的记法对照

例 1（《四季歌》） 简　谱 1=C $\frac{2}{4}$

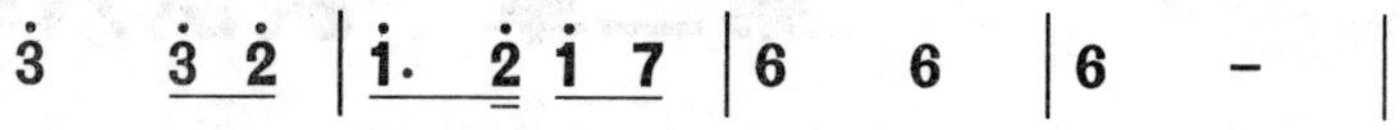

六线谱 1=C $\frac{2}{4}$（空弦音：3 7 5 2 6 3 ）

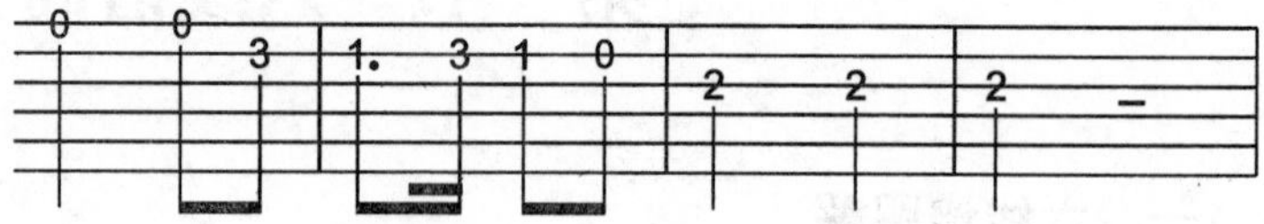

例 2（《草原牧歌》） 简　谱 1=C $\frac{2}{4}$

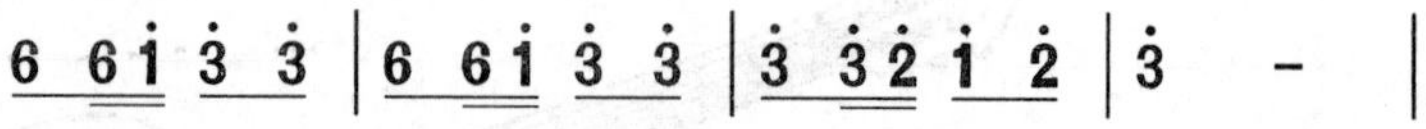

六线谱 1=C $\frac{2}{4}$

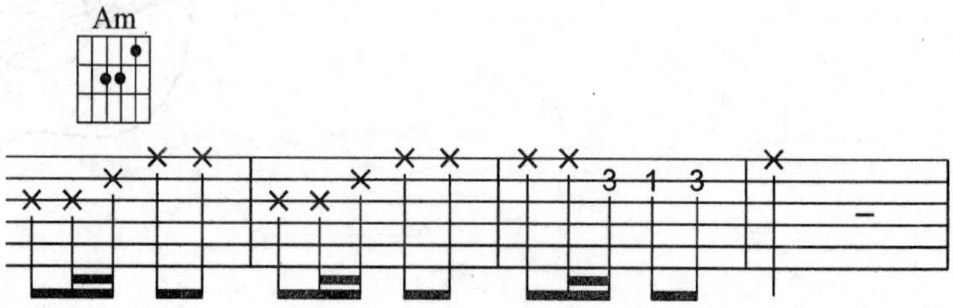

例 3（《西西里岛》） 简　谱 1=A $\frac{2}{4}$（空弦音：5 2 ♭7 4 1 5 ）

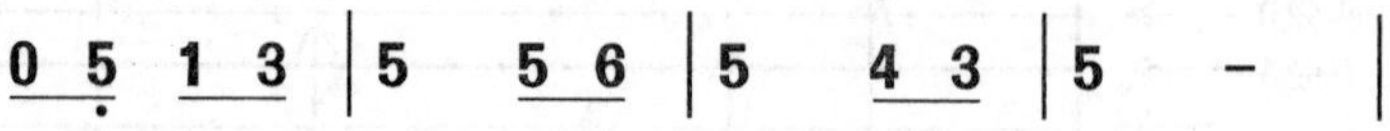

六线谱 1=A $\frac{2}{4}$

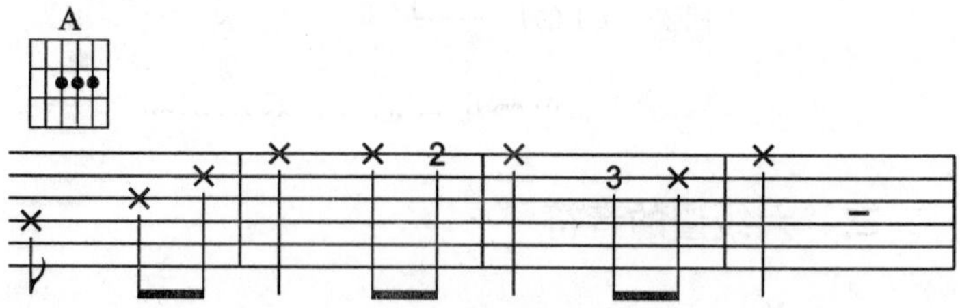

例 4（《风雨兼程》） 简　谱 1=G $\frac{4}{4}$

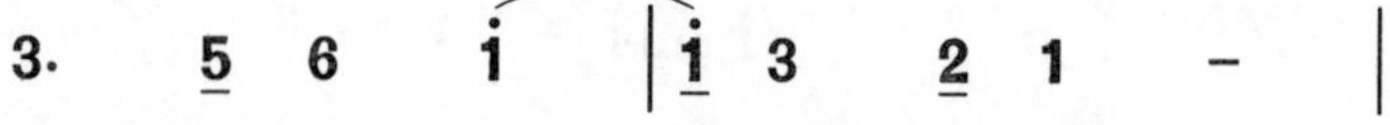

六线谱 1=G $\frac{4}{4}$（空弦音：6 3 1 5 2 6 ）

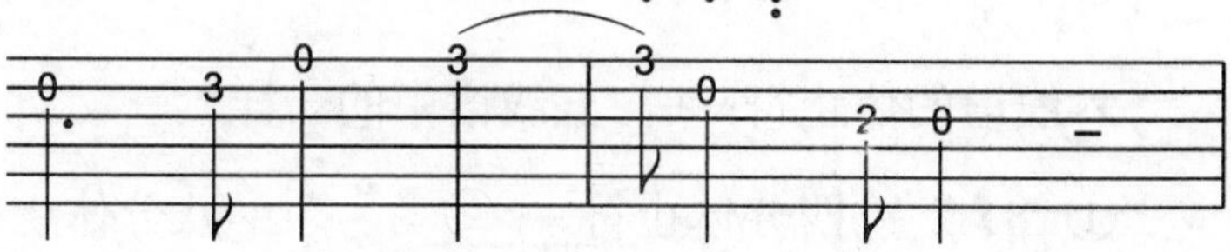

第二节　常用标记简介

一、六线谱各种标记简介说明

1. ①、②、③、④、⑤、⑥表示弦序，从细弦算起。

2. p、i、m、a、ch 分别表示右手的拇指、食指、中指、无名指、小指。

3. 一、二、三、四分别表示左手的食、中、无名、小指。

4. 〈0〉、〈一〉、〈二〉、〈三〉、〈四〉、〈五〉……表示指板上的品位，空弦为零品，自上而下计算。

5. C、D、A、Am、G7、E7……表示和弦标记。

6. “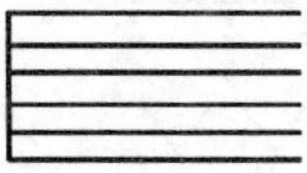”六线谱标记，自上而下分别为吉他的一、二、三、四、五、六弦。

7. “×”表示弹弦，如：“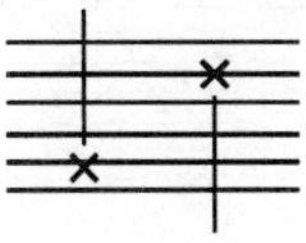”表示先弹五弦，再弹二弦。

8. “↑ ↓”表示扫弦，如“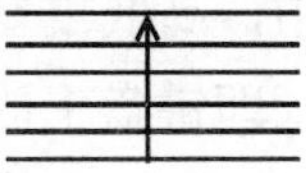”表示向下扫六根弦；“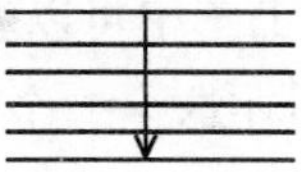”表示向上扫六根弦；“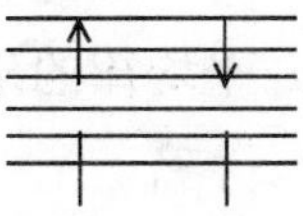”表示先向下扫一、二、三弦，再向上扫一、二、三弦。

9. “.”切音记号（也称止音记号）表示切断声音。

开放和弦（即带有空弦音的和弦），一般用右手的“大鱼际”部位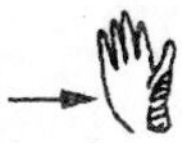或“小鱼际”部位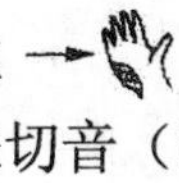来切音，封闭和弦（不带有空弦音的横按和弦）一般用左手的“虚按”方法来切音（即左手按弦时“虚”“实”交替变换）。切音是一种常用的技巧。

10. “o”泛音记号，记在该音上方。如“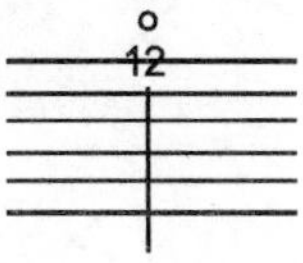

”表示一弦十二品上的泛音。

11. “”琶音记号，表示由低音到高音，顺序奏出各音。如“Am”和弦的琶音：

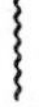

“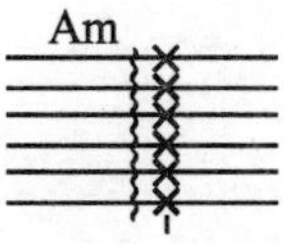

”应奏为“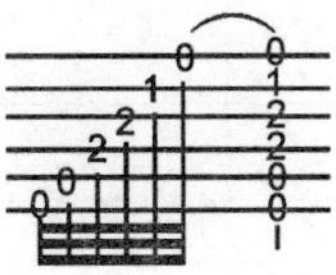

”。

12. "‖:　|　:‖" 小反复记号，表示双线内的部分要反复一次。

13. "D.S" 或 "𝄋"，大反复记号，表示从前面的 "𝄋" 处开始反复。

14. "D.C" 表示从头反复。

15. "D.S" "D.C" "𝄋"，三种记号一般是在小反复号 "‖:　|　:‖" 用过之后，仍需要反复时才用到。

16. "𝄐" 延音记号，表示该音可自由延长。如记在小节线上，则表示该处要休止一下。

17. "P" 勾弦记号。

18. "S" 滑弦记号。

19. "H" 打弦记号。

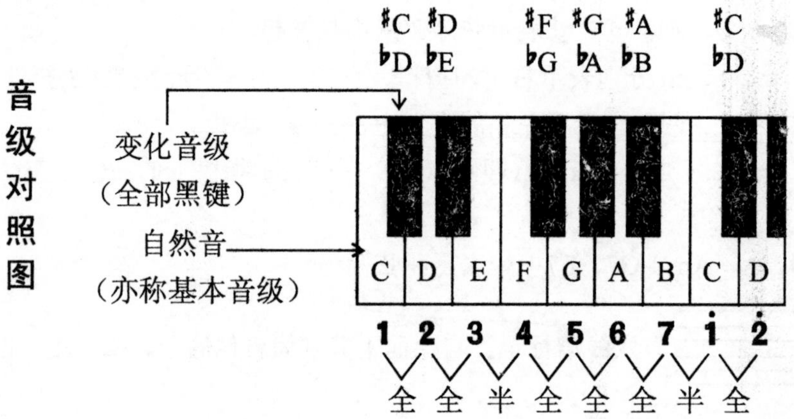

二、音级小说明

从上图中可以看到，在音乐的音级系列中，高低重复出现的共有十二个音（亦称十二平均律），在这十二个音中，有七个是基本音级（即键盘上的白键子），也就是平时所说的 1、2、3、4、5、6、7，其他五个音是变化音级（即键盘上的黑键子），每个黑键有两个名称，如 D 与 E 之间的黑键可以称为升 D，也可以称为降 E。吉他也是十二平均律的乐器，即每升高一个品位就升高半音，了解到这一点，就可以在吉他上找到任何一个音。

第三节　认识和弦图

我们在弹吉他时，标明左手所按位置的示意图称为和弦图。和弦图由六条纵向的平行线、若干条横线、英文字母和数字组成。如右图所示：六条平行的竖线按照从左到右的顺序依次表示吉他的 6 弦、5 弦、4 弦、3 弦、2 弦、1 弦。横格表示吉他的品位。一格为 1 品、二格为 2 品、三格为 3 品，依此类推。图上的英文字母表示该和弦的名称。阿拉伯数字表示用我们左手的哪个手指按弦，“1”为左手食指，“2”为左手中指。“3”为左手无名指，“4”为左手小指。按在哪里。请看下面照片：

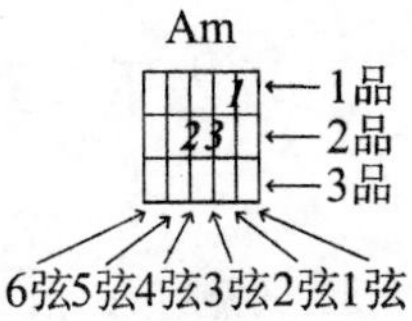

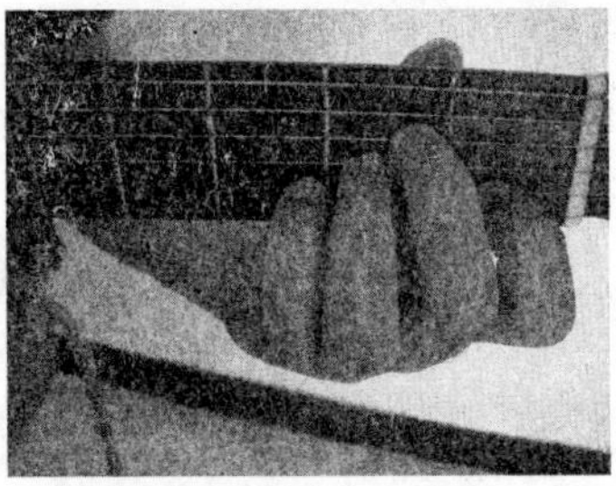

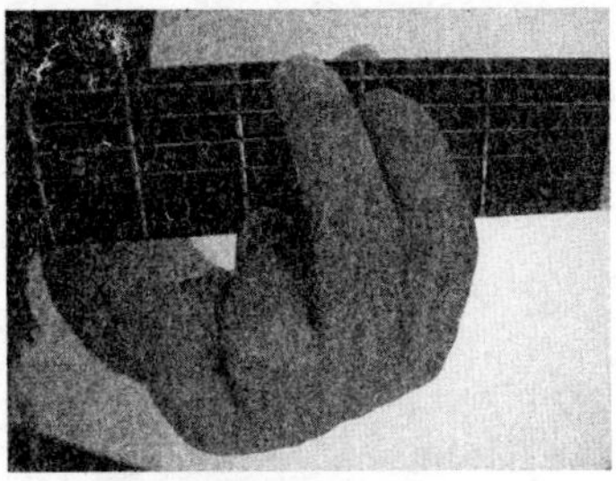

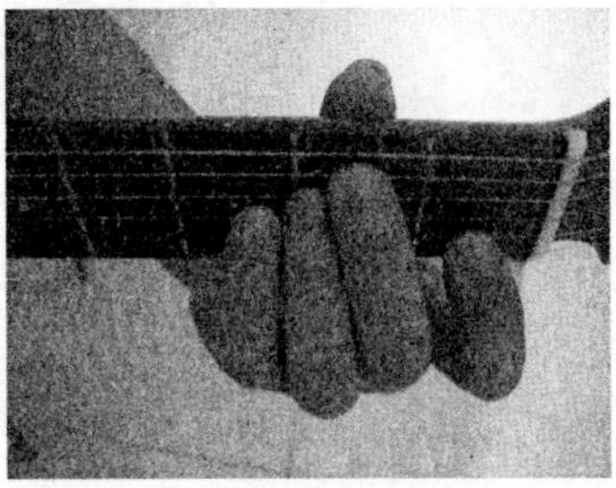

Am 和弦

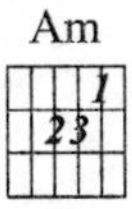

G 和弦

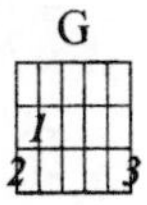

Em 和弦

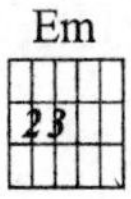

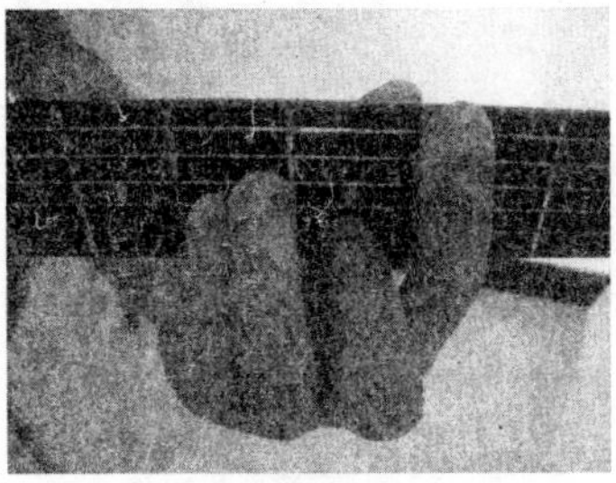

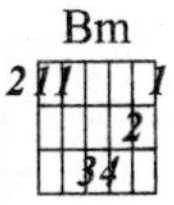

当我们遇到横按和弦时，和弦图的左侧标的阿拉伯数字表示品位，“2”为 2 品，“5”为 5 品，如“Bm”和弦，表示左手食指按在 2 品位置，中指按在 2 弦 3 品位置，无名指按在 4 弦 4 品位置，小指按在 3 弦 4 品位置。如左图所示。

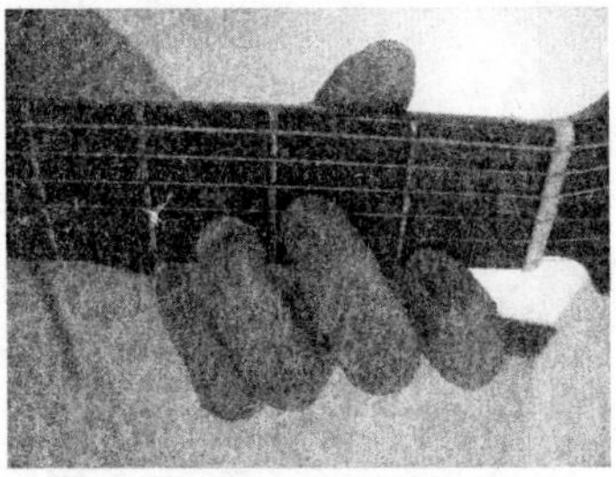

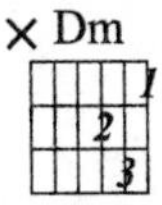

当我们看到和弦图中示有“×”时，表示该弦为和弦外音，弹奏时不要碰到它。如“Dm”和弦。左图所示。

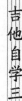

第四节　常用技巧简介

一、左手演奏技巧简介

1．小横按：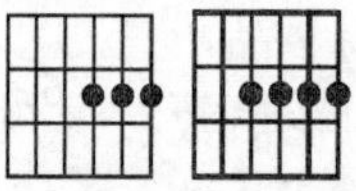一般用左手一指按，有时也用二指，三指很少用，四指不用。

2．大横按：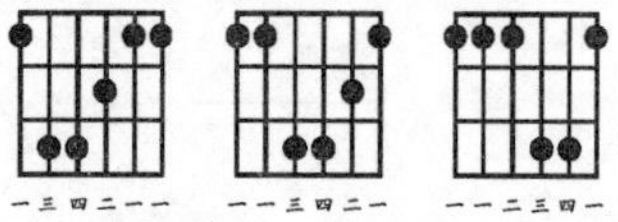大横按的练习要适量，防止左手的“劳损”。

3．揉　弦：① 手指横向运动，产生波音　②压弦：手指按在两品之间，有节律地压弦，产生波音。

4．连　线：“2 3”中音符“2”和“3”上面的那条弧线叫连线，有连线的音，一般只弹第一个音，后面的滑出，或打出，或勾出。

（1）滑出：“2 3”　“3 2”（手指不变）

（2）打出：“2 3”　“1 2”（手指有变化）

（3）勾出：“5 3”　“3 2”（手指有变化）

5．保留指：

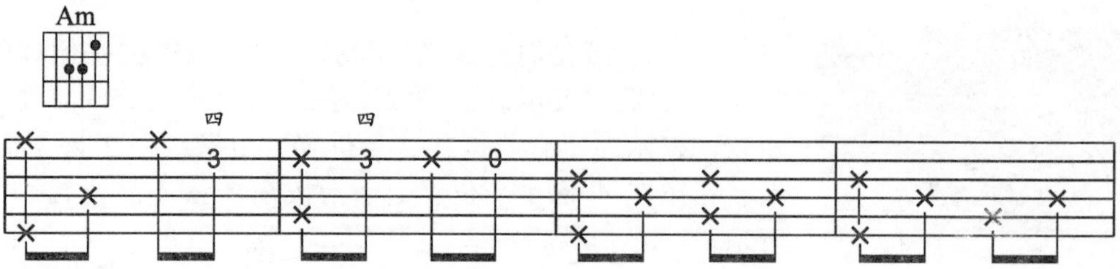

在不影响旋律进行的情况下，暂时不用的手指仍停留在弦上待用，叫做保留指。上例中打“×”的音都可用保留指。

二、右手扫弦技巧简介

右手扫弦记号图解

下页上图中的六条线表示吉他的六根弦，自上而下分别为①、②、③、④、⑤、⑥弦，左为琴头方向，右为琴尾方向；纵箭头“↑↓”画在弦上，表示扫弦时所触到的弦，前者向下，后者向上。曲线纵箭头“↑ ↓”是琶音的记号，表示把声音顺序拨出。请把“标记说明”一章记熟，而后再看图试奏，下面是各种扫弦记号与图示的对照参考图：

1. 用食指向下扫 1、2、3 弦；　2. 用拇指向下扫 4、5、6 弦；
3. 用中指向上扫 1、2、3 弦；　4. 用食指向上扫 4、5、6 弦；
5. 用拇指向下扫六根弦；　6. 用中指向上扫六根弦。

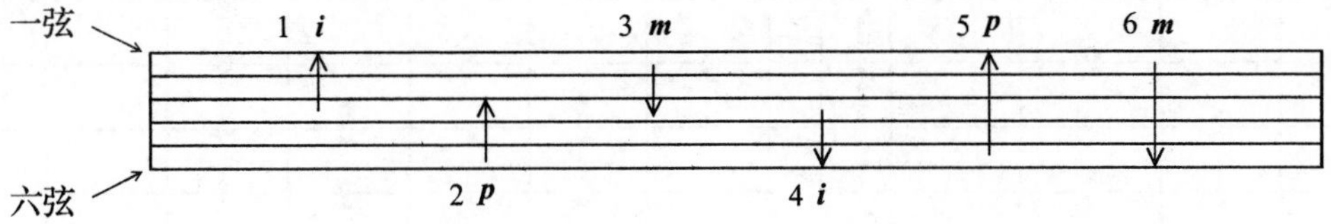

三、右手切音、扫弦技巧简介

右手扫弦或切音时触弦部位

1. 右手其他手指扫弦时的触弦部位
(正反方向均如此)

2. 右手大拇指扫弦时的触弦部位
(正反方向均如此)

3. 右手切音时的两种不同的触弦部位

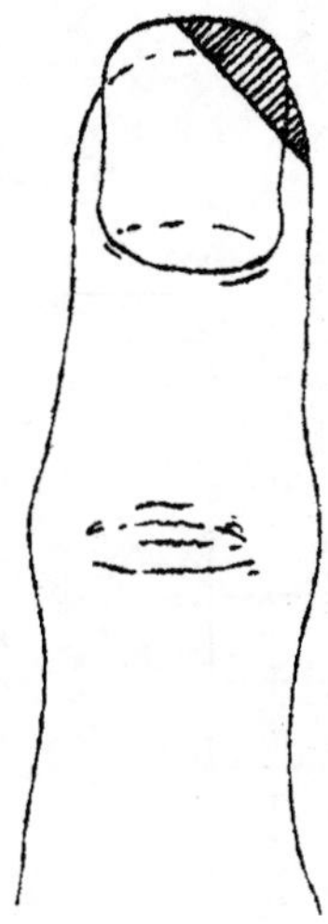

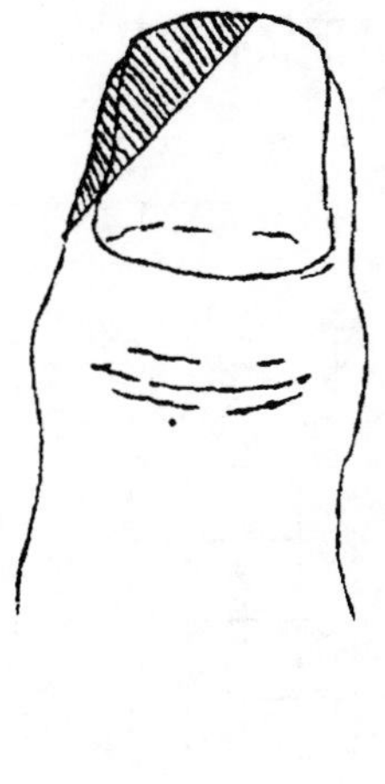

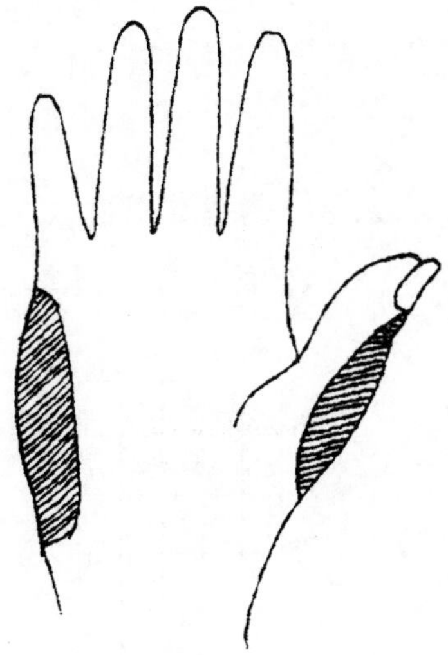

第四章　各调音阶及常用和弦图

一、C调音阶

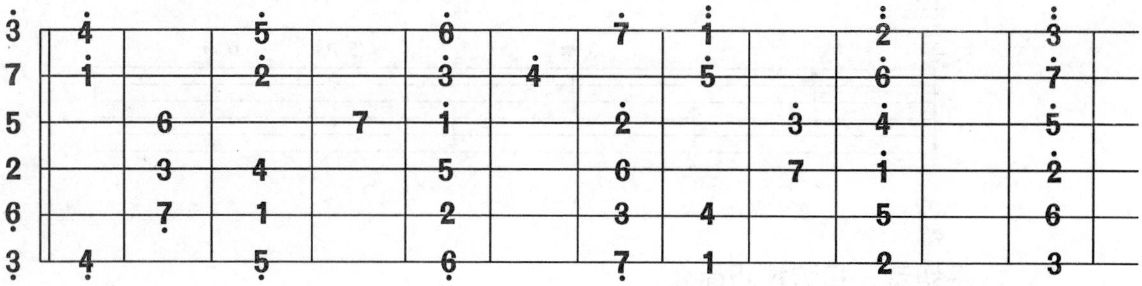

1. C大调基本和弦

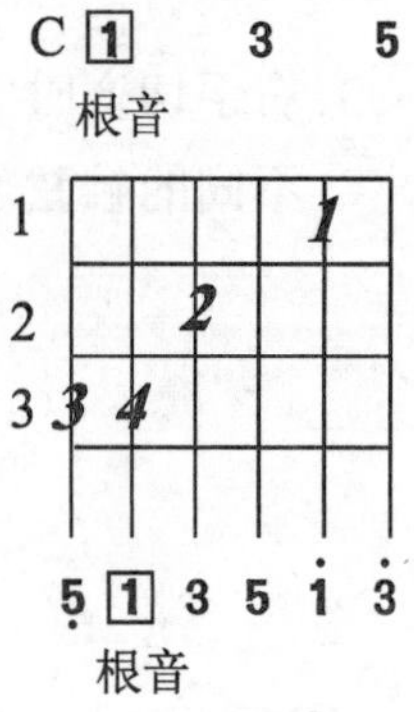

主和弦

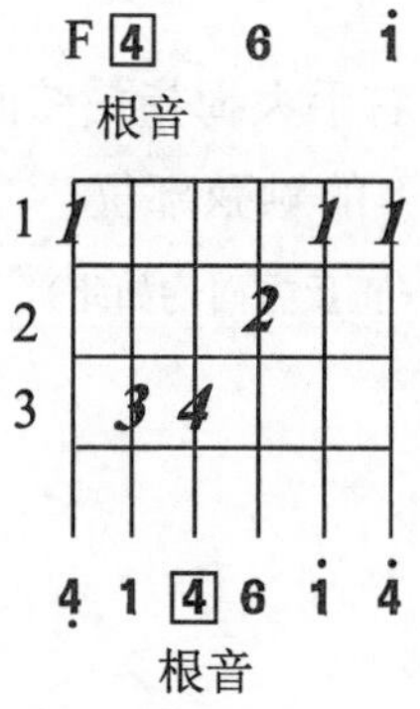

下属和弦

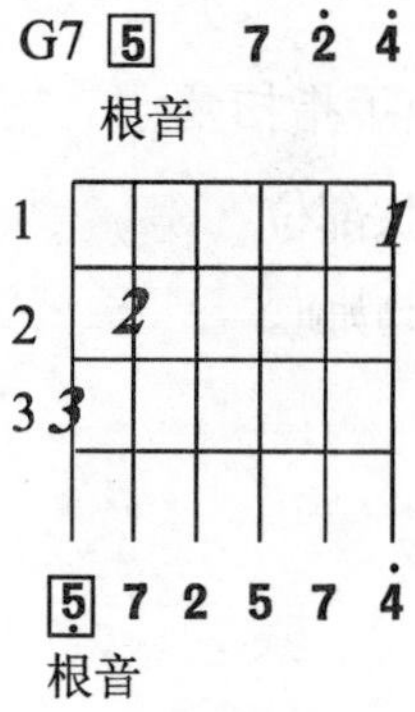

属七和弦

2. a小调基本和弦

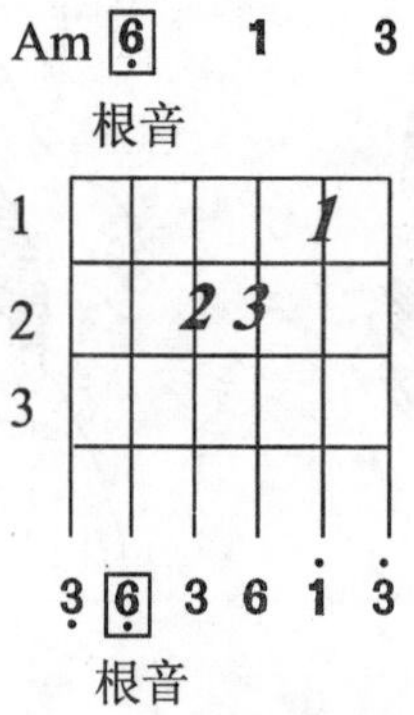

主和弦

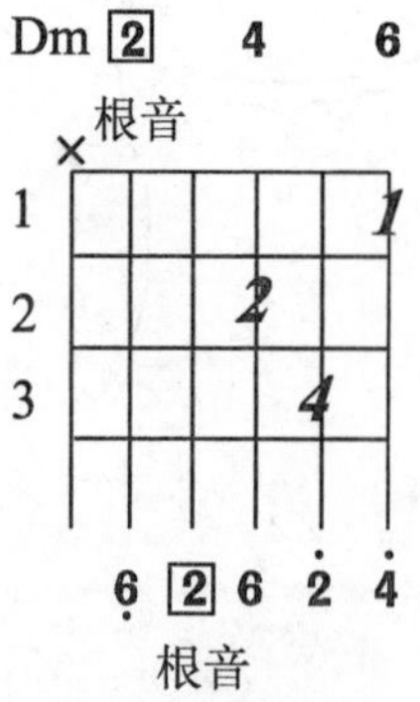

下属和弦

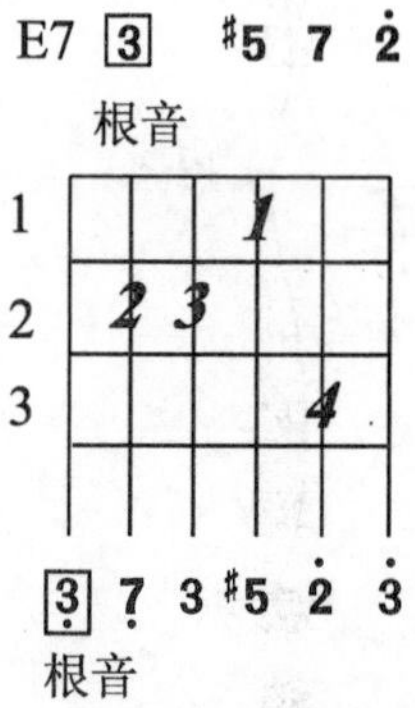

属七和弦

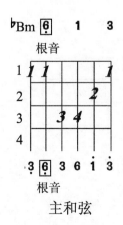

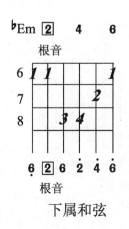

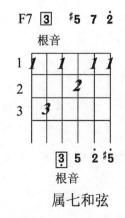

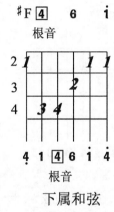

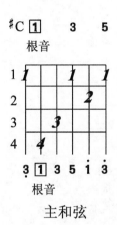

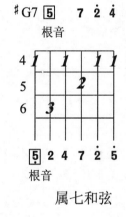

二、♯C调音阶

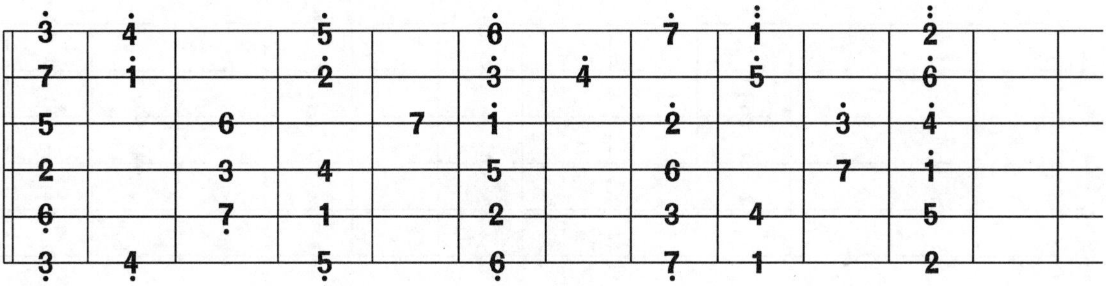

1. ♯C大调基本和弦

♯C 1 3 5
根音

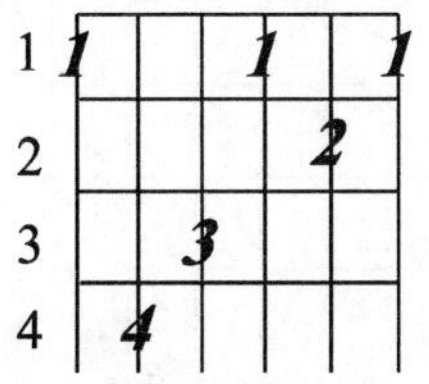

3 1 3 5 1 3
根音
主和弦

♯F 4 6 1
根音

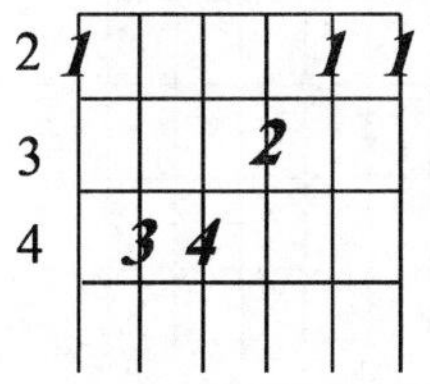

4 1 4 6 1 4
根音
下属和弦

♯G7 5 7 2 4
根音

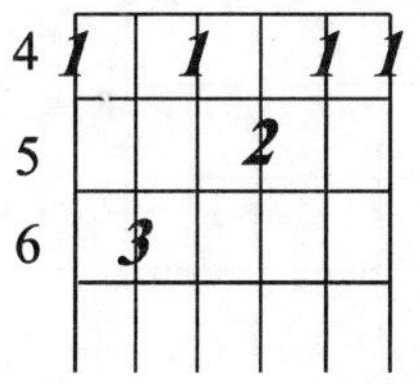

5 2 4 7 2 5
根音
属七和弦

2. ♭b小调基本和弦

♭Bm 6 1 3
根音

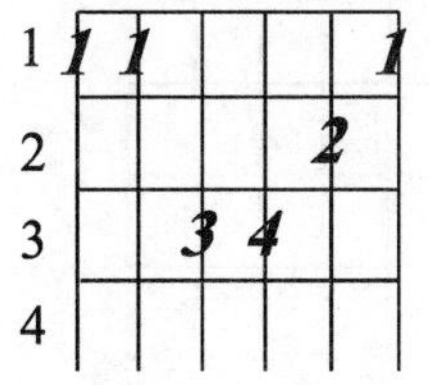

3 6 3 6 1 3
根音
主和弦

♭Em 2 4 6
根音

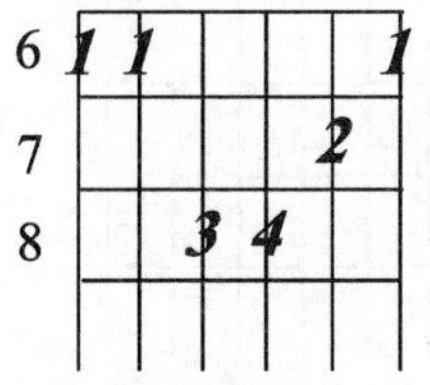

6 2 6 2 4 6
根音
下属和弦

F7 3 ♯5 7 2
根音

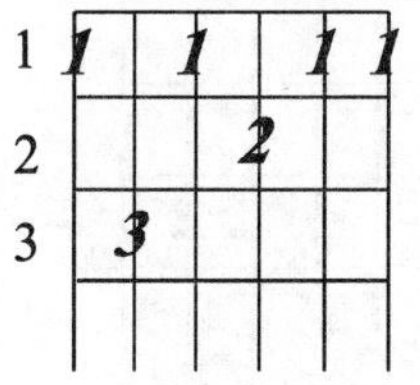

3 5 2 ♯5
根音
属七和弦

三、D调音阶

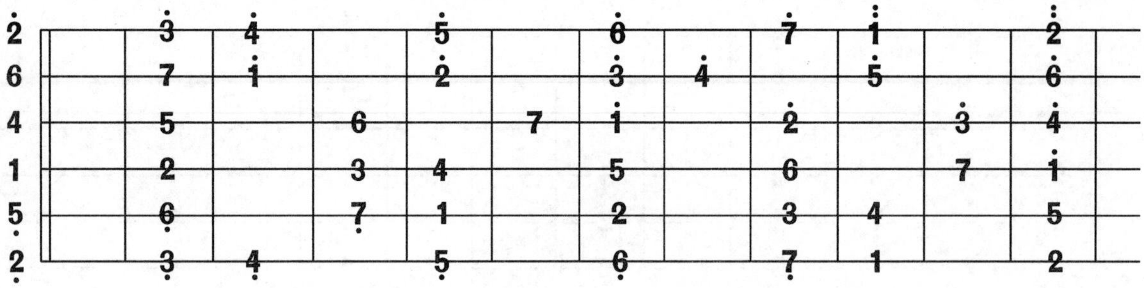

1. D大调基本和弦

D [1] 3 5
根音

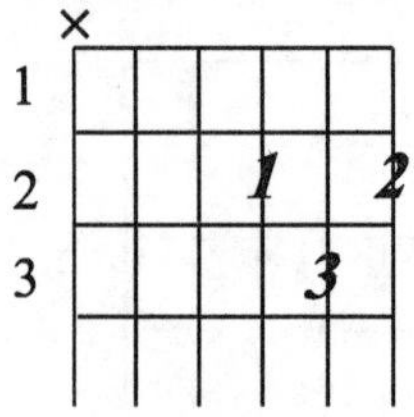

5 [1] 5 1 3
根音

主和弦

G [4] 6 1
根音

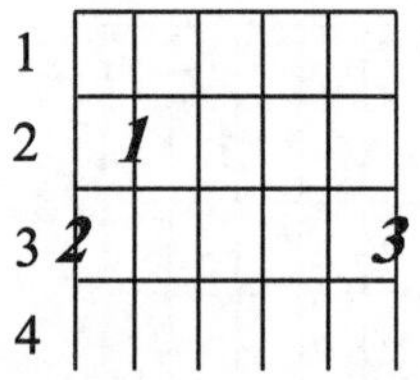

[4] 6 1 4 6 4
根音

下属和弦

A7 [5] 7 2 4
根音

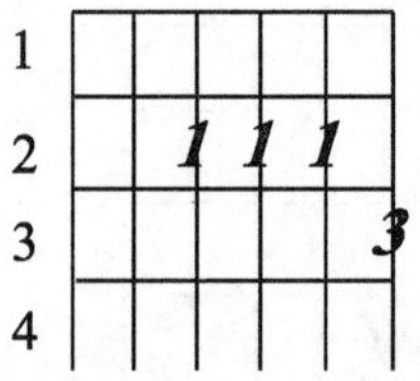

2 [5] 2 5 7 4
根音

属七和弦

2. b小调基本和弦

Bm [6] 1 3
根音

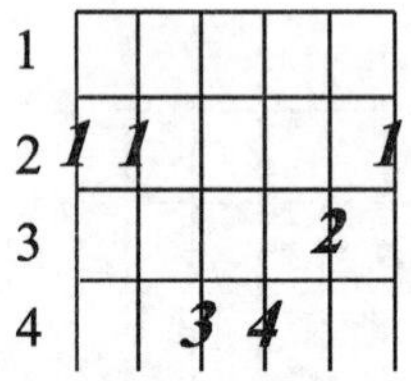

3 [6] 3 6 1 3
根音

主和弦

Em [2] 4 6
根音

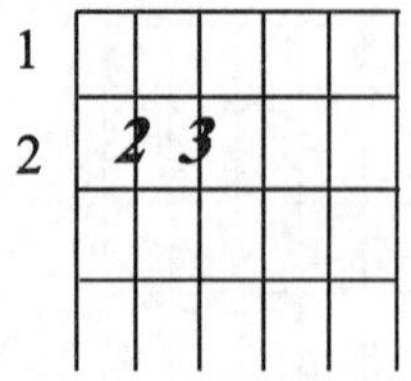

[2] 6 2 4 6 2
根音

下属和弦

#F7 [3] #5 7 2
根音

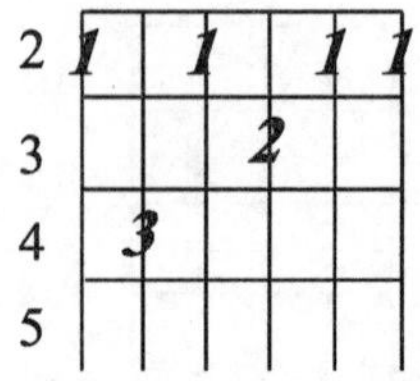

[3] 7 2 #5 7 3
根音

属七和弦

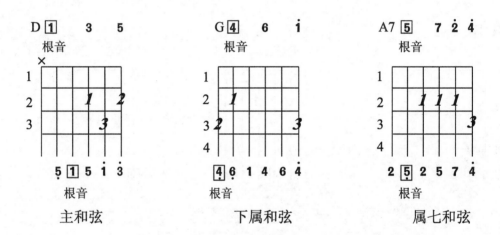

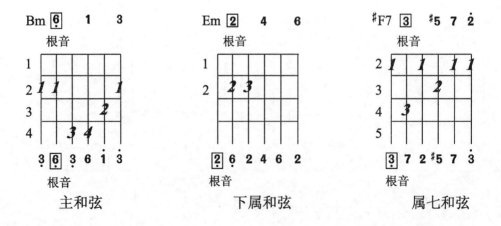

四、♭E调音阶

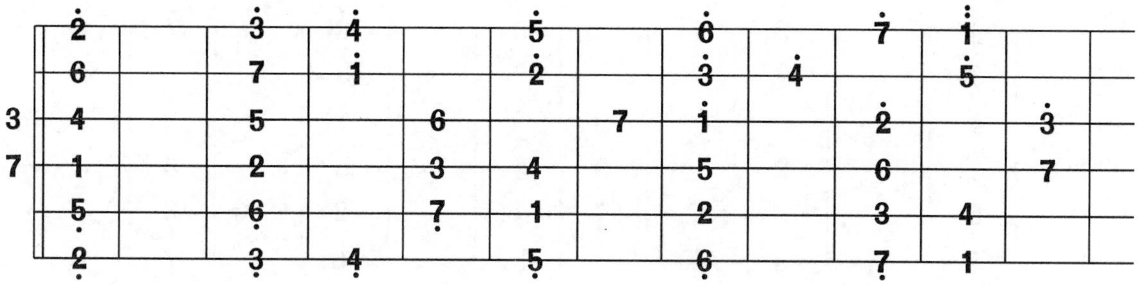

1. ♭E大调基本和弦

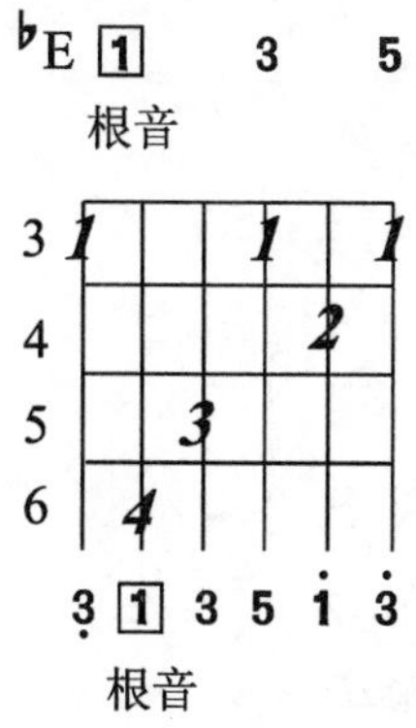

主和弦

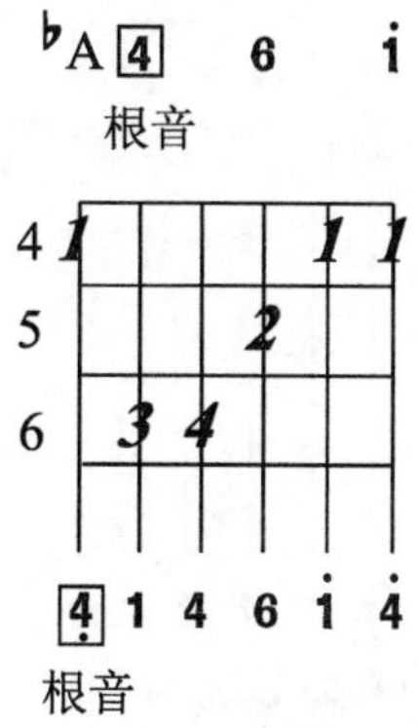

下属和弦

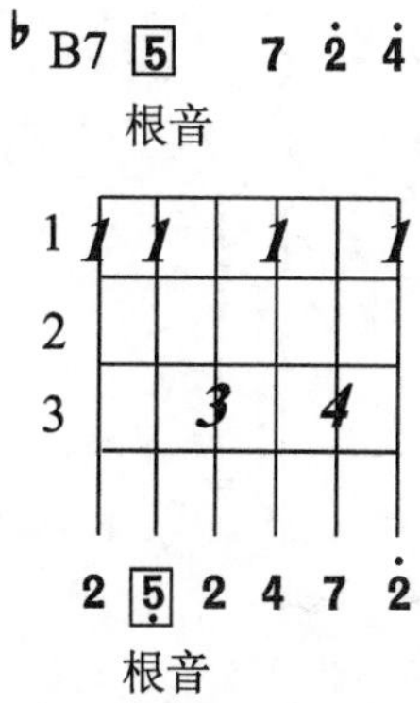

属七和弦

2. C小调基本和弦

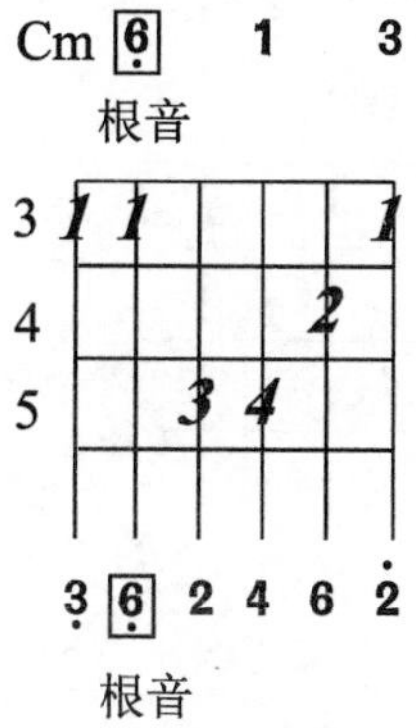

主和弦

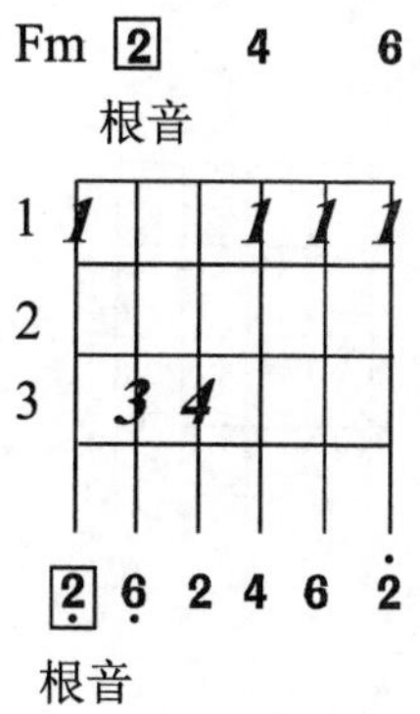

下属和弦

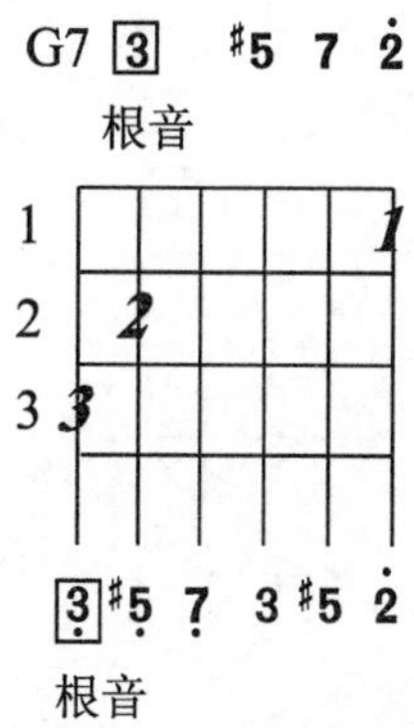

属七和弦

五、E调音阶

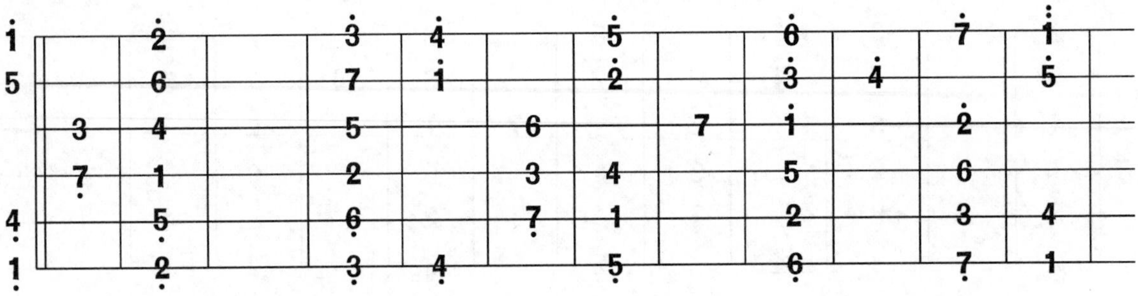

1. E大调基本和弦

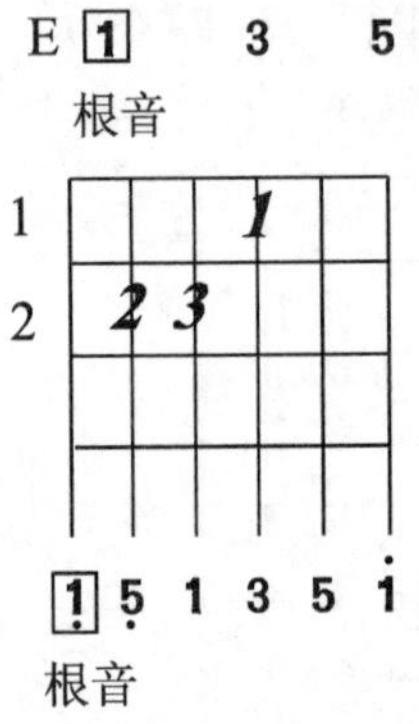

主和弦

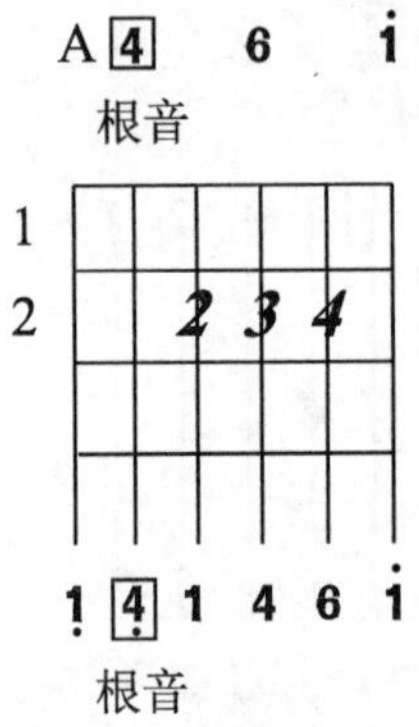

下属和弦

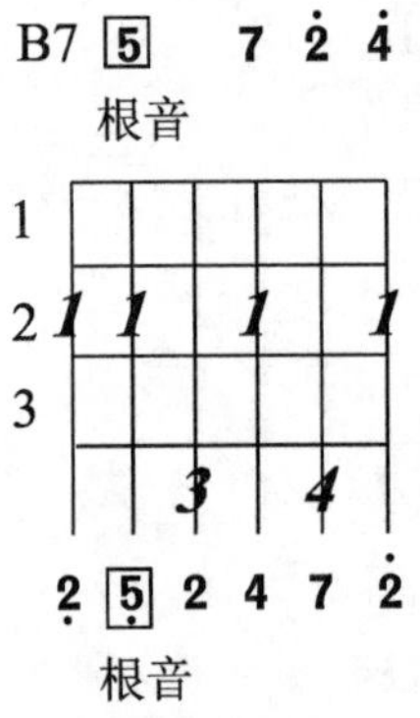

属七和弦

2. #C小调基本和弦

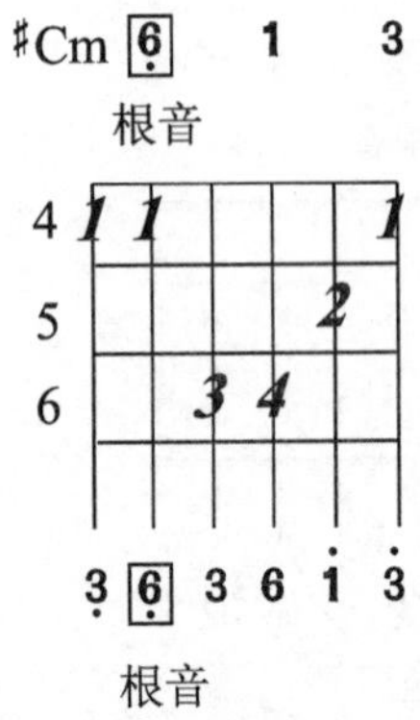

主和弦

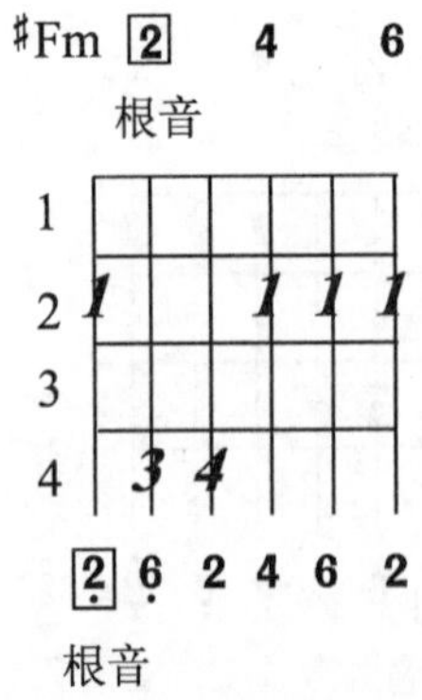

下属和弦

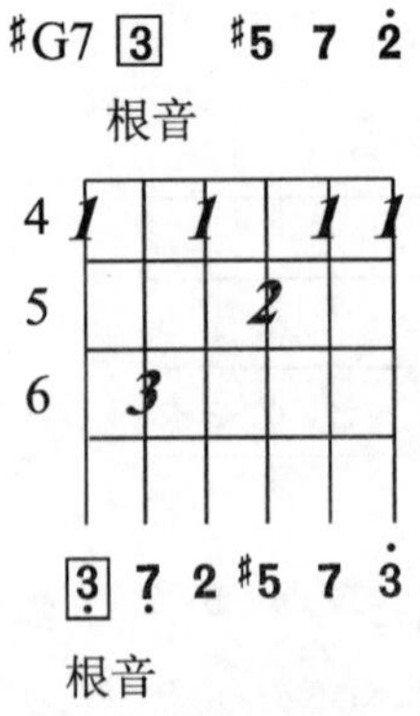

属七和弦

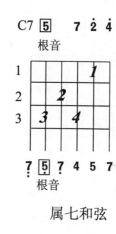

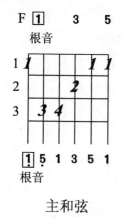

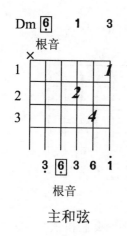

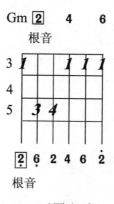

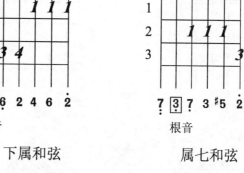

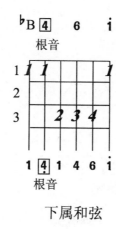

六、F调音阶

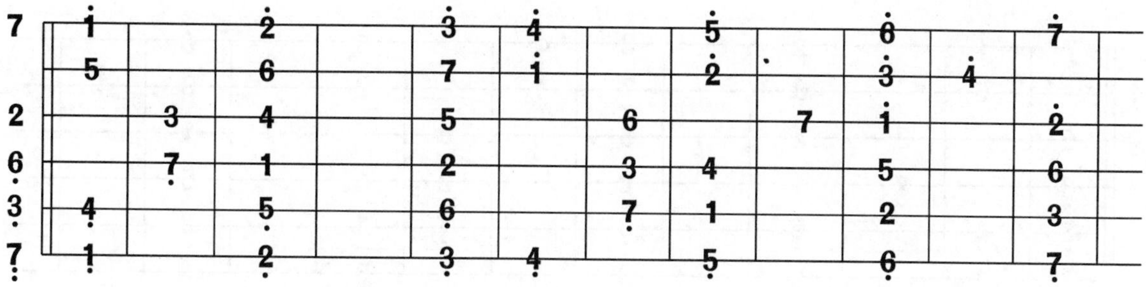

1. F大调基本和弦

F 1 3 5
根音

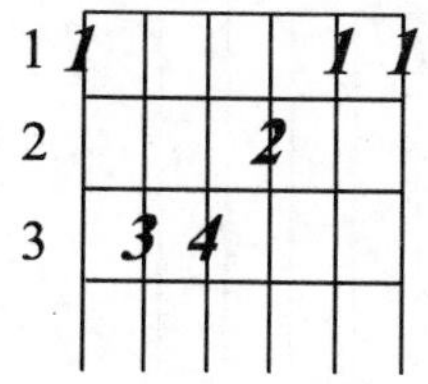

1 5 1 3 5 1
根音

主和弦

♭B 4 6 1
根音

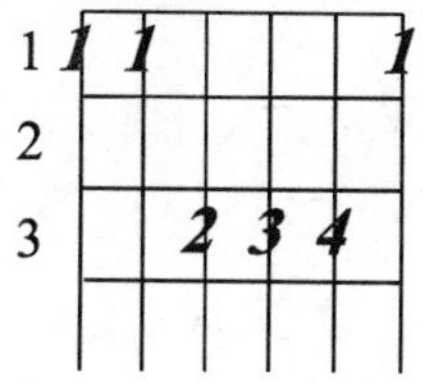

1 4 1 4 6 1
根音

下属和弦

C7 5 7 2 4
根音

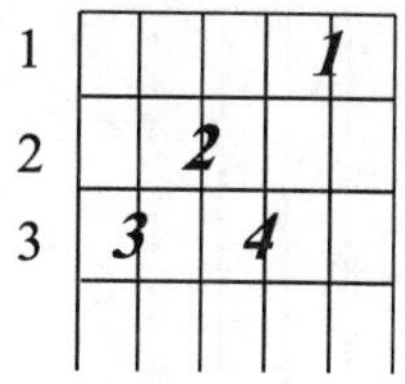

7 5 7 4 5 7
根音

属七和弦

2. d小调基本和弦

Dm 6 1 3
根音

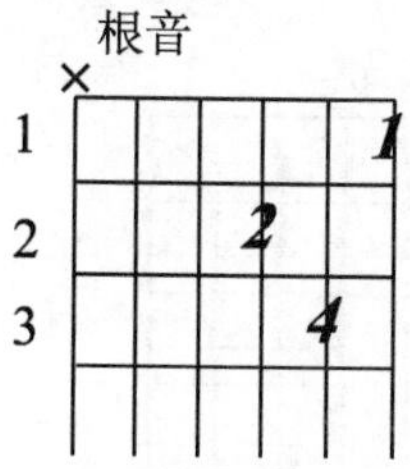

3 6 3 6 1
根音

主和弦

Gm 2 4 6
根音

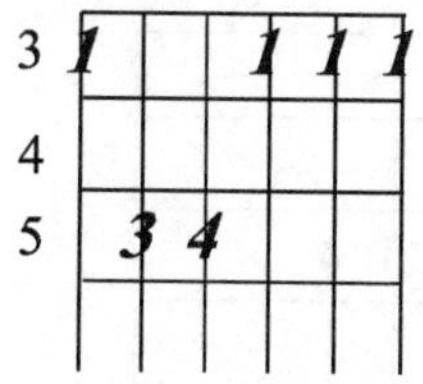

2 6 2 4 6 2
根音

下属和弦

A7 3 #5 7 2
根音

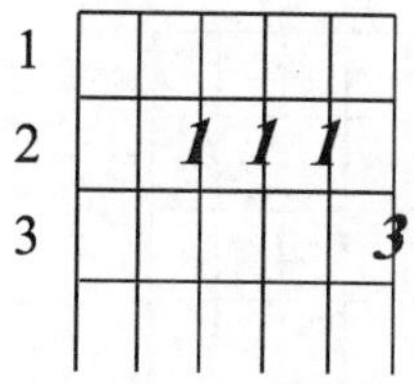

7 3 7 3 #5 2
根音

属七和弦

七、#F调音阶

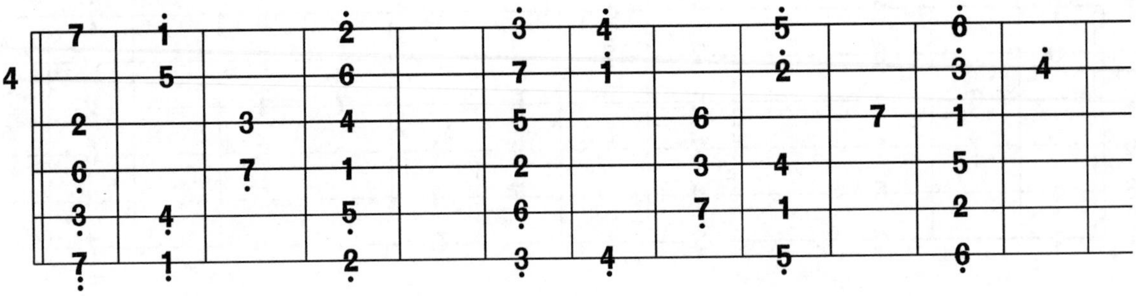

1. #F大调基本和弦

#F 1 3 5
根音

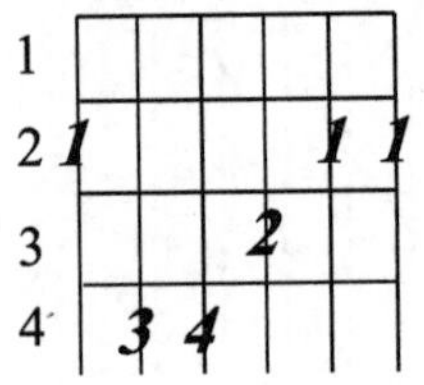

1 5 1 3 5 1
根音

主和弦

B 4 6 1
根音

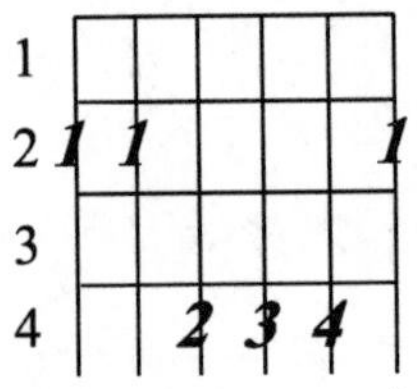

1 4 1 4 6 1
根音

下属和弦

#C7 5 7 2 4
根音

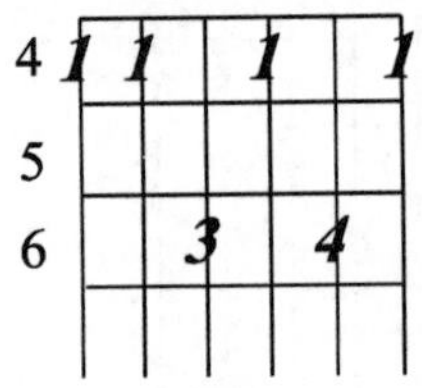

2 5 2 5 7 2
根音

属七和弦

2. #d小调基本和弦

#Dm 6 1 3
根音

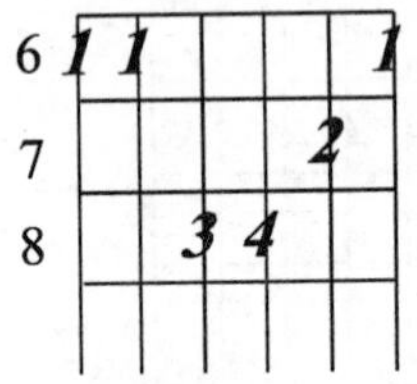

3 6 3 6 1 3
根音

主和弦

#Gm 2 4 6
根音

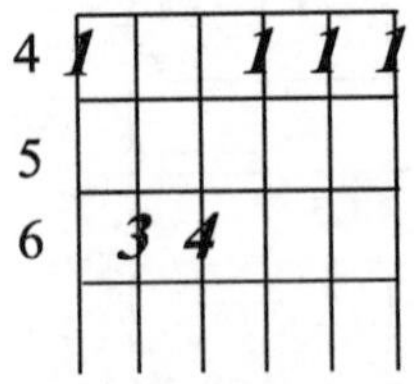

2 6 2 4 6 2
根音

下属和弦

#A7 3 #5 7 2
根音

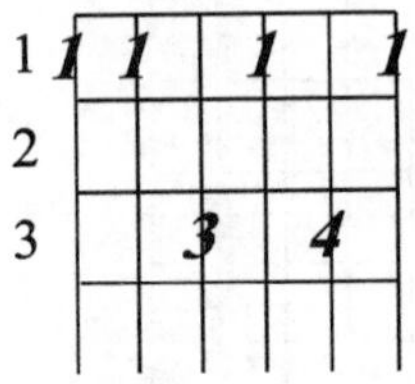

7 3 7 2 #5 7
根音

属七和弦

八、G调音阶

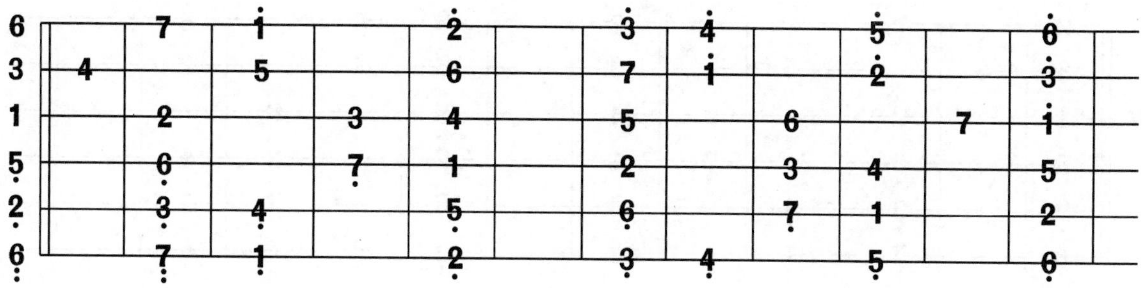

1. G大调基本和弦

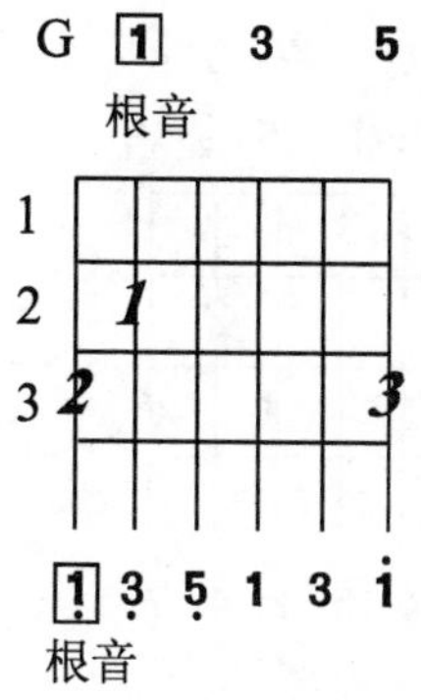

主和弦

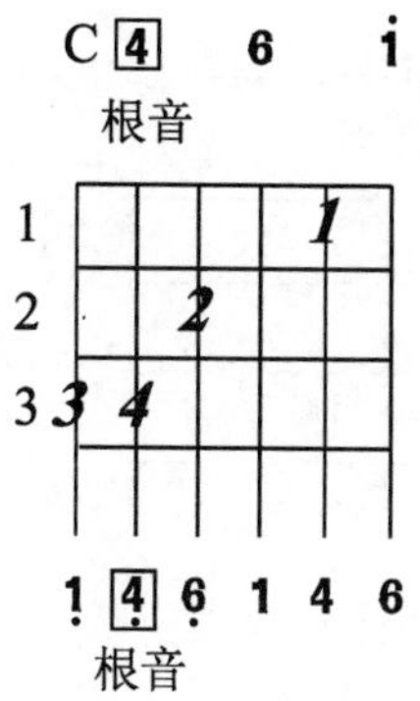

下属和弦

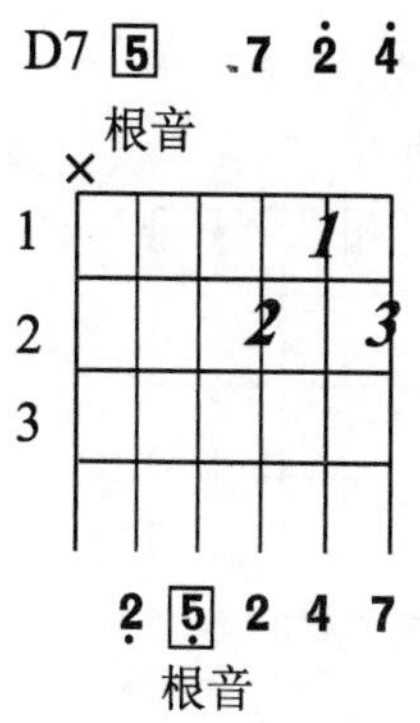

属七和弦

2. e小调基本和弦

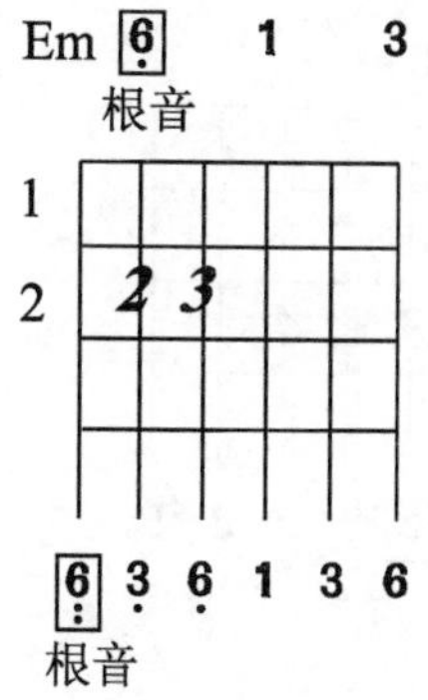

主和弦

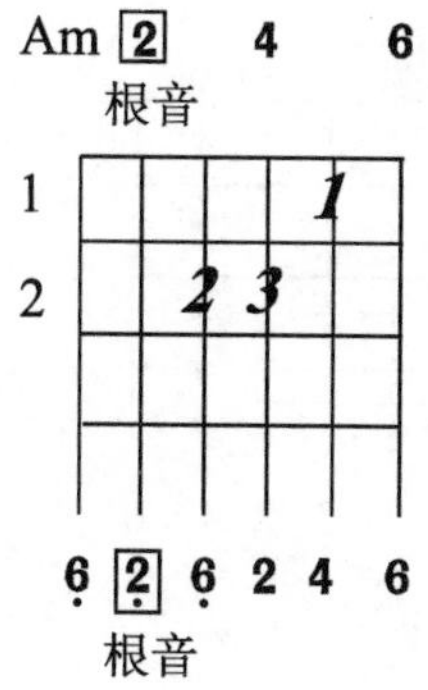

下属和弦

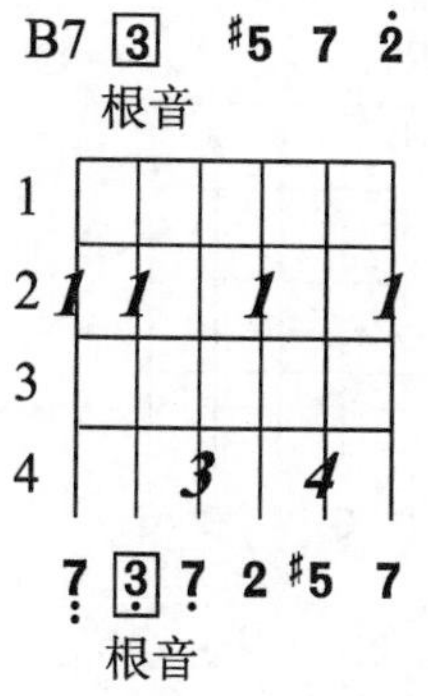

属七和弦

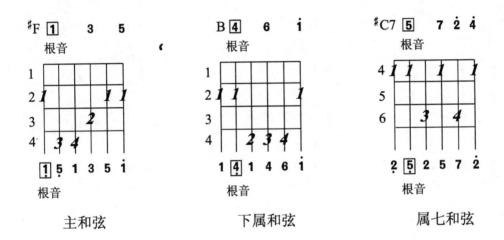

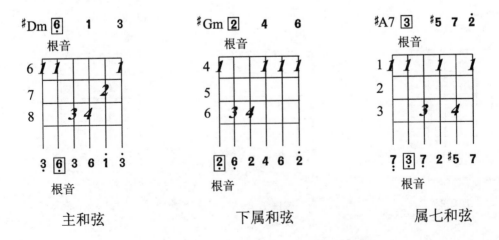

九、♭A调音阶

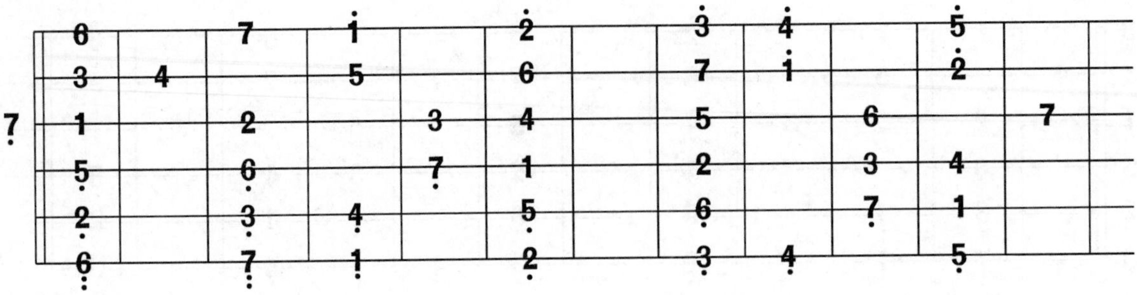

1. ♭A大调基本和弦

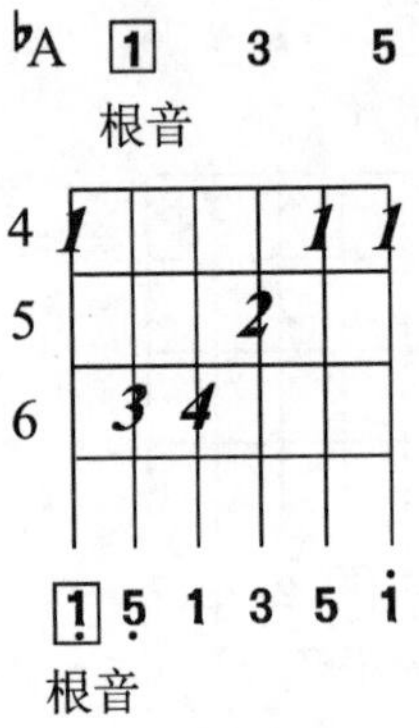

主和弦

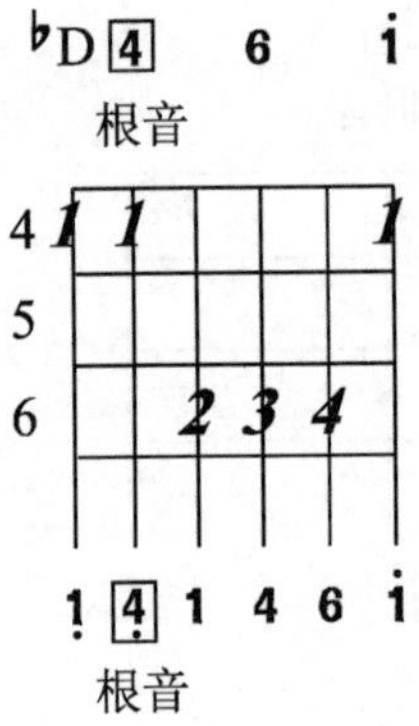

下属和弦

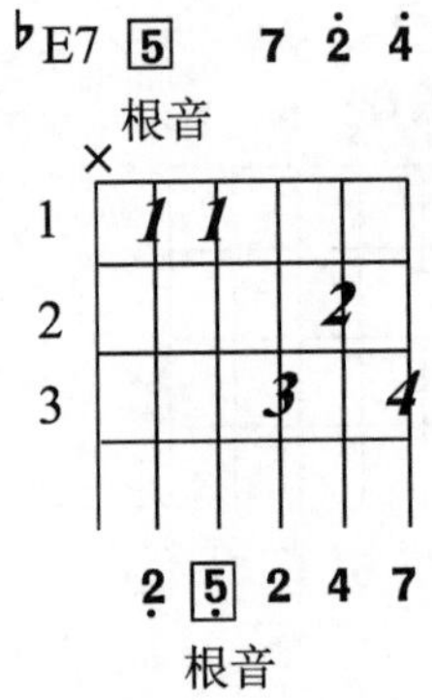

属七和弦

2. f小调基本和弦

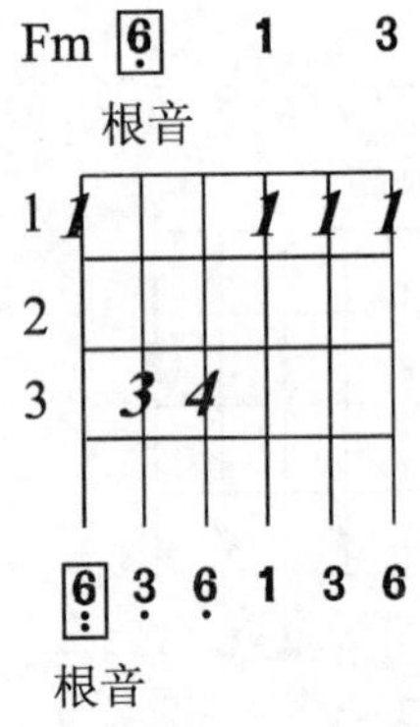

主和弦

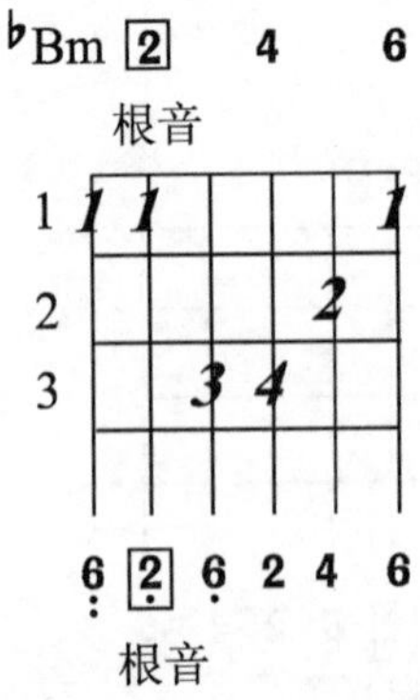

下属和弦

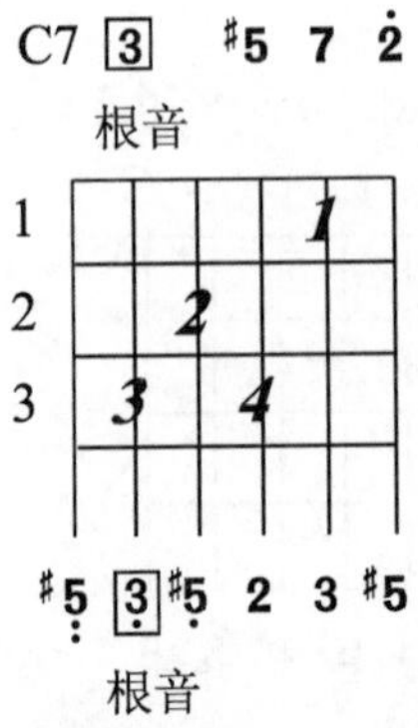

属七和弦

十、A调音阶

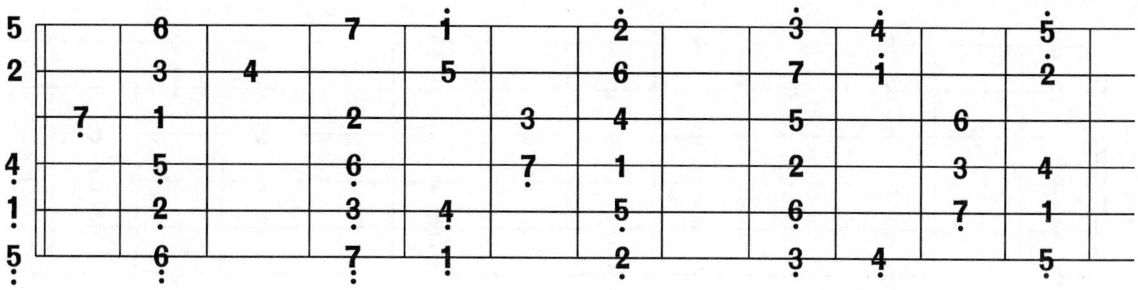

1. A大调基本和弦

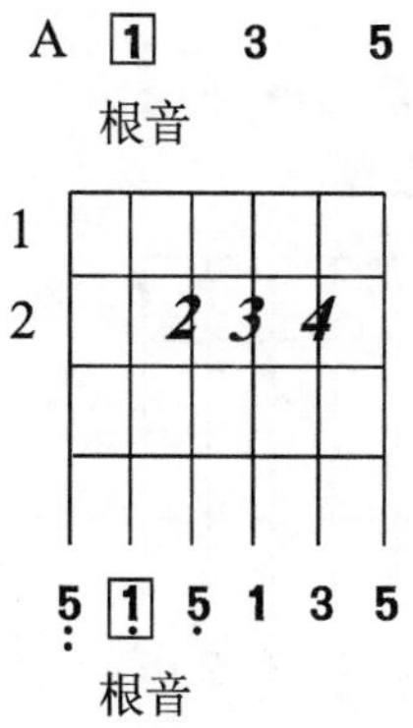

主和弦

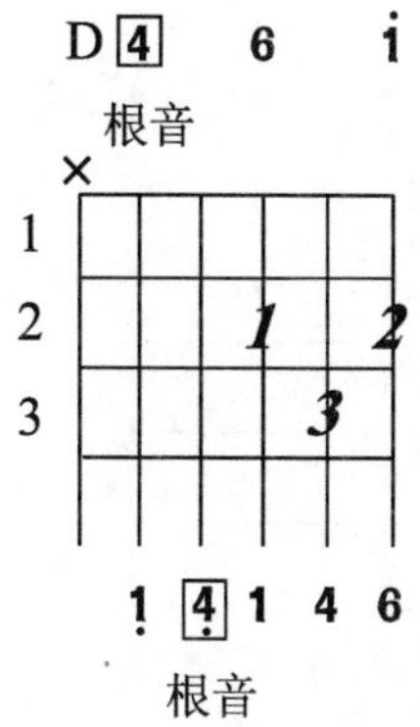

下属和弦

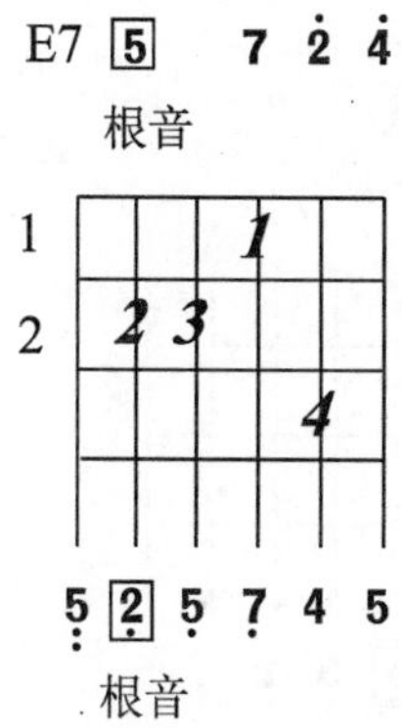

属七和弦

2. #f小调基本和弦

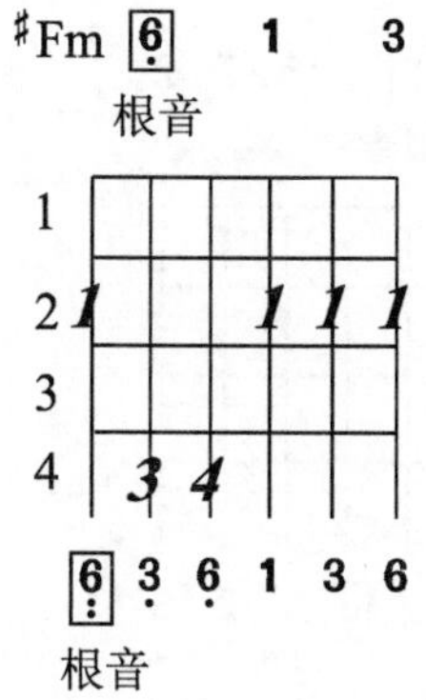

主和弦

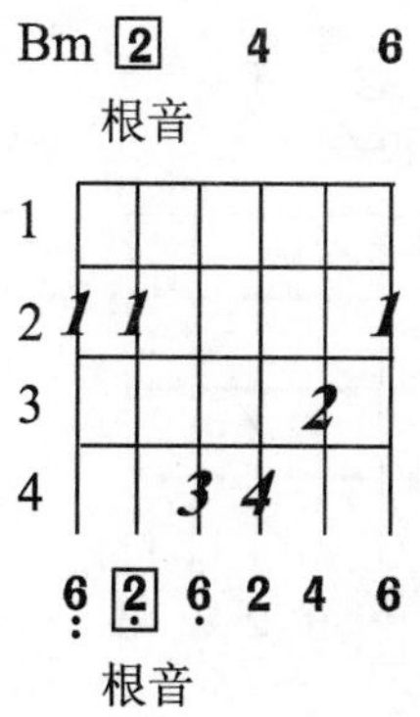

下属和弦

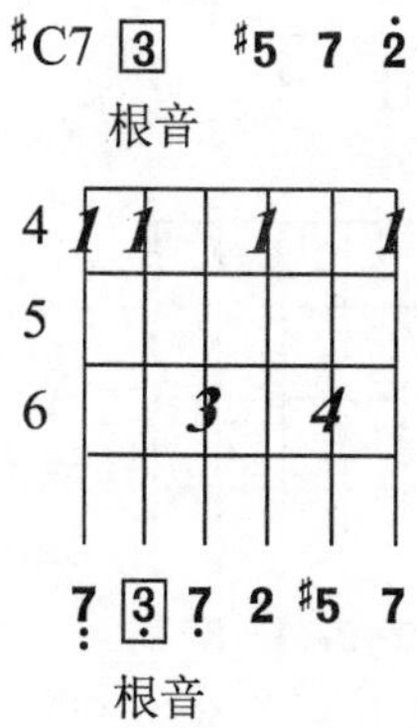

属七和弦

十一、♭B调音阶

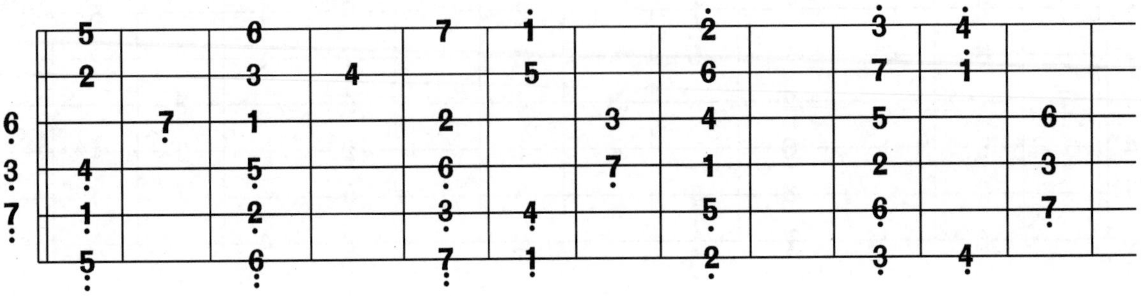

1. ♭B大调基本和弦

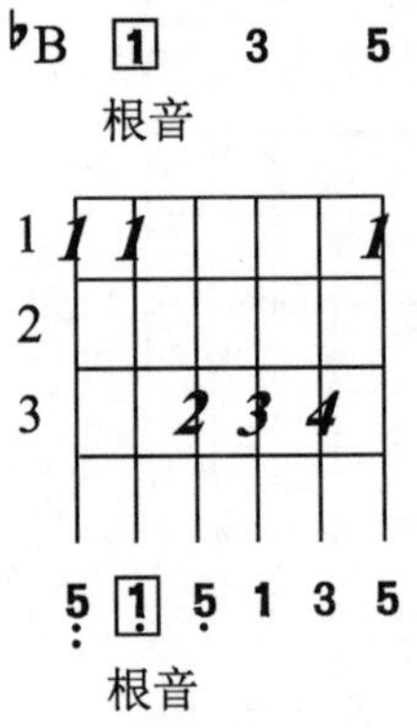

主和弦

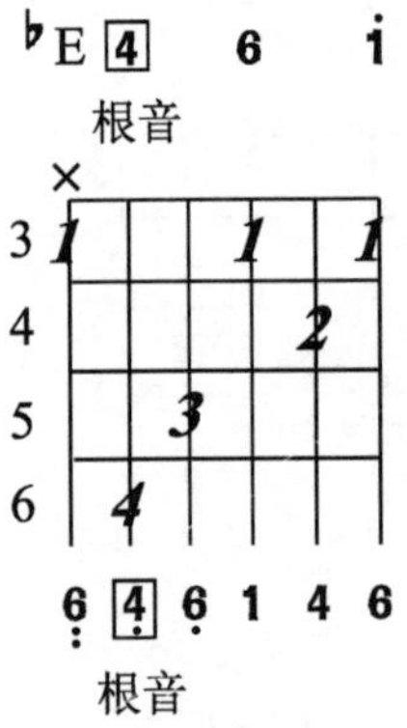

下属和弦

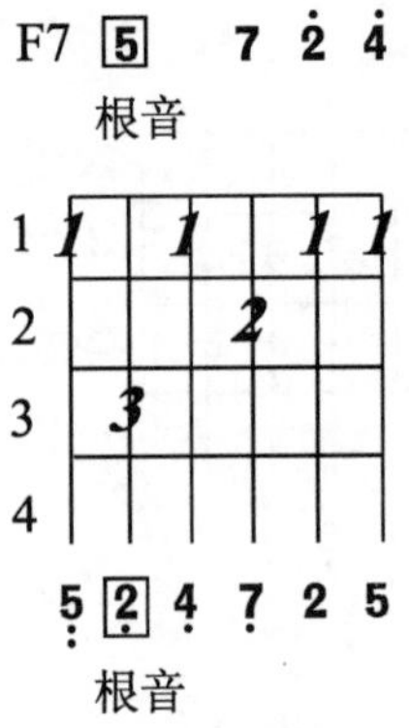

属七和弦

2. g小调基本和弦

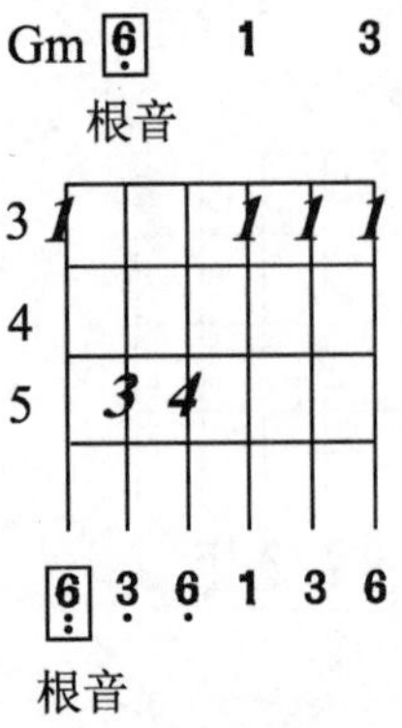

主和弦

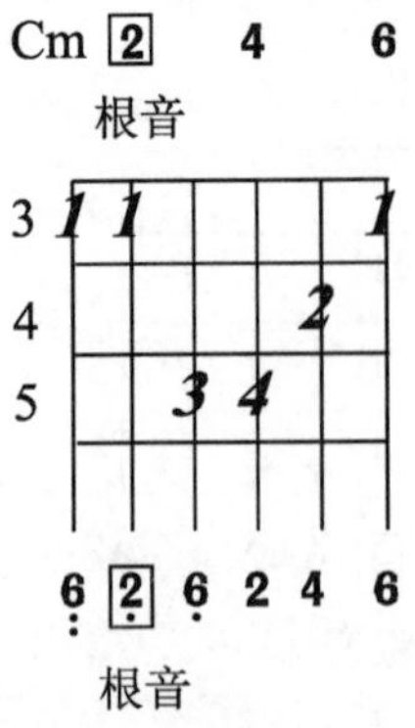

下属和弦

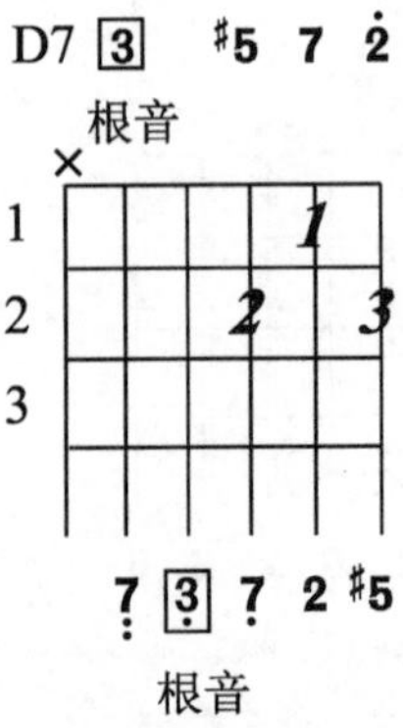

属七和弦

十二、B调音阶

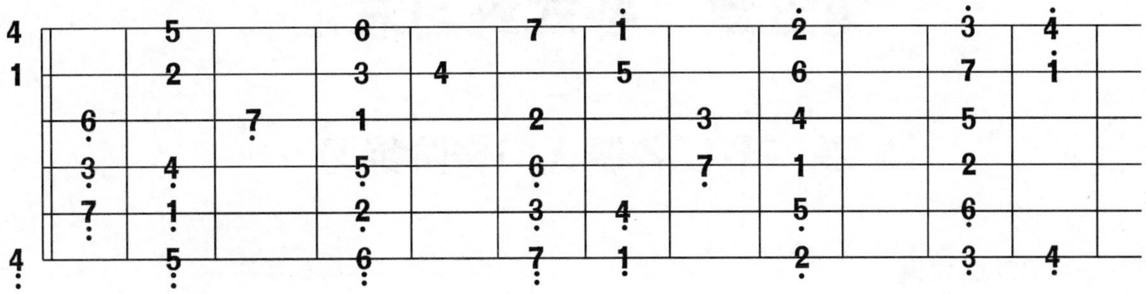

1. B大调基本和弦

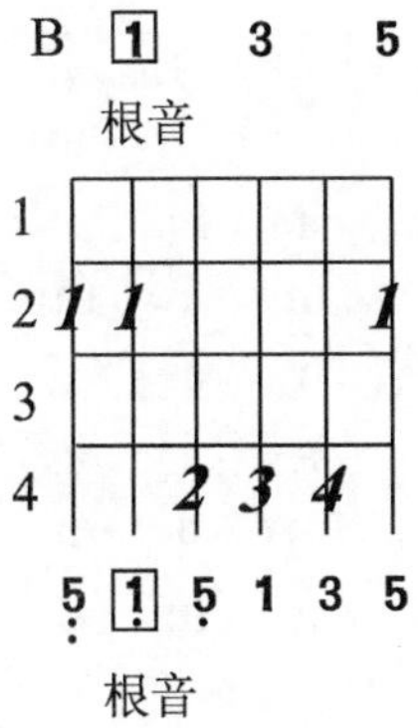

主和弦

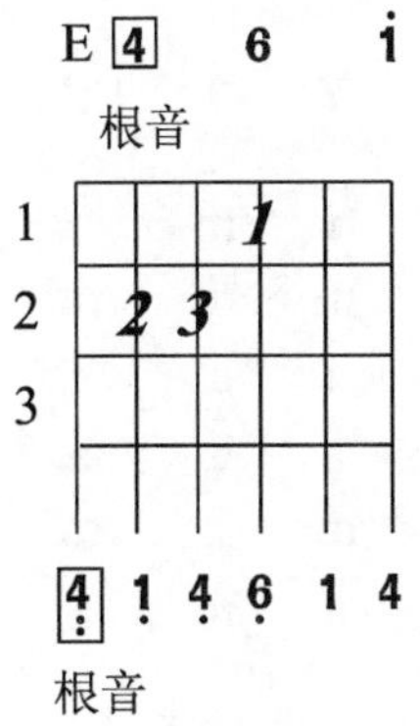

下属和弦

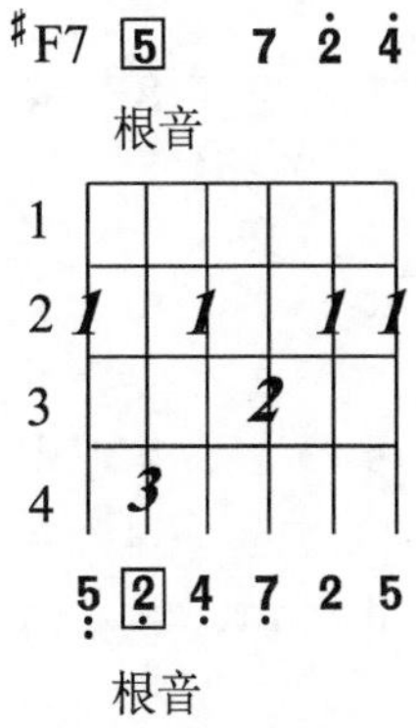

属七和弦

2. #g小调基本和弦

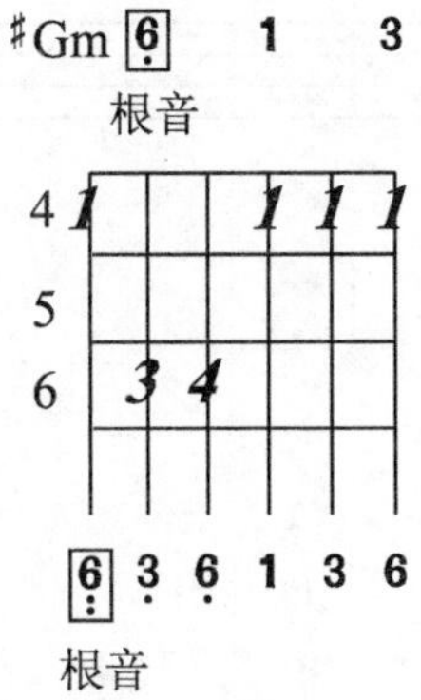

主和弦

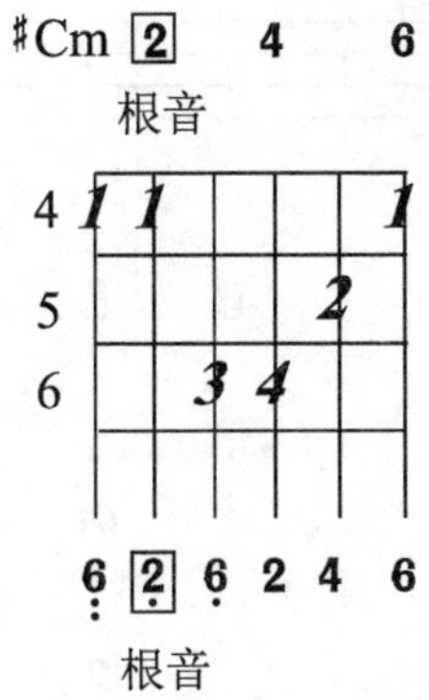

下属和弦

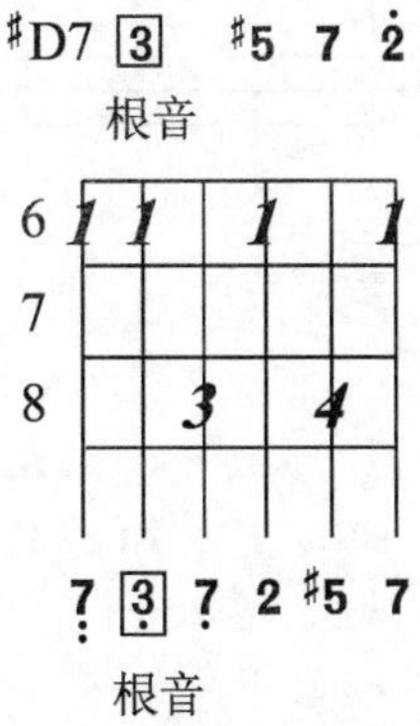

属七和弦

第五章 各式练习总汇

第一节 各调入门音阶练习

一、C自然大调

左手指法：	二	四	一	二	四	一	三	一	三	一	二	四	一	三	四	三

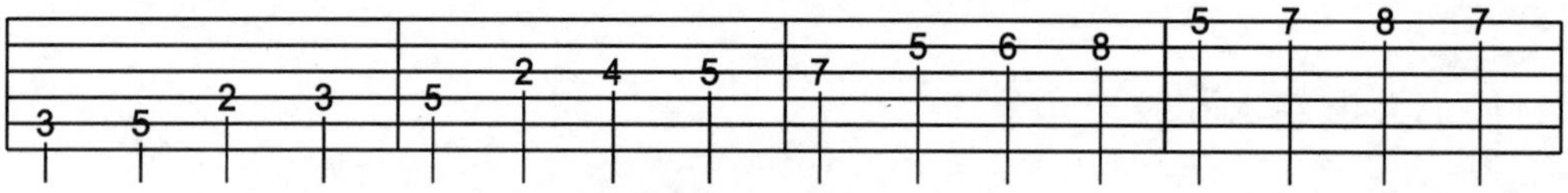

简　谱：	1	2	3	4 |	5	6	7	1̇ |	2̇	3̇	4̇	5̇ |	6̇	7̇	1̈	7̇ |
右手指法：	i	m	i	m	i	m	i	m	i	m	i	m	i	m	i	m
	m	i	m	i	m	i	m	i	m	i	m	i	m	i	m	i
	i	a	i	a	i	a	i	a	i	a	i	a	i	a	i	a
	a	i	a	i	a	i	a	i	a	i	a	i	a	i	a	i
	m	a	m	a	m	a	m	a	m	a	m	a	m	a	m	a
	a	m	a	m	a	m	a	m	a	m	a	m	a	m	a	m

左手指法：	一	四	二	一	三	一	三	一	四	二	一	四	二			

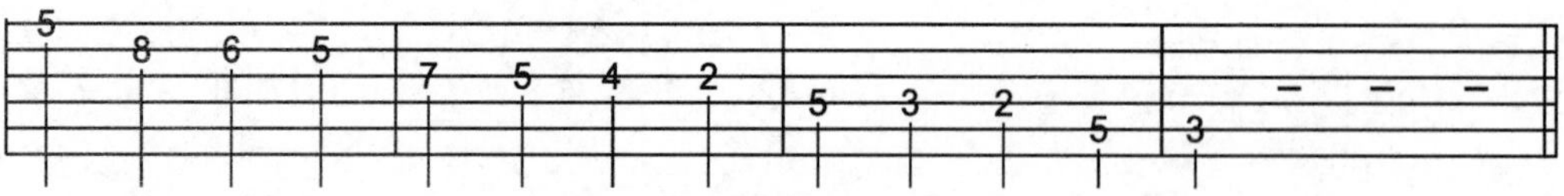

简　谱：	6̇	5̇	4̇	3̇ |	2̇	1̇	7	6 |	5	4	3	2 |	1	–	–	– ‖
右手指法：	i	m	i	m	i	m	i	m	i	m	i	m	i			
	m	i	m	i	m	i	m	i	m	i	m	i	m			
	i	a	i	a	i	a	i	a	i	a	i	a	i			
	a	i	a	i	a	i	a	i	a	i	a	i	a			
	m	a	m	a	m	a	m	a	m	a	m	a	m			
	a	m	a	m	a	m	a	m	a	m	a	m	a			

二、a旋律小调

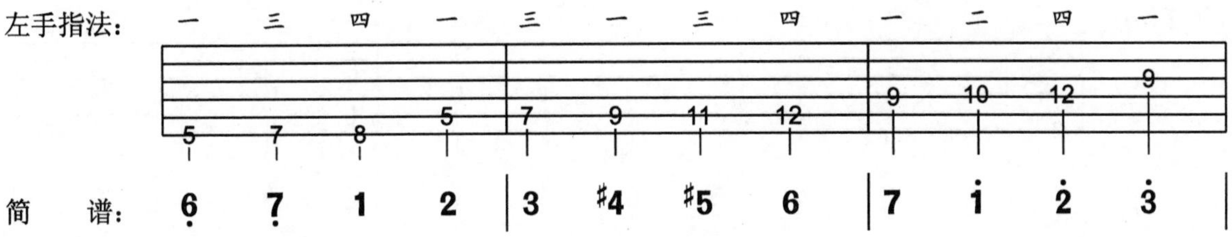

右手指法：

i m i m | i m i m | i m i m
m i m i | m i m i | m i m i
i a i a | i a i a | i a i a
a i a i | a i a i | a i a i
m a m a | m a m a | m a m a
a m a m | a m a m | a m a m

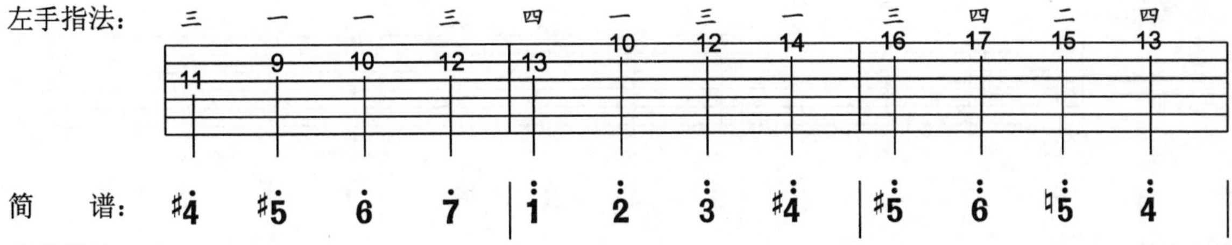

右手指法：

i m i m | i m i m | i m i m
m i m i | m i m i | m i m i
i a i a | i a i a | i a i a
a i a i | a i a i | a i a i
m a m a | m a m a | m a m a
a m a m | a m a m | a m a m

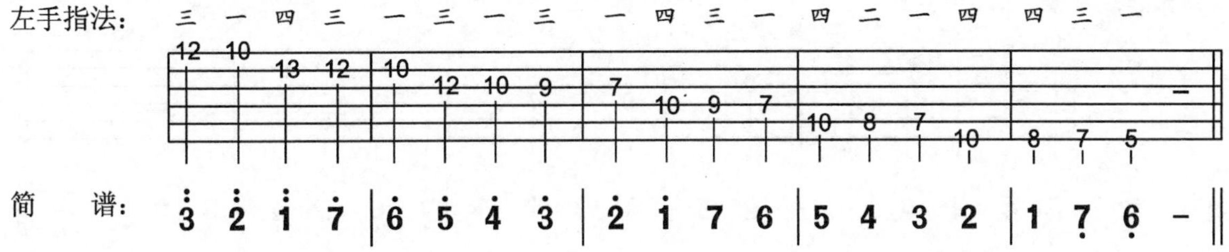

右手指法：

i m i m | i m i m | i m i m | i m i m | i m i
m i m i | m i m i | m i m i | m i m i | m i m
i a i a | i a i a | i a i a | i a i a | i a i
a i a i | a i a i | a i a i | a i a i | a i a
m a m a | m a m a | m a m a | m a m a | m a m
a m a m | a m a m | a m a m | a m a m | a m a

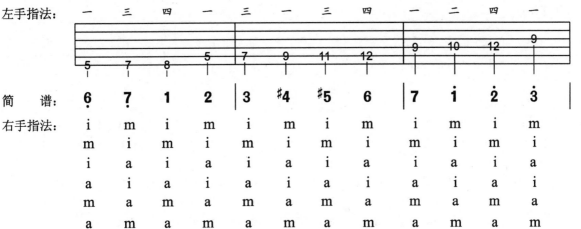

三、G自然大调

左手指法：二 四 一 二 | 四 一 三 四 | 一 三 一 三

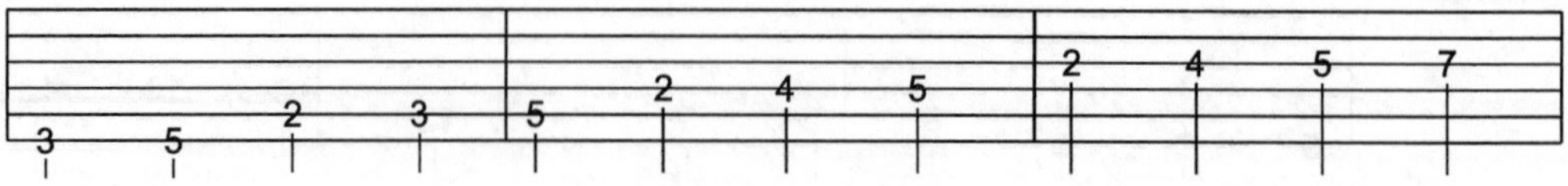

简　谱：1 2 3 4 | 5 6 7 1 | 2 3 4 5 |

右手指法：
i m i m i m i m i m i m
m i m i m i m i m i m i
i a i a i a i a i a i a
a i a i a i a i a i a i
m a m a m a m a m a m a
a m a m a m a m a m a m

左手指法：一 三 四 一 | 三 一 三 一 | 三 四 三 一

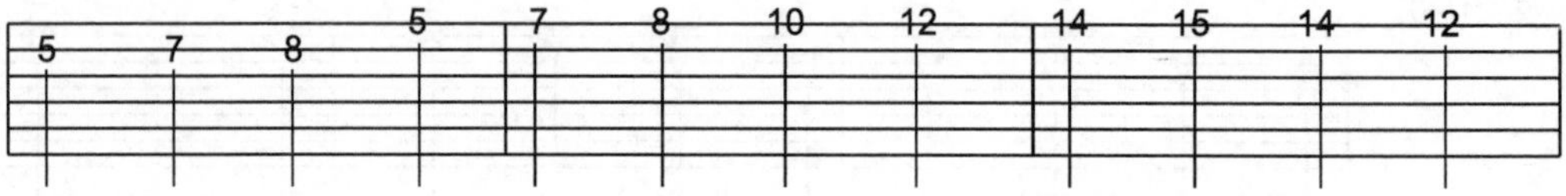

简　谱：6 7 1 2 | 3 4 5 6 | 7 1 7 6 |

右手指法：
i m i m i m i m i m i m
m i m i m i m i m i m i
i a i a i a i a i a i a
a i a i a i a i a i a i
m a m a m a m a m a m a
a m a m a m a m a m a m

左手指法：四 二 一 四 二 一 三 一 四 三 一 四 三 一 四 二 一 三 一

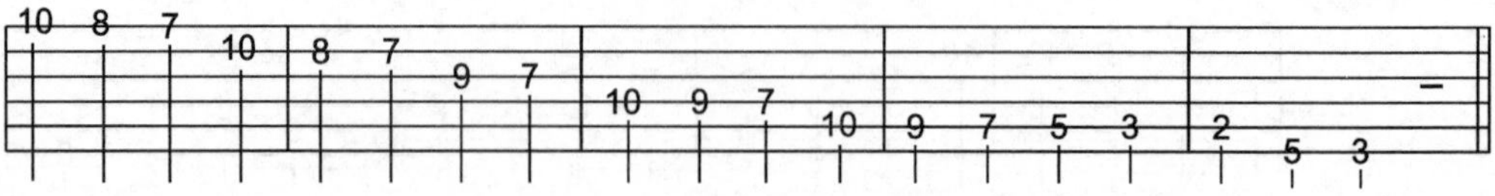

简　谱：5 4 3 2 | 1 7 6 5 | 4 3 2 1 | 7 6 5 4 | 3 2 1 – ||

右手指法：
i m i m i m i m i m i m i m i m i m i
m i m i m i m i m i m i m i m i m i m
i a i a i a i a i a i a i a i a i a i
a i a i a i a i a i a i a i a i a i a
m a m a m a m a m a m a m a m a m a m
a m a m a m a m a m a m a m a m a m a

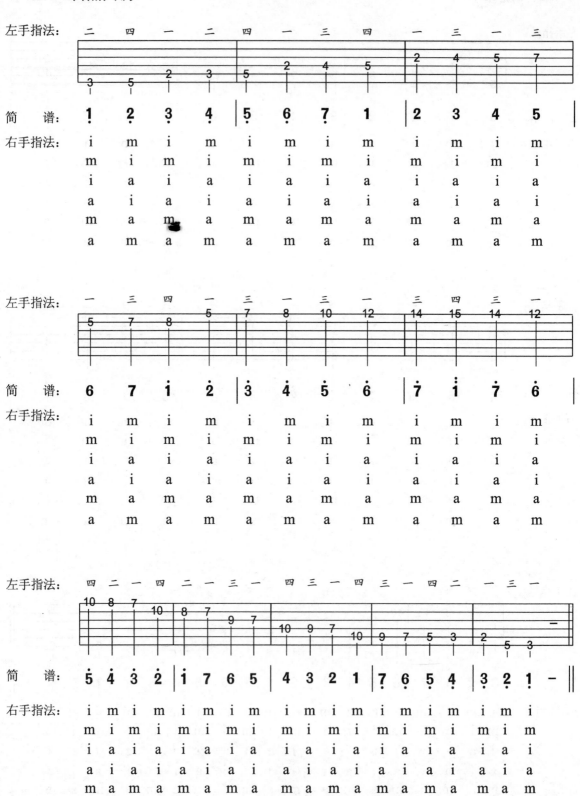

四、e旋律小调

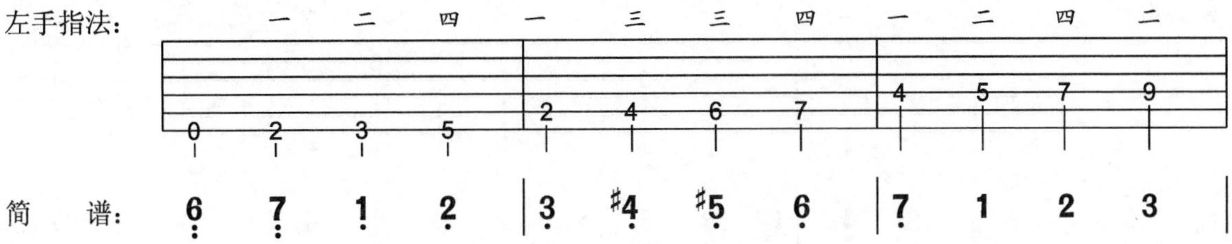

右手指法：
i m i m i m i m i m i m
m i m i m i m i m i m i
i a i a i a i a i a i a
a i a i a i a i a i a i
m a m a m a m a m a m a
a m a m a m a m a m a m

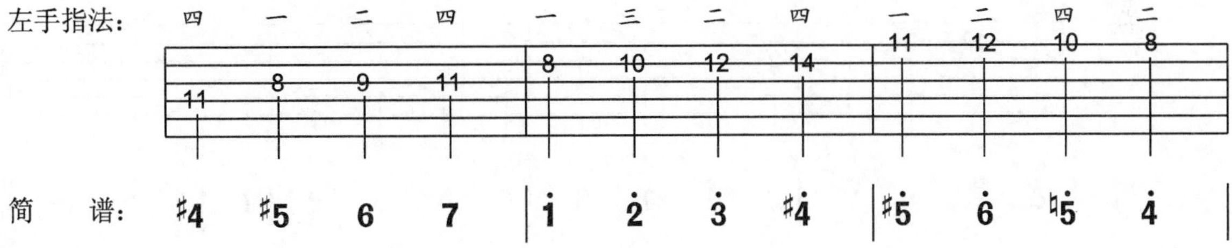

右手指法：
i m i m i m i m i m i m
m i m i m i m i m i m i
i a i a i a i a i a i a
a i a i a i a i a i a i
m a m a m a m a m a m a
a m a m a m a m a m a m

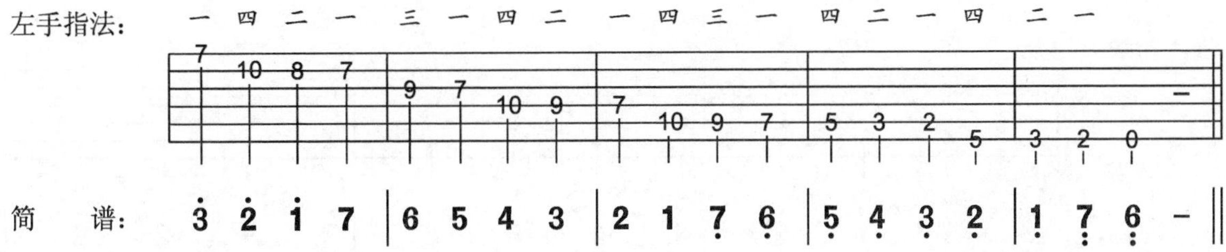

右手指法：
i m i m i m i m i m i m i m i m i m i
m i m i m i m i m i m i m i m i m i m
i a i a i a i a i a i a i a i a i a i
a i a i a i a i a i a i a i a i a i a
m a m a m a m a m a m a m a m a m a m
a m a m a m a m a m a m a m a m a m a

五、D自然大调

左手指法： 二 四 一 二 四 一 三 一 三 一 二 四 一 三 四 三

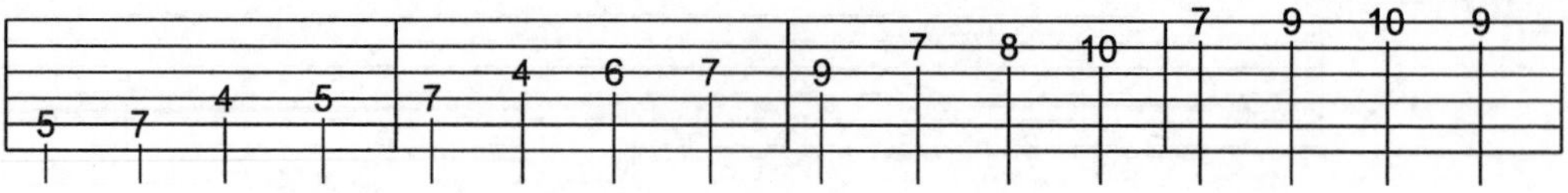

简　谱： 1 2 3 4 | 5 6 7 1̇ | 2̇ 3̇ 4̇ 5̇ | 6̇ 7̇ 1̈ 7̇ |

右手指法：
i m i m i m i m i m i m i m i m
m i m i m i m i m i m i m i m i
i a i a i a i a i a i a i a i a
a i a i a i a i a i a i a i a i
m a m a m a m a m a m a m a m a
a m a m a m a m a m a m a m a m

左手指法： 一 四 二 一 三 一 三 一 四 二 一 四 二

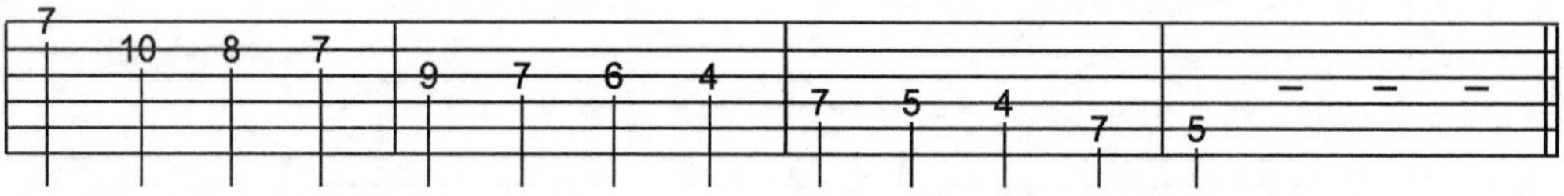

简　谱： 6̇ 5̇ 4̇ 3̇ | 2̇ 1̇ 7 6 | 5 4 3 2 | 1 – – – ||

右手指法：
i m i m i m i m i m i m i
m i m i m i m i m i m i m
i a i a i a i a i a i a i
a i a i a i a i a i a i a
m a m a m a m a m a m a m
a m a m a m a m a m a m a

六、b旋律小调

左手指法： 一 三 四 二 四 一 三 一 三 四 一 三

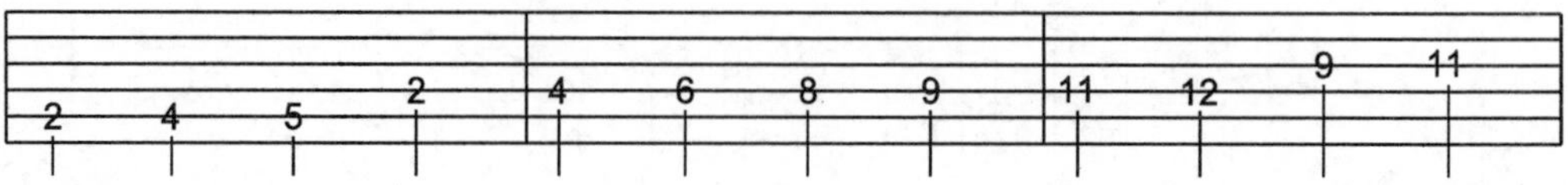

简　谱： 6̣ 7̣ 1 2 | 3 #4 #5 6 | 7 1̇ 2̇ 3̇ |

右手指法：
i m i m i m i m i m i m
m i m i m i m i m i m i
i a i a i a i a i a i a
a i a i a i a i a i a i
m a m a m a m a m a m a
a m a m a m a m a m a m

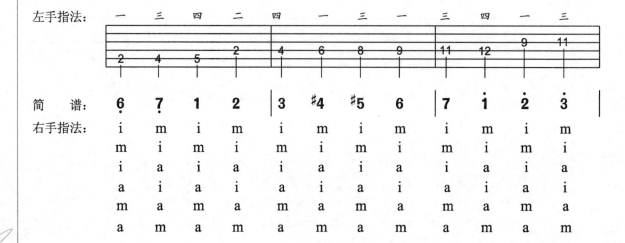

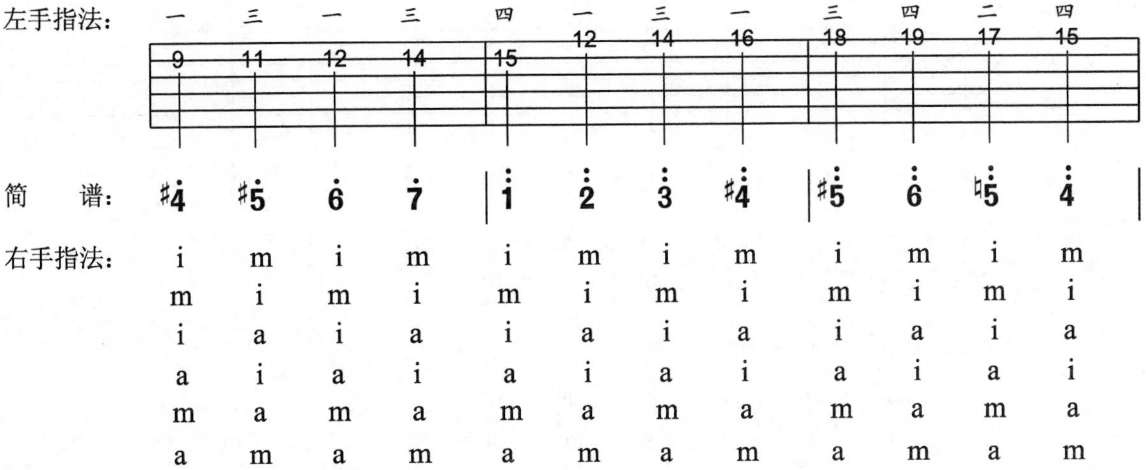
左手指法：
一 三 一 三 四 一 三 一 三 四 二 四
9 11 12 14 15 12 14 16 18 19 17 15
简 谱：
♯4 ♯5 6 7 | 1 2 3 ♯4 | ♯5 6 ♮5 4 |
右手指法：
i m i m i m i m i m i m
m i m i m i m i m i m i
i a i a i a i a i a i a
a i a i a i a i a i a i
m a m a m a m a m a m a
a m a m a m a m a m a m

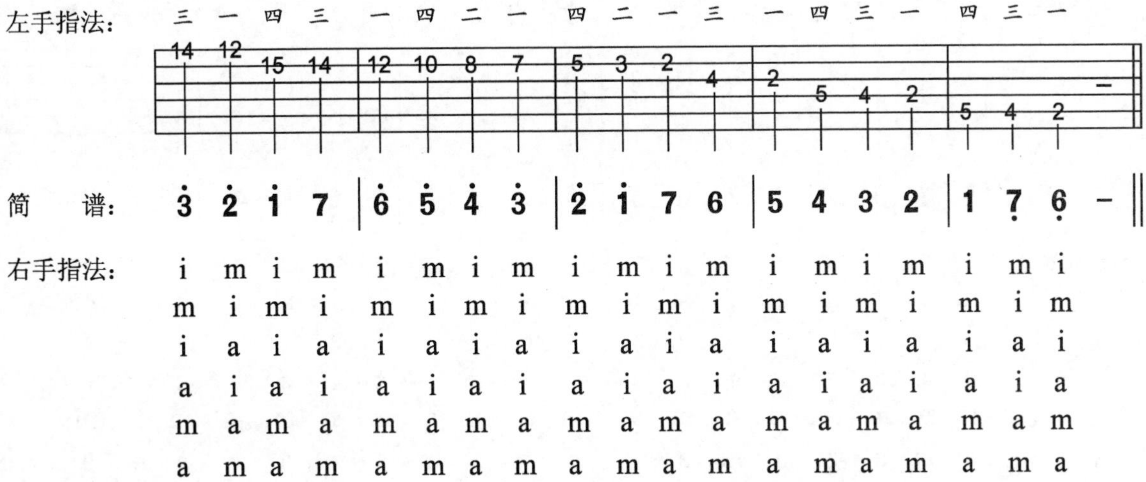
左手指法：
三 一 四 三 一 四 二 一 四 二 一 三 一 四 三 一 四 三 一
14 12 15 14 12 10 8 7 5 3 2 4 2 5 4 2 5 4 2
简 谱：
3 2 1 7 | 6 5 4 3 | 2 1 7 6 | 5 4 3 2 | 1 7 6 – ||
右手指法：
i m i m i m i m i m i m i m i m i m i
m i m i m i m i m i m i m i m i m i m
i a i a i a i a i a i a i a i a i a i
a i a i a i a i a i a i a i a i a i a
m a m a m a m a m a m a m a m a m a m
a m a m a m a m a m a m a m a m a m a

七、A自然大调

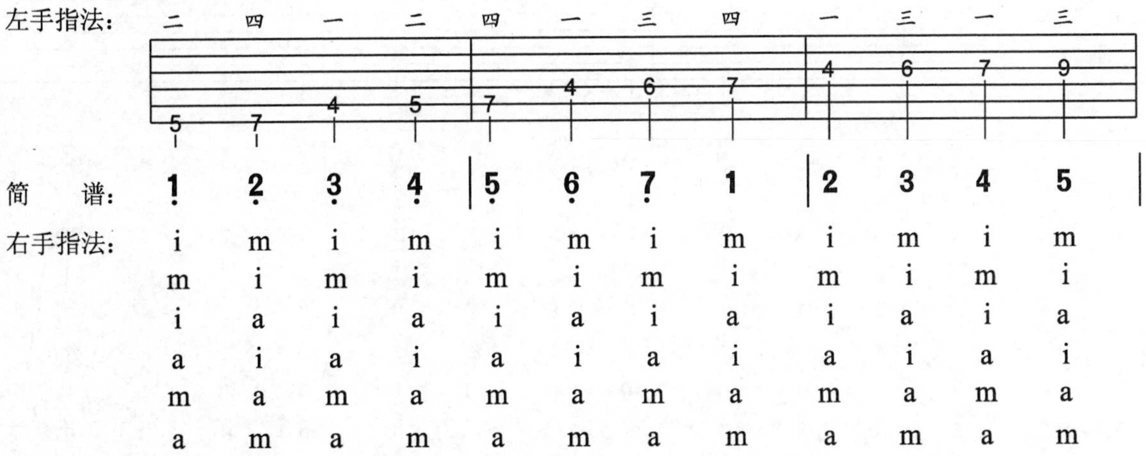
左手指法：
二 四 一 二 四 一 三 四 一 三 一 三
5 7 4 5 7 4 6 7 4 6 7 9
简 谱：
1 2 3 4 | 5 6 7 1 | 2 3 4 5 |
右手指法：
i m i m i m i m i m i m
m i m i m i m i m i m i
i a i a i a i a i a i a
a i a i a i a i a i a i
m a m a m a m a m a m a
a m a m a m a m a m a m

左手指法： 一 三 四 一 三 一 三 一 三 四 三 一

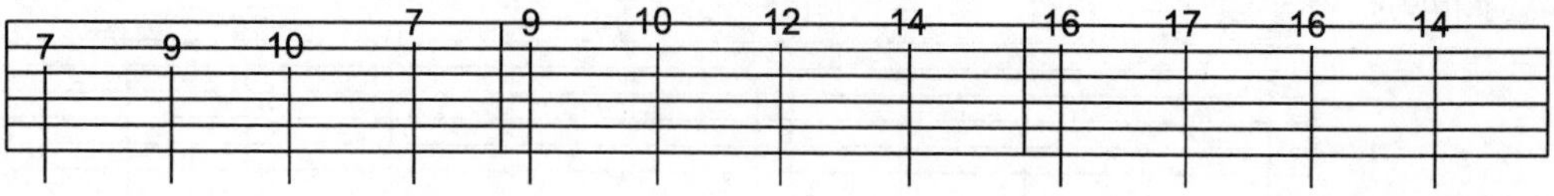

简　　谱： 6 7 1̇ 2̇ | 3̇ 4̇ 5̇ 6̇ | 7̇ 1̈ 7̇ 6̇ |

右手指法：
i m i m i m i m i m i m
m i m i m i m i m i m i
i a i a i a i a i a i a
a i a i a i a i a i a i
m a m a m a m a m a m a
a m a m a m a m a m a m

左手指法： 四 二 一 四 二 一 三 一 四 三 一 四 三 一 四 二 一 三 一

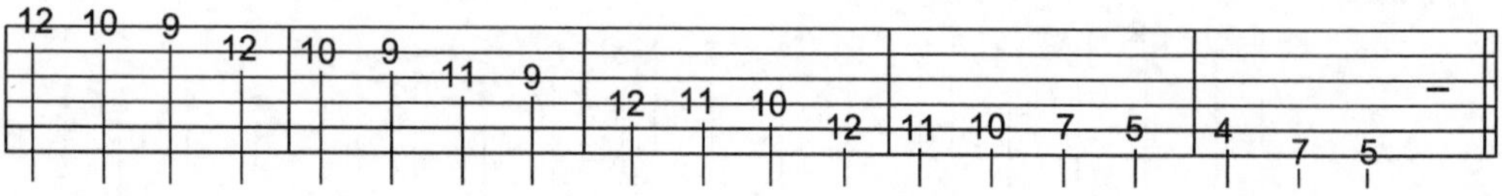

简　　谱： 5̇ 4̇ 3̇ 2̇ | 1̇ 7 6 5 | 4 3 2 1 | 7̣ 6̣ 5̣ 4̣ | 3̣ 2̣ 1̣ – ||

右手指法：
i m i m i m i m i m i m i m i m i m i
m i m i m i m i m i m i m i m i m i m
i a i a i a i a i a i a i a i a i a i
a i a i a i a i a i a i a i a i a i a
m a m a m a m a m a m a m a m a m a m
a m a m a m a m a m a m a m a m a m a

八、#f旋律小调

左手指法： 一 三 四 一 三 一 三 四 一 二 四 一

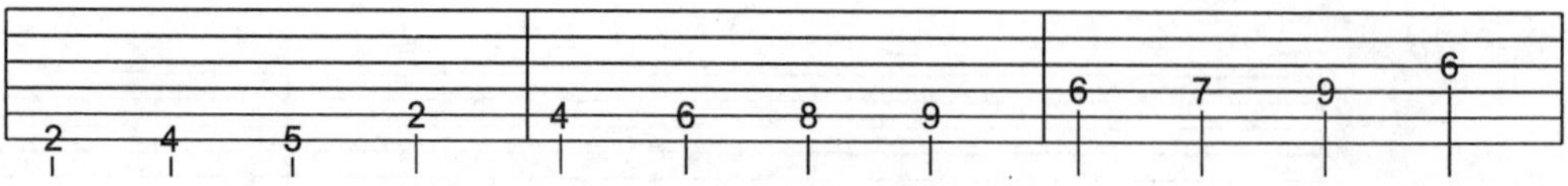

简　　谱： 6̣ 7̣ 1 2̣ | 3̣ #4 #5 6̣ | 7̣ 1 2 3 |

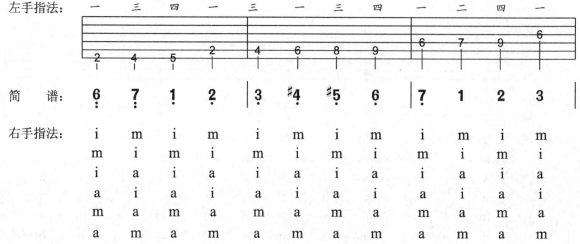

右手指法：
i m i m i m i m i m i m
m i m i m i m i m i m i
i a i a i a i a i a i a
a i a i a i a i a i a i
m a m a m a m a m a m a
a m a m a m a m a m a m

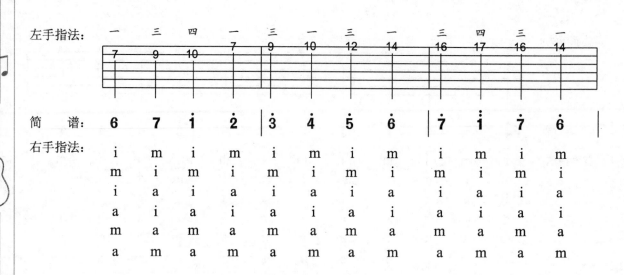

左手指法： 三 一 一 三 四 一 三 一 三 四 二 四

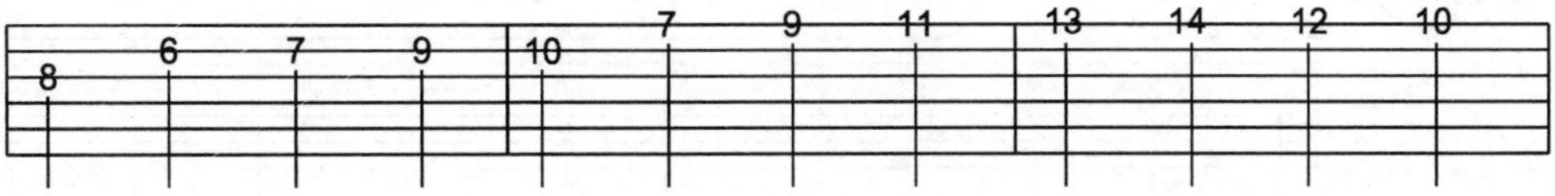

简　谱： ♯4 ♯5 6 7 | 1̇ 2̇ 3̇ ♯4̇ | ♯5̇ 6̇ ♮5̇ 4̇ |

右手指法：

i m i m i m i m i m i m

m i m i m i m i m i m i

i a i a i a i a i a i a

a i a i a i a i a i a i

m a m a m a m a m a m a

a m a m a m a m a m a m

左手指法： 二 一 四 三 一 三 一 三 一 四 三 一 四 二 一 四 四 三 一

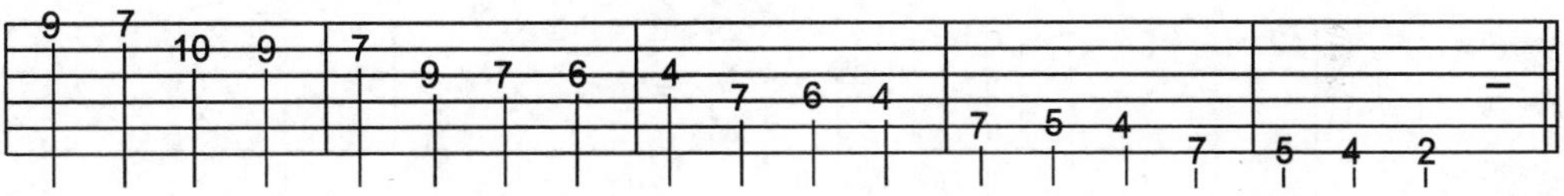

简　谱： 3̇ 2̇ 1̇ 7 | 6 5 4 3 | 2 1 7̣ 6̣ | 5̣ 4̣ 3̣ 2̣ | 1̣ 7̤ 6̤ – ||

右手指法：

i m i m i m i m i m i m i m i m i

m i m i m i m i m i m i m i m i m

i a i a i a i a i a i a i a i a i

a i a i a i a i a i a i a i a i a

m a m a m a m a m a m a m a m a m

a m a m a m a m a m a m a m a m a

九、E自然大调

左手指法： 一 三 四 二 四 一 二 四 一 二 四

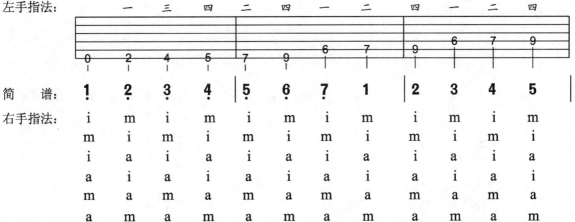

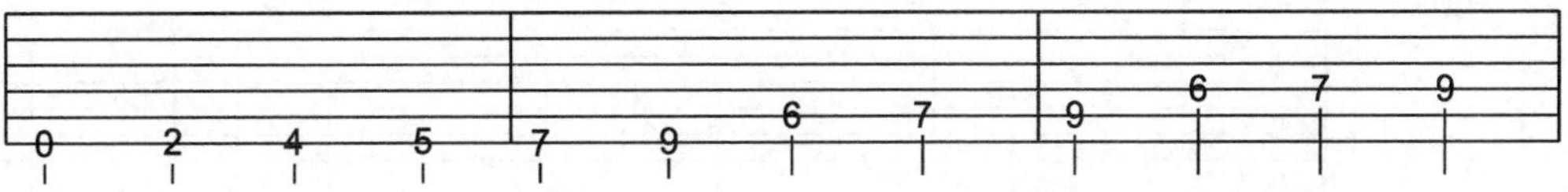

简　谱： 1̣ 2̣ 3̣ 4̣ | 5̣ 6̣ 7̣ 1 | 2 3 4 5 |

右手指法：

i m i m i m i m i m i m

m i m i m i m i m i m i

i a i a i a i a i a i a

a i a i a i a i a i a i

m a m a m a m a m a m a

a m a m a m a m a m a m

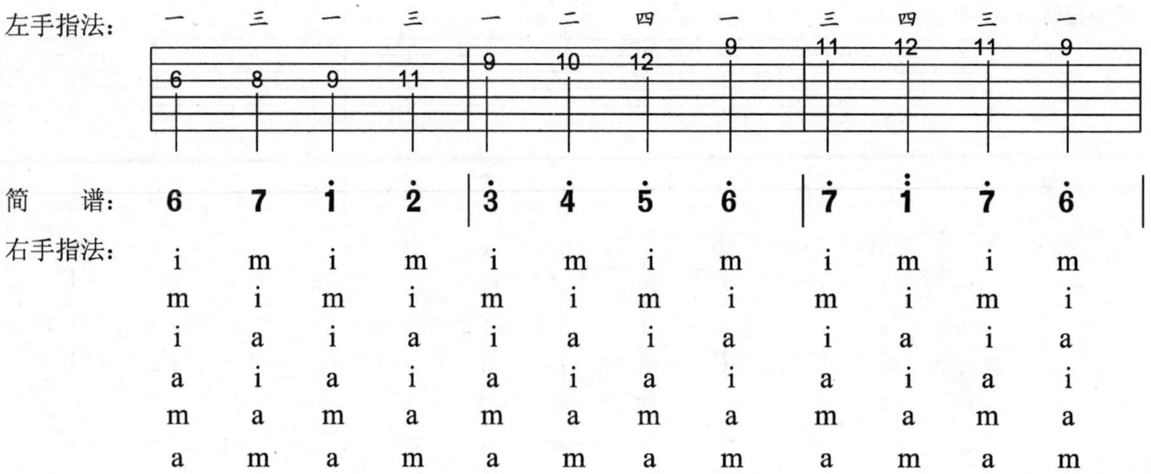
左手指法：
一 三 一 三 一 二 四 一 三 四 三 一
6 8 9 11 9 10 12 9 11 12 11 9
简 谱：
6 7 1 2 | 3 4 5 6 | 7 1 7 6 |
右手指法：
i m i m i m i m i m i m
m i m i m i m i m i m i
i a i a i a i a i a i a
a i a i a i a i a i a i
m a m a m a m a m a m a
a m a m a m a m a m a m

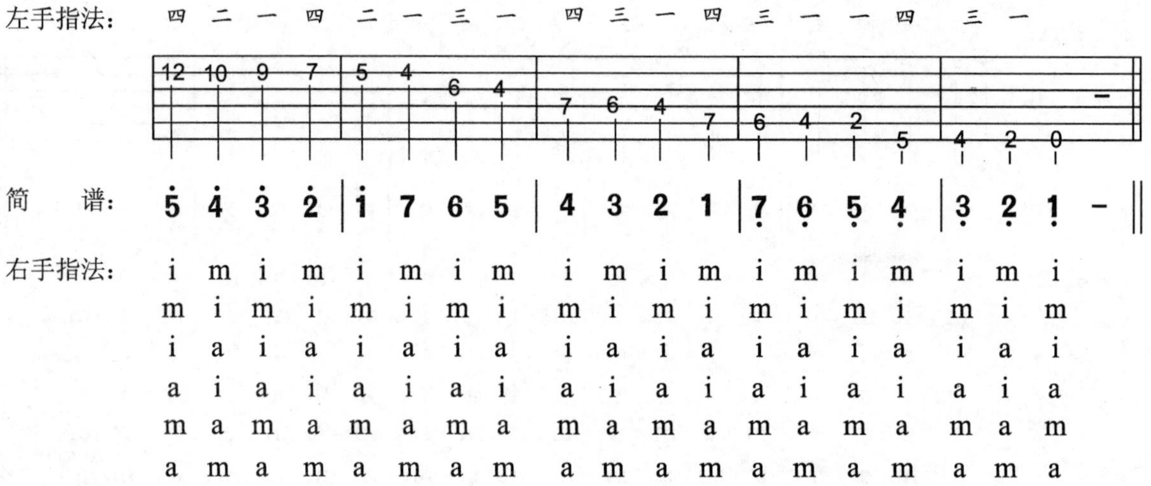
左手指法：
四 二 一 四 二 一 三 一 四 三 一 四 三 一 一 四 三 一
12 10 9 7 5 4 6 4 7 6 4 7 6 4 2 5 4 2 0
简 谱：
5 4 3 2 | 1 7 6 5 | 4 3 2 1 | 7 6 5 4 | 3 2 1 – ||
右手指法：
i m i m i m i m i m i m i m i m i m i
m i m i m i m i m i m i m i m i m i m
i a i a i a i a i a i a i a i a i a i
a i a i a i a i a i a i a i a i a i a
m a m a m a m a m a m a m a m a m a m
a m a m a m a m a m a m a m a m a m a

十、#c旋律小调

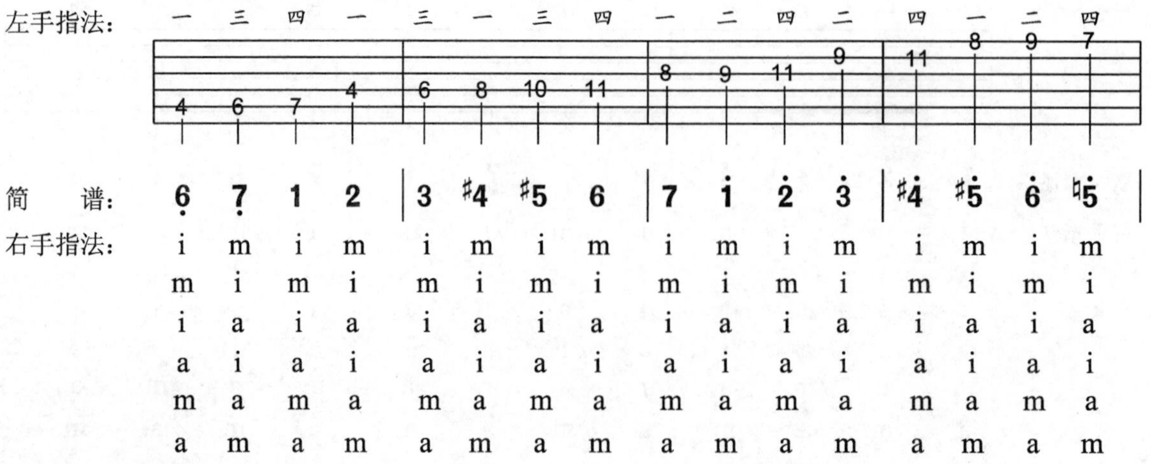
左手指法：
一 三 四 一 三 一 三 四 一 二 四 二 四 一 二 四
4 6 7 4 6 8 10 11 8 9 11 9 11 8 9 7
简 谱：
6 7 1 2 | 3 #4 #5 6 | 7 1 2 3 | #4 #5 6 ♮5 |
右手指法：
i m i m i m i m i m i m i m i m
m i m i m i m i m i m i m i m i
i a i a i a i a i a i a i a i a
a i a i a i a i a i a i a i a i
m a m a m a m a m a m a m a m a
a m a m a m a m a m a m a m a m

左手指法：二 一 四 二 一 三 一 四 三 一 四 三 一

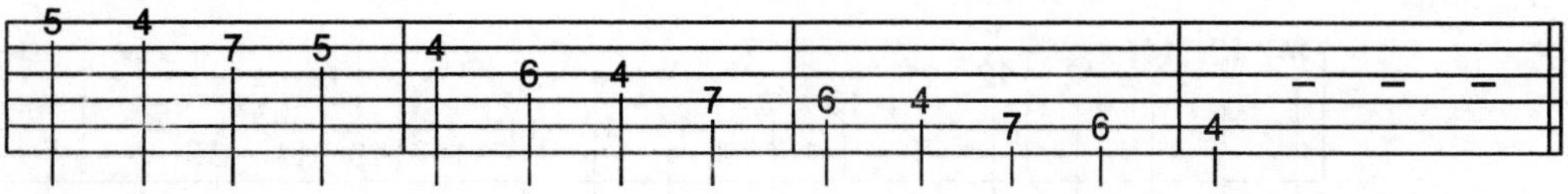

简　谱：4 3 2 1 | 7 6 5 4 | 3 2 1 7 | 6 – – – ‖

右手指法：
i m i m i m i m i m i m i
m i m i m i m i m i m i m
i a i a i a i a i a i a i
a i a i a i a i a i a i a
m a m a m a m a m a m a m
a m a m a m a m a m a m a

十一、B自然大调

左手指法：二 四 一 二 四 一 三 四 一 三 一 三

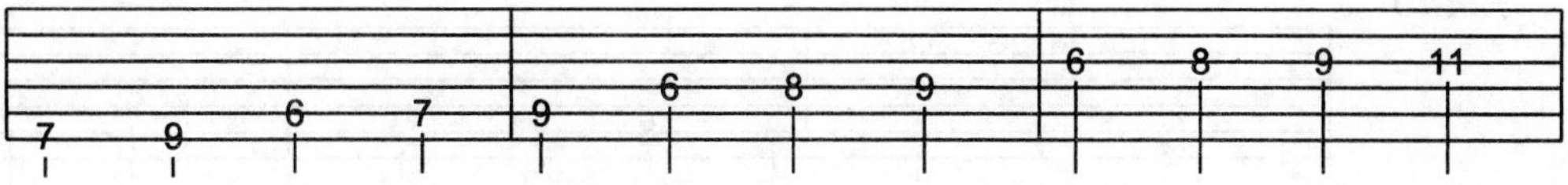

简　谱：1 2 3 4 | 5 6 7 1 | 2 3 4 5 |

右手指法：
i m i m i m i m i m i m
m i m i m i m i m i m i
i a i a i a i a i a i a
a i a i a i a i a i a i
m a m a m a m a m a m a
a m a m a m a m a m a m

左手指法：一 三 四 一 三 一 三 一 三 四 三 一

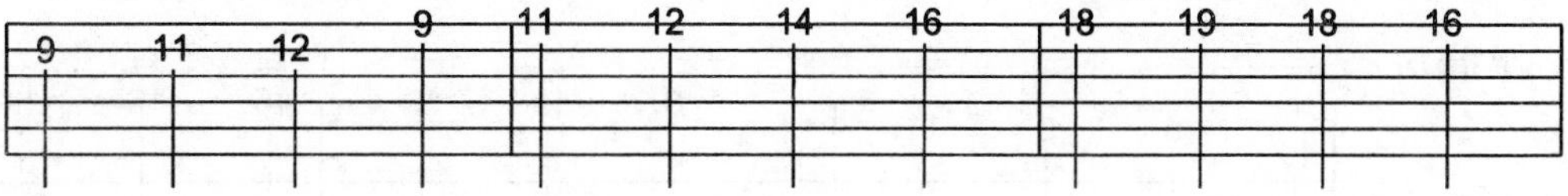

简　谱：6 7 1 2 | 3 4 5 6 | 7 1 7 6 |

右手指法：
i m i m i m i m i m i m
m i m i m i m i m i m i
i a i a i a i a i a i a
a i a i a i a i a i a i
m a m a m a m a m a m a
a m a m a m a m a m a m

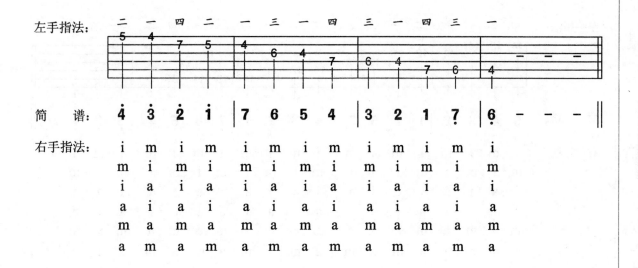

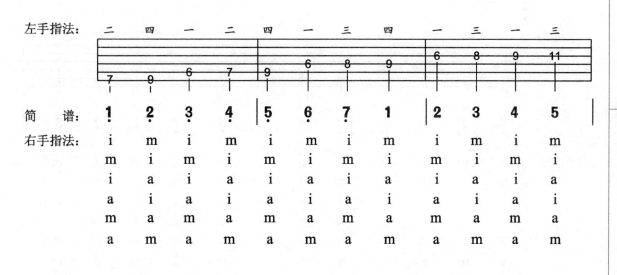

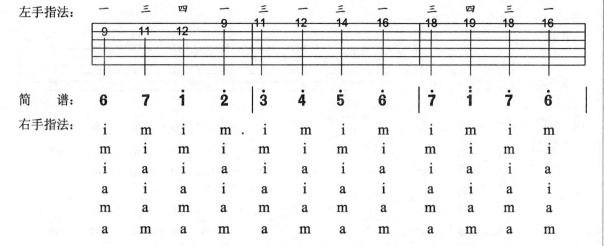

左手指法：四 二 一 四 二 一 三 一 四 三 一 四 三 一 四 二 一 四 二

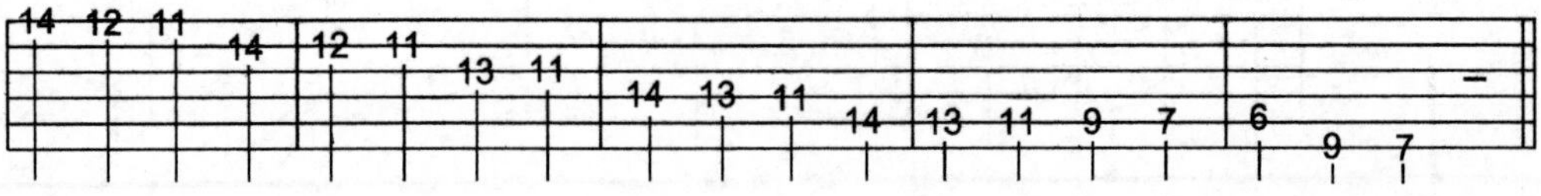

简　谱：5 4 3 2 | 1 7 6 5 | 4 3 2 1 | 7 6 5 4 | 3 2 1 – ‖

右手指法：
i m i m i m i m i m i m i m i m i m i
m i m i m i m i m i m i m i m i m i m
i a i a i a i a i a i a i a i a i a i
a i a i a i a i a i a i a i a i a i a
m a m a m a m a m a m a m a m a m a m
a m a m a m a m a m a m a m a m a m a

十二、#g旋律小调

左手指法：一 三 四 一 三 一 三 四 一 二 四 一

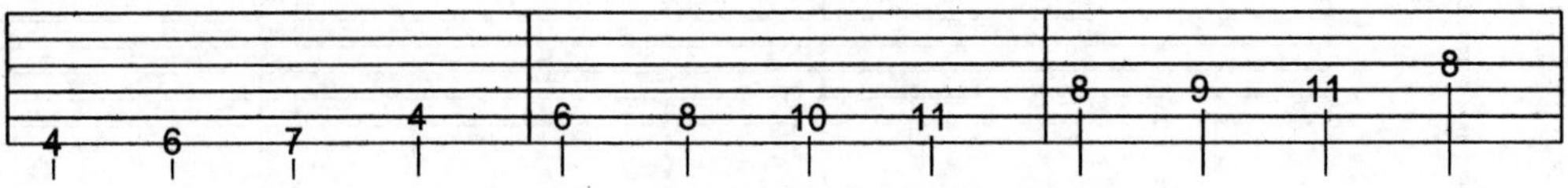

简　谱：6 7 1 2 | 3 #4 #5 6 | 7 1 2 3 |

右手指法：
i m i m i m i m i m i m
m i m i m i m i m i m i
i a i a i a i a i a i a
a i a i a i a i a i a i
m a m a m a m a m a m a
a m a m a m a m a m a m

左手指法：三 一 一 三 四 一 三 一 三 四 二 四

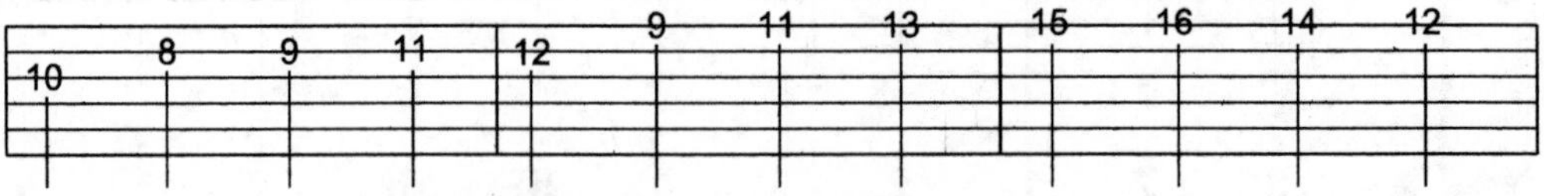

简　谱：#4 #5 6 7 | 1 2 3 #4 | #5 6 ♮5 4 |

右手指法：
i m i m i m i m i m i m
m i m i m i m i m i m i
i a i a i a i a i a i a
a i a i a i a i a i a i
m a m a m a m a m a m a
a m a m a m a m a m a m

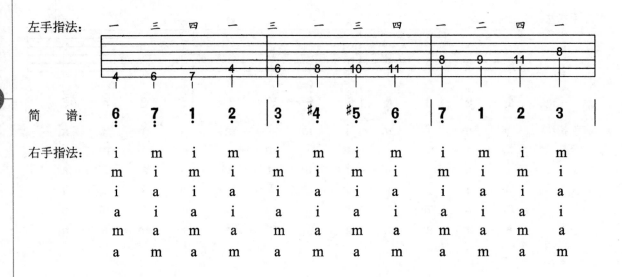

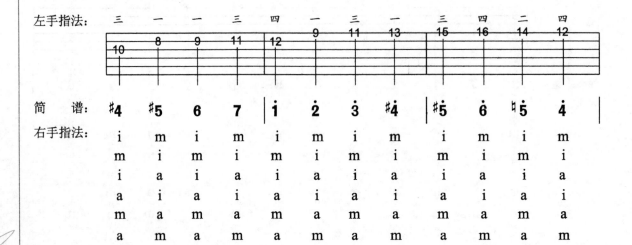

左手指法：三 一 四 三 | 一 三 一 三 | 一 四 三 一 | 四 二 一 四 | 四 三 一

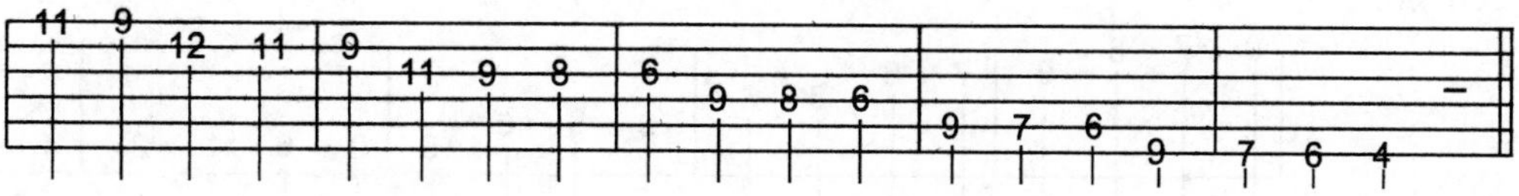

简　谱：3 2 1 7 | 6 5 4 3 | 2 1 7 6 | 5 4 3 2 | 1 7 6 – ||

右手指法：
i m i m i m i m i m i m i m i m i m i
m i m i m i m i m i m i m i m i m i m
i a i a i a i a i a i a i a i a i a i
a i a i a i a i a i a i a i a i a i a
m a m a m a m a m a m a m a m a m a m
a m a m a m a m a m a m a m a m a m a

十三、#F自然大调

左手指法：二 四 一 二 | 四 一 三 四 | 一 三 一 三

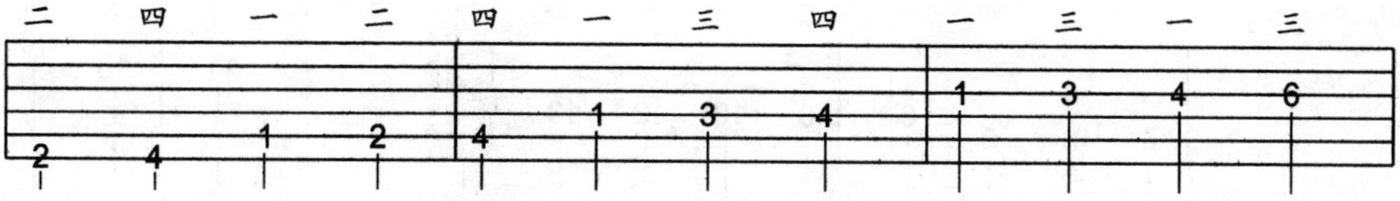

简　谱：1 2 3 4 | 5 6 7 1 | 2 3 4 5 |

右手指法：
i m i m i m i m i m i m
m i m i m i m i m i m i
i a i a i a i a i a i a
a i a i a i a i a i a i
m a m a m a m a m a m a
a m a m a m a m a m a m

左手指法：一 三 四 一 | 三 一 三 一 | 三 四 三 一

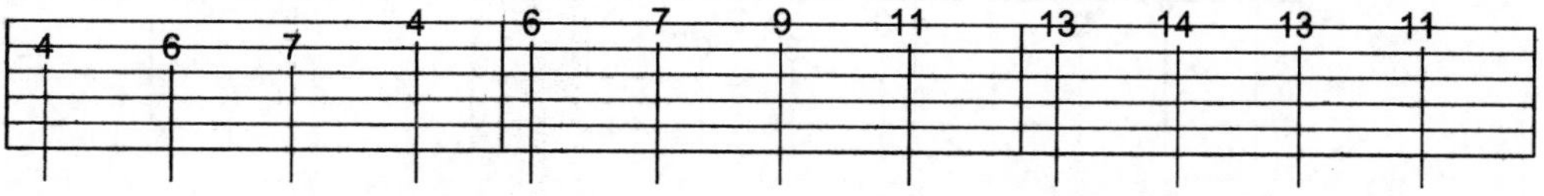

简　谱：6 7 1 2 | 3 4 5 6 | 7 1 7 6 |

右手指法：
i m i m i m i m i m i m
m i m i m i m i m i m i
i a i a i a i a i a i a
a i a i a i a i a i a i
m a m a m a m a m a m a
a m a m a m a m a m a m

左手指法：四 三 一 四 二 一 三 一 四 三 一 四 三 一 四 二 一 四 二

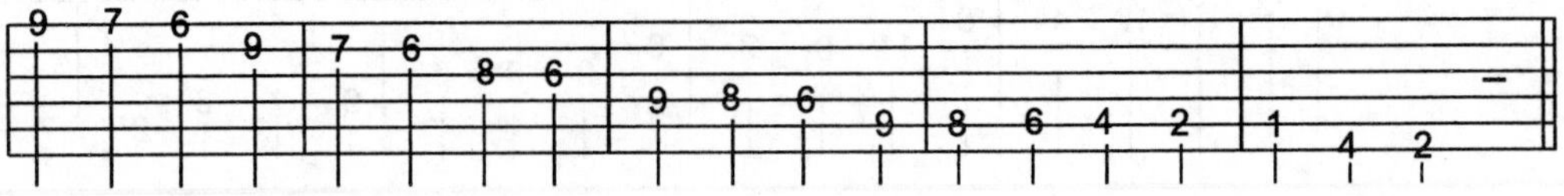

简　谱：5 4 3 2 | 1 7 6 5 | 4 3 2 1 | 7 6 5 4 | 3 2 1 – ||

右手指法：
i m i m i m i m i m i m i m i m i m i
m i m i m i m i m i m i m i m i m i m
i a i a i a i a i a i a i a i a i a i
a i a i a i a i a i a i a i a i a i a
m a m a m a m a m a m a m a m a m a m
a m a m a m a m a m a m a m a m a m a

十四、#d旋律小调

左手指法：一 三 四 一 三 一 三 四 一 二 四 二 四 一 二 四

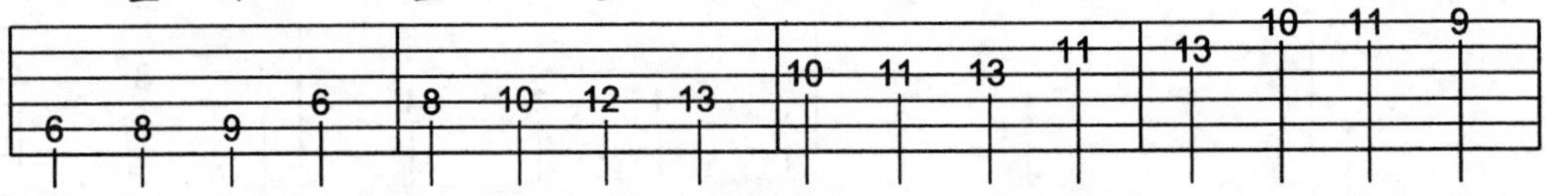

简　谱：6 7 1 2 | 3 #4 #5 6 | 7 1 2 3 | #4 #5 6 ♮5 |

右手指法：
i m i m i m i m i m i m i m i m
m i m i m i m i m i m i m i m i
i a i a i a i a i a i a i a i a
a i a i a i a i a i a i a i a i
m a m a m a m a m a m a m a m a
a m a m a m a m a m a m a m a m

左手指法：二 一 四 二 一 三 一 四 三 一 四 三 一

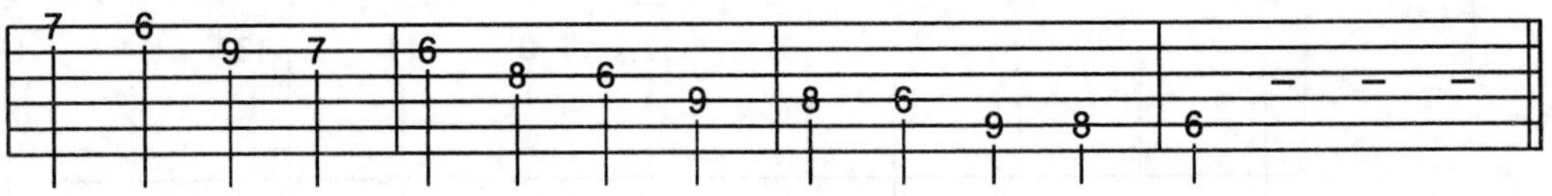

简　谱：4 3 2 1 | 7 6 5 4 | 3 2 1 7 | 6 – – – ||

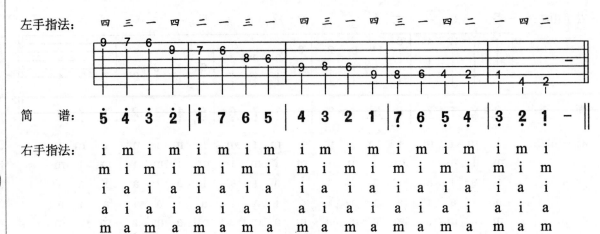

右手指法：
i m i m i m i m i m i m i
m i m i m i m i m i m i m
i a i a i a i a i a i a i
a i a i a i a i a i a i a
m a m a m a m a m a m a m
a m a m a m a m a m a m a

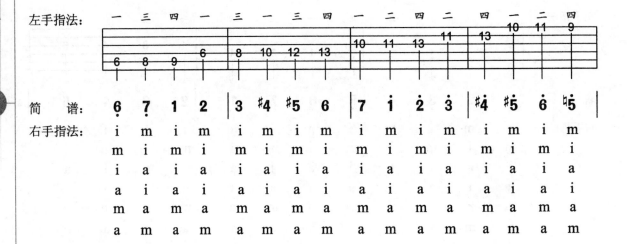

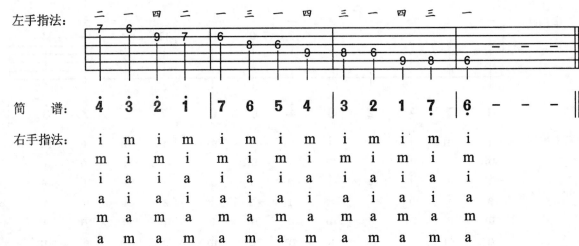

十五、#C自然大调

左手指法：二 四 一 二 四 一 三 一 三 一 二 四 一 三 四 三

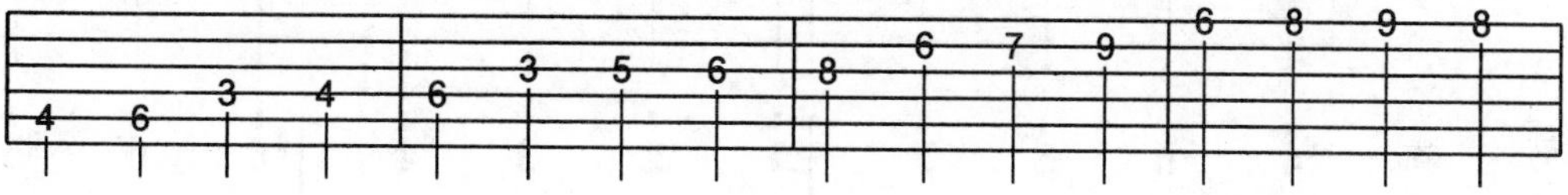

简　谱：1 2 3 4 | 5 6 7 1̇ | 2̇ 3̇ 4̇ 5̇ | 6̇ 7̇ 1̈ 7̇ |

右手指法：
i m i m i m i m i m i m i m i m
m i m i m i m i m i m i m i m i
i a i a i a i a i a i a i a i a
a i a i a i a i a i a i a i a i
m a m a m a m a m a m a m a m a
a m a m a m a m a m a m a m a m

左手指法：一 四 二 一 三 一 三 一 四 二 一 四 二

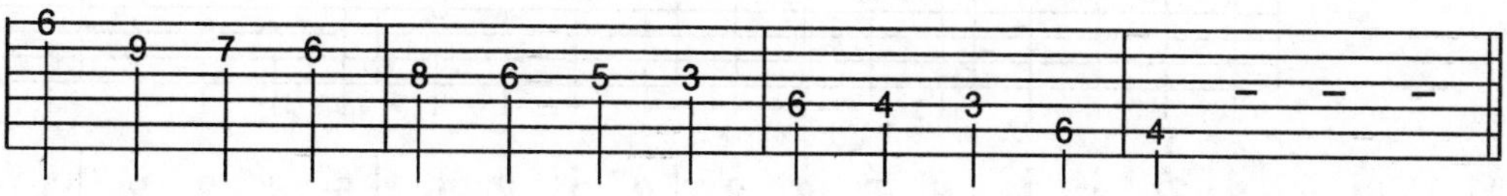

简　谱：6̇ 5̇ 4̇ 3̇ | 2̇ 1̇ 7 6 | 5 4 3 2 | 1 - - - ‖

右手指法：
i m i m i m i m i m i m i
m i m i m i m i m i m i m
i a i a i a i a i a i a i
a i a i a i a i a i a i a
m a m a m a m a m a m a m
a m a m a m a m a m a m a

十六、#a旋律小调

左手指法：一 三 四 一 三 一 三 一 三 四 一 三

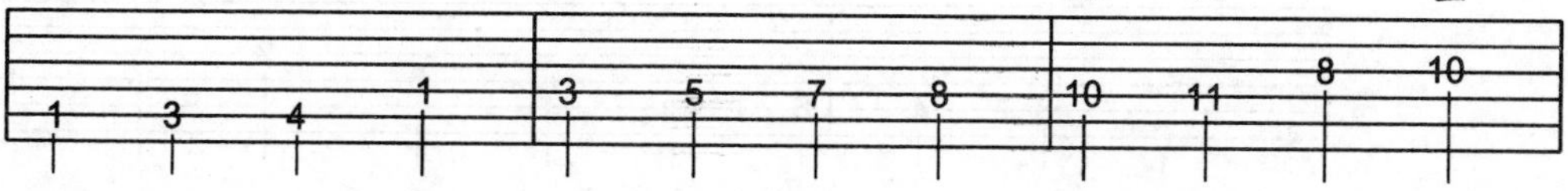

简　谱：6̣ 7̣ 1 2 | 3 #4 #5 6 | 7 1̇ 2̇ 3̇ |

右手指法：
i m i m i m i m i m i m
m i m i m i m i m i m i
i a i a i a i a i a i a
a i a i a i a i a i a i
m a m a m a m a m a m a
a m a m a m a m a m a m

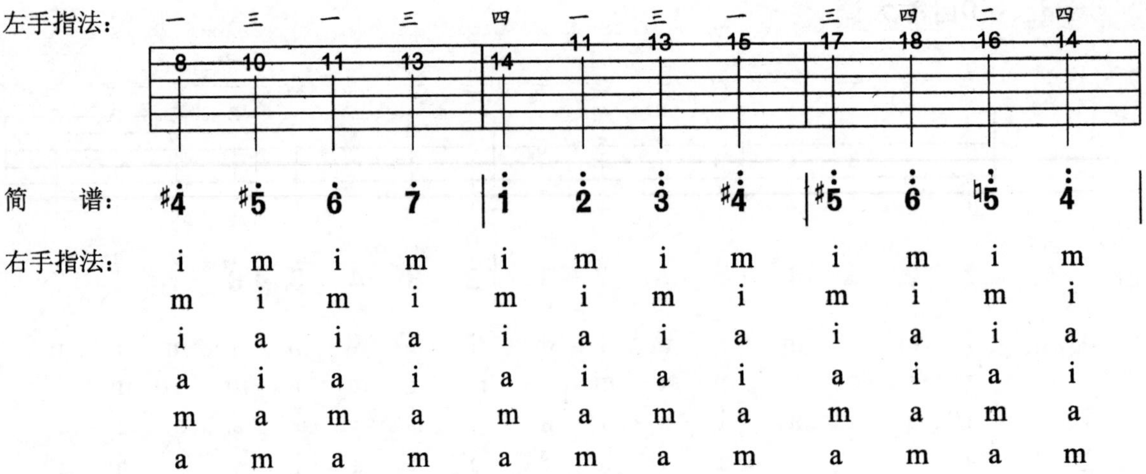
左手指法：
一 三 一 三 四 一 三 一 三 四 二 四
8 10 11 13 14 11 13 15 17 18 16 14
简　谱：
#4 #5 6 7 1 2 3 #4 #5 6 ♮5 4
右手指法：
i m i m i m i m i m i m
m i m i m i m i m i m i
i a i a i a i a i a i a
a i a i a i a i a i a i
m a m a m a m a m a m a
a m a m a m a m a m a m

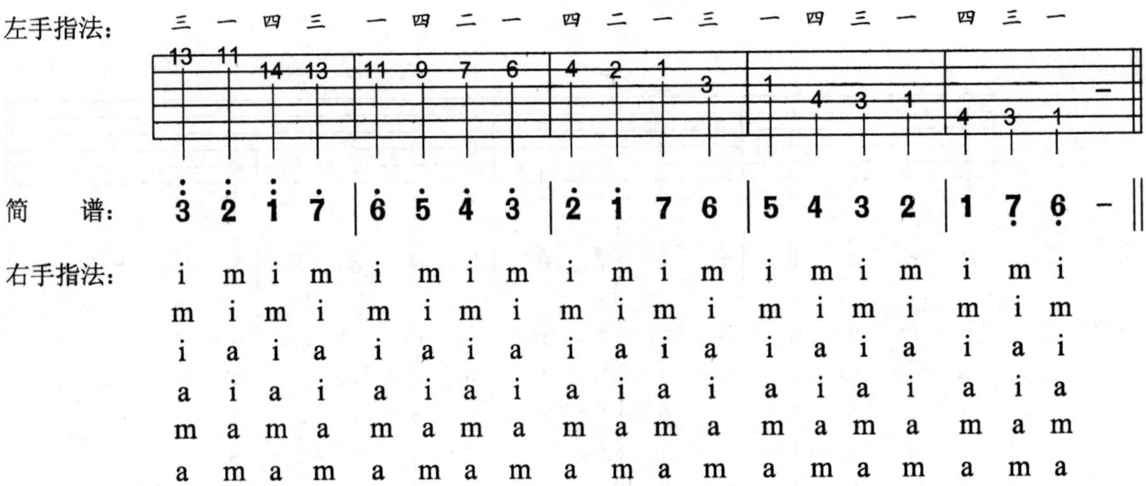
左手指法：
三 一 四 三 一 四 二 一 四 二 一 三 一 四 三 一 四 三 一
13 11 14 13 11 9 7 6 4 2 1 3 1 4 3 1 4 3 1
简　谱：
3 2 1 7 6 5 4 3 2 1 7 6 5 4 3 2 1 7 6 –
右手指法：
i m i m i m i m i m i m i m i m i m i
m i m i m i m i m i m i m i m i m i m
i a i a i a i a i a i a i a i a i a i
a i a i a i a i a i a i a i a i a i a
m a m a m a m a m a m a m a m a m a m
a m a m a m a m a m a m a m a m a m a

十七、♭A自然大调

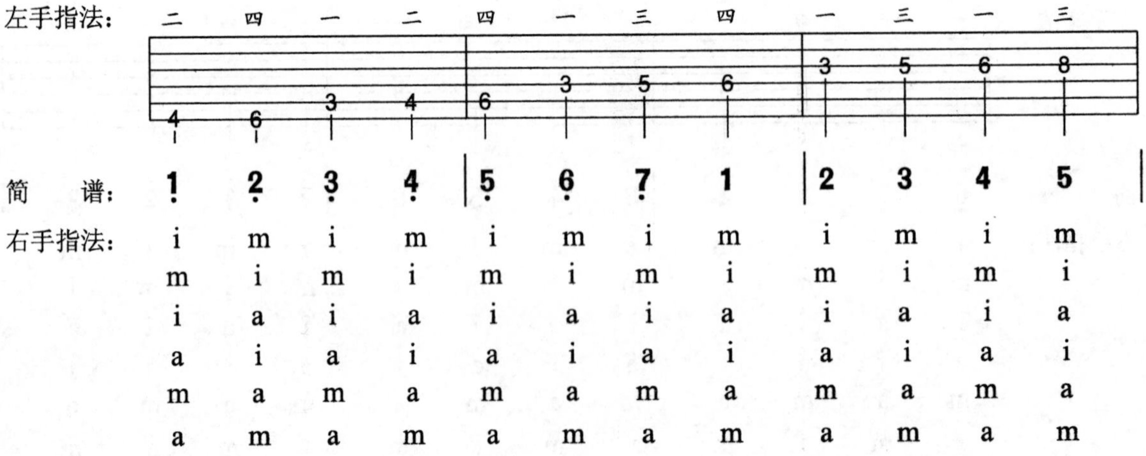
左手指法：
二 四 一 二 四 一 三 四 一 三 一 三
4 6 3 4 6 3 5 6 3 5 6 8
简　谱：
1 2 3 4 5 6 7 1 2 3 4 5
右手指法：
i m i m i m i m i m i m
m i m i m i m i m i m i
i a i a i a i a i a i a
a i a i a i a i a i a i
m a m a m a m a m a m a
a m a m a m a m a m a m

左手指法：一 三 四 一 | 三 一 三 一 | 三 四 三 一

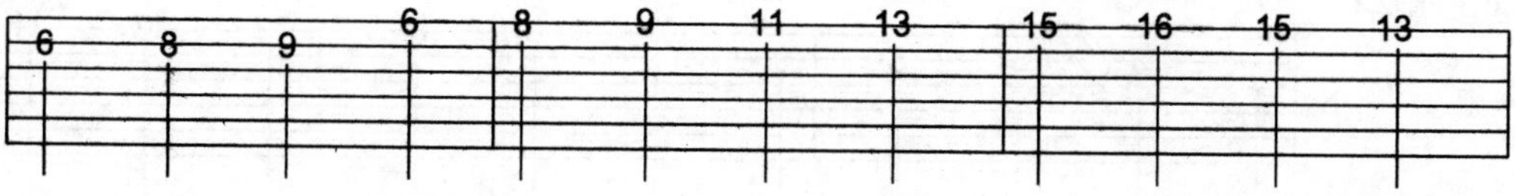

简　谱：6 7 1 2 | 3 4 5 6 | 7 1 7 6 |

右手指法：
i m i m i m i m i m i m
m i m i m i m i m i m i
i a i a i a i a i a i a
a i a i a i a i a i a i
m a m a m a m a m a m a
a m a m a m a m a m a m

左手指法：四 二 一 四 二 一 三 一 四 三 一 四 三 一 四 二 一 四 二

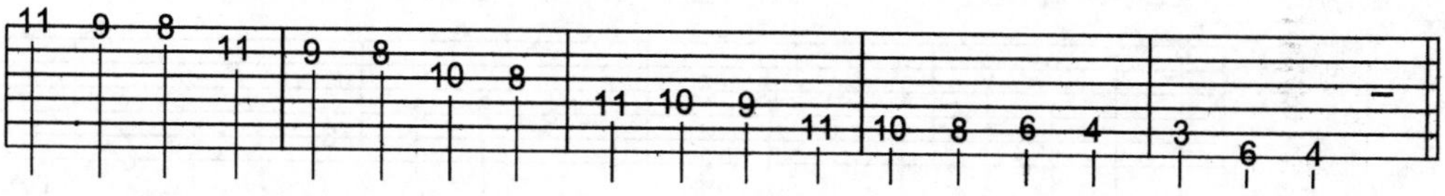

简　谱：5 4 3 2 | 1 7 6 5 | 4 3 2 1 | 7 6 5 4 | 3 2 1 – ||

右手指法：
i m i m i m i m i m i m i m i m i m i
m i m i m i m i m i m i m i m i m i m
i a i a i a i a i a i a i a i a i a i
a i a i a i a i a i a i a i a i a i a
m a m a m a m a m a m a m a m a m a m
a m a m a m a m a m a m a m a m a m a

十八、f旋律小调

左手指法：一 三 四 一 | 三 一 三 四 | 一 二 四 一

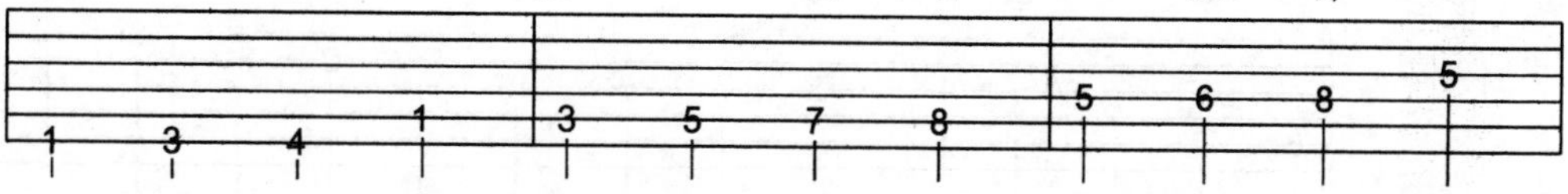

简　谱：6 7 1 2 | 3 #4 #5 6 | 7 1 2 3 |

右手指法：
i m i m i m i m i m i m
m i m i m i m i m i m i
i a i a i a i a i a i a
a i a i a i a i a i a i
m a m a m a m a m a m a
a m a m a m a m a m a m

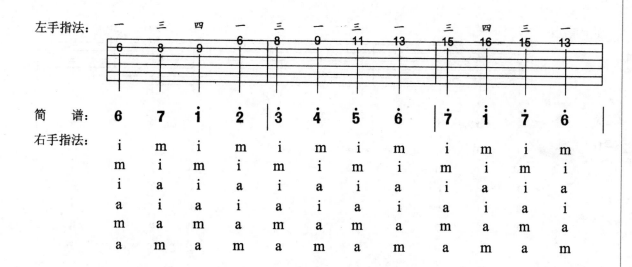

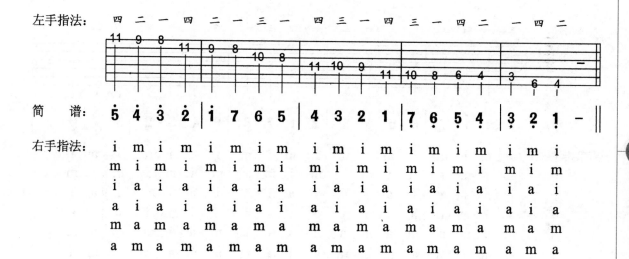

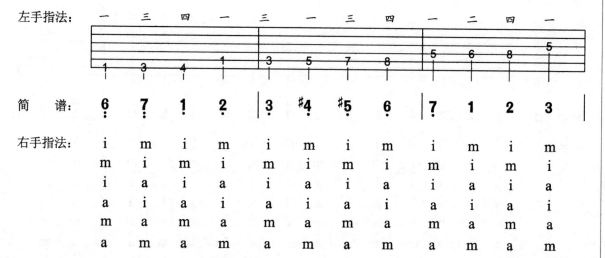

左手指法： 三 一 一 三 四 一 三 一 三 四 二 四

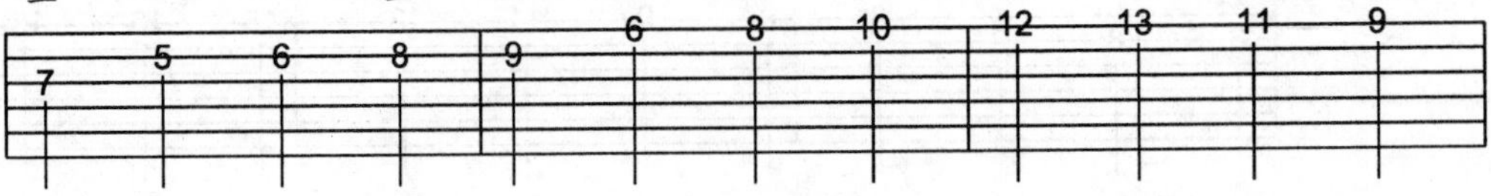

简　谱： #4 #5 6 7 | 1̇ 2̇ 3̇ #4̇ | #5̇ 6̇ ♮5̇ 4̇ |

右手指法：
i m i m i m i m i m i m
m i m i m i m i m i m i
i a i a i a i a i a i a
a i a i a i a i a i a i
m a m a m a m a m a m a
a m a m a m a m a m a m

左手指法： 三 一 四 三 一 三 一 三 一 四 三 一 四 二 一 四 四 三 一

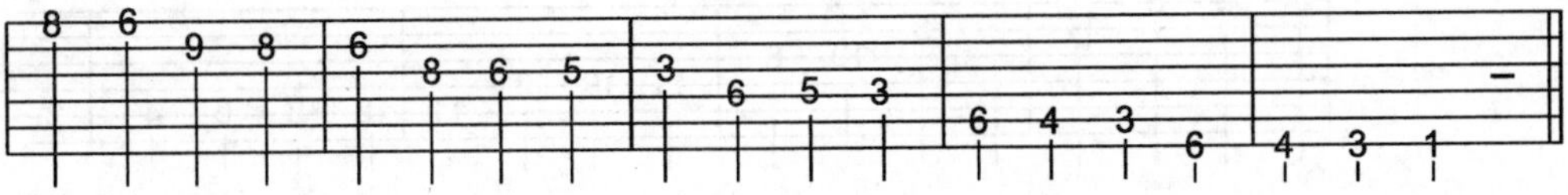

简　谱： 3̇ 2̇ 1̇ 7 | 6 5 4 3 | 2 1 7̣ 6̣ | 5̣ 4̣ 3̣ 2̣ | 1̣ 7̤ 6̤ – ‖

右手指法：
i m i m i m i m i m i m i m i m i
m i m i m i m i m i m i m i m i m
i a i a i a i a i a i a i a i a i
a i a i a i a i a i a i a i a i a
m a m a m a m a m a m a m a m a m
a m a m a m a m a m a m a m a m a

十九、♭E自然大调

左手指法： 二 四 一 二 四 一 三 一 三 一 二 四 一 三 四 三

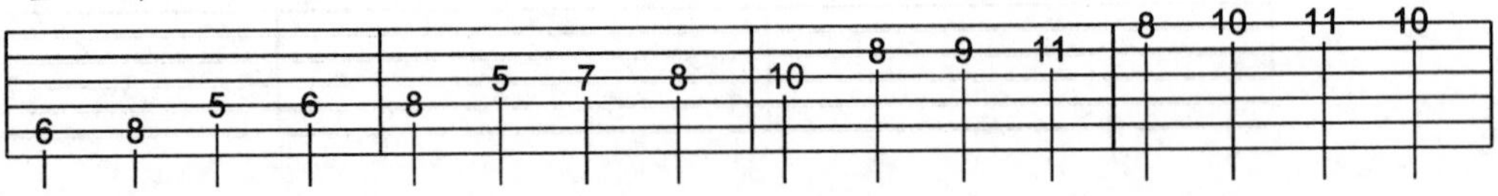

简　谱： 1 2 3 4 | 5 6 7 1̇ | 2̇ 3̇ 4̇ 5̇ | 6̇ 7̇ 1̈ 7̇ |

右手指法：
i m i m i m i m i m i m i m i m
m i m i m i m i m i m i m i m i
i a i a i a i a i a i a i a i a
a i a i a i a i a i a i a i a i
m a m a m a m a m a m a m a m a
a m a m a m a m a m a m a m a m

左手指法：一 四 二 一 三 一 三 一 四 二 一 四 二

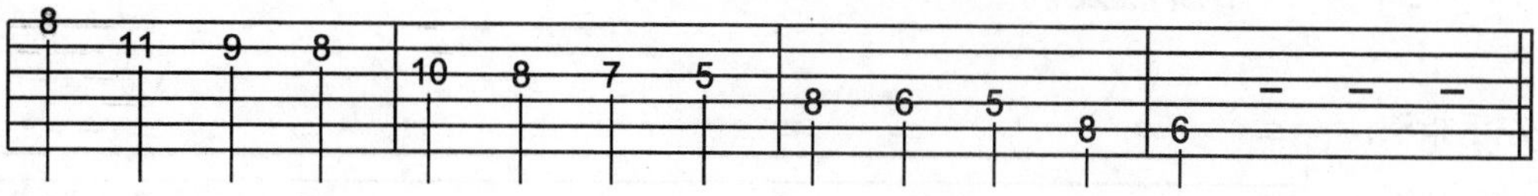

简　谱：6 5 4 3 | 2 1 7 6 | 5 4 3 2 | 1 – – – ‖

右手指法：
i m i m i m i m i m i m i
m i m i m i m i m i m i m
i a i a i a i a i a i a i
a i a i a i a i a i a i a
m a m a m a m a m a m a m
a m a m a m a m a m a m a

二十、c旋律小调

左手指法：一 三 四 一 三 一 三 四 一 二 四 二 四 一 二 四

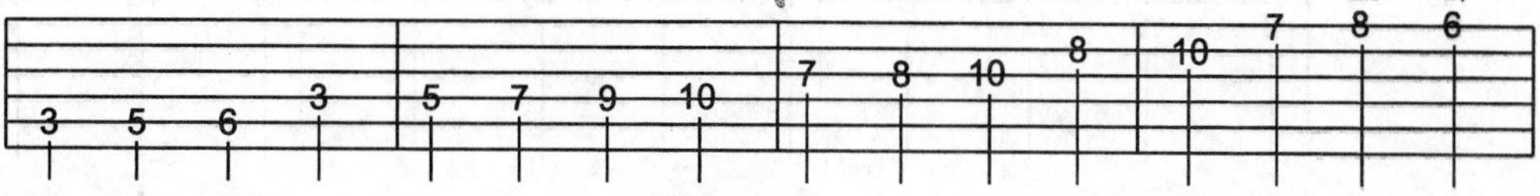

简　谱：6 7 1 2 | 3 #4 #5 6 | 7 1 2 3 | #4 #5 6 ♮5 |

右手指法：
i m i m i m i m i m i m i m i m
m i m i m i m i m i m i m i m i
i a i a i a i a i a i a i a i a
a i a i a i a i a i a i a i a i
m a m a m a m a m a m a m a m a
a m a m a m a m a m a m a m a m

左手指法：二 一 四 二 一 三 一 四 三 一 四 三 一

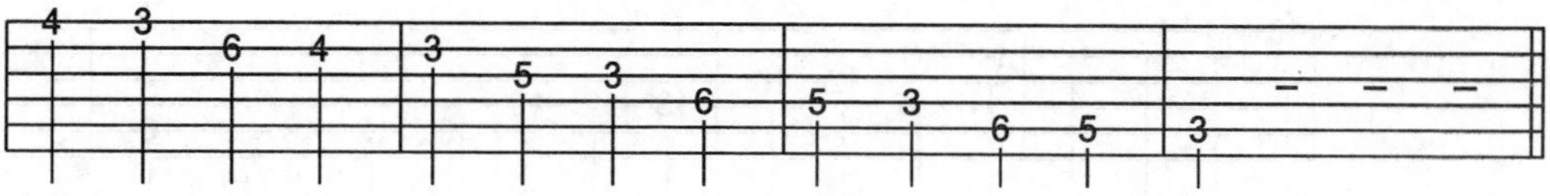

简　谱：4 3 2 1 | 7 6 5 4 | 3 2 1 7 | 6 – – – ‖

右手指法：
i m i m i m i m i m i m i
m i m i m i m i m i m i m
i a i a i a i a i a i a i
a i a i a i a i a i a i a
m a m a m a m a m a m a m
a m a m a m a m a m a m a

二十一、♭B自然大调

左手指法： 二 四 一 二 四 一 三 四 一 三 一 三

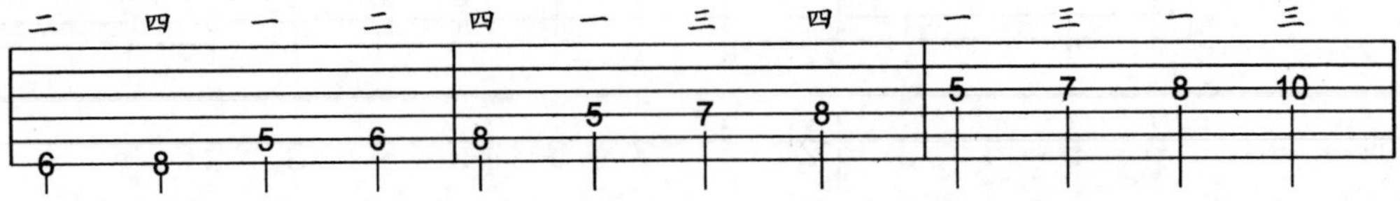

简　谱： 1 2 3 4 | 5 6 7 1 | 2 3 4 5 |

右手指法：
i m i m i m i m i m i m
m i m i m i m i m i m i
i a i a i a i a i a i a
a i a i a i a i a i a i
m a m a m a m a m a m a
a m a m a m a m a m a m

左手指法： 一 三 四 一 三 一 三 一 三 四 三 一

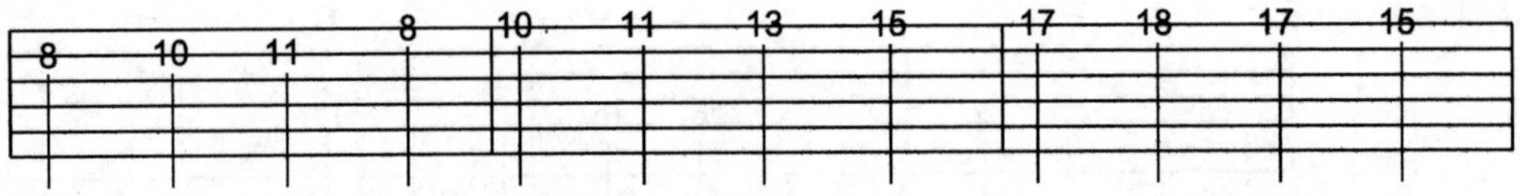

简　谱： 6 7 1 2 | 3 4 5 6 | 7 1 7 6 |

右手指法：
i m i m i m i m i m i m
m i m i m i m i m i m i
i a i a i a i a i a i a
a i a i a i a i a i a i
m a m a m a m a m a m a
a m a m a m a m a m a m

左手指法： 四 二 一 四 二 一 三 一 四 三 一 四 三 一 四 二 一 四 二

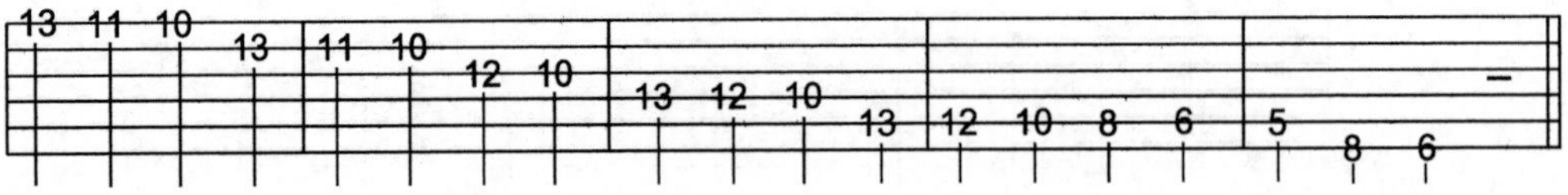

简　谱： 5 4 3 2 | 1 7 6 5 | 4 3 2 1 | 7 6 5 4 | 3 2 1 – ‖

右手指法：
i m i m i m i m i m i m i m i m i m i
m i m i m i m i m i m i m i m i m i m
i a i a i a i a i a i a i a i a i a i
a i a i a i a i a i a i a i a i a i a
m a m a m a m a m a m a m a m a m a m
a m a m a m a m a m a m a m a m a m a

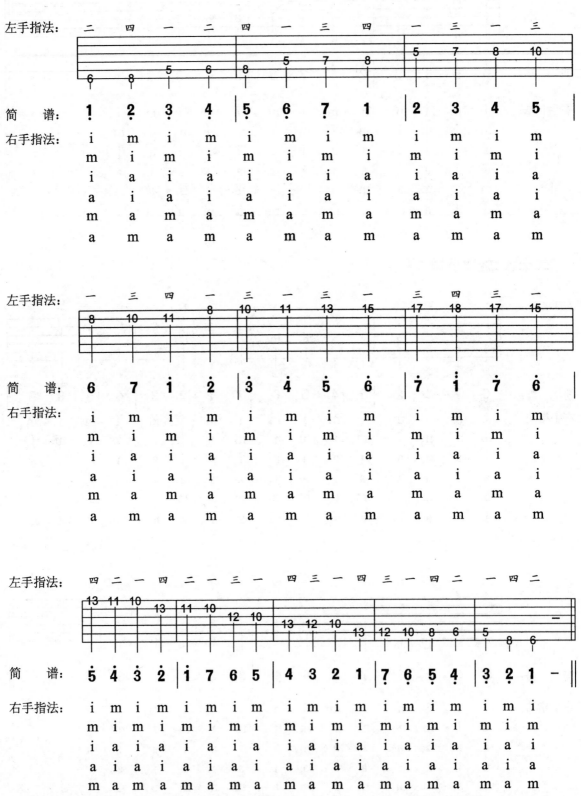

二十二、g自然小调

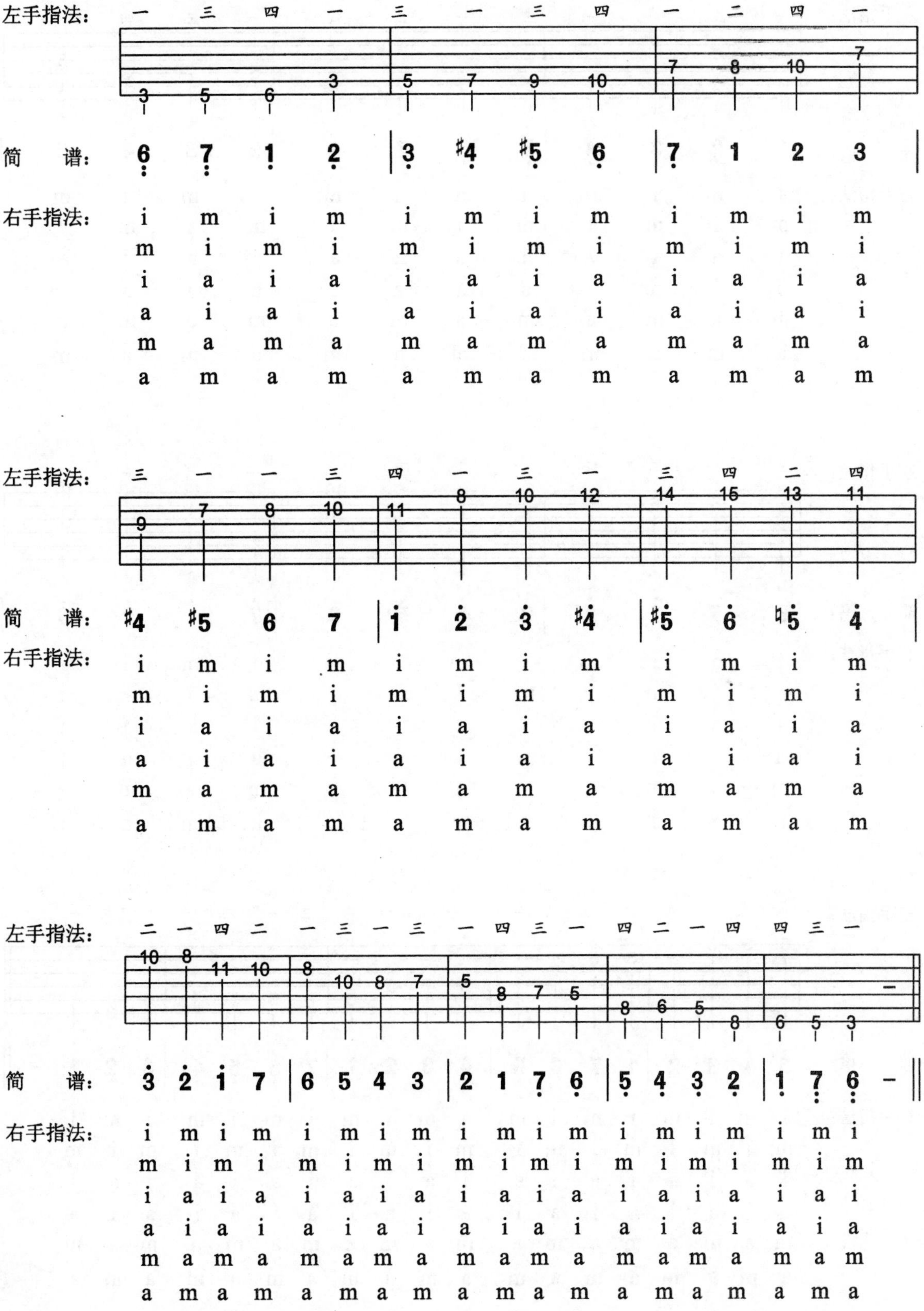
左手指法：
一 三 四 一 三 一 三 四 一 二 四 一
3 5 6 3 5 7 9 10 7 8 10 7
简 谱：
6 7 1 2 | 3 #4 #5 6 | 7 1 2 3 |
右手指法：
i m i m i m i m i m i m
m i m i m i m i m i m i
i a i a i a i a i a i a
a i a i a i a i a i a i
m a m a m a m a m a m a
a m a m a m a m a m a m
左手指法：
三 一 一 三 四 一 三 一 三 四 二 四
9 7 8 10 11 8 10 12 14 15 13 11
简 谱：
#4 #5 6 7 | 1 2 3 #4 | #5 6 ♮5 4 |
右手指法：
i m i m i m i m i m i m
m i m i m i m i m i m i
i a i a i a i a i a i a
a i a i a i a i a i a i
m a m a m a m a m a m a
a m a m a m a m a m a m
左手指法：
二 一 四 二 一 三 一 三 一 四 三 一 四 二 一 四 四 三 一
10 8 11 10 8 10 8 7 5 8 7 5 8 6 5 8 6 5 3 –
简 谱：
3 2 1 7 | 6 5 4 3 | 2 1 7 6 | 5 4 3 2 | 1 7 6 – ||
右手指法：
i m i m i m i m i m i m i m i m i m i
m i m i m i m i m i m i m i m i m i m
i a i a i a i a i a i a i a i a i a i
a i a i a i a i a i a i a i a i a i a
m a m a m a m a m a m a m a m a m a m
a m a m a m a m a m a m a m a m a m a

二十三、F自然大调

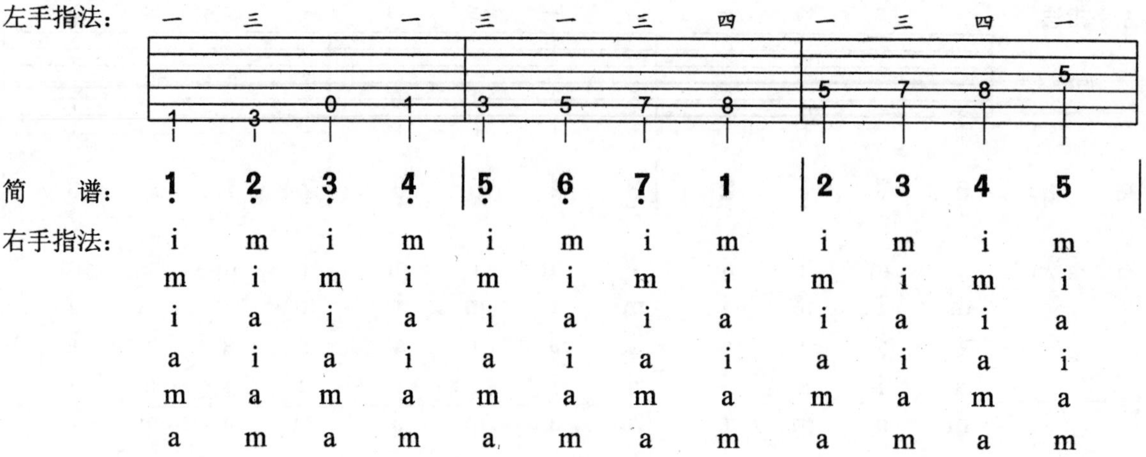
左手指法：
一 三 一 三 一 三 四 一 三 四 一
1 3 0 1 3 5 7 8 5 7 8 5
简 谱：
1 2 3 4 5 6 7 1 2 3 4 5
右手指法：
i m i m i m i m i m i m
m i m i m i m i m i m i
i a i a i a i a i a i a
a i a i a i a i a i a i
m a m a m a m a m a m a
a m a m a m a m a m a m

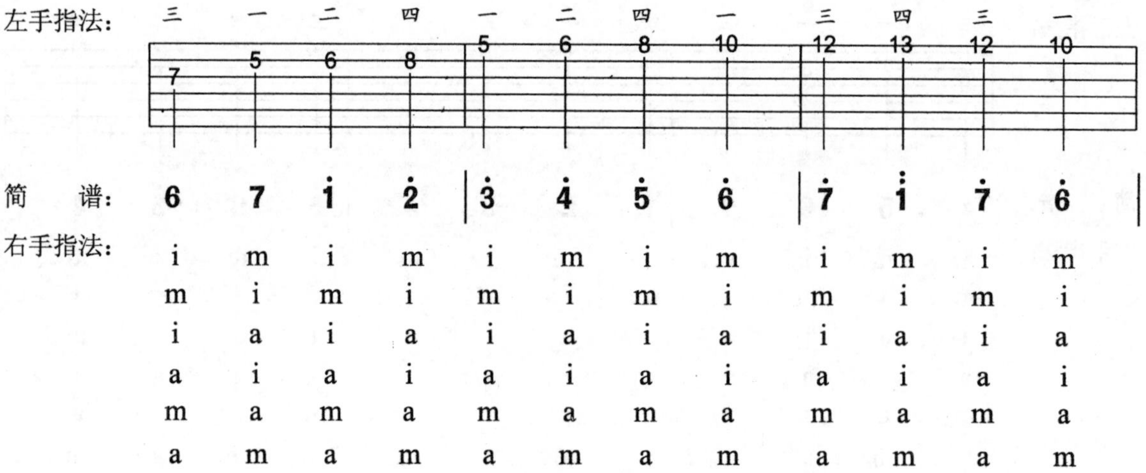
左手指法：
三 一 二 四 一 二 四 一 三 四 三 一
7 5 6 8 5 6 8 10 12 13 12 10
简 谱：
6 7 1 2 3 4 5 6 7 1 7 6
右手指法：
i m i m i m i m i m i m
m i m i m i m i m i m i
i a i a i a i a i a i a
a i a i a i a i a i a i
m a m a m a m a m a m a
a m a m a m a m a m a m

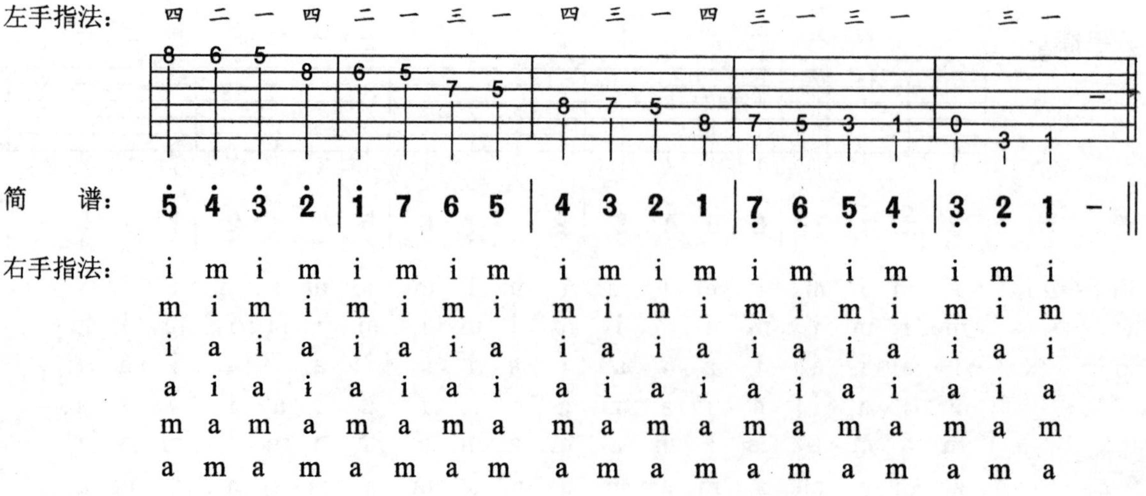
左手指法：
四 二 一 四 二 一 三 一 四 三 一 四 三 一 三 一 三 一
8 6 5 8 6 5 7 5 8 7 5 8 7 5 3 1 0 3 1
简 谱：
5 4 3 2 1 7 6 5 4 3 2 1 7 6 5 4 3 2 1 –
右手指法：
i m i m i m i m i m i m i m i m i m i
m i m i m i m i m i m i m i m i m i m
i a i a i a i a i a i a i a i a i a i
a i a i a i a i a i a i a i a i a i a
m a m a m a m a m a m a m a m a m a m
a m a m a m a m a m a m a m a m a m a

二十四、d旋律小调

左手指法：一 三 四 一 三 一 三 四 一 二 四 二 四 一 二 四

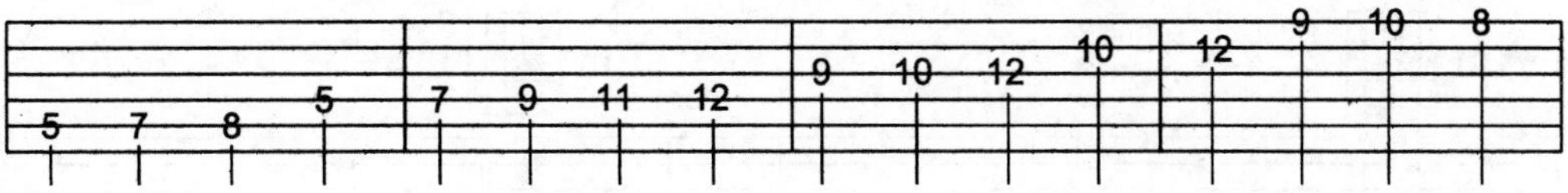

简　谱：6 7 1 2 | 3 #4 #5 6 | 7 1 2 3 | #4 #5 6 ♮5 |

右手指法：
i m i m i m i m i m i m i m i m
m i m i m i m i m i m i m i m i
i a i a i a i a i a i a i a i a
a i a i a i a i a i a i a i a i
m a m a m a m a m a m a m a m a
a m a m a m a m a m a m a m a m

左手指法：二 一 四 二 一 三 一 四 三 一 四 三 一

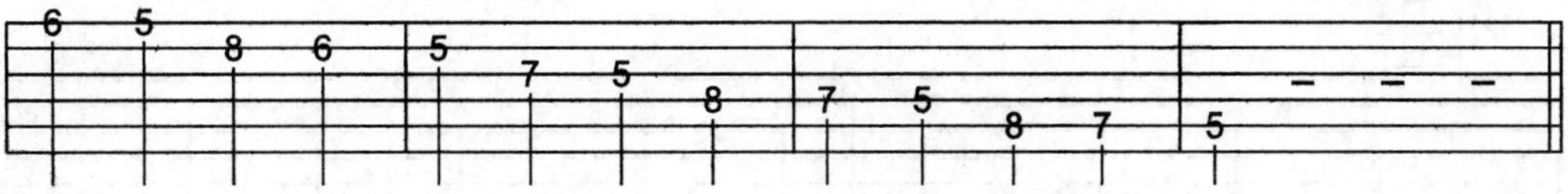

简　谱：4 3 2 1 | 7 6 5 4 | 3 2 1 7 | 6 – – – ‖

右手指法：
i m i m i m i m i m i m i
m i m i m i m i m i m i m
i a i a i a i a i a i a i
a i a i a i a i a i a i a
m a m a m a m a m a m a m
a m a m a m a m a m a m a

练习提示：

要严格按照谱面上规定的指法练习，刚开始练时要慢，待练到每个音都能饱满发出的情况下，再提速练习。

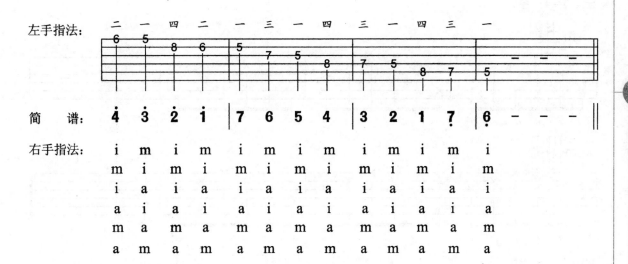

第二节　入门小练习十条

（均用慢速）

一、1=C $\frac{2}{4}$

刘天礼　作曲编配

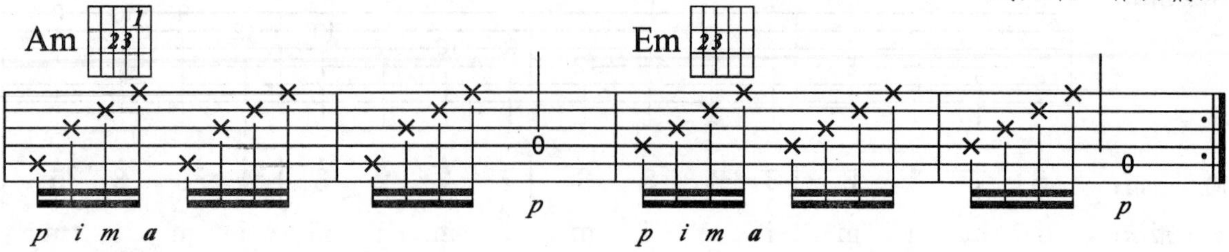

二、1=C $\frac{2}{4}$

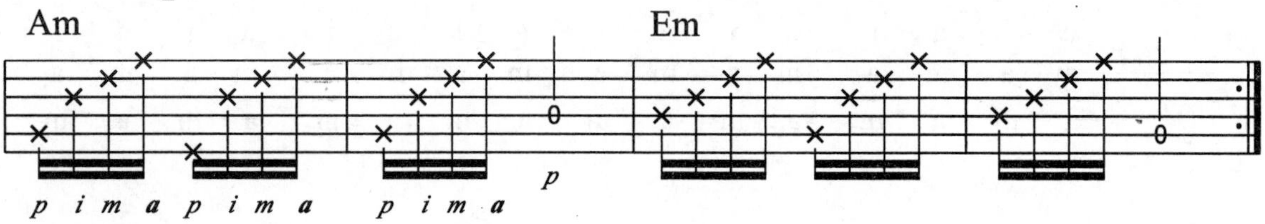

三、1=C $\frac{3}{4}$

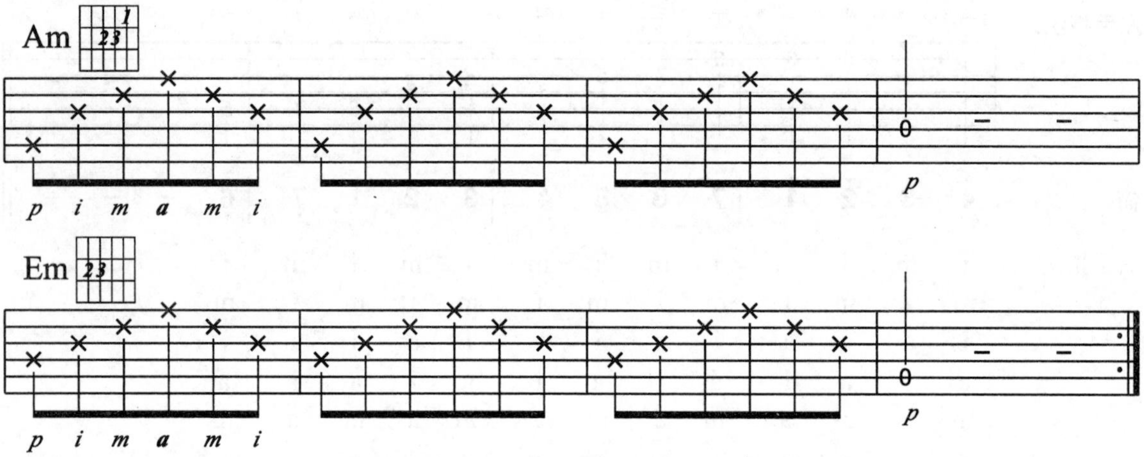

四、1=C $\frac{3}{4}$

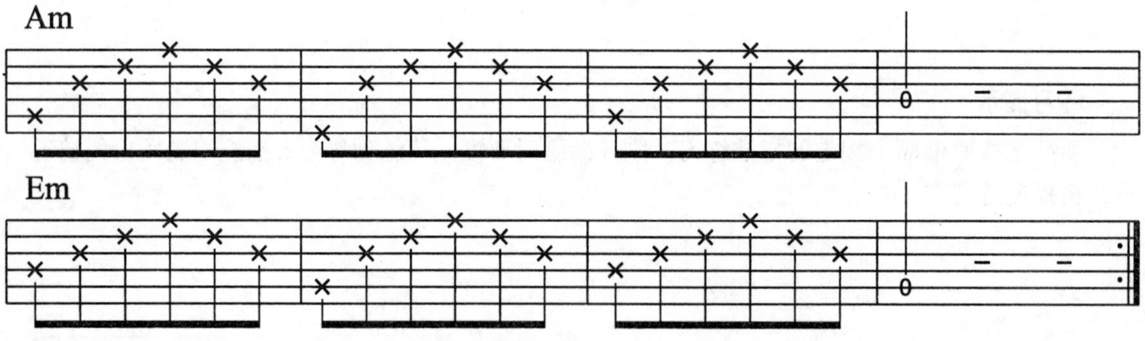

五、1=C $\frac{3}{4}$

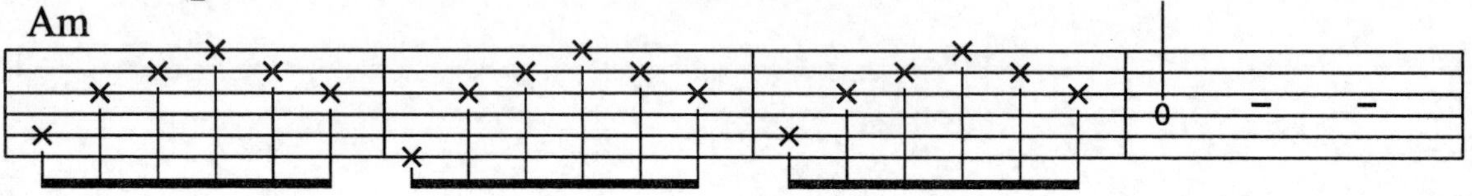

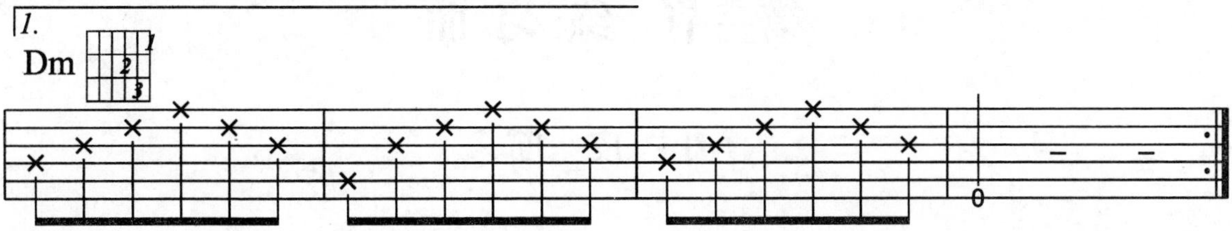

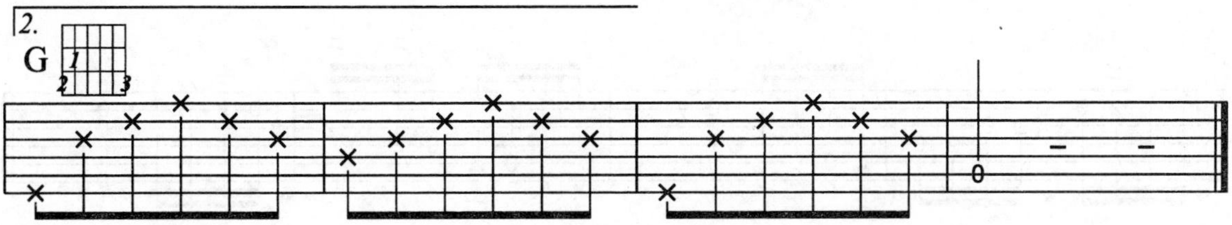

六、1=C $\frac{2}{4}$

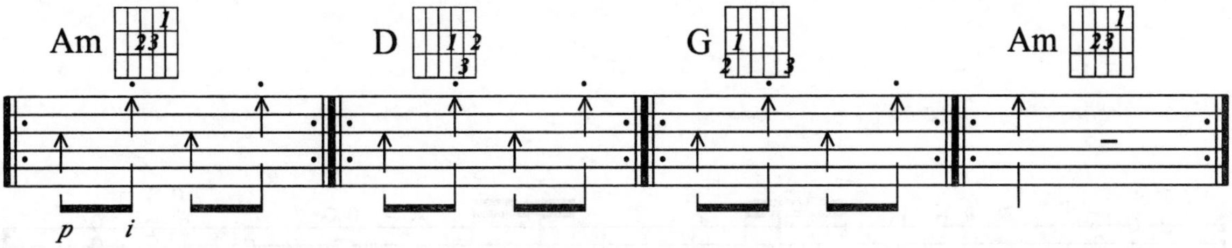

七、1=C $\frac{2}{4}$

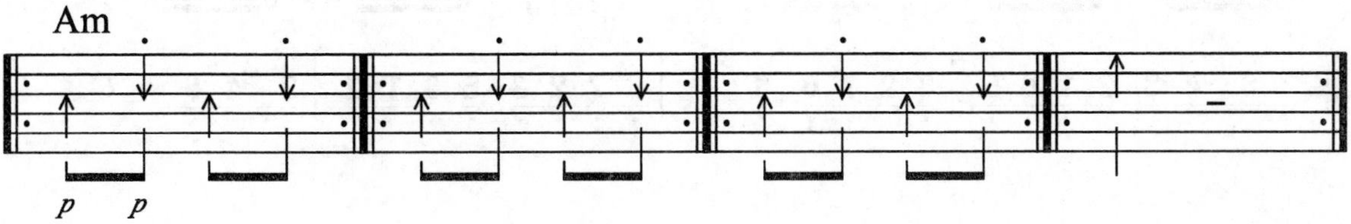

八、1=C $\frac{2}{4}$

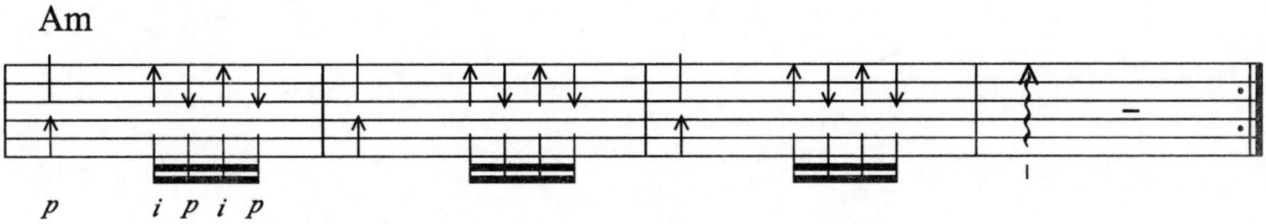

九、1=C $\frac{2}{4}$

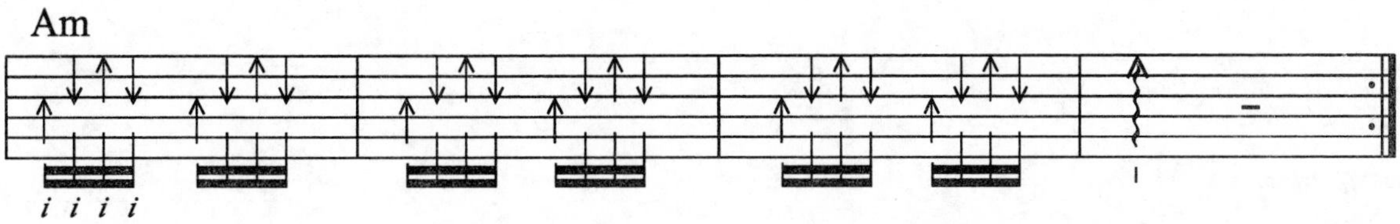

十、1=C $\frac{2}{4}$

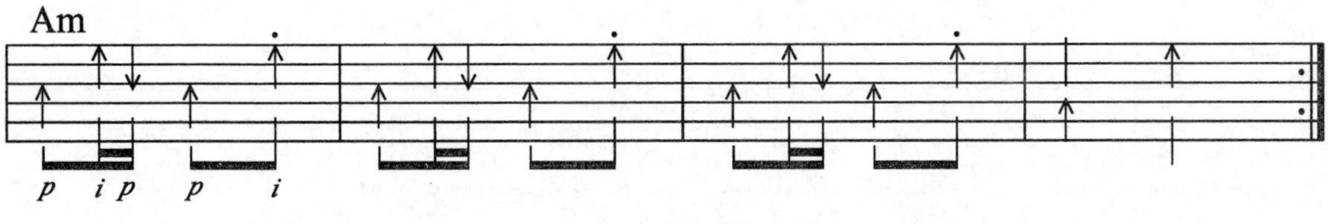

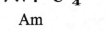

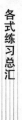

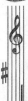

第三节 练习曲

小皮筋

1=G $\frac{2}{4}$

刘天礼 作曲

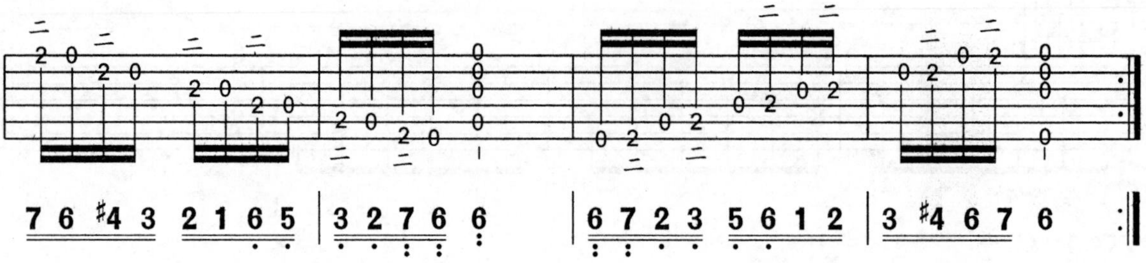

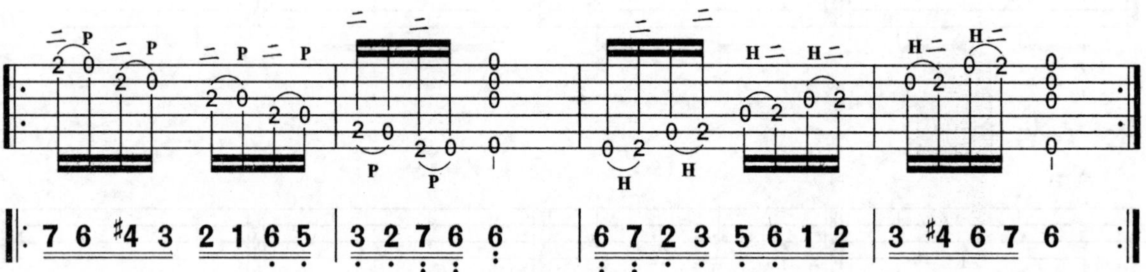

第六章　匹克吉他简介

拨片吉他也称匹克吉他，“匹克”二字是英文Pick的音译。用拨片来演奏吉他，具有非凡的魅力。它发音清脆、明亮，特别是在合奏与伴奏中使用更多。

拨片演奏技巧很高、表现力也很丰富。它可以在高音区演奏旋律，也可以在低音区演奏旋律。在乐队合作中用拨片弹分解和弦、琶音、打节奏是很有效果的。有时可以在乐句之间加华彩，加过门（经过音）等，也是很有效果的。用“碎拨”奏法来演奏旋律是十分迷人的，这种奏法也同样可以在低音区演奏旋律，而且别具一种浑厚优雅的风格。

拨片奏法的表现力和用途是不亚于其他演奏方法的。

第一节　拨片的材料选择和做法

拨片最好是用那种较薄的塑料垫片（这种塑料垫片上面一般都带有各种颜色和类似大理的花纹），这种塑料片商店里即有出售。

拨片两头的尖角以90°角为最佳。因为这样的角度拨出的声音好听，也容易控制。这种材料做成的拨片，不宜做成正三角形“△”。因为这种小于90°角的拨片发音小，声音散，不够柔美。但也不要大于90°，大于90°角发音迟钝。拨片不要太硬的，要稍软一些为好，但也不要太软，太软了声音小。

在使用中，如果拨片的尖角磨掉了，可用剪刀重新剪出90°尖角。

以上讲的是练习用的，如正式演奏电吉他，则要换上硬拨片，如一时买不到，也可以自已做。这种硬一些、厚一些的材料不太好找，要靠自己观察，有些塑料方盒，如装名片、装药品的盒，其中就有适合做硬拨片的。在制做时注意，这种拨片要做成三角形的，不要太大。

第二节　匹克吉他演奏法

持琴方法

将琴放在右腿上，右腿要比左腿高，也可将右腿跷在左腿上。匹克奏法的持琴姿势比较随便，有时还可采用立式，大家可根据自己的情况而定。

手持拨片的方法

用右手拇指第一关节，和食指第一关节挟住拨片，要使拨片的方向与大拇指的方向垂直成90°直角。不要使拨片与大拇指方向平行。

拨弹方法

演奏拨片要用腕子来拨，只能靠腕子上下摆动来拨，而不能用小臂的摆动来拨。

在开始练习时可用上下拨空弦的方法来练习，以便体会和掌握用腕拨弦的动作。

拨片运动方向

这是一个十分重要的问题，在开始练习一首乐曲前，要先把拨片的拨弹方向安排好，找出最方便、最顺利的拨弹方向，而后再按这个定下来的方向练习。在演奏慢速的乐曲时，拨片可连续向下拨，但在演奏较快速的乐句时，则需要用上下两种拨法。拨弹方向是有规律的，一般说来，强拍的第一个音向下拨，但特殊情况则要向上拨。一个乐句拨弹起来有时会感到很别扭，但如果你换一下拨弹方向，情况就会完全两样，会感到很顺利。

碎拨奏法

碎拨是一种很富有表现力的技巧。方法是靠腕子极快地上下摆动带动手指，使拨片上下密集地拨弦，而发出连续不断的长音。在拨①、②、③弦时，手掌内侧根部可稍稍接触一点低音弦，这样可以使手腕低而稳定。拨④、⑤、⑥弦也同样，手腕关节要低。

拨片上下的幅度

以拨②弦时，不碰到①弦和③弦为准。其他弦也是这样。练习碎拨时，拨片不要深入弦中过多，这样发音笨重，也无法弹快。拨片的速度（即上下拨的频率）越快越好。上下拨发音要匀，不要一重一轻，越均匀越好。开始练的时候不要急于追求速度，先用慢一些的速度来练，同时注意方法是否正确。然后再逐渐增加碎拨的速度。

拨片的触弦点

拨片的触弦点（即拨片的拨弦位置）一般的是在音孔的下方。在演奏 12 品以上的高音时，拨片可随之向下移动，这时触弦点在音孔与琴码之间。

第三节　拨片奏法标记

⊓ ———— 下　拨
V ———— 上　拨
// ———— 碎　拨

实　际　方　向

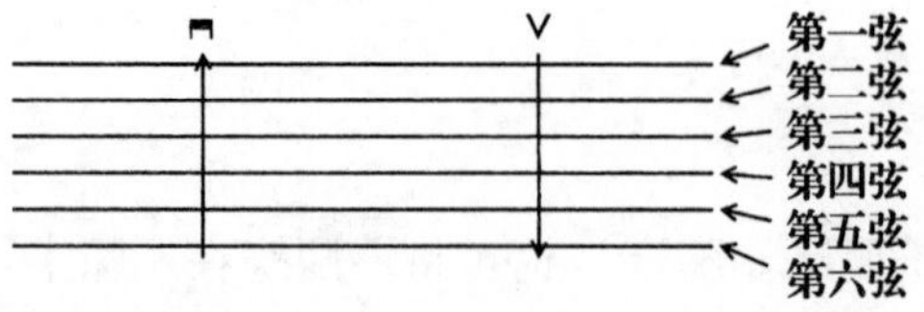

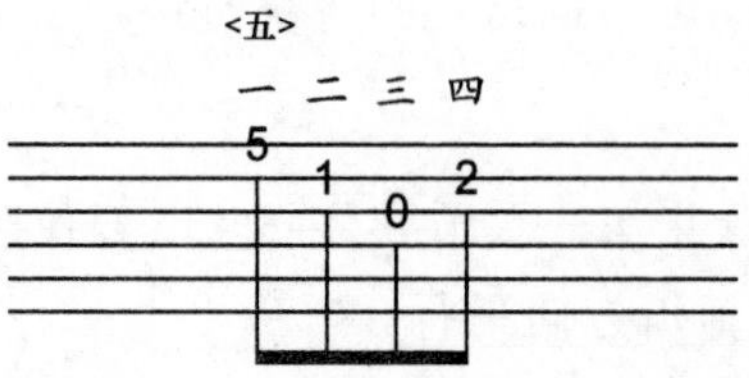

一、二、三、四 ———— 分别表示左手的食指、中指、无名指和小拇指。
5、1、0、2 ———— 分别表示各指所按的品位（把位、格）。
<五>或<5> ———— 表示该组音均可在第五把位的范围内弹出。

第四节　拨片基础练习

音阶练习（一）

1=C $\frac{2}{4}$

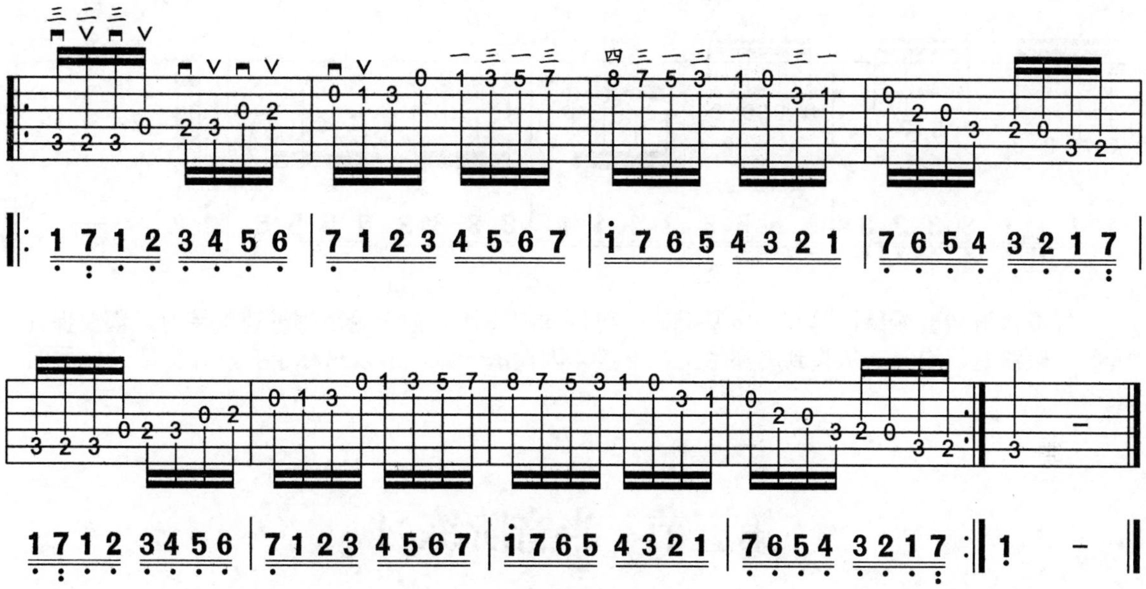

注：1. 这个音阶要经常练习。音的个数要数清楚，时值要均匀，可连续反复。2. 开始练习时要用慢速度，而后根据自己的练习程度逐步加快速度。3. 可用上下拨、连续上拨、连续下拨三种拨法练习。

音阶练习（二）

1=G $\frac{2}{4}$

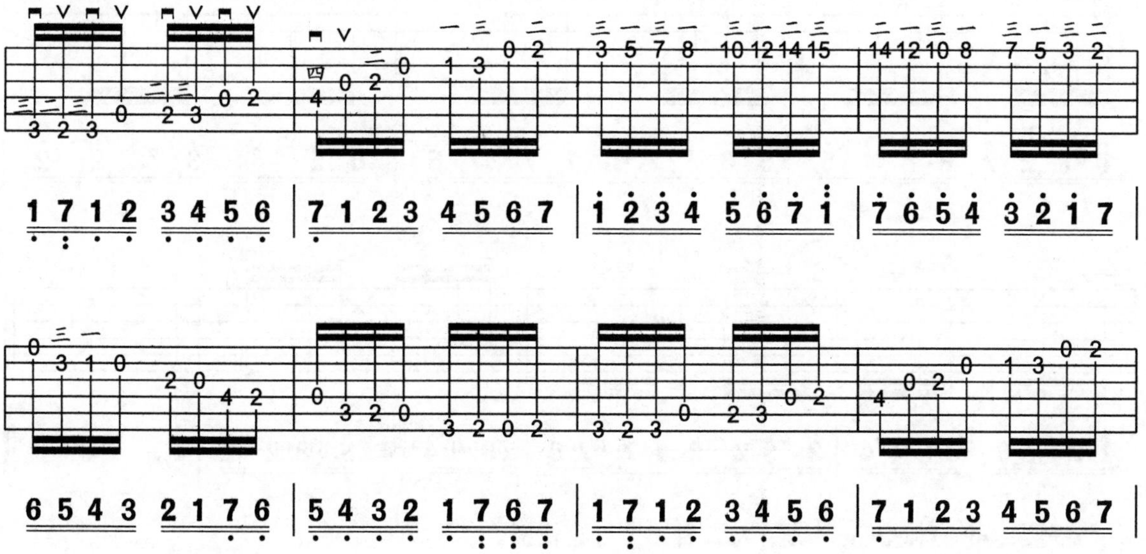

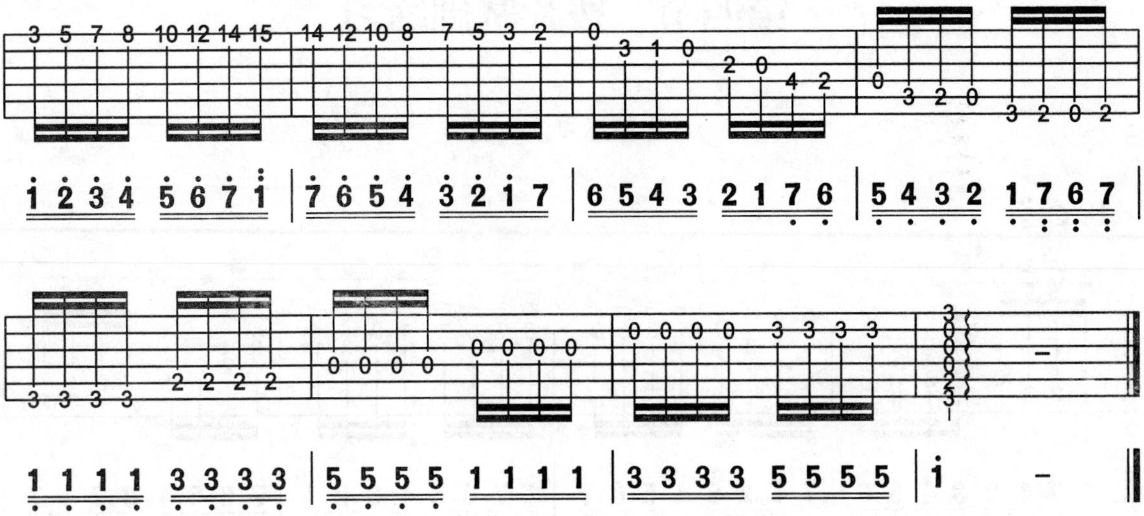

提要：开始要慢练，等有一定基础时，可以弹得飞快。但无论用哪种速度练习，都要保证音的个数清楚、均匀。从头到尾都用上、下拨。因拨法一致，所以只标了音阶开头部分，后面的省略了。

第五节　半音阶练习

1=G $\frac{2}{4}$

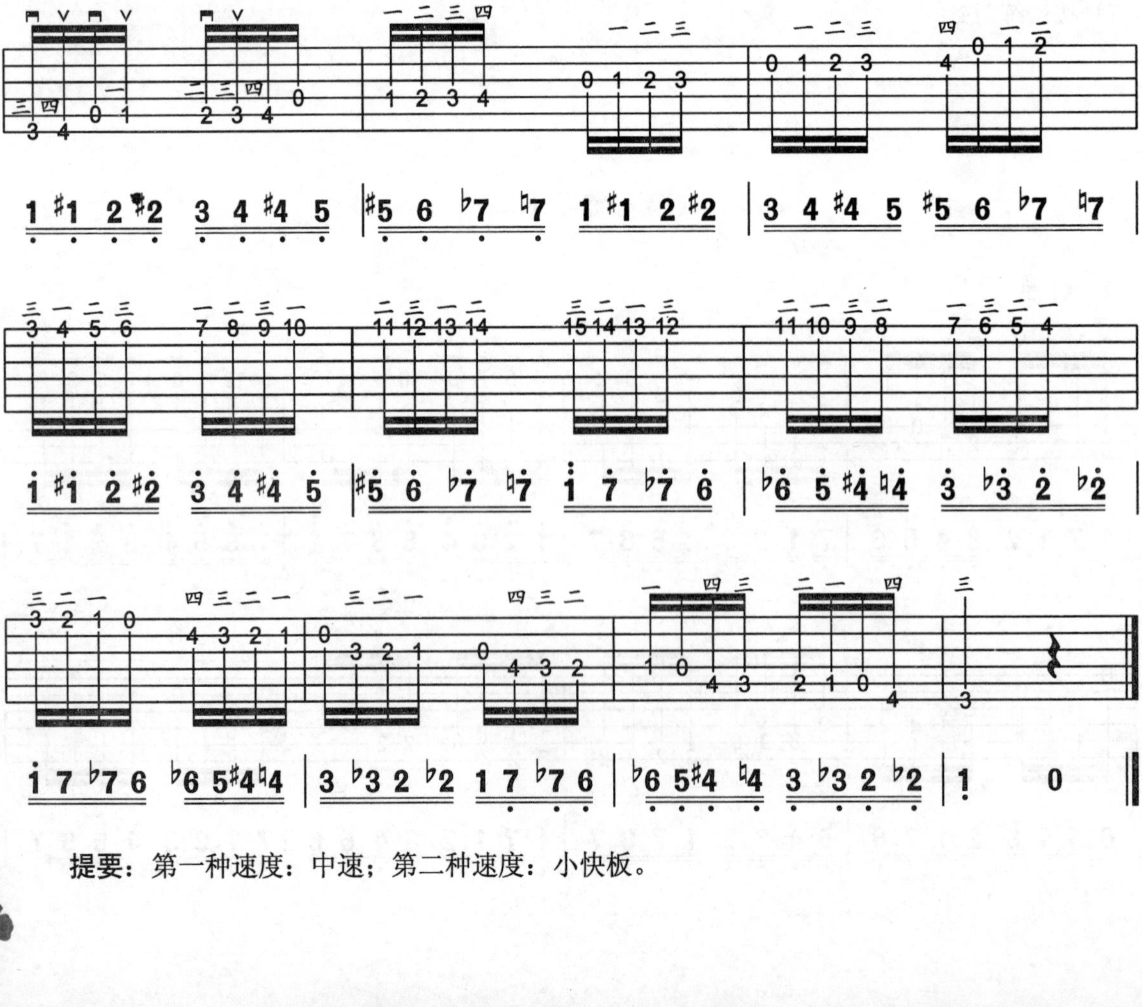

提要：第一种速度：中速；第二种速度：小快板。

第六节　音阶模进练习

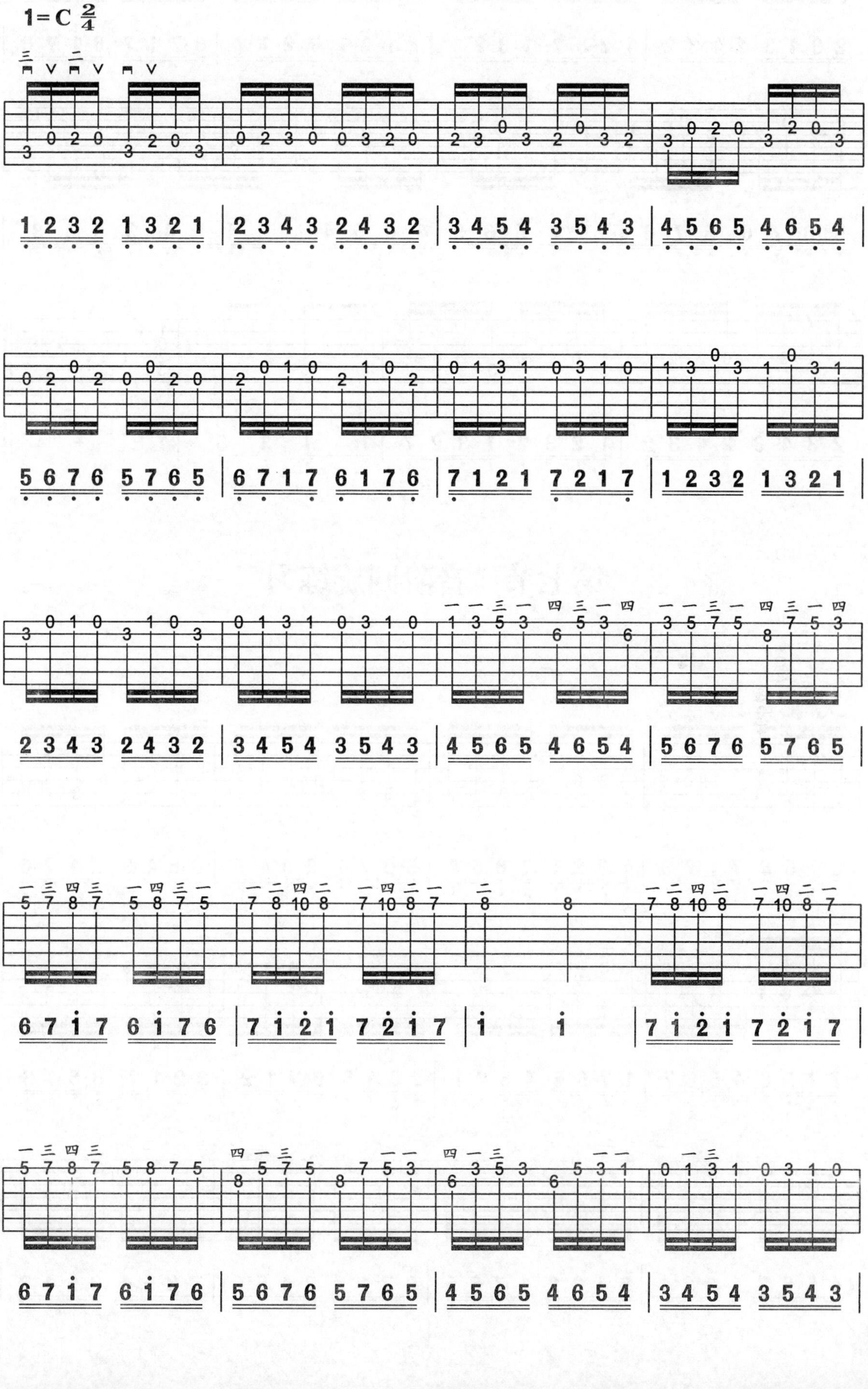

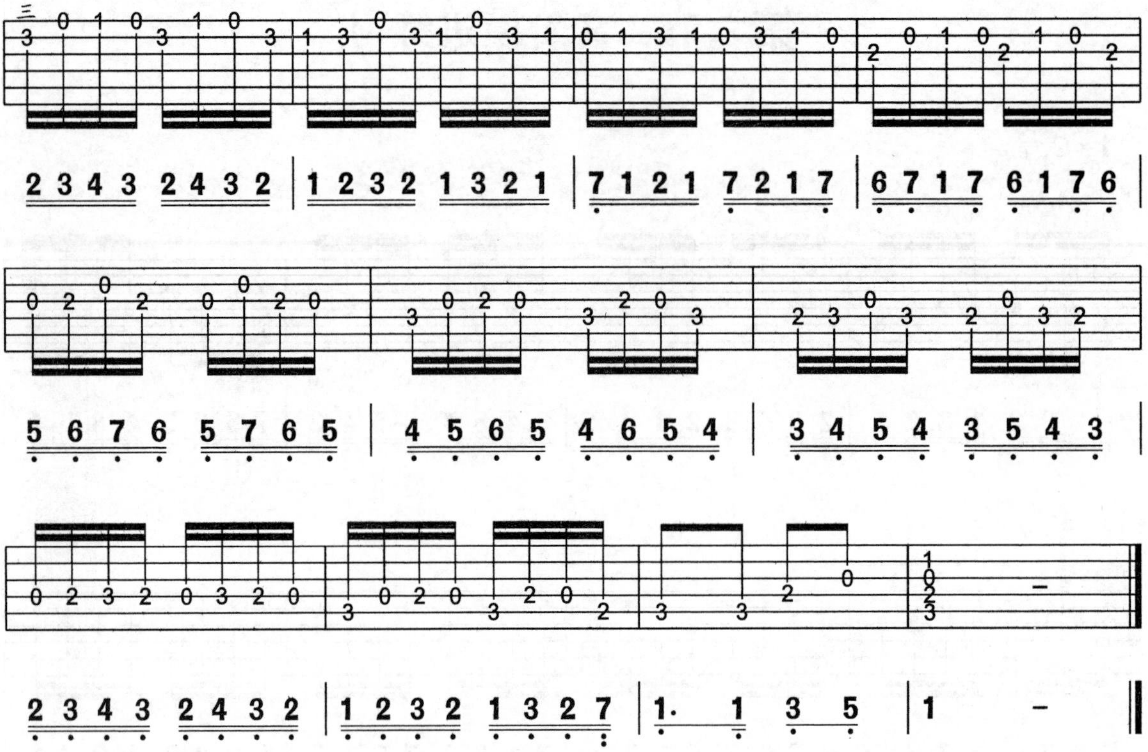

第七节　音阶回旋练习

1=C $\frac{2}{4}$

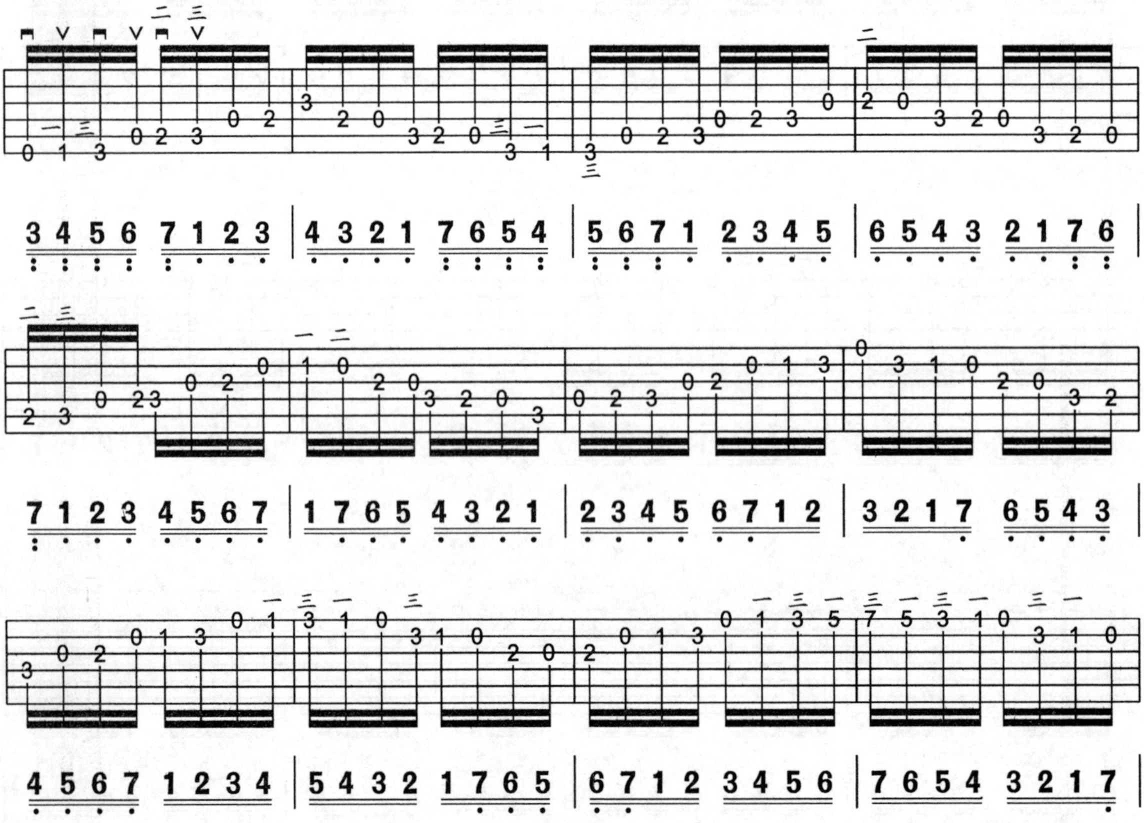

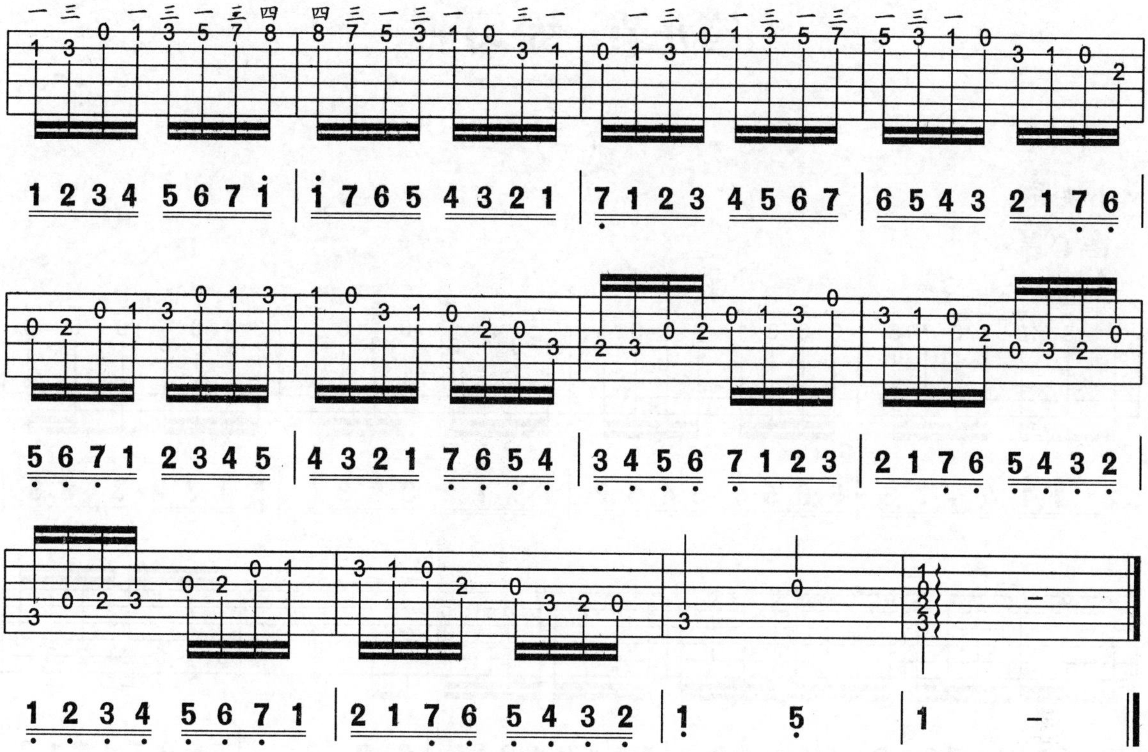

提要：以上两段练习的速度要求同“半音阶练习”的要求。

第八节　五声音阶练习

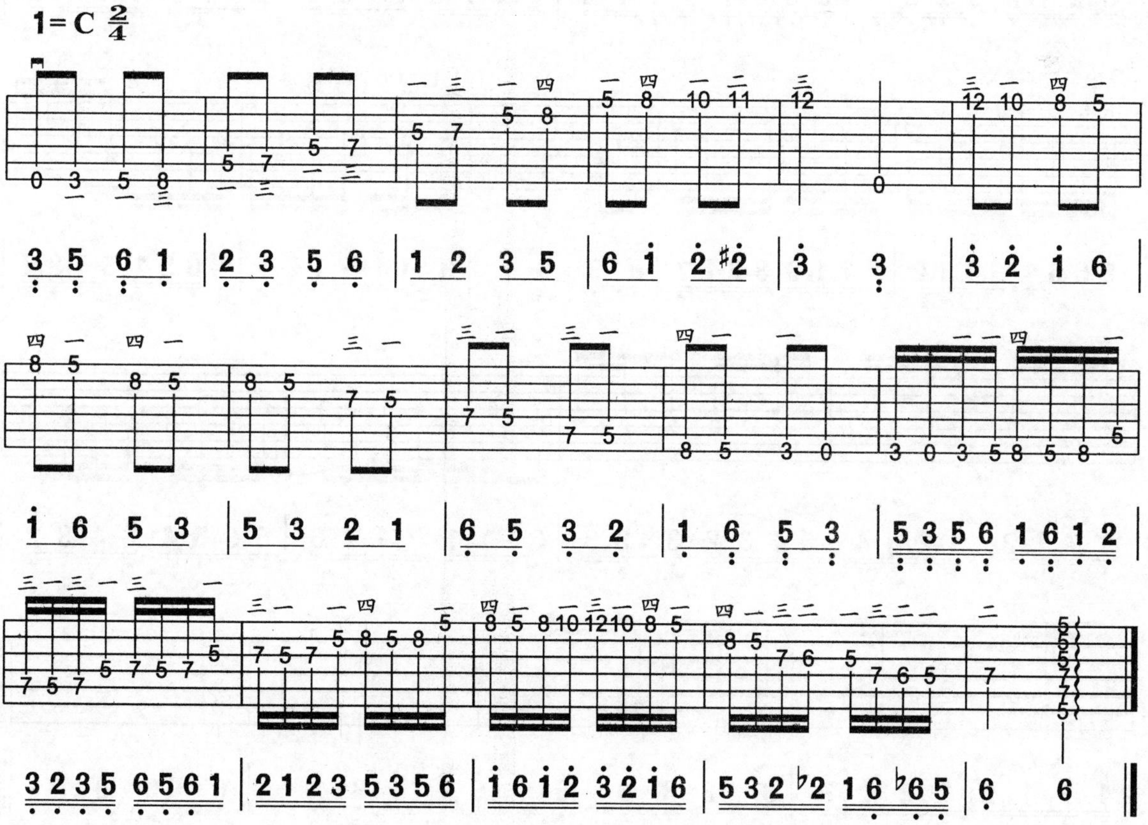

第九节 练习曲

（一）

小快板

1=C $\frac{2}{4}$

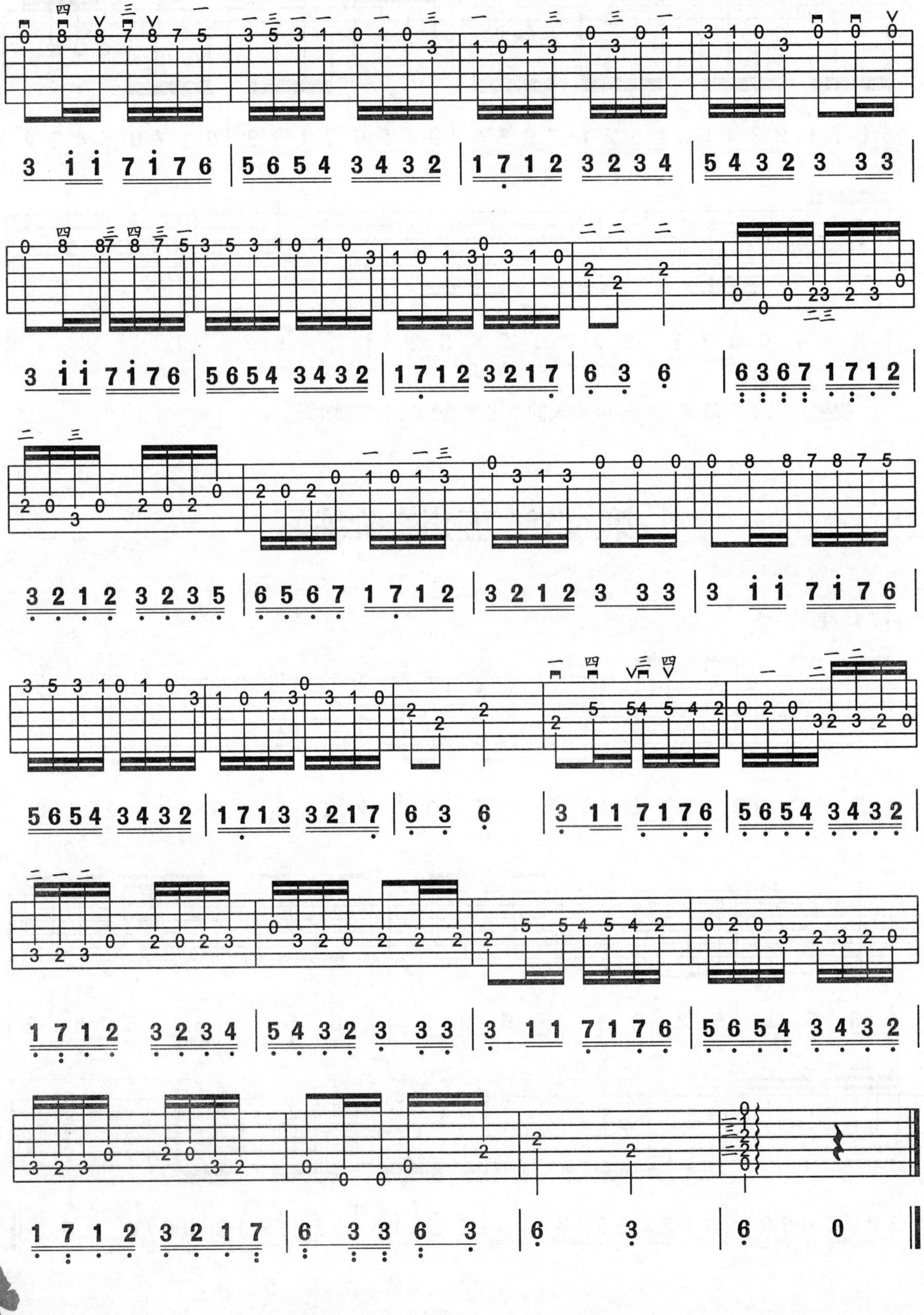

（二）

小快板

1 = C 2/4

6 1 2 3 3 2 1 6 │ 6 1 2 3 3 2 1 6 │ 6 1 2 3 1 2 3 5 │ 2 3 5 6 3 5 6 1 │

6 1 2 3 3 2 1 6 │ 6 1 2 3 3 2 1 6 │ 6 1 2 3 1 2 3 5 │ 2 3 5 6 3 5 6 i │

6 6 6 6 │ 2 1 2 1 1 6 1 6 │ 6 5 6 5 5 3 5 3 │ 2 1 2 1 6 5 6 5 │

3 2 3 2 1 6 1 6 │ 5 3 5 6 1 6 1 2 │ 3 2 3 5 6 5 6 1 │ 2 1 2 3 5 3 5 6 │

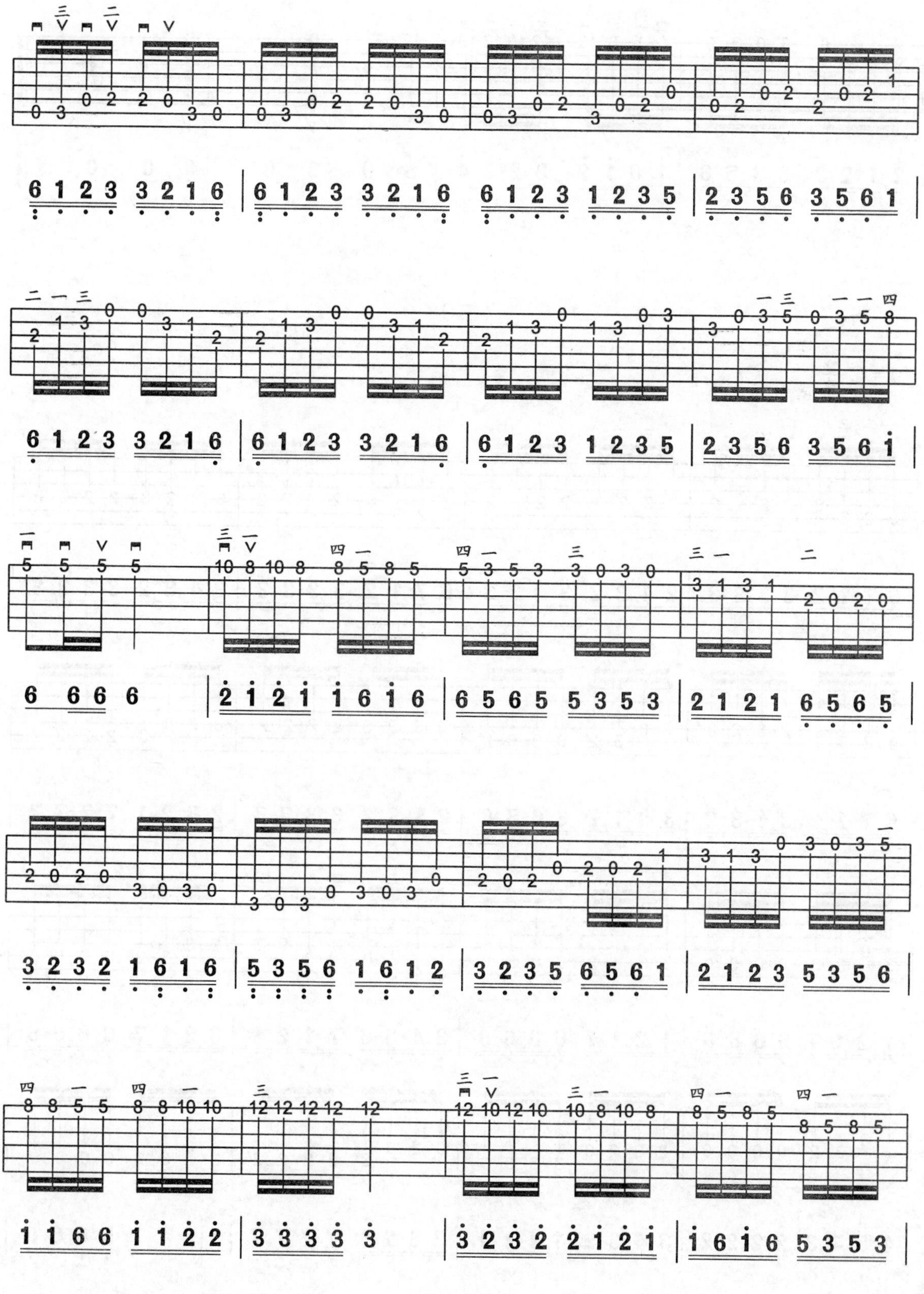

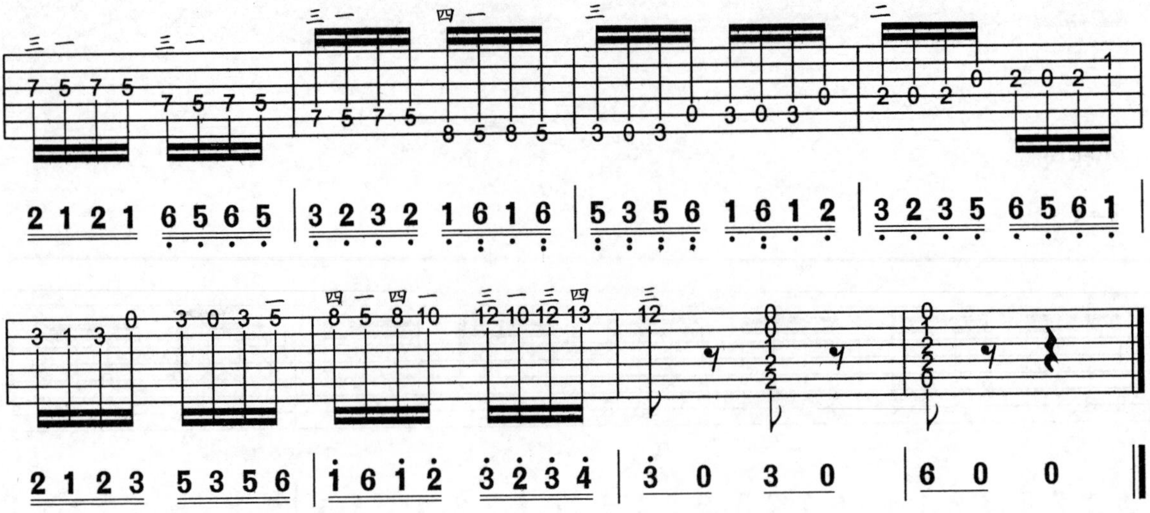

（三）

1=C $\frac{2}{4}$

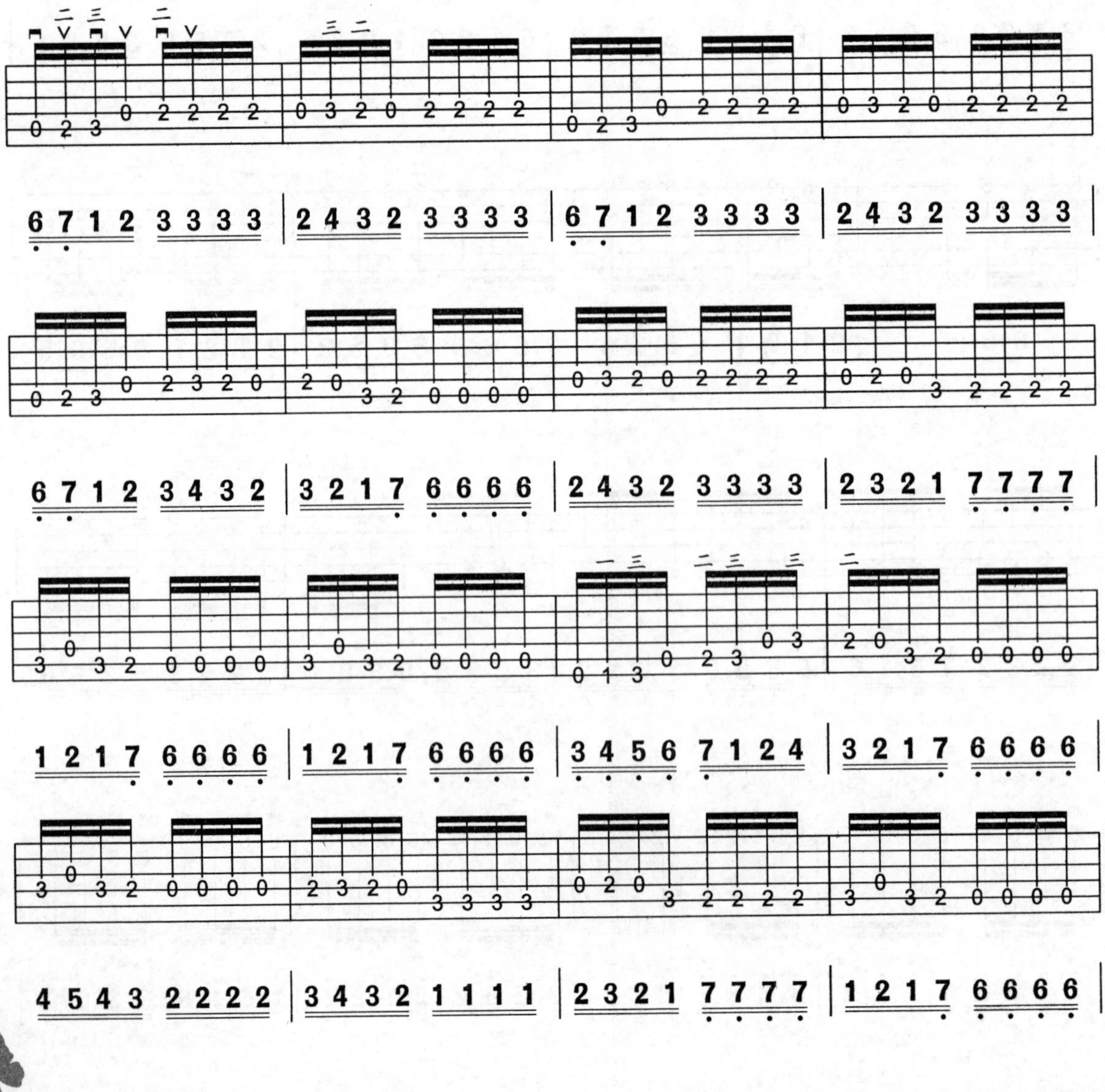

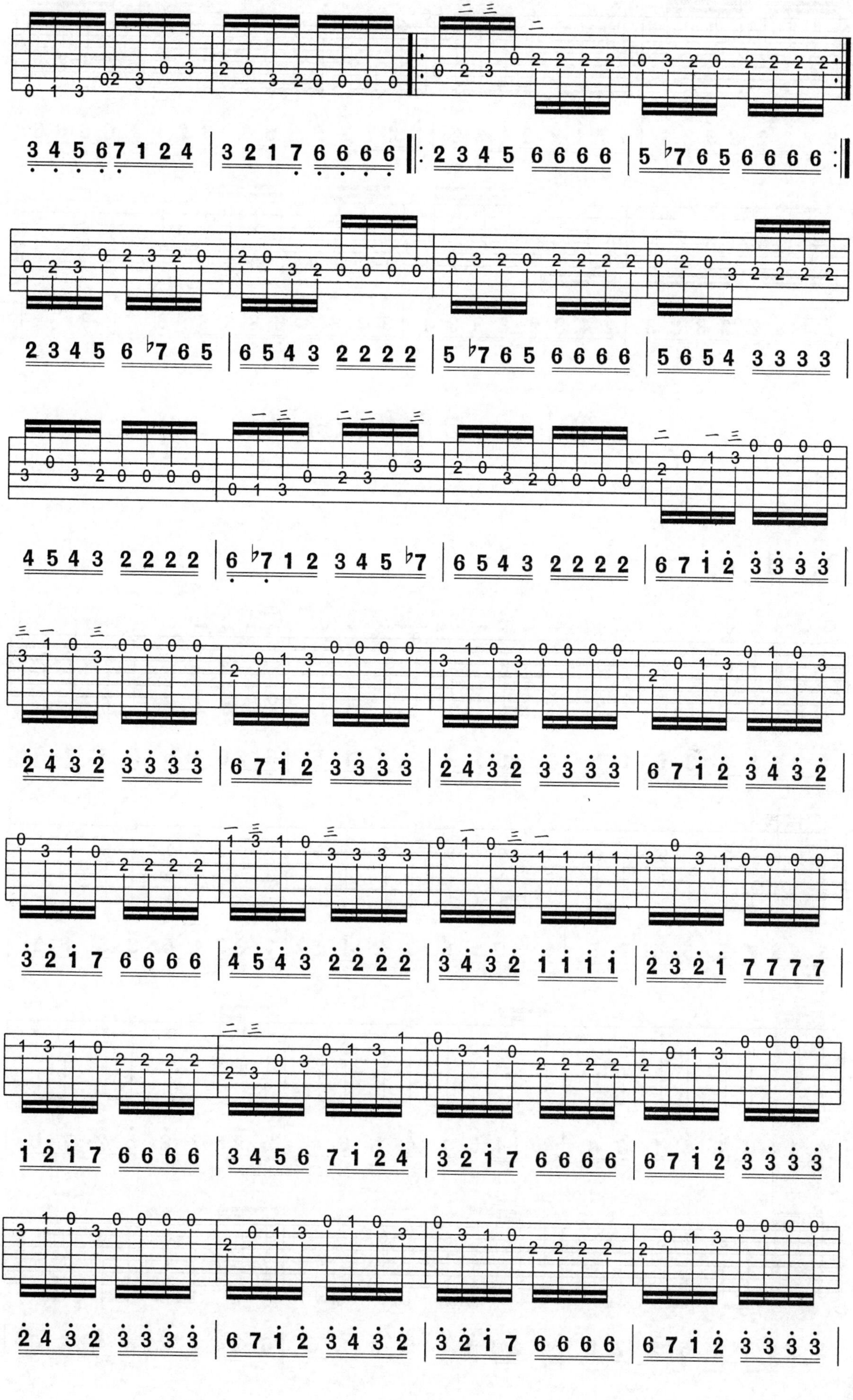

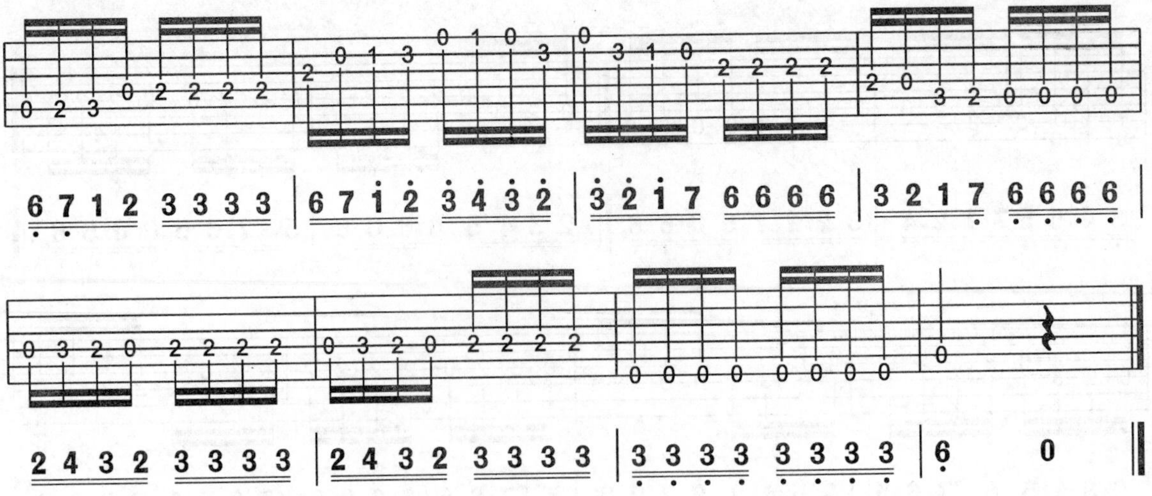

第十节　分解和弦练习

（一）

1=C $\frac{4}{4}$

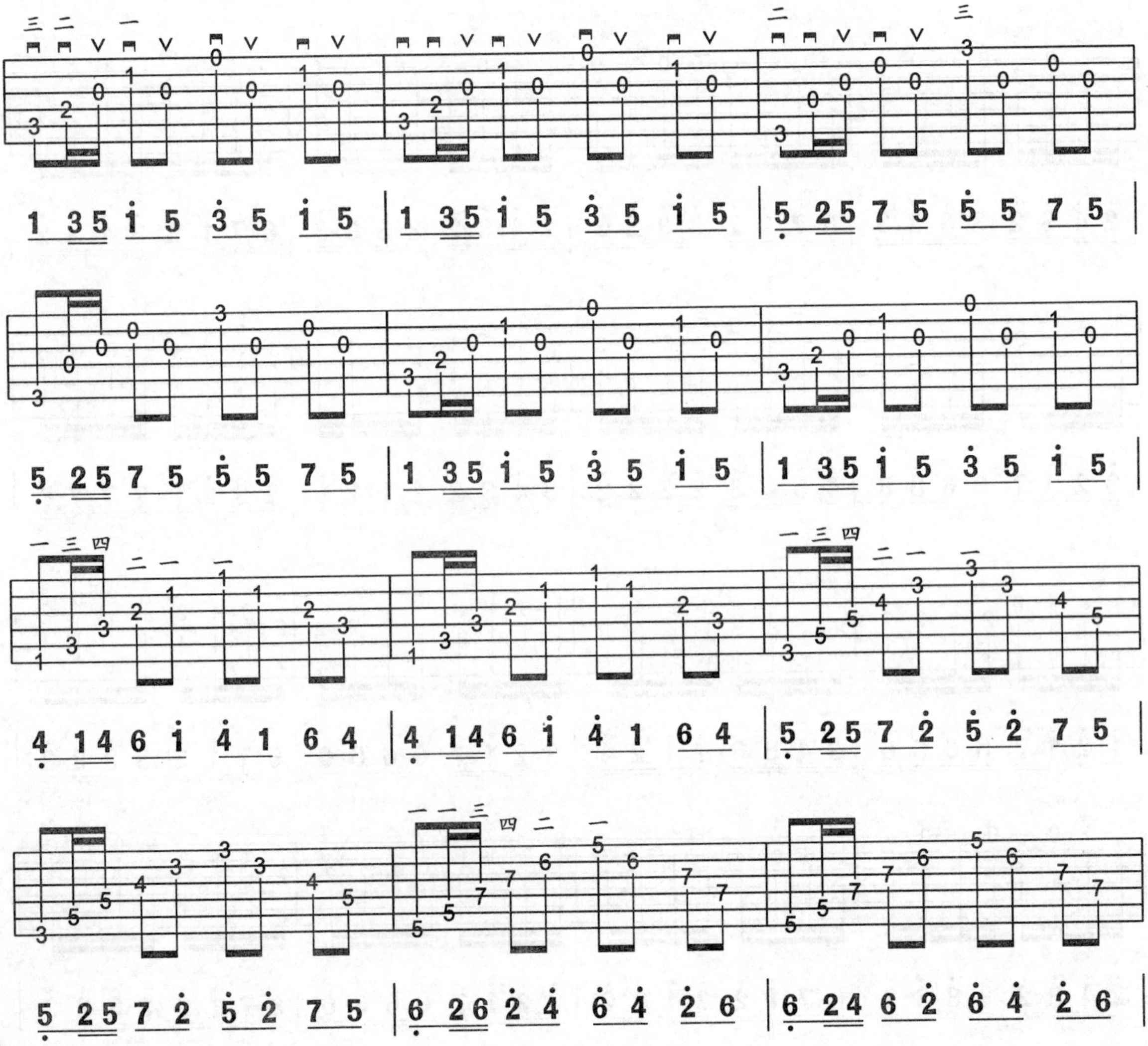

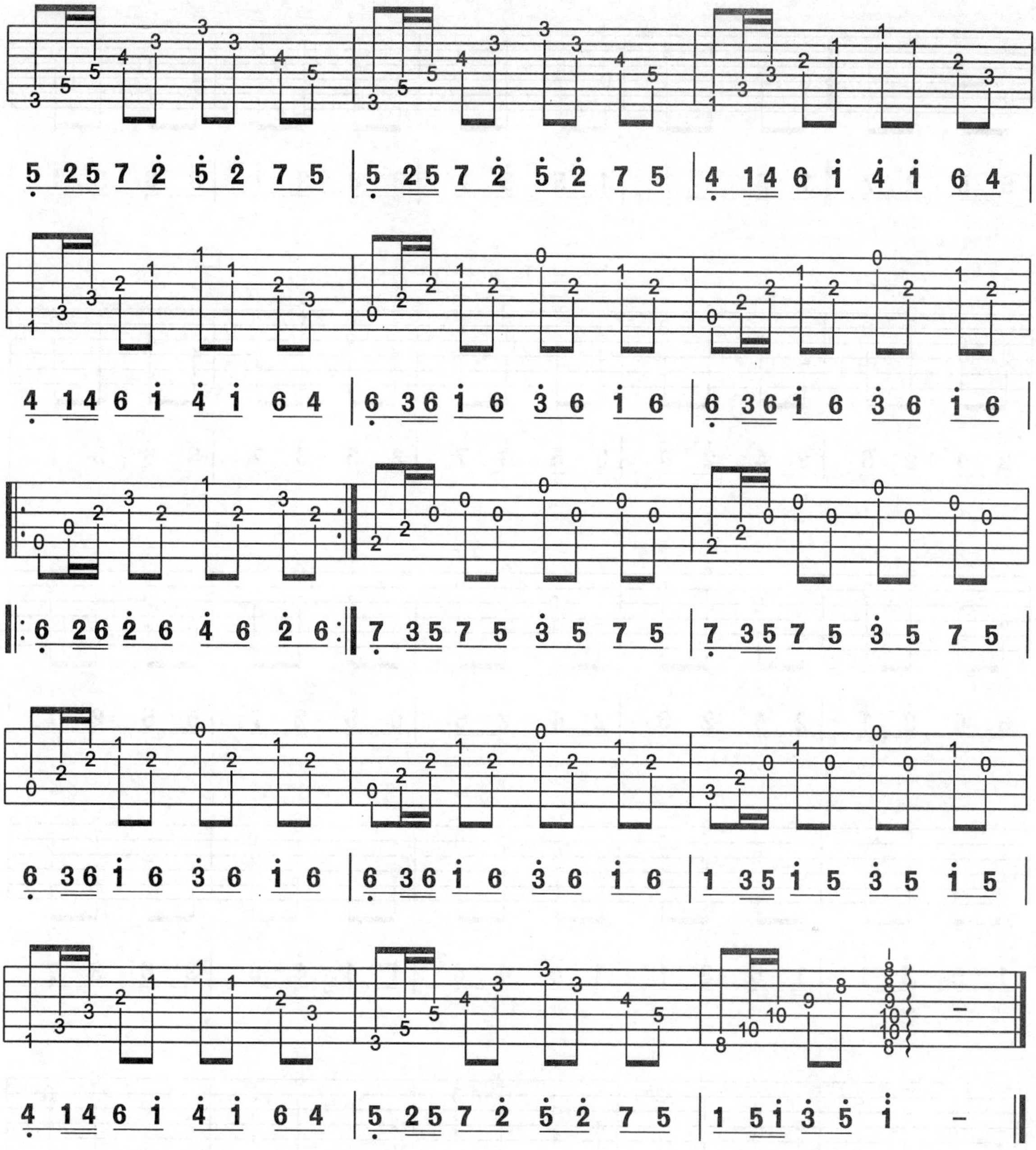

提要：“分解和弦练习（一）”是一种常见的、很有特色的琶音伴奏型。音乐效果较华丽优美，富有舞蹈色彩，应能熟练掌握和运用（除了谱中标明的拨法，还可用连续下拨的方法“⊓”练习。

（二）

1＝D $\frac{2}{4}$

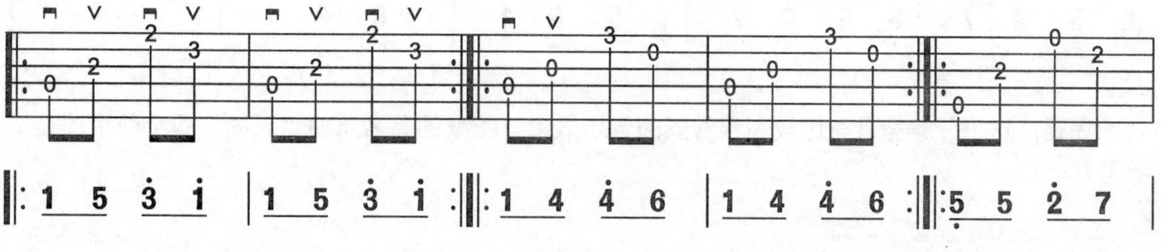

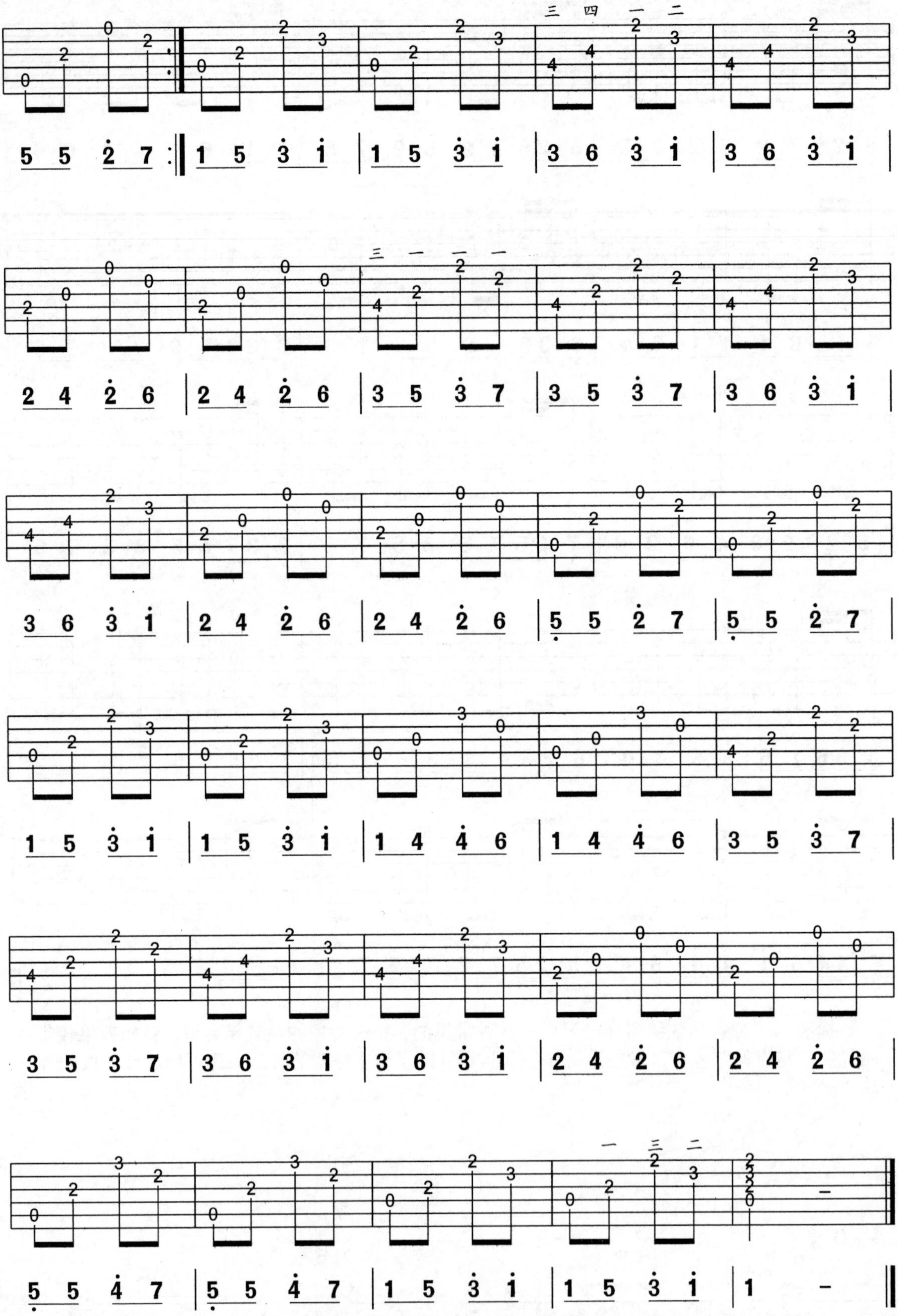

提要：这个分解型具有比较高雅秀丽的音乐效果。圣桑的著名乐曲“天鹅”即全部用的是这个音型。

（三）

1=A $\frac{2}{4}$

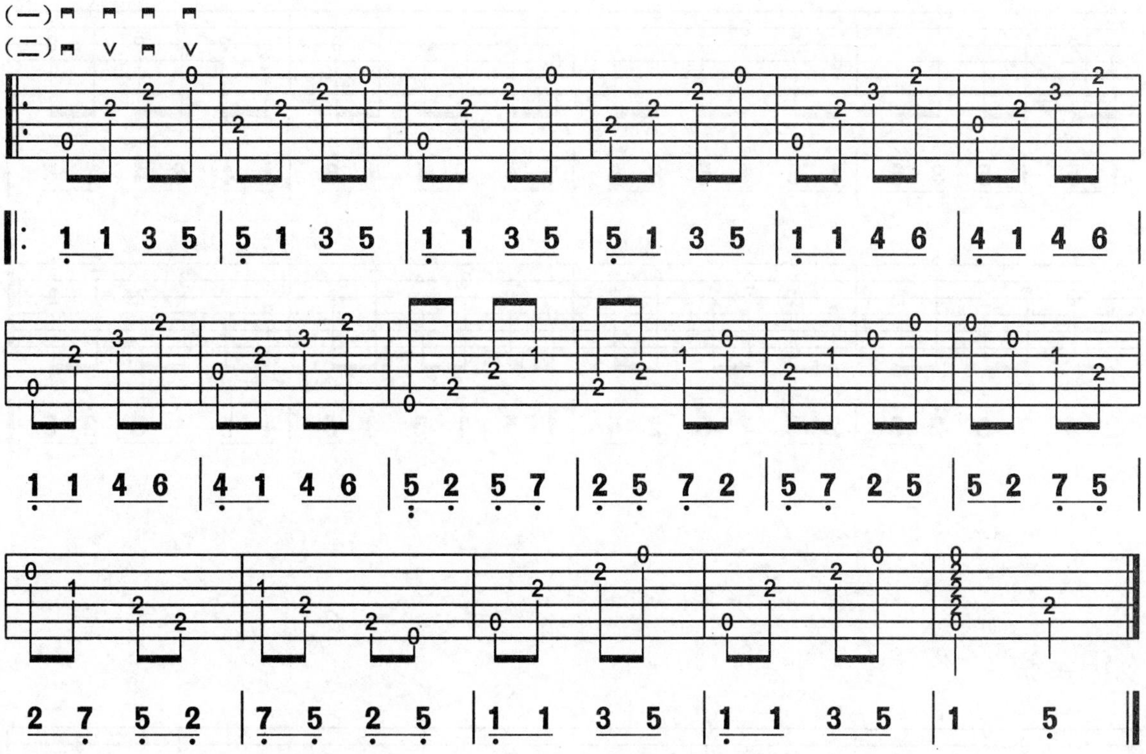

提要：只是一种常用的琶音型，下面那首练习曲也和这首相同，只是变了调。

（四）

1=F $\frac{2}{4}$

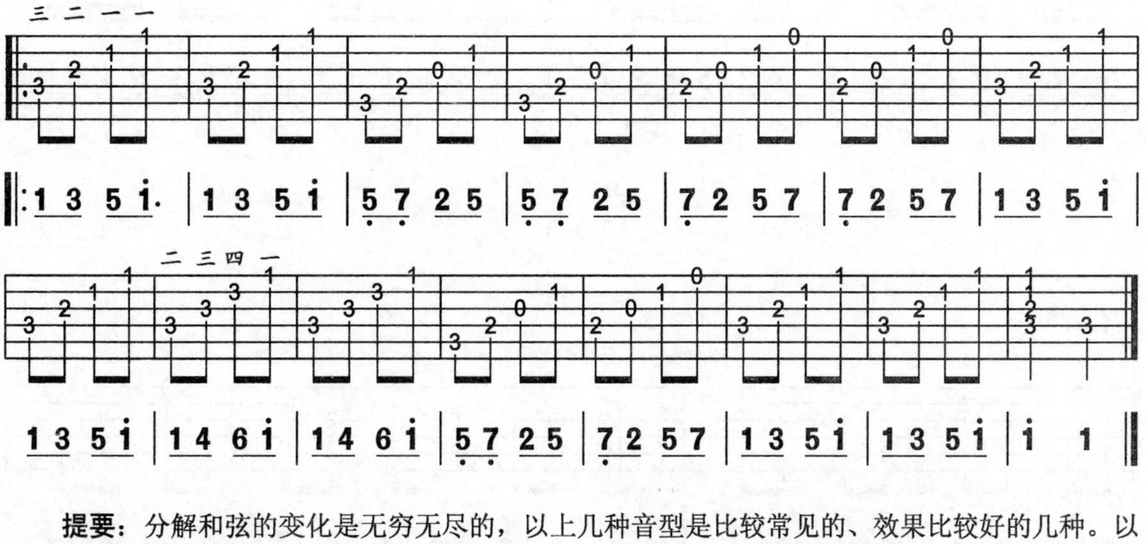

提要：分解和弦的变化是无穷无尽的，以上几种音型是比较常见的、效果比较好的几种。以下几种有时也可能用到，故排出供参考练习用，其效果各异，也都是不错的。

（五）

1＝D $\frac{3}{4}$

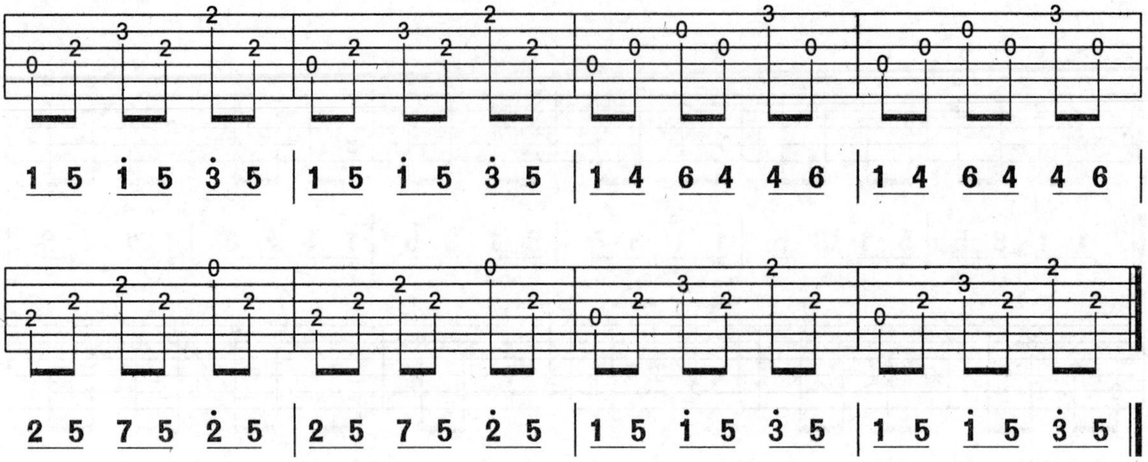

（六）

1＝A $\frac{2}{4}$

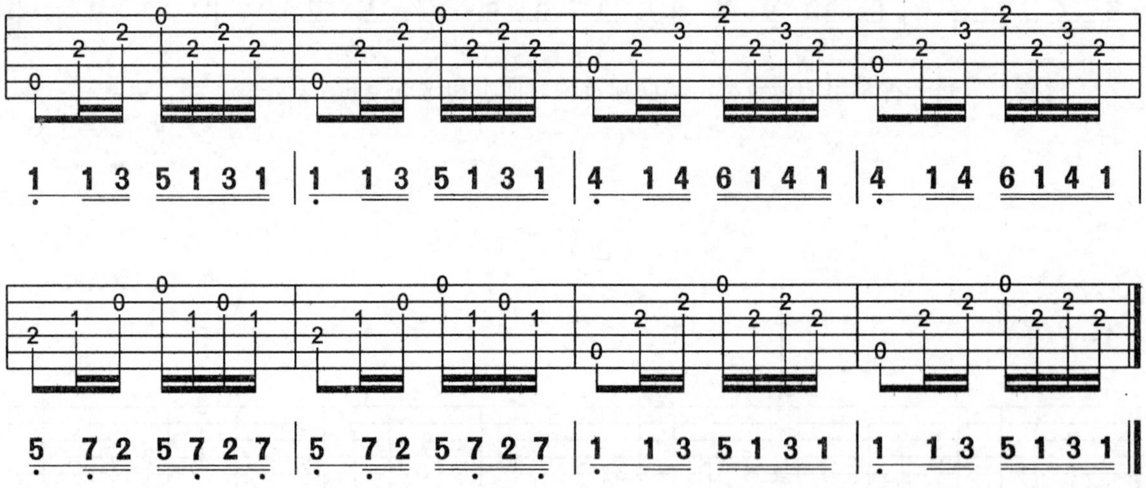

（七）

1＝C $\frac{2}{4}$

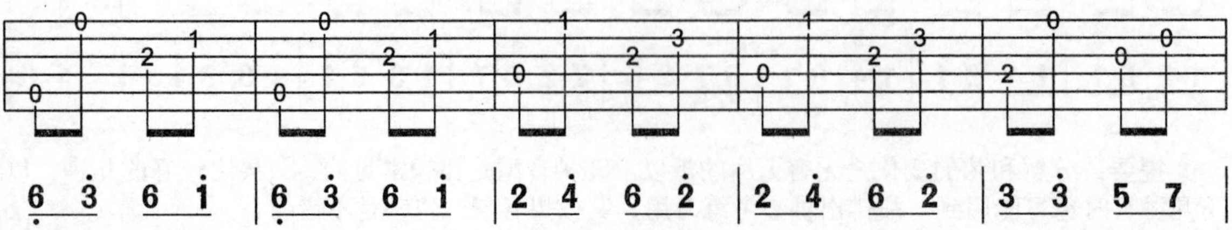

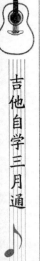

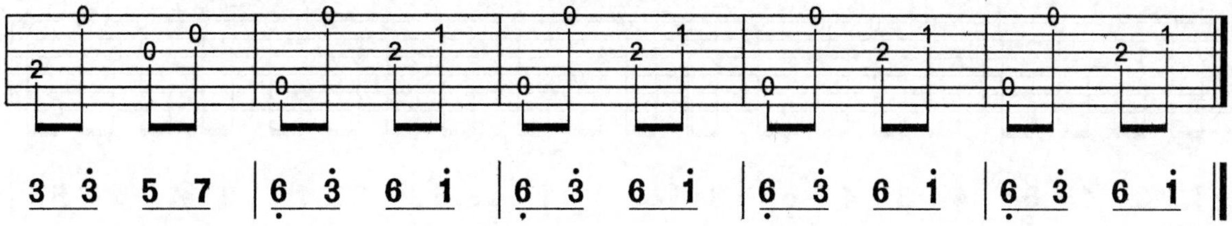

（八）

1=G $\frac{3}{4}$

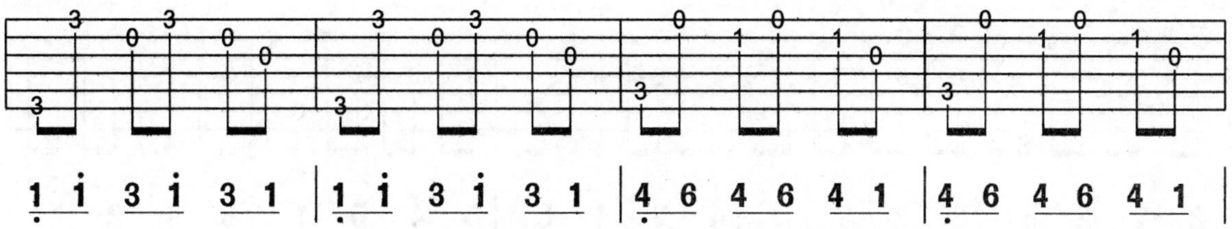

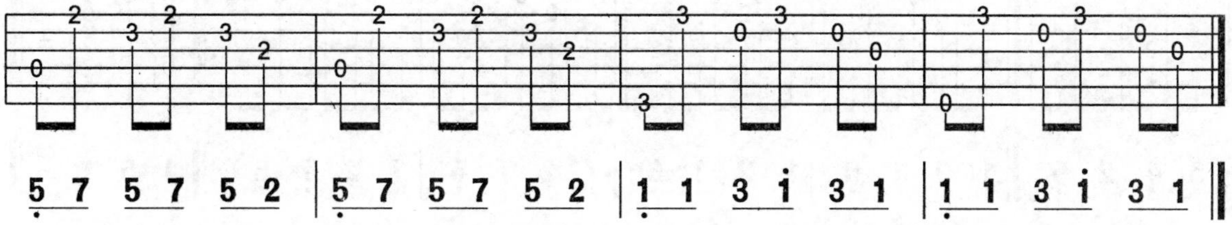

第十一节　越弦练习

1=A $\frac{4}{4}$

中速

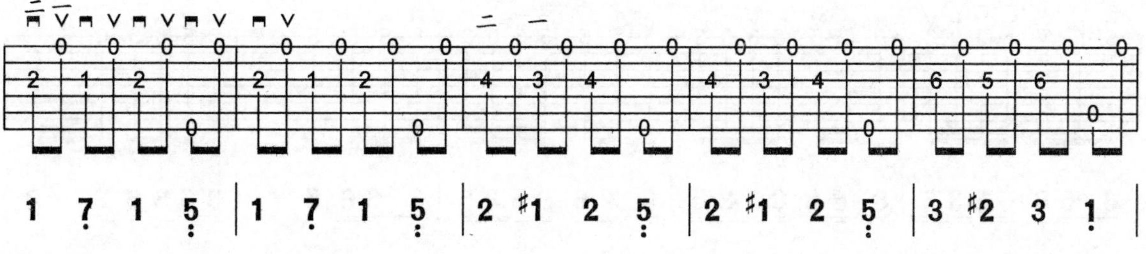

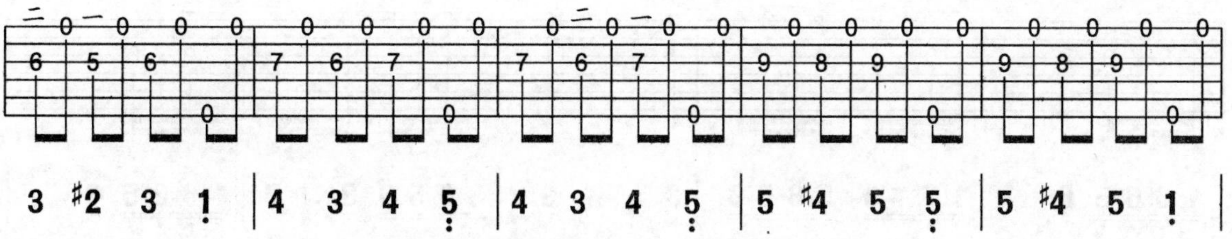

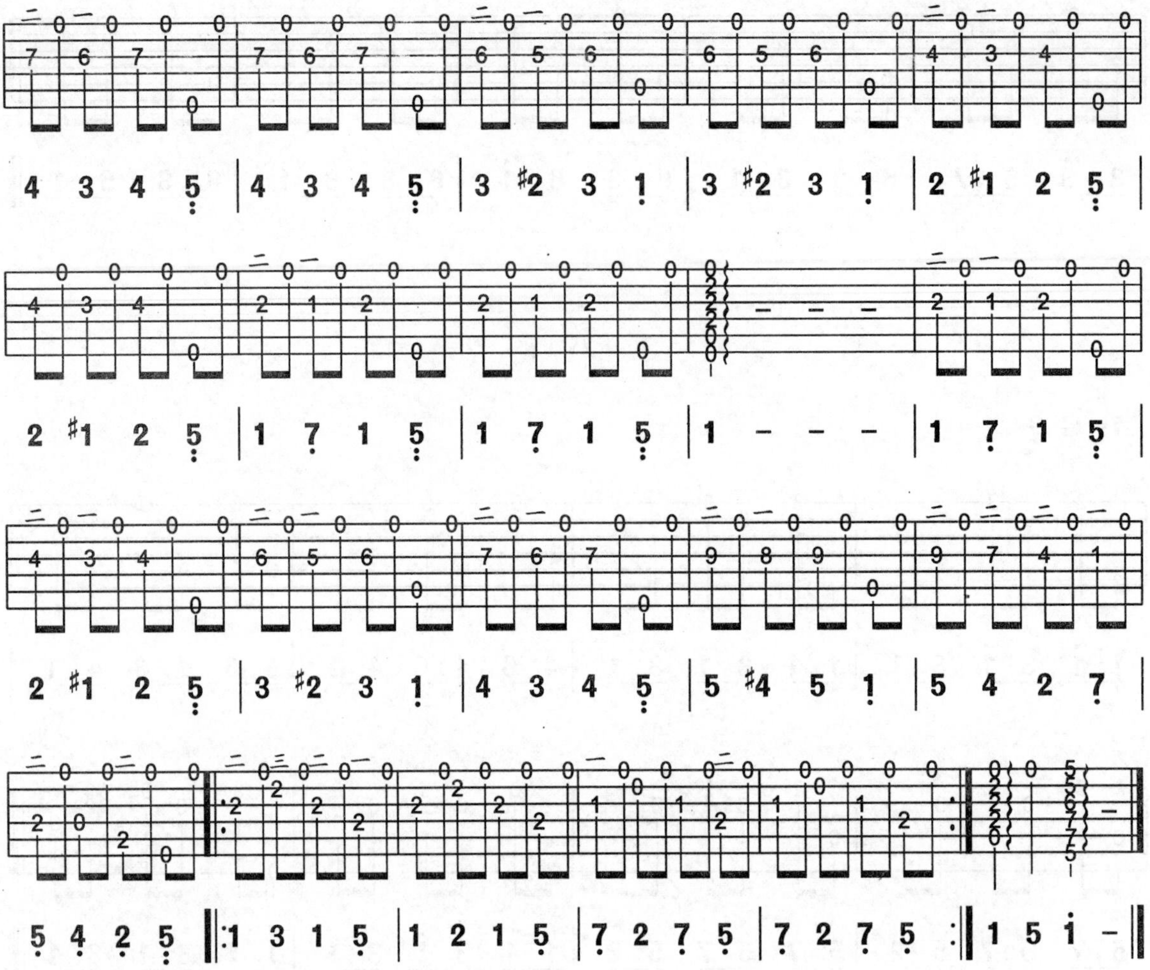

提要：熟练该练习以后，可比中速稍快些进行弹奏。

第十二节 《小蜜蜂》

1=C $\frac{2}{4}$

小快板

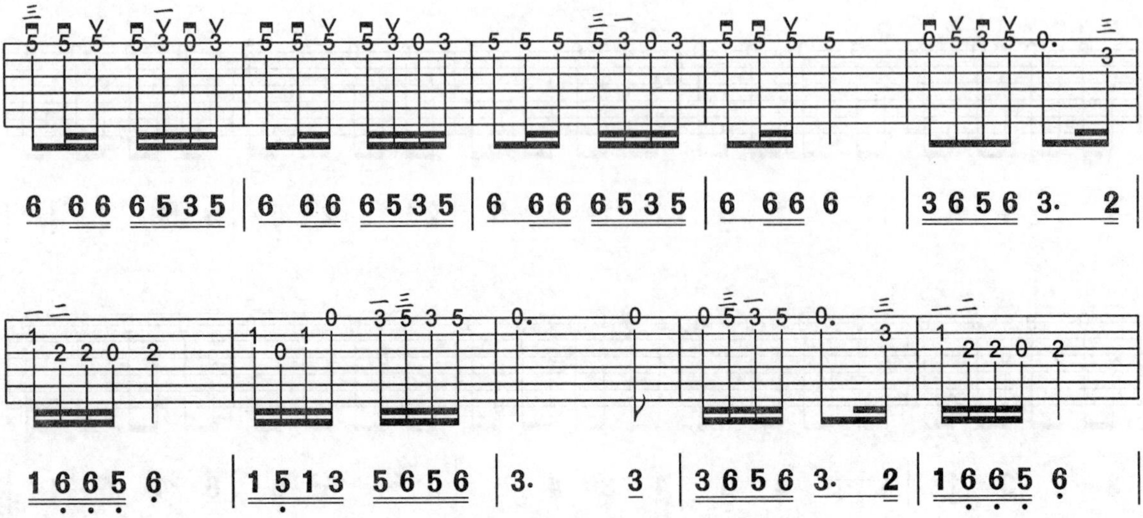

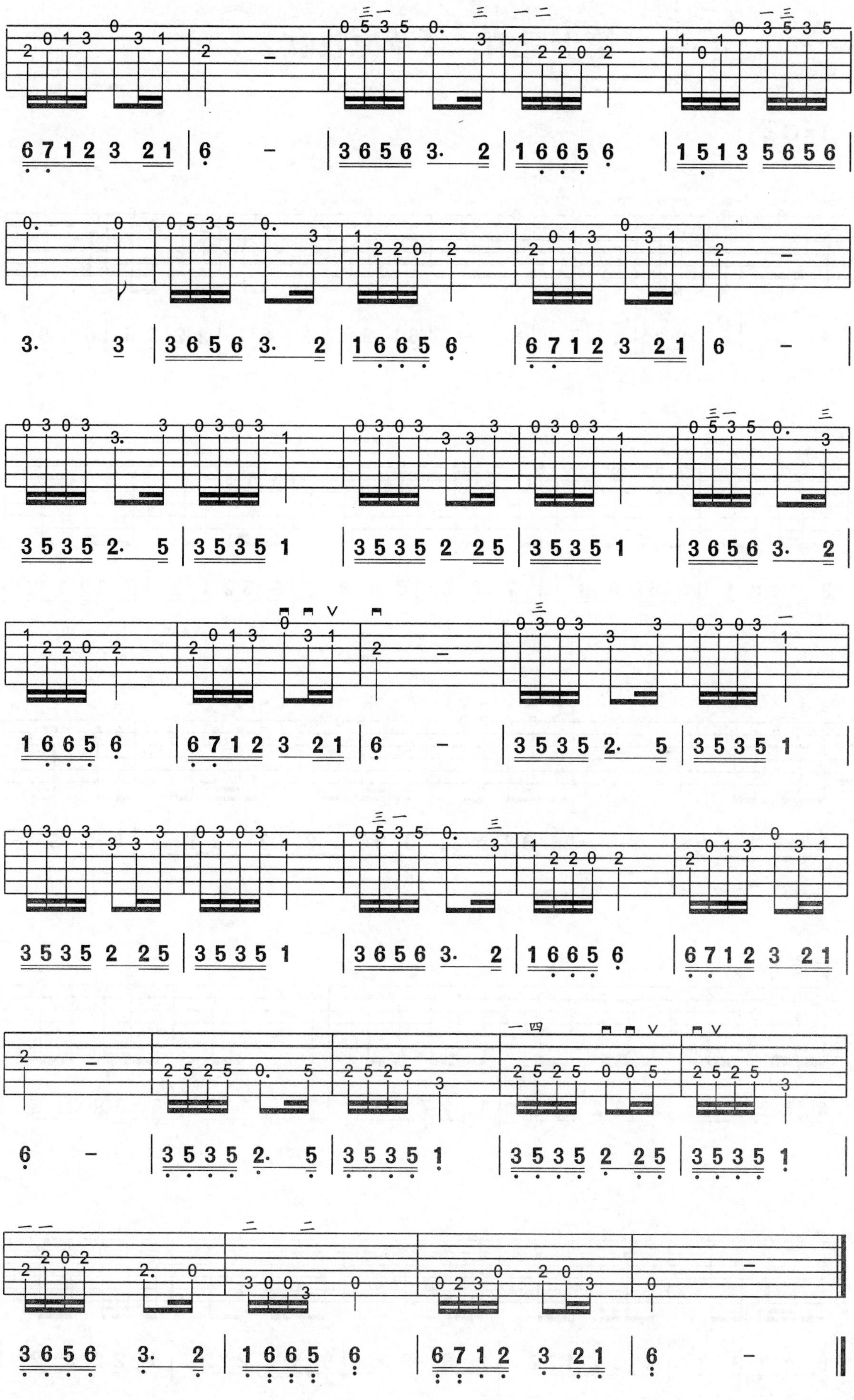

第十三节 《草原牧歌》

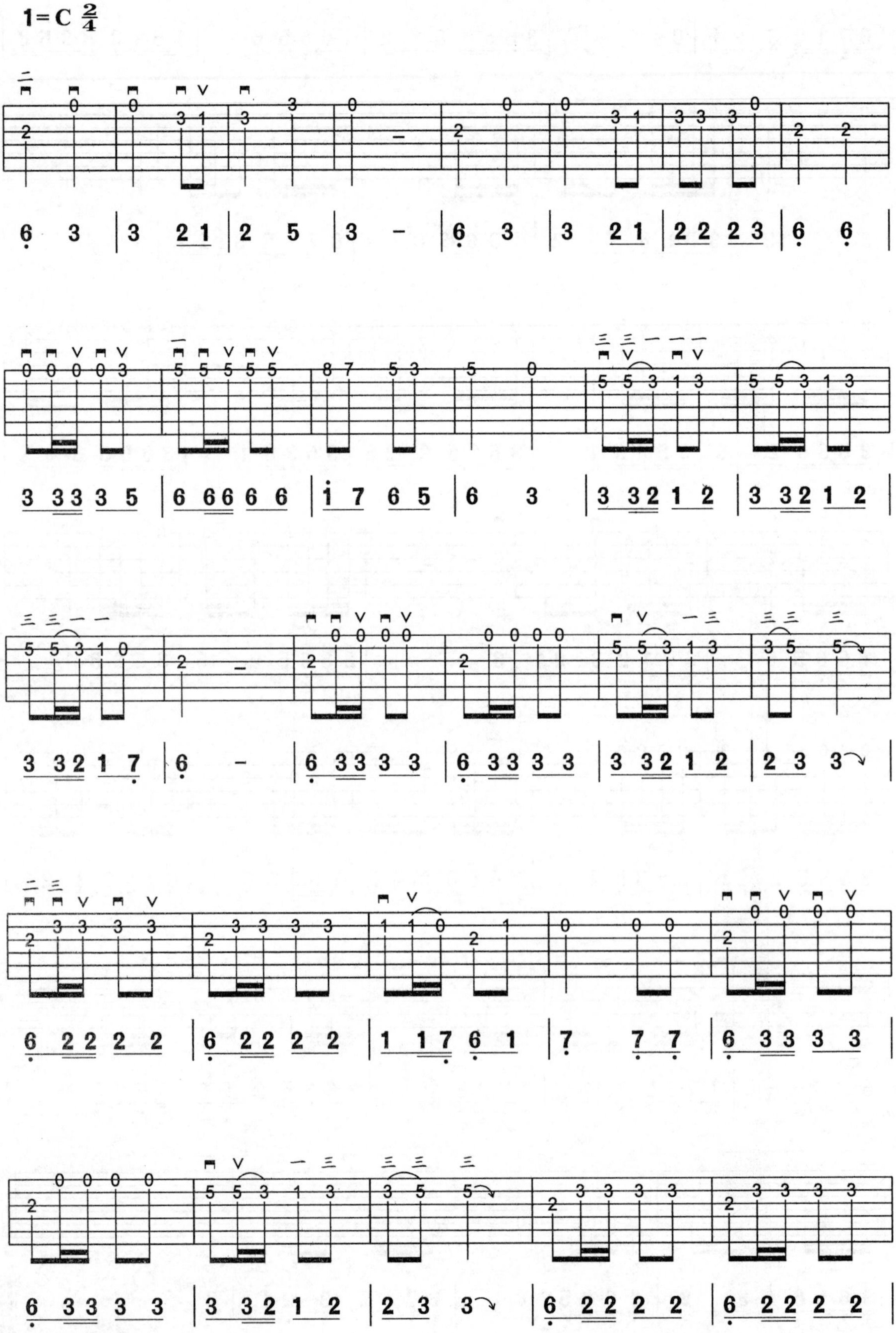

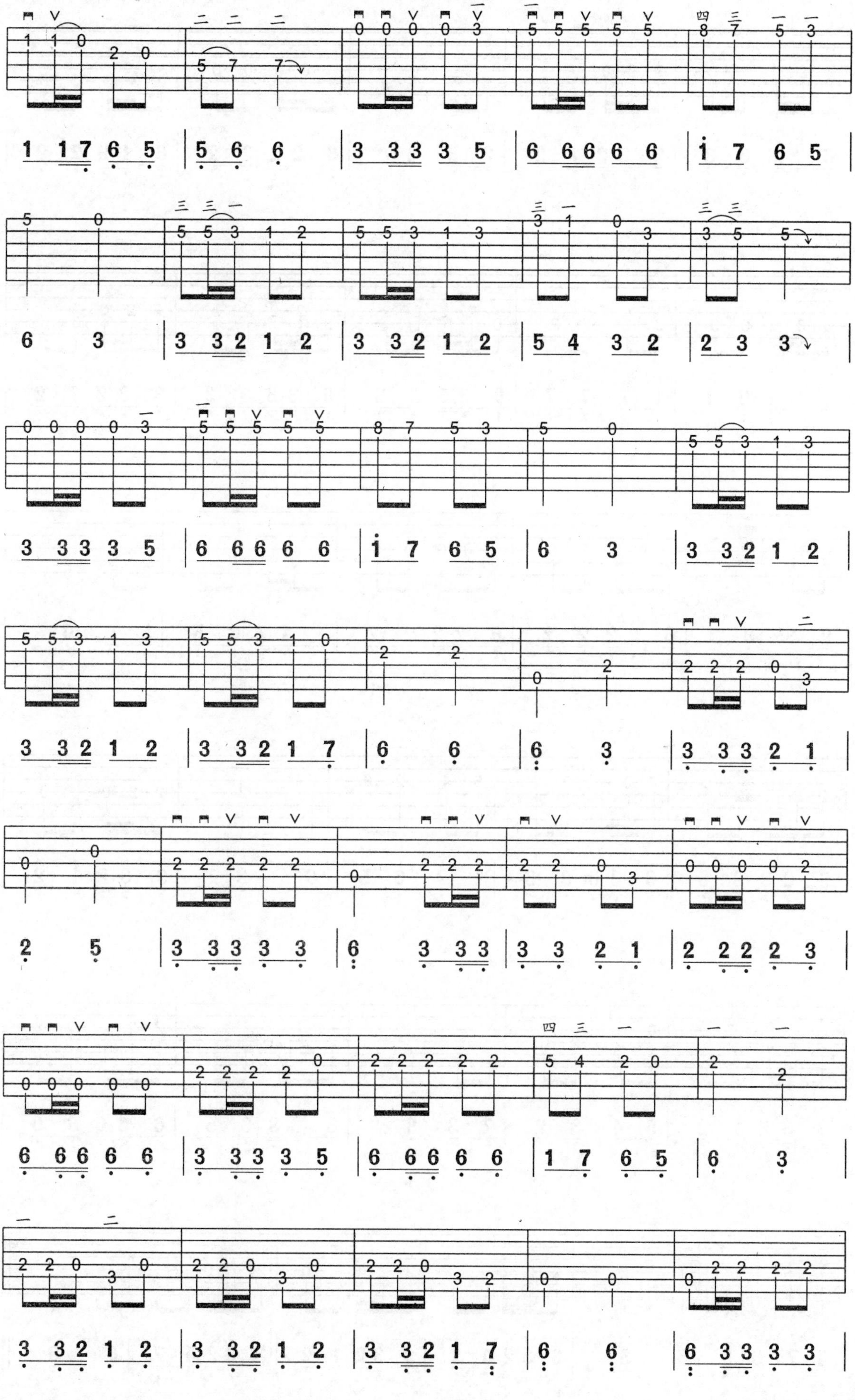

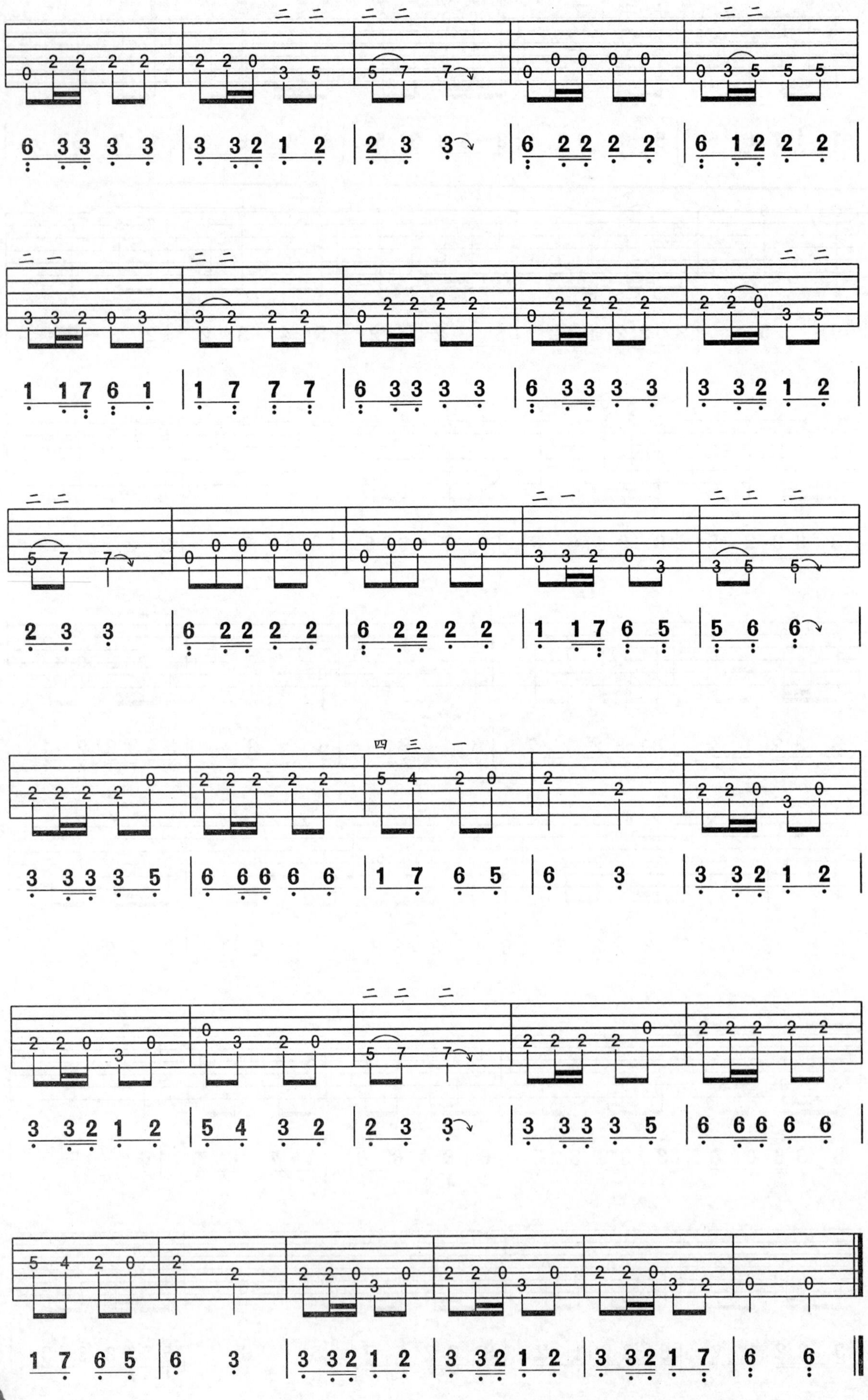

第十四节　关于双音的奏法

双音拨法是较难的一种拨法，特别是在电声吉他的演奏中常用到，它要求拨片通过双弦的速度要快，要迅速，以便奏出同时发音的效果。左手换把的速度也要快，要准确。

用双音为旋律伴奏时，通常用的是连续下拨“⊓”，这样拨来很方便。但有时也可以全用上拨“V”，因为双音中一般常见的是旋律音在上方，因此全上拨的特点是旋律突出，而音色音量则与下拨相同。例如：《万水千山总是情》《少女的祈祷》，等等，都是旋律音在上方的例子。如果遇到旋律音在下方的情况，则必须用下拨，这样也是为了突出旋律声部，例如：《友谊地久天长》。这种旋律音在下方的配法在重唱、现代流行歌曲的配唱等方面用得很多。在拨弹音符较快的双音时，要用上、下拨，这是要花一些时间进行练习的。双音要拨得清晰、灵巧，拨①、②弦时不能碰响第三弦，其他弦也同样，要清晰、利索。

拨片吉他的演奏是需要一定的知识和经验的，这也是拨片奏法本身的特点所决定的。例如伴奏中加双音、加复调式的副旋律、设置乐句之间的间奏（过门），以及用拨片打各种花点，等等，这些都需要有一定的乐理、和弦、和声方面的知识。有些同学一听到乐理、和声就感到头痛，其实这些东西也不是高不可及，只要用心去钻研一段时间，就会悟出其中的一些规律。平时可以看一些合唱、重唱等各种音乐形式的谱子、总谱，观察和琢磨其中和弦与双音的配置、连接与发展的方法、规律。多听带有电吉他伴奏的乐曲，和吉他独奏的乐曲。更多地进行练习，只有熟练自己的技术，扎实自己的功夫，才能有理想的演奏效果。

本书只讲了一些初级的拨弹方法和练习，更深一步的东西，像上面说的各种复杂的伴奏方法有待于学习完这些再去钻研。还有许多东西都是演奏者临时发挥，即兴弹出来的。因此那些零散的，时刻都在音乐中变化的，每一位演奏者又各具特色的奏法是需要钻研的。

希望学习本书的人认真按照书中的要求的指法和拨法去练习，只有把基础打好了，演奏水平才能逐步提高。

第十五节　双音音阶练习

（一）1=D $\frac{4}{4}$

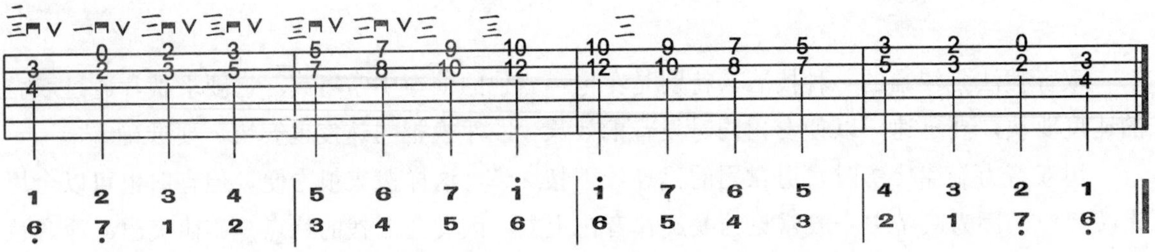

（二）1=D $\frac{4}{4}$

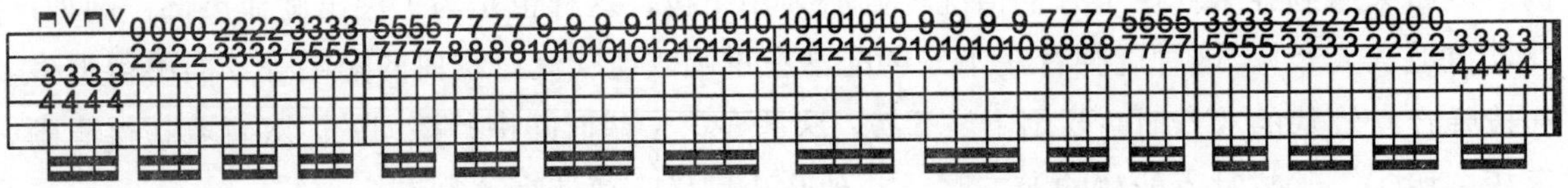

（三）1=F $\frac{4}{4}$

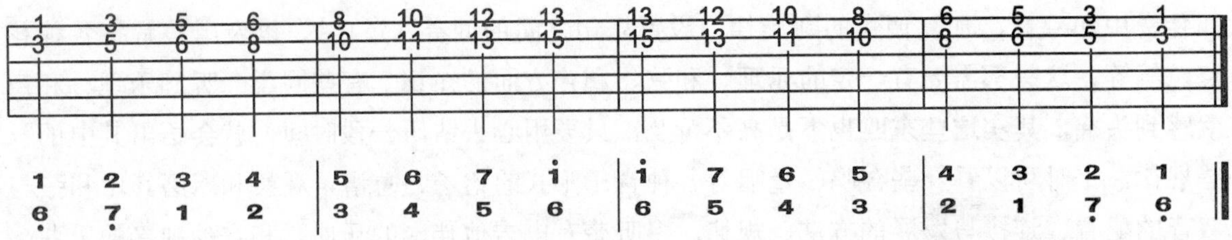

（四）1=F

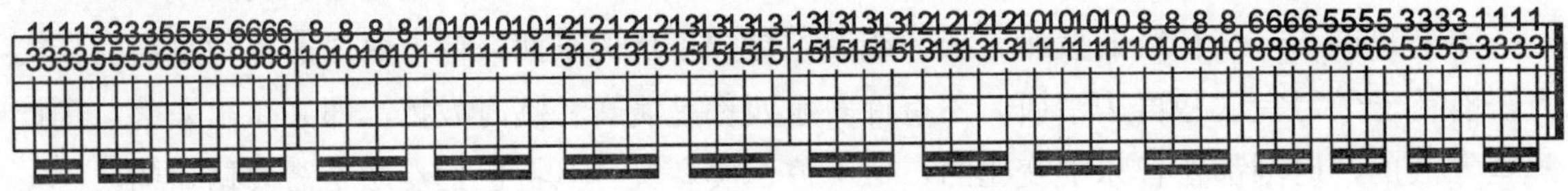

第十六节　双音模进练习

1=F $\frac{4}{4}$

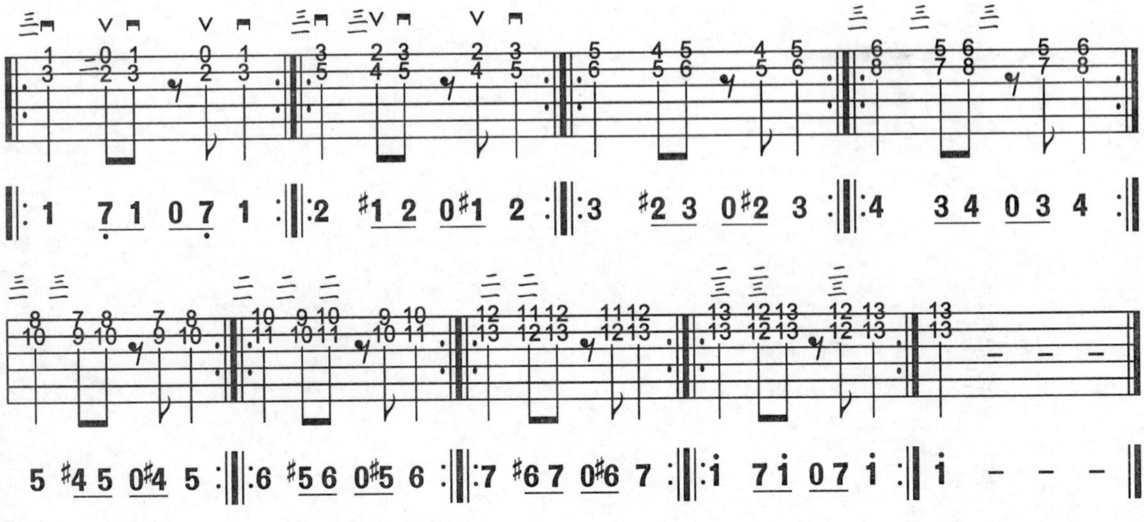

第七章 乐曲部分

黄 昏

1=G $\frac{6}{8}$

刘天礼 曲

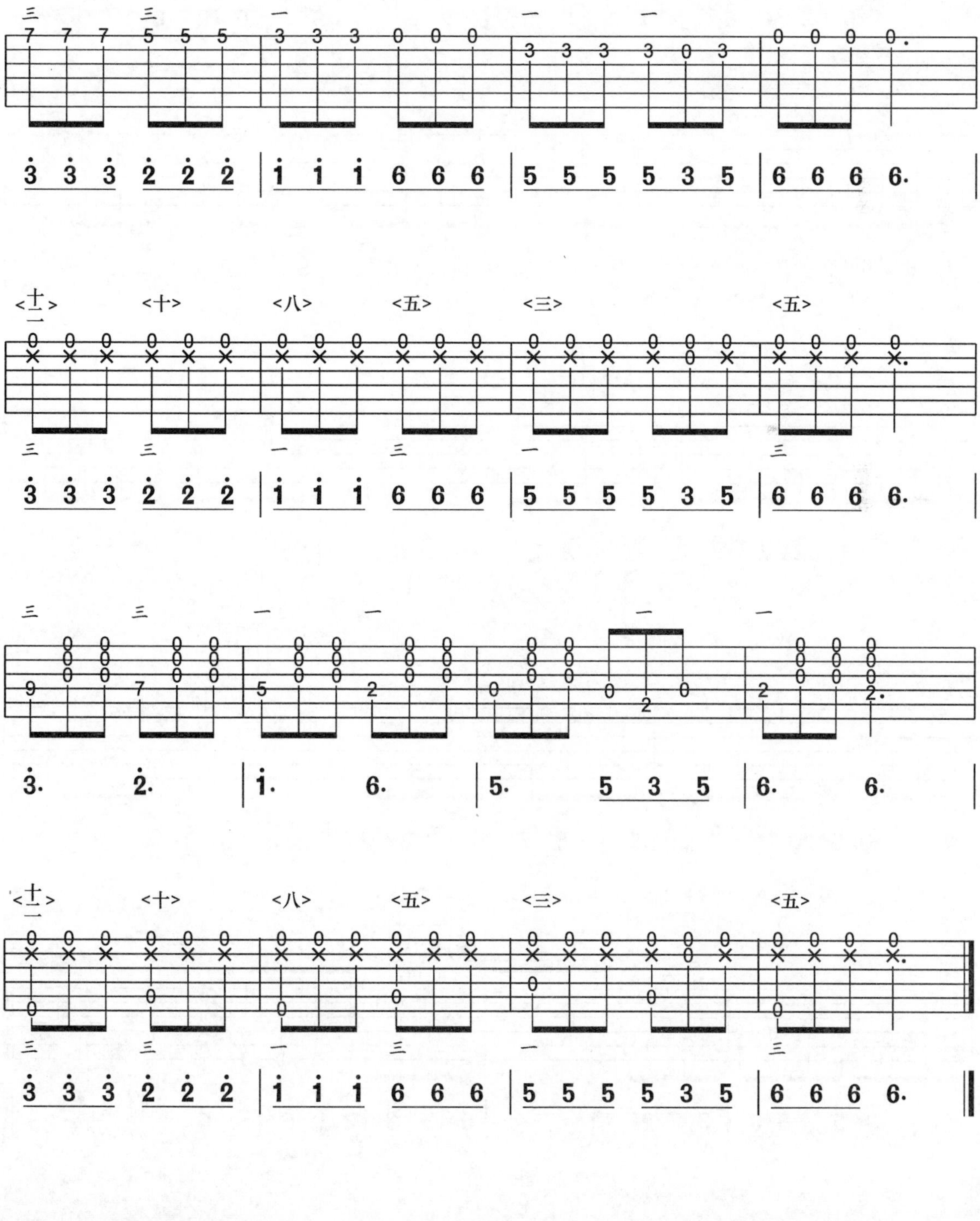

世上只有妈妈好

1=G $\frac{4}{4}$

刘　宏　远　曲
刘天礼　记谱编配

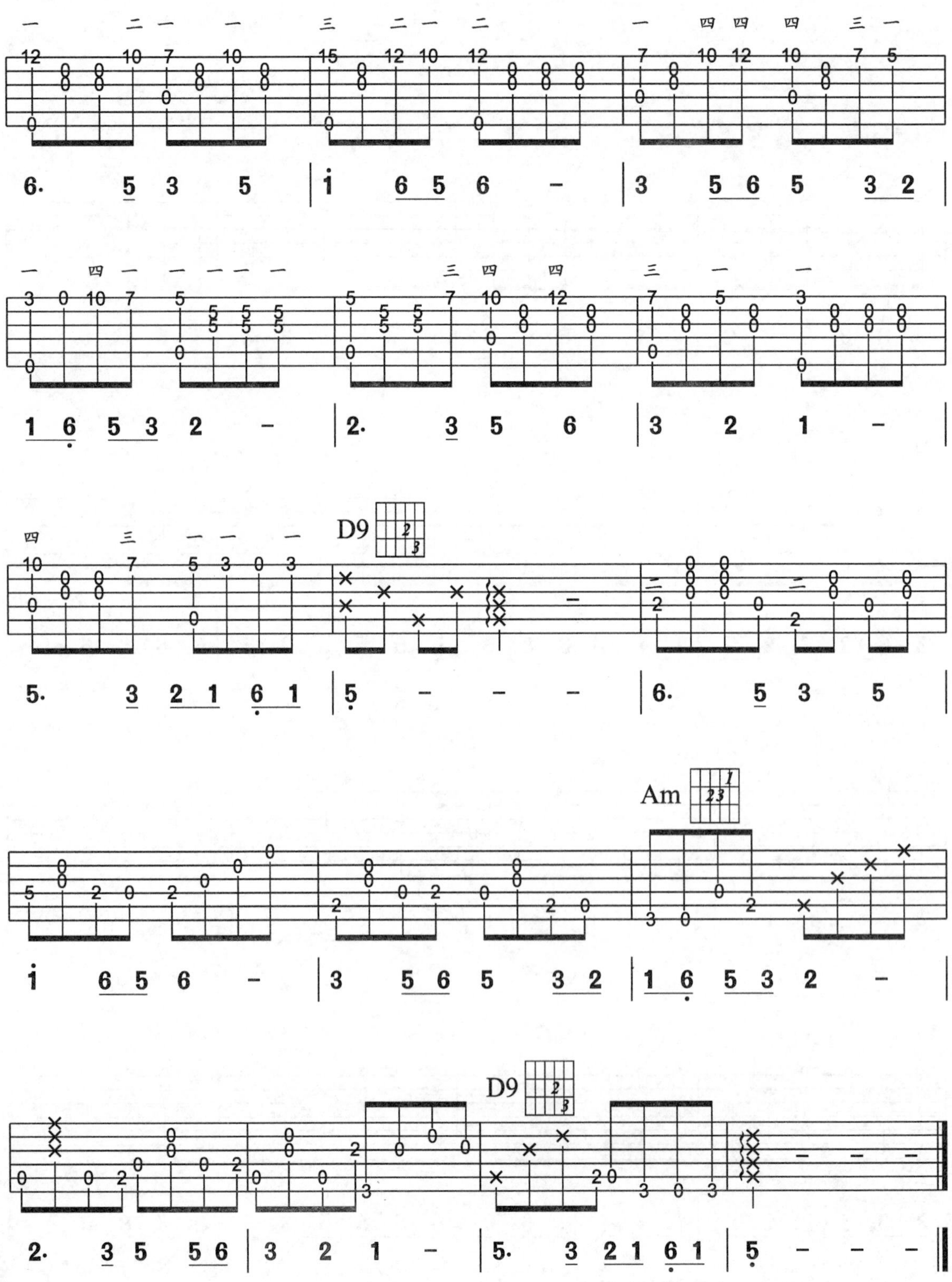

敖包相会

1=G $\frac{4}{4}$

通福曲

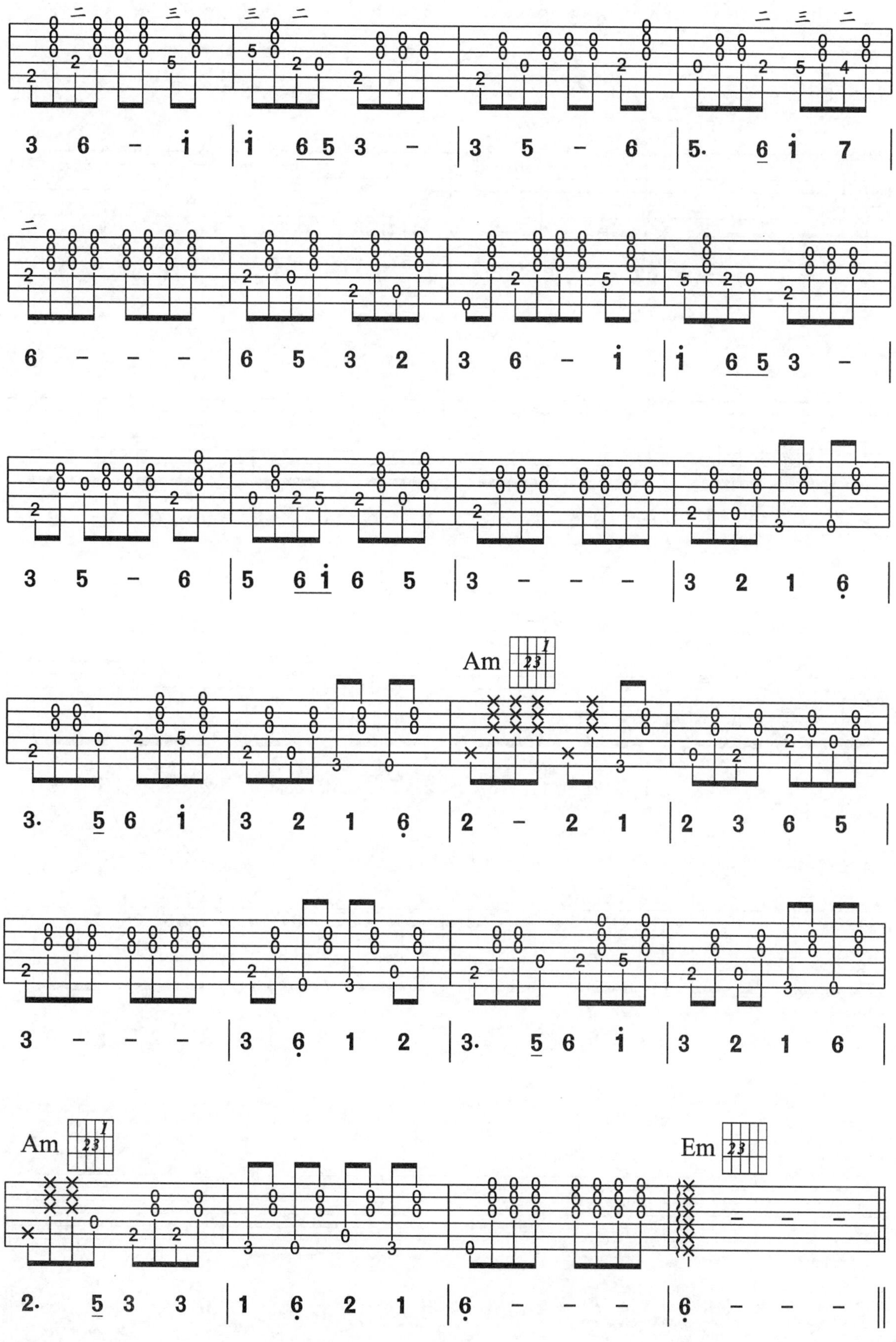

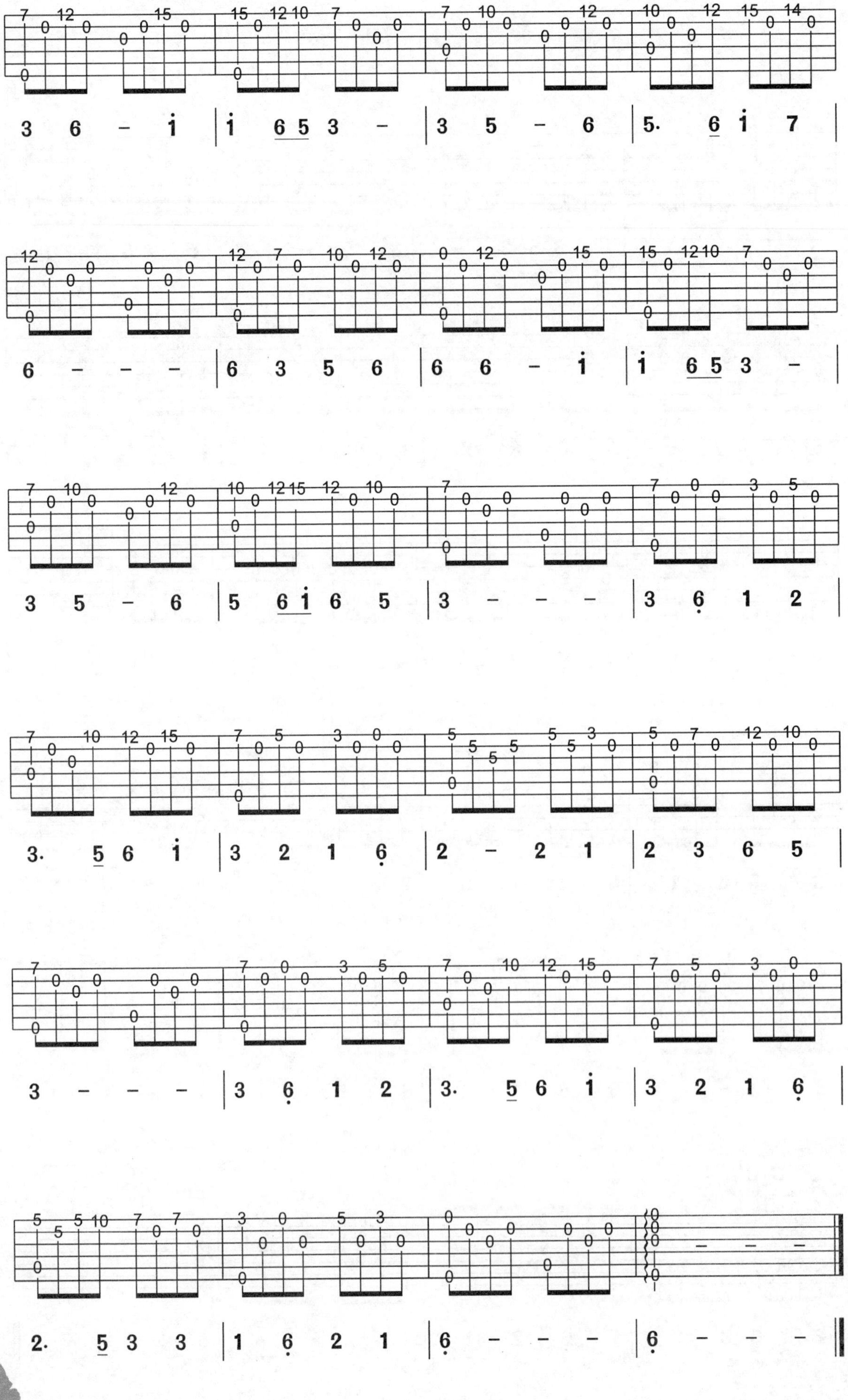

弹起我心爱的土琵琶

1=C $\frac{2}{4}$

吕其明　曲

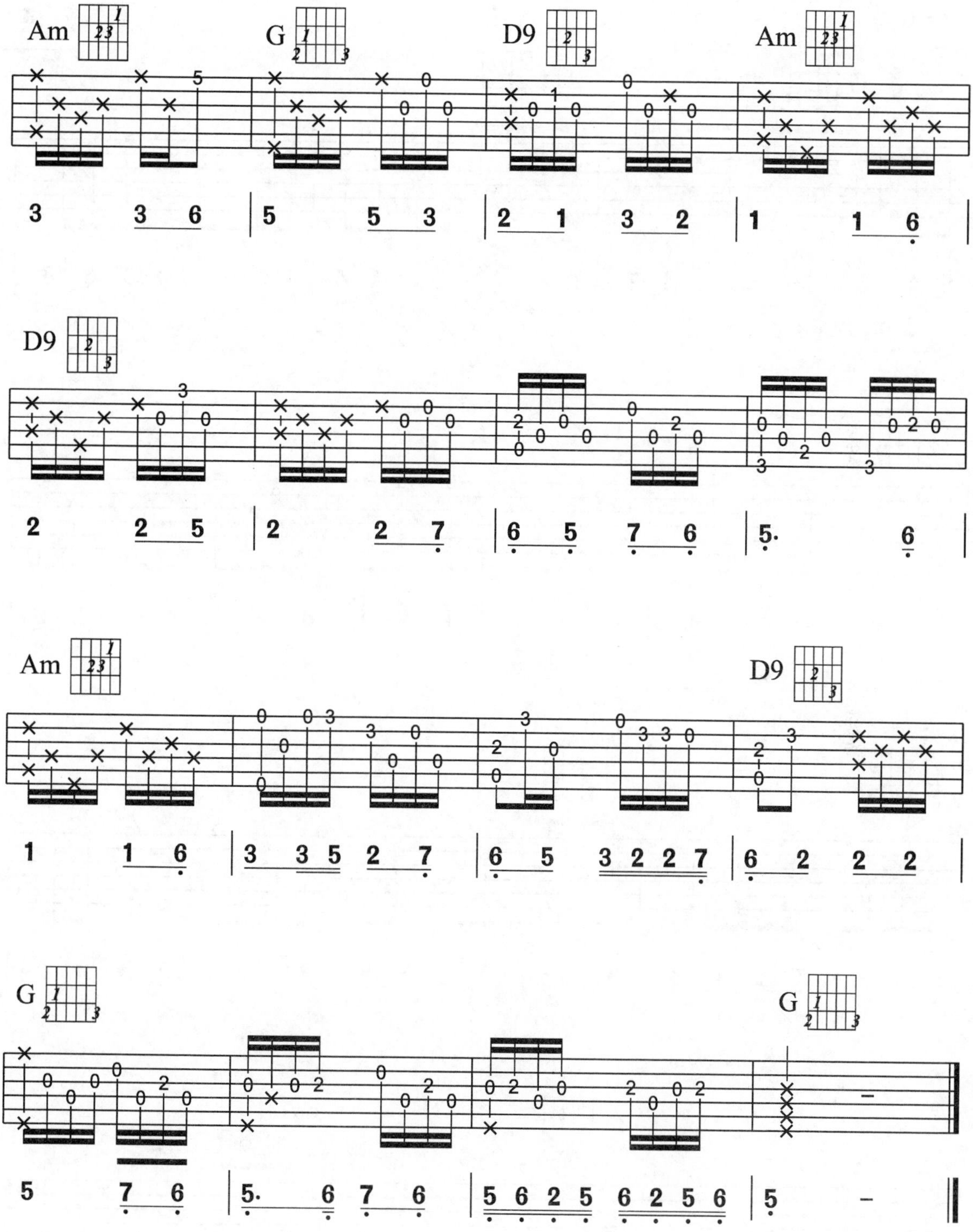

美丽的故乡

1=G $\frac{4}{4}$

佚名曲

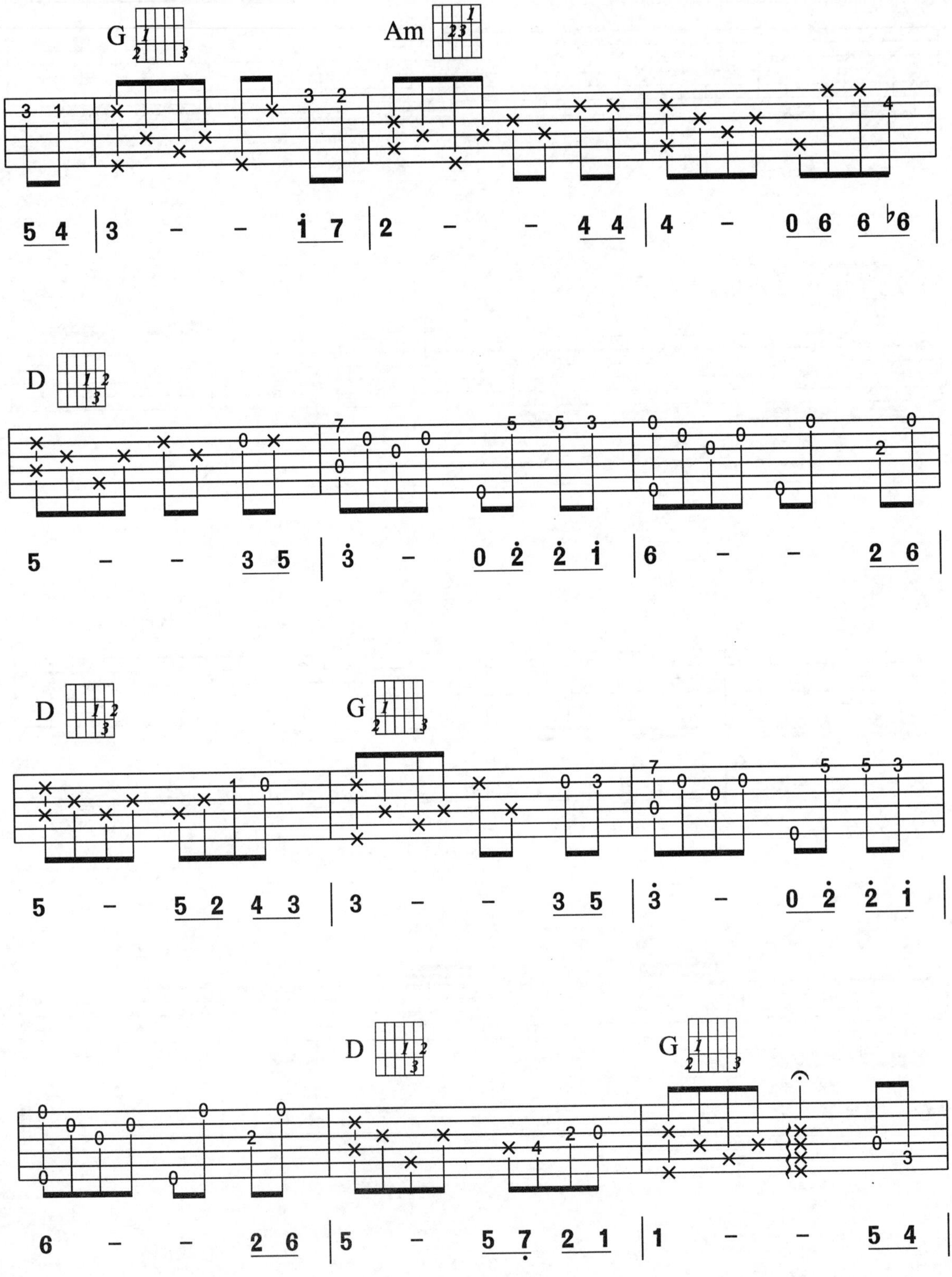

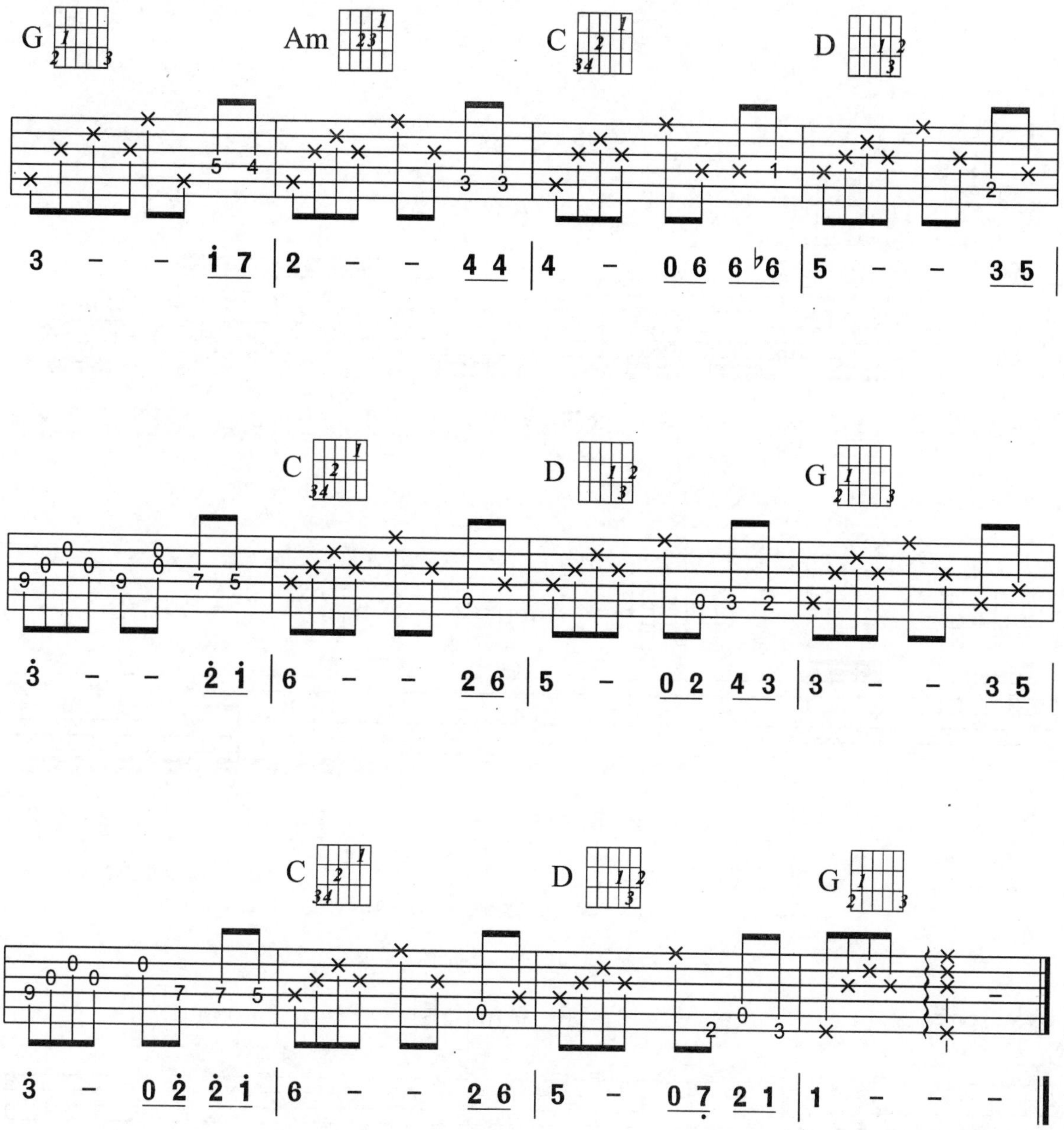
G
Am
C
D
C
D
G
C
D
G

渴　望

1=C $\frac{2}{4}$

雷　蕾　曲

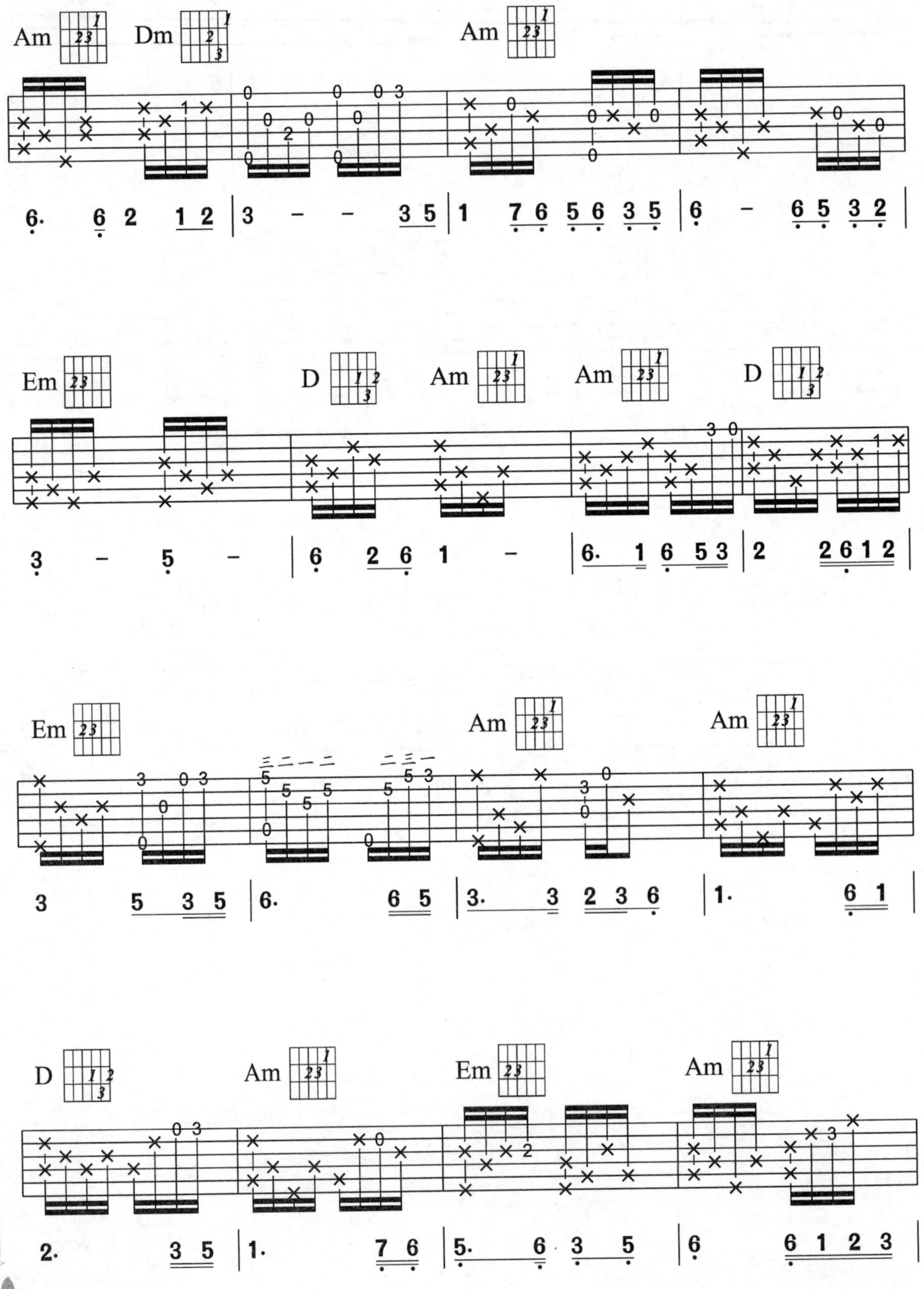

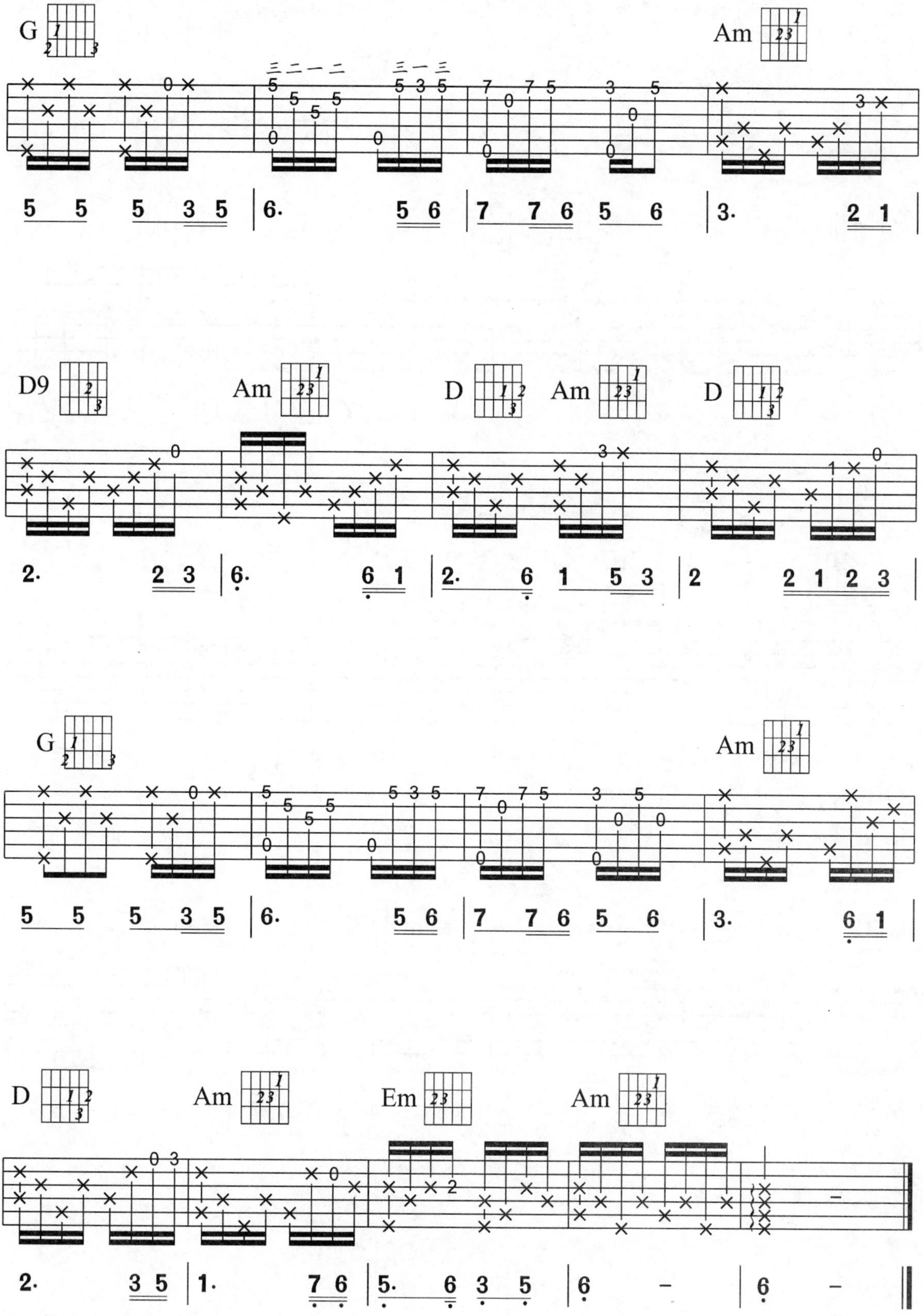
G
Am
D9
Am
D
Am
D
G
Am
D
Am
Em
Am

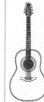

心　恋

1=C $\frac{4}{4}$

梁龄选　曲

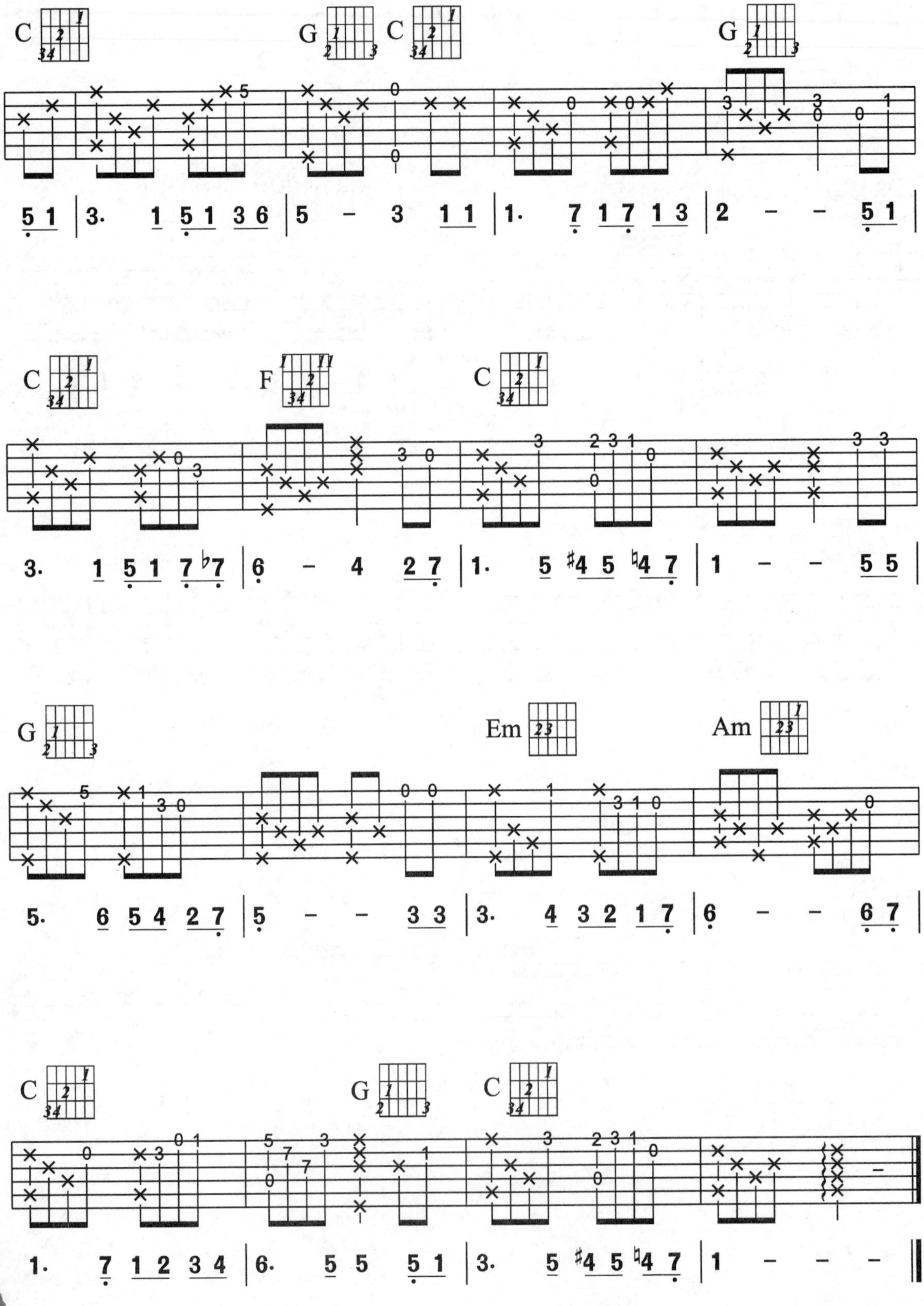

小舞曲

1=C $\frac{4}{4}$

佚名曲

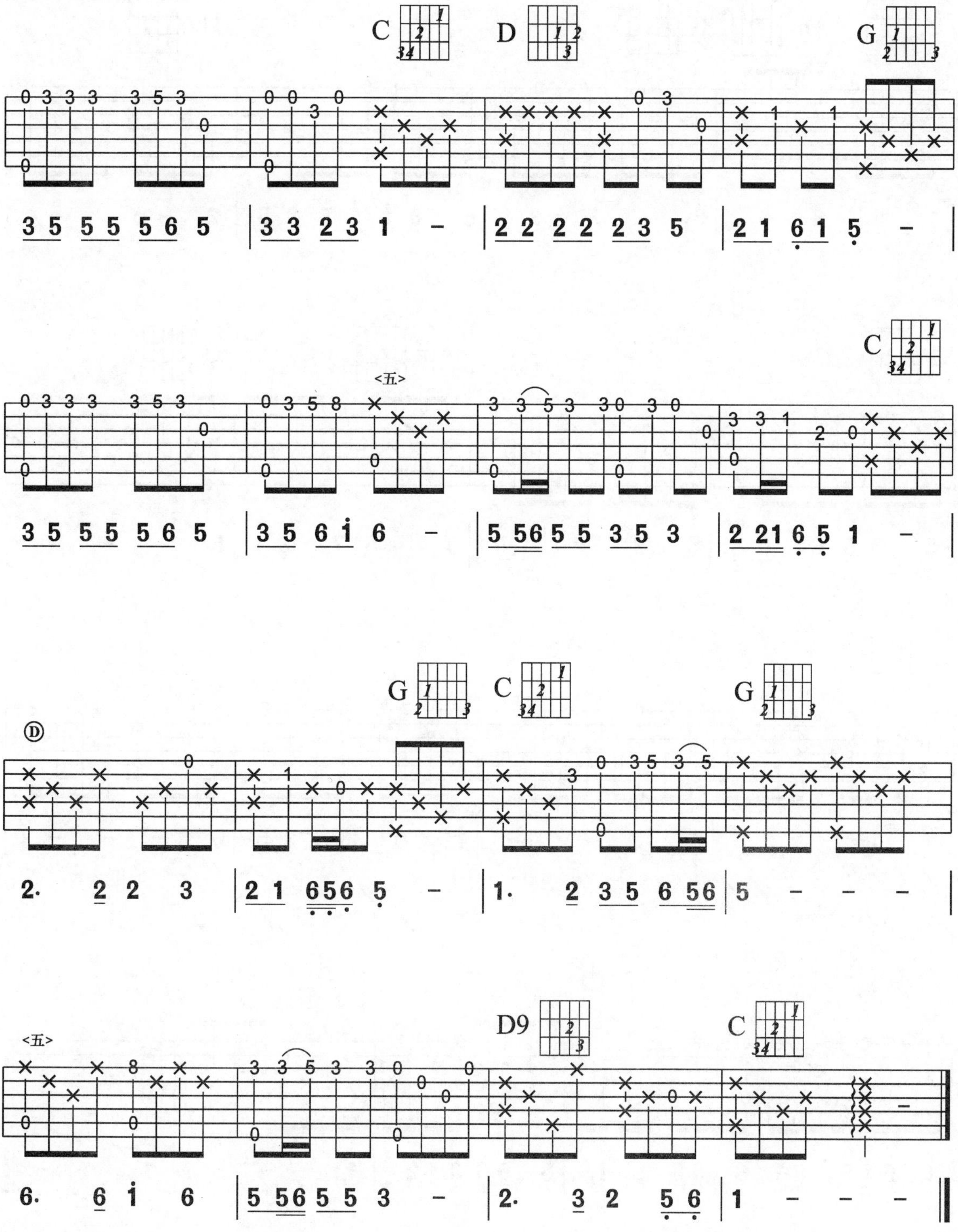

送　　别

1=C $\frac{4}{4}$

电影《怒潮》插曲

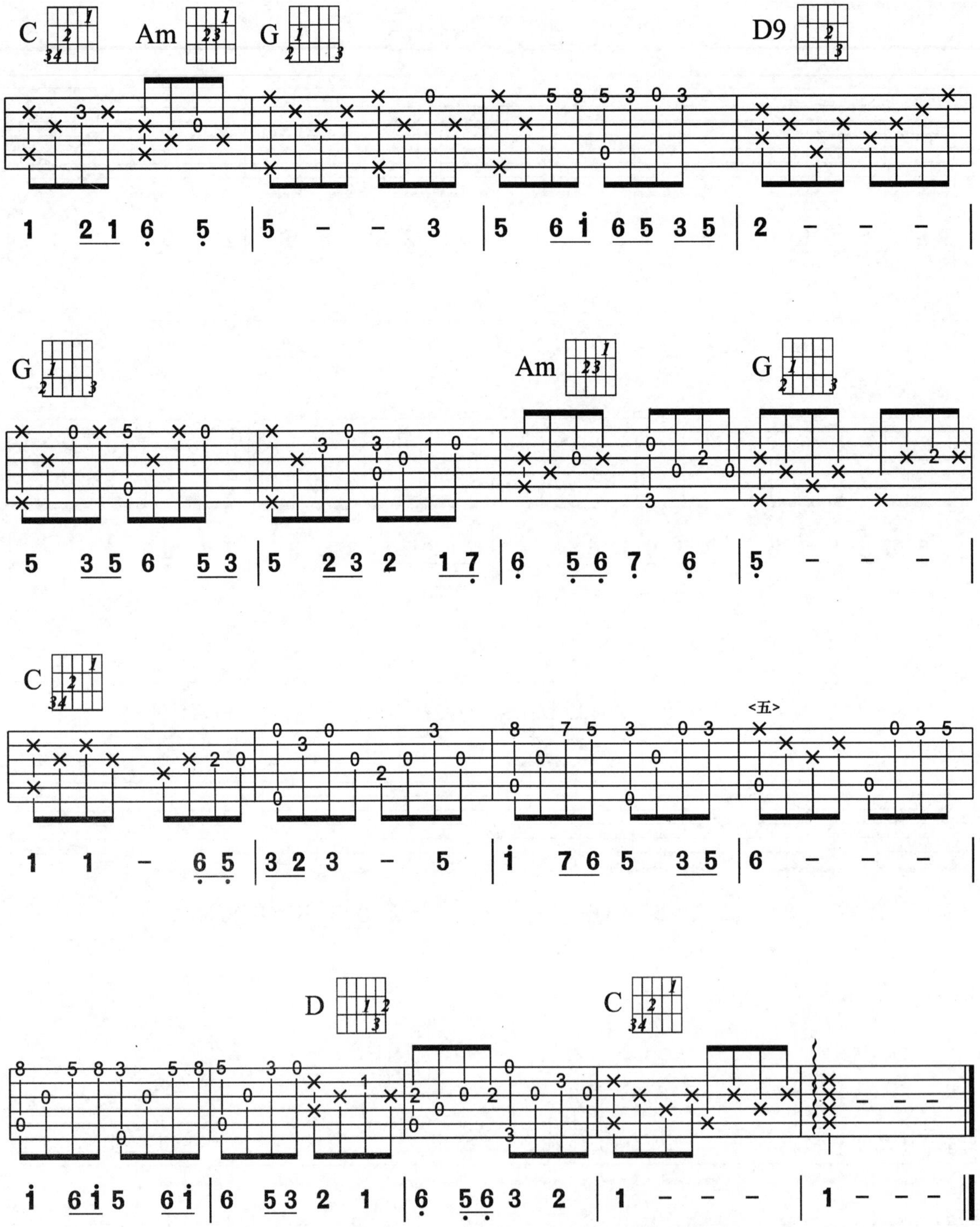

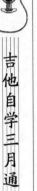

牧 羊 曲

王　立　平曲
刘天礼　记谱编配

1=C $\frac{4}{4}$

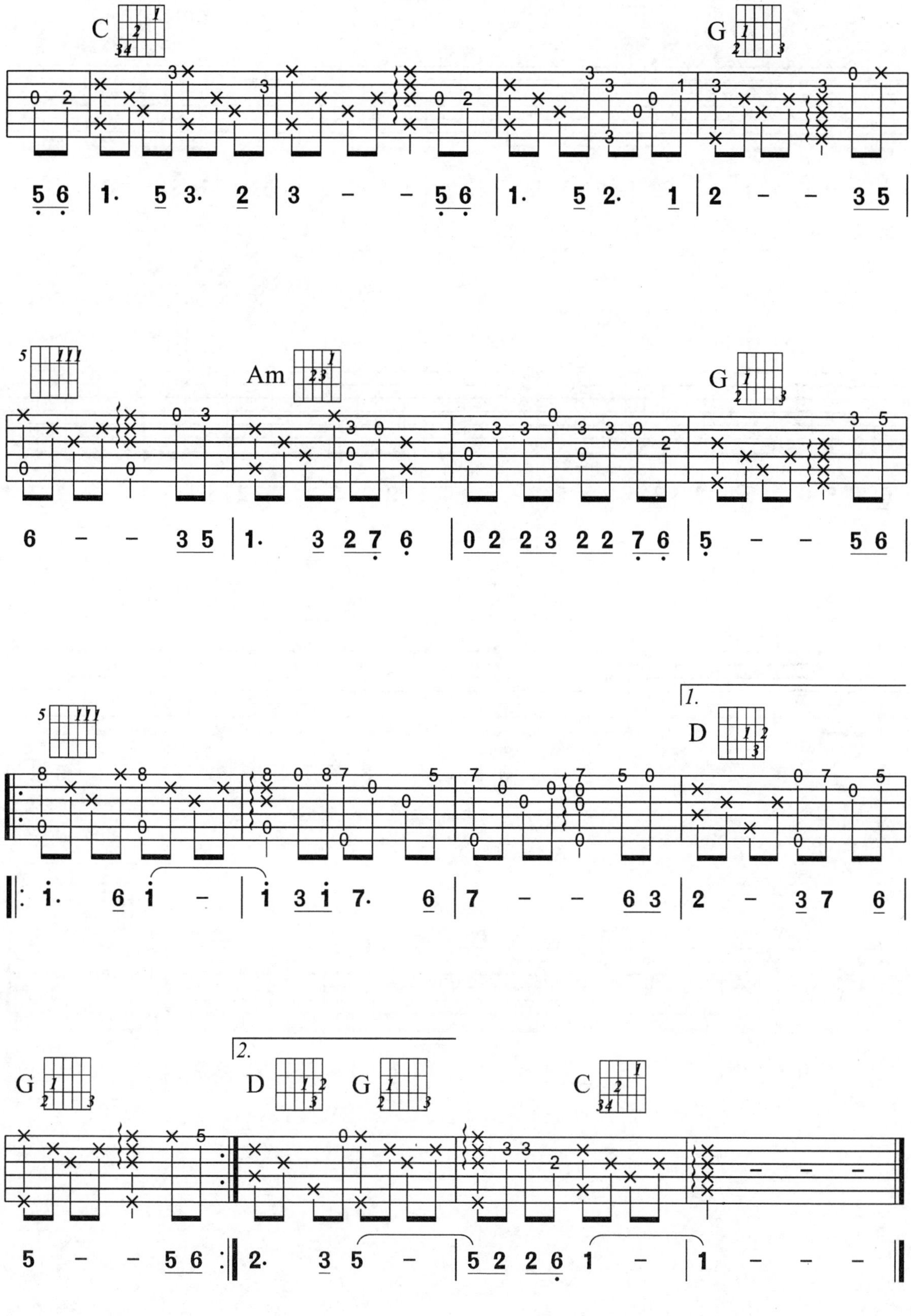

千言万语

1=G $\frac{4}{4}$

古月曲

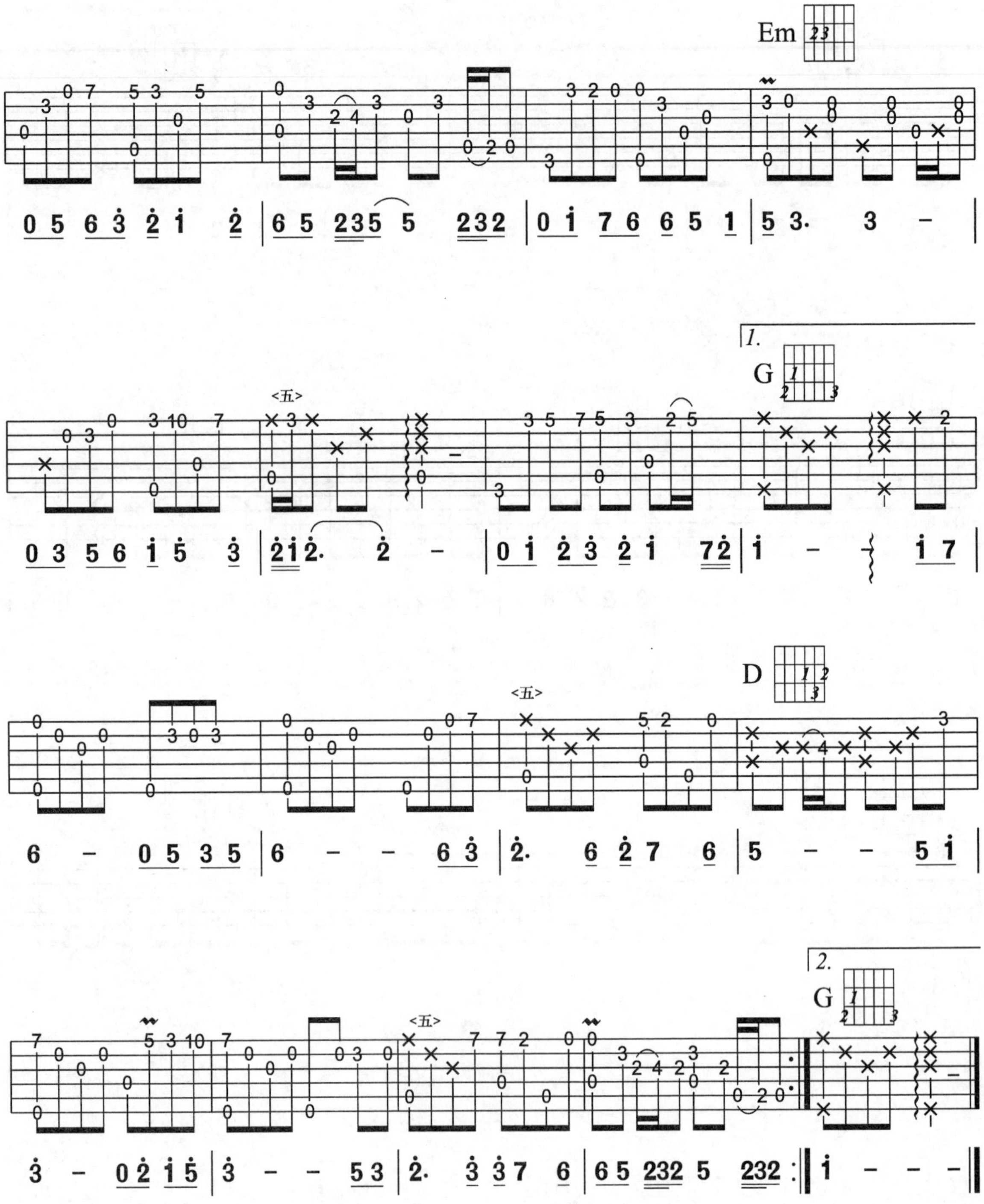

初恋的地方

1=C $\frac{3}{4}$

刘家昌 曲

3 | 5 — 5 | 6 5 6 | 1 — 2 | 3 — — |

6 5 3 | 2· 1 1 6 | 5 — — | 5 — — | 6 — 5 6 |

1 — 2 3 | 5 — 6 5 | 3 — 5 3 | 2 — 2 3 | 5 — 6 1 |

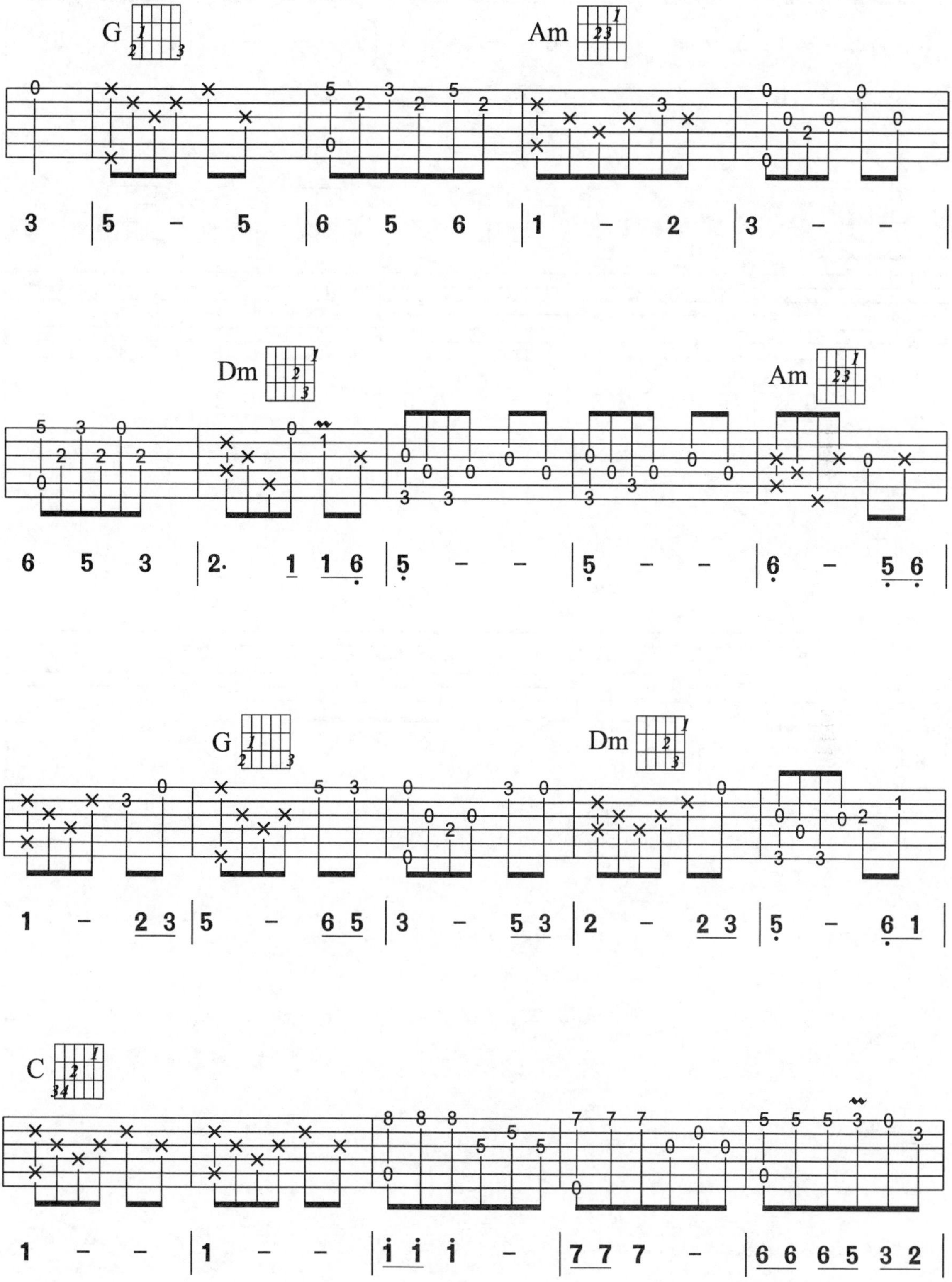

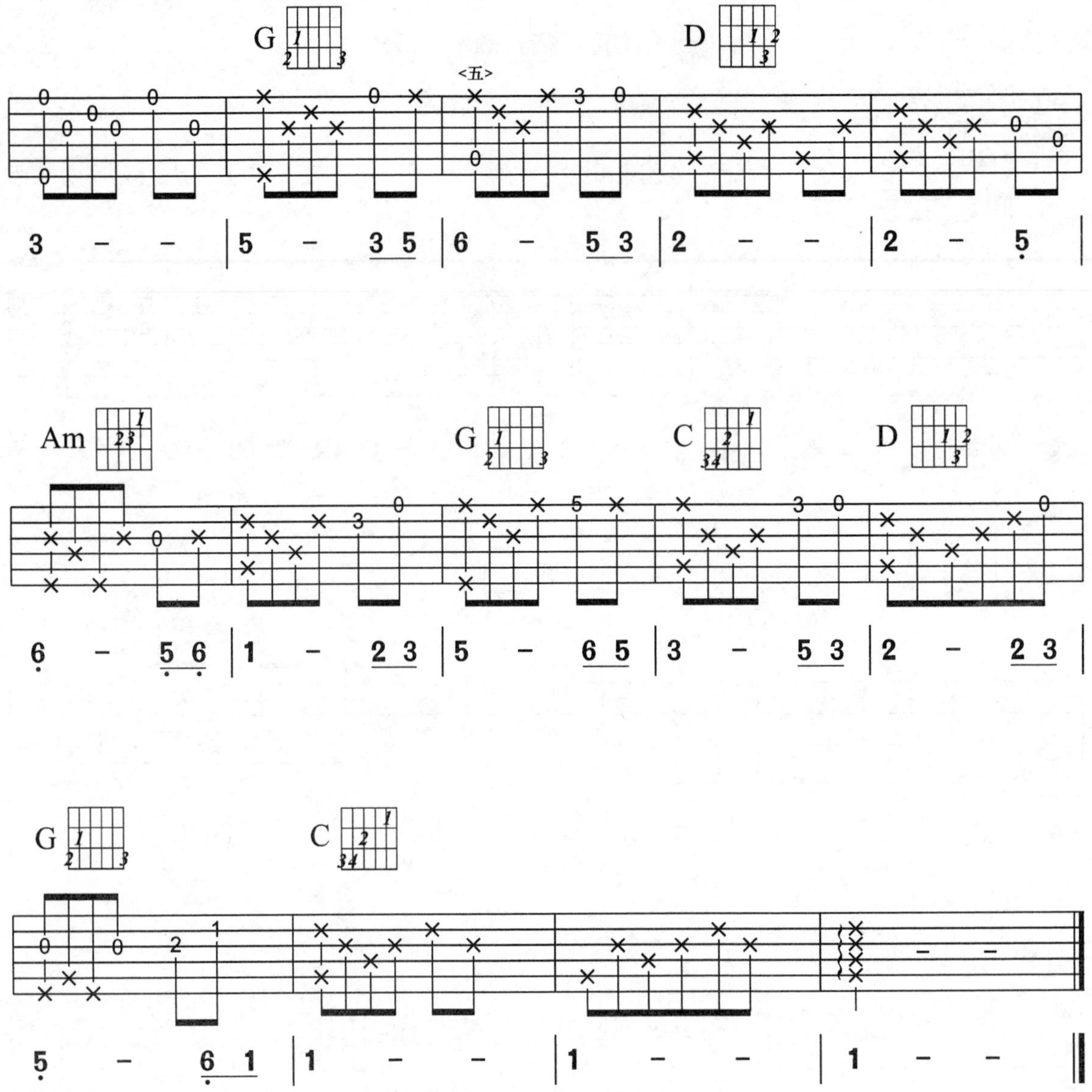
G
D
Am
G
C
D
G
C

想你想断肠

1=C $\frac{4}{4}$

王云峰 曲

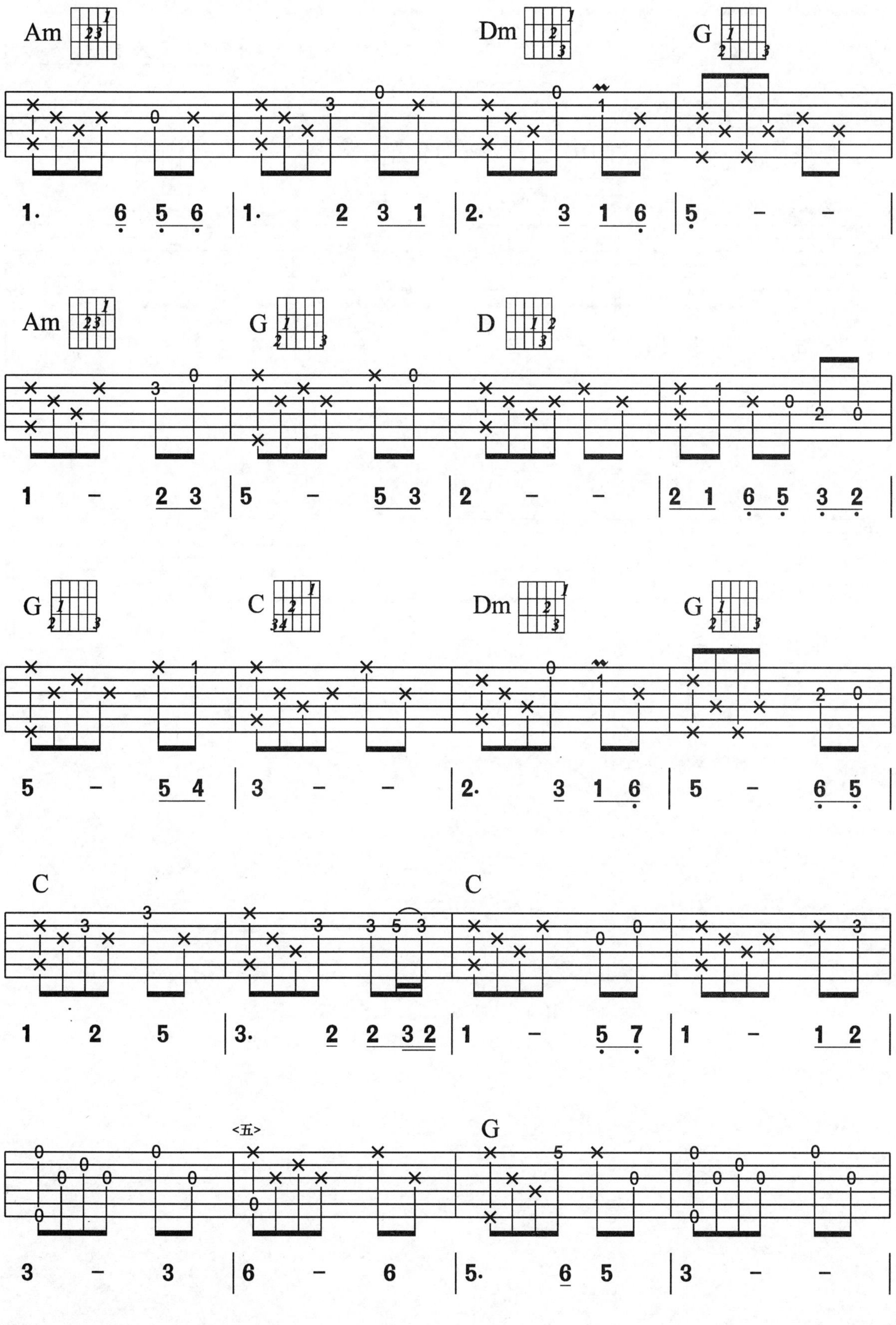

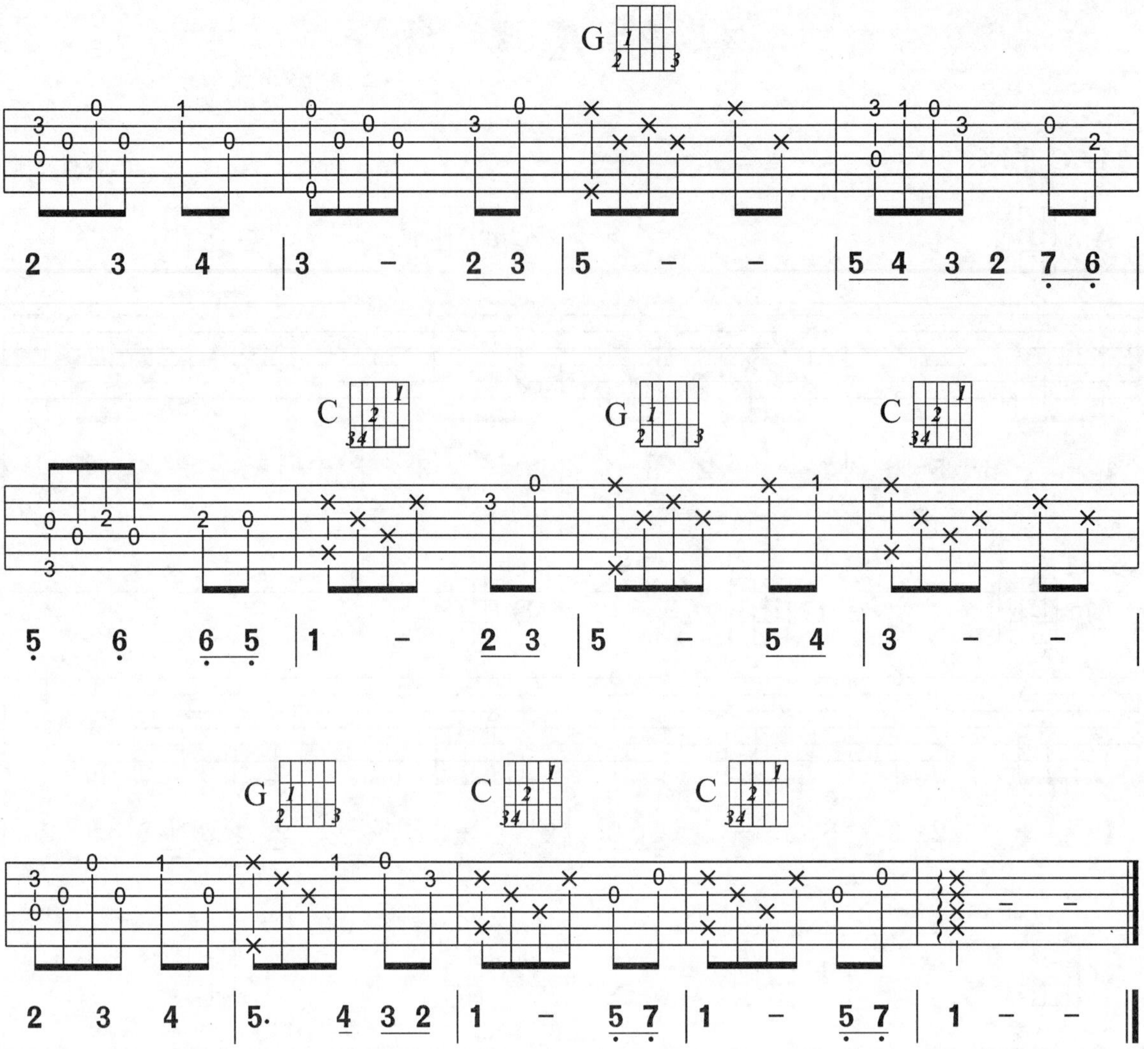
G
C G C
G C C

月亮代表我的心

汤 尼 曲
刘天礼 记谱编配

1=C $\frac{2}{4}$

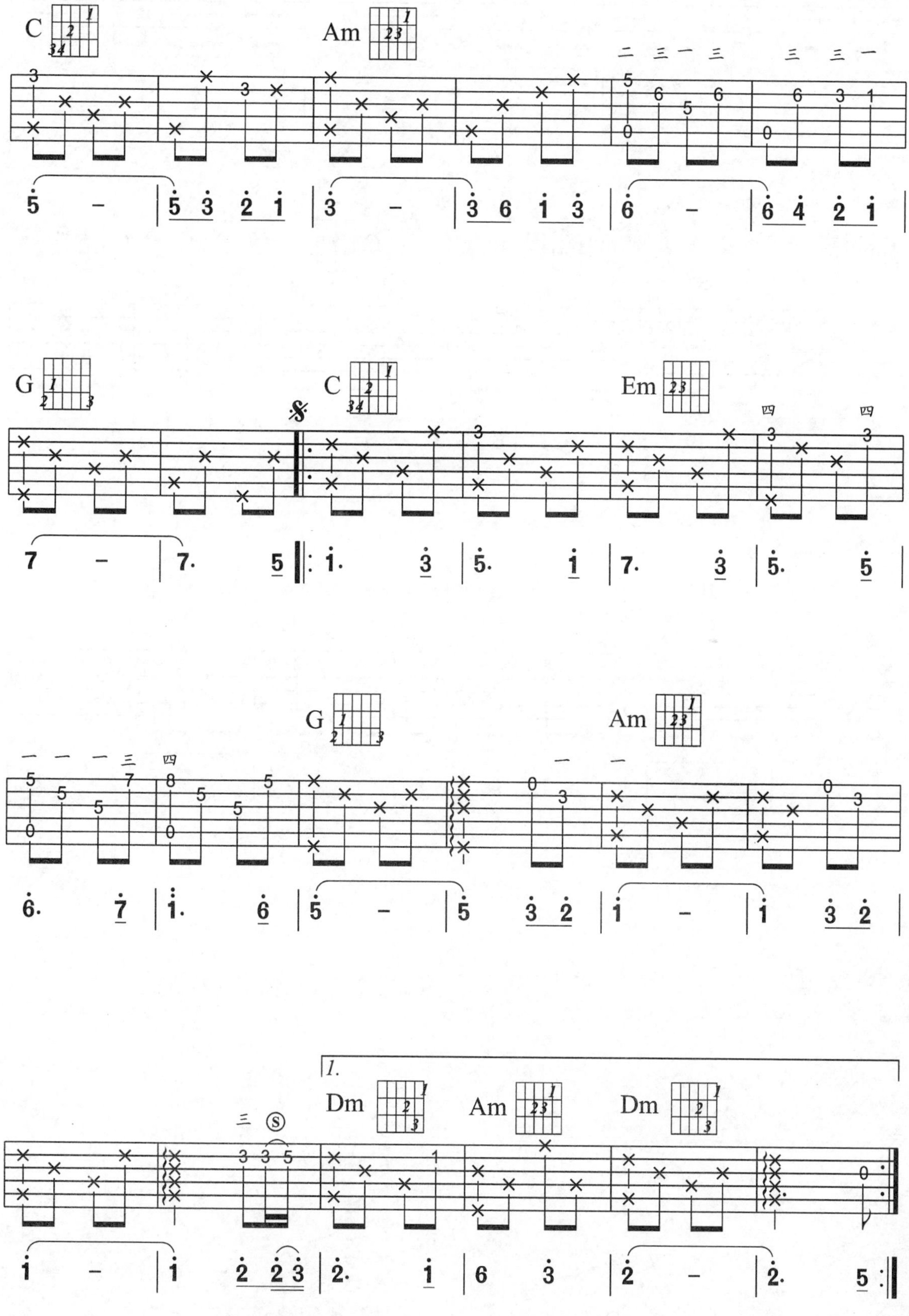

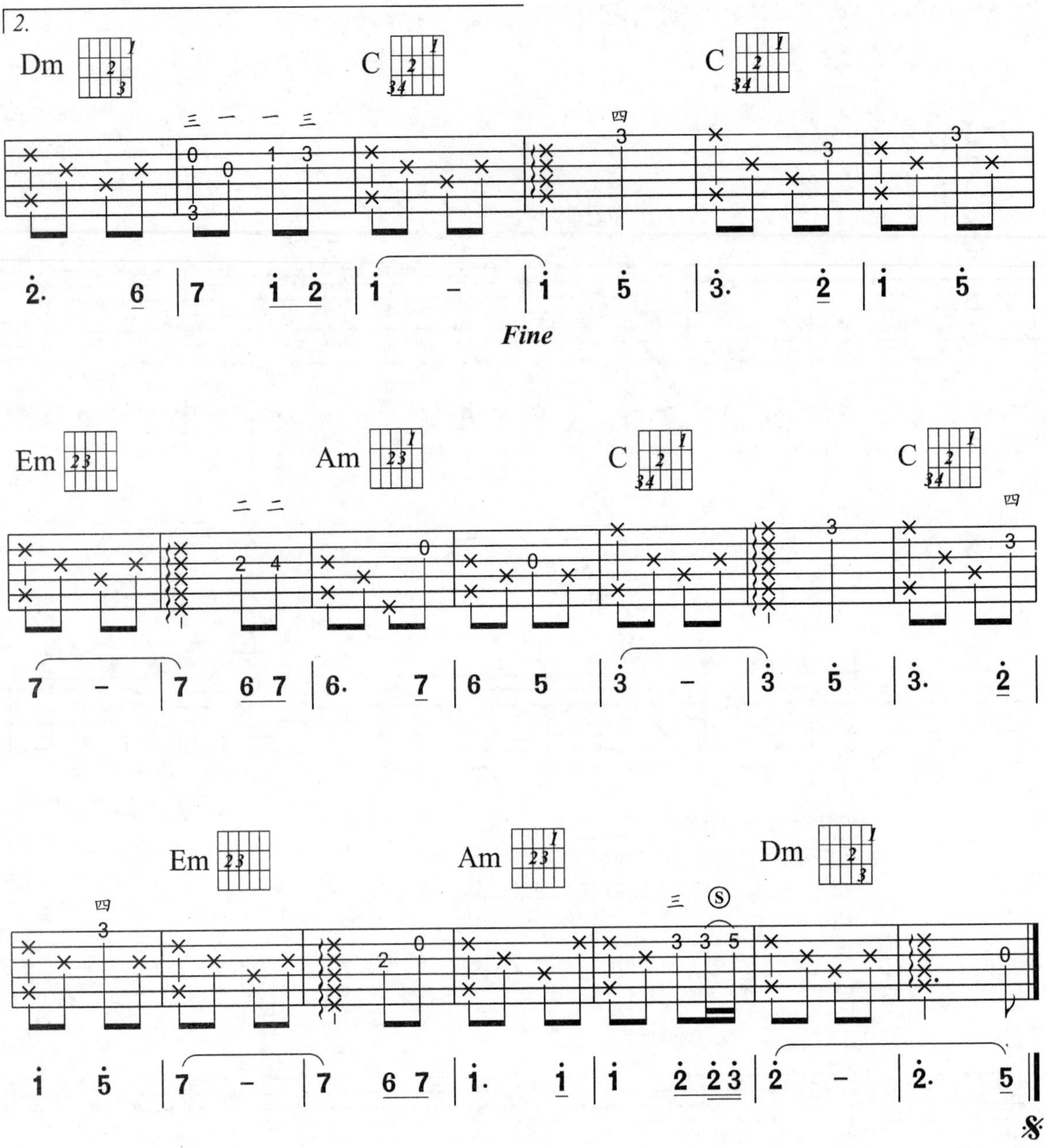
Dm
C
C
Fine
Em
Am
C
C
Em
Am
Dm

老人与海

1=C $\frac{4}{4}$

佚　名曲
刘天礼　记谱编配

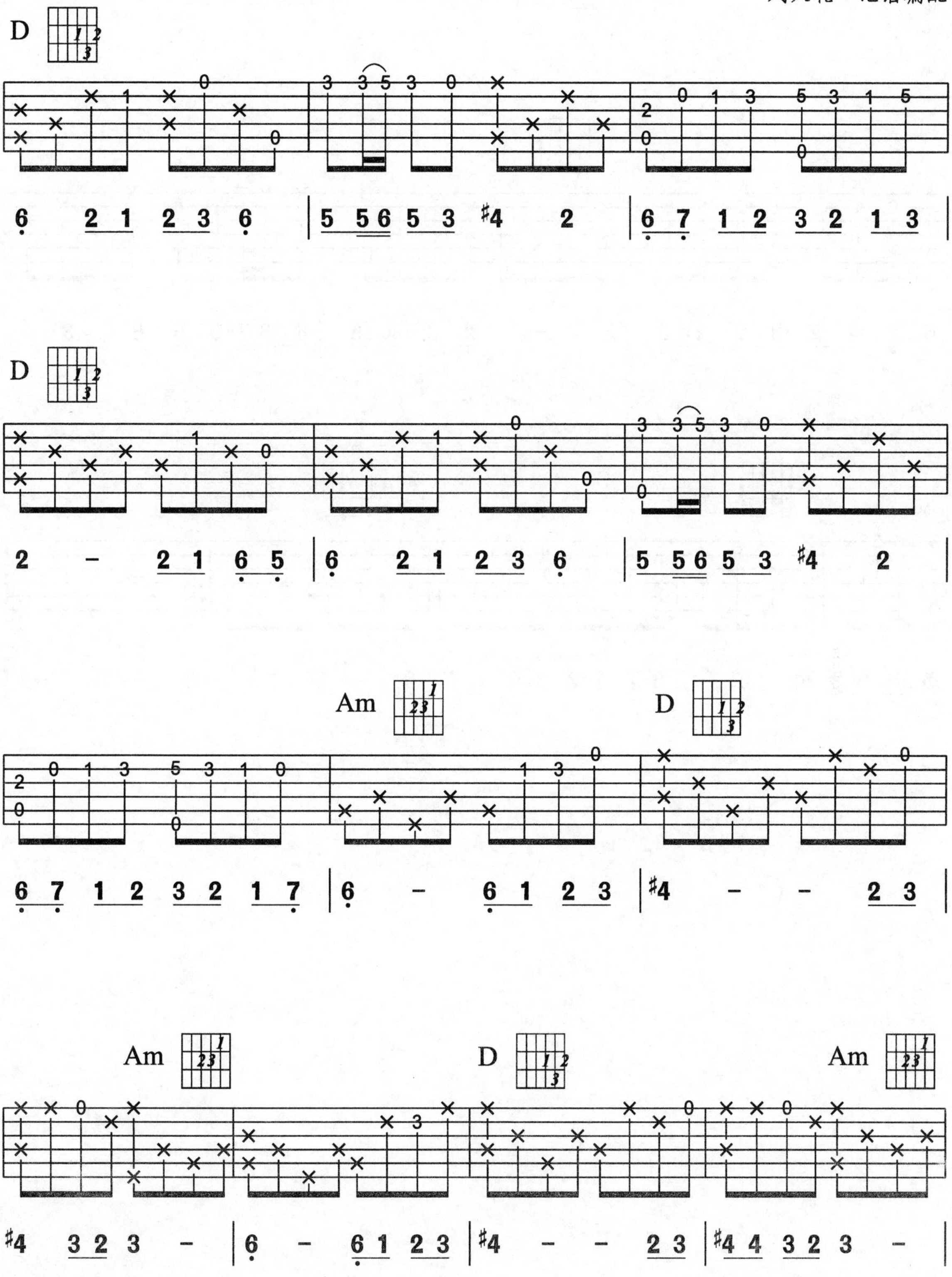

<五>

6 − − − | 6 67 6 5 6 3 | 5 56 5 3 #4 2 |

D

6̣ 7̣ 1 2 3 2 1 3 | 2 − 2 3 #4 5 | 6 67 6 5 6 3 |

D <五>

5 56 5 3 #4 2 | 6̣ 7̣ 1 2 3 2 1 7̣ | 6̣ − − − | 6̣ − − − ‖

D Am

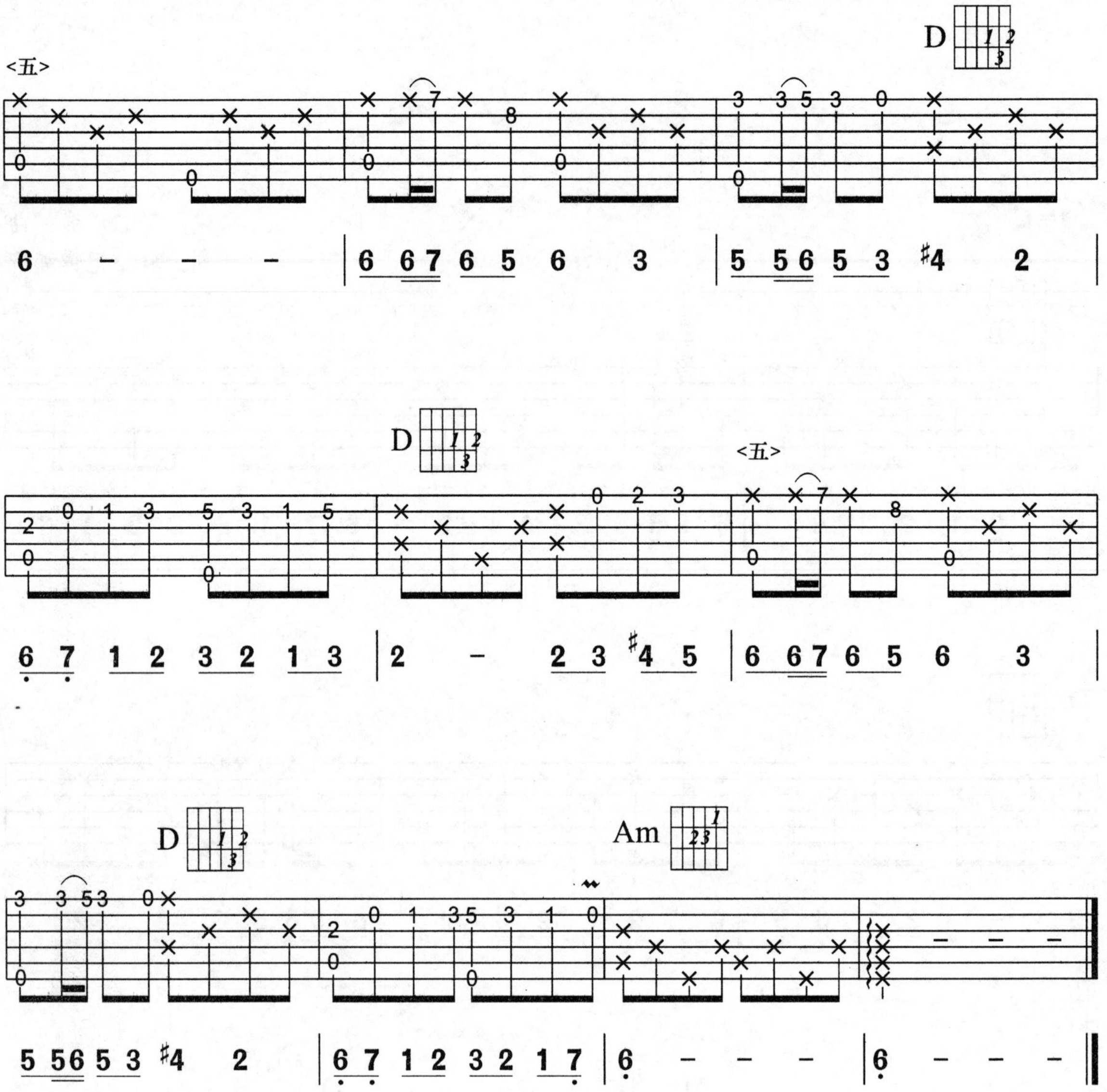

毕 业 生

1=C $\frac{2}{4}$

〔美〕保罗·西蒙、戴夫·格鲁辛 曲

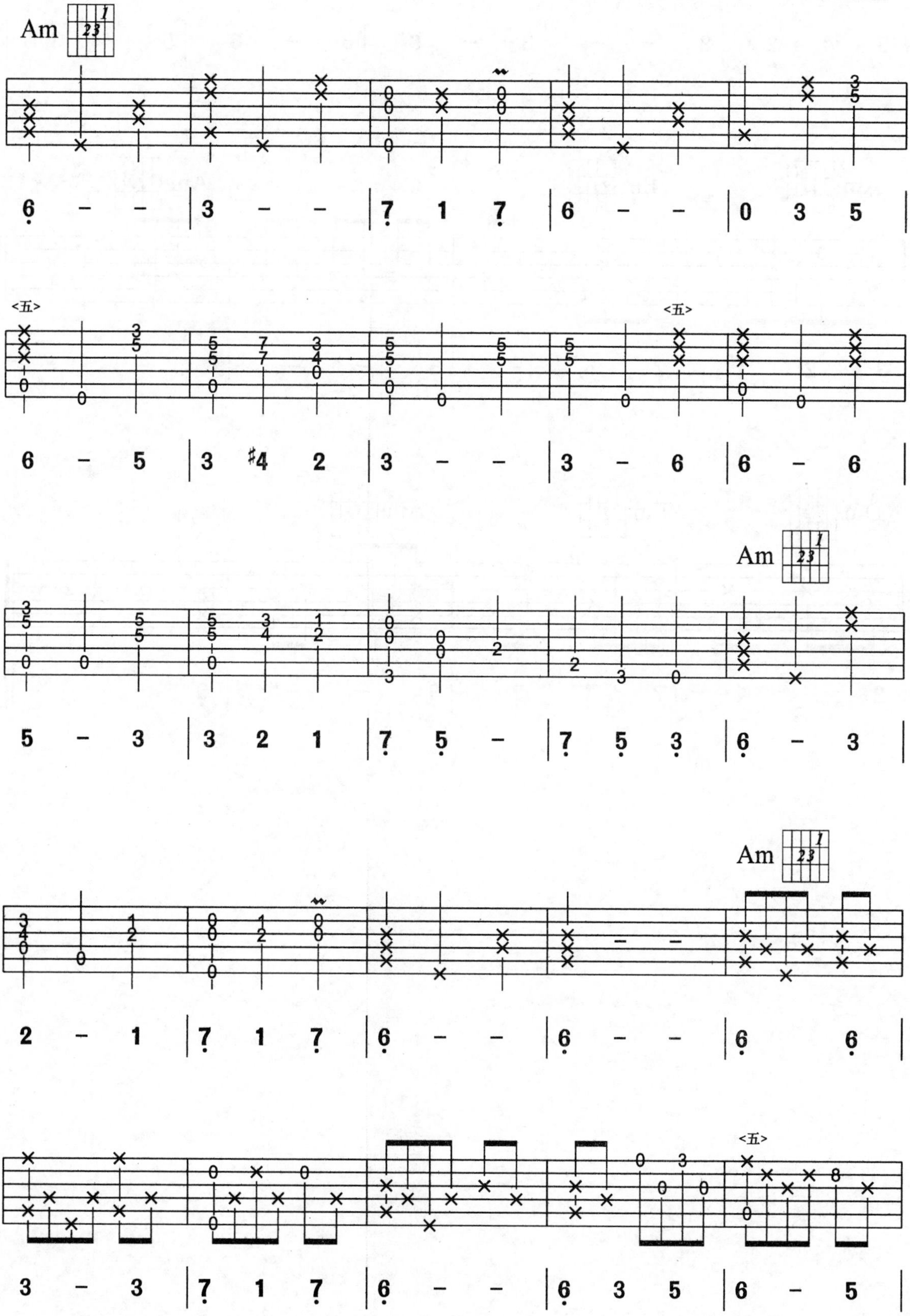

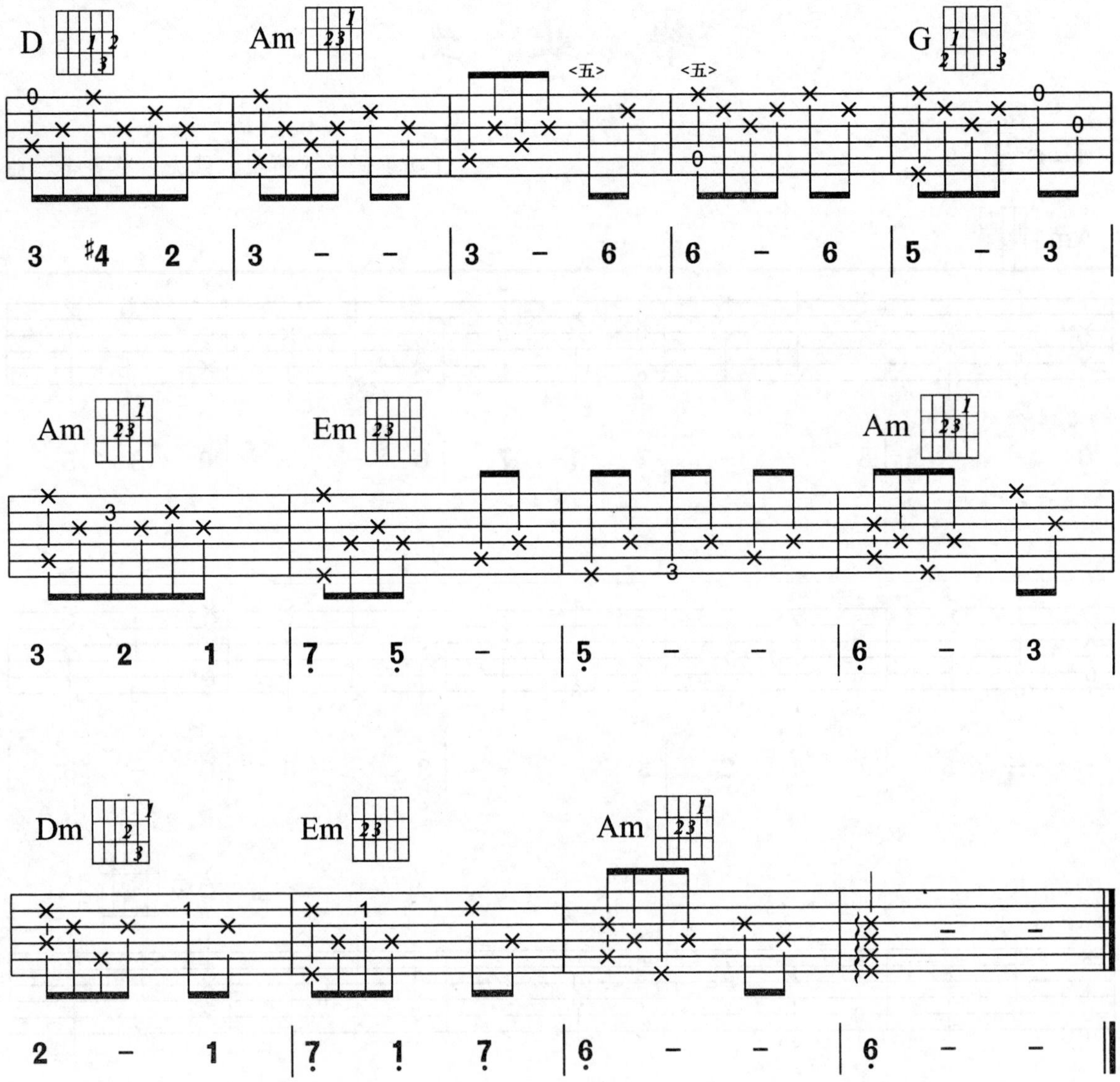
D
Am
<五>
<五>
G
Am
Em
Am
Dm
Em
Am

虾 球 传

1=C $\frac{4}{4}$

马 丁 曲

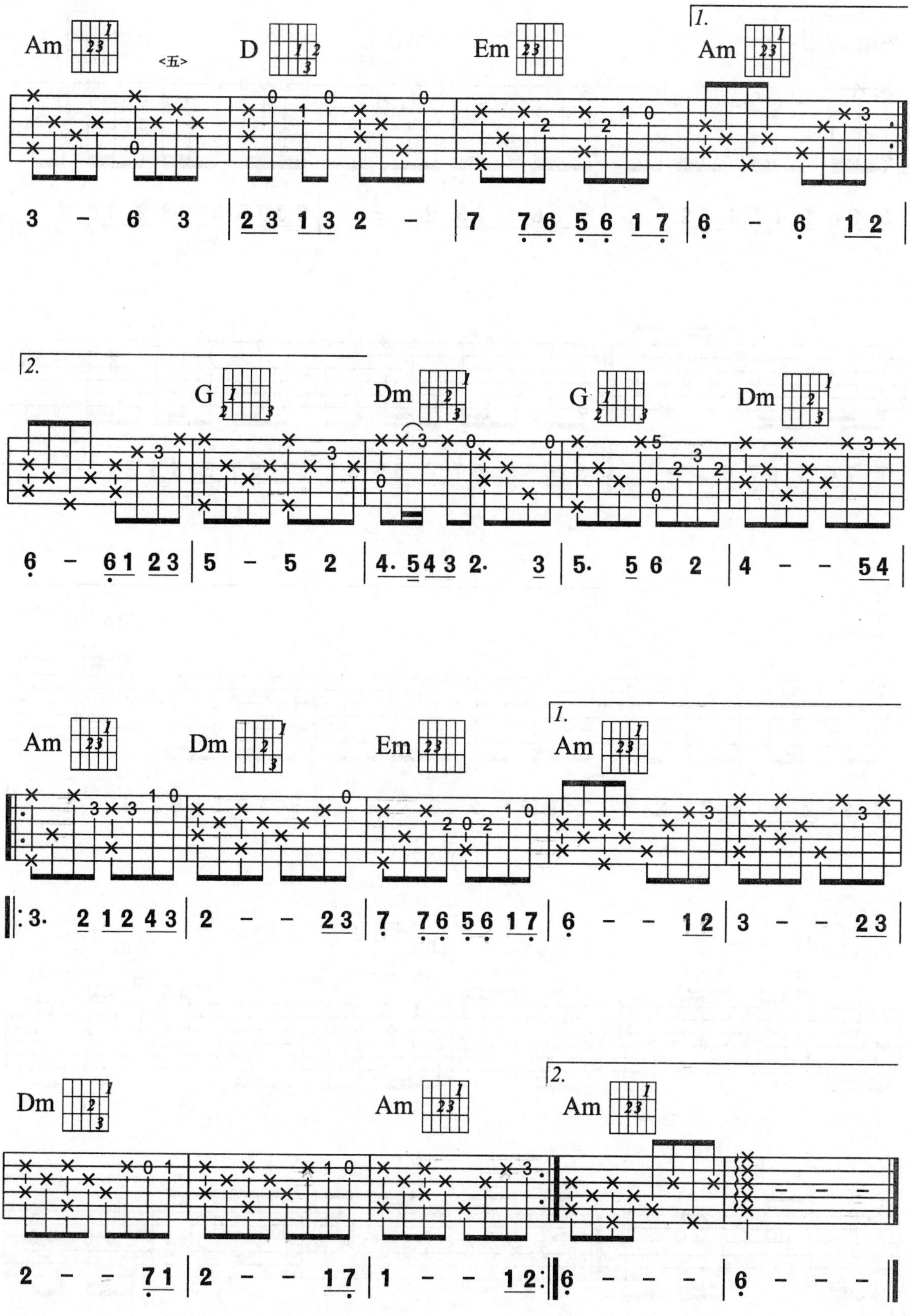

三 月 三

1=C $\frac{4}{4}$

谷建芬 曲

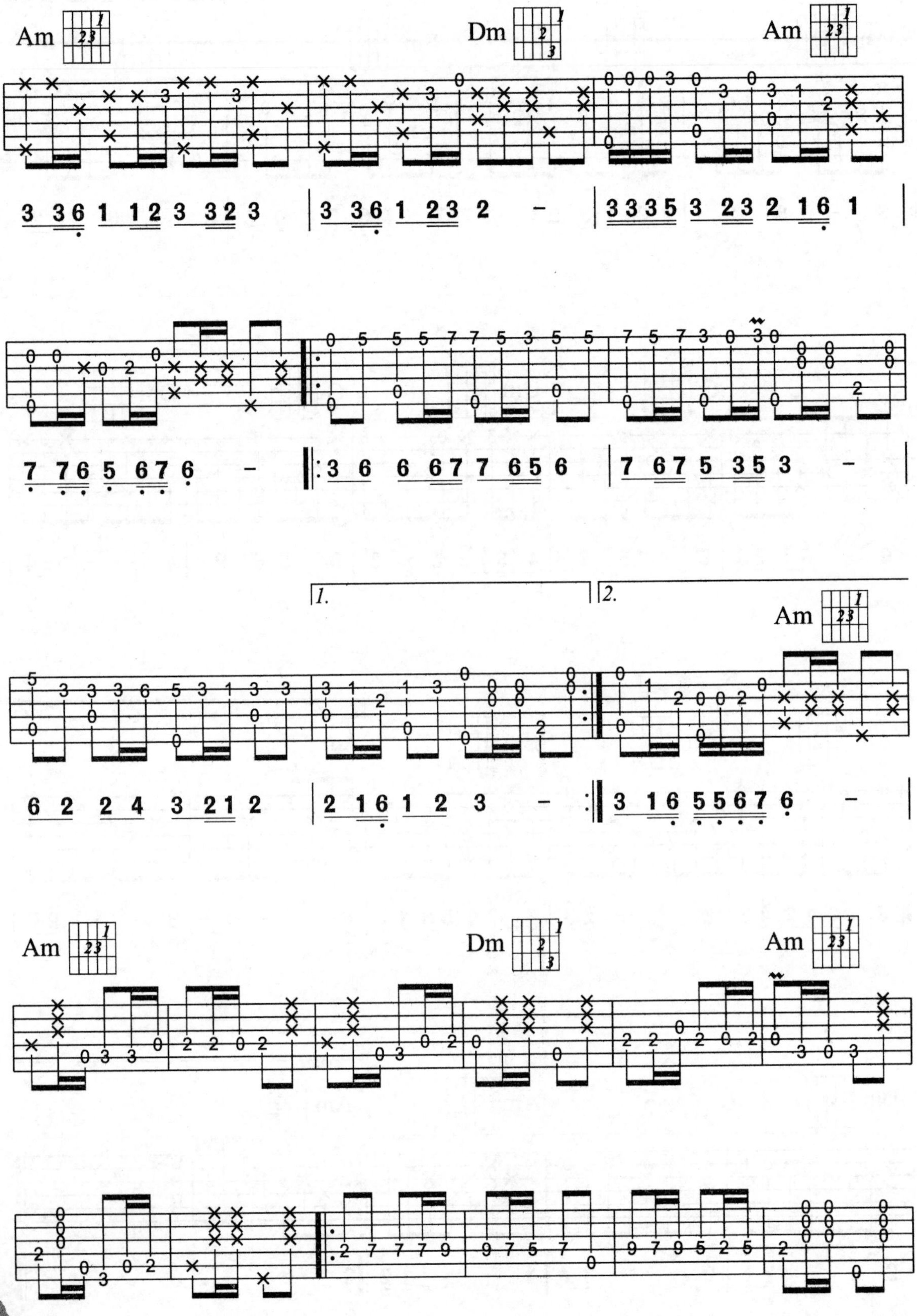

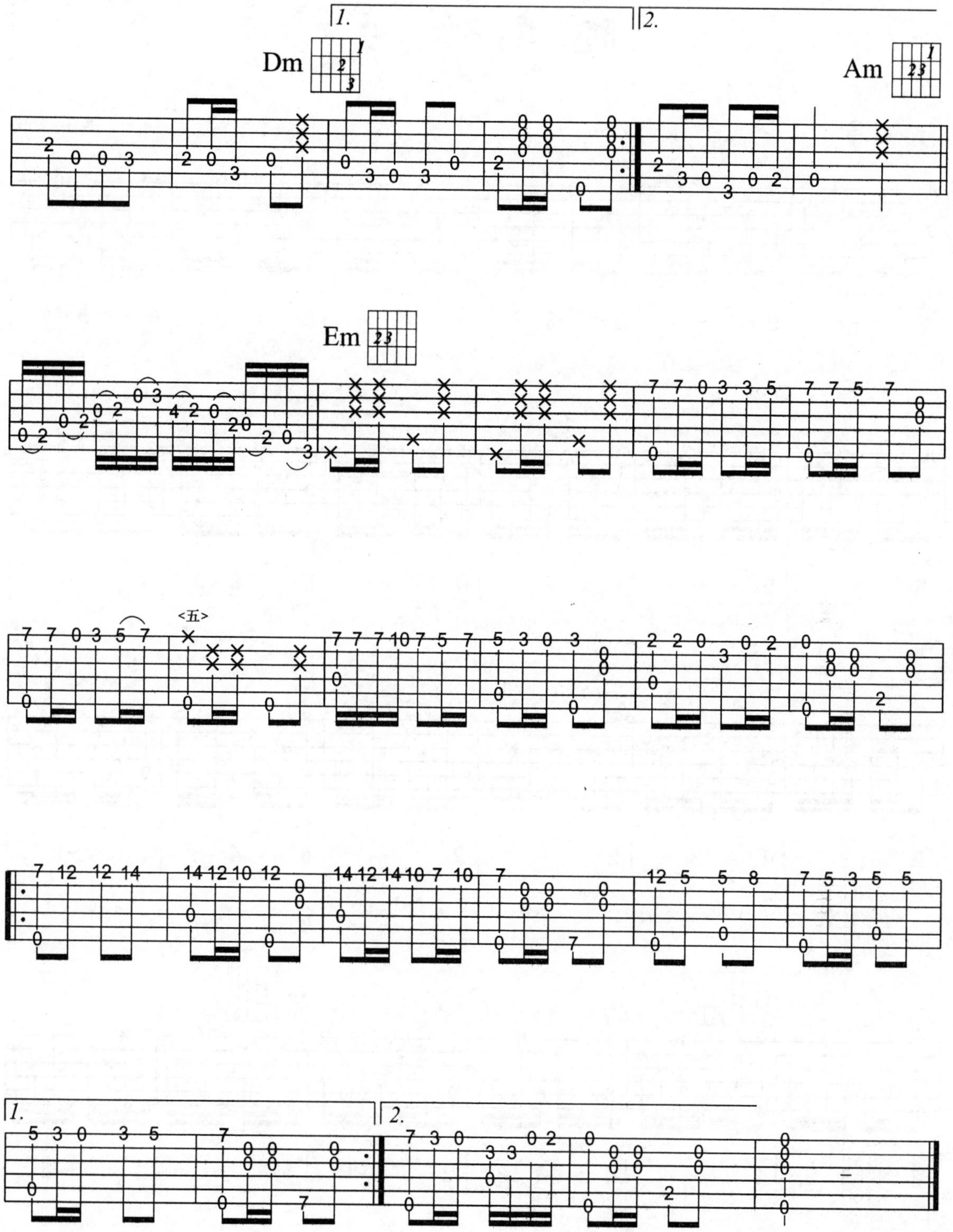
1.
2.
Dm
Am
Em
<五>

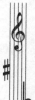

随风飘去

1=G $\frac{2}{4}$

美国民歌

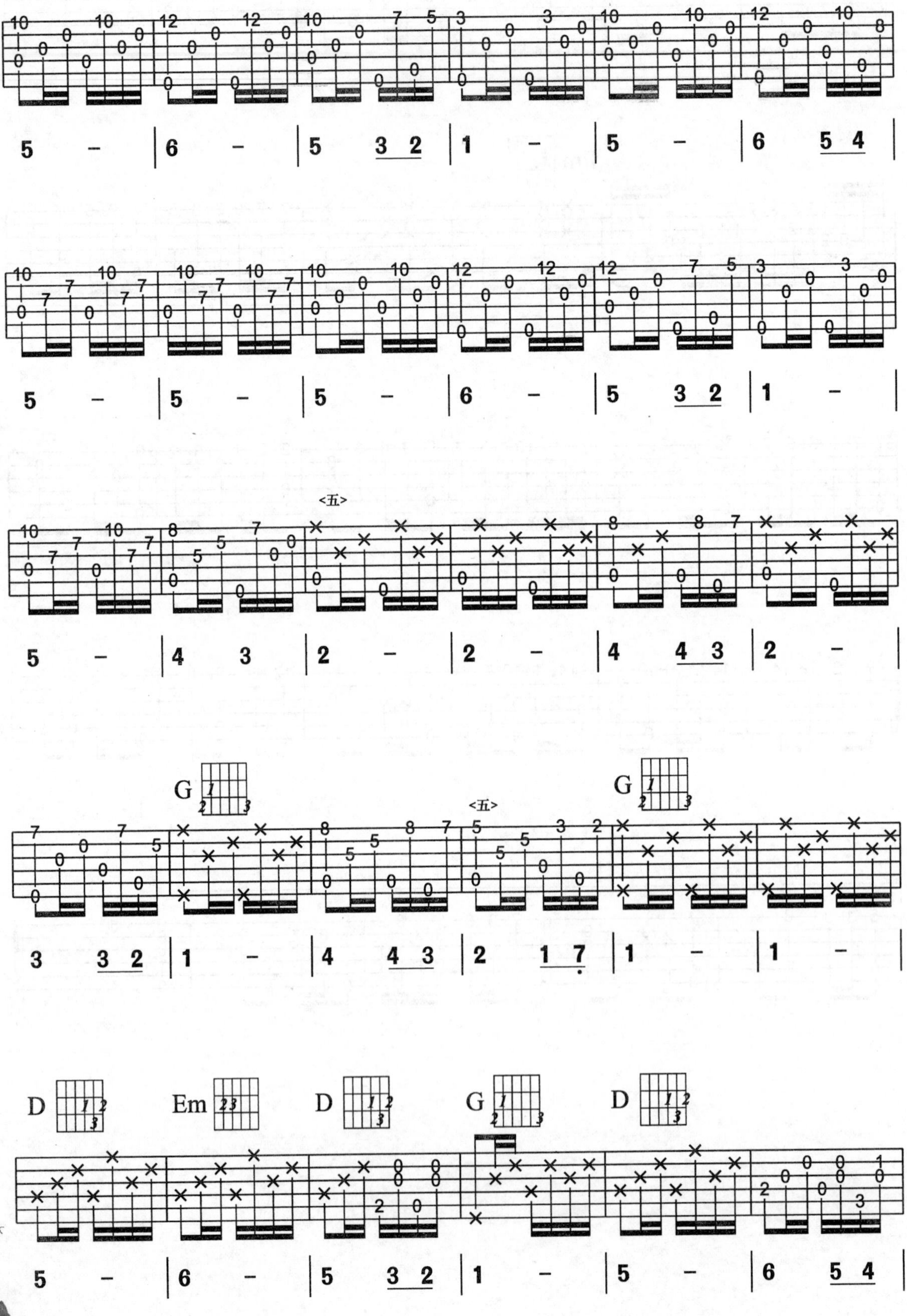

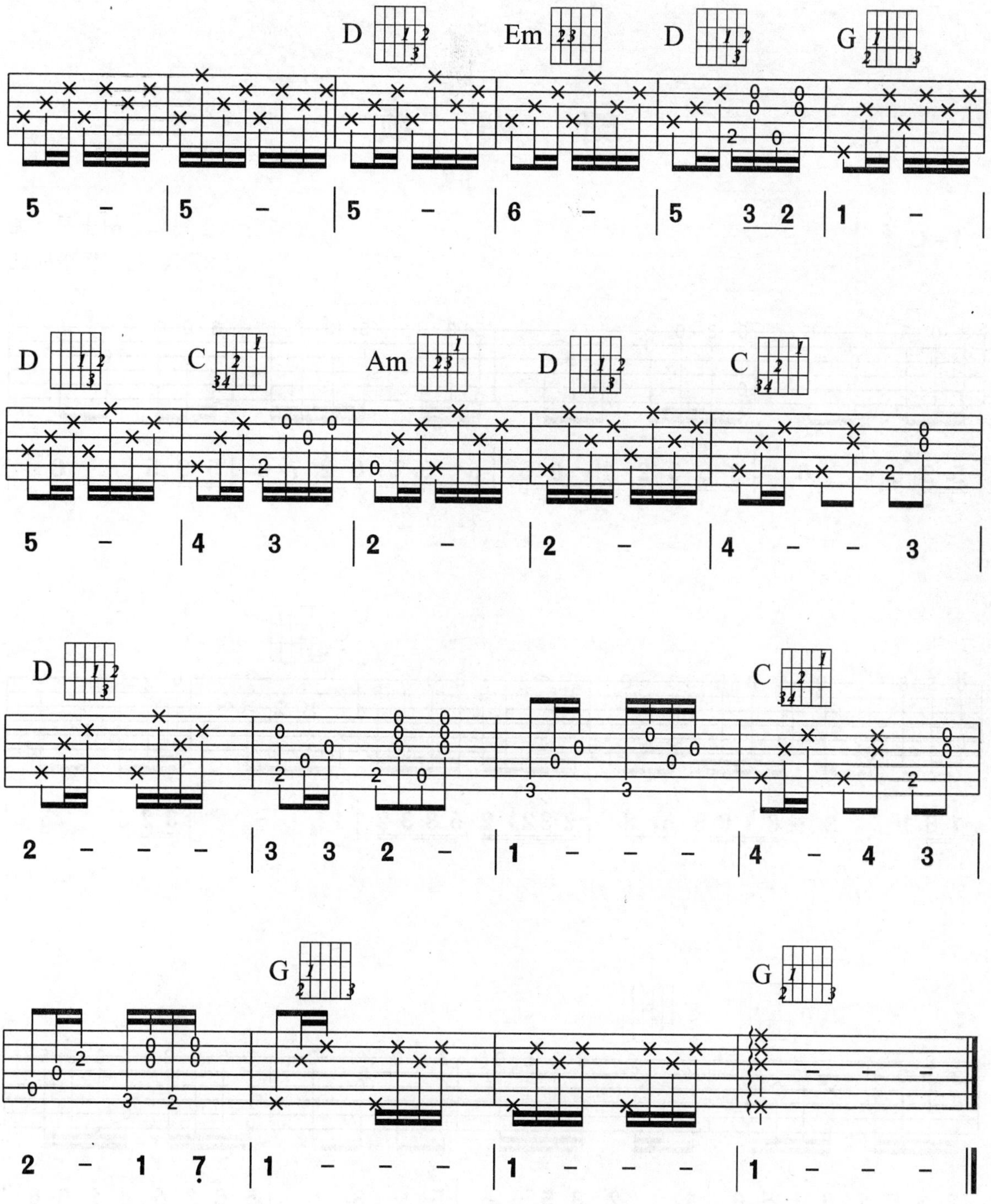
D
Em
D
G
D
C
Am
D
C
D
C
G
G

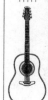

珊 瑚 颂

1=C $\frac{2}{4}$

王锡仁、胡士平 曲
刘 天 礼 记谱编配

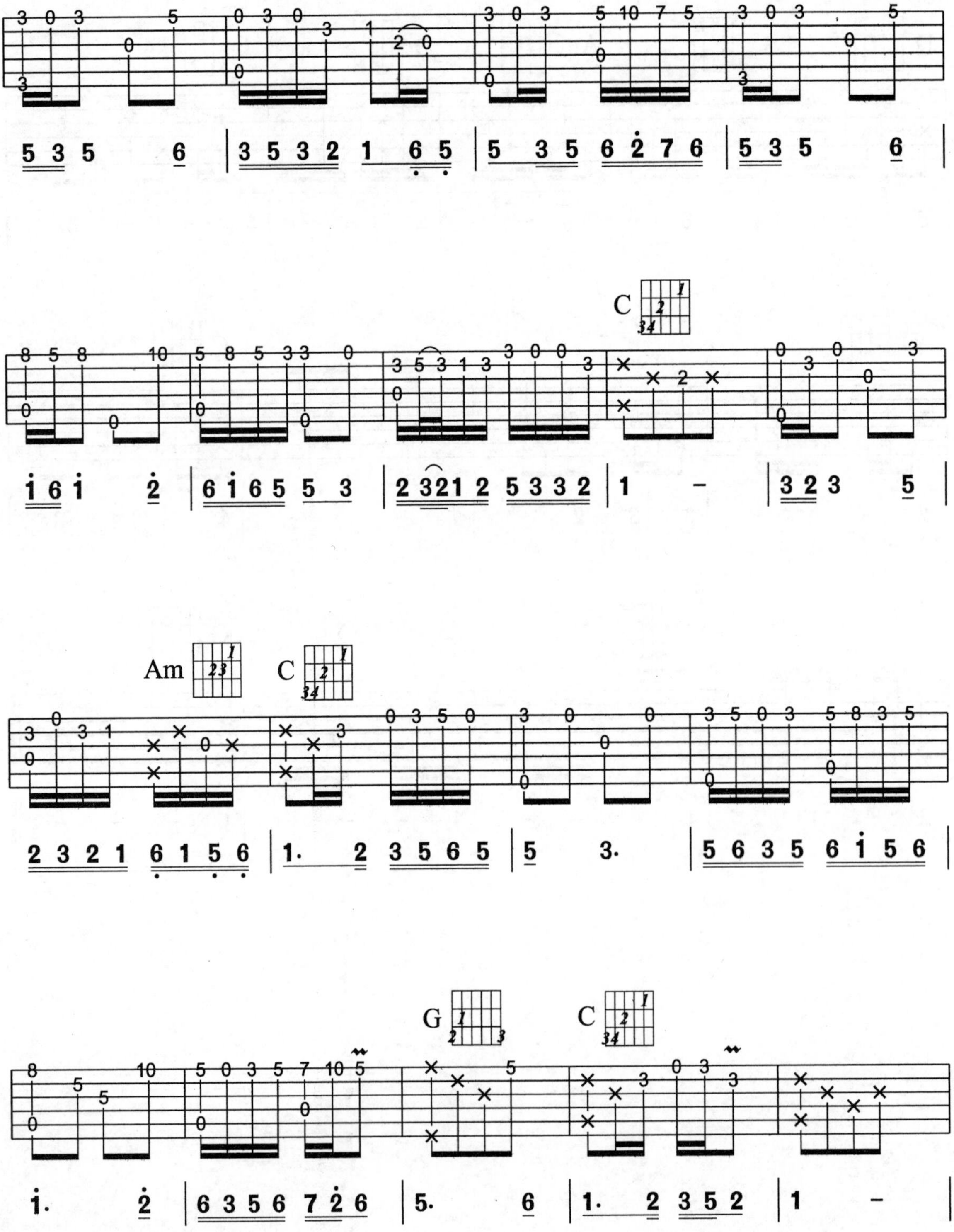

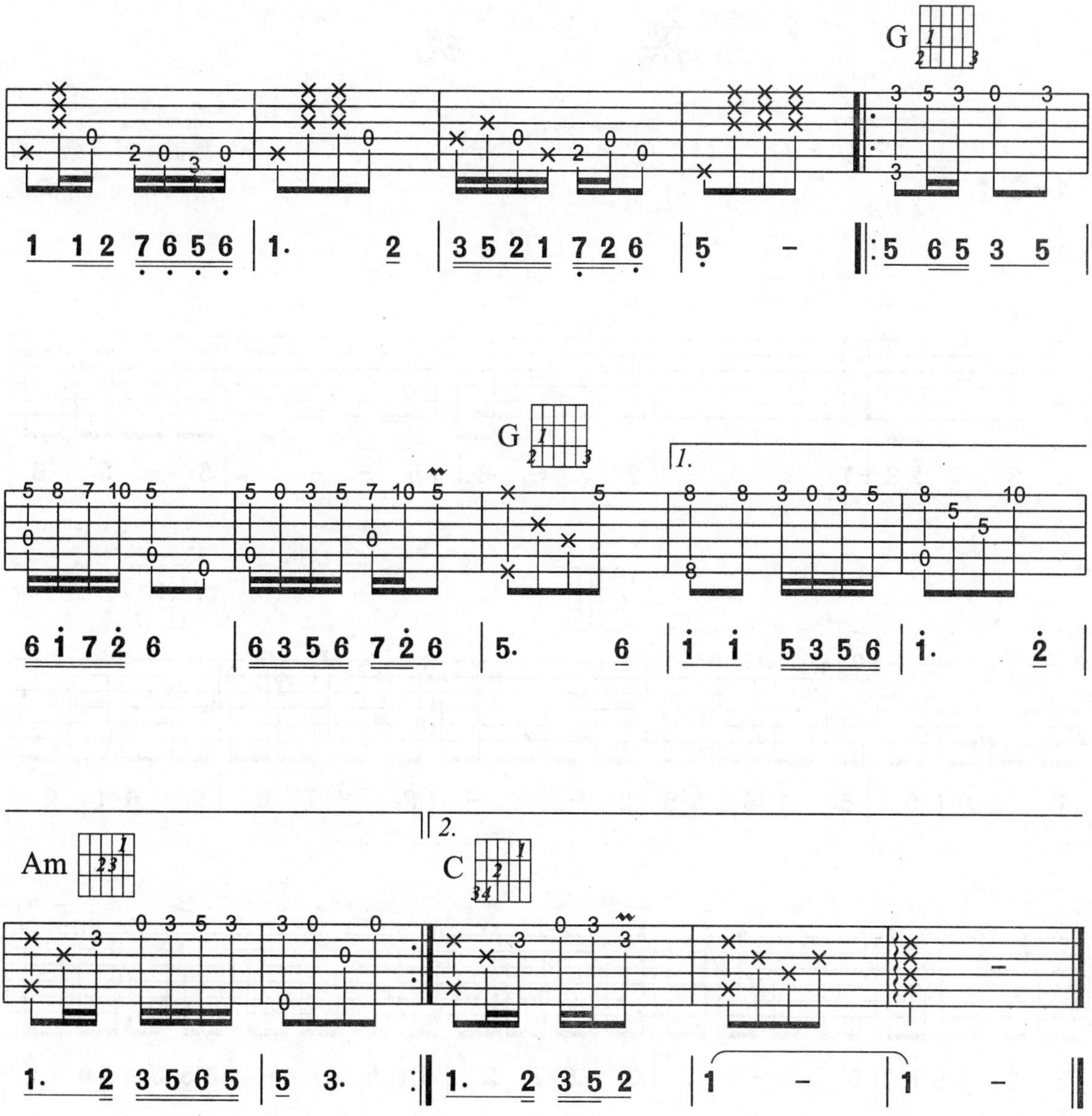
G
G
1.
Am
2.
C

梁 祝

陈钢、何占豪 曲
刘天礼 记谱编配

1=G $\frac{4}{4}$

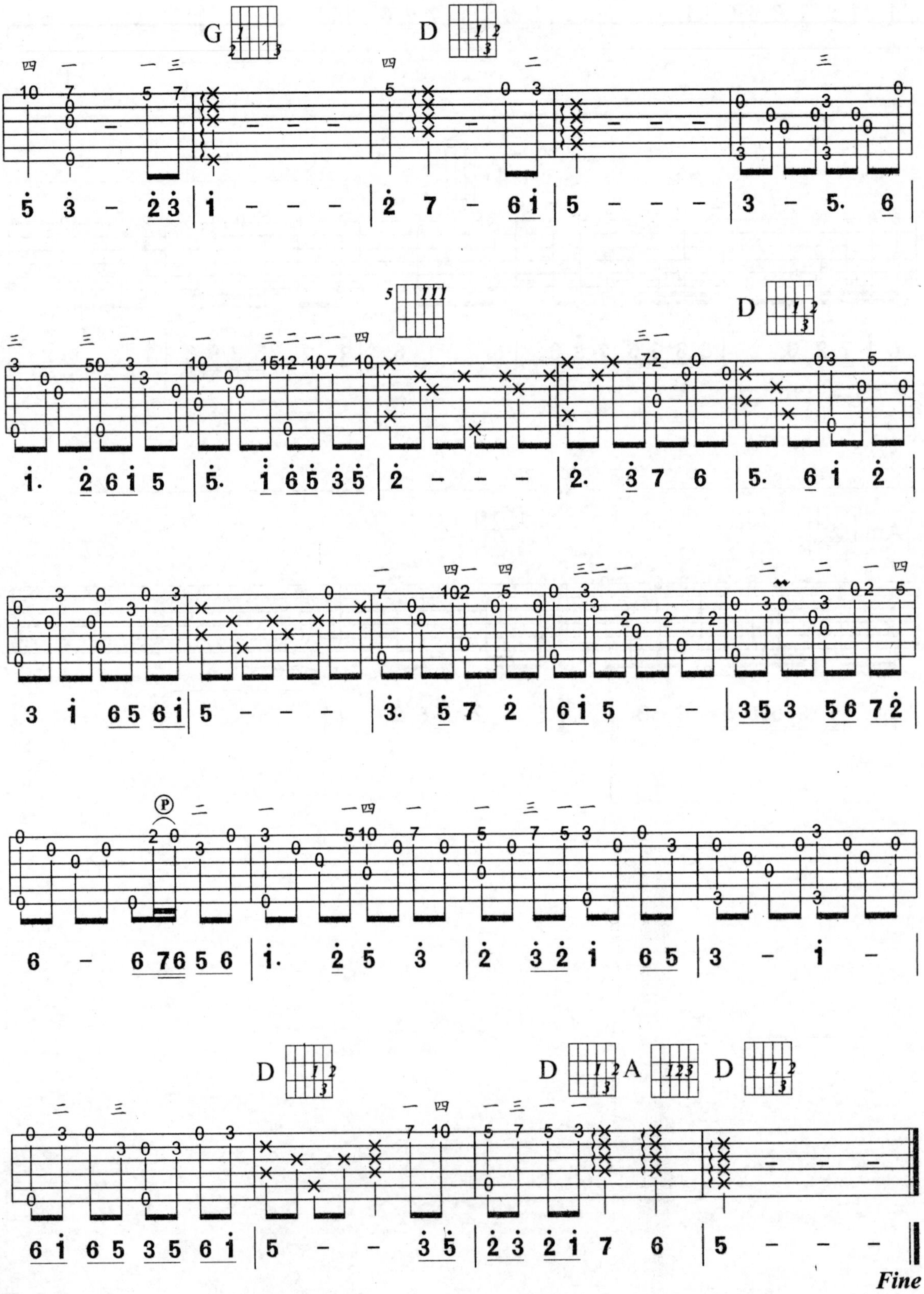

渔舟唱晚

1=G $\frac{4}{4}$

娄 树 华 曲
刘天礼 记谱编配

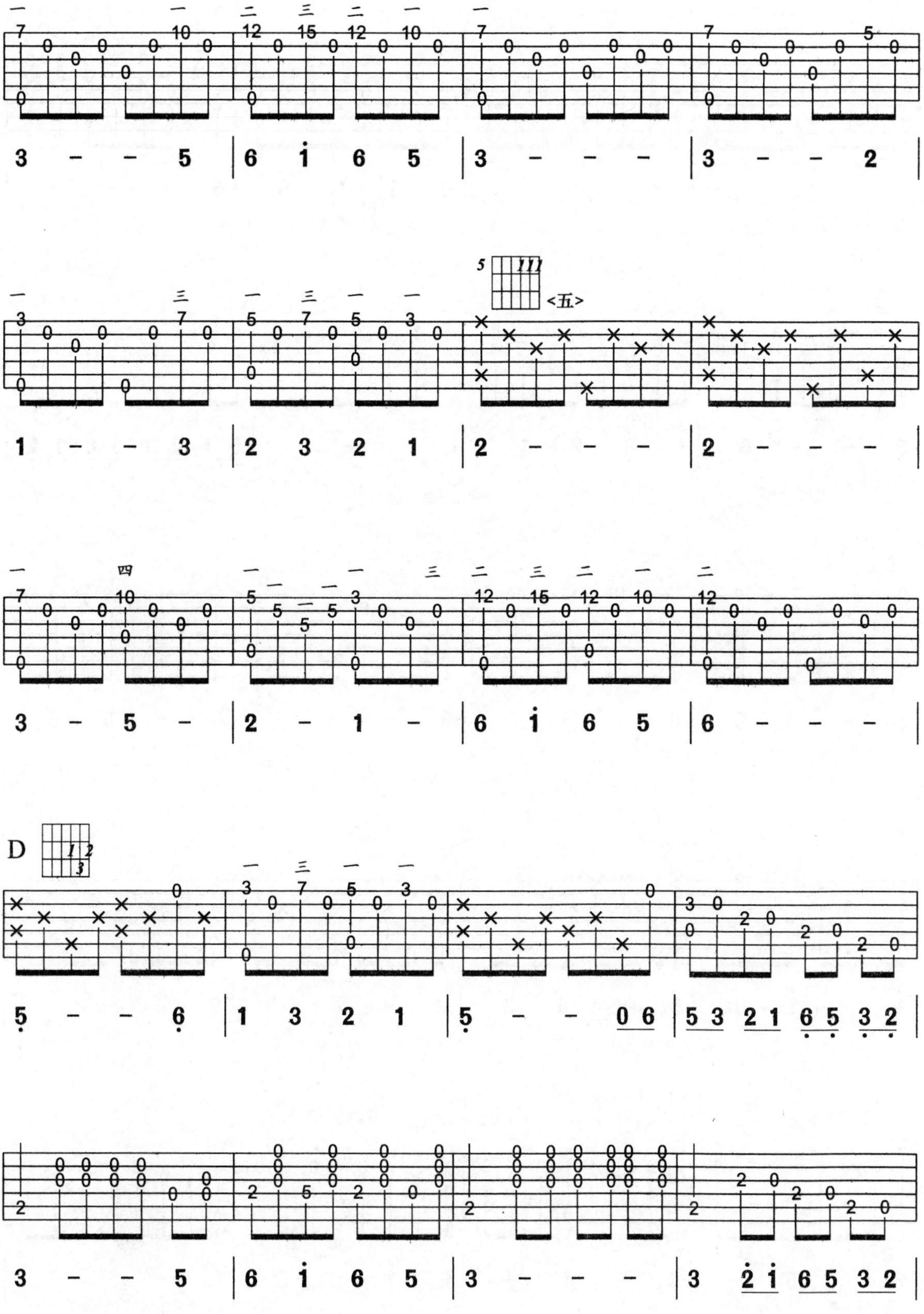

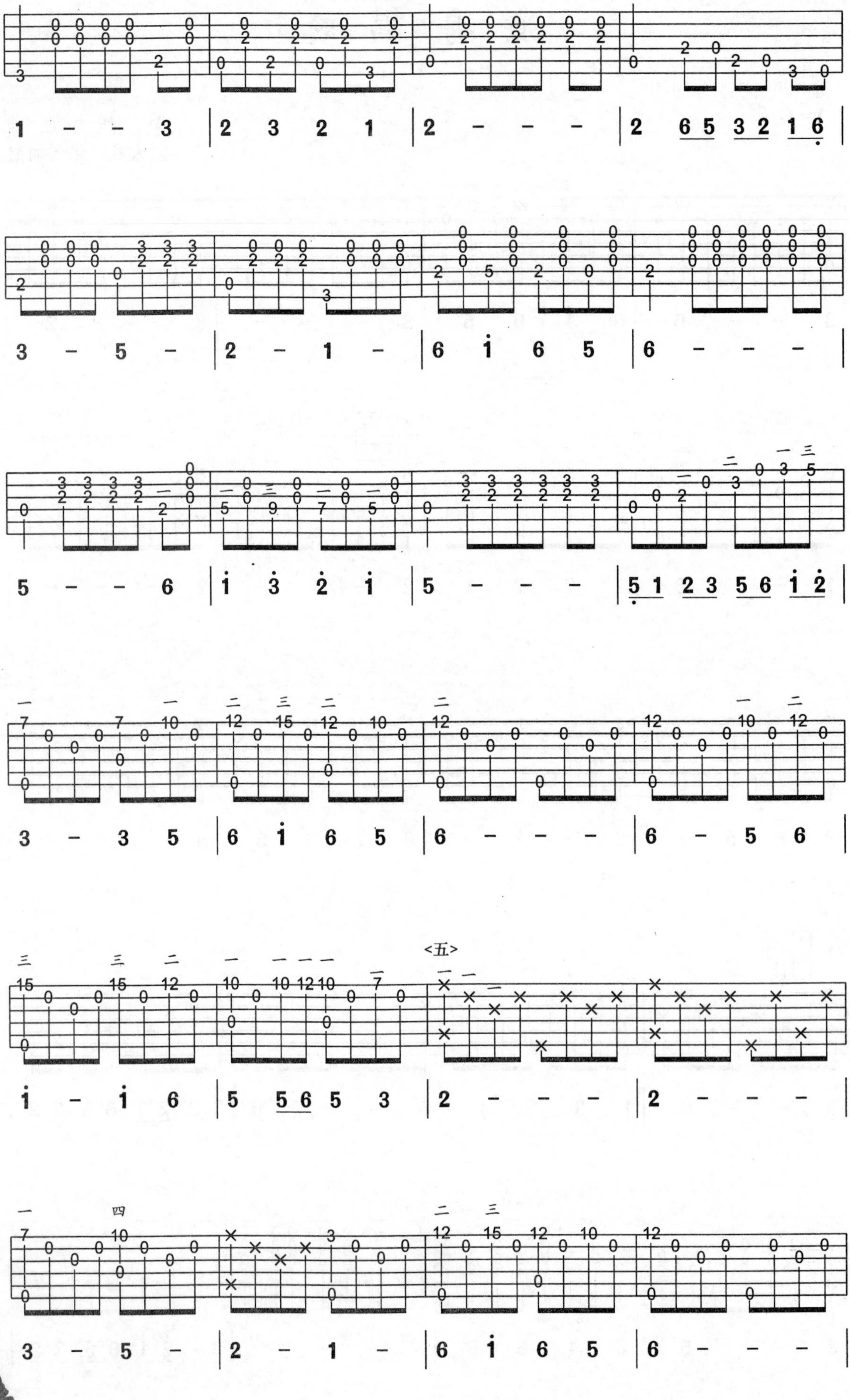
<五>

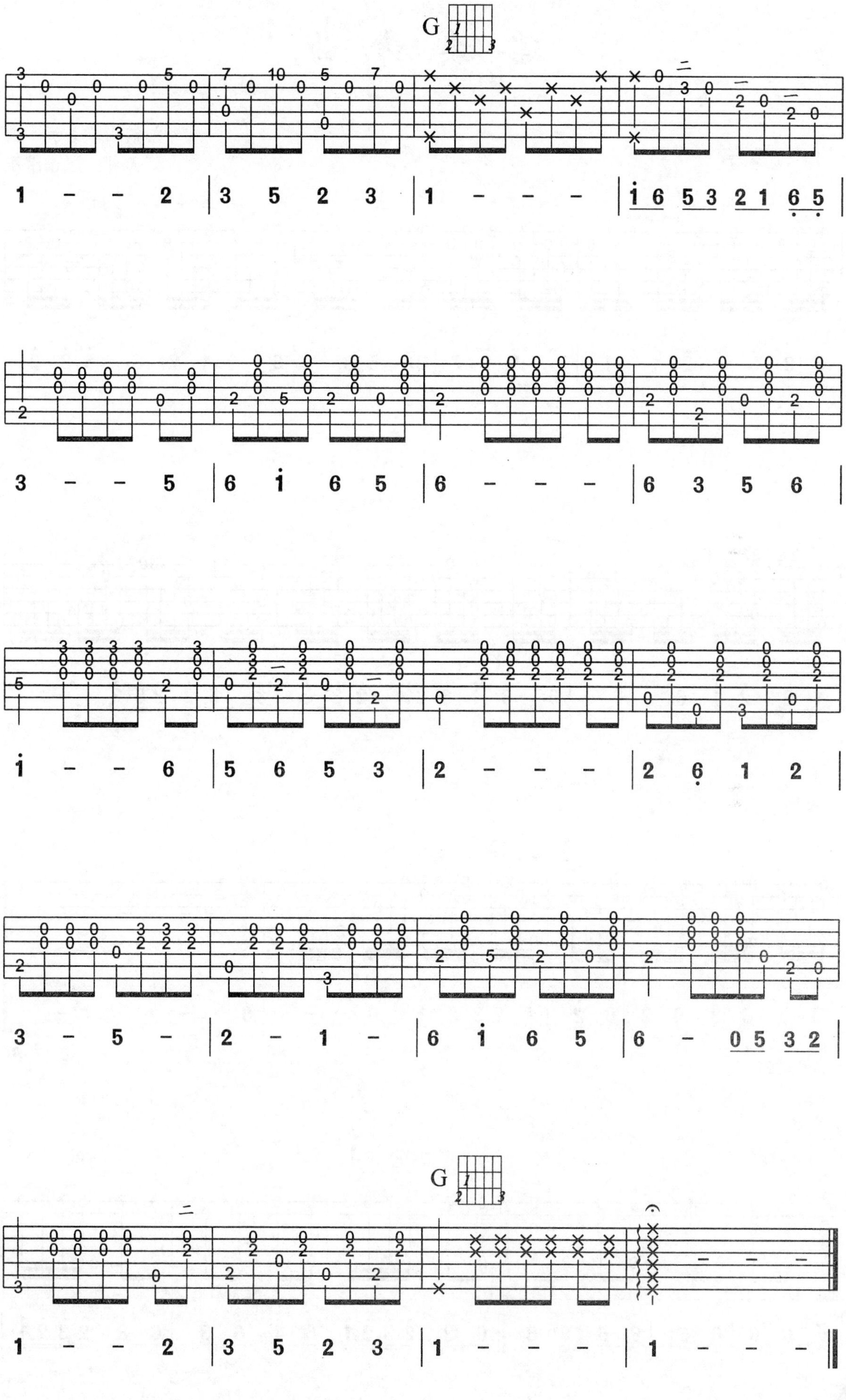
G
G

瑶族舞曲

刘铁山、茅沅　曲
刘天礼　记谱编配

1=G $\frac{4}{4}$ $\frac{2}{4}$

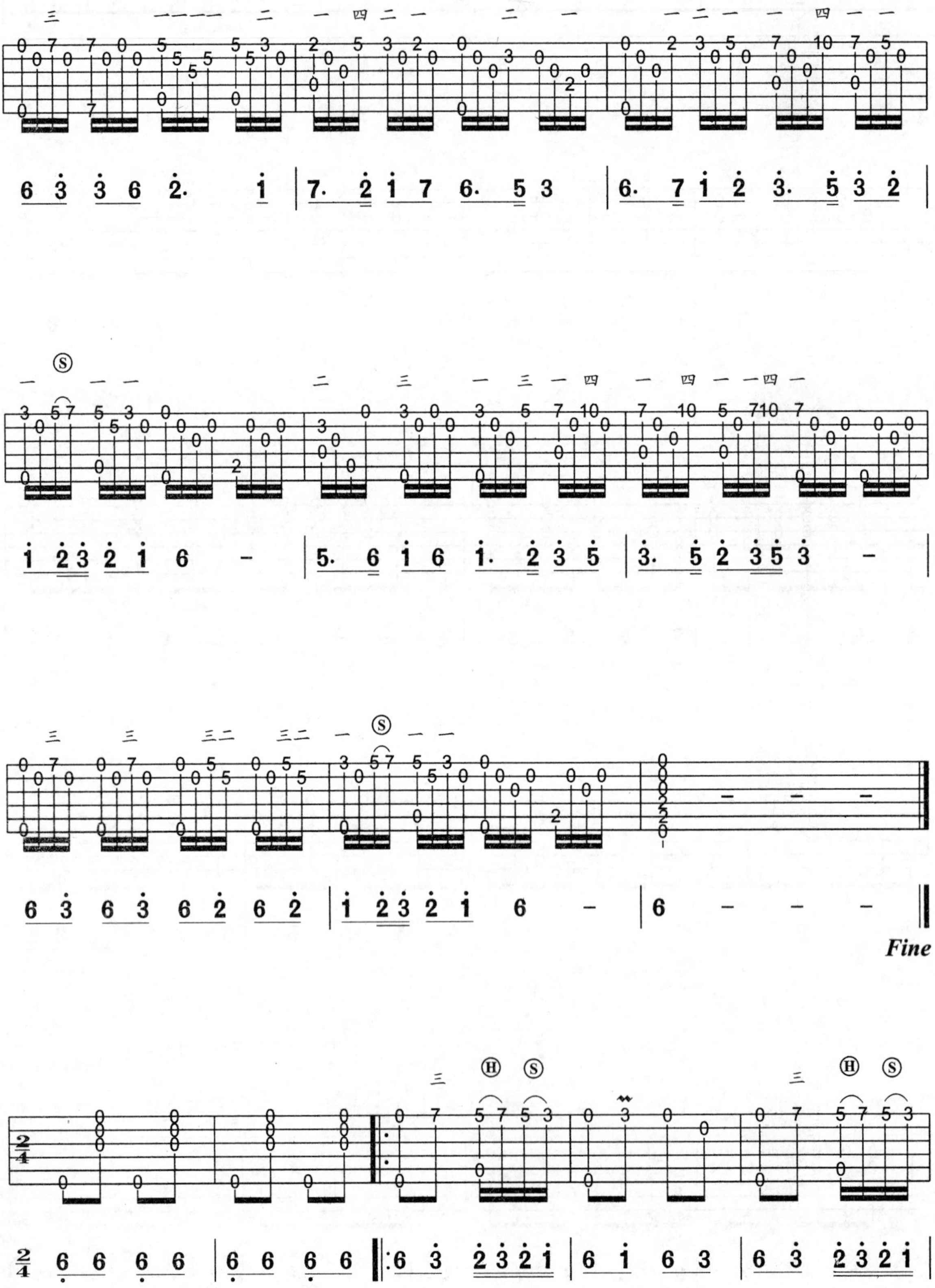

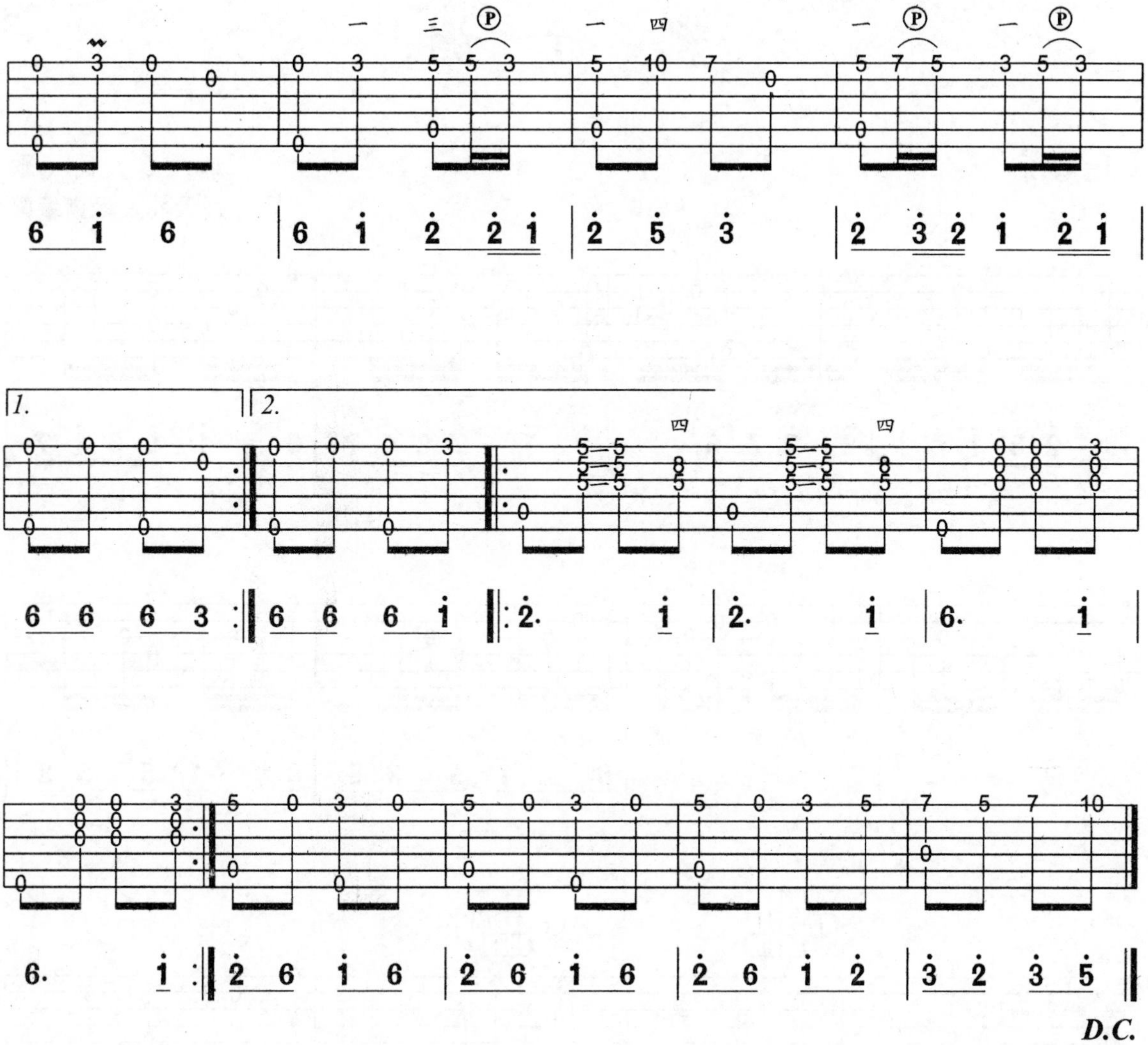
1.
2.
D.C.

紫 竹 调

1=G $\frac{2}{4}$

中速

江 苏 民 歌
刘天礼 记谱编配

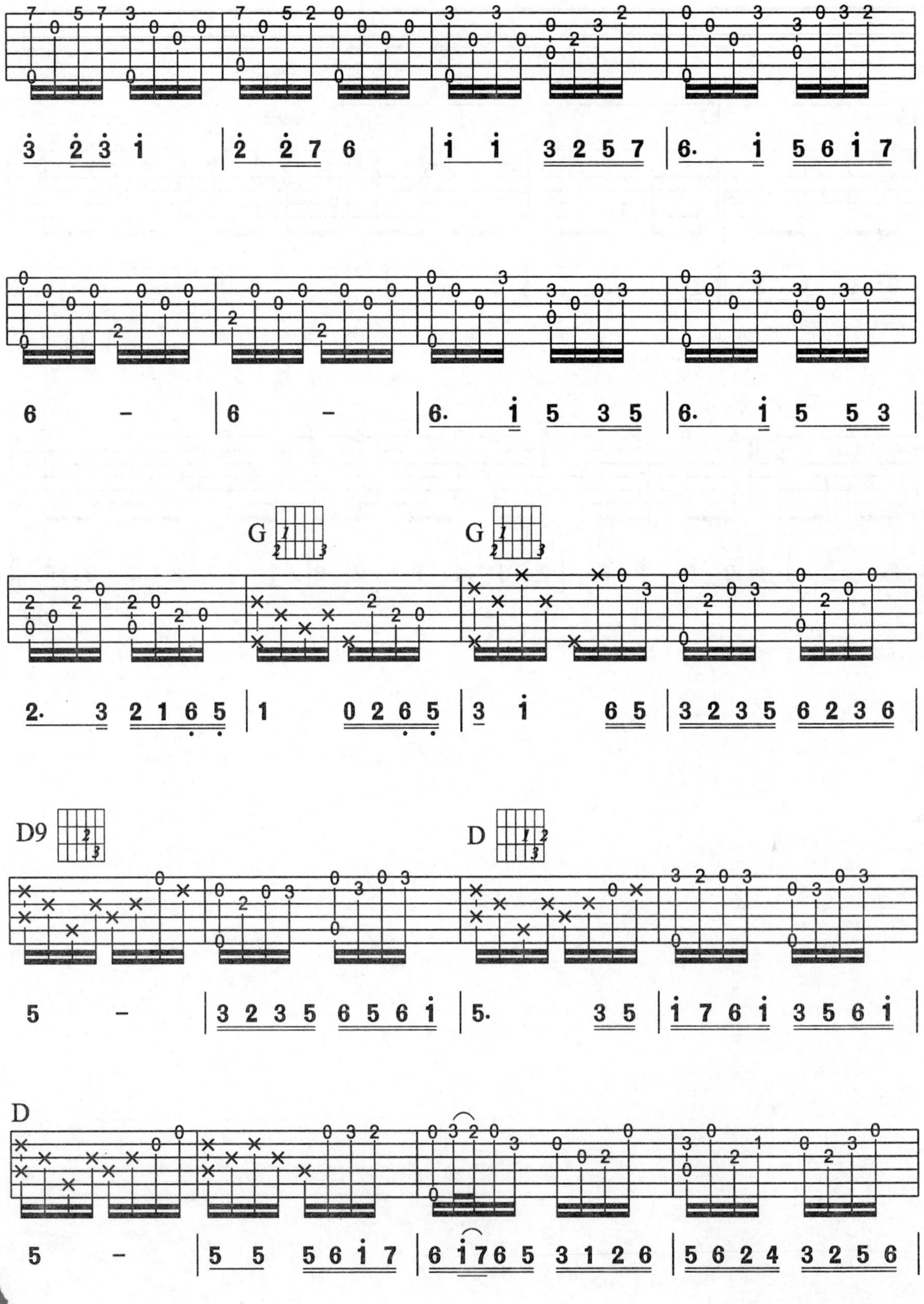

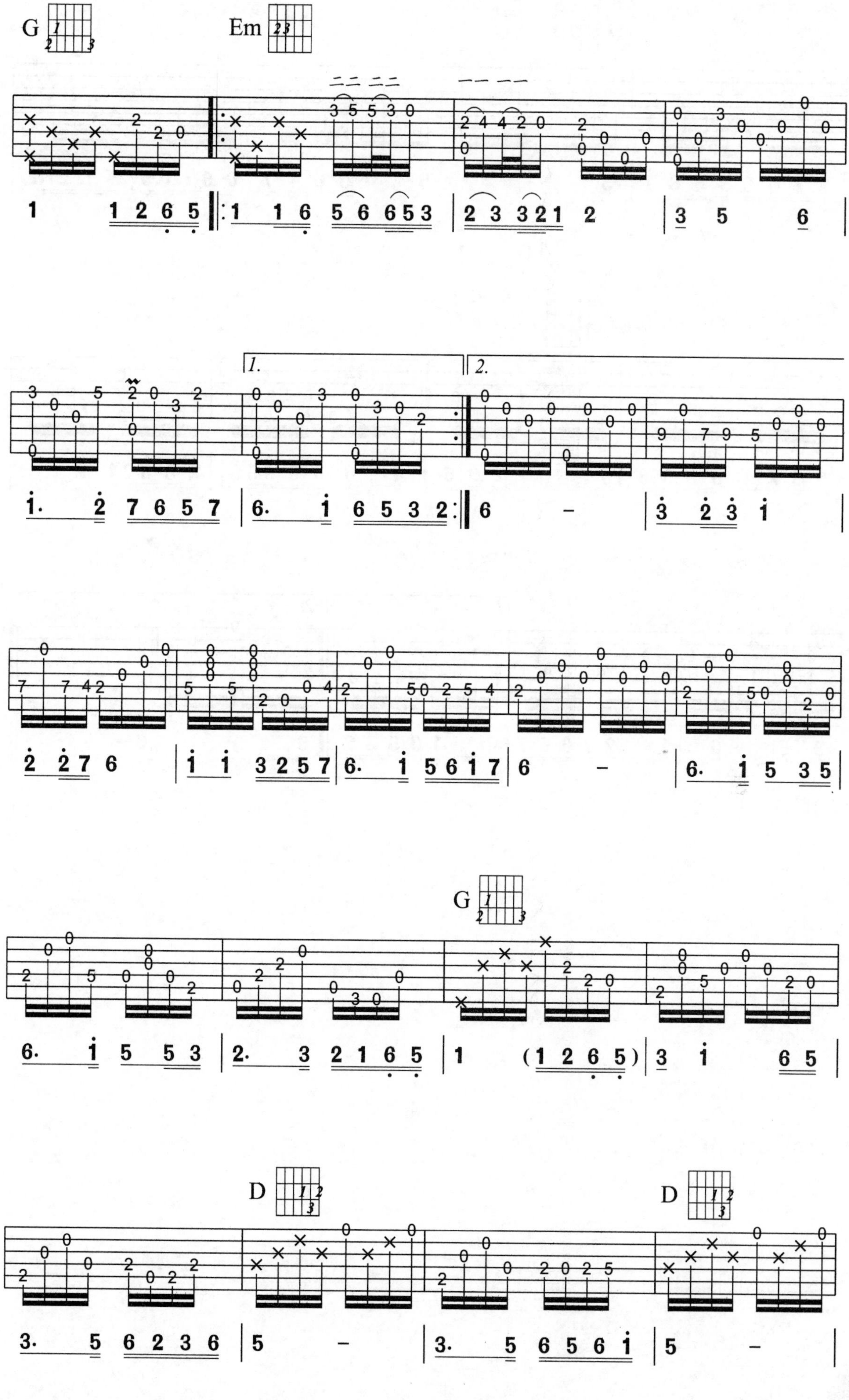
G
Em
G
D
D

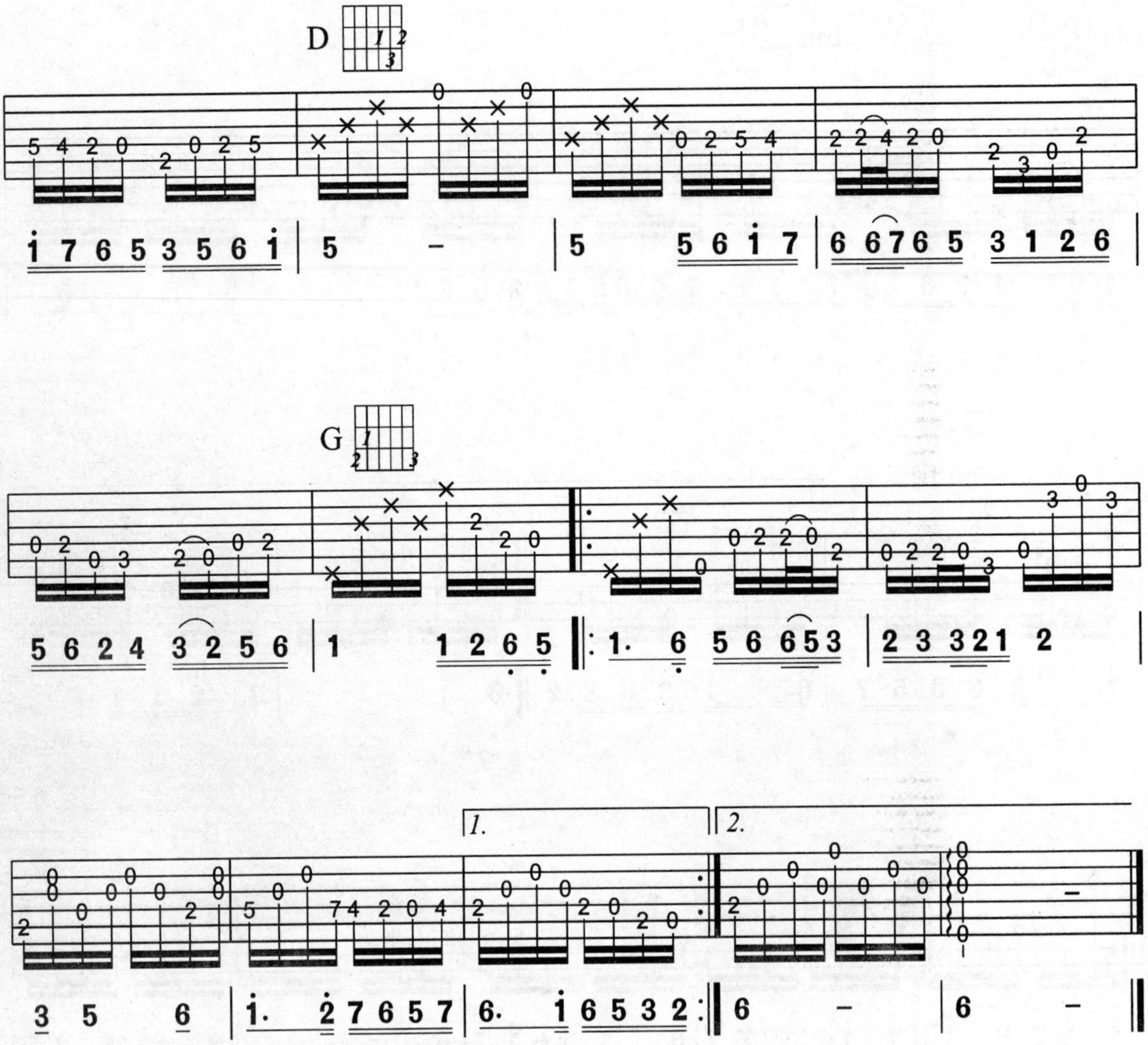
D
G
1.
2.

北国之春

1=G $\frac{4}{4}$

日 本 民 歌
刘天礼 记谱编配

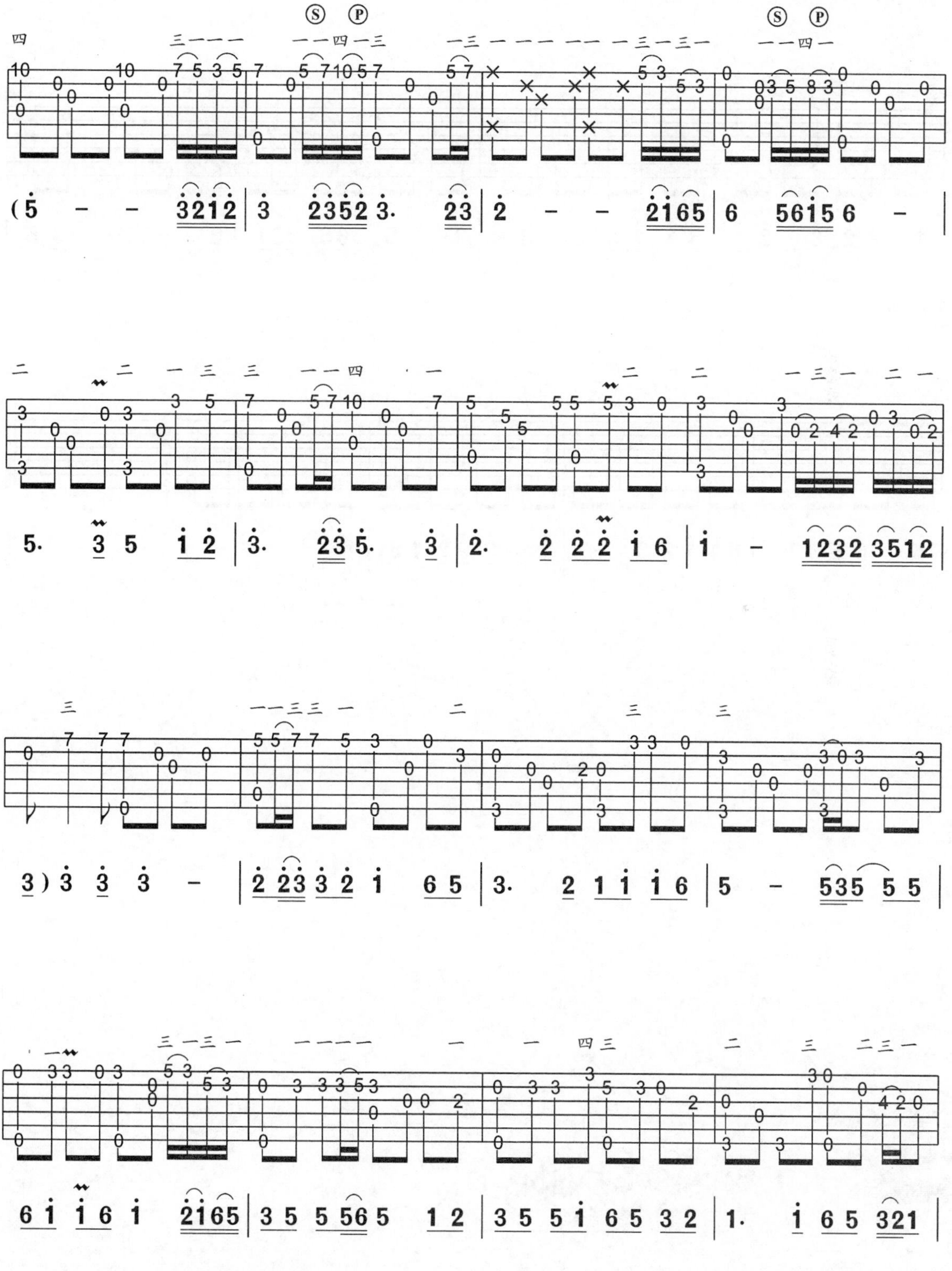

2. 5 5 3 3 2 | 1 1 2 3 5. 5 | 3 5 6 i i 2 2 2 3 | 2 – – – |

i. 2 3 2 i | 6 i i 6 5 3 | 3. 5 5 6 5 3 2 1 | 2 – – 3 5 |

5. 6 5 3 5 | 6 i i 2 3 – | 2. 2 2 2 i 6 i | i – – – | i – – – |

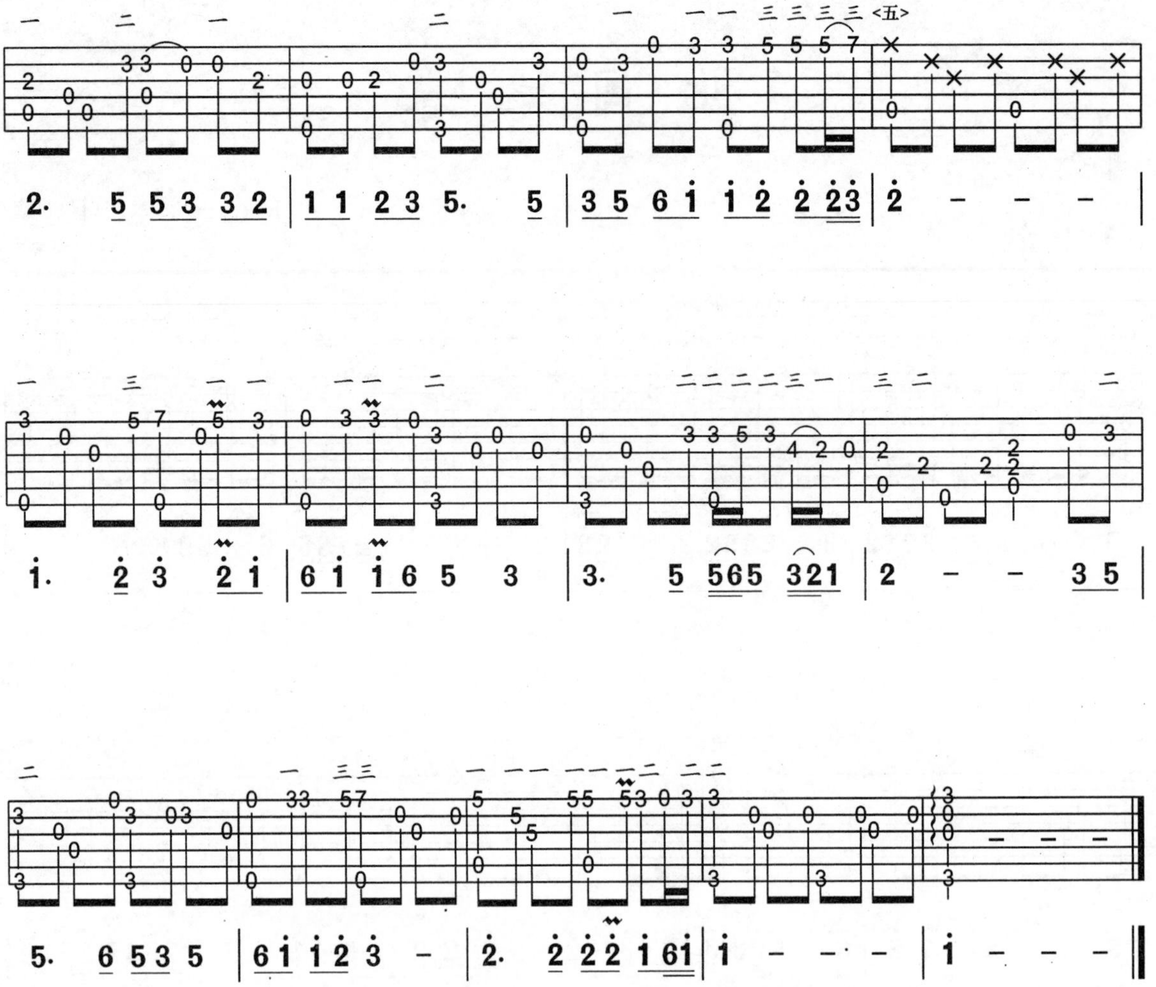

绿岛小夜曲

1=G $\frac{2}{4}$

周　蓝　萍　曲
刘天礼　记谱编配

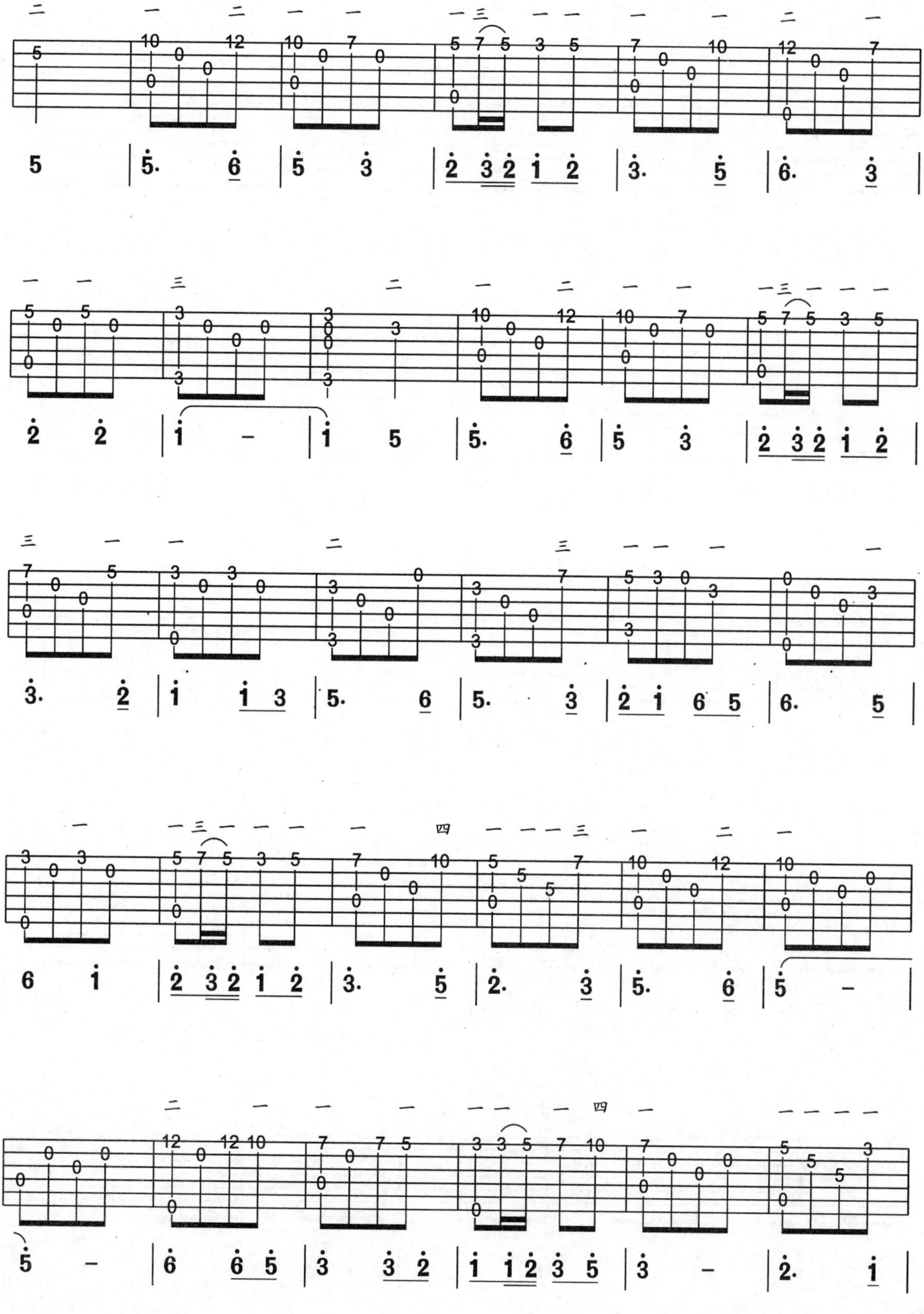

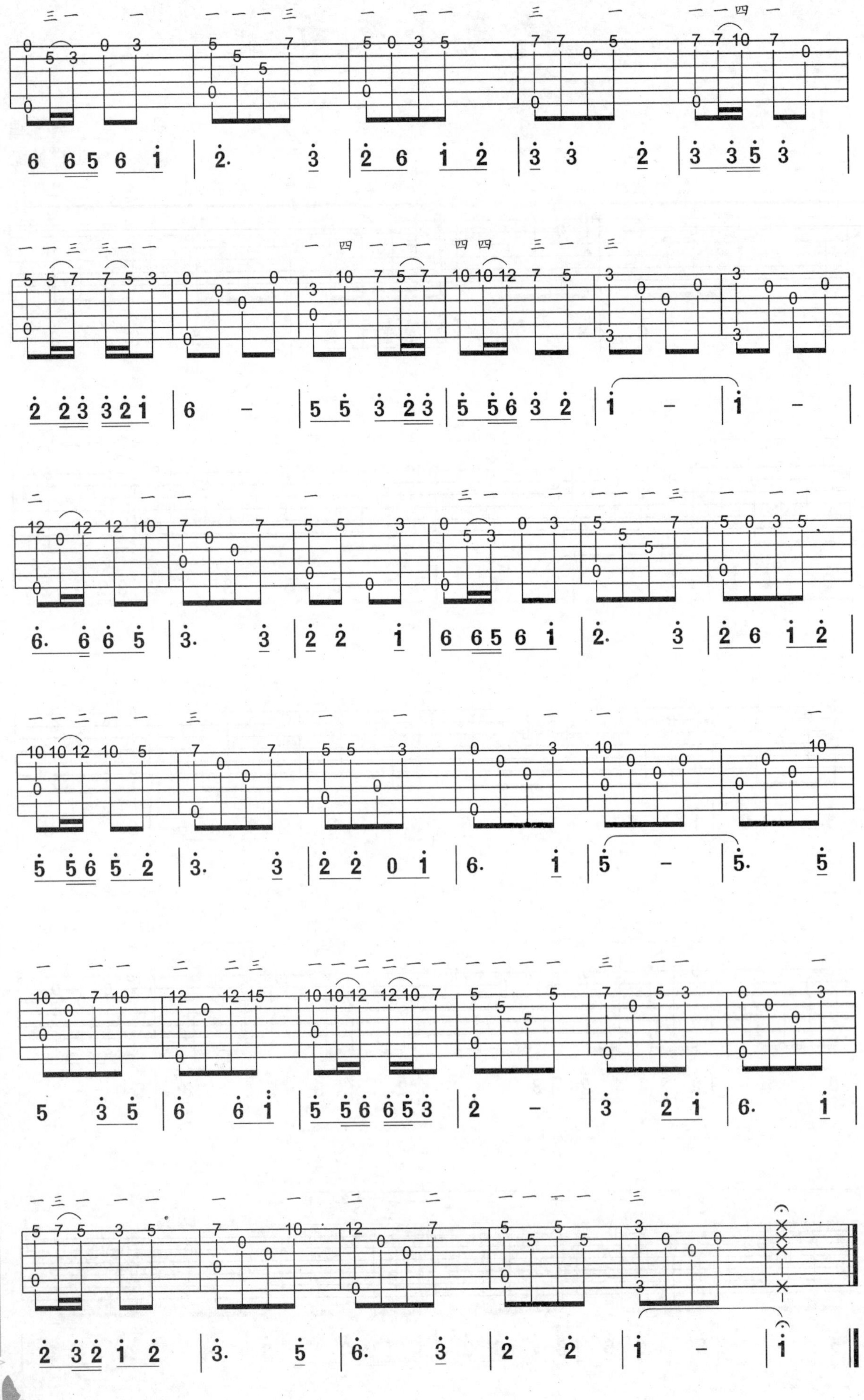

祝 福

1=G $\frac{4}{4}$

郭 子 曲

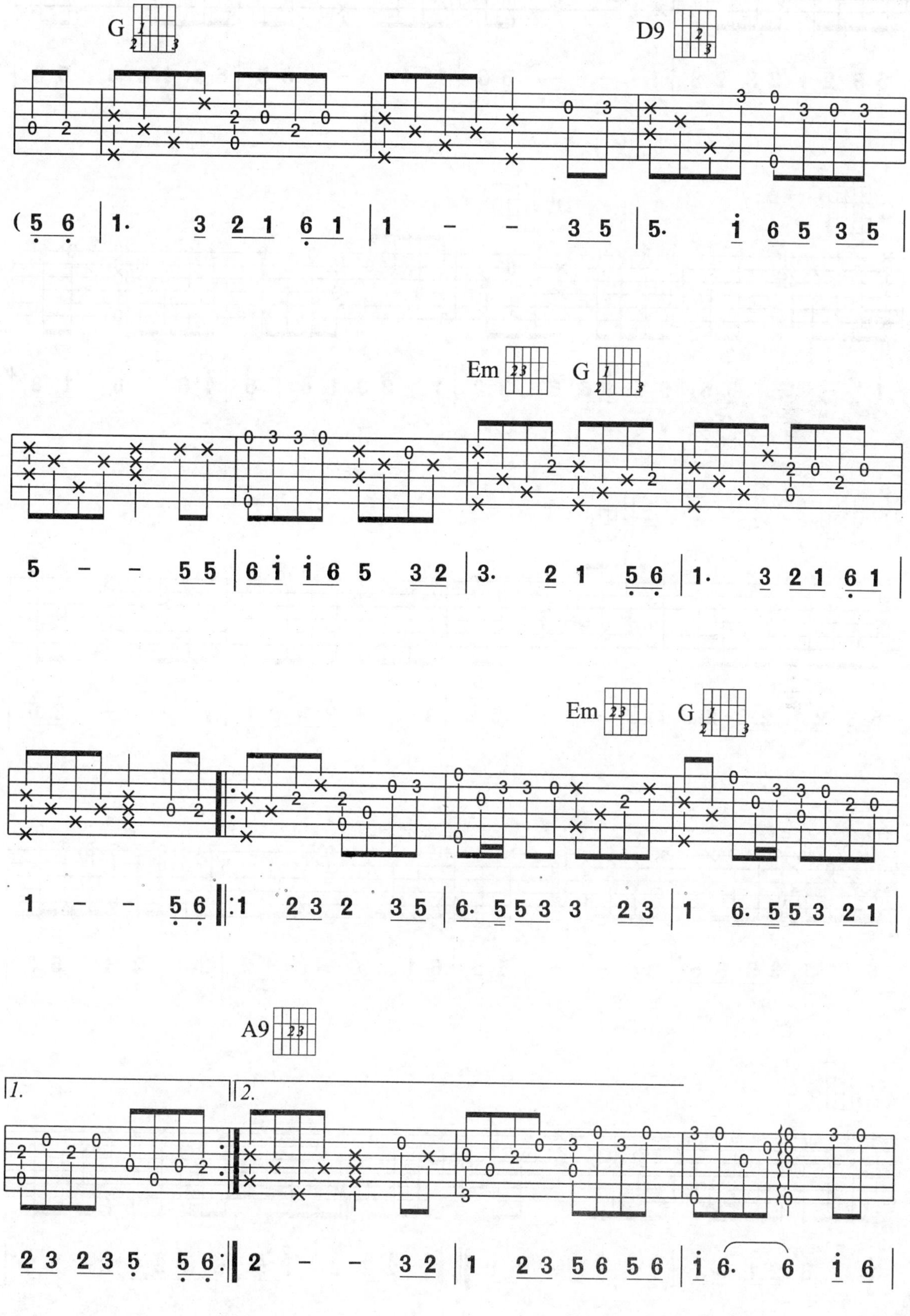

5 3 2 1 2 3 2 3 | 1 − − 5 6 | i. 3 2 i 6 i | i − − 3 5 |

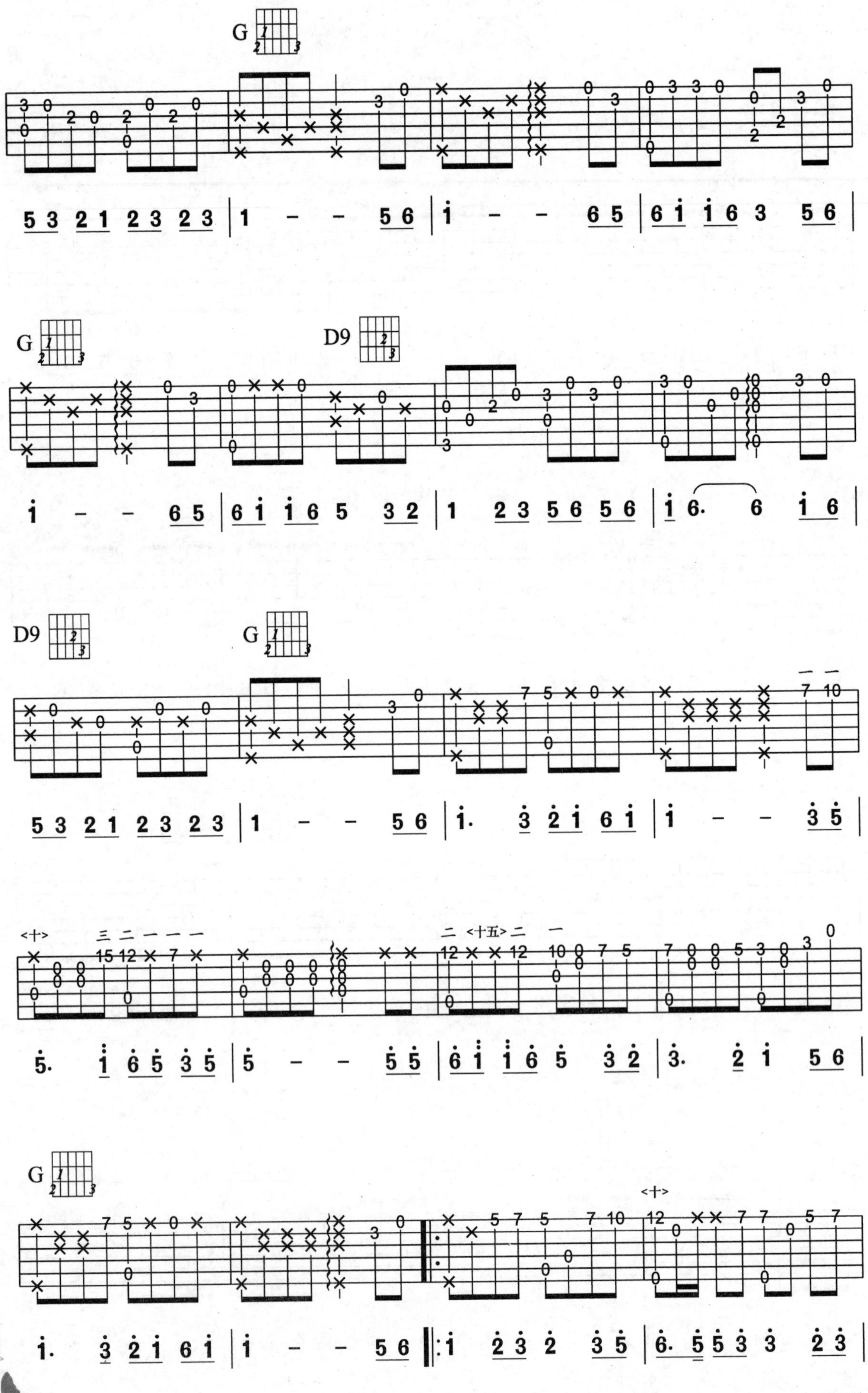

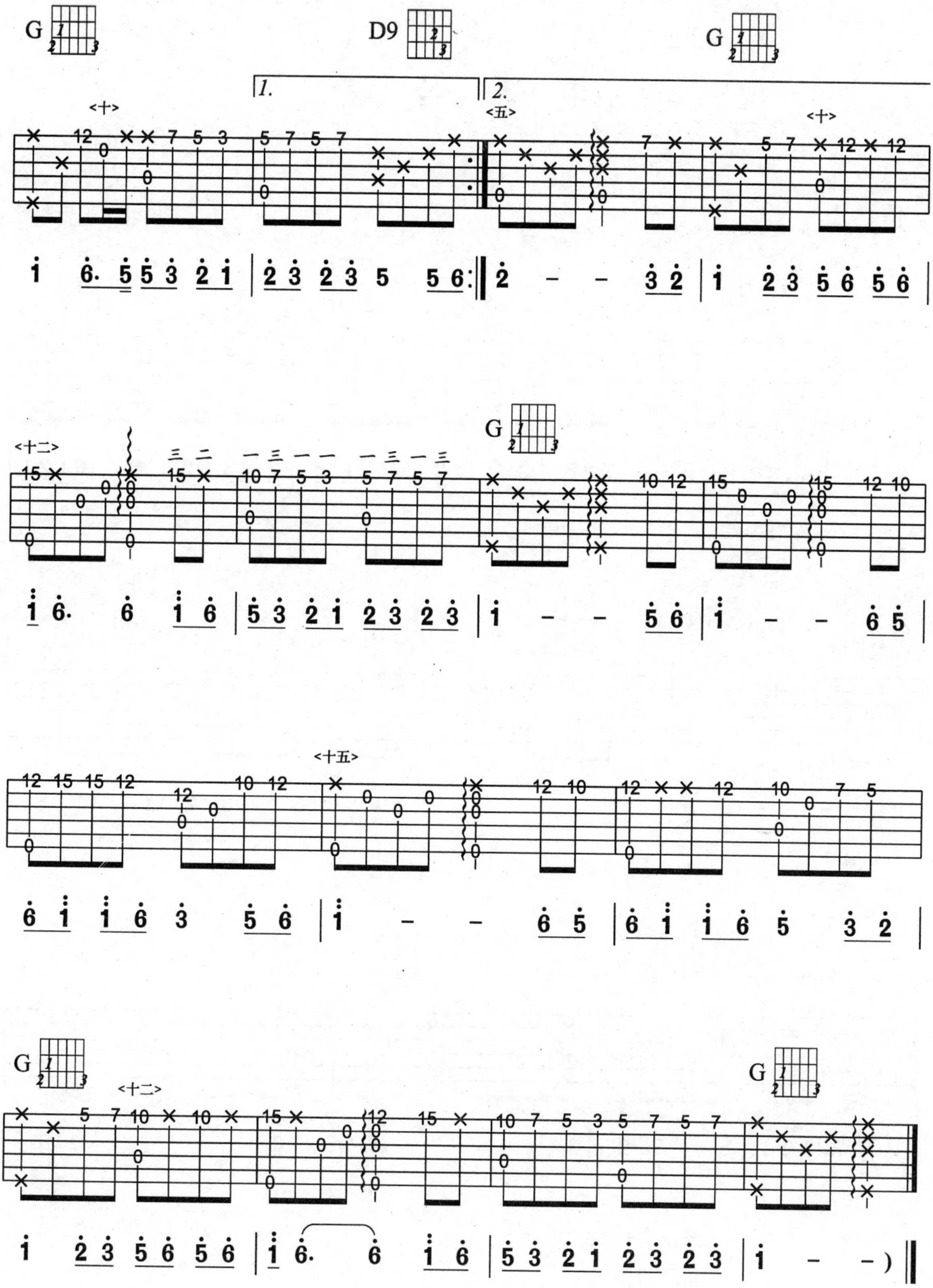
G
D9
1.
2.
G
G
G
G

潜 海 姑 娘

王　立　平　曲
刘天礼　记谱编配

1=C $\frac{4}{4}$

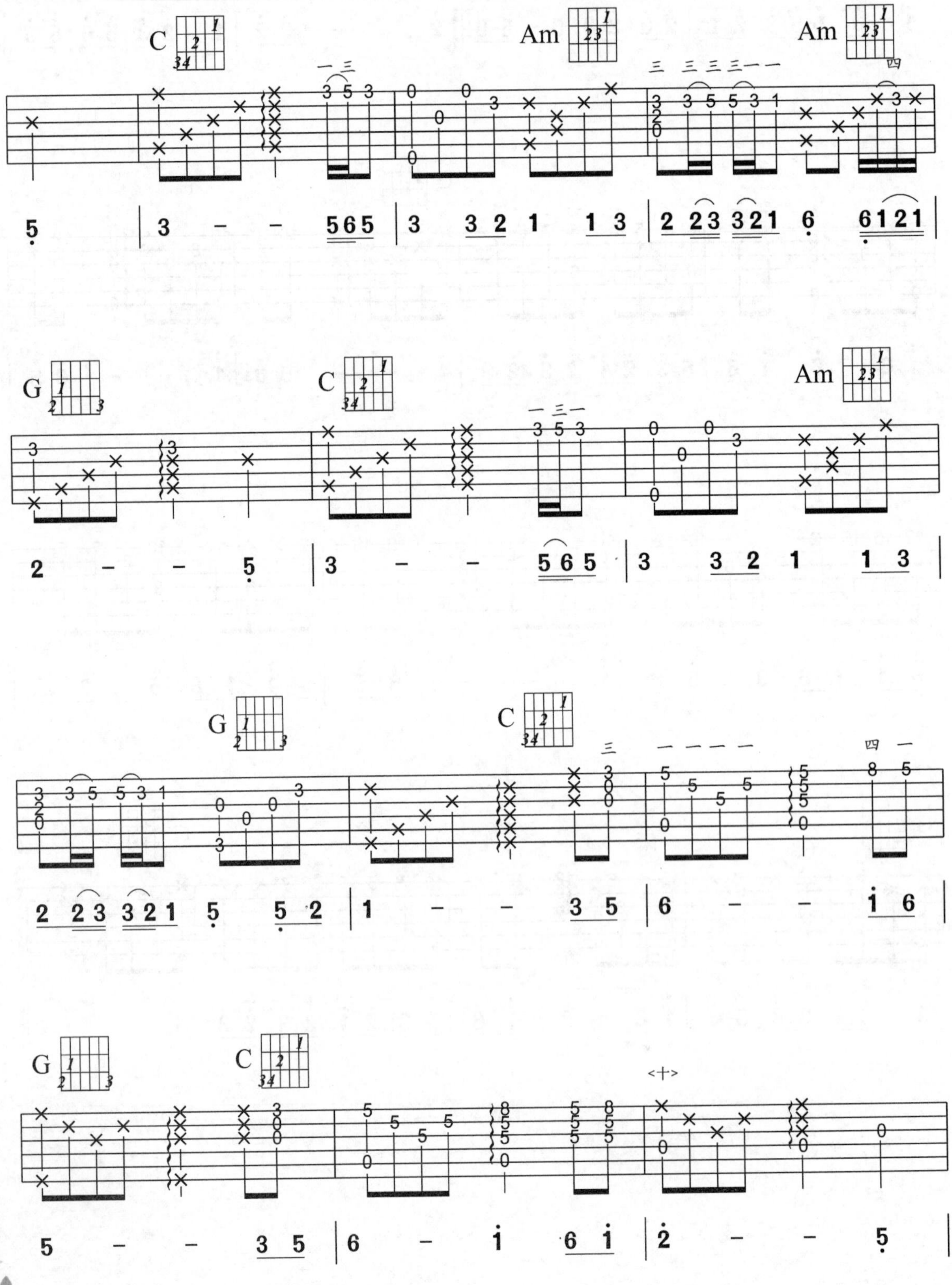

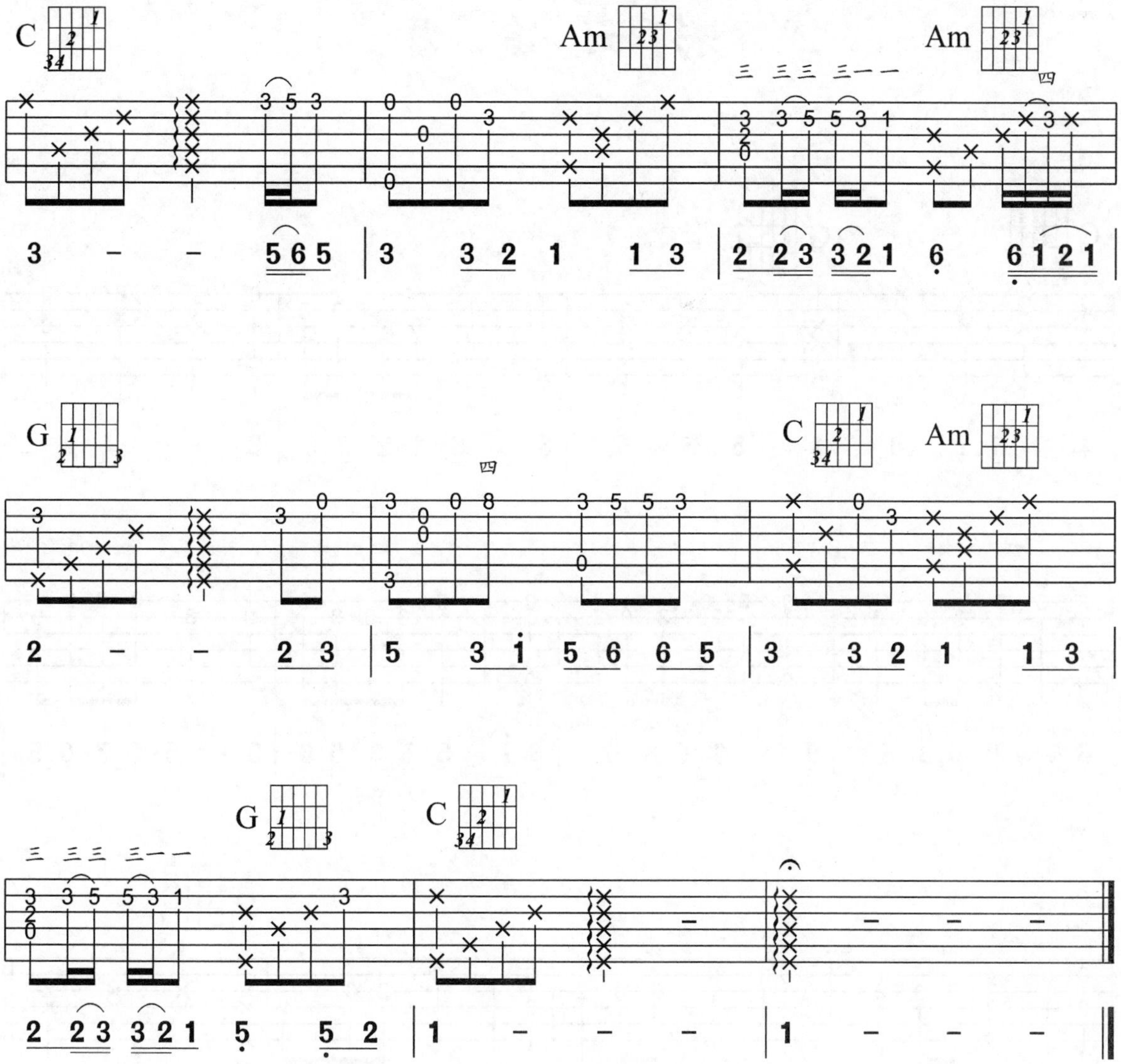
C
Am
Am
G
C
Am
G
C

彩云追月

1=G $\frac{4}{4}$

任光、聂耳 曲

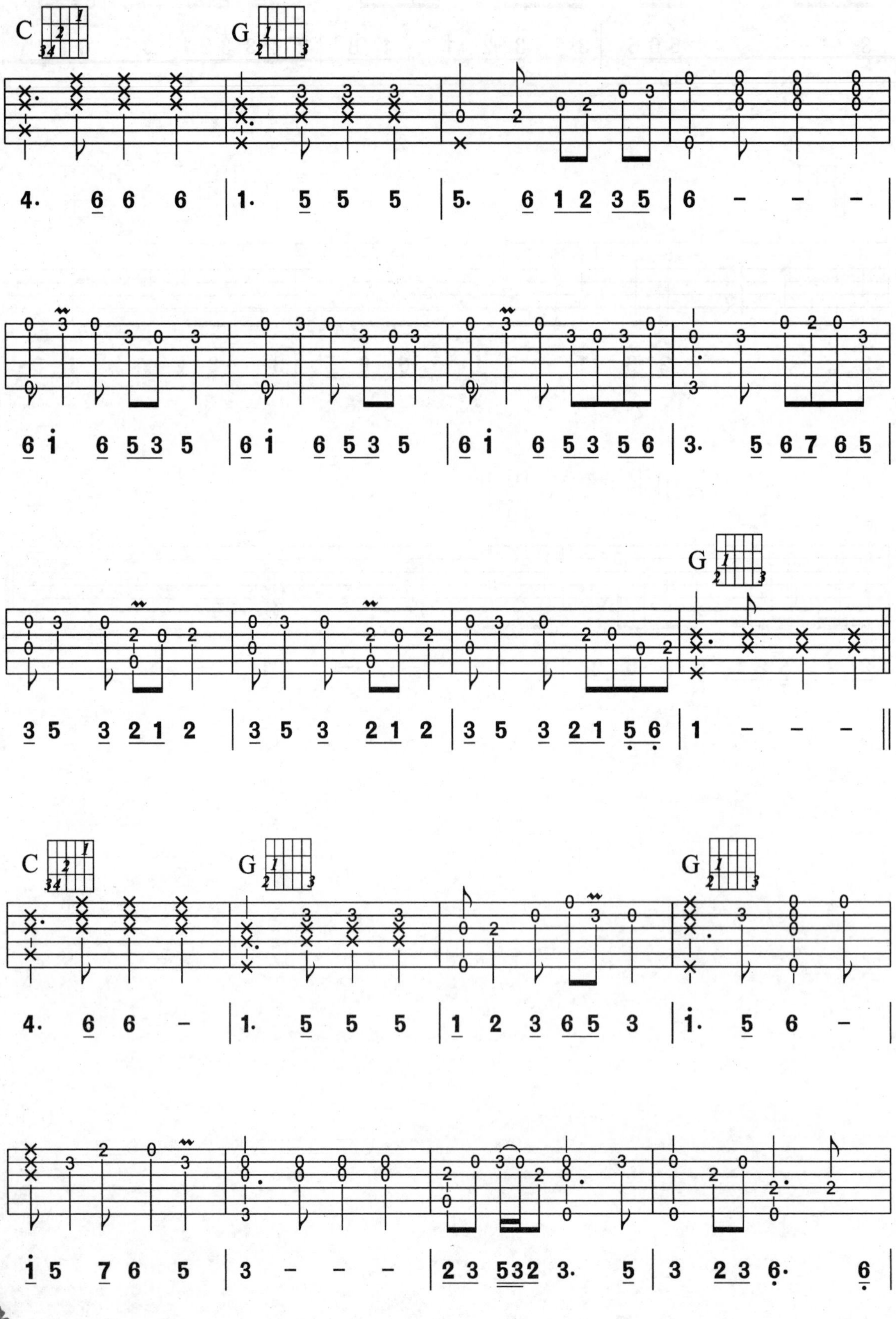

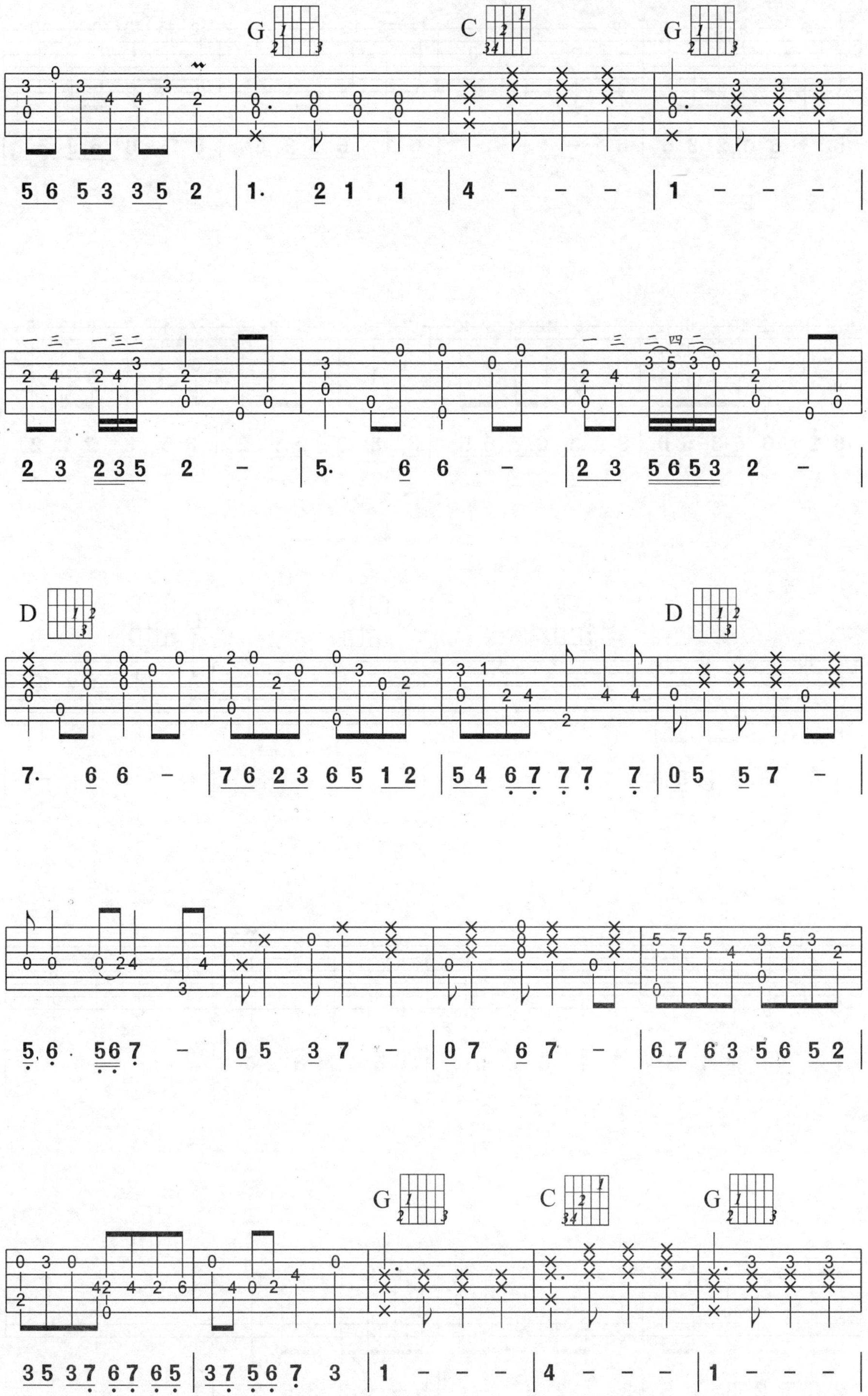
G
C
G
D
D
G
C
G

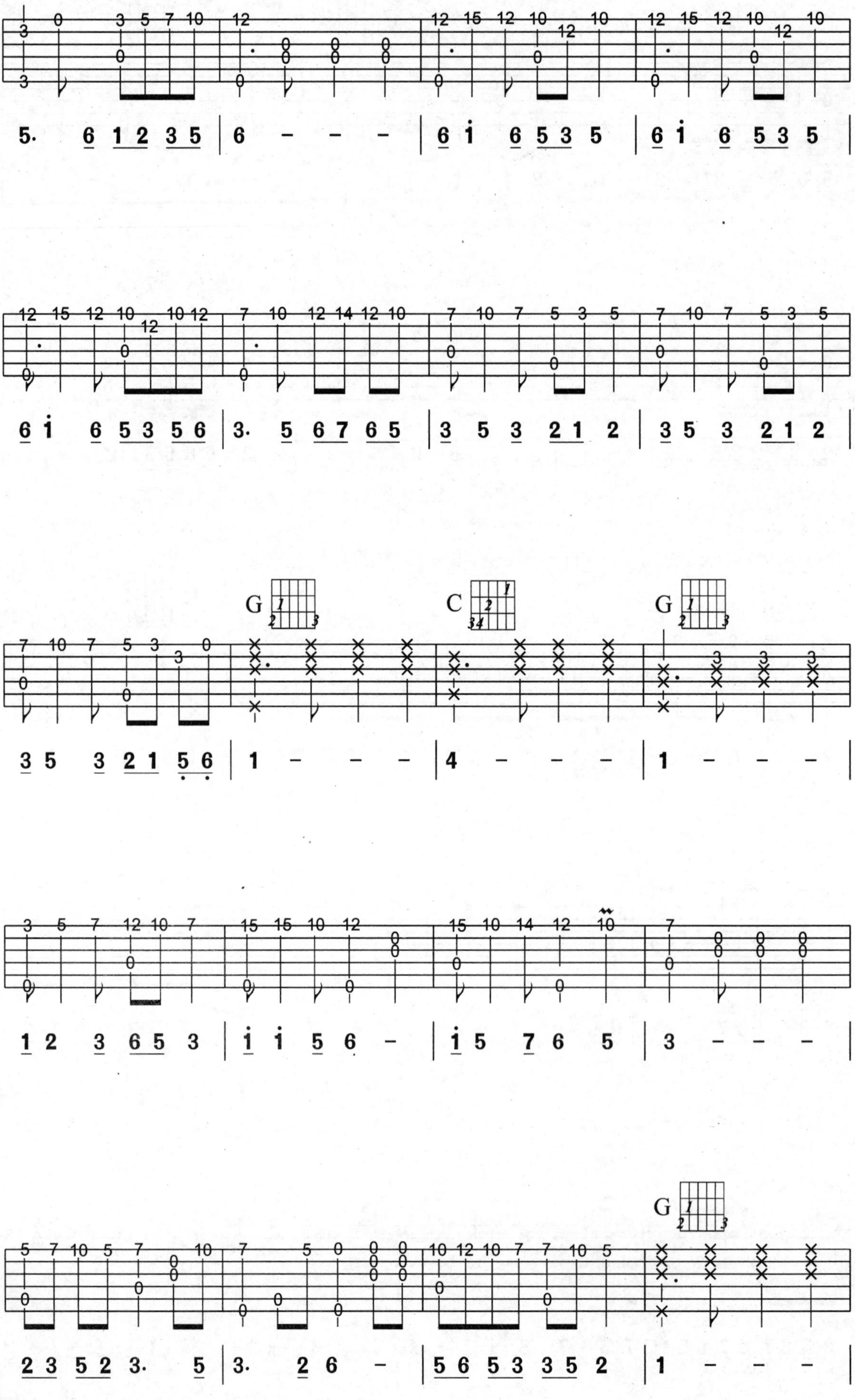
G
C
G
G

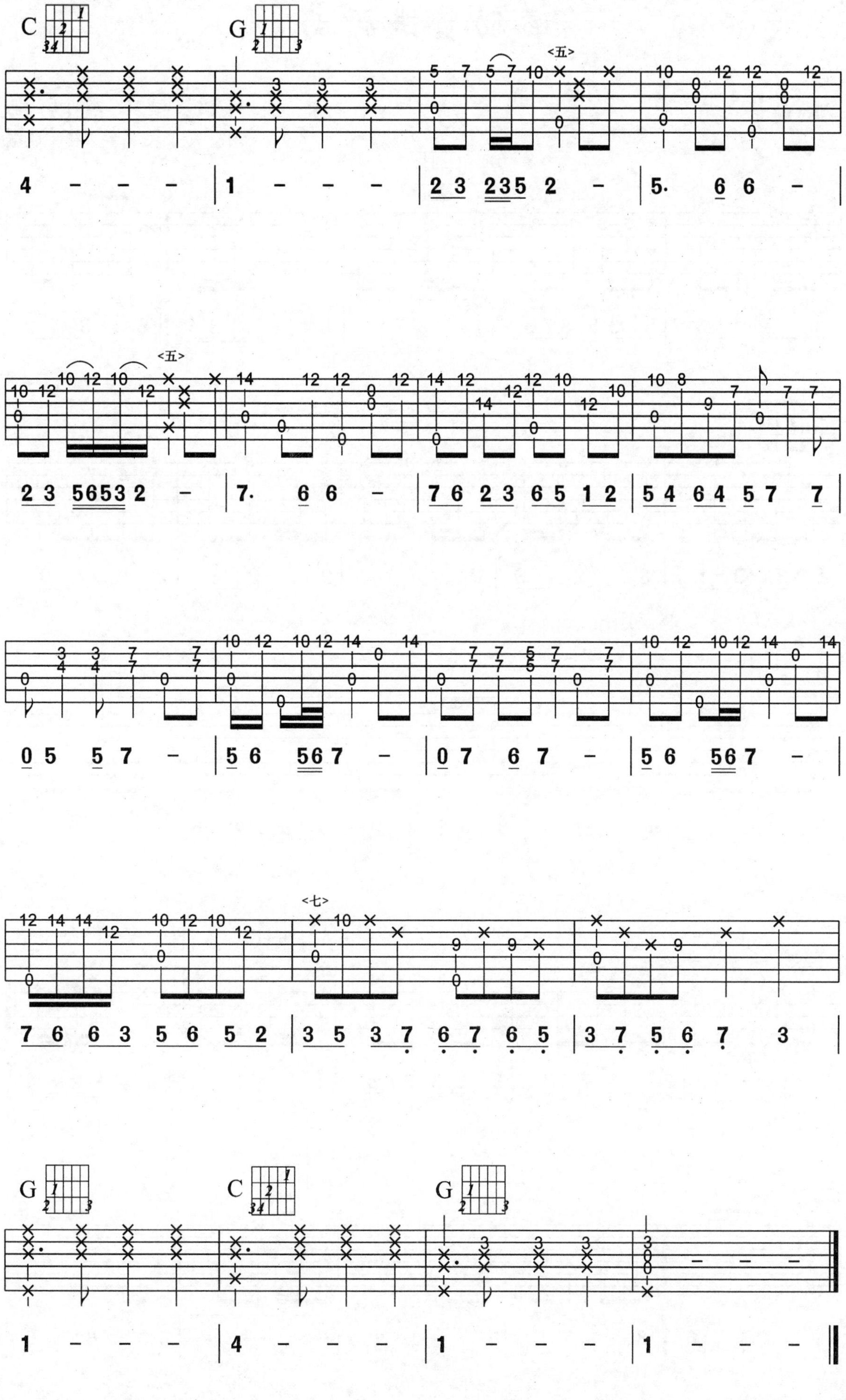
C
G
<五>
<五>
<七>
G
C
G

运动员进行曲

1=G 2/4

吴光锐、贾双、李明秀 曲
刘 天 礼 改编

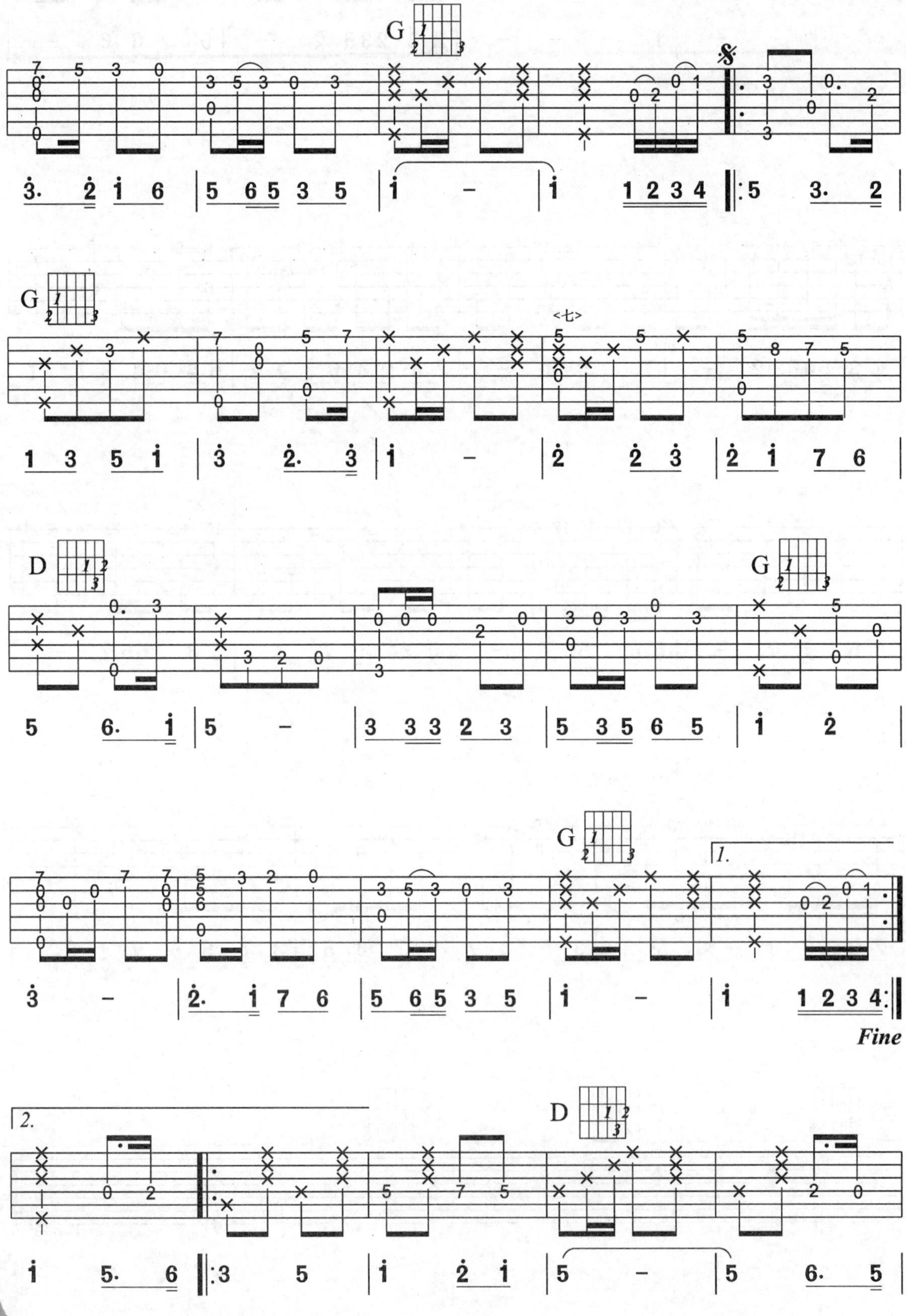

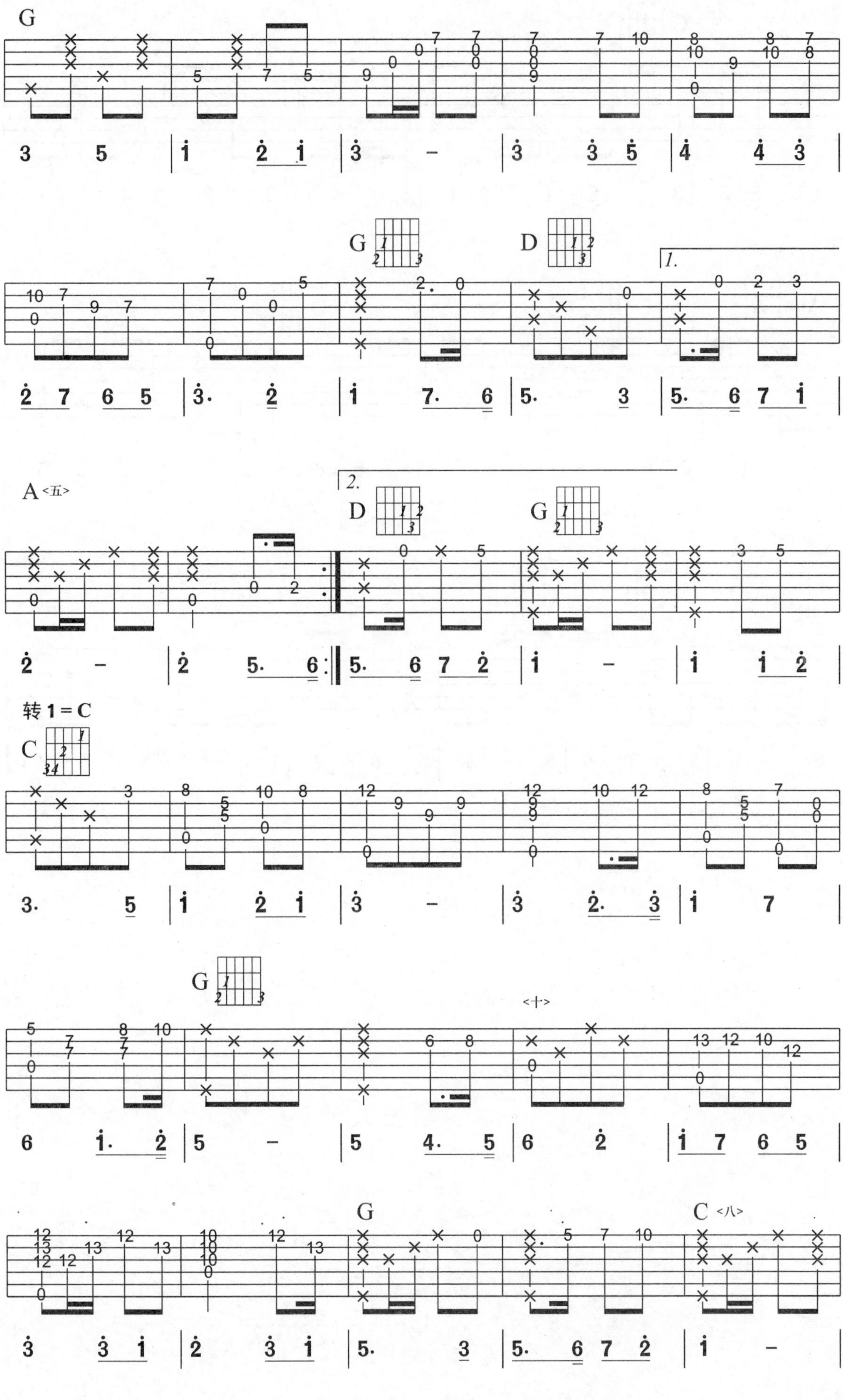
G
G
D
1.
A
2.
D
G
转 1 = C
C
G
G
C

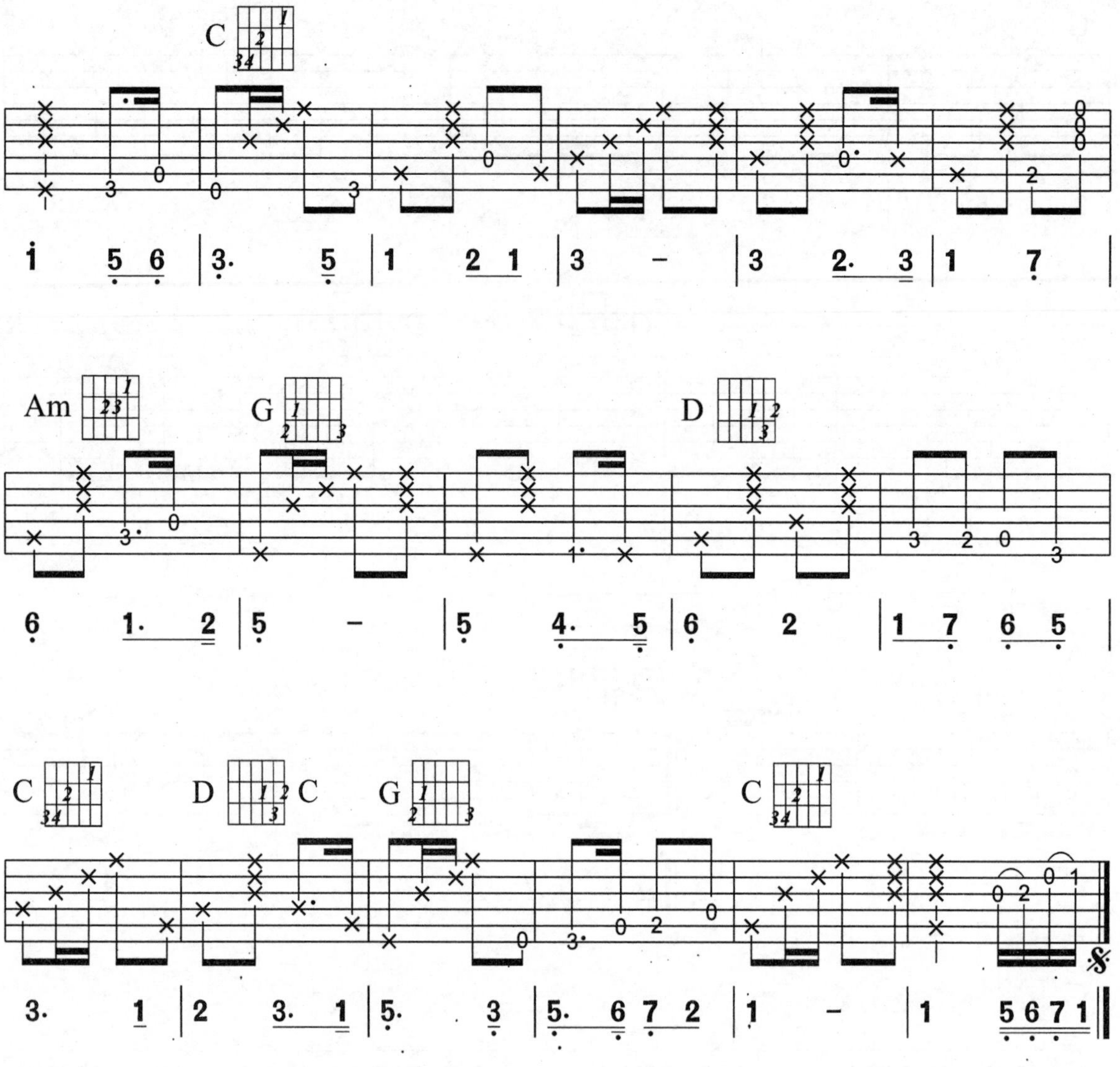
C
Am
G
D
C
D
C
G
C

运动的旋律

1=C $\frac{2}{4}$ $\frac{3}{4}$ $\frac{4}{4}$

纪录片《动物世界》主题曲

刘　天　礼　记谱编配

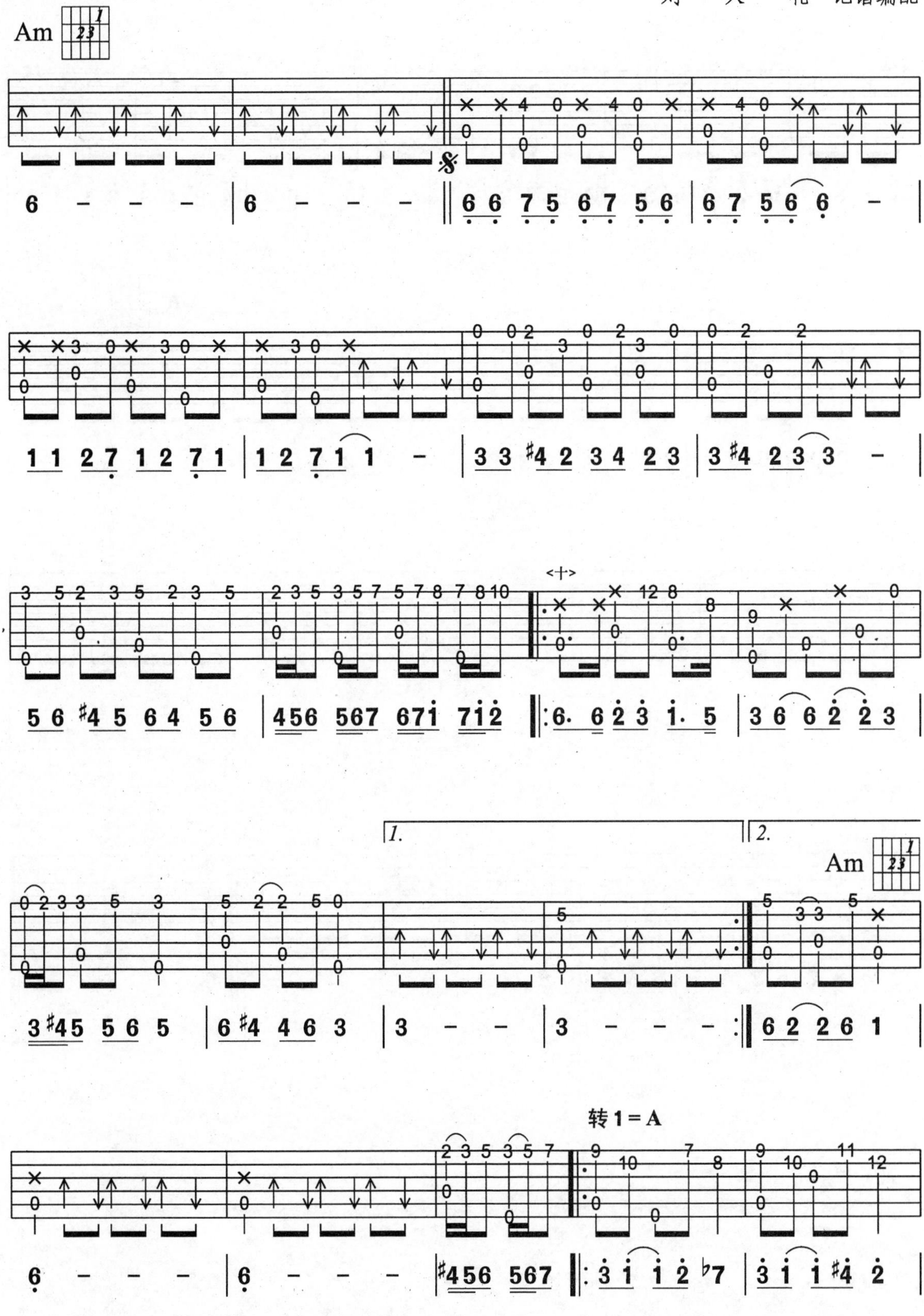

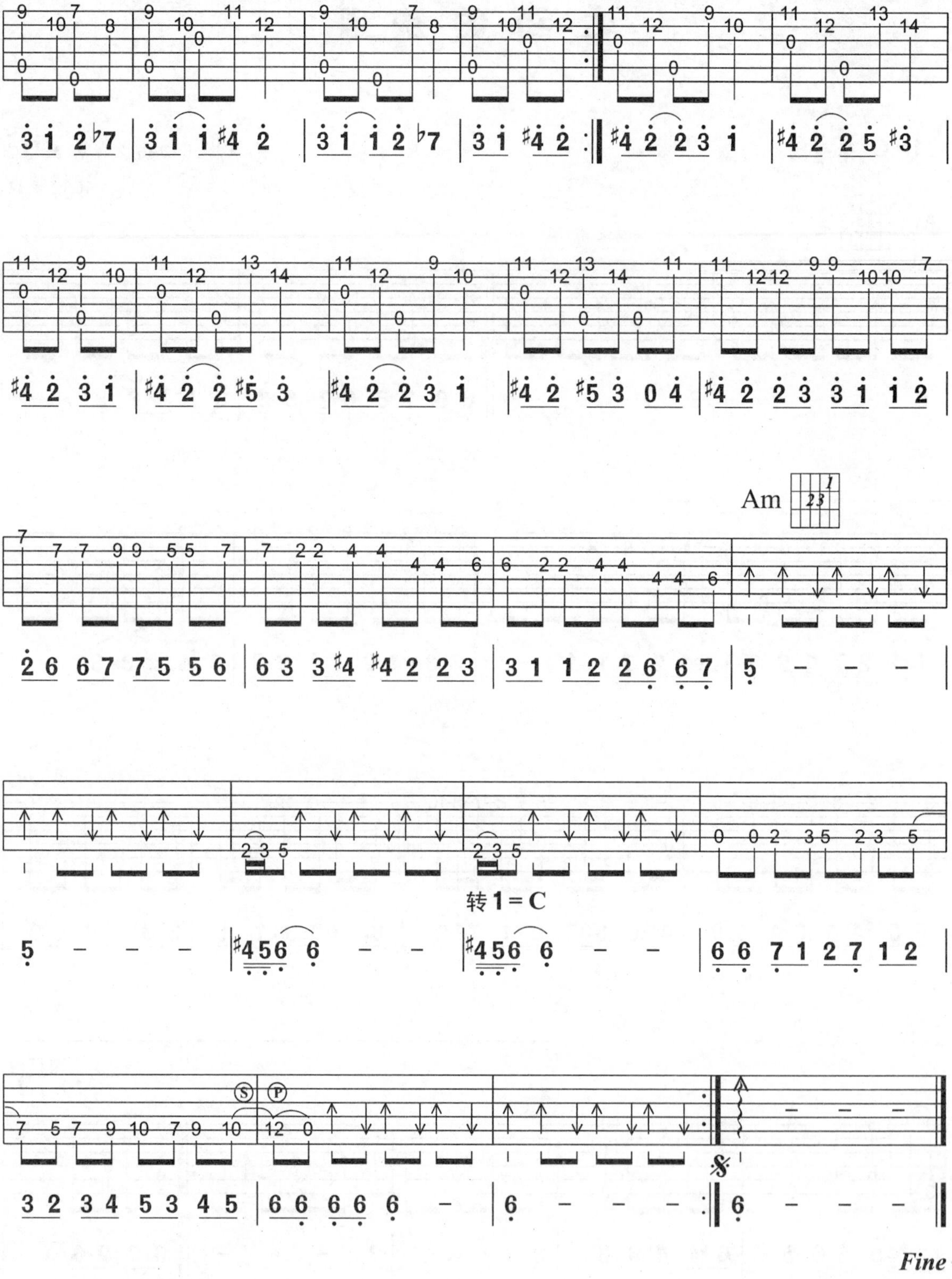
Am
转1 = C
Fine

爱的罗曼史

〔西〕耶佩斯 曲
刘天礼 编配

1=G $\frac{3}{4}$

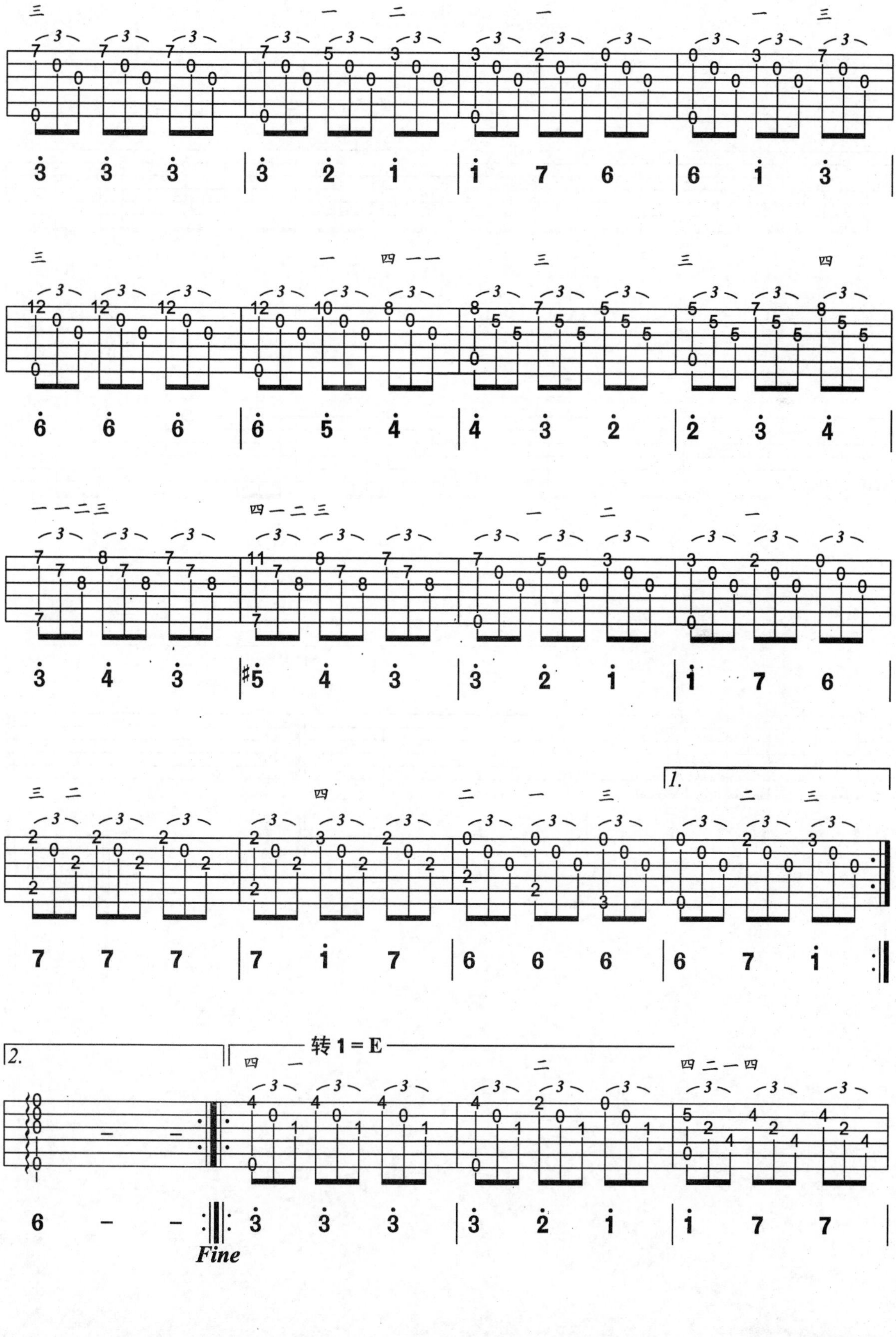

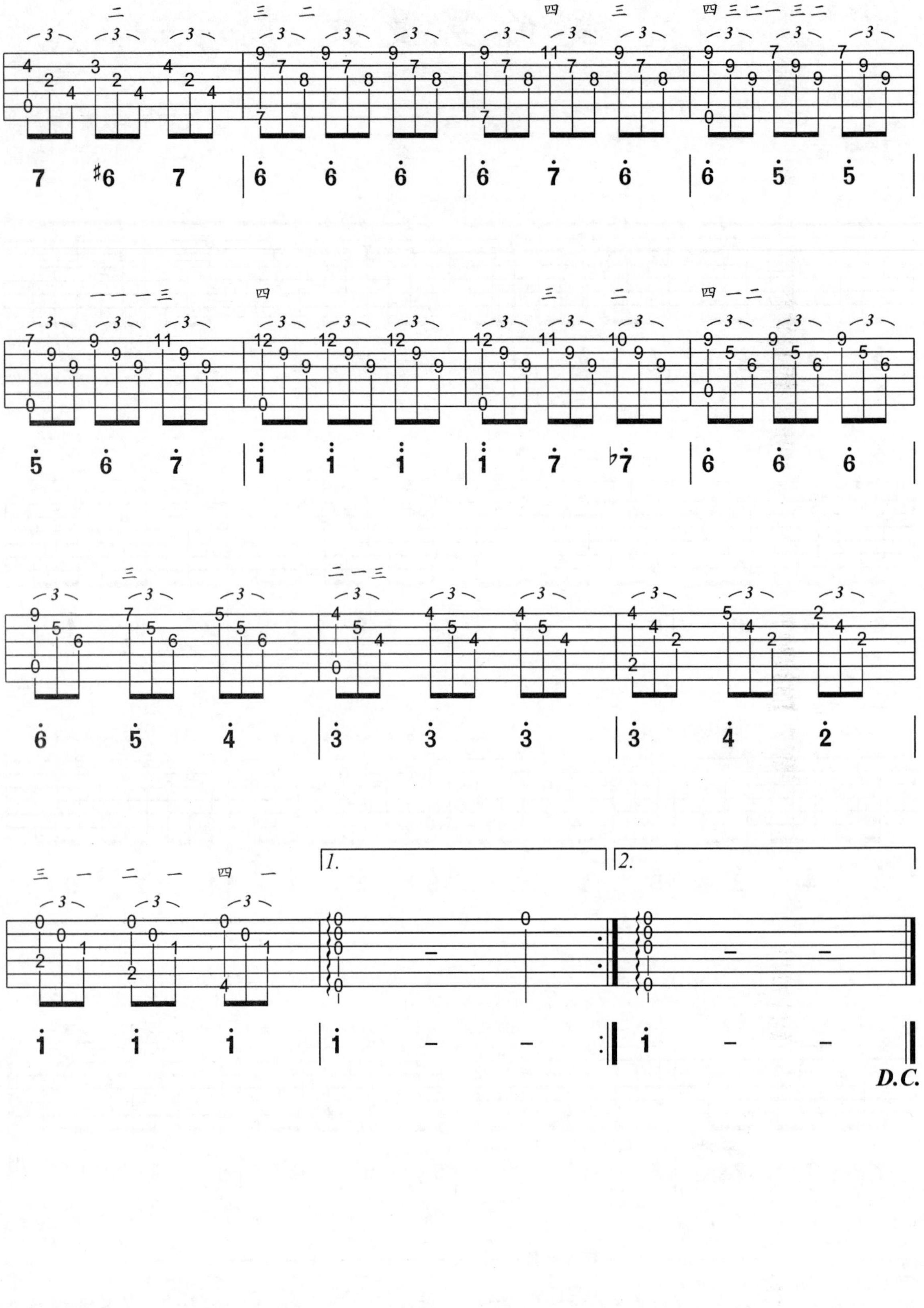
1.
2.
D.C.

叶塞尼娅

塞尔西奥·格雷罗 曲
刘 天 礼 编配

1=G $\frac{4}{4}$

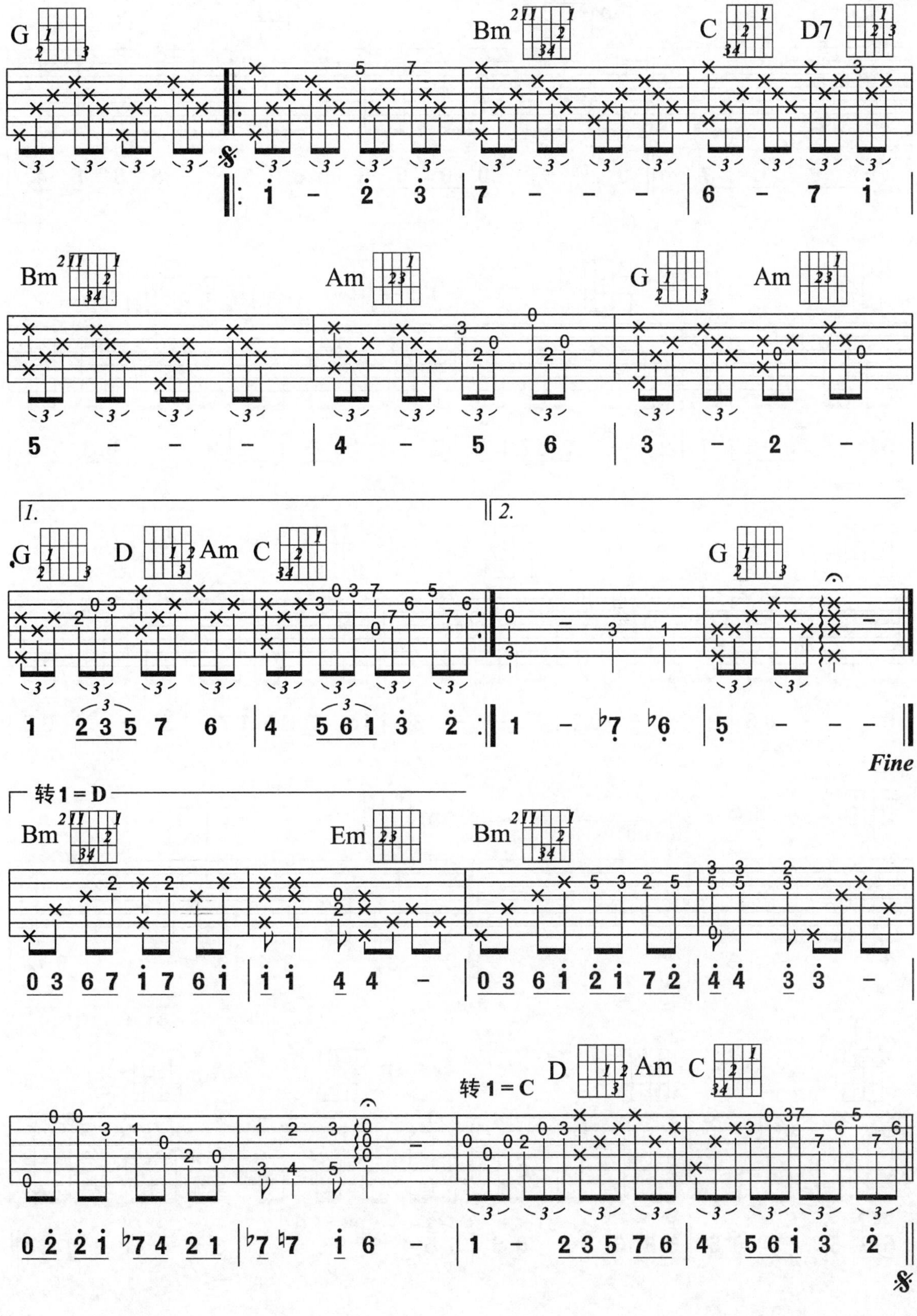

罗密欧与朱丽叶

〔意〕N · 罗塔 曲
刘天礼 编配

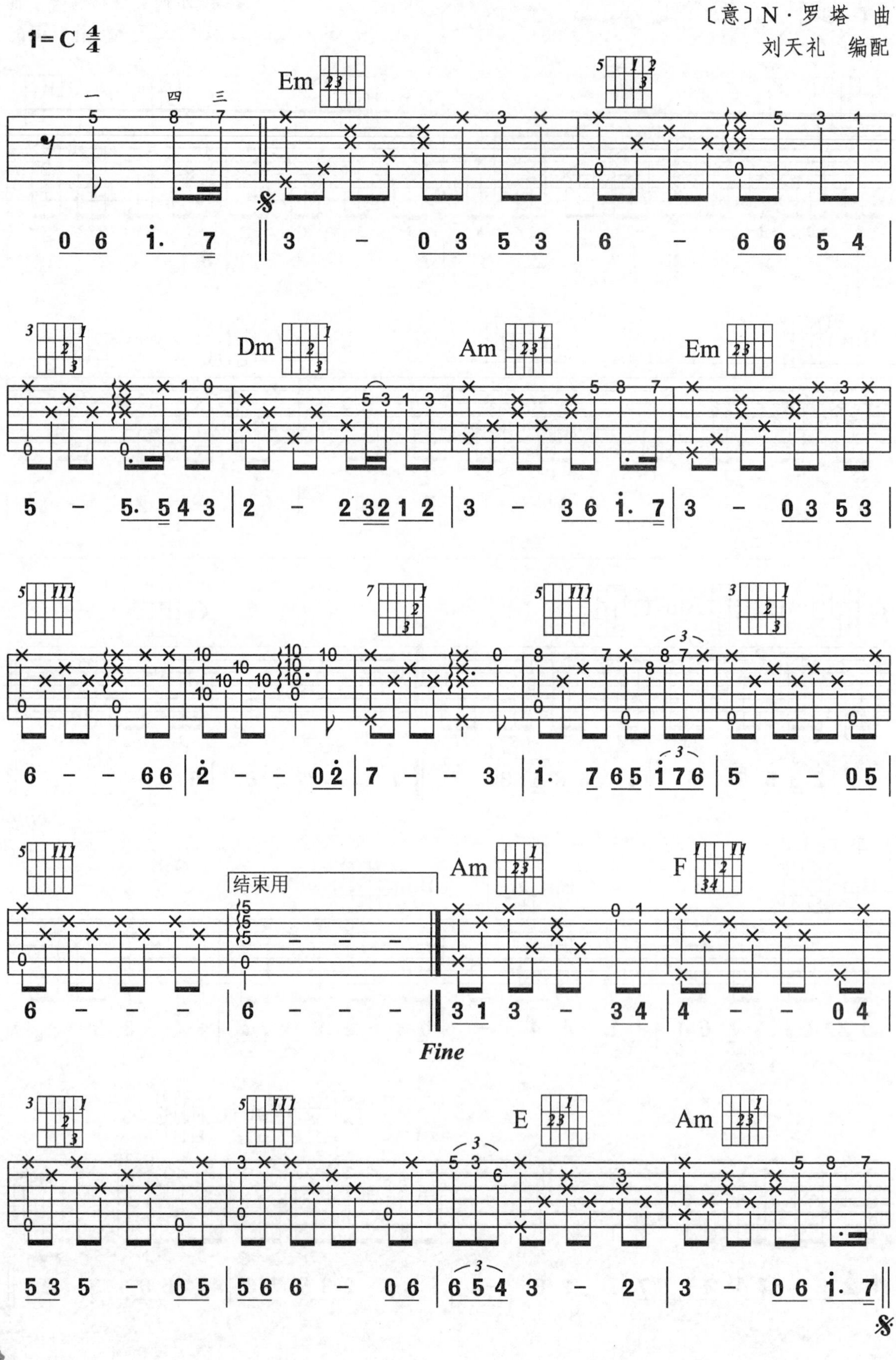

秋日的私语

〔法〕奥列维埃·图森 曲
〔法〕保罗·德·塞内维尔
刘天礼 编配

1=G $\frac{4}{4}$

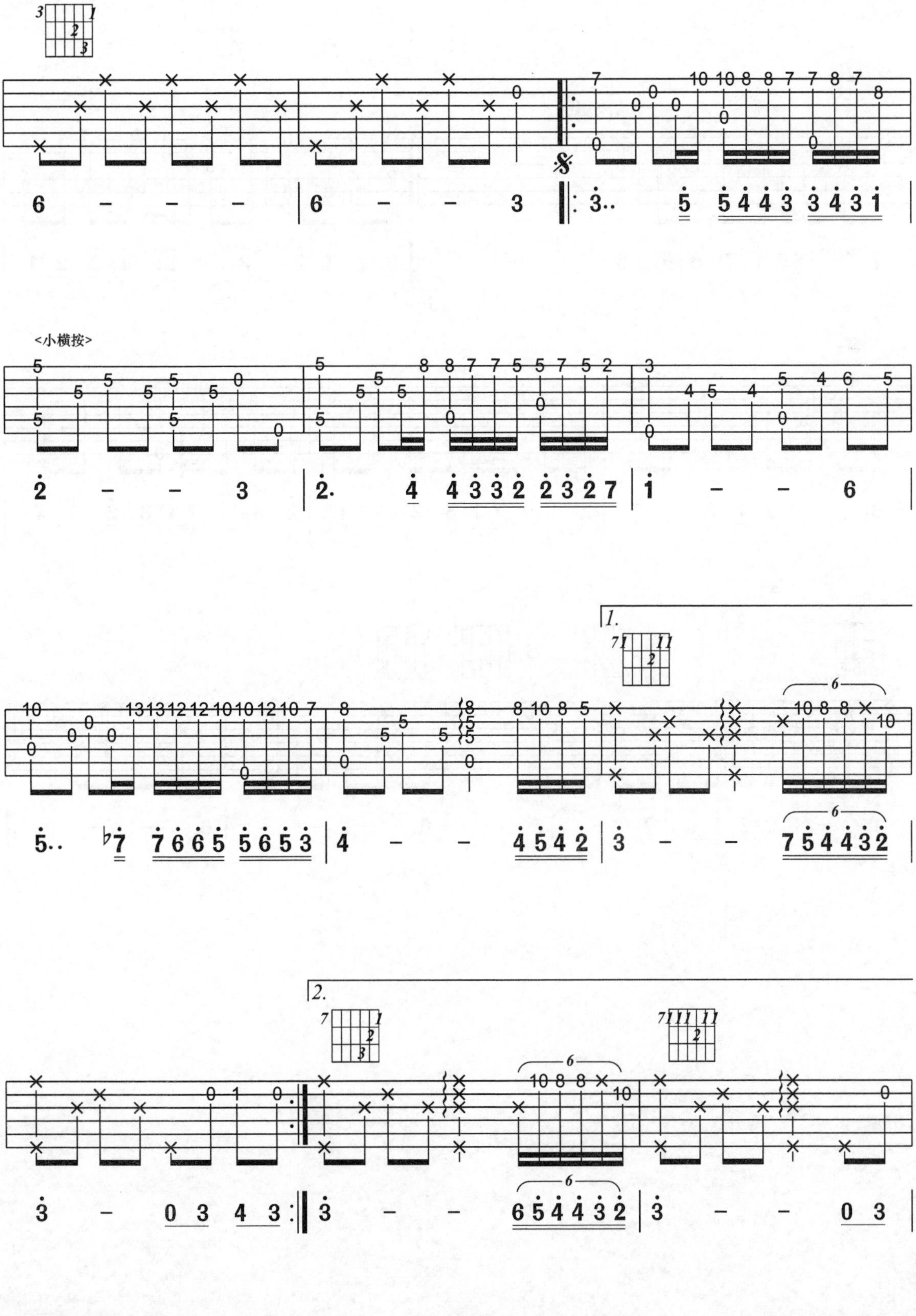

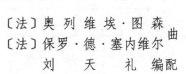

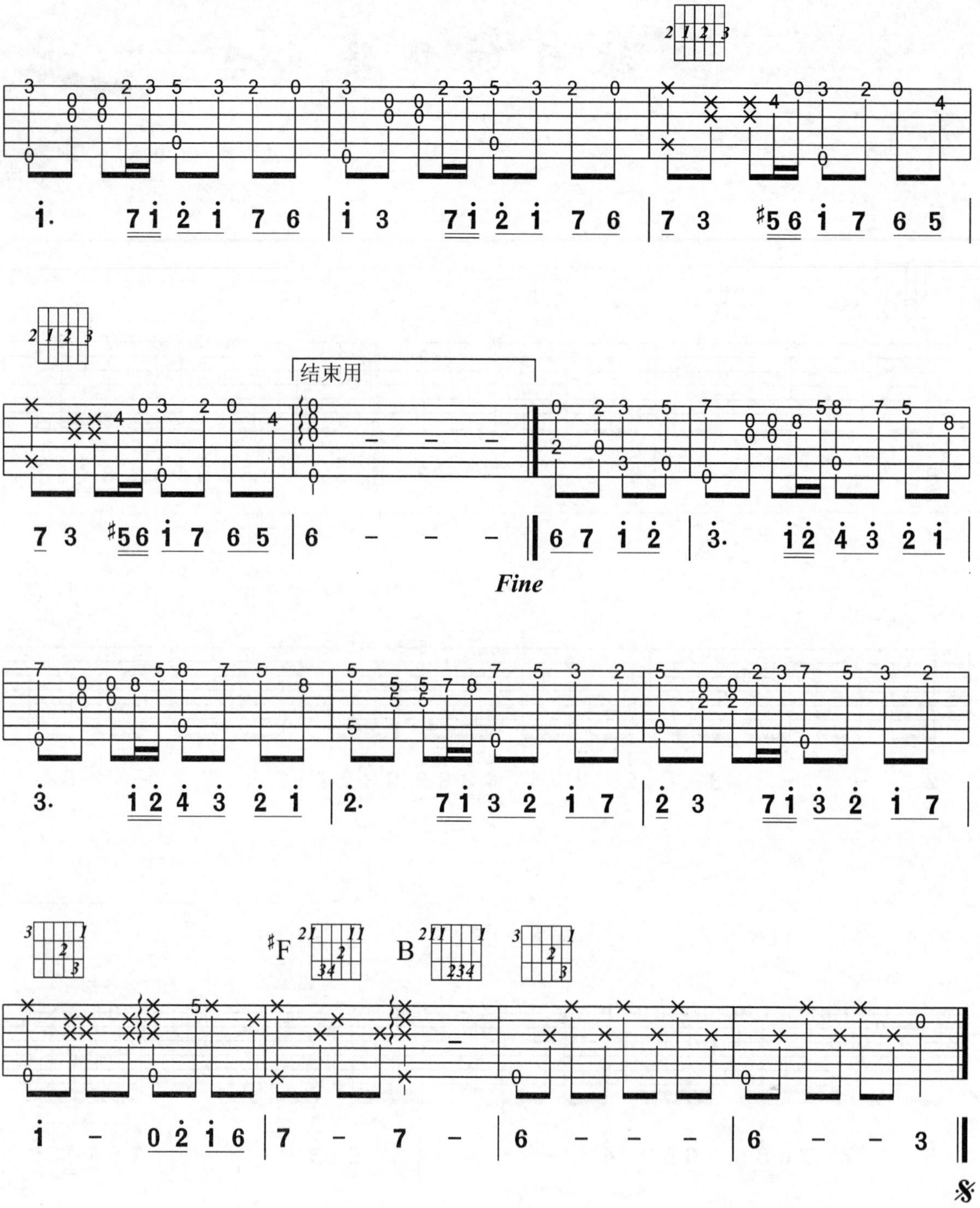
结束用
Fine
♯F
B

蓝色的爱

1=G $\frac{4}{4}$

〔法〕保罗·莫里哀 曲

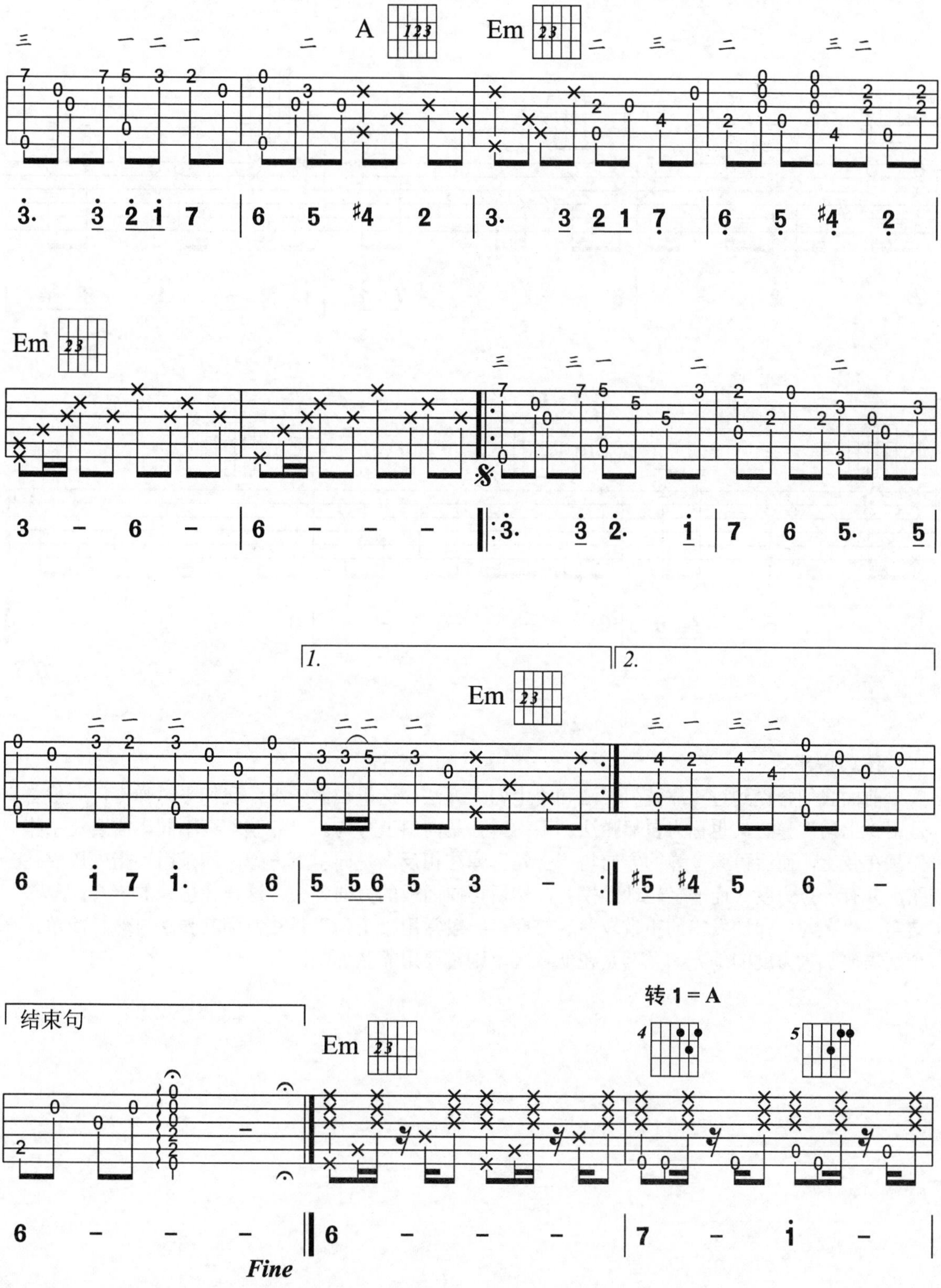

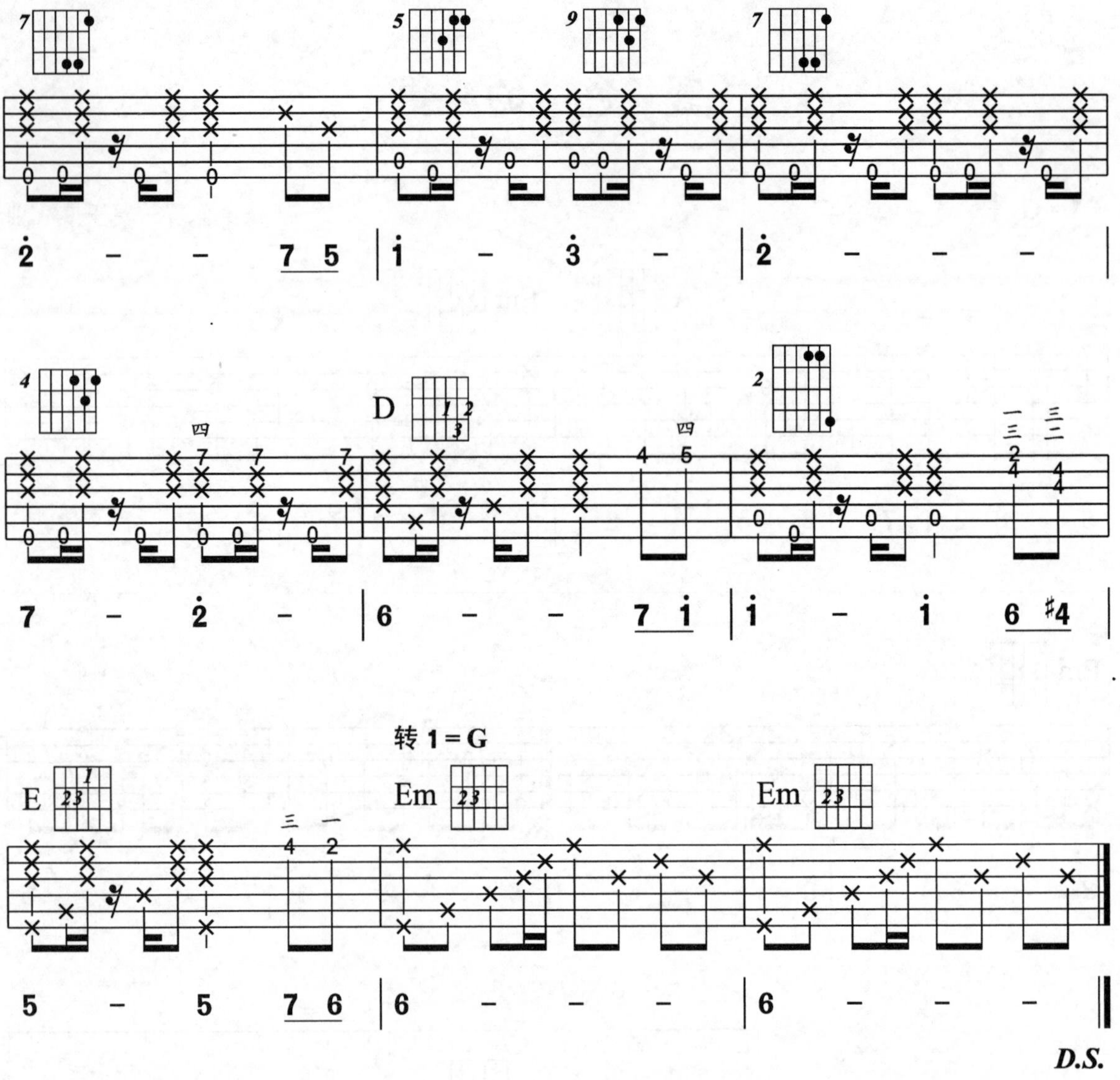

技巧说明：

前面我们曾提到过“靠弦”弹法和“上勾”弹法，这里说明一下，我们平时弹奏，一般都是用“上勾”弹法，也称为自然弹法，手指弹弦是向斜上方勾。“靠弦”则不同，需要让手指先靠在弦上，而后再弹，弹的方向与“上勾”弹法相反，是向斜下方弹，即是用手指先压靠住弦，并有一点力度（而非轻轻地触摸），然后再向面板的方向弹去，这样弹出来的声音浑厚、结实。“上勾”弹法发出的声音较薄、较虚。一般常用“上勾”弹法，因其弹法自然、简单，个别需要加大力度的地方，尤其是在低音区，则常要用靠弦弹法。

爱的协奏曲

1=G $\frac{4}{4}$ $\frac{2}{4}$

〔法〕保罗·德·塞内维尔 曲
刘 天 礼 改编

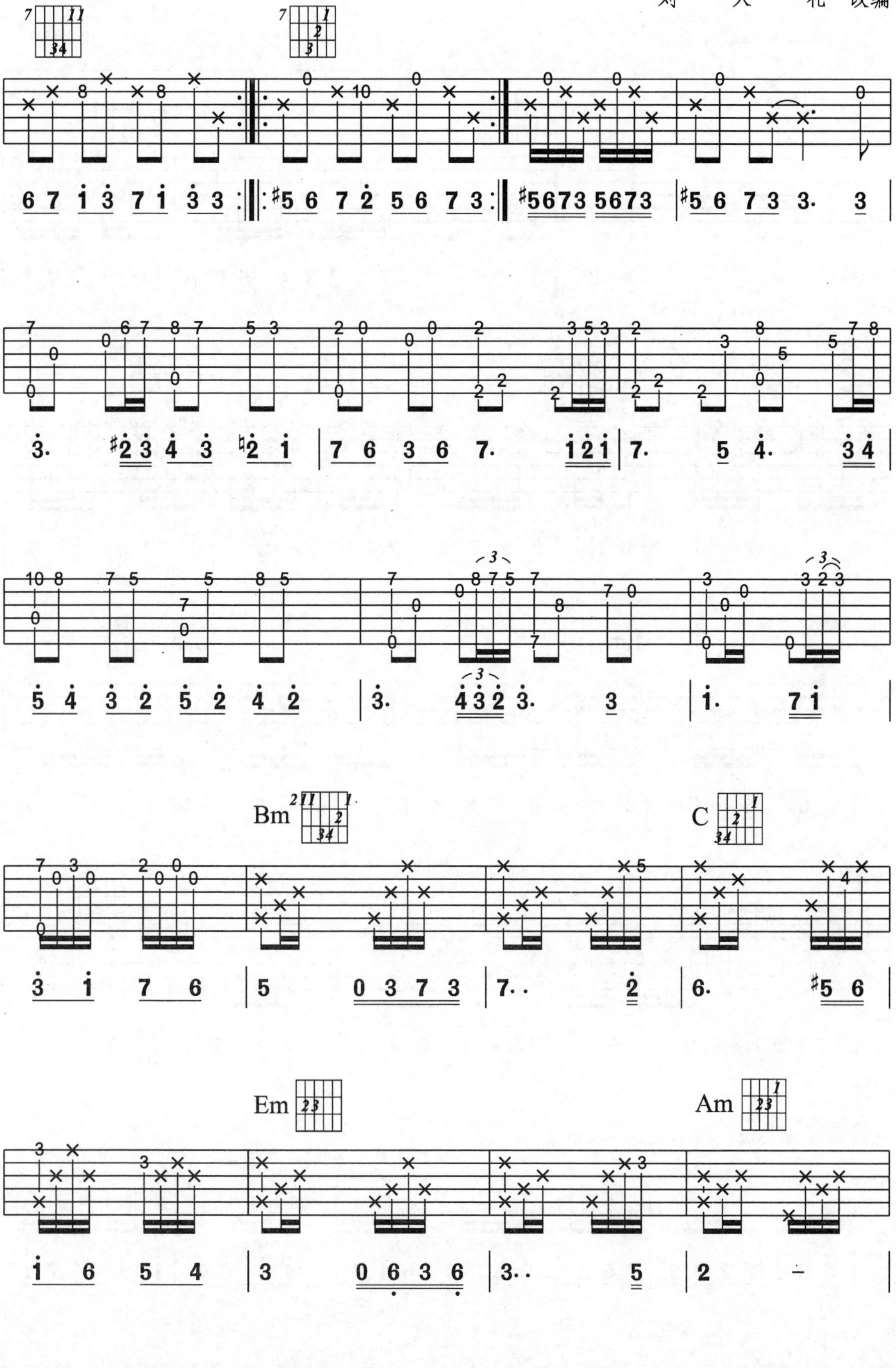

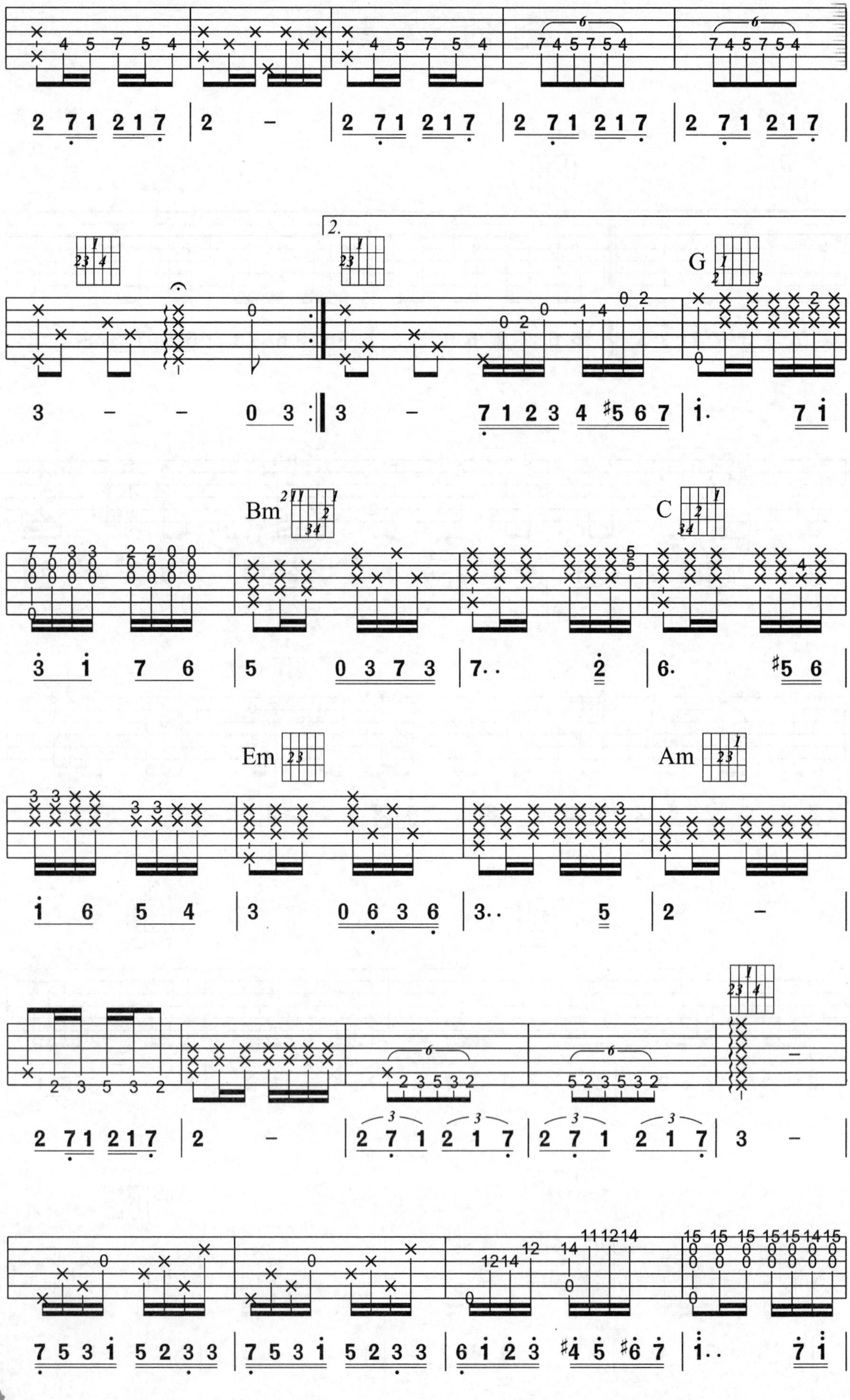
2.
G
Bm
C
Em
Am

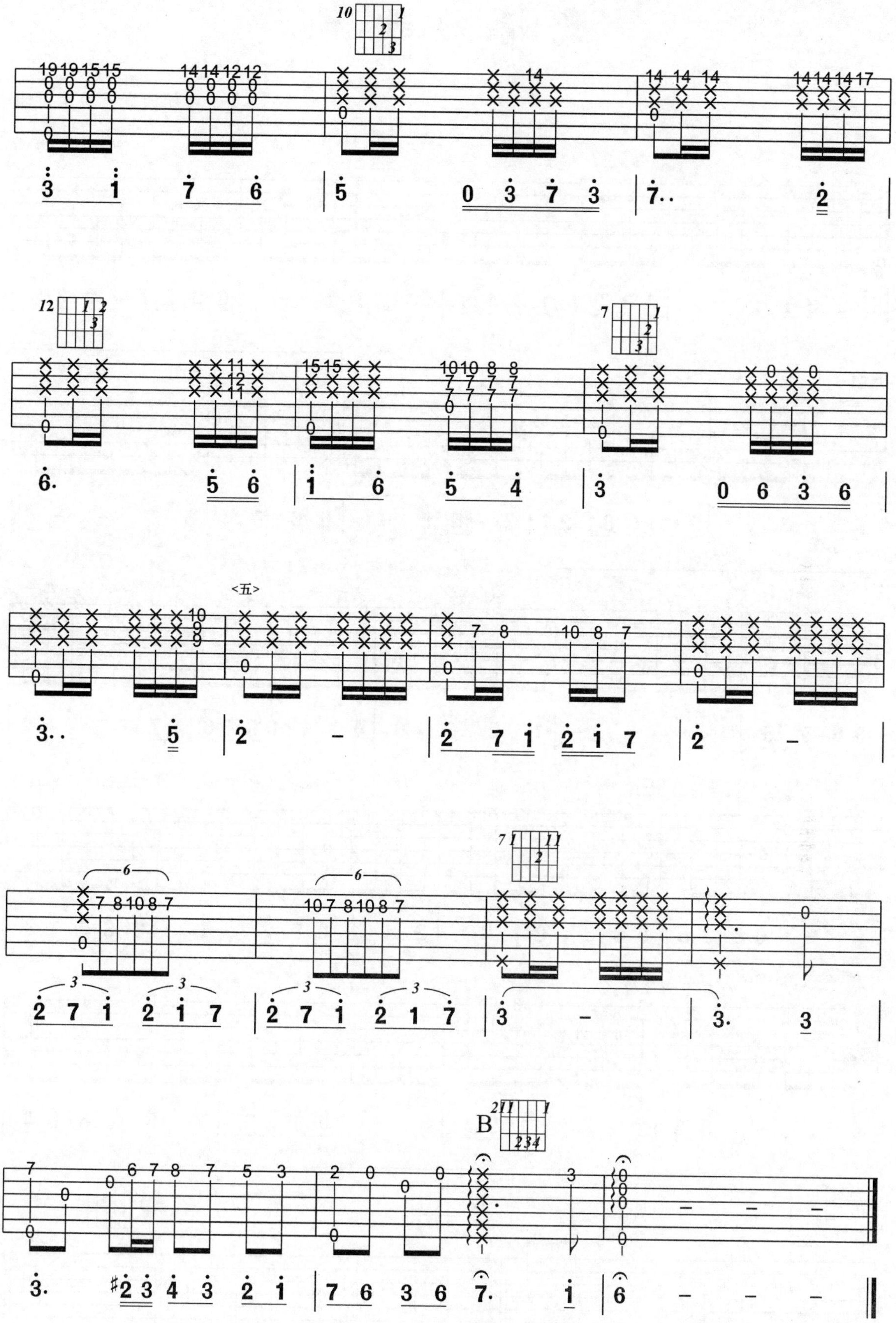
B

爱情的故事

1=G $\frac{4}{4}$

〔美〕弗朗西斯·拉伊　曲

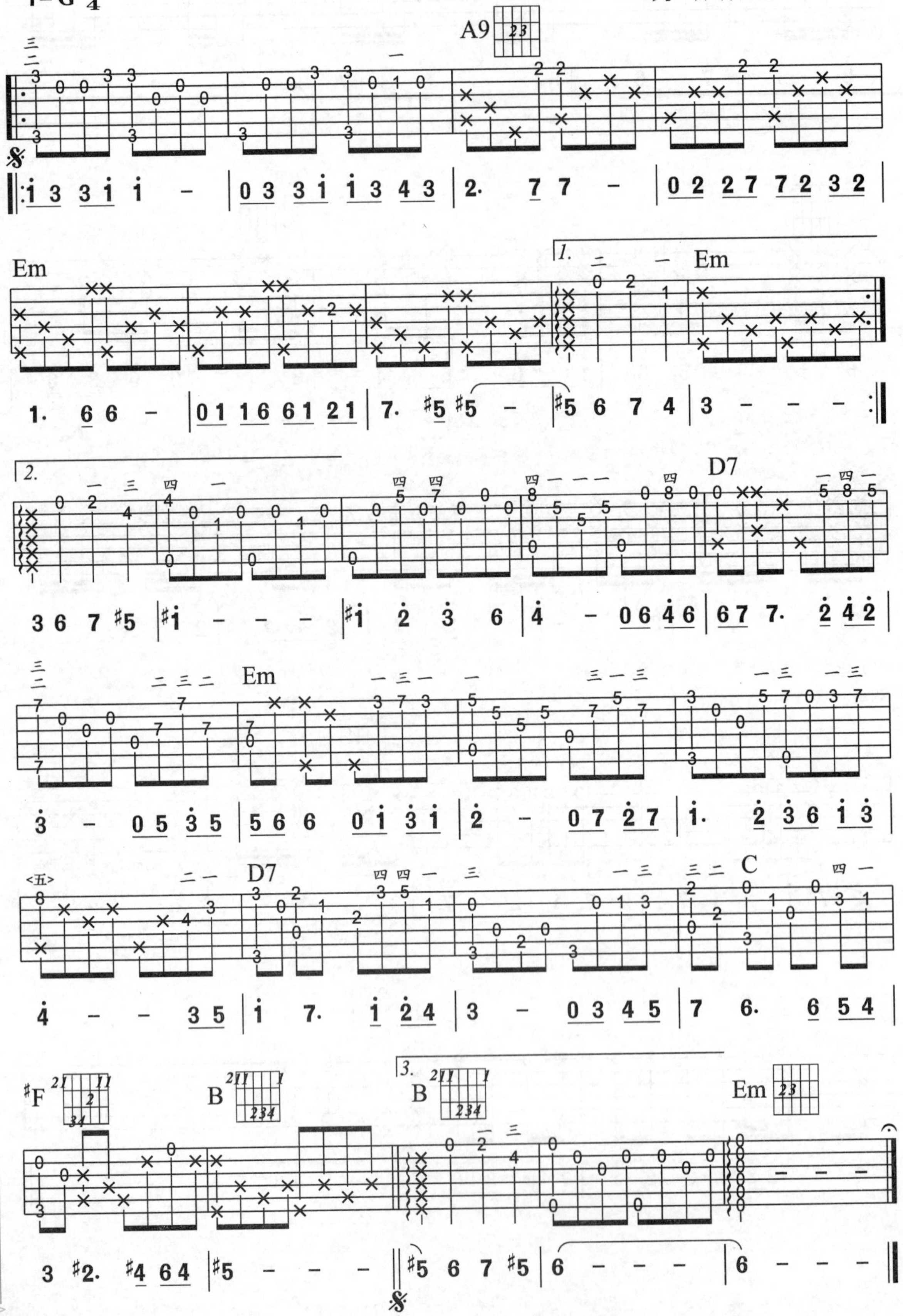

绿袖子

1=F $\frac{3}{4}$

英 国 民 歌
刘天礼 记谱编配

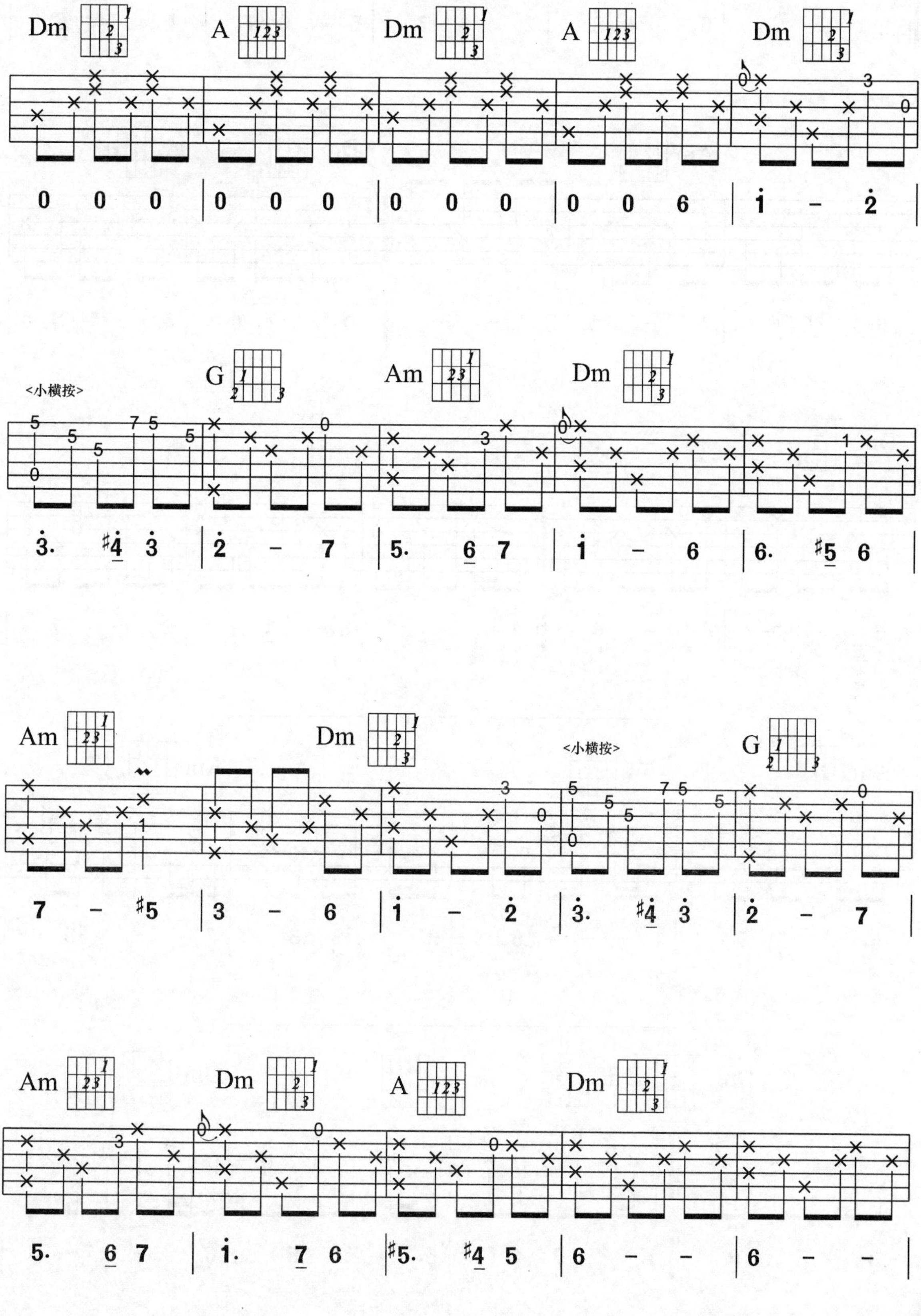

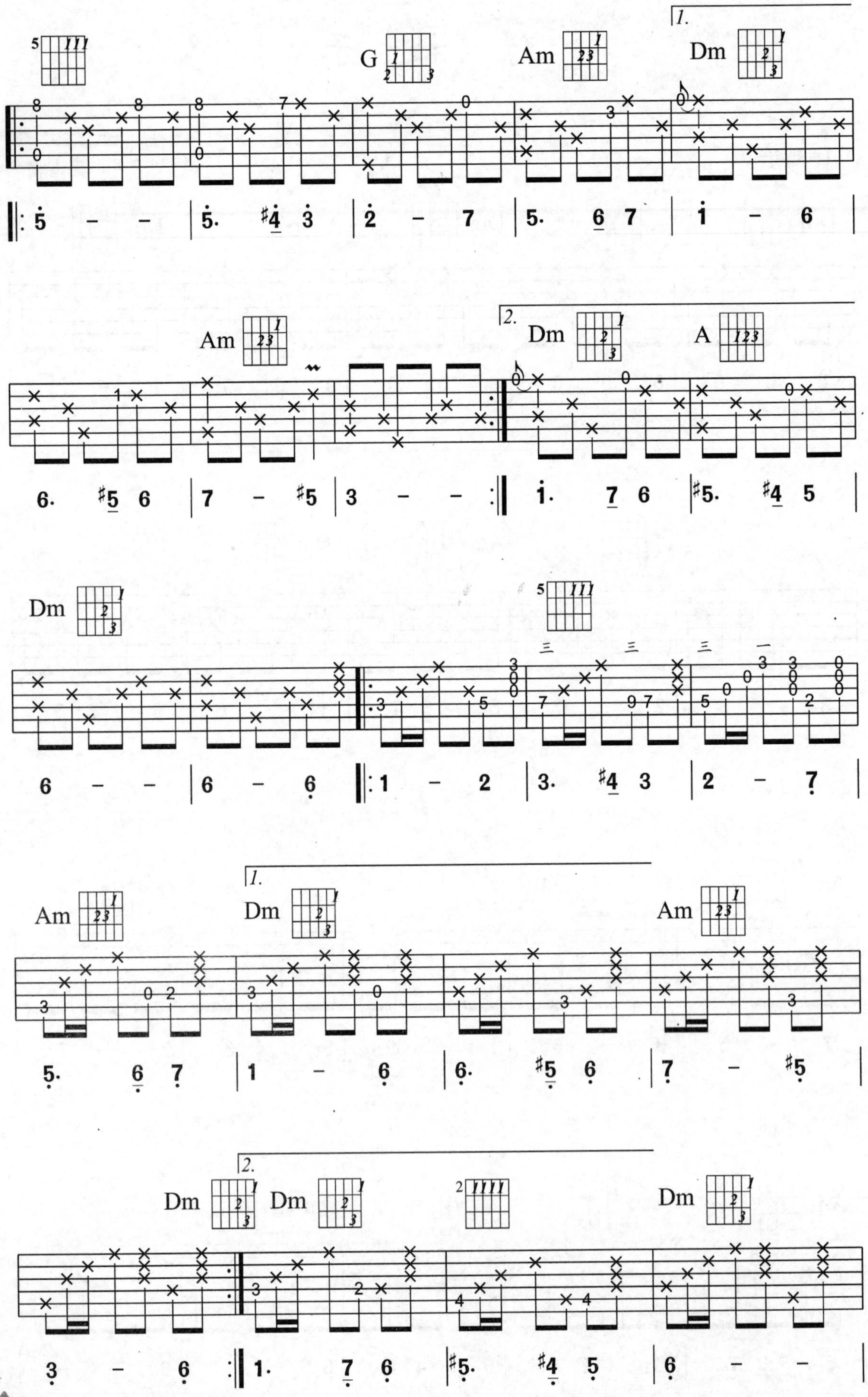

1.
G
Am
Dm
Am
2.
Dm
A
Dm
1.
Dm
Am
Am
2.
Dm
Dm
Dm

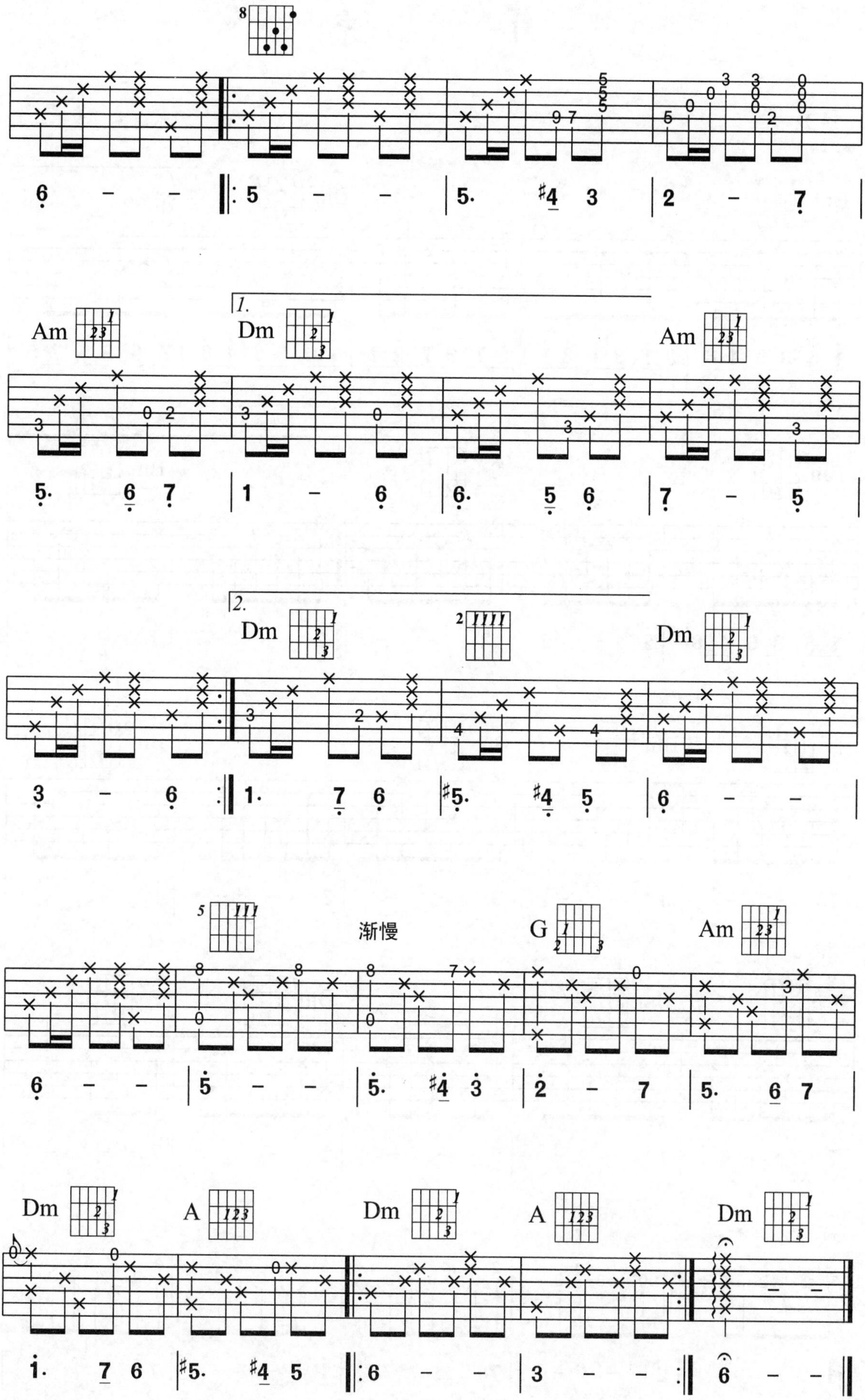
Am
1.
Dm
Am
2.
Dm
Dm
渐慢
G
Am
Dm
A
Dm
A
Dm

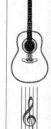

月 光

1=D $\frac{3}{4}$

〔西〕费尔南多·索尔 曲

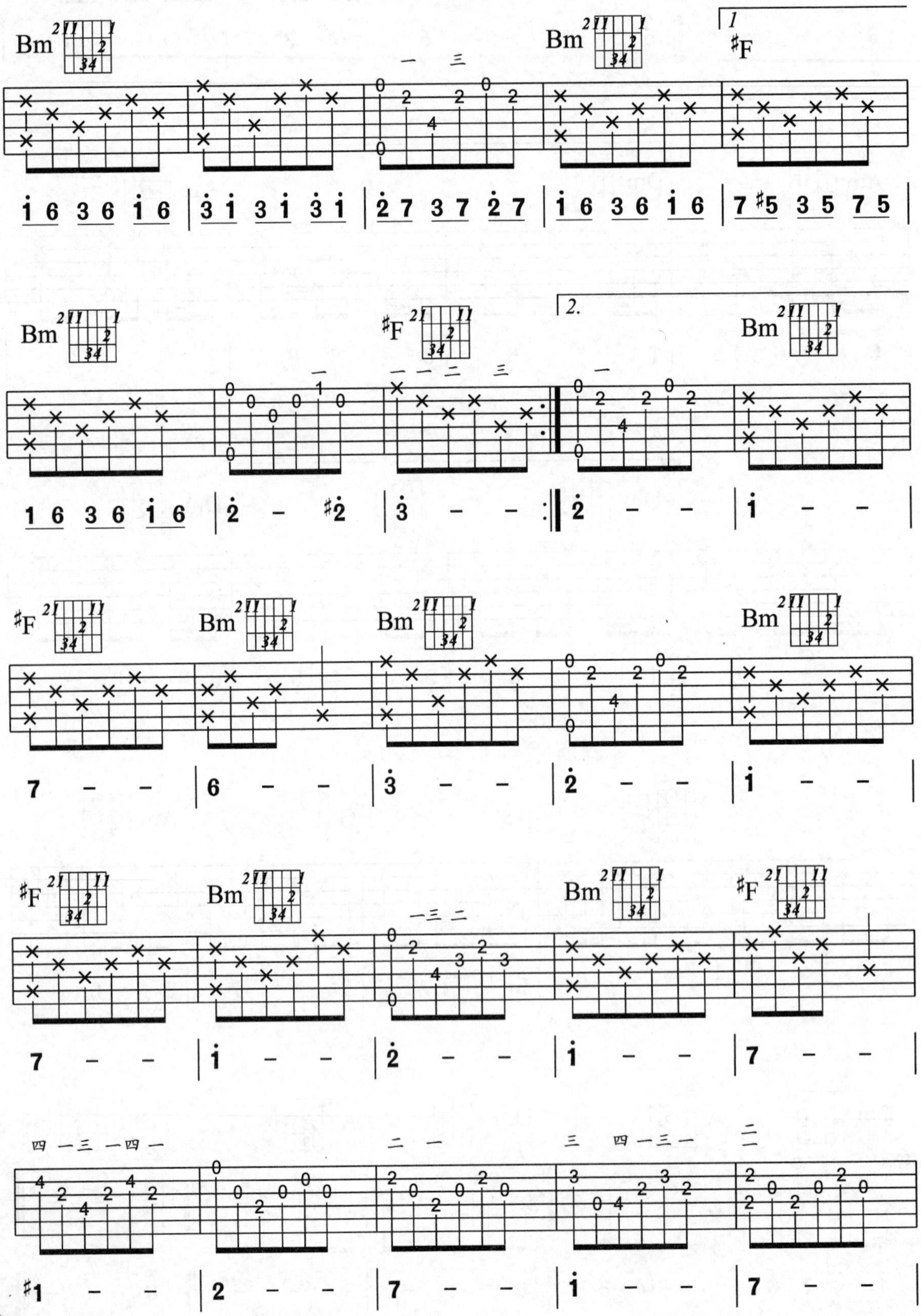

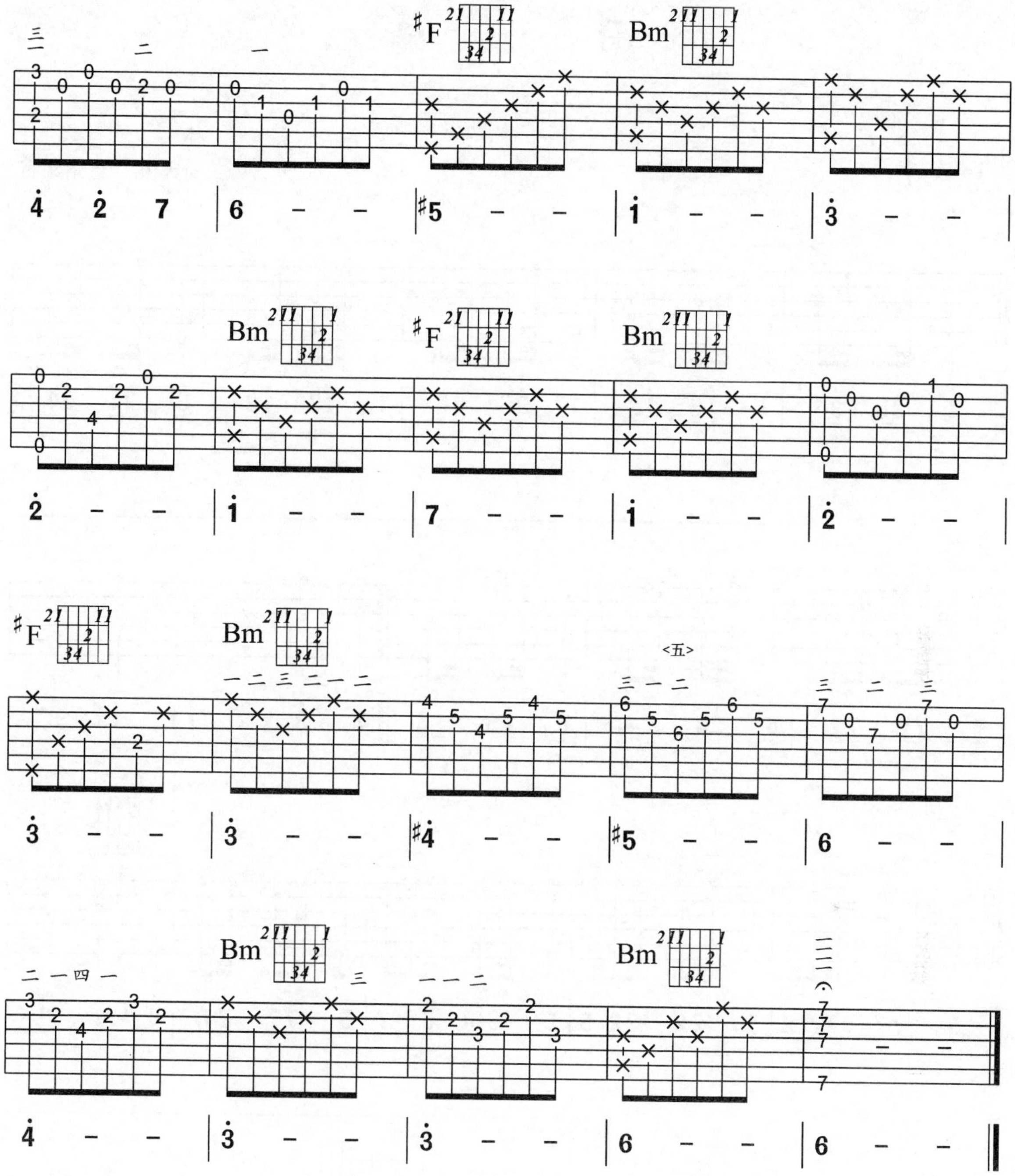
♯F
Bm
Bm
♯F
Bm
♯F
Bm
<五>
Bm
Bm

雨　滴

林　　赛　曲
刘天礼　记谱编配

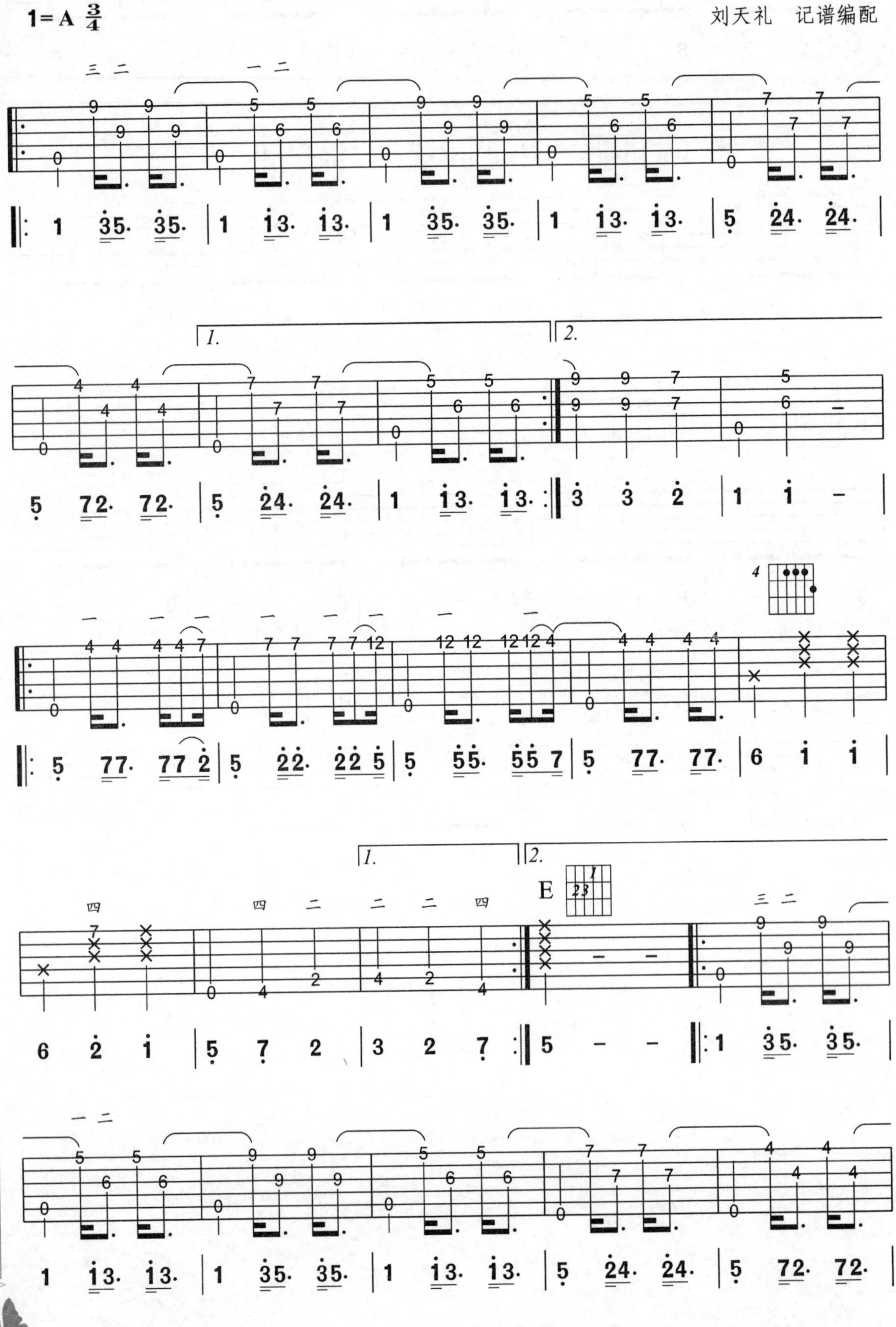

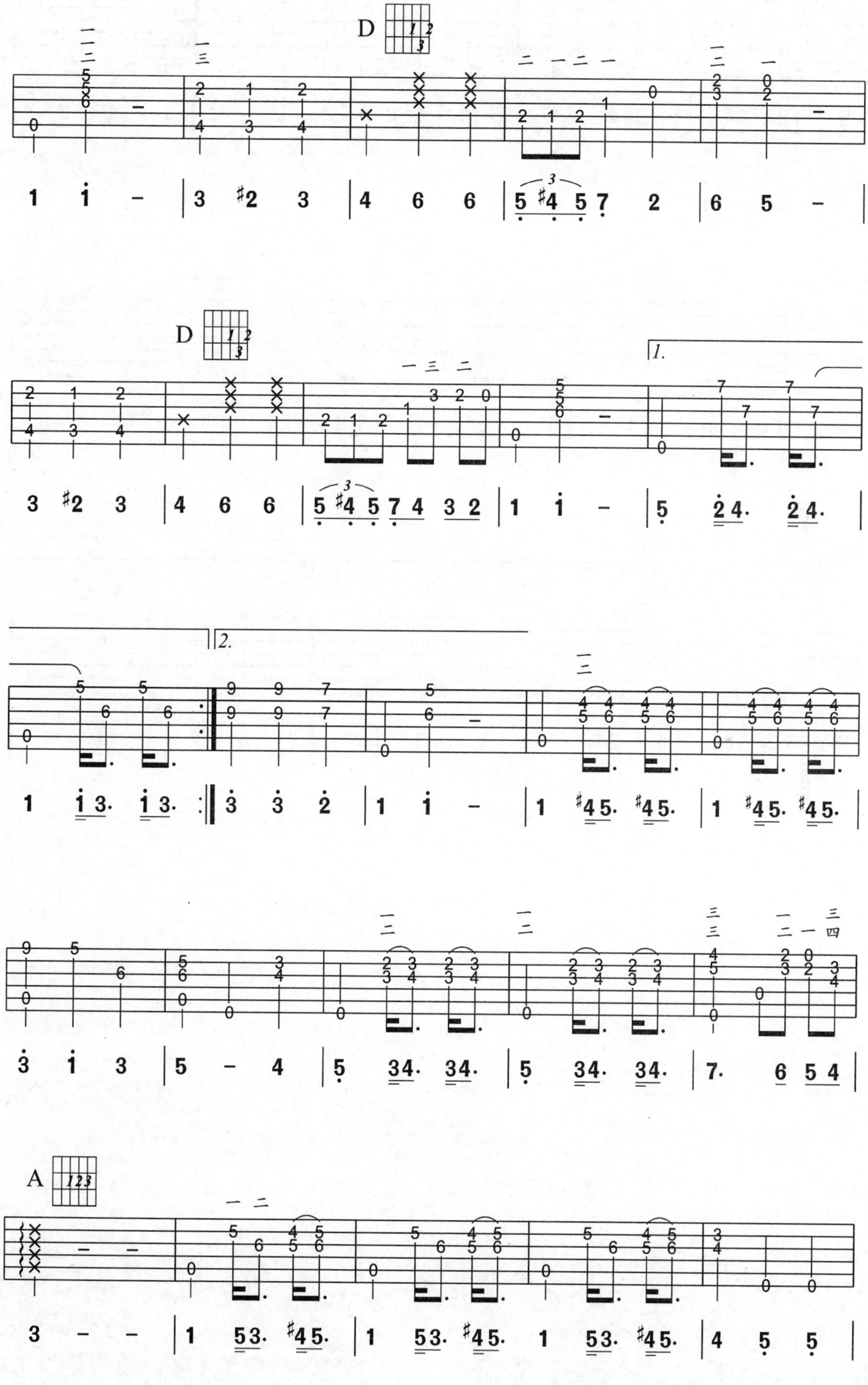
D
D
1.
2.
A

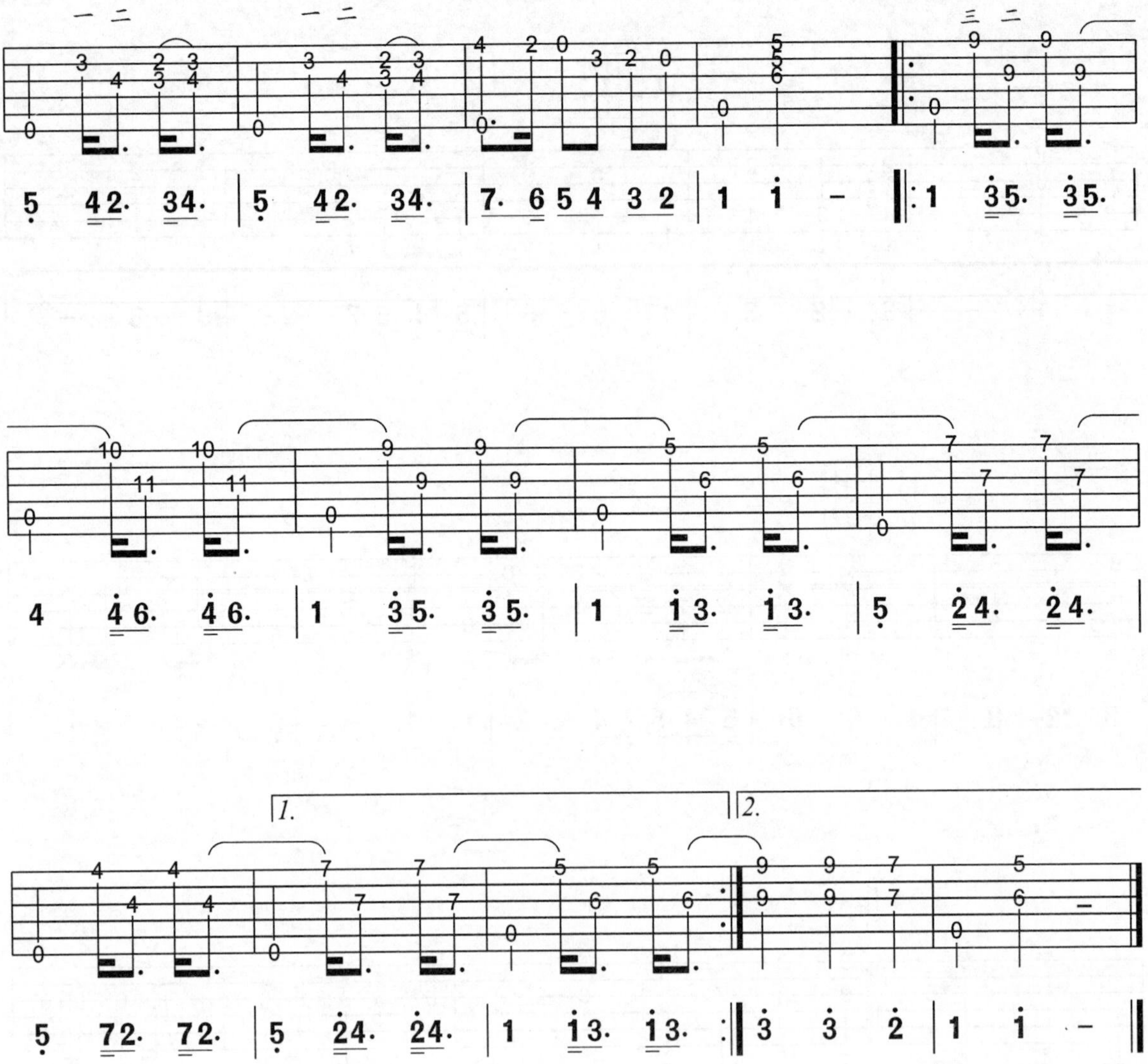

童年的回忆

1=G $\frac{4}{4}$ $\frac{3}{4}$

〔法〕奥列维埃·图森　曲

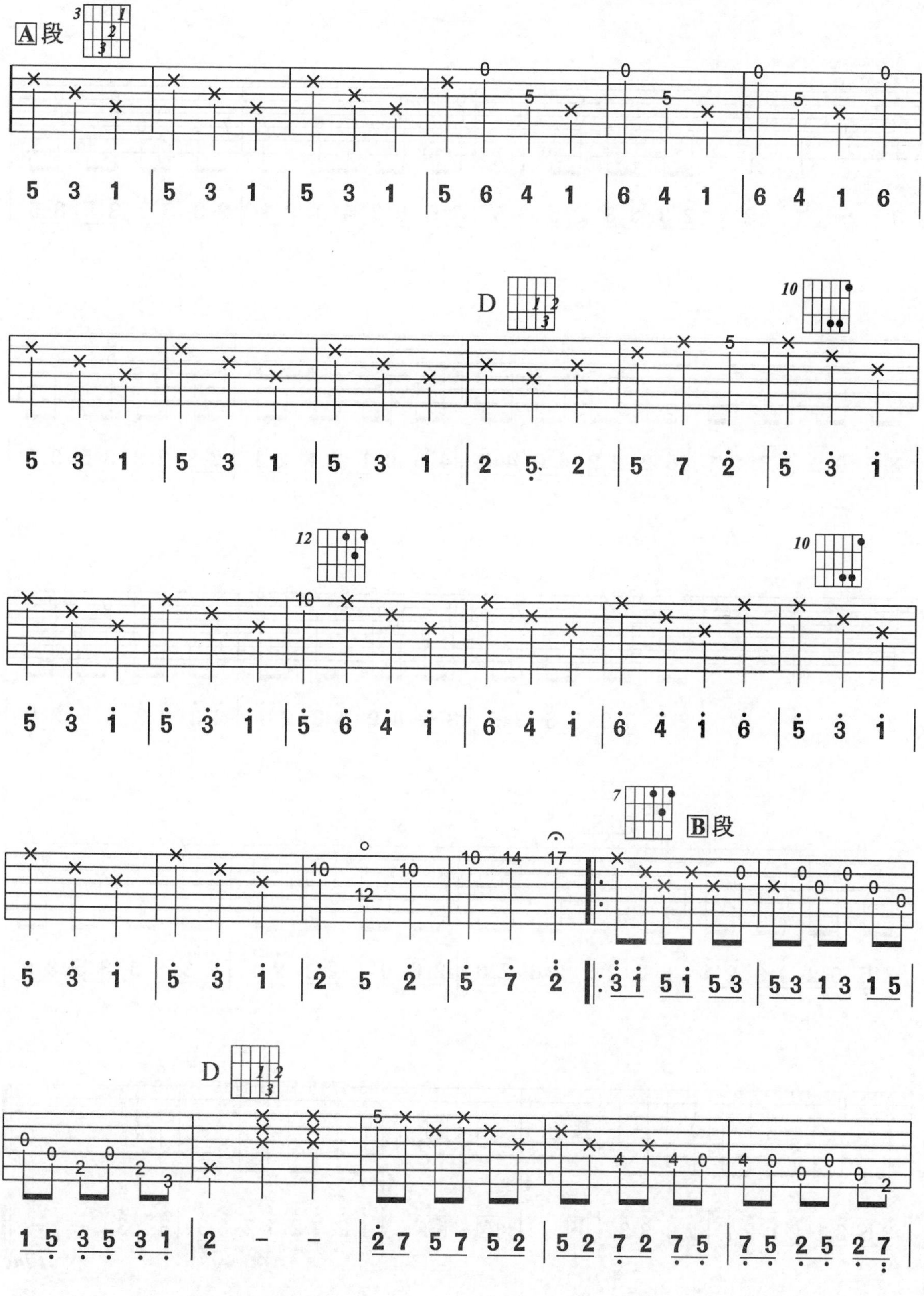

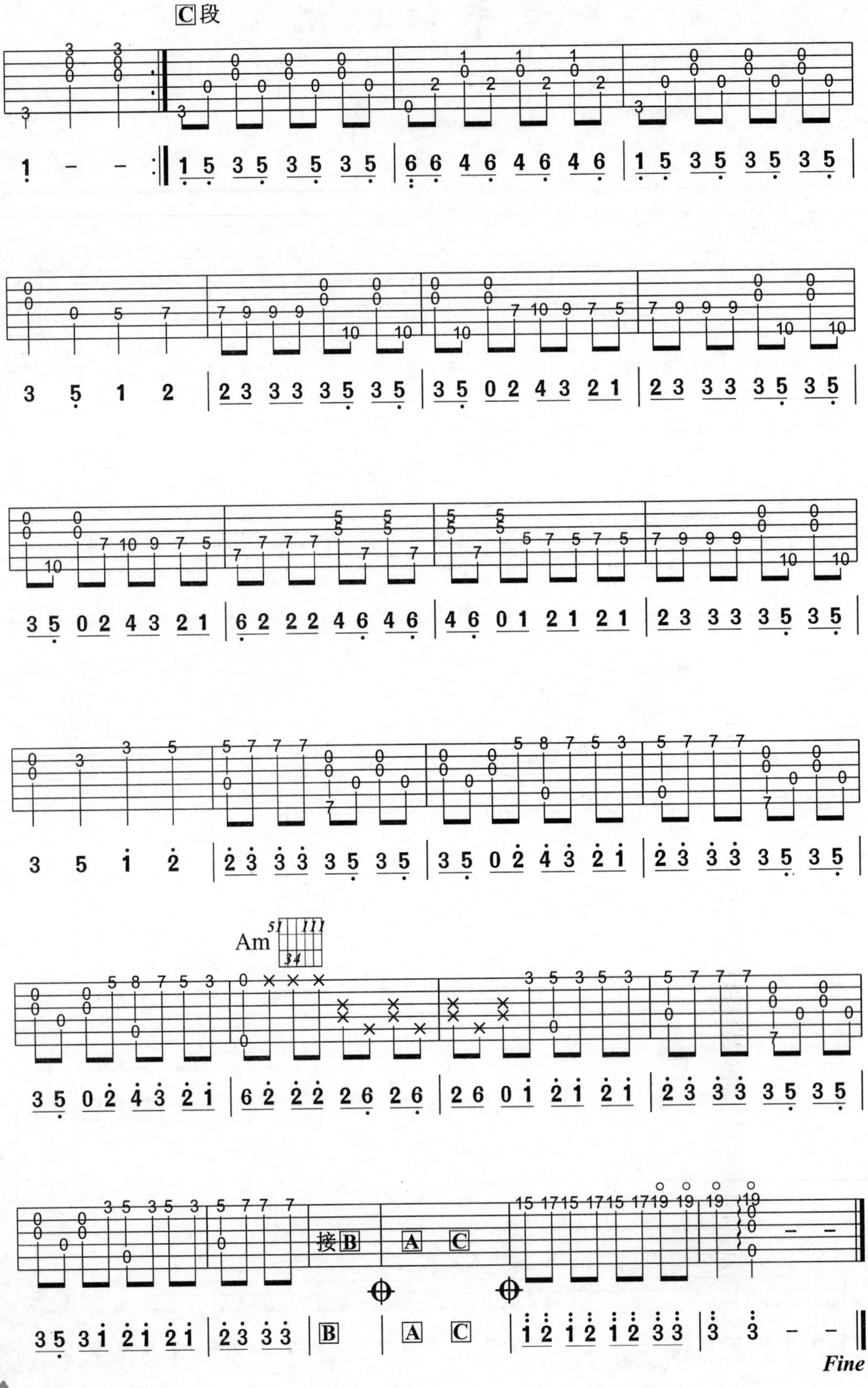
C段
Am
接B
A
C
B
A
C
Fine

鸽 子

1＝A $\frac{4}{4}$

〔西〕伊 拉 迪 尔 曲
刘天礼 记谱编配

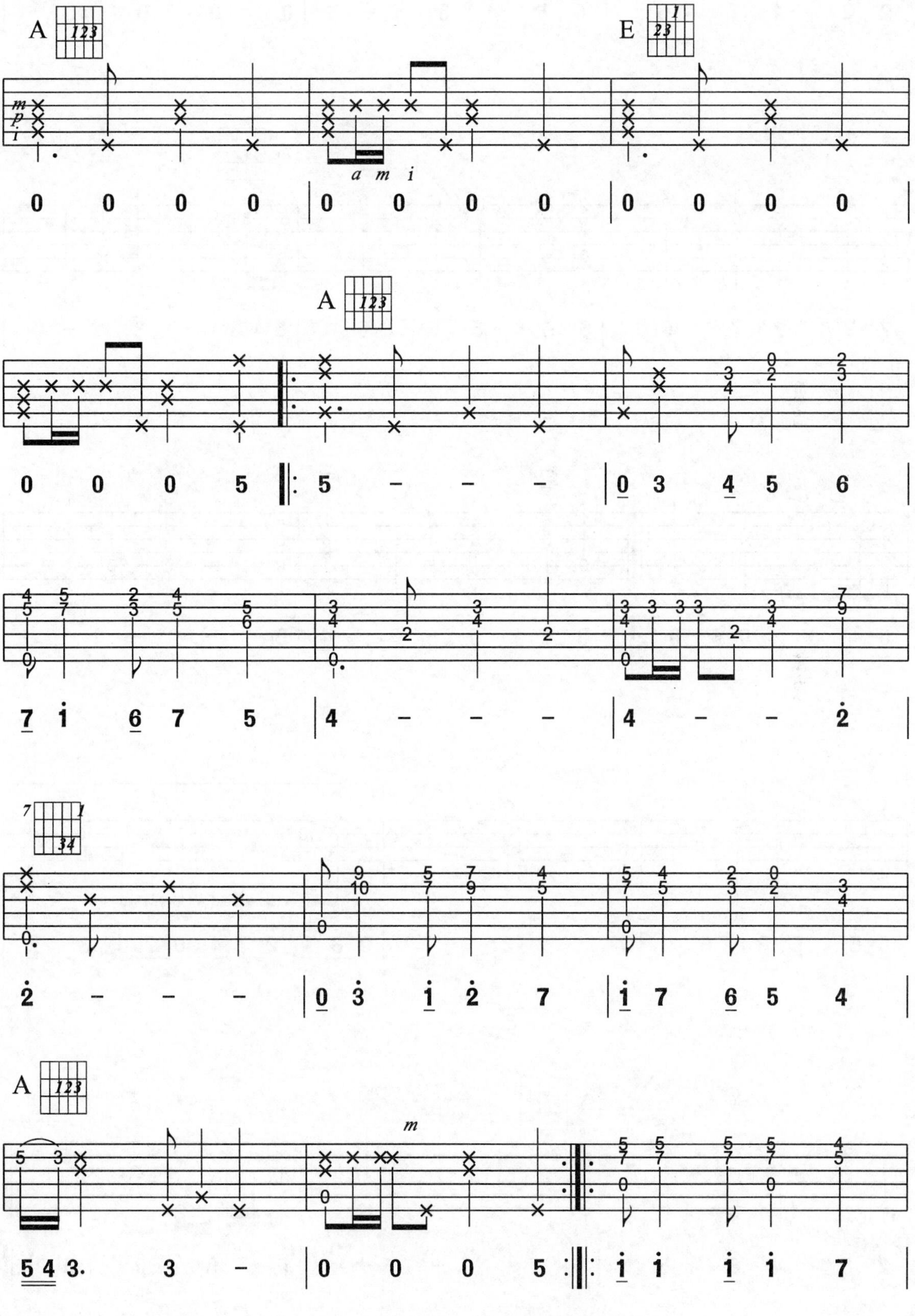

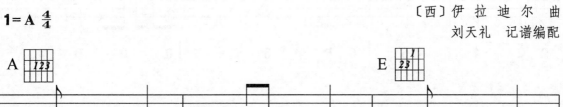

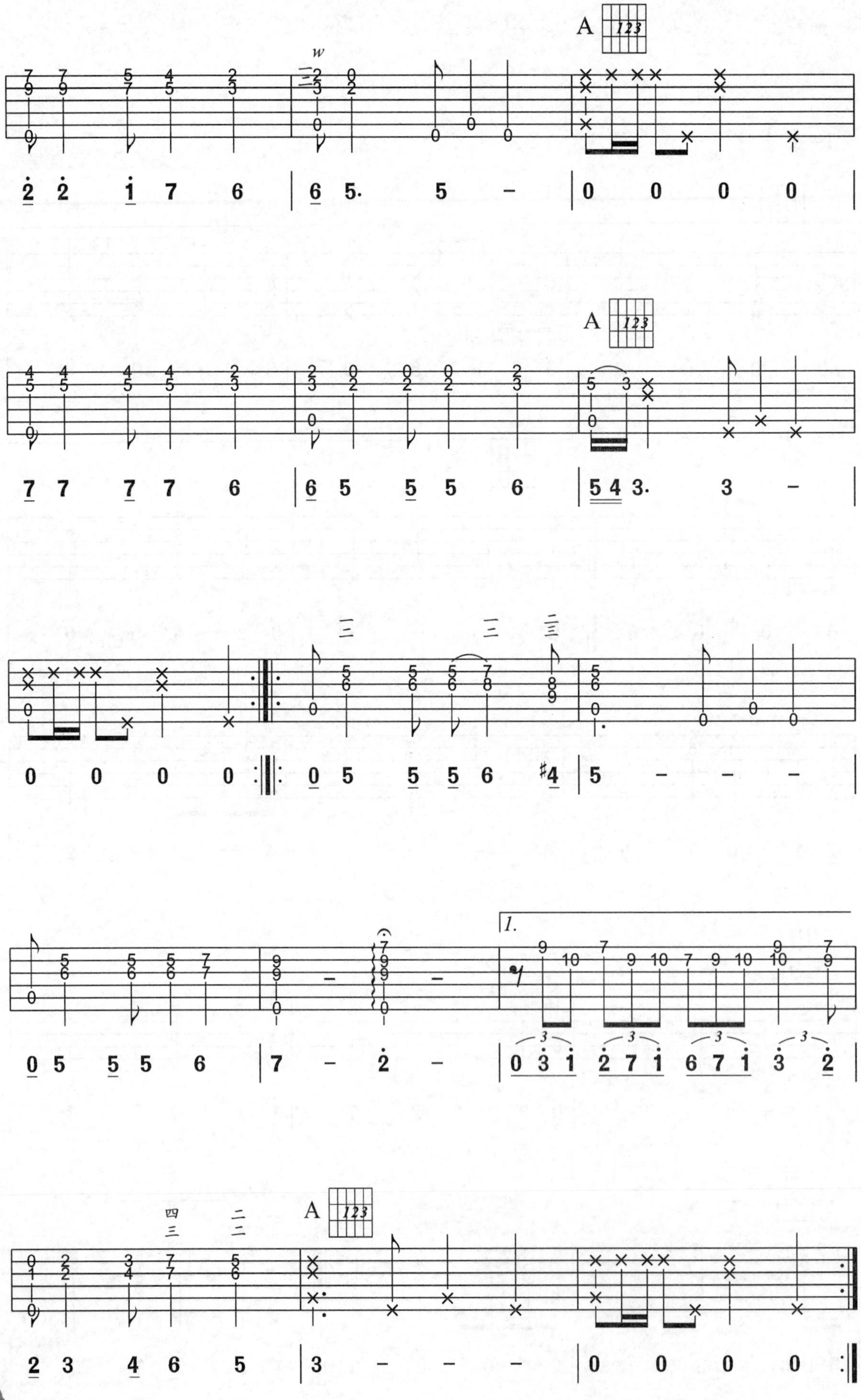
A
A
1.
A

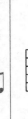

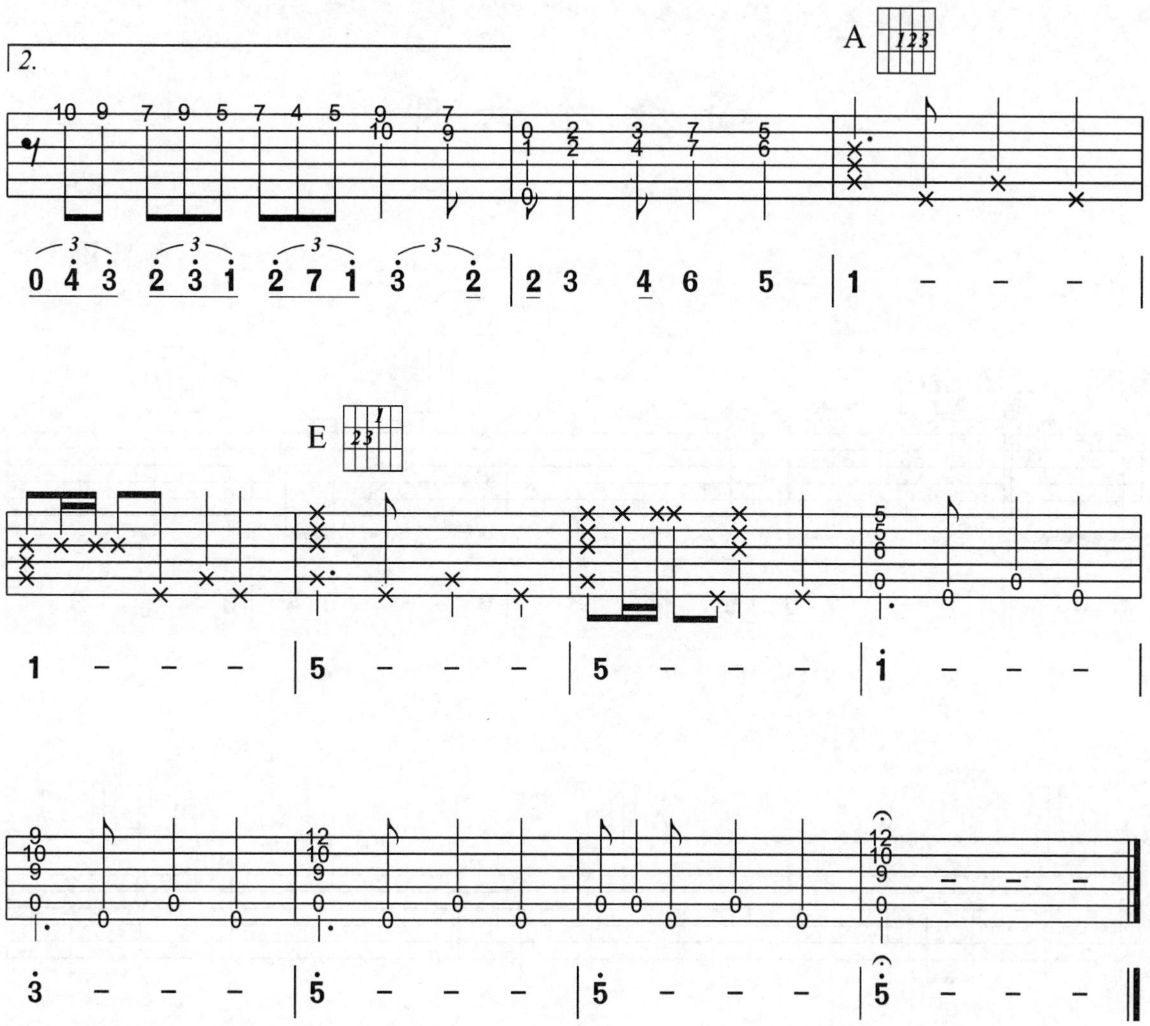
2.
A
E

西班牙女郎

西班牙民谣
刘天礼　编配

1=A $\frac{3}{4}$

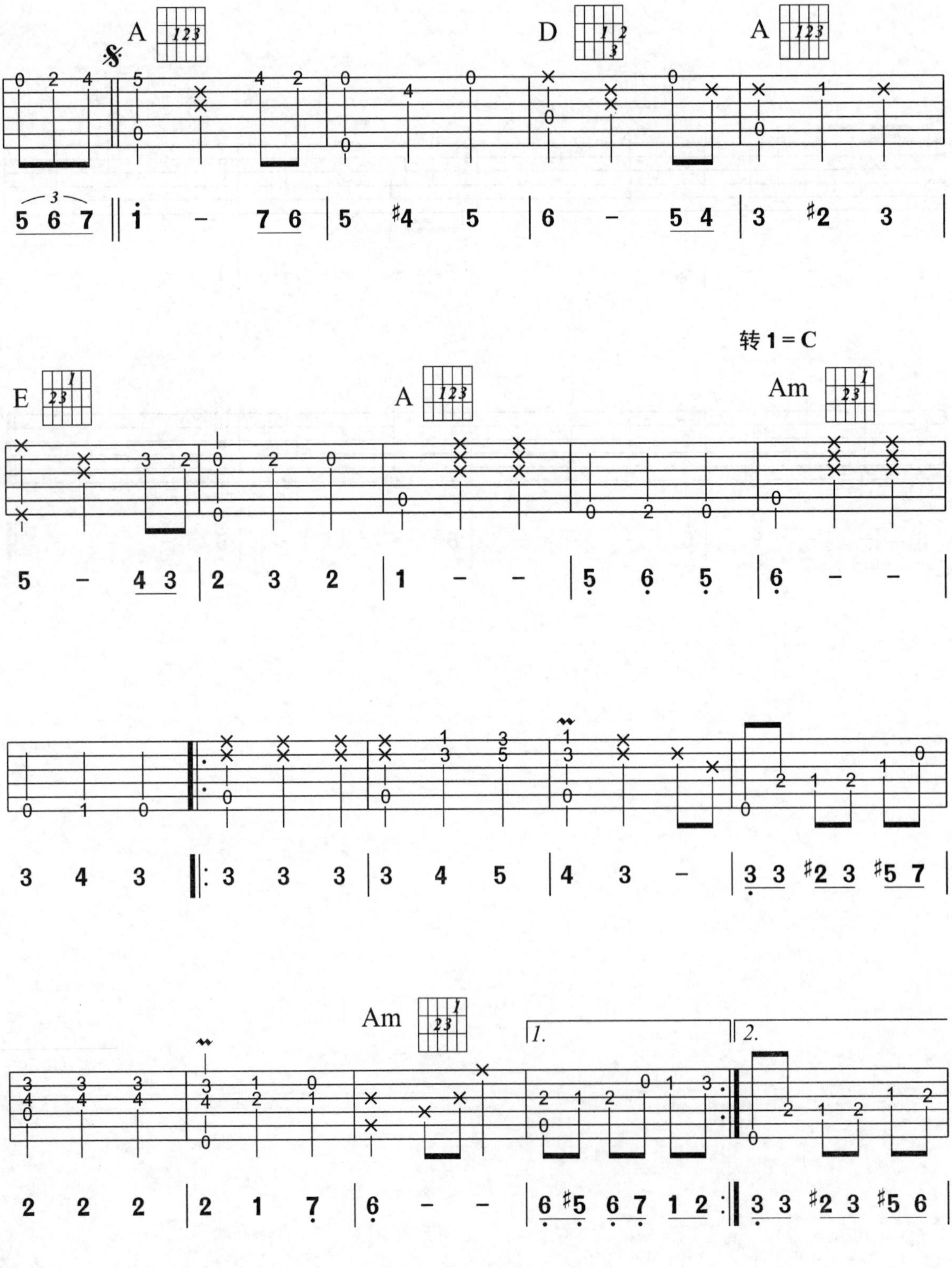

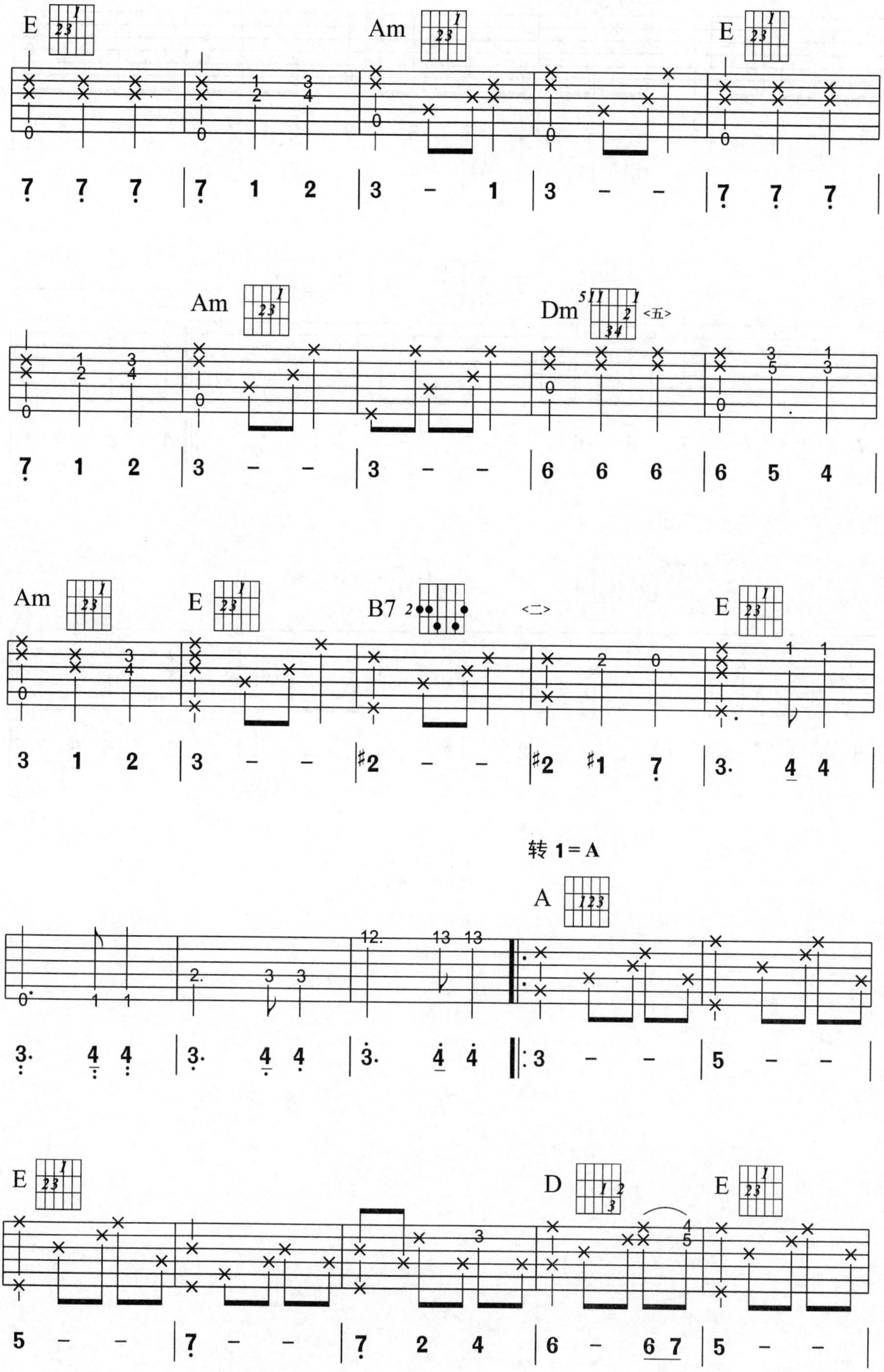
E
Am
E
Am
Dm
<五>
Am
E
B7
<二>
E
转 1=A
A
E
D
E

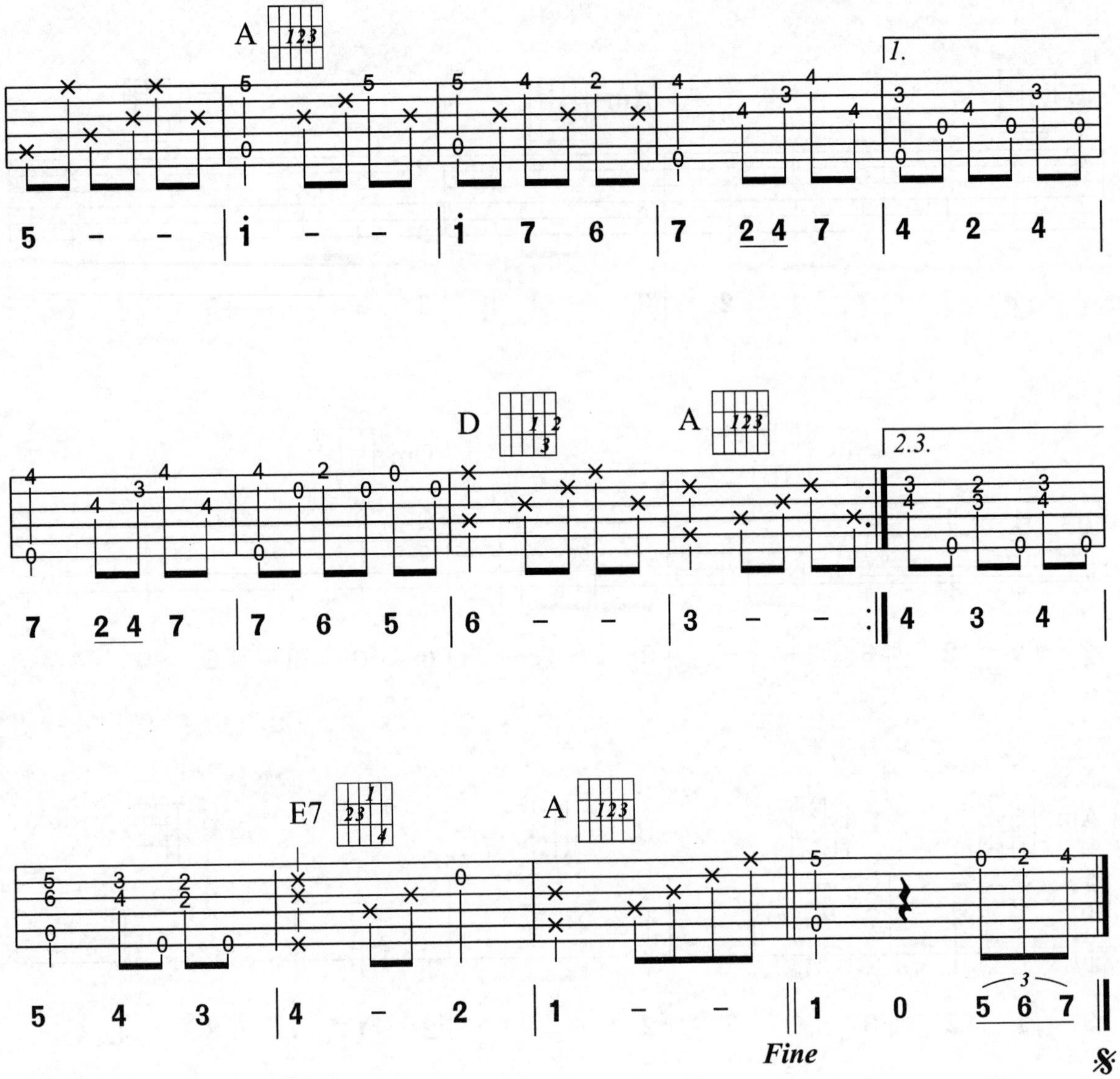
A
1.
D
A
2.3.
E7
A
Fine

少女波尔卡

1=A $\frac{2}{4}$

芬兰民谣

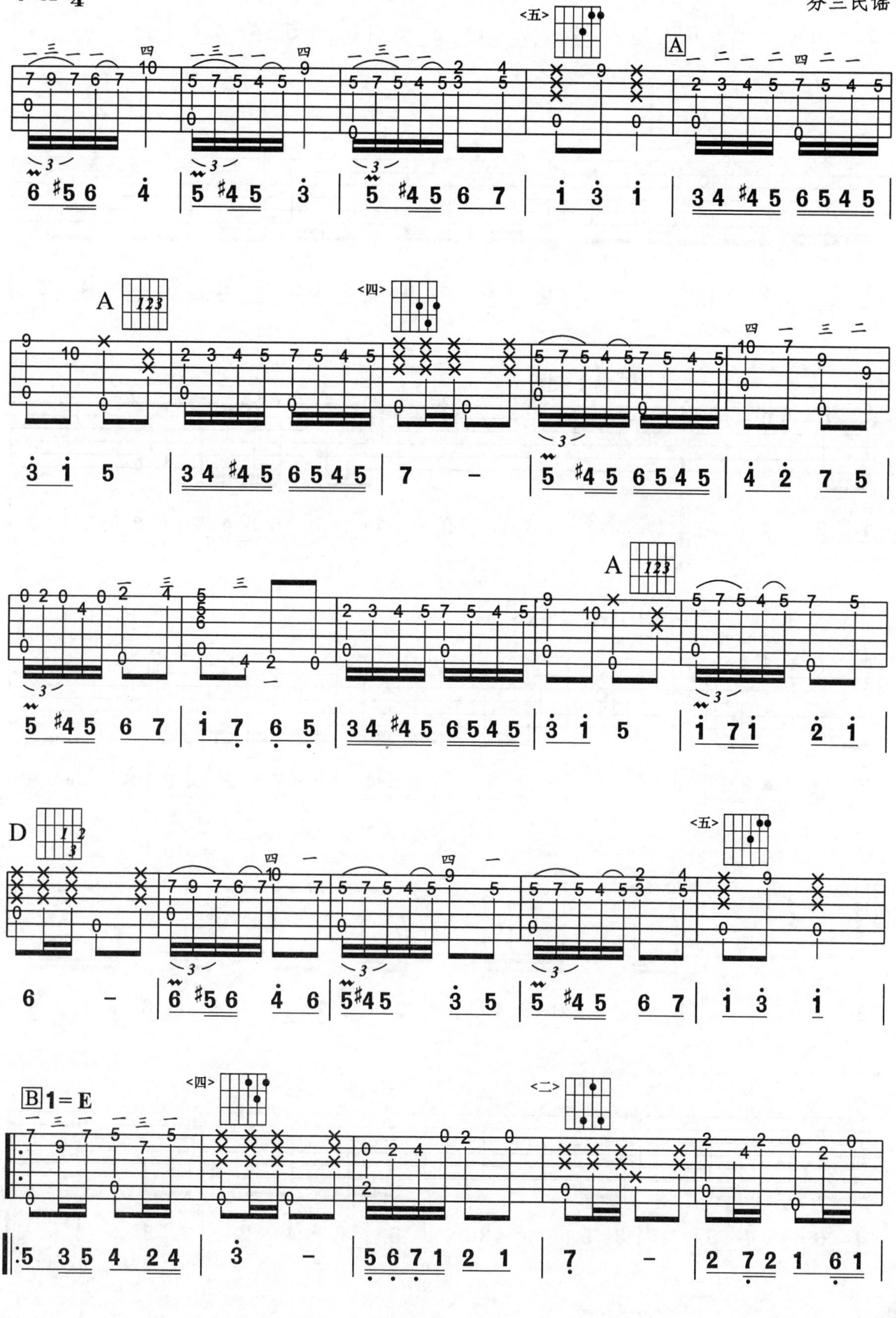

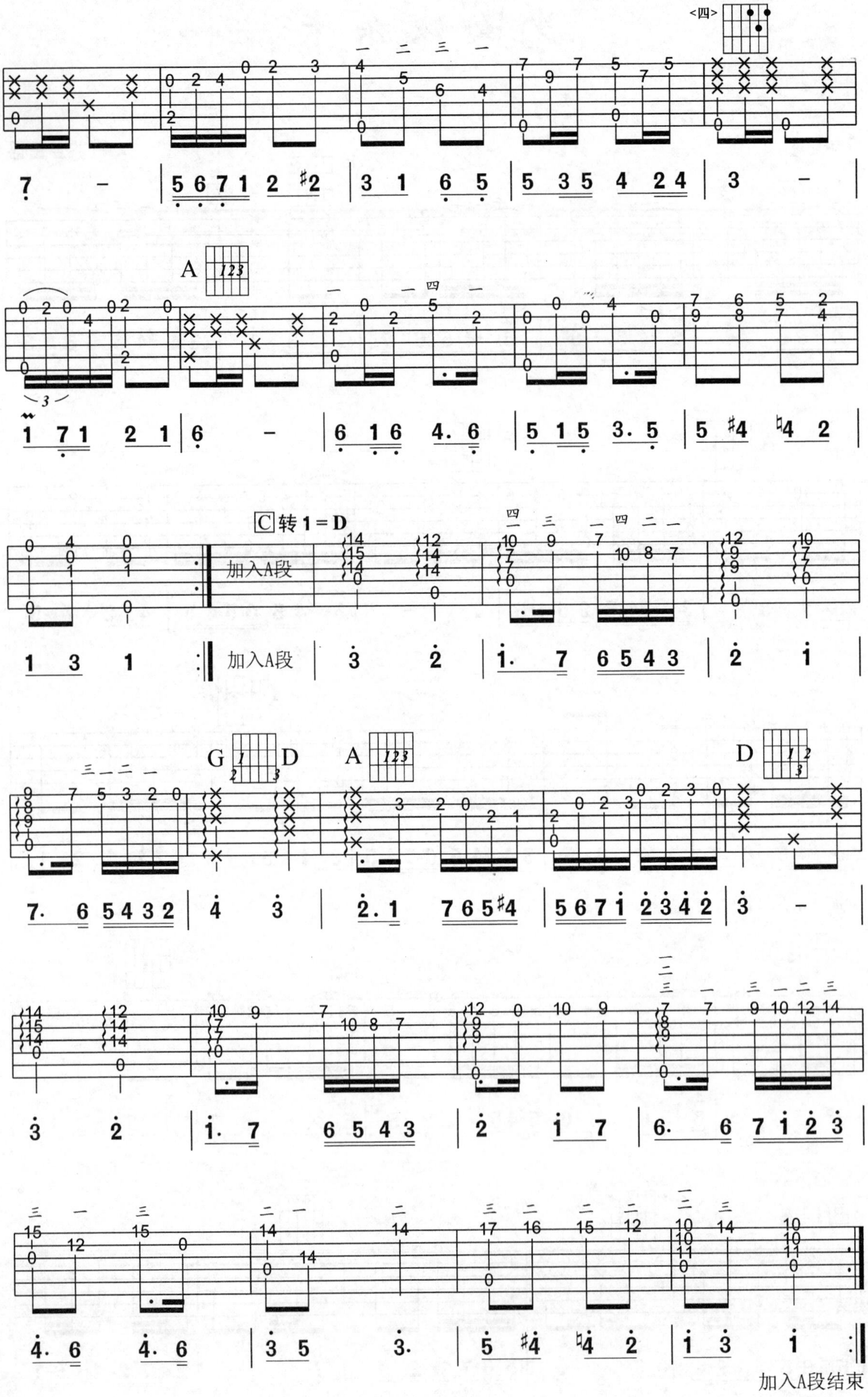
C转1＝D
加入A段
加入A段结束

悲伤的西班牙

1=G $\frac{2}{4}$

西班牙民谣
刘天礼　编配

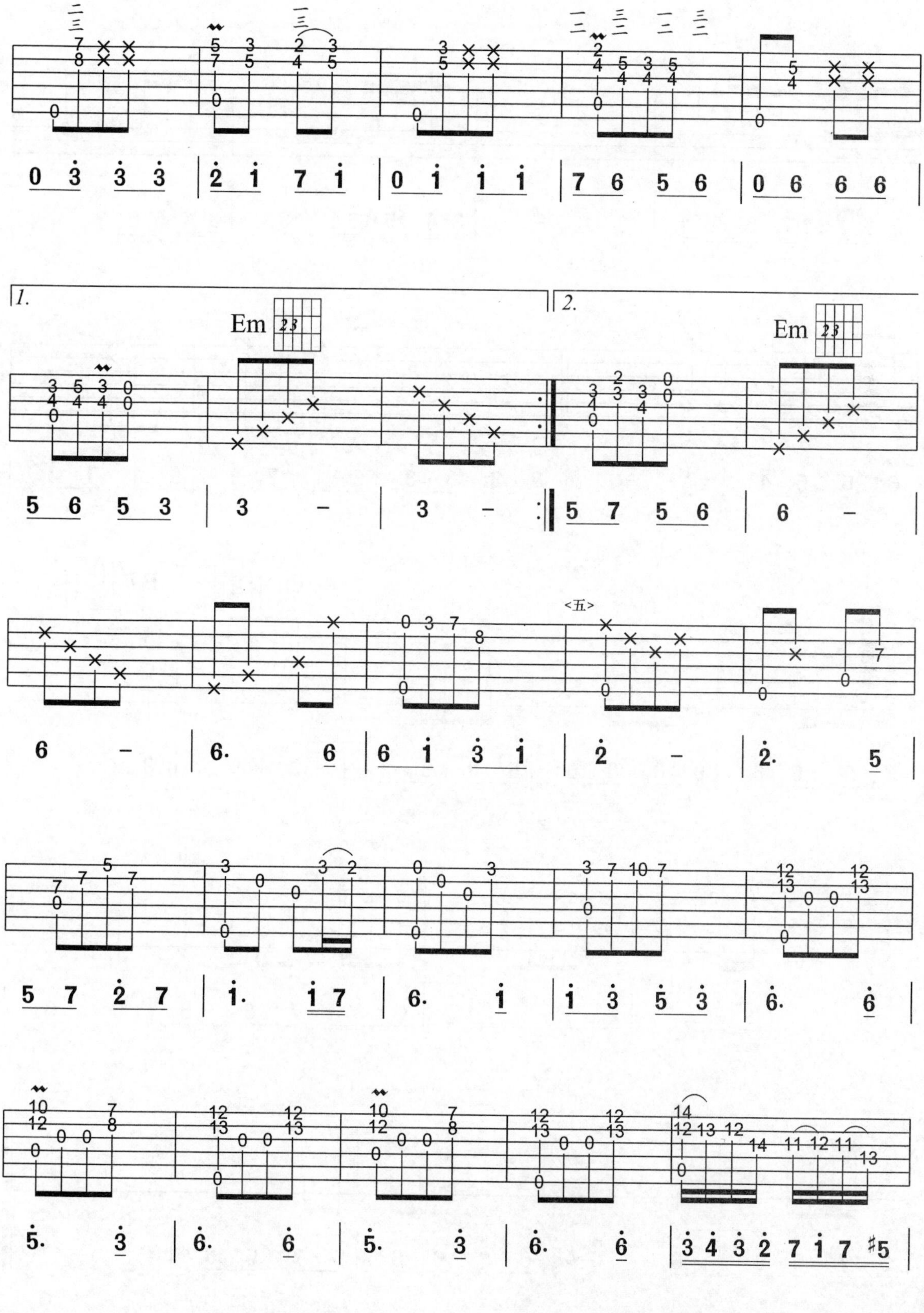

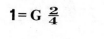

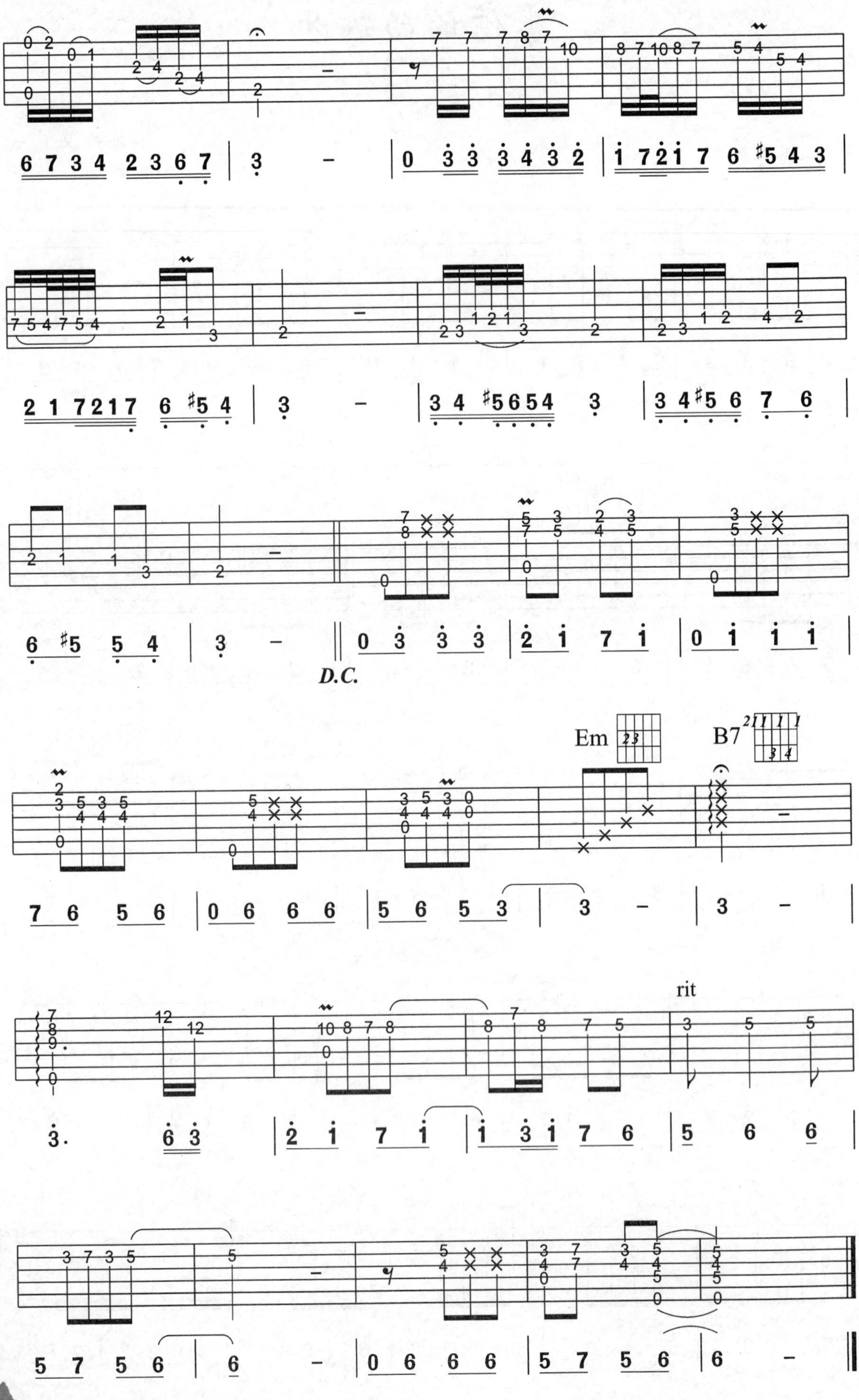
D.C.
Em
B7
rit

水边的阿狄丽娜

1=C $\frac{4}{4}$

〔法〕保罗·塞内维尔 曲
刘 天 礼 编配

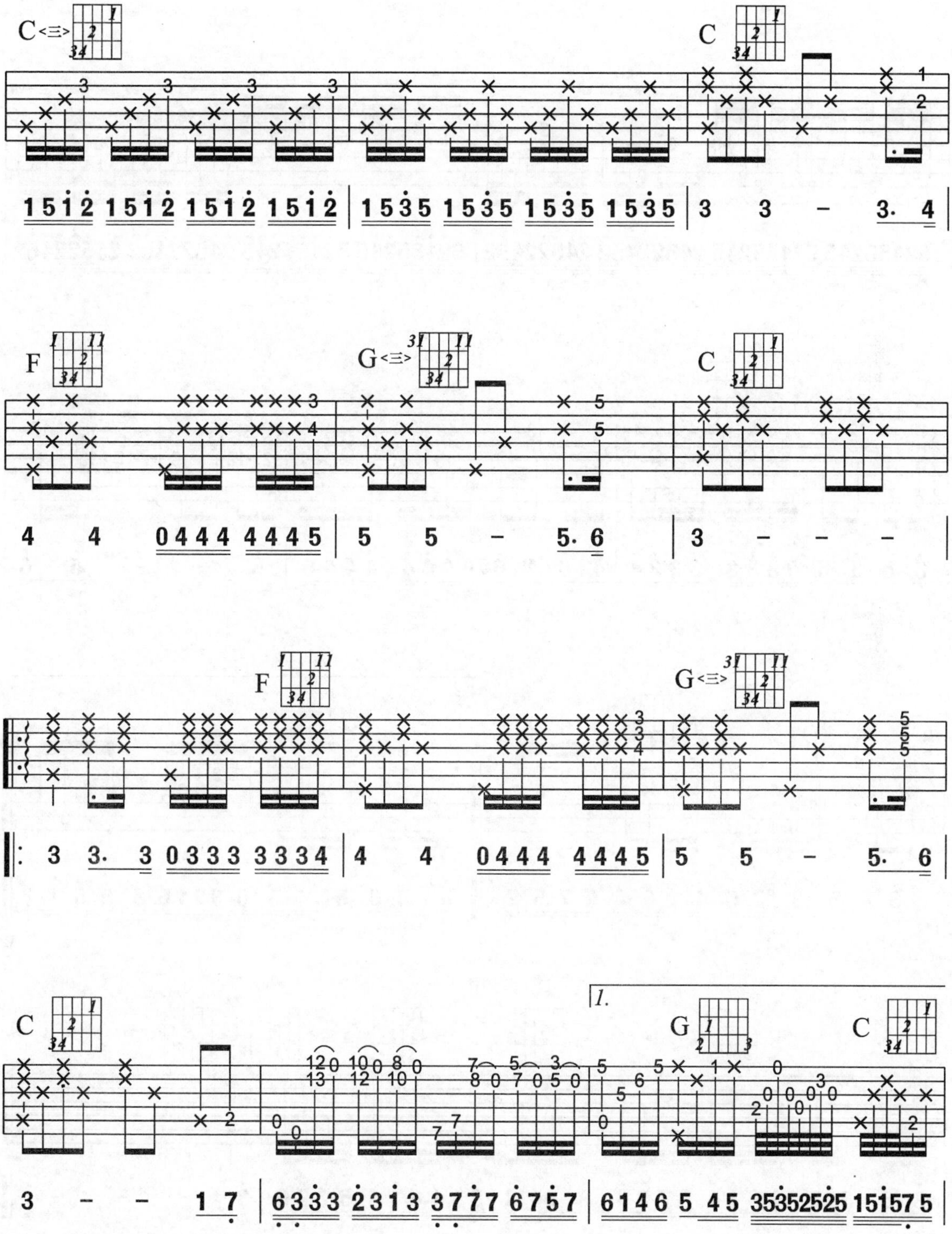

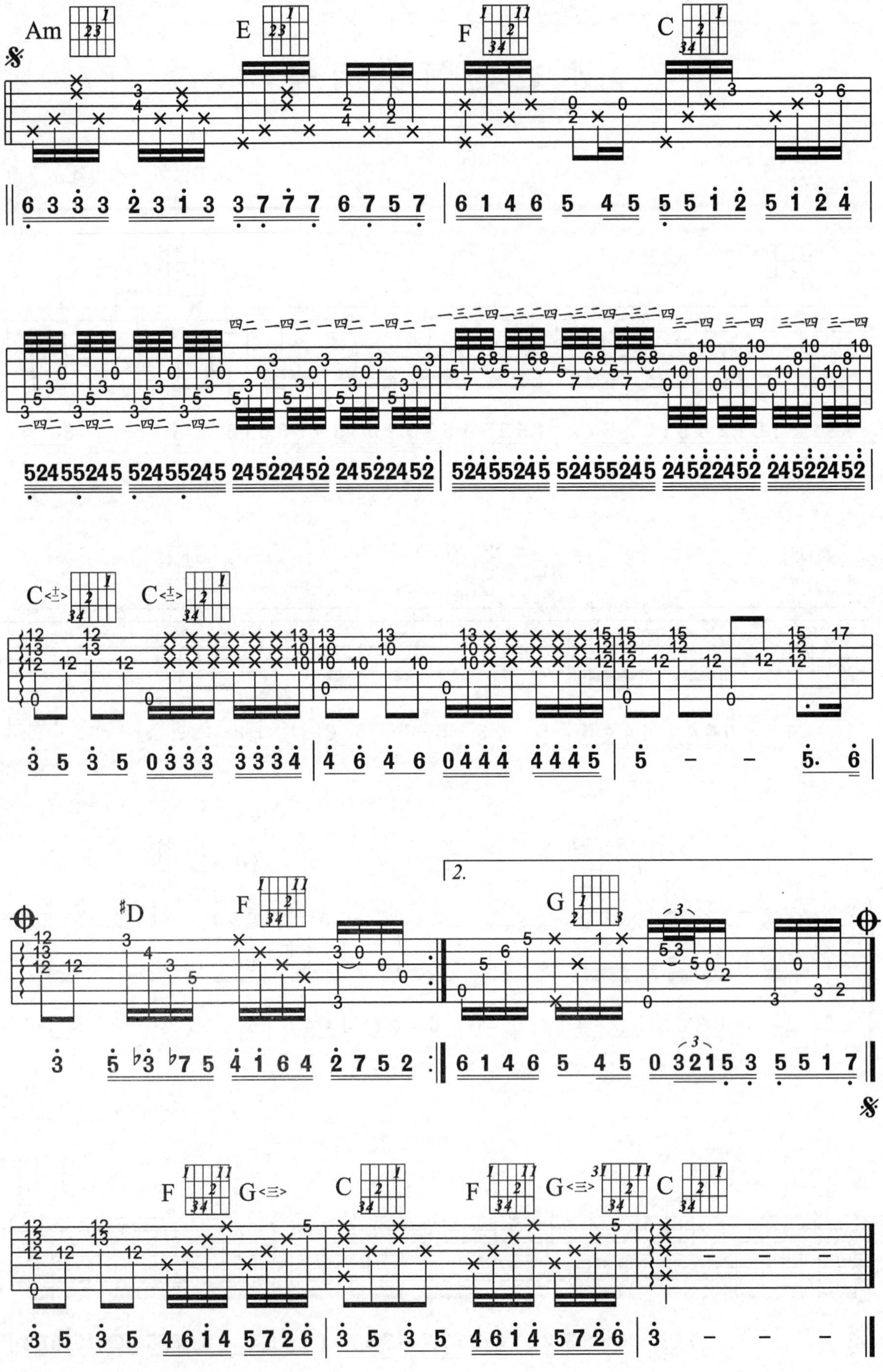

注：奏大反复 𝄋 → 𝄋 时要跳过 ⊕ → ⊕。

珍珠项链

1=C $\frac{2}{4}$

刘天礼 改编

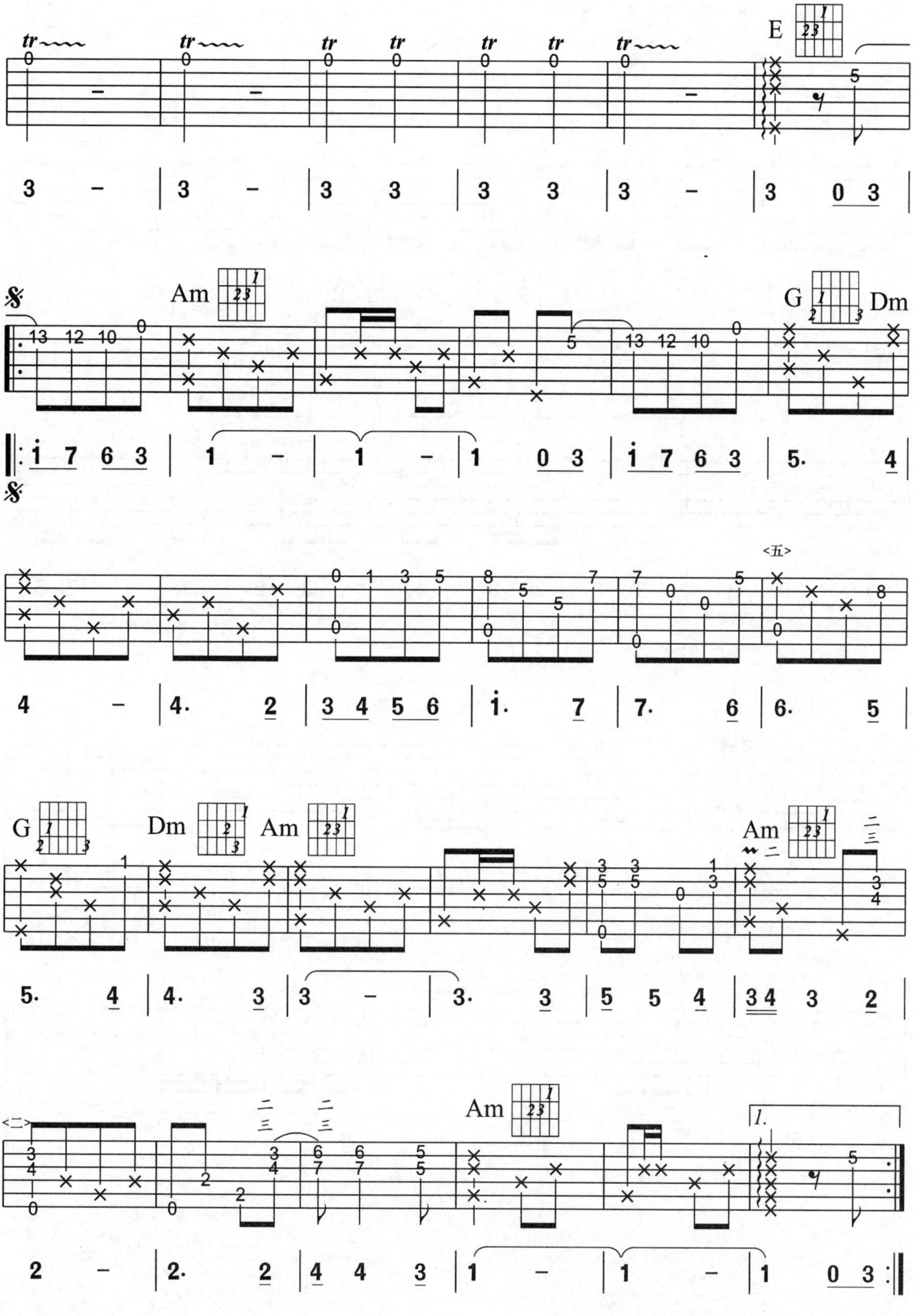

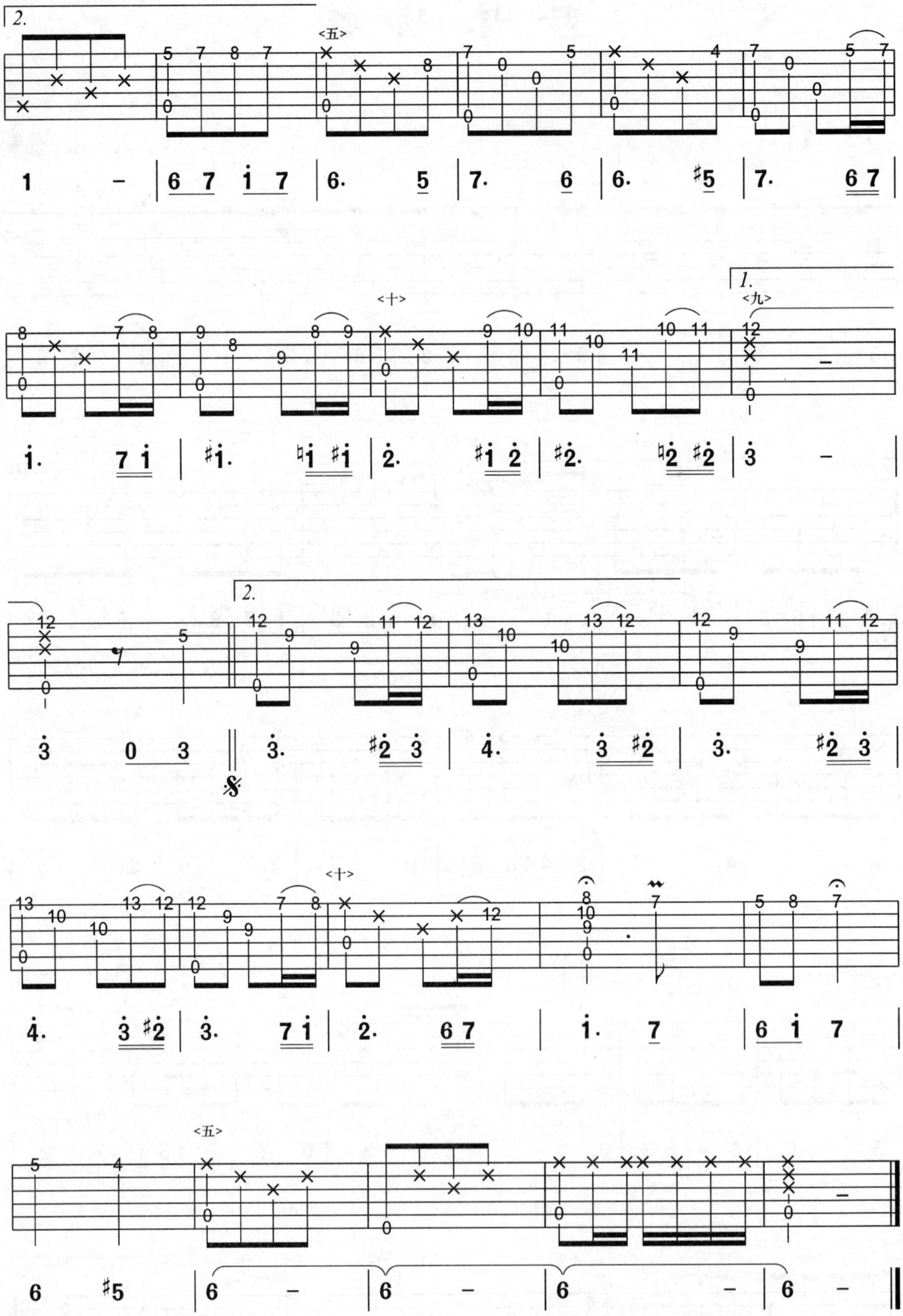

四只小天鹅

（选自舞剧《天鹅湖》）

〔俄〕柴可夫斯基　曲

刘天礼　记谱编配

1=C $\frac{2}{4}$

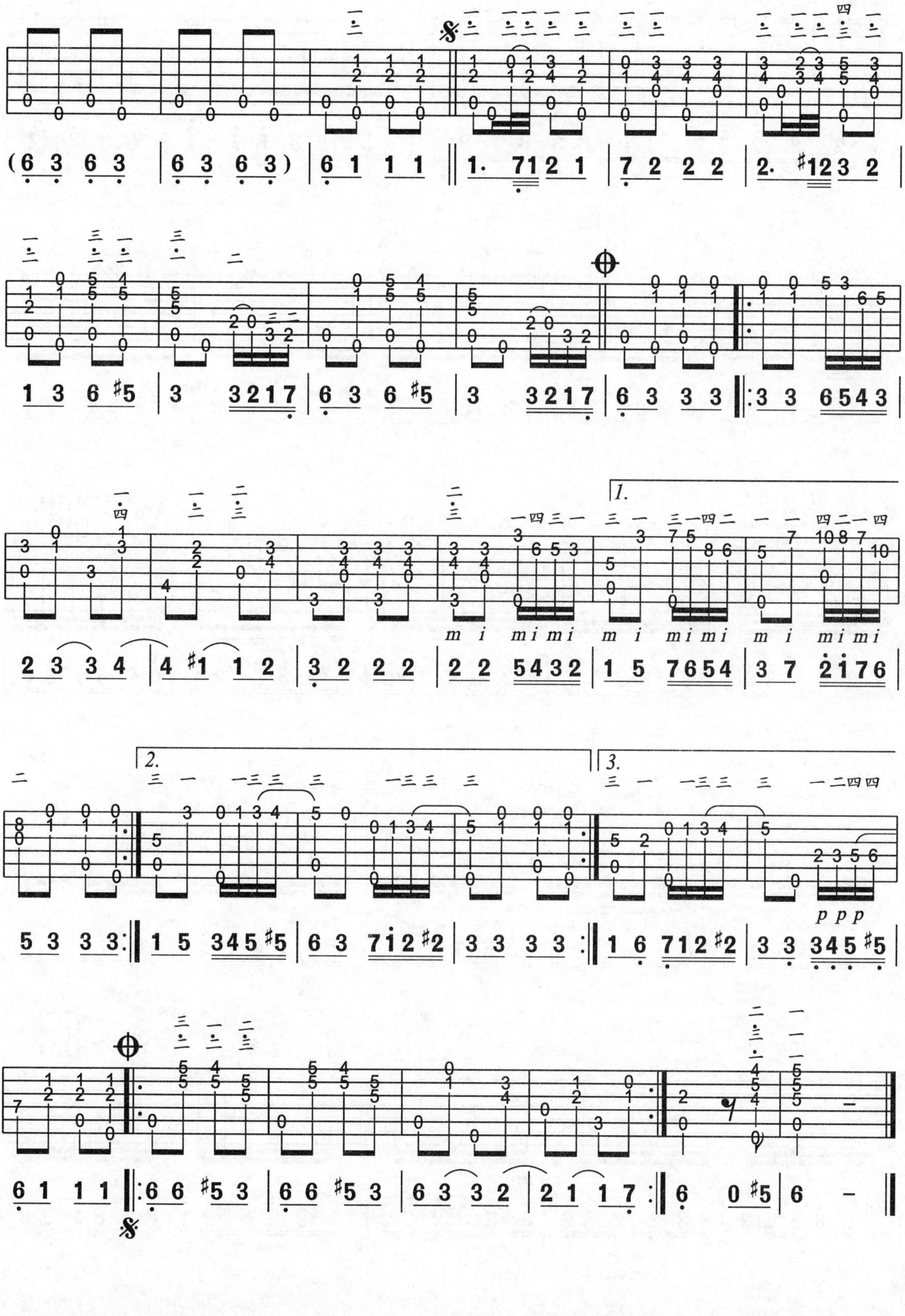

致爱丽丝

1=C $\frac{3}{8}$

〔德〕贝多芬 曲

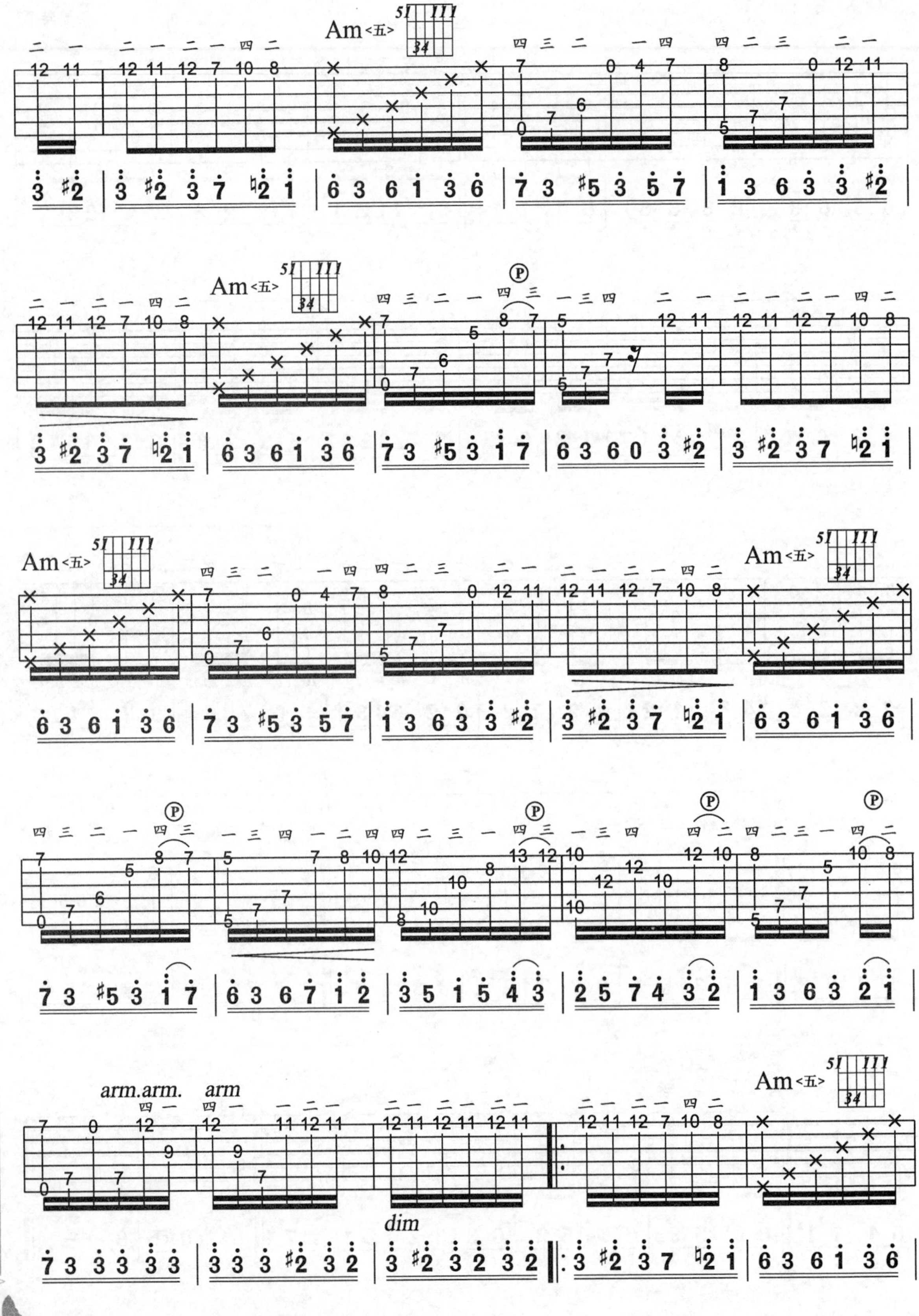

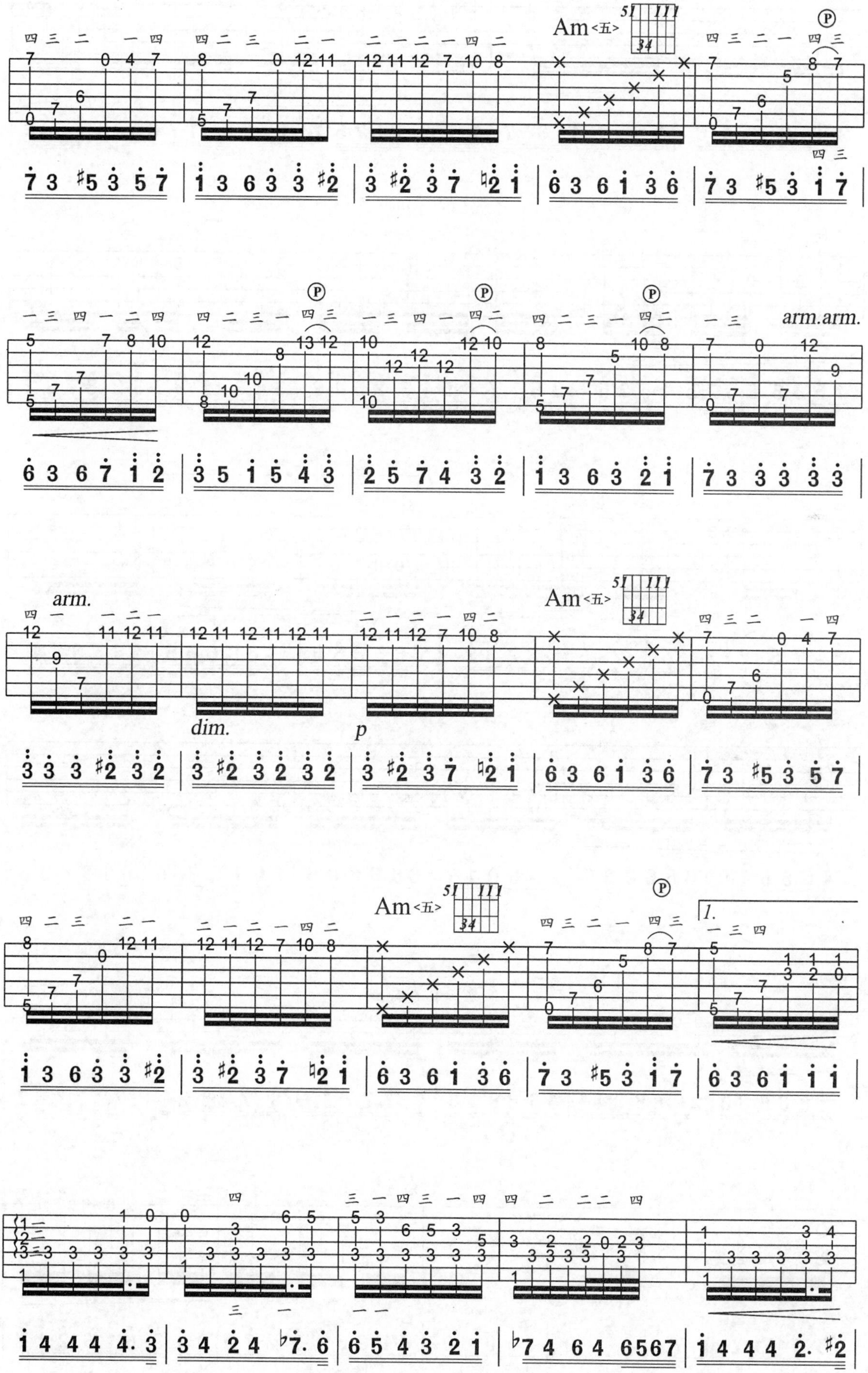
Am
arm.arm.
arm.
dim.
p
Am
Am
1.

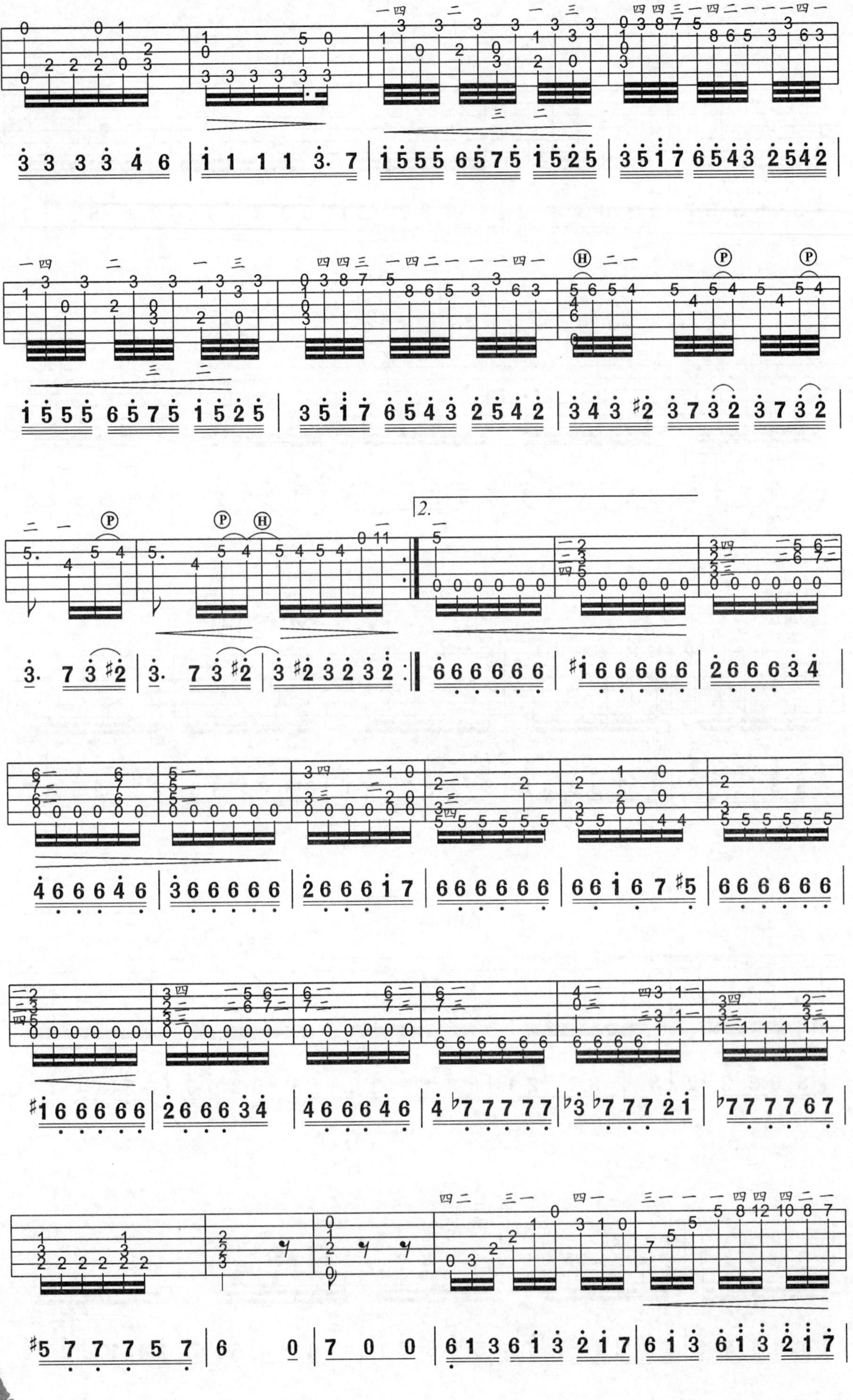

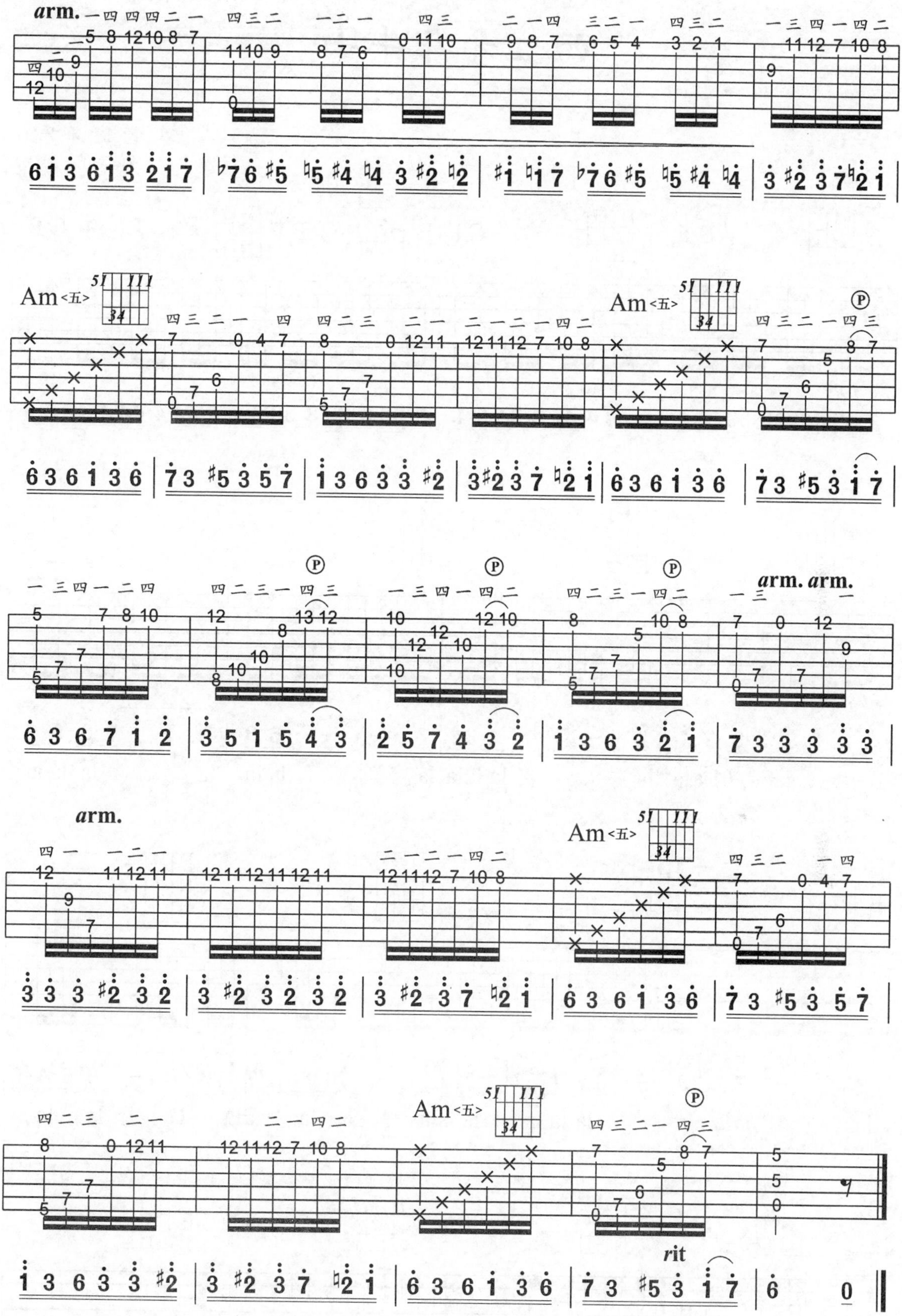
arm.
Am<五>
arm. arm.
arm.
Am<五>
Am<五>
rit

西班牙斗牛士

1=C $\frac{4}{4}$ $\frac{2}{4}$

快速

西班牙乐曲

刘天礼 编配

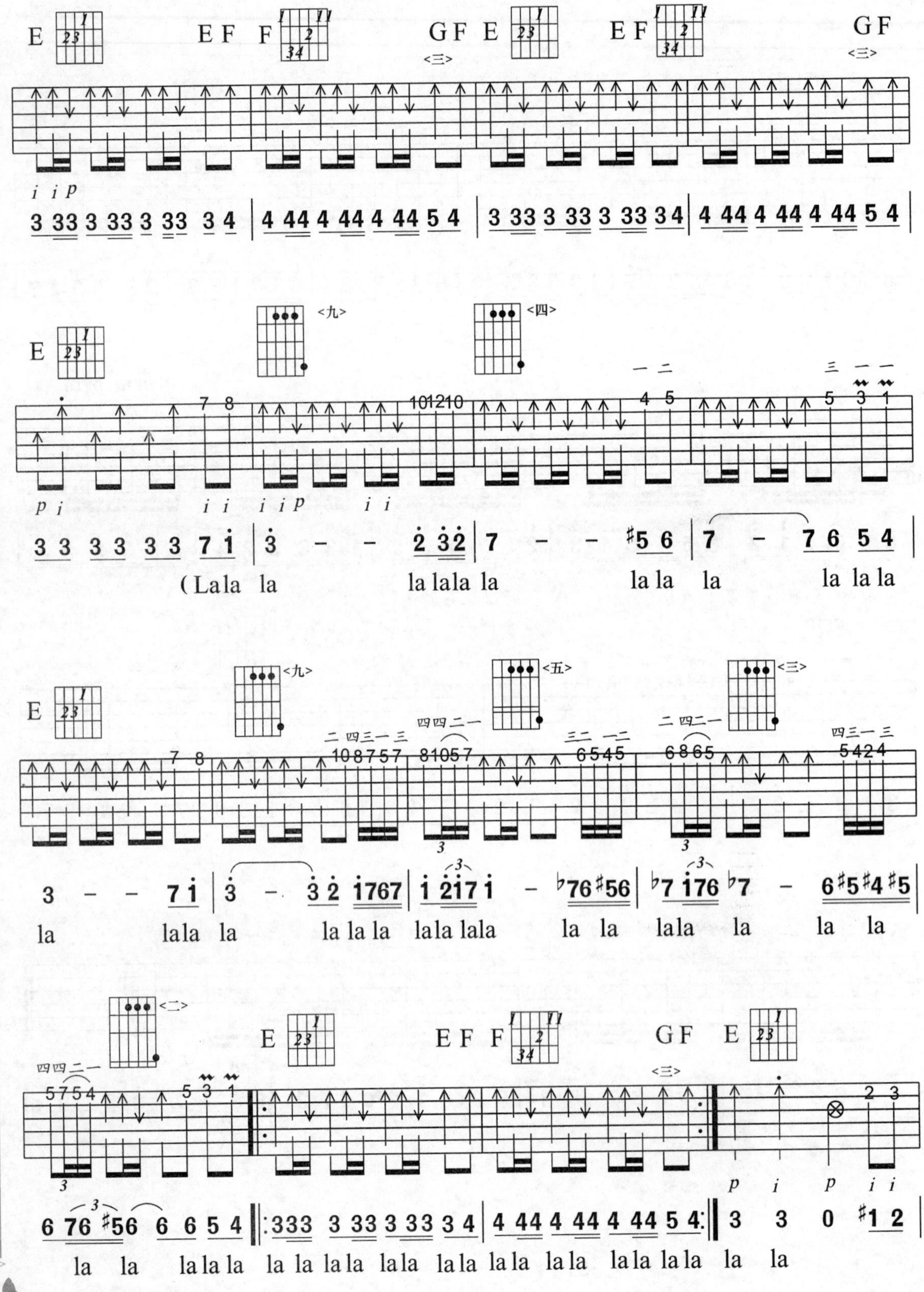

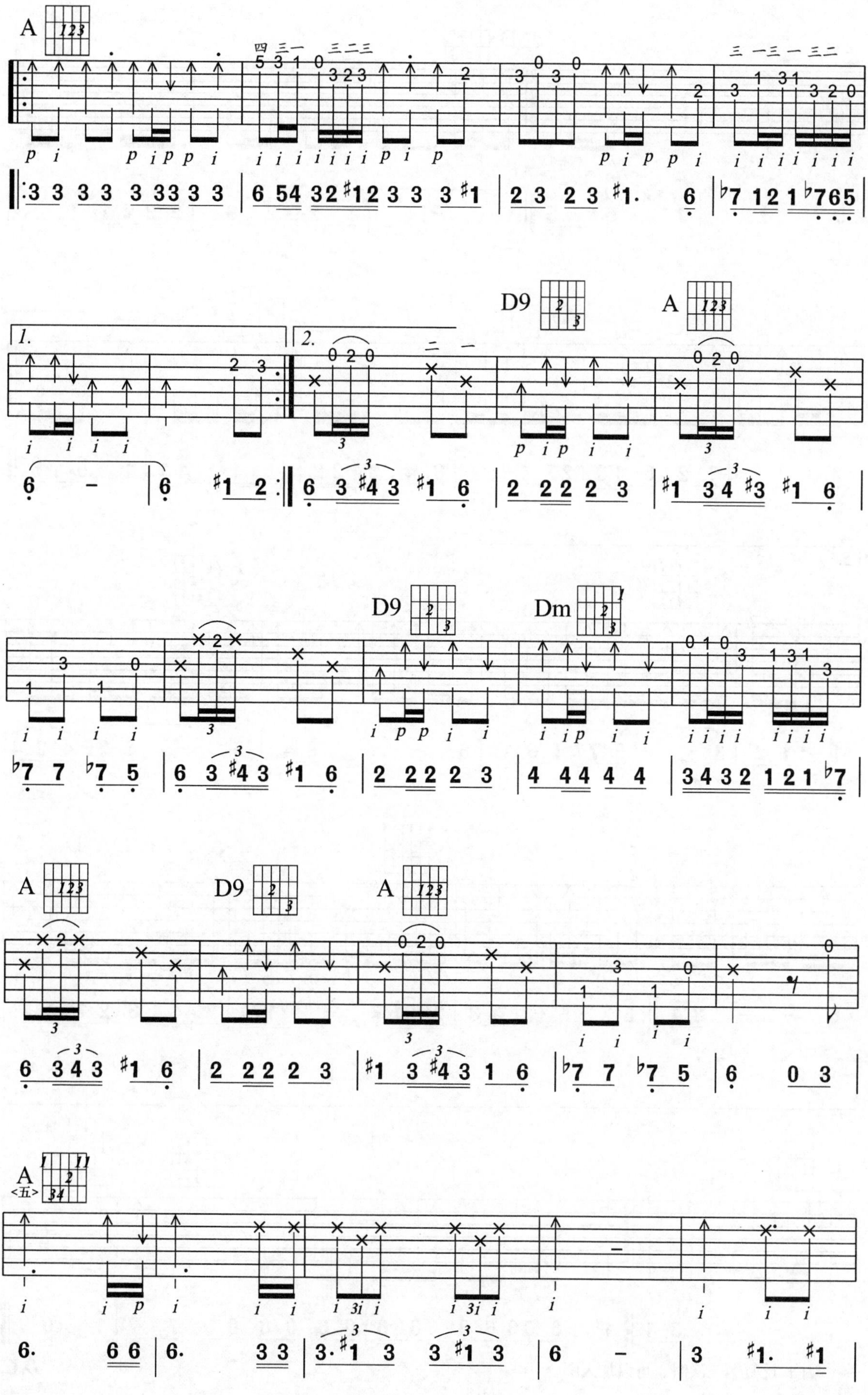
A
D9
A
D9
Dm
A
D9
A
A

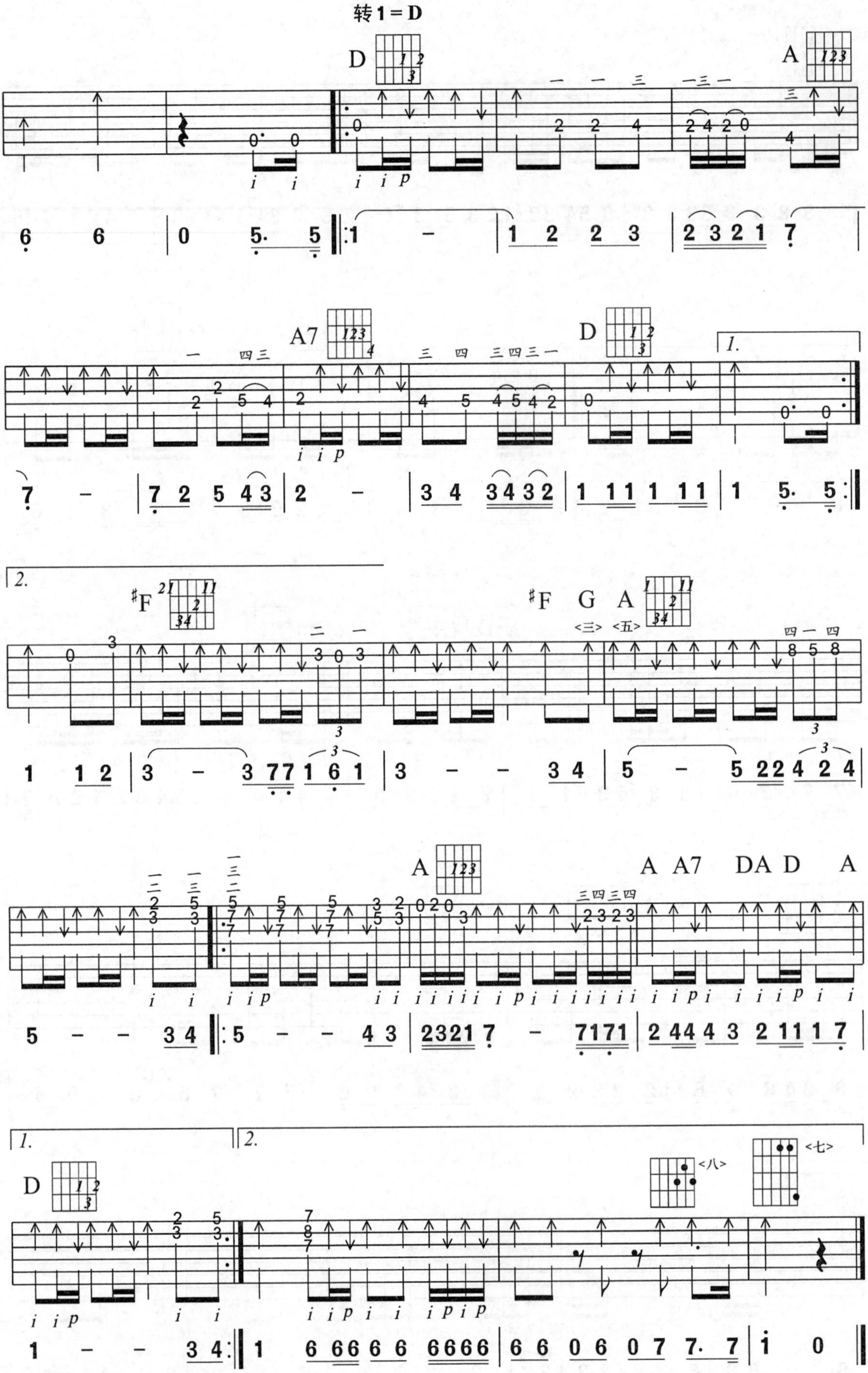

注：反复第二次时，可以加入唱。 *D.C.*

第八章　怎样为歌曲配和弦

第一节　音　　级

乐音体系中的各音叫音级。音级有基本音级和变化音级两种。

我们平时说的“**1、2、3、4、5、6、7**”七个音，是它们的“唱名”。它们的音名是用七个英文字母“C、D、E、F、G、A、B”来确定的，见下图：

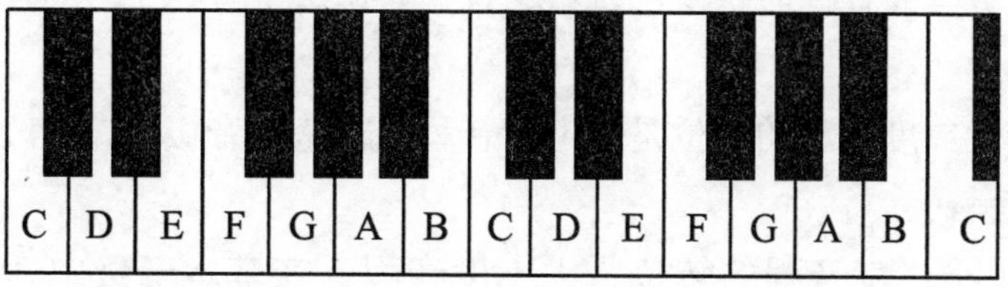

乐音体系中，七个具有独立名称的音级叫基本音级。上图中白键上的音级都是基本音级。钢琴上 52 个白键重复地使用七个基本音级的名称。

升高或降低基本音级而得来的音，叫变化音级。上图中黑键上的音级都是变化音级。升高或降低基本音级用升号“♯”和降号“♭”来表示。升 C 与降 D 是同一个音（♯C=♭D），每个黑键有两个名称。

第二节　音　　程

两个音之间的距离叫音程。音程是用度数计算的。

在基本音级上构成的音程叫自然音程。基本音级与变化音级或变化音级与基本音级或变化音级与变化音级之间构成的音程，叫变化音程。只要熟悉了自然音程，变化音程就能很快推算出来，这里我们主要学习基本音程。

1．纯一度：两个同样高的音，它们之间的音程是纯一度，如：C 到 C、♯F 到♯F 等。

2．小二度：平时所说的半音是小二度音程，键盘上的相邻的两个音（不论黑白）都是小二度音程，如：D 到♯D、E 到 F、B 到 C 等。

3．大二度：平时所说的全音是大二度音程，键盘上隔开一个键的两个音是大二度音程，如：C 到 D、D 到 E、F 到 G、♭E 到 F、B 到♯C 等。在基本音级中除了 E 到 F（即 **3** 到 **4**）、

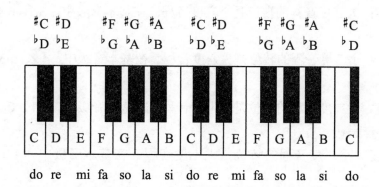

B 到 C（即 7 到 $\dot{1}$）是小二度音程外，其他相邻的两个音都是大二度音程。

4. 小三度：一个大二度加一个小二度构成小三度音程，如：C 到$^\flat$E、D 到 F、G 到$^\flat$B 等。在基本音级中，24、35、6$\dot{1}$、7$\dot{2}$ 都是小三度音程。

5. 大三度：两个大二度相加，构成大三度音程，如：C 到 E、F 到 A、D 到$^\sharp$F 等。在基本音级中，13、46、57 是大三度。

6. 纯四度：一个大三度加一个小二度，或一个小三度加一个大二度构成纯四度（简称四度）音程，在基本音级中，14、25、36、5$\dot{1}$、6$\dot{2}$、7$\dot{3}$ 都是纯四度音程。

7. 增四度：三个大二度相加，构成增四度音程。在基本音级中，只有 4 7 这样一个增四度，它比其他纯四度音程多一个小二度。

8. 纯五度：纯四度音程的转位是纯五度音程。在基本音级中，$\underset{\cdot}{4}$ 1、$\underset{\cdot}{5}$ 2、$\underset{\cdot}{6}$ 3、15、26、37 都是纯五度音程。

9. 减五度：增四度音程的转位是减五度音程。在基本音级中，只有$\underset{\cdot}{7}$ 4 这样一个减五度音程，它比其他纯五度音程少一个小二度。

10. 小六度：大三度音程的转位是小六度音程。在基本音级中，$\underset{\cdot}{3}$1、$\underset{\cdot}{6}$4、$\underset{\cdot}{7}$5 都是小六度音程。

11. 大六度：小三度音程的转位是大六度音程。在基本音级中，$\underset{\cdot}{4}$2、$\underset{\cdot}{5}$3、16、27 都是大六度音程。

12. 小七度：大二度音程的转位是小七度音程。在基本音级中，2$\dot{1}$、3 $\dot{2}$、5 $\dot{4}$、6 $\dot{5}$、7$\dot{6}$ 都是小七度音程。

13. 大七度：小二度音程的转位是大七度音程。在基本音级中，4 $\dot{3}$、17 是大七度音程。

14. 纯八度：两个同样高度的音，把其中一个音提高或降低八度，构成纯八度音程。如 $\underset{\cdot}{1}$ $\dot{1}$、2 $\dot{2}$、3 $\dot{3}$、4 $\dot{4}$、等。

在以上的各种音程中，纯一度和纯八度是完全协和的；纯四度和纯五度也是完全协和的；大小三度、大小六度是协和的，但不是完全协和的；大二度、小七度是不协和的；小二度、大七度、增四度、减五度都是极不协合的。

在吉他上，音每升高一个品位便升高一个小二度（就是一个半音），每升高两个品位便升高一个大二度（就是一个全音），吉他是十二平均律的乐器。下面，我们就说一说十二平均律。

将八度分成十二个均等的部分的音律叫十二平均律。从键盘上看，一个八度的音程内，除了七个白色键外，还有五个黑色键，共十二个，就是说一个八度中包括了十二个半音。在这十二个键中，以任何一个做为“1”，都可以产生一个七声音阶“1、2、3、4、5、6、7”。以$^\sharp$C 为“1”，称为升 C 调；以 E 为“1”，称为 E 调。按 C 调七声音阶的大、小二度去推算，便可找出各调七声音阶的位置。以降 E 调为例，推算一下：

$1={}^{\flat}E$

1	2	3	4	5	6	7	$\dot{1}$
♭E	F	G	♭A	♭B	C	D	♭E
大二	大二	小二	大二	大二	大二	小二	

吉他的调弦，吉他从第六弦至第一弦空弦的音依次为E、A、D、G、B、E，除二、三弦是大三度外，其他相邻的两弦之间都是纯四度。知道了空弦音，熟悉了音程关系，就可以在各弦上找到各音的位置。在吉他上按和弦，不像在钢琴上那样方便、易见，所以必须用心去掌握各调的音阶。

第三节　三 和 弦

三个按三度关系叠置的音组成原位三和弦。如：

5 ＞ 三度
3 ＞ 三度
1

6 ＞ 三度
4 ＞ 三度
2

7 ＞ 三度
5 ＞ 三度
3

$\dot{1}$ ＞ 三度
6 ＞ 三度
4

$\dot{2}$ ＞ 三度
7 ＞ 三度
5

三和弦中的三个音各有一个名称。在原位三和弦中，下面的音称为根音（这个和弦是建立在该音上的）；中间的音称为三音（距离根音三度）；上面的音称为五音（距离根音五度）。在三和弦中，根音最稳定。

例：原位三和弦

5 ← 五音
3 ← 三音
1 ← 根音

（1—3：三度；1—5：五度）

大三和弦：即和弦根音到三音是大三度，三音到五音是小三度。如：

5 ＞ 小三
3 ＞ 大三
1

$\dot{1}$ ＞ 小三
6 ＞ 大三
4

$\dot{2}$ ＞ 小三
7 ＞ 大三
5

小三和弦：根音到三音是小三度，三音到五音是大三度。如：

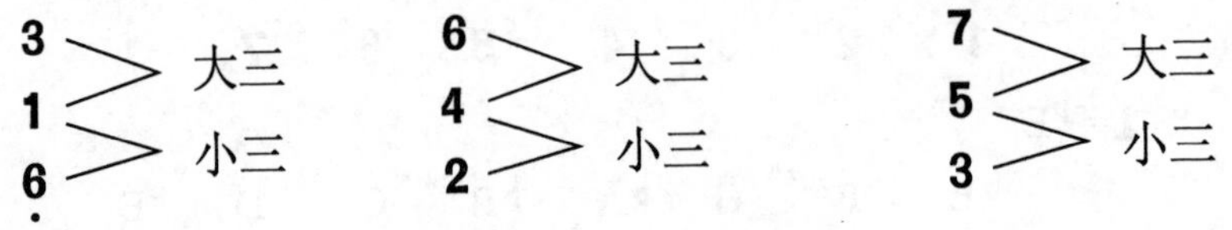

增三和弦：根音到三音和三音到五音都是大三度。如：

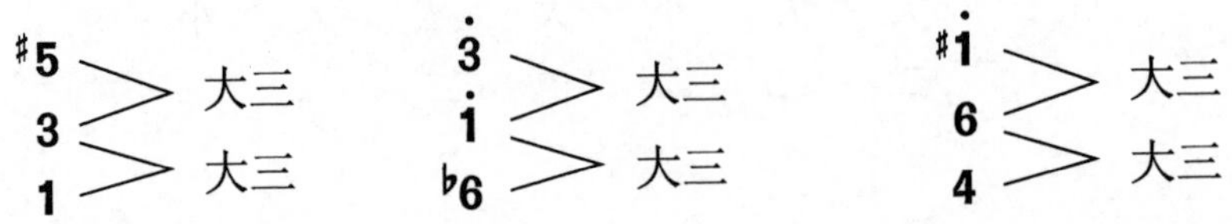

减三和弦：根音到三音和三音到五音都是小三度。如：

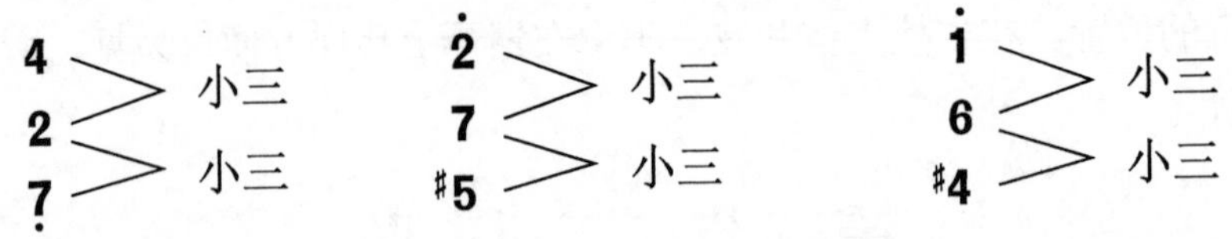

大、小三和弦都是协和的，增、减三和弦都是不协和的，因为其中包括了不协和音程。

三和弦有两个常见的转位如：原位三和弦“$\begin{matrix}5\\3\\1\end{matrix}$”的第一转位，就是把根音“1”转高八度，成为“$\begin{matrix}\dot{1}\\5\\3\end{matrix}$”，称为六和弦，用数字“6”表示。第二转位就是在第一转位的基础上，再把三音“3”转高八度，成为“$\begin{matrix}\dot{3}\\\dot{1}\\5\end{matrix}$”称为四六和弦，用数字“$\begin{matrix}6\\4\end{matrix}$”表示。

如果再转，就又回到了原位。转位后的三和弦已经不是三度叠置的关系了。转位后的三和弦各音的名称依旧不变。初学者碰到一个转位的三和弦，如果想找到它的根音，或者想分析它的性质，最好是先把它还原到以三度叠置的原位上去。在吉他上、转位三和弦用得非常多。

第四节　七　和　弦

按三度关系叠置的四个音组成原位七和弦。如“$\begin{matrix}\dot{4}\\\dot{2}\\7\\5\end{matrix}$”就是一个七和弦。七和弦中下面的三个音和三和弦中的音一样：叫根音、三音、五音。上面的第四个音因为与根音相距七度，故称为七音，七和弦的名称也是因为这个七度得来的。

七和弦的名称是根据它所包括的三和弦的类别及根音与七音的关系而定下来的。

以大三和弦为基础，根音至七音为小七度的七和弦叫大小七和弦。如：“$\begin{matrix}\dot{4}\\\dot{2}\\7\\5\end{matrix}$”。

以大三和弦为基础，根音至七音为大七度的七和弦叫大大七和弦。如：“$\begin{matrix}7\\5\\3\\1\end{matrix}$”（简称大七和弦）。

以小三和弦为基础，根音至七音为小七度的七和弦叫小小七和弦。如“$\begin{matrix}5\\3\\1\\\underset{\cdot}{6}\end{matrix}$”（简称小七和弦）。

以减三和弦为基础，根音至七音为小七度的七和弦叫减小七和弦。如“$\begin{matrix}6\\4\\2\\\underset{\cdot}{7}\end{matrix}$”（简称半减七和弦）。

以减三和弦为基础，根音至七音为减七度的七和弦叫减减七和弦。如“$\begin{matrix}\flat 6\\4\\2\\\underset{\cdot}{7}\end{matrix}$”（简称减七和弦）。

所有的七和弦都是不协和的，因为其中包括了不协和的音程。

七和弦有三个转位，如：“$\begin{matrix}\dot{4}\\\dot{2}\\7\\5\end{matrix}$”的第一转位是“$\begin{matrix}\dot{5}\\\dot{4}\\\dot{2}\\7\end{matrix}$”称为五六和弦，用数字“$\begin{matrix}6\\5\end{matrix}$”表示，第二转位是“$\begin{matrix}\dot{7}\\\dot{5}\\\dot{4}\\\dot{2}\end{matrix}$”称为三四和弦，用数字“$\begin{matrix}4\\3\end{matrix}$”表示，第三转位是“$\begin{matrix}\ddot{2}\\\dot{7}\\\dot{5}\\\dot{4}\end{matrix}$”称为二和弦，用数字“**2**”表示。

在吉他上，（以 C 为根音）大小七和弦标 C7；大大七和弦标 C 大七；小小七和弦标 Cm7；减小七和弦标 C-m7；减七和弦标 C-7。

第五节　调　式

按照一定关系排列起来的一些音（一般不超过七个），以其中一个音为主音，组成一个体系，这个体系就叫做调式。

我们平时所说的调是指调式主音的高度。如 **1**＝C，**1**＝D 等。

世界上众多的国家和民族，有着各种不同的调式。为了便于初学者学习，我们暂把它们粗分为两大类，即大调式和小调式。这是色彩截然不同的两种调式。

调式中有一个最稳定的音，被称为主音，也称为一级音。由此向上排列，二级、三级……直到七级，就产生了我们常说的调式音级。

例 1　**1 2 3 4 5 6 7**　（这就是大调式音阶）

例 2　**6 7 1 2 3 4 5**　（这就是小调式音阶）

　　　Ⅰ Ⅱ Ⅲ Ⅳ Ⅴ Ⅵ Ⅶ（这就是调式音级的标记）

大调式：主音距其上方三级音为大三度的调式叫大调式，以“**1**”为主音的调式都是大调式。歌曲《迟到》《东方之珠》《垄上行》都是大调式的歌曲。

小调式：主音距其上方三级音为小三度的调式叫小调式，以“**6**”为主音的调式都是小调式。歌曲《我的中国心》《踏浪》《三月的小雨》《草原牧歌》都是小调式歌曲。

和声小调式：和声小调式不同于上述的自然小调式，它的调式音阶是 **6 7 1 2 3 4 #5**，它的第Ⅶ级音比自然小调式的第Ⅶ级音升高了半音。这种调式也很常见。

例：《红梅花儿开》

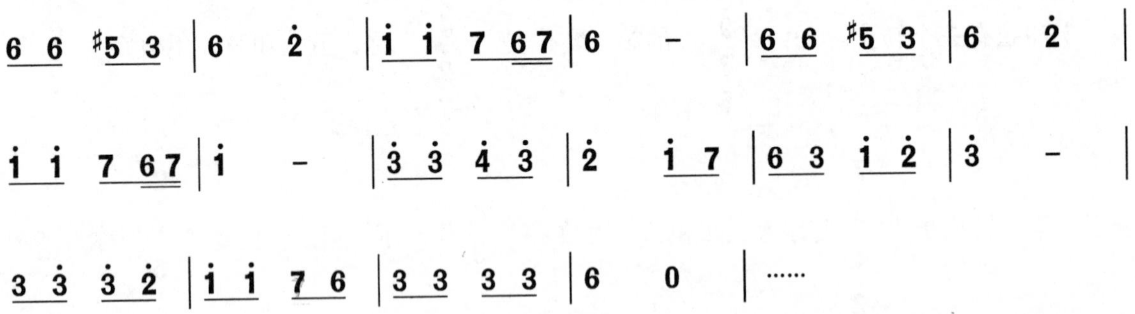

例：《孤独的手风琴》

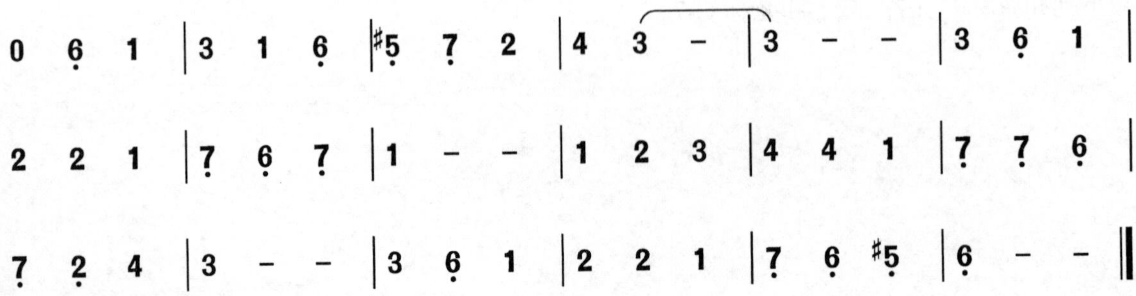

例：《花儿为什么这样红》（谱略）

以上三首歌曲都是和声小调式的歌曲。

辨别歌曲是大调还是小调，一般根据终止音可以确定，因为绝大多数歌曲的终止音与主音是一致的。主音是“**1**”的歌曲是大调式的，主音是“**6**”的歌曲是小调式的。对于极少数终止音不在主音上的歌曲，要注意分析，找到其中的最稳定音级（即主音）后再确定。一般反复唱几次就能感受到其中的稳定音级。

一般情况下，大小调式对比，大调式显得明亮、开阔、宽广、遥远；小调式则显得暗淡、柔和、亲近，有时甚至有些伤感。有人比喻大调式像男人的性格，小调式像女人的性格，是有一定道理的。

在我国，有许多以“**5**”为主音的歌曲，如：《十五的月亮》《洪湖水浪打浪》……这也是一种大调式歌曲，因为主音“**5**”距上方三级音“**7**”是大三度。还有一些以“**2**”为主音的歌曲，如：《山丹丹开花红艳艳》，这是一种小调歌曲，因为主音“**2**”距上方三级音“**4**”是小三度。

第六节　调式音级与和弦

在大、小调式体系中，音级用七个罗马数字“Ⅰ、Ⅱ、Ⅲ、Ⅳ、Ⅴ、Ⅵ、Ⅶ”来标记，主音为Ⅰ级，向上推算。

自然大调	自然小调	和声小调	音级标记	音级名称	正副音级
1	$\underset{\cdot}{6}$	$\underset{\cdot}{6}$	Ⅰ	主　音	正音级
2	$\underset{\cdot}{7}$	$\underset{\cdot}{7}$	Ⅱ	下行导音	副音级
3	1	1	Ⅲ	中　音	副音级
4	2	2	Ⅳ	下属音	正音级
5	3	3	Ⅴ	属　音	正音级
6	4	4	Ⅵ	下中音	副音级
7	5	#5	Ⅶ	上行导音	副音级

从上表中看到，大小调式的正音级都是Ⅰ、Ⅳ、Ⅴ级，这就是我们平时常说的主（Ⅰ）、属（Ⅴ）、下属（Ⅳ）。

大调式中，在主音（Ⅰ级）上建立的三和弦是“$\begin{matrix}5\\3\\1\end{matrix}$”；在属音（Ⅴ级）上建立的三和弦是“$\begin{matrix}\dot{2}\\7\\5\end{matrix}$”；在下属音（Ⅳ级）上建立的三和弦是“$\begin{matrix}\dot{1}\\6\\4\end{matrix}$”，这三个和弦都是大三和弦，大三和弦最能体现大调的色彩。

在小调式中，在主音（Ⅰ级）上建立的三和弦是“$\begin{matrix}3\\1\\\underset{\cdot}{6}\end{matrix}$”；在属音（Ⅴ级）上建立的三和弦是“$\begin{matrix}7\\5\\3\end{matrix}$”；在下属音（Ⅳ级）上建立的三和弦是“$\begin{matrix}6\\4\\2\end{matrix}$”，这三个和弦都是小三和弦，小三和弦最能体现小调的色彩。

在大、小调中，在正音级上建立的三和弦都是正三和弦，在副音级上建立的三和弦都是副三和弦，在配置和弦中，正三和弦对调式有着重大的意义。

在为大调歌曲配置和弦时，应以它的正三和弦为主，（$\begin{matrix}5\\3\\1\end{matrix}$、$\begin{matrix}\dot{2}\\7\\5\end{matrix}$、$\begin{matrix}\dot{1}\\6\\4\end{matrix}$）以其他副三和弦为辅。在为小调歌曲配置和弦时，也应以它的正三和弦为主（$\begin{matrix}3\\1\\\underset{\cdot}{6}\end{matrix}$、$\begin{matrix}7\\5\\3\end{matrix}$、$\begin{matrix}6\\4\\2\end{matrix}$）以其他副三和弦为辅。

在为和声小调式的歌曲配和弦时，注意属和弦不可用“$\begin{matrix}7\\5\\3\end{matrix}$”这个小三和弦，这个和弦中的“5”与和声小调式中“♯5”是小二度音程，是极不协和的，应该用“$\begin{matrix}7\\\sharp 5\\3\end{matrix}$”这个大三和弦。反过来讲，在为自然小调式的歌曲配和弦时，属和弦不可用“$\begin{matrix}7\\\sharp 5\\3\end{matrix}$”，否则同样会发生小二度相遇的噪音，应该用“$\begin{matrix}7\\5\\3\end{matrix}$”。

在大、小调体系中，起稳定作用的调式音级是Ⅰ、Ⅲ、Ⅴ级。它们的稳定程度不同，Ⅰ级最稳定，Ⅲ、Ⅴ级较差，其他Ⅱ、Ⅳ、Ⅵ、Ⅶ级是不稳定音级，在适当的条件下，它们显露出以二度关系进行到稳定音级的倾向。

例 1（大调式）　$7\cdot\ \underline{7}\ |\ 7\ \ \dot{2}\ |\ \dot{1}\ -\ |\ \dot{1}\ \ 0\ \|$
　　Ⅶ　Ⅱ　Ⅰ

例 2（大调式）　$4\cdot\ \underline{4}\ |\ 4\ \ \underline{2\ 4}\ |\ 3\ -\ |\ 3\ \ 0\ \|$
　　Ⅳ　Ⅱ Ⅳ　Ⅲ

例 3（小调式）　$3\cdot\ \underline{3}\ |\ 7\ \ 5\ |\ 6\ -\ |\ 6\ \ 0\ \|$
　　Ⅱ　Ⅶ　Ⅰ

例 4（小调式）　6·　7 | 1 6 2 4 | 3 – | 3 0 ‖
　　　　　　　　　　　　　　　Ⅳ Ⅵ Ⅴ

以上各例中，旋律下面的标记不是和弦标记，而是音级的级别标记。在调式音级中，这种不稳定音级的倾向与解决为和弦的配置提供了重要的依据。

第七节　和弦外音

和弦外音是指某个和弦以外的音，比如说“2”是和弦“5/3/1”的和弦外音；“5”是和弦“3/1/6”的和弦外音……在实际应用中，主要是指与正在发生、进行的和弦有关系的“经过音”“辅助音”和“延留音”。

1．经过音：指在旋律中主要音之间的那些短暂的过渡，如《四季歌》中带箭头的音。

3　3 2↓ | 1 2 1 7↓ | 6 6 | 6 – |

2．辅助音：在主要音之前或之后起辅助装饰作用的音，如例 1《十五的月亮》和例 2《知道不知道》中带箭头的音。

例 1：

6 7 6 5 6 2 7 6 1 | 1↓ 5· |

例 2：

3 5 1 6 | 5· 6 | 1 6 1 | 2· 3↓ | 2· 6 | 1 6 5↓ | 5 – ‖

3．延留音：前面的音延伸到了新的、变化了的乐汇或乐句中，延伸进来的部分叫延留音，如：《三月的小雨》中带箭头的音。

3 5 | 6 – | 6↓ 5 6 5 | 1 – | 1 1 | 3 – | 3↓ 2 3 2 | 6 – | 6

在配置和弦时，所有的“经过音”“辅助音”都要服从于主要音；“延留音”要服从于变化了的乐汇或乐句。

在音乐需要时或特殊效果时也可以加入和弦外音，在下列和弦中都加有和弦外音：

7 → 外	2	3
6	7	2 → 外
3	6 → 外	1
1	5	6

第八节　三和弦的应用

在为歌曲配伴奏时，三和弦持续不断地被应用在各个部分。

在大小调中，三和弦的连接一般以根音之间三度、六度、四度、五度的进行最为常用。如：

	$\dot{3}$		$\dot{3}$		$\dot{3}$		$\dot{3}$
例 1：根音之间的三度进行	$\dot{1}$	→	7	；	$\dot{1}$	→	$\dot{1}$
	5		5		5		6

	5		6		$\dot{1}$		7
例 2：根音之间的六度进行	3	→	3	；	5	→	5
	1		1		3		3

	6		5		$\dot{2}$		$\dot{1}$
例 3：根音之间的四度进行	4	→	3	；	7	→	5
	1		1		5		3

	5		5		3		3
例 4：根音之间的五度进行	2	→	3	；	1	→	$\underset{\cdot}{7}$
	$\underset{\cdot}{7}$		1		$\underset{\cdot}{6}$		$\underset{\cdot}{5}$

以上的三和弦连接中，两个和弦之间除了有的音已发生了变化外，还有保留下来的音。例 1 $\dot{3}\dot{1}5 \to \dot{3}75$（自上而下）的连接中，除了“$\dot{1}$ → 7”发生了变化外，其他两个音 $\dot{3}5 \to \dot{3}5$ 没有变化保留下来。同样在例 3 中 $641 \to 531$（自上而下）的连接里，也有一个音“**1**”是保留下来的，这种保留都是很好的，很讲究的，这种保留音使变化的和弦之间有了联系，即有共同音。以上的和弦连接中，用了许多转位和弦，其中的道理，我们将在下面讲到。

三和弦的连接，以根音之间二度、七度的进行较不常用，除非在特定的旋律的要求下（如：《杜丘之歌》的前四小节），一般情况下，由于缺乏联系（没有共同音）而使人觉得连接无力。见下例：

	5		6			7		$\dot{6}$
例 1（二度进行）	3	→	4	；	例 2（七度进行）	5	→	$\dot{4}$
	1		2			3		$\dot{2}$

三和弦的倾向性：建立在属音上的三和弦，叫属三和弦，属三和弦对主三和弦有明显的倾向性，需要进入主三和弦得到解决。这种属三到主三（Ⅴ→Ⅰ）的进行，我们称它们是根

音四度上行（$\underset{\cdot}{5}\rightarrow1$）而不称它们是根音五度下行（$5\rightarrow1$），实际上指的是同一个音——属音。

这样便于叙述的简练。下面请看Ⅴ→Ⅰ的两个例子：例 1 $\begin{matrix}\dot{2}\\7\\5\end{matrix}\rightarrow\begin{matrix}\dot{1}\\5\\3\end{matrix}$ 例 2 $\begin{matrix}5\\2\\\underset{\cdot}{7}\end{matrix}\rightarrow\begin{matrix}5\\3\\1\end{matrix}$；我们称它们是根音四度上行的和弦进行。

属三到主三这种从矛盾到解决，从动到静的和弦进行有一定的终止感，因此常常用在乐段或乐句的结尾处，有时也用在乐句的进行中。

根据上述属、主音的和弦倾向关系，可以得出其他根音四度上行的和弦之间也有这种倾向性，如 $\begin{matrix}6\\4\\2\end{matrix}\rightarrow\begin{matrix}\dot{2}\\7\\5\end{matrix}$ 根音 $2\rightarrow5$ 是四度上行；$\begin{matrix}3\\1\\\underset{\cdot}{6}\end{matrix}\rightarrow\begin{matrix}6\\4\\2\end{matrix}$ 根音 $\underset{\cdot}{6}\rightarrow2$ 是四度上行，它们也有这种倾向性，其他一切和弦都可以以此类推，由此就派生出许许多多这种带有倾向性的和弦连接形式，使我们能有更多的方案去处理各种不同的句尾或段尾及其他需要这样处理的地方。当然，在有调性的音乐中，后来所讲到的这种种带有倾向性的和弦连接，都没有属到主那样强烈。

三和弦的转位连接知识：两个和弦在连接时，第一个和弦中的三个音最好都有着落，不要悬而不决。这样，就要用到和弦的转位才能做到，原位和弦与原位和弦连接肯定是不行的，因为和弦之间音区相差较大，以大调中属、主为例，我们分析一下。

例 1　原位连接 $\begin{matrix}?&\rightarrow&5\\?&\rightarrow&3\\2&\rightarrow&1\\\underset{\cdot}{7}&\nearrow&\\\underset{\cdot}{5}&\rightarrow&?\end{matrix}$　　例 2　转位连接 $\begin{matrix}7&\rightarrow&\dot{1}\\5&\rightarrow&5\\2&\rightarrow&3\end{matrix}$

在例 1 中，属和弦中的“2、$\underset{\cdot}{7}$”两音以二度关系进入主和弦中的“1”，没有问题。但属和弦中的“$\underset{\cdot}{5}$”没有去处而主和弦却在高处突然出现了两个音“3、5”没有来源，所以听起来有点毛病，不舒服。例 2 中“2、7”两音以三度关系分别进入“3、$\dot{1}$”“5”保留下来，属和弦中三个音都得到满意的解决，听起来就好多了。

下面是三个比较好的属主连接：

例 1 转接转 $\begin{matrix}7&\rightarrow&\dot{1}\\5&\rightarrow&5\\2&\rightarrow&3\end{matrix}$　例 2 转接原 $\begin{matrix}5&\rightarrow&5\\2&\rightarrow&3\\\underset{\cdot}{7}&\rightarrow&1\end{matrix}$　例 3 原接转 $\begin{matrix}2&\rightarrow&1\\\underset{\cdot}{7}&\nearrow&\underset{\cdot}{5}\\\underset{\cdot}{5}&\rightarrow&\underset{\cdot}{3}\end{matrix}$

上面讲过，原位连接不好，是因为两个和弦在音区上差别较大。同样道理，第一转位与第一转位连接（见例 1），第二转位与第二转位连接（见例 2）也都是不好的。

例 1　六和弦接六和弦

? → $\dot{1}$
5 → 5
2 → 3
$\underset{\cdot}{7}$ → ?

例 2　四六和弦接四六和弦

? → $\dot{3}$
7 → $\dot{1}$
5 → 5
2 → ?

以上列举的属、主间好的连接形式应该记熟，以便很快运用到其他根音四度上行的和弦连接中去。

吉他上的和弦虽然不是应有尽有，随心所欲，但在可能的情况下，应尽可能地沿用上述规律。

第九节　七和弦的应用

七和弦因为有不协和的七度音程，所以很不稳定，有相当的紧张度与尖锐性，它的倾向性更强。下面，我们介绍几种常用的七和弦。

1. 属七和弦：建立在属音上的七和弦叫属七和弦。自然大调中的属七和弦（例 1）与和声小调中的属七和弦（例 2）都是大小七和弦。自然小调中的属七和弦（例 3）是小小七和弦，这三种和弦都倾向于根音四度上行的主三和弦，当它们进入主三和弦时，尖锐的矛盾就完满地解决了。

例 1：小七 { 4、2、$\underset{\cdot}{7}$、$\underset{\cdot}{5}$ }（2、$\underset{\cdot}{7}$、$\underset{\cdot}{5}$ 为大三）

例 1　的解决

4 → 3
2 ↘ 1
$\underset{\cdot}{7}$ ↗ 1
$\underset{\cdot}{5}$ → $\underset{\cdot}{5}$

例 2：小七 { $\dot{2}$、7、#5、3 }（7、#5、3 为大三）

例 2　的解决

$\dot{2}$ ↘ $\dot{1}$
7 ↗ $\dot{1}$
#5 → 6
3 → 3

例 3：小七 { $\dot{2}$、7、5、3 }（7、5、3 为大三）

例 3　的解决

$\dot{2}$ ↘ $\dot{1}$
7 ↗ $\dot{1}$
5 → 6
3 → 3

下面是属七和弦与主三和弦的常用的转位的连接形式。请大家记下来（以和声小调为例，其他类推）。

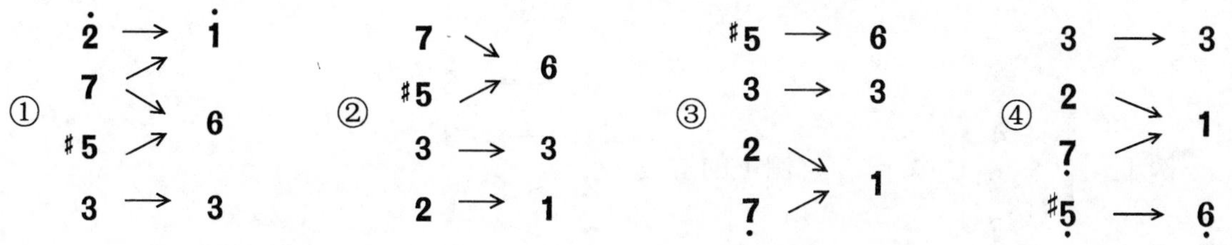

以上四种都没毛病，具体用哪一种，要根据旋律的具体情况而定。以下几种和弦连接，都是根据和声小调的具体旋律而设计的。

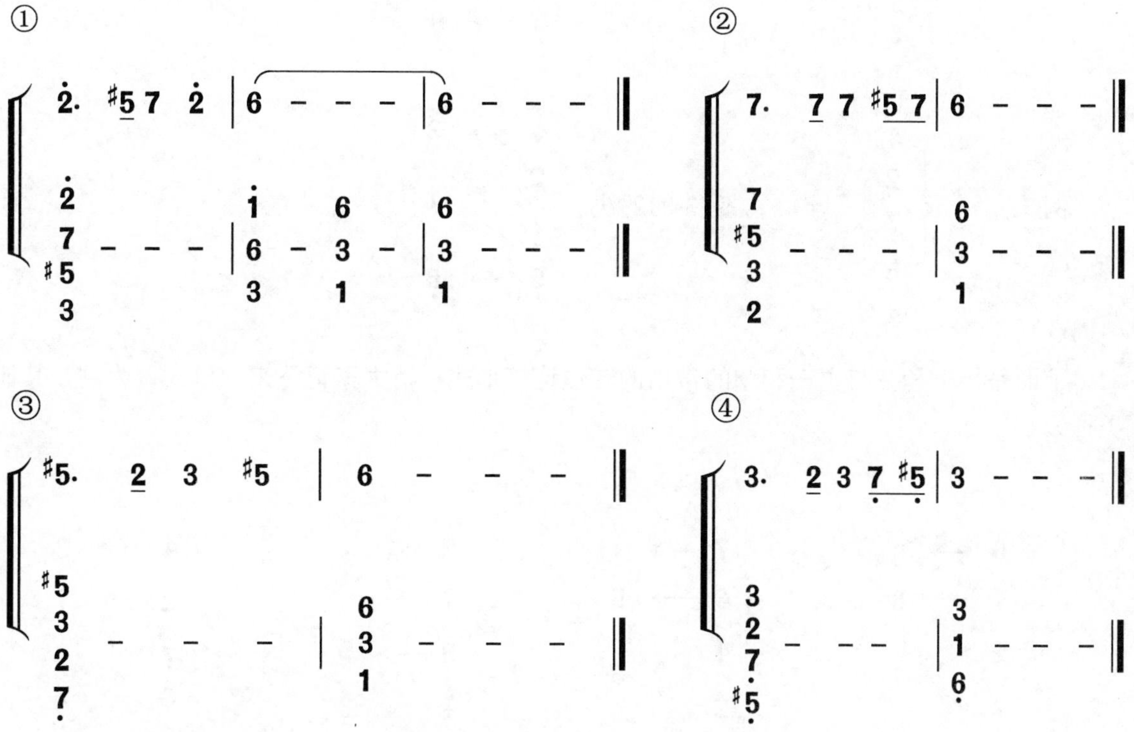

有关旋律与和弦转位的联系，我们将在下面讲到。

根据属七倾向于主三的规律，可以认为所有的大小七和弦与小小七和弦都倾向于根音四度上行的三和弦，如：（为了便于辨认，以下暂写原位进行）

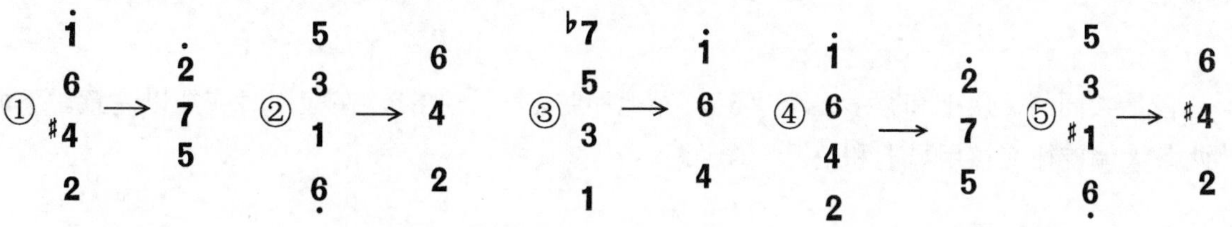

由此派生出众多的从矛盾到解决的大小七和弦（或小小七和弦）到三和弦的连接形式，都可以运用到乐段、乐句的尾部，大家可以推算一下其他的和弦。

2．导七和弦：建立在导音上的七和弦叫导七和弦。自然大调中的导七（例 1）与和声小调中的导七（例 2）都是减小七和弦（半减七和弦）；自然小调中的导七（例 3）是一个大小七和弦，这三种导七和弦都倾向于根音一度上行的主三和弦。请看下页例：

例1: 小七 { 6 4 2 7· } 减三　　　例1的解决：6 → 5　4 → 3　2 ↘ 1　7· ↗

例2: 小七 { 4 2 7· #5· } 减三　　　例2的解决：4 → 3　2 ↘ 1　7· ↗　#5· → 6·

例3: 小七 { 4 2 7· 5· } 大三　　　例3的解决：4 → 3　2 ↘ 1　7· ↗　5· → 6·

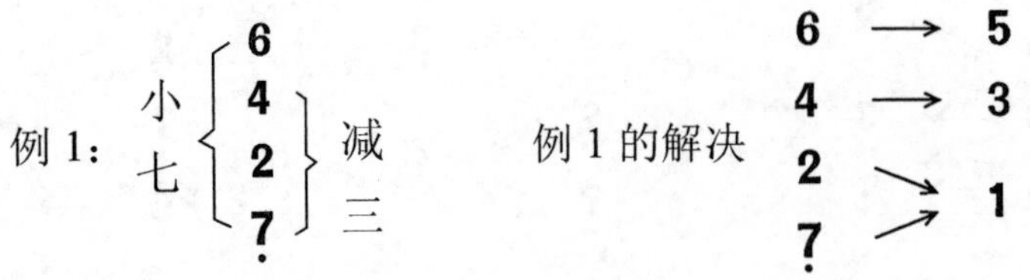

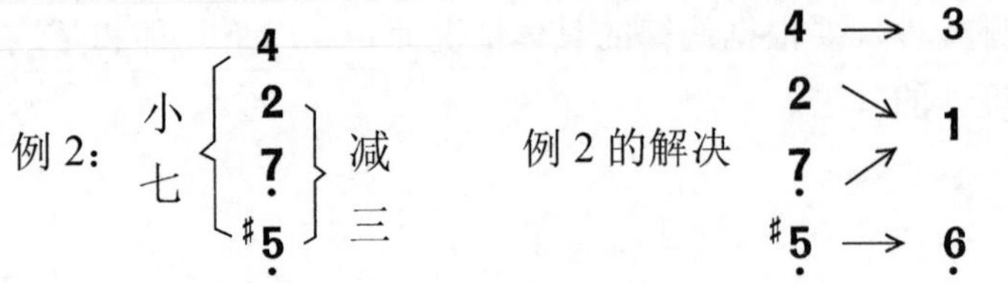

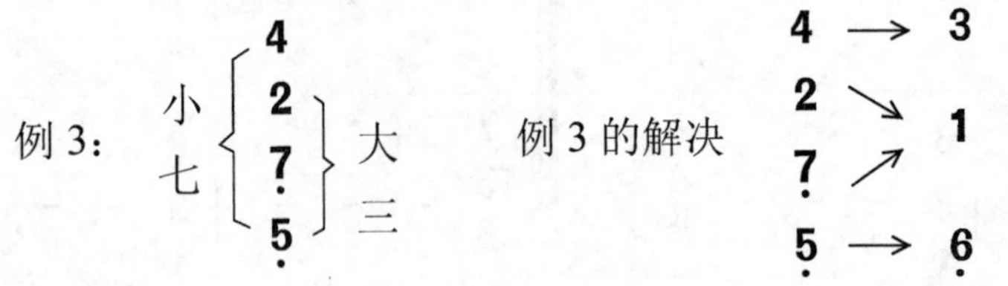

下面是导七和弦与主三和弦的常用的转位连接形式，请大家记下来（以大调为例，其他类推）。

①　6 → 5　4 → 3　2 ↘ 1　7· ↗

②　7 → i　6 → 5　4 ↘ 3　2 ↗

③　2 ↘ i　7 ↗　6 → 5　4 → 3

④　4· → 3·　2· → 1·　7 ↗　6 → 5

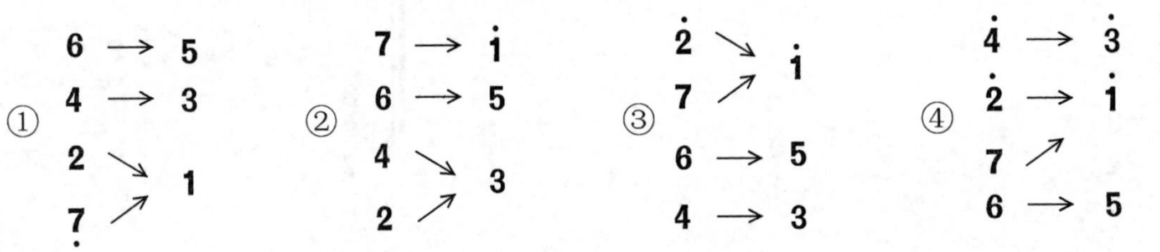

以上四种进行都可以经常使用在需要的地方。

导七与属七有三个音是共同的，在大调中属七和弦"4 2 7· 5·"与导七"6 4 2 7·"相比，有"4 2 7·"

三音是共同的，属七和弦多一个"5·"，导七和弦多一个"6"，在应用时应加以注意。下面两条大调旋律应该用导七和弦。

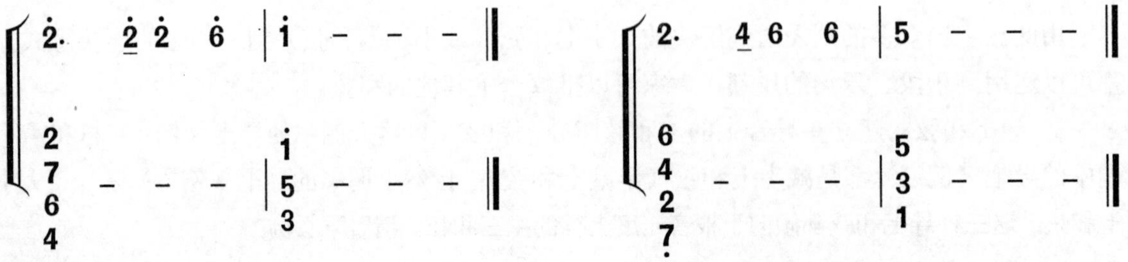

下面一条旋律，用属七和弦或导七和弦伴奏都不算错，但应该选用属七和弦进入主和弦更好，因为属七和弦到主和弦是最理想的终止式。

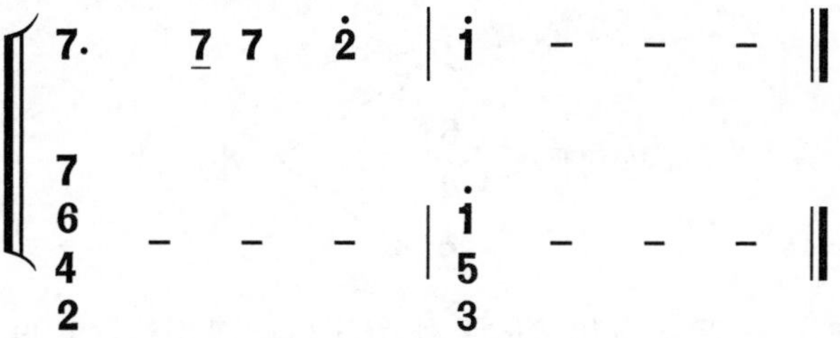

根据导七和弦倾向于根音一度上行的主三和弦的规律，可以认为所有的减小七和弦（半减七和弦）都倾向于根音一度上行的三和弦。下面列举几个这种连接（为了便于辨认，以下暂写原位进行）。

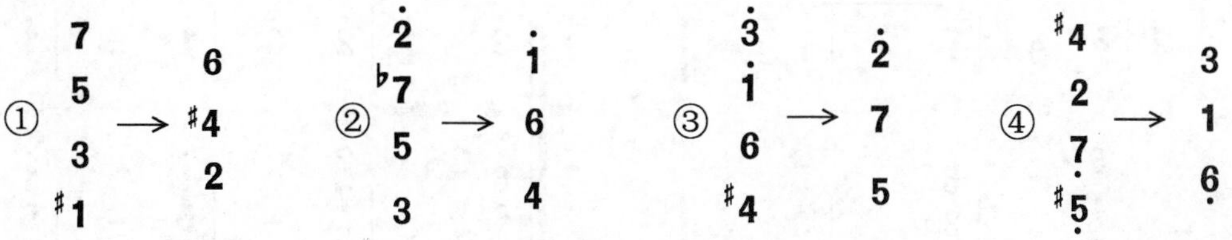

由此派生出众多的从矛盾到解决的半减七和弦与三和弦的连接形式，都可以运用到乐段、乐句的尾部或其他地方。大家可以推算一下其他类似的和弦连接。

由于属七、导七等七和弦都有尖锐、紧张、不安的强烈色彩，因此不宜在普通的歌曲中过多地使用，否则会造成许多不必要的紧张、不安，尤其那些较为平和的五声调式（没有 **4** 和 **7** 的一种调式）的歌曲中更应慎用。

除以上所讲到的和弦外，还有三种和弦，在本书中就暂不细讲了，下面是三个例子：

例 1 减三和弦

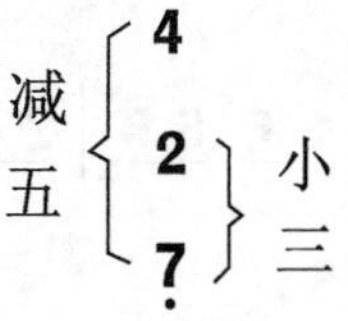

例 1 的解决

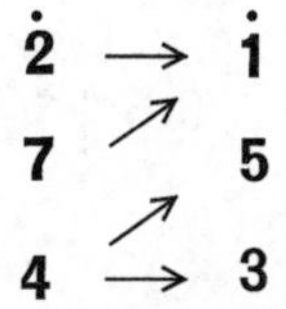

例 2 增三和弦

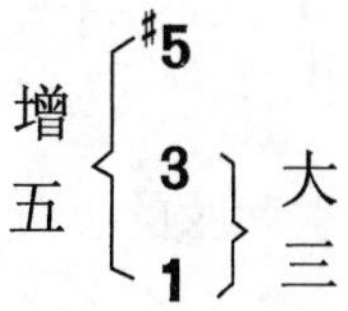

例 2 的解决

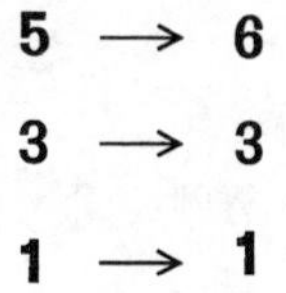

例 3 减七和弦

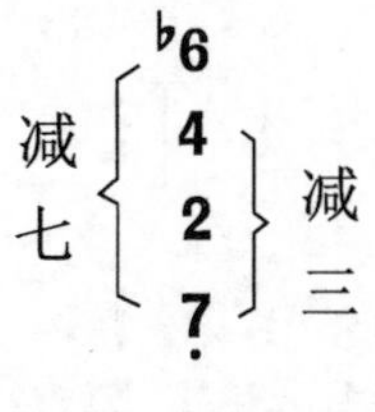

例 3 的解决

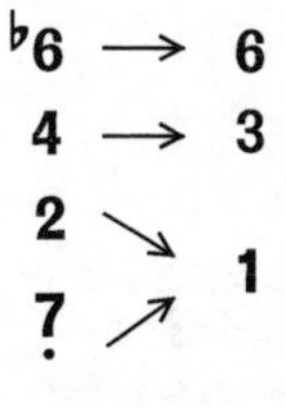

以上三种和弦的功能比较复杂，等大家把基础知识学好后我们再详细介绍。

第十节　旋律与和弦转位

在多声部音乐中，最上面的高音与最下面的低音称外声部，中间的音称内声部。如：

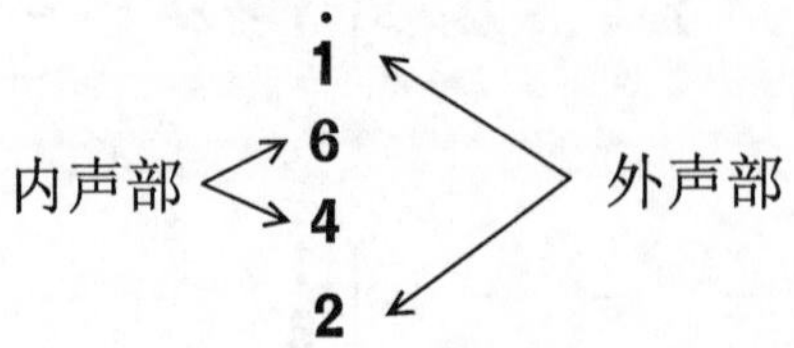

在为歌曲配和弦时，一般认为和弦的上外声部与旋律相符比较好。下面两个例中的旋律是同样的，所配的和弦也是同样的，不同的是例 2 合理运用了转位的形式，使和弦上的外声部与旋律基本相符，因此，例 2 的效果比例 1 要好得多。

例 1　　　　例 2

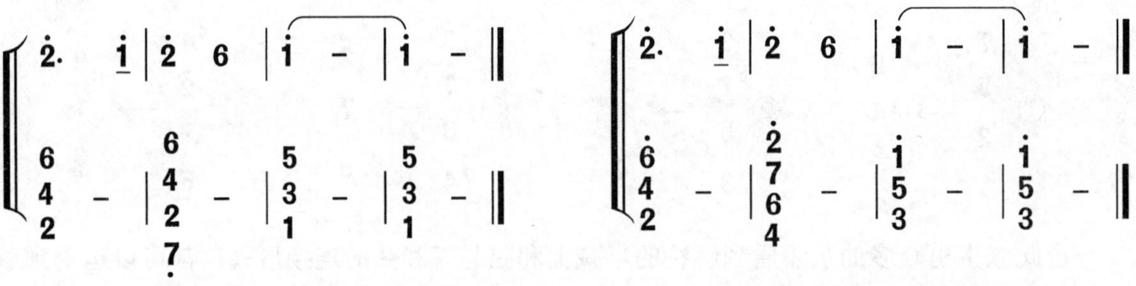

旋律为和弦的转位应用提供了一定的参考依据，也就是说在应用和弦的转位时，要注意在一定程度上与旋律的呼应。所谓一定的程度上的呼应，就是说不要求所有的和弦的上外声部都要与旋律相符，在不必要的情况下可以不相符，请看下例，只有第四、五、六小节是相符的，这种配法没什么问题。

例 1

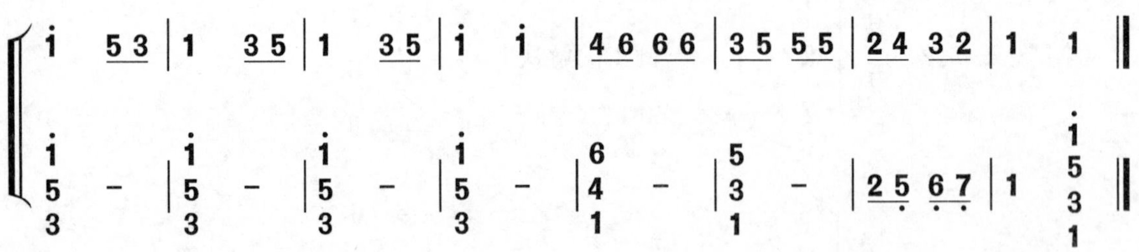

例 1 中的旋律，前四小节跳动很大，如果也死板地要求和弦的上外声部与其相符，就会显得很滑稽。

例 2

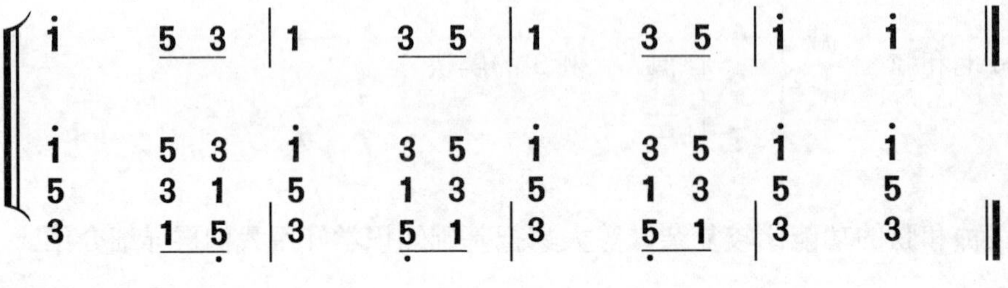

这种忙碌的和弦变化毫无必要，失去了和弦对旋律那种应有的衬托性。因此，在为绝大多数进行较平稳的旋律配和弦时，都应该认真考虑这种外声部与旋律相符的规律性。

综前所述，在运用和弦的转位或原位连接时，有两大因素要考虑：(1) 和弦的上外声部与旋律相符；(2) 前后和弦彼此之间合理的连接。在配置和弦时，如能符合以上两条是最理想的。有些情况下如不能同时符合以上两条，那只有舍去其一而符合其中的一条，如果两条都不符合，那就不太好了，可能会有毛病。

根据上述道理，在处理吉他上的和弦时就要加以注意，比如用 G 大调弹唱歌曲时，旋律需要的是属和弦 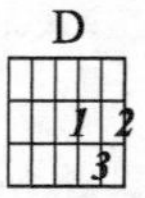

上外声部需要“**5**”这个音，可按出来的却是“**7 5 2**”（一弦是“**7**”），像这种情况，我们在扫弦或者拨弦的时候就不要碰到一弦，而让二弦上的“**5**”作为和弦上的外声部出现。同样，我们在用 A 小调弹唱歌曲时，如果旋律需要下属和弦 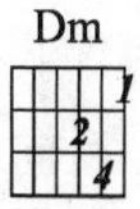

的上外声部“$\dot{2}$”时，我们在扫弦或拨弦时不要碰到一弦上的“$\dot{4}$”就可以了，二弦上的“$\dot{2}$”正符合旋律的要求。

这种不需要的高出来的上外声部有时是很讨厌的，很难听的，尤其在延长的音符中更是如此，以下两例画曲线处都很难听。

例 1 **1=C**《知道不知道》

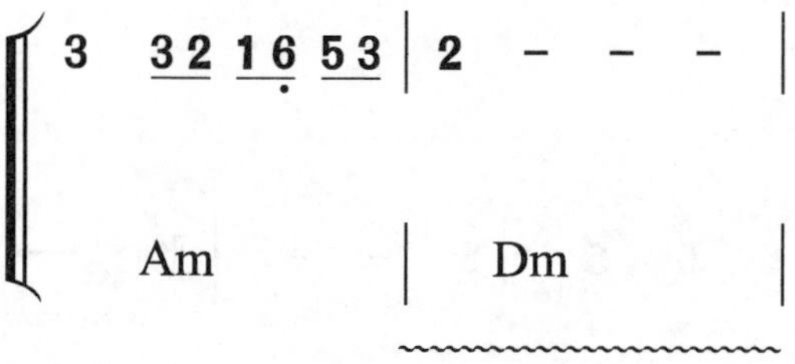

例 2 **1=C** 《小路》

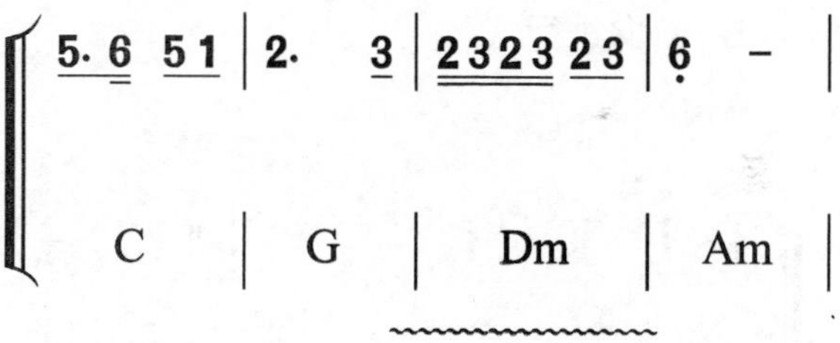

以上两例中的歌曲都是五声调式的歌曲（调式音级中没有“**4**”和“**7**”这两个音），本身没有“**4**”这个音，所以在配和弦时，对这个音就要特别小心，一般应较少使用，即使用了也不能让它出现在上外声部。

再一个办法，就是将两例中的 Dm 改用 D9 和弦，D9 中包括了“**2**”和“**3**”两上音。

第十一节 低音的进行

在为歌曲配置和弦时，并不是从头到尾一刻也不间断地配满和弦，使人听了喘不过气来。像歌唱一样，配和弦也要有“气口”，比如有的地方伴奏休止一两小节，让旋律单独进行，有的地方旋律是音阶式（或和弦分解式）上行或下行时，也可以让低音以音阶式（或和弦分解式）下行或上行，形成简单的复调。如例 1、例 2。

例1 音阶式　　　　　　　　　　　　　例2 分解式

```
4 6 6 | 3 5 5 5 | 2 4 3 2 | 1  1 ‖        5. 6 5 3 | 4. 5 4 2 | 1 3 5 6 | i  i ‖

IV  |  I  | 2 5 6 7 | 1  I ‖          I  |  V7  | 1 6 5 3 | 1  I ‖
```

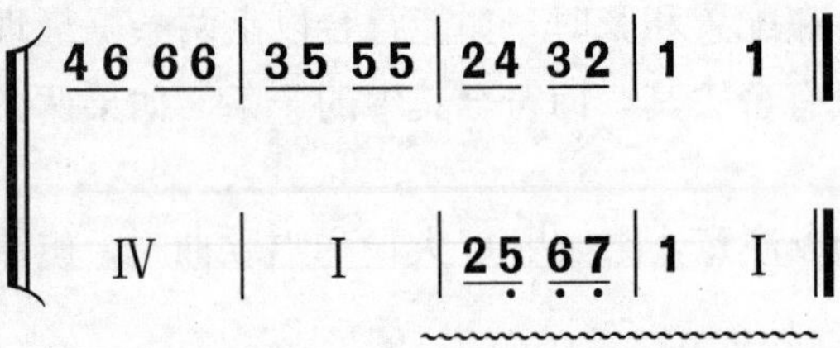

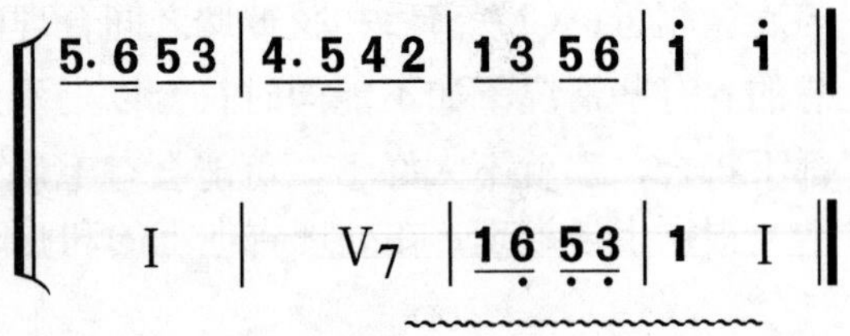

复调：同时进行的、彼此呼应的，具有同等意义的两条旋律叫复调。它们是两条不相同的旋律。

这里，我们讲三种最简单的复调进行。

A. 反向进行。

例1　　　　　　　　　　　　　　　例2

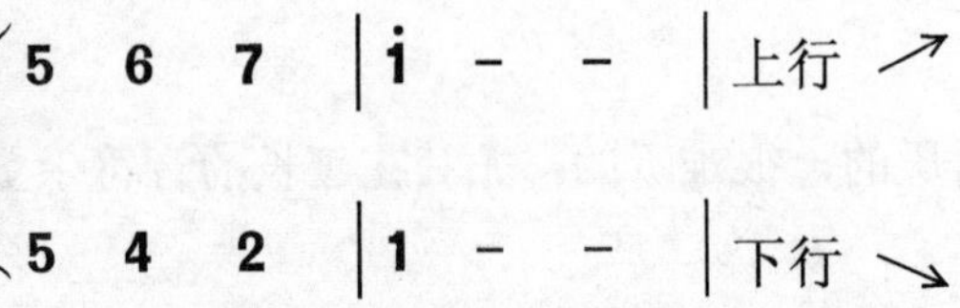

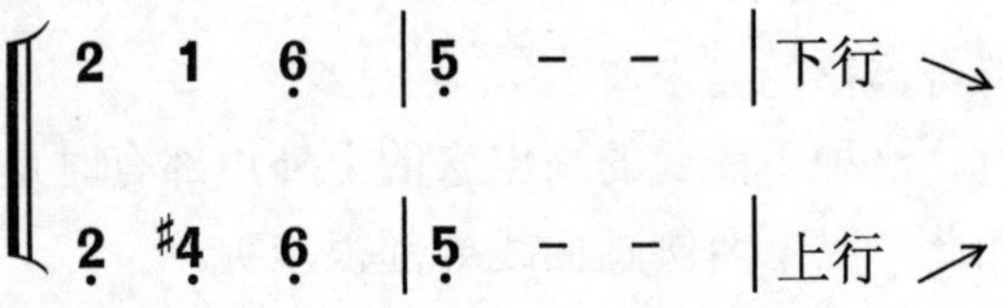

```
5 6 7 | i - - | 上行 ↗          2 1 6 | 5 - - | 下行 ↘

5 4 2 | 1 - - | 下行 ↘          2 #4 6 | 5 - - | 上行 ↗
```

B. 斜向进行

例1　　　　　　　　　　　　　　　例2

```
i i i | i - - | 平行 →          5 5 5 | 5 - - | 平行 →

1 3 5 | i - - | 上行 ↗          5 4 2 | 1 - - | 下行 ↘
```

C. 同向进行

例1　　　　　　　　　　　　　　　例2

```
1 2 3 | 5 - - | 上行 ↗          3 2 1 | 6 - - | 下行 ↘

5 6 7 | 2 - - | 上行 ↗          1 7 6 | 4 - - | 下行 ↘
```

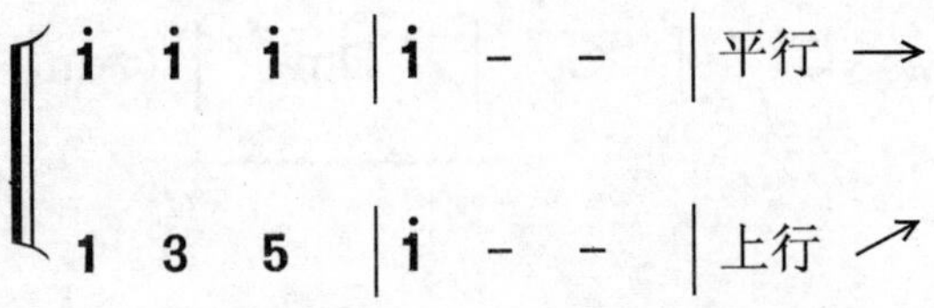

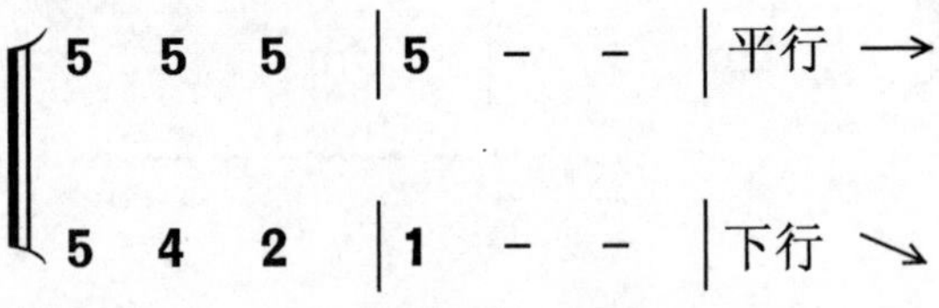

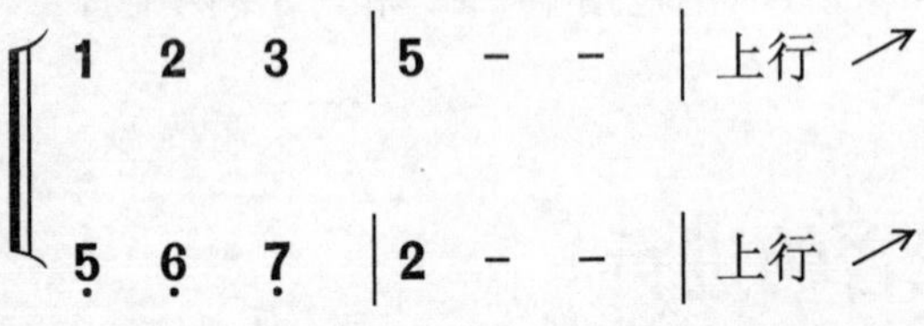

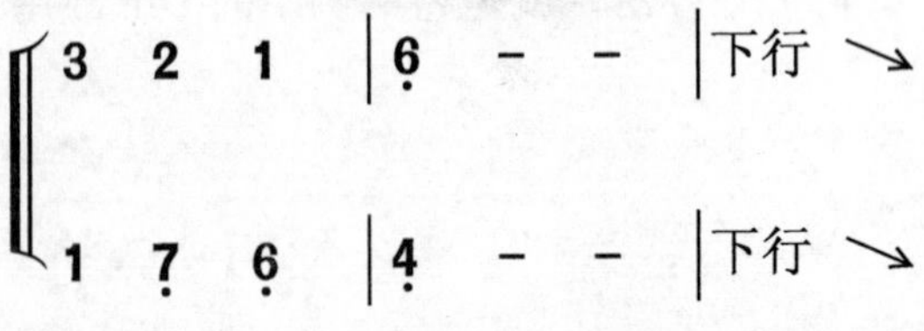

以上所讲的，A、B两种是常用的、讲究的，C是禁用的（除非特殊效果时才用）。

上面讲了低音旋律的进行，下面我们讲低音的节奏式进行。

在拨节奏式低音时（不是扫弦），低音几乎不变地采用交替进行的形式，而不是只重复某一个低音。

例 1

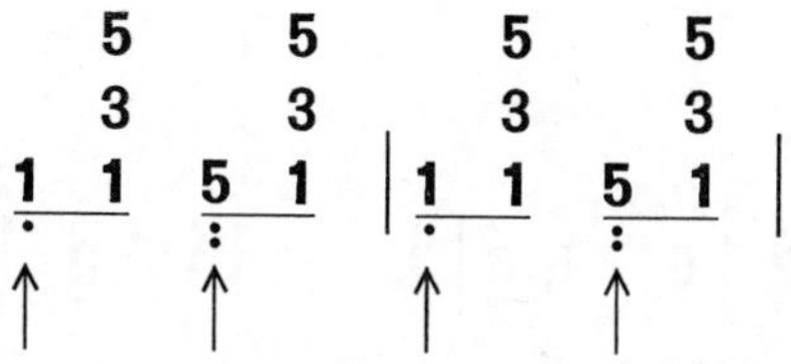

例 2

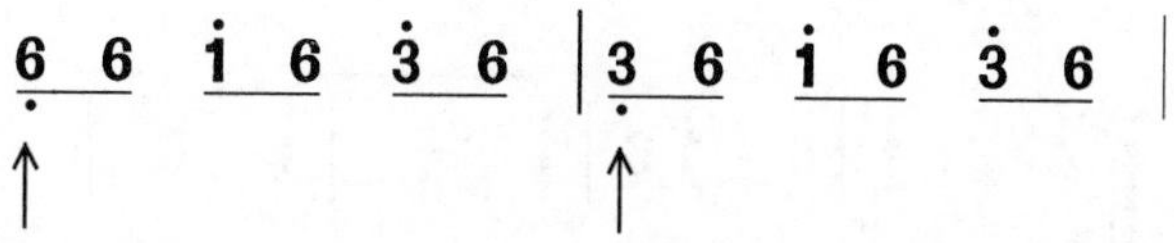

绝大多数情况下，这种交替总是和弦的根音在先，根音下方四度音在后。如根音下方四度没有音（音域所限）就弹根音的上方五度音。

第十二节　终 止 式

终止式是指音乐结束时所配的和弦连接形式。常用的有以下几种：

（A）Ⅰ　→　Ⅳ　→　Ⅴ　→　Ⅰ

主和弦（或其他和弦）→下属和弦→属和弦（或属七）→主和弦

（B）Ⅰ　→　Ⅴ　→　Ⅰ

主和弦（或其他和弦）→属和弦（或属七）→主和弦

（C）Ⅰ　→　Ⅳ　→　Ⅰ

主和弦（或其他和弦）→下属和弦→主和弦

以上三种终止式中，开始的主和弦可能根据旋律的不同而用其他和弦，具体应用时，可以按以前学习的和弦连接知识加以处理。

终止式 A

例 1

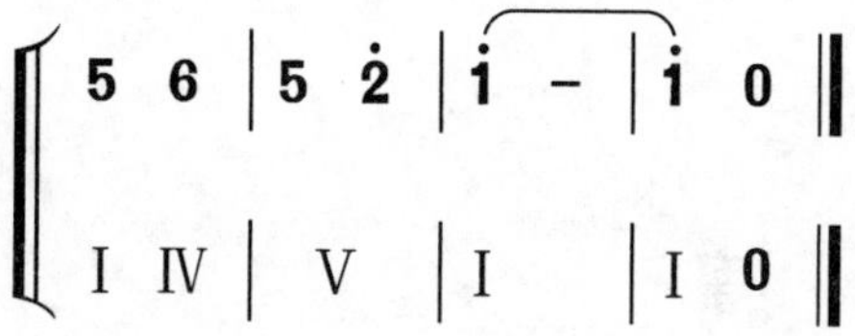

例 2

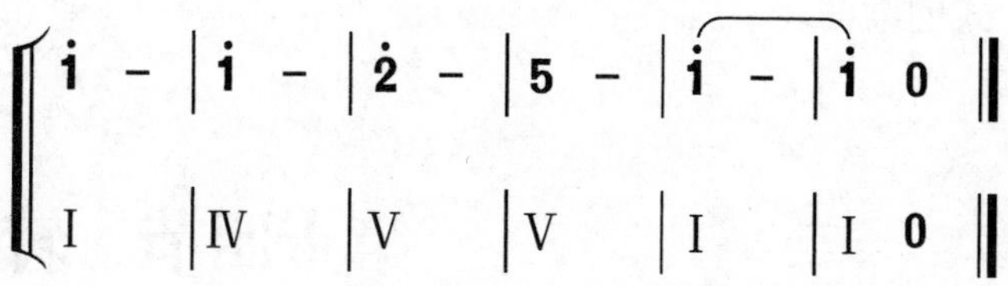

终止式 B

例 1

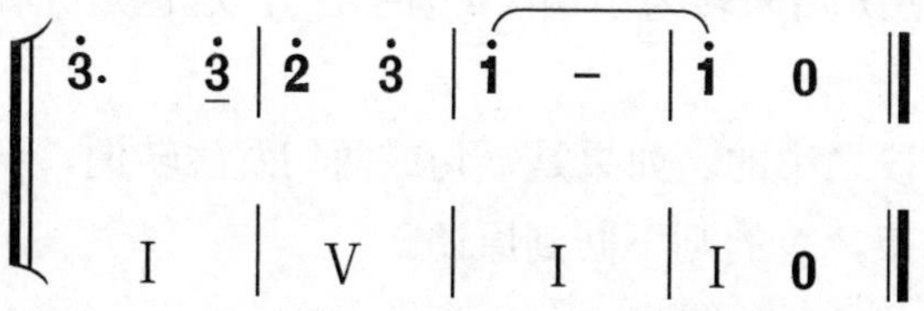

例 2

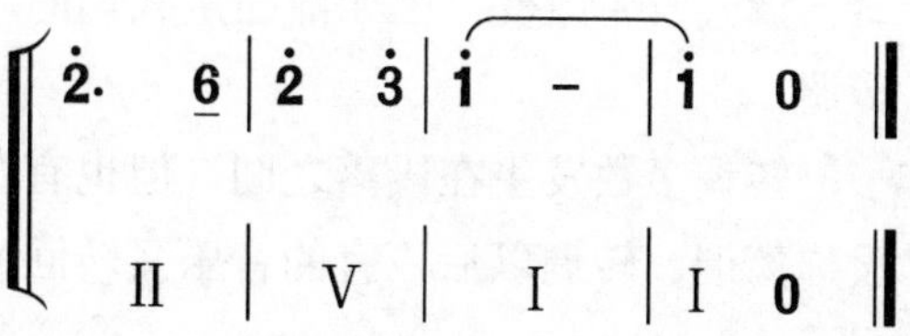

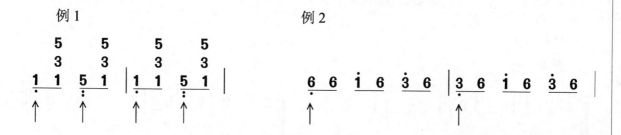

终止式 C

例 1

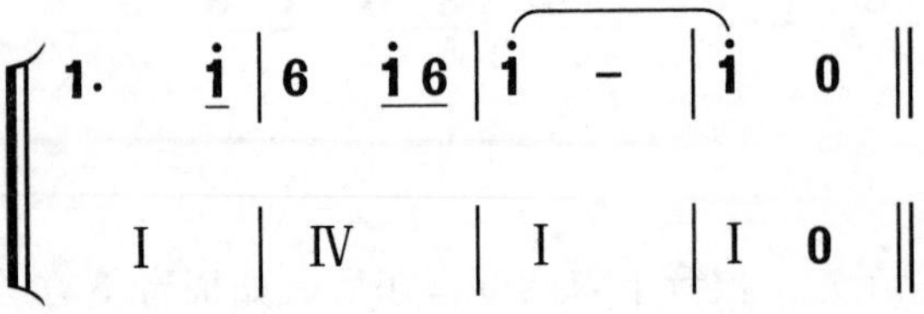

例 2

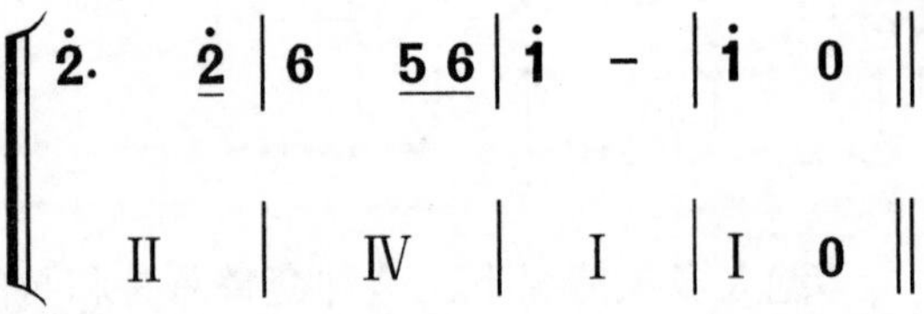

以上列举的都是大调旋律。小调就不在这里列举了。

第十三节　曲　　式

音乐的结构形式叫曲式。

像文学中的词素、词汇、句子、段落等名词一样，音乐中也有乐素、乐汇、乐句、乐段等名词。

乐素组成乐汇，乐汇组成乐句，几个乐句可以组成乐段。乐段是构成曲式的基本单位。

歌曲的曲式很简单，常见的有：一段体、两段体和三段体曲式，更复杂的曲式在歌曲中是不常见的。

1．一段体：由一个乐段构成的曲式叫一段体曲式。它可以重复，如《知道不知道》《小城的故事》都是一段体曲式的歌曲。

2．两段体：由两个彼此在调性、风格或速度上形成一定对比的乐段构成的曲式，叫两段体曲式。两段分别标为 A 段、B 段。如《在无人的海边》就是两段体曲式的歌曲。

3．三段体：在两段体曲式 A 段、B 段之后又重复 A 段做结束，这样的曲式叫三段体曲式，用 A 段、B 段、A 段加以标记，简称 A、B、A 曲式。如《何日君返程》就是三段体曲式的歌曲。

第十四节　转　　调

在音乐进行中，调的主音高度或调式发生了改变叫转调。

主音高度发生改变，比如前面是 C 大调（1=C）后来转为 F 大调（1=F），这是一种转调。

调式发生改变，比如前面是大调的（1 为主音）后来转为小调（6 为主音），这也是一种转调。

转调多数发生在段落之间，但也有发生在乐段之中的。如果是一句或两句发生转调，一般称离调。转调以后，有的音乐又转回原调做结束，有的则不回到原调。

第十五节　关系大小调与同主音大小调

1．关系大小调：两种调式，一个是大调式（**1** 为主音），一个是小调式（**6** 为主音）。如果它们的“**1**”高度一样，那么这两种调式就是关系大小调，前者是后者的关系大调，后者是前者的关系小调，如 C 大调与 A 小调是关系大小调，因为 C 大调 **1**=C；A 小调 $\underset{\cdot}{6}$=A，“**1**”正好也等于 C。其他还有许多关系大小调，如 F 大调与 D 小调；G 大调与 E 小调；D 大调与 B 小调都是，这里就不一一列举了。

2．同主音大小调：两种调式，一个大调、一个小调，如果它们的主音高度一样，那么这两种调式是同主音大小调。如 A 小调（$\underset{\cdot}{6}$=A）与 A 大调（**1**=A）是同主音大小调，因为他们的主音高度是一样的。其他如 C 大调与 C 小调、D 大调与 D 小调等都是同主音大小调，就不一一列举了。

歌曲转调一般以上述两种较为常见，即关系大小调之间的转调或者是同主音大小调之音的转调。

第十六节　其 他 常 识

我们所讲的和弦知识，有许多是用于较复杂的歌、乐曲上的，对于一般简单的歌曲，有时只用Ⅰ、Ⅳ、Ⅴ级和弦，再加入一两个副三和弦就可以了。尤其对初学者来说，不必考虑得面面俱到。

有时旋律需Ⅰ级与Ⅱ级连接，但又怕和弦根音的二度进行不好，这时可以在它们之间加入一个过渡性的和弦，比如：Ⅰ→Ⅴ→Ⅱ或者Ⅰ→Ⅳ→Ⅱ……

在旋律允许的情况下，歌曲的开头和结尾都应该用主三和弦，以便明确调性。

一般好的、近代的流行歌曲，乐句中总带有明显的或模糊的和弦轮廓，在配和弦时要努力辨认，发现这种轮廓，比如：《相会在山岗》中的两小节这样的旋律：

“ **1· $\underline{1}$ 4 6 | $\dot{1}$ 6 4 1 |** ”从大调的曲式上分析，这是一个明显的下属和弦的分解进行，这里面的任何一个“**1**”都不能配置主和弦“$\begin{matrix}5\\3\\1\end{matrix}$”，而应该配上下属和弦“$\begin{matrix}\dot{1}\\6\\4\end{matrix}$”。再如《草原牧歌》中第一句“**$\underline{\underset{\cdot}{6}\ \underline{\underset{\cdot}{6}1}}$ $\underline{3\ 3}$ $\underline{\underset{\cdot}{6}\ \underline{\underset{\cdot}{6}1}}$ $\underline{3\ 3}$ | $\underline{3\ \underline{32}}$ $\underline{1\ 2}$ 3 – |**”整个乐句的和弦轮廓很明显，是主和弦“$\begin{matrix}3\\1\\\underset{\cdot}{6}\end{matrix}$”的进行，在为这个乐句配置和弦时，就应用一个和弦“Am”。最后一个音“**3**”如果配上 Em“$\begin{matrix}\dot{3}\\7\\5\end{matrix}$”，也不能算错误，可这个Ⅴ级实在没有必要去取代Ⅰ级“Am”，破坏了和弦与旋律的统一性，也破坏了和弦本身的连续性，使一个完整的乐句节外生枝，变得无力。

从上例中可以看出，除特殊情况下，和弦多变为好。一般地，在大多数情况下都不必转换太多，它会对旋律起到瓦解或歪曲作用，喧宾夺主。如《男朋友》中前四小节：

6 6 6 1 | 3 3 3 5 | 6 6 6 5 | 3 2 1 | 从整个乐句来看是主和弦“$\begin{matrix}3\\1\\\underset{\cdot}{6}\end{matrix}$”的进行，四小节全用“Am”很好，对稳定调性也有好处。但如果只看局部，那第二小节只有“**3 5**”两音，似乎应该配属和弦 Em“$\begin{matrix}7\\5\\3\end{matrix}$”，如果真的这样配上了，那将是很糟的。因为主和弦刚一出现就被它换了下来，一小节后又要被换上去，这样频频的换法，加上歌词那么密集，一时会显得很乱。有经验的人是不会这样配的。

找出乐句的和弦轮廓应着眼于整个乐句，而不要总是看个别小节、个别音，一般在一个乐句内，用一到两个和弦较为理想。如《迟到》1=D：

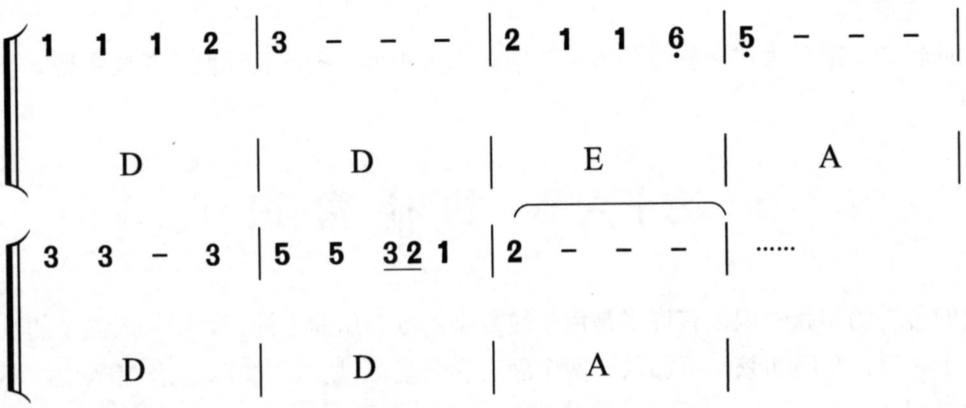

配和弦也是一种再创作，它与旋律创作一样，在大多数情况下，应力求简洁，明了，而忌讳曲折、繁复。好的和弦配置与好的旋律一样，应该是简朴、自然、流畅的。

第九章 歌曲部分

世上只有妈妈好

1=C $\frac{4}{4}$

李隽青 词
刘宏远 曲

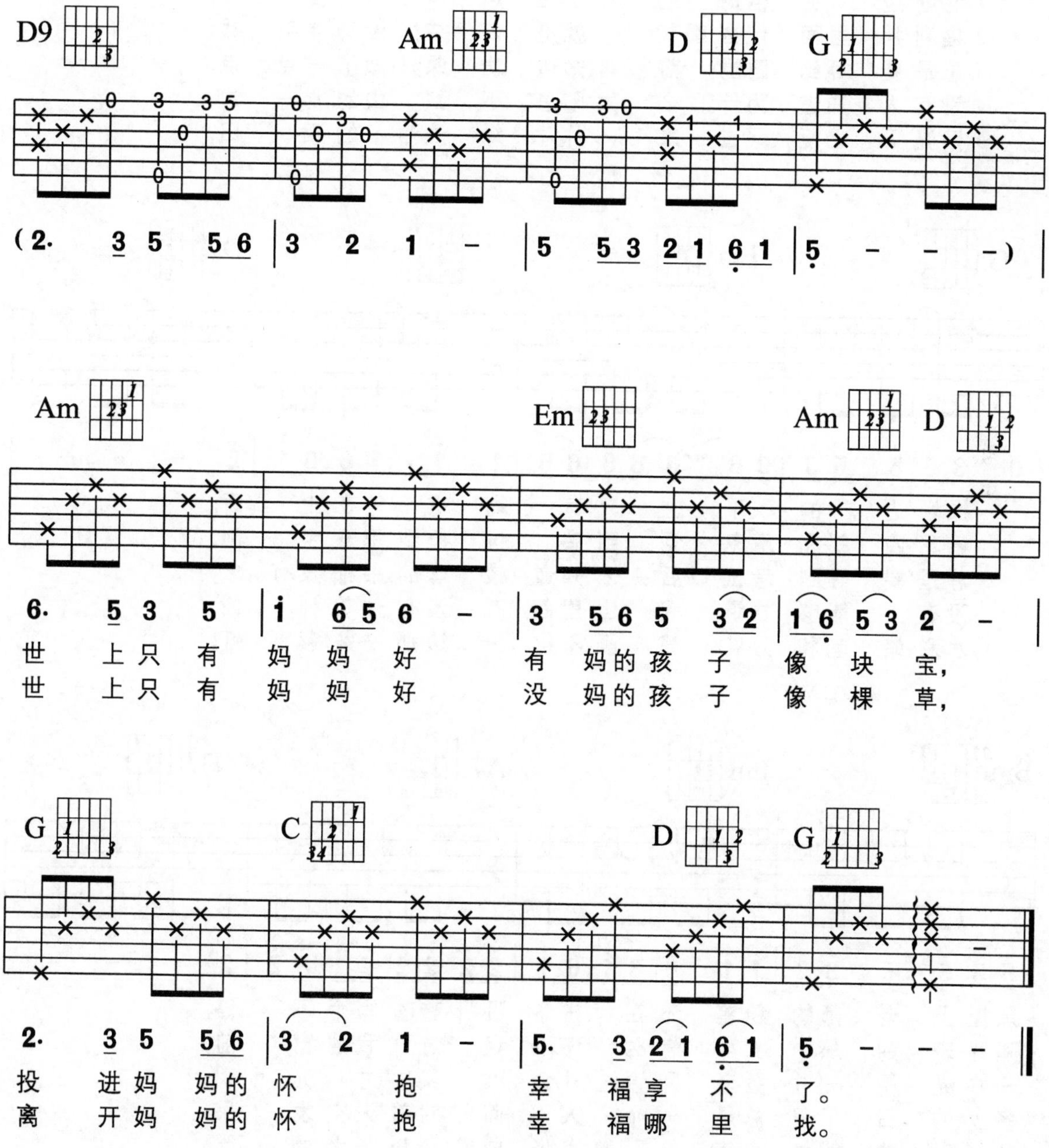
D9
Am
D
G
Am
Em
Am
D
世 上只 有 妈 妈 好 有 妈的孩 子 像 块 宝,
世 上只 有 妈 妈 好 没 妈的孩 子 像 棵 草,
G
C
D
G
投 进妈 妈的 怀 抱 幸 福享 不 了。
离 开妈 妈的 怀 抱 幸 福哪 里 找。

童　年

罗　大　佑　词曲
刘天礼　记谱编配

1=G $\frac{4}{4}$

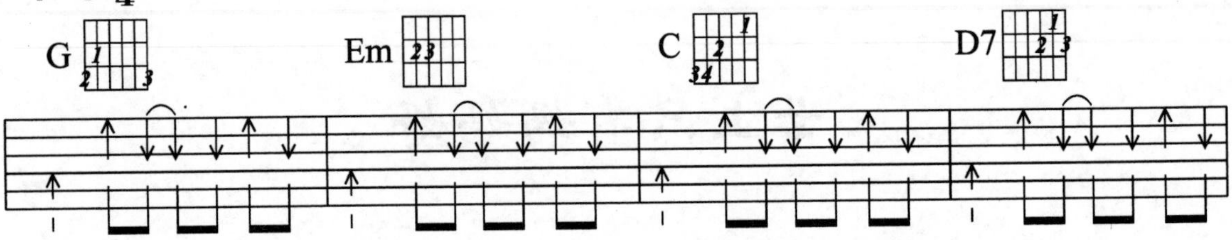

0 3 5 5 5 3 | 6 6 7 6 6 6 6 5 | 1̇ 1̇ 1̇ 1̇ 6 1̇ 6 | 5 – – – |

1.池塘边 的 榕树 上 知了在 声 声 叫着夏 天，
2.福利社 里面 什么都有 就是 口 袋里没有半毛 钱，
3.总是要 等到 睡觉 前 才知道 功 课只做了一点 点，
4.没有人 知道 为什 么 太阳总 下 到 山的那一 边，
5.阳光下 蜻蜓 飞过 来 一片片 绿 油油 的稻 田，

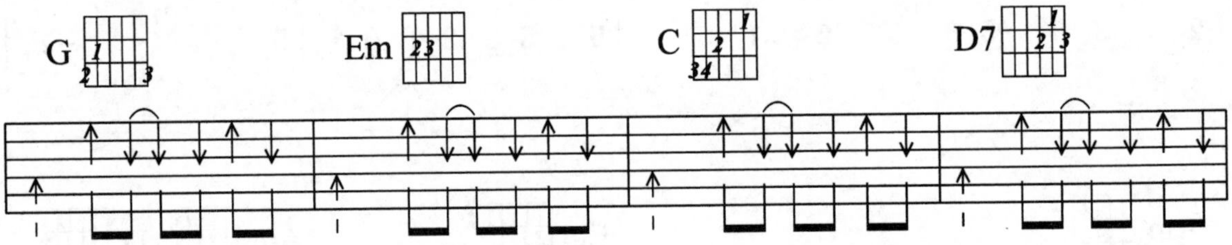

0 3 5 5 5 3 | 6 6 7 6 6 6 6 5 | 1̇ 1̇ 1̇ 1̇ 6 6 1̇ | 2̇ – – – |

操场边 的 秋千 上 只有 蝴 蝶 停在上 面，
诸葛四 郎和 魔鬼 党 到底 谁 抢到那支宝 剑，
总是要 等到 考试以后 才知道 该 念的书都没有 念，
没有人 能够 告诉 我 山里面 有 没有住着神 仙，
水彩蜡 笔和 万花 筒 画不出 天 边那一条彩 虹，

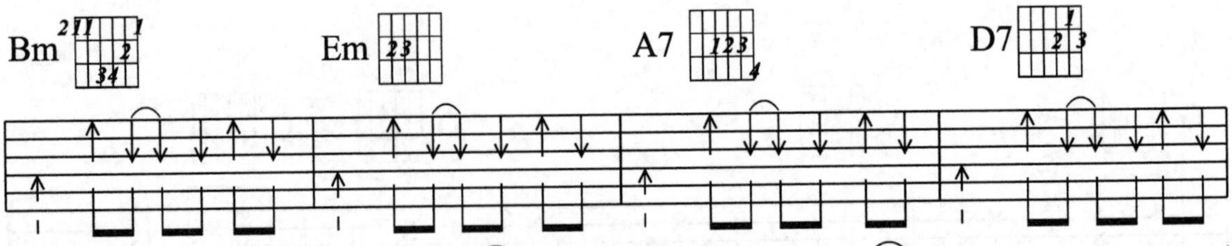

5̇ 5̇ 5̇ 5̇ 3̇ 2̇ | 1̇ 1̇ 6 6 1̇ 6 1̇ | 2̇ 2̇ 2̇ 2̇ 2̇ 1̇ 3̇ 2̇ | 2̇ – – – |

黑板上 老 师的 粉笔 还在 拼命 叽叽 喳喳 写个不 停，
隔壁班 的 那个 女孩 怎么 还没 经 过 我的窗 前，
一寸光 阴 一寸 金老 师说过 寸金 难 买 寸 光 阴，
多少的 日 子里 总是 一个 人 面 对着天空发 呆，
什么时候才 能像 高年级 的同学 有张 成熟 与长大的 脸，

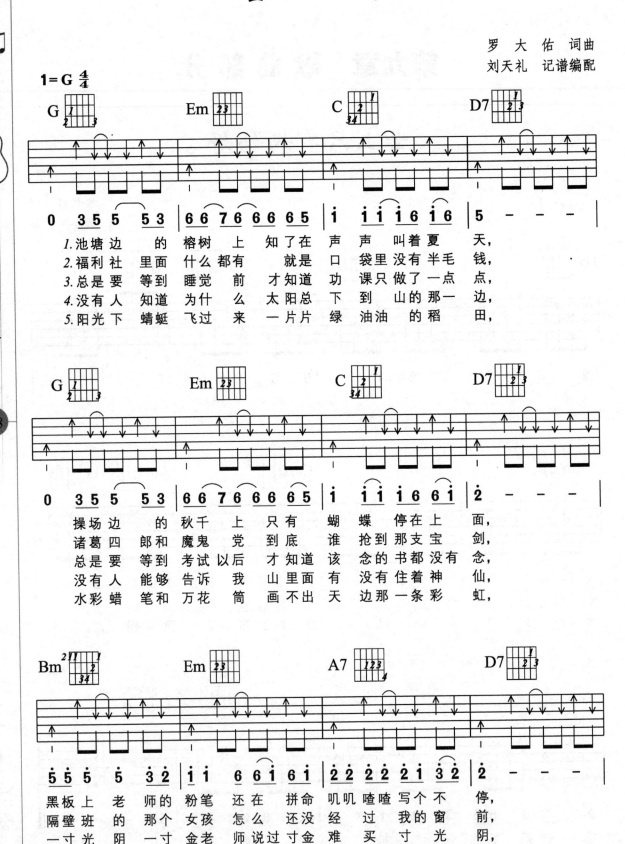

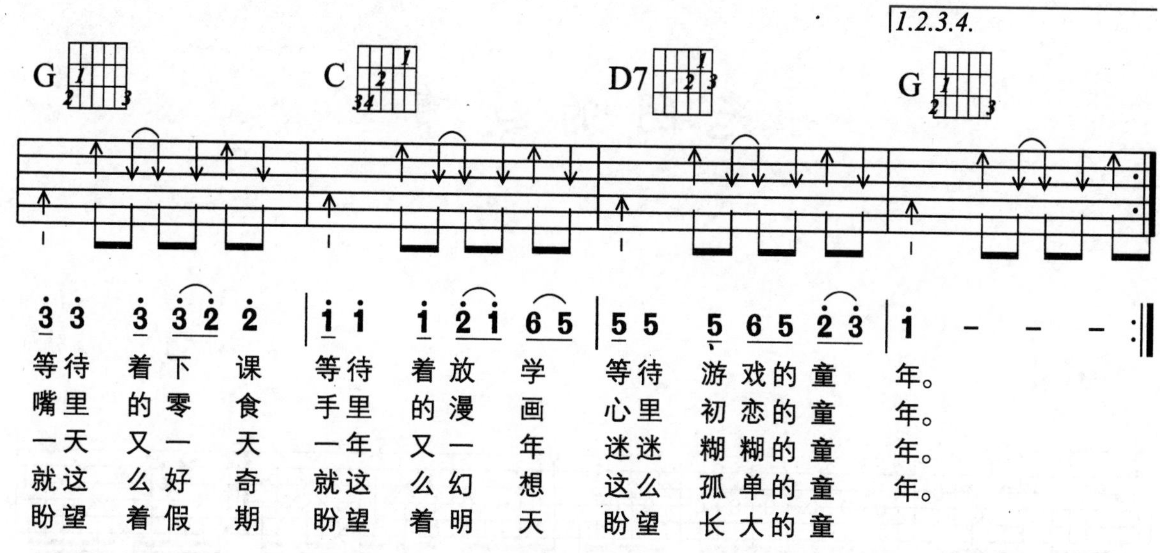
1.2.3.4.
G
C
D7
G
等待 着下 课 等待 着放 学 等待 游戏的童 年。
嘴里 的零 食 手里 的漫 画 心里 初恋的童 年。
一天 又一 天 一年 又一 年 迷迷 糊糊的童 年。
就这 么好 奇 就这 么幻 想 这么 孤单的童 年。
盼望 着假 期 盼望 着明 天 盼望 长大的童

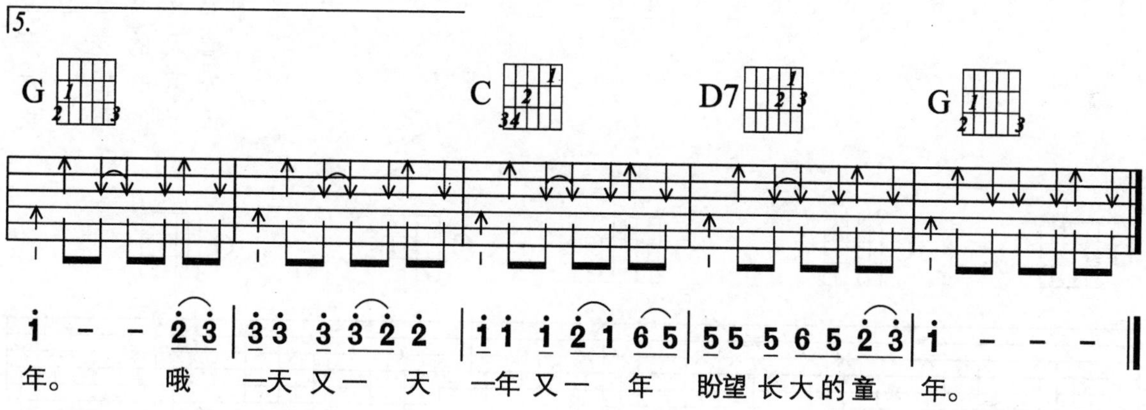
5.
G
C
D7
G
年。 哦 一天又一 天 一年又一 年 盼望长大的童 年。

光阴的故事

罗 大 佑 词曲
刘天礼 记谱编配

1=G $\frac{6}{8}$

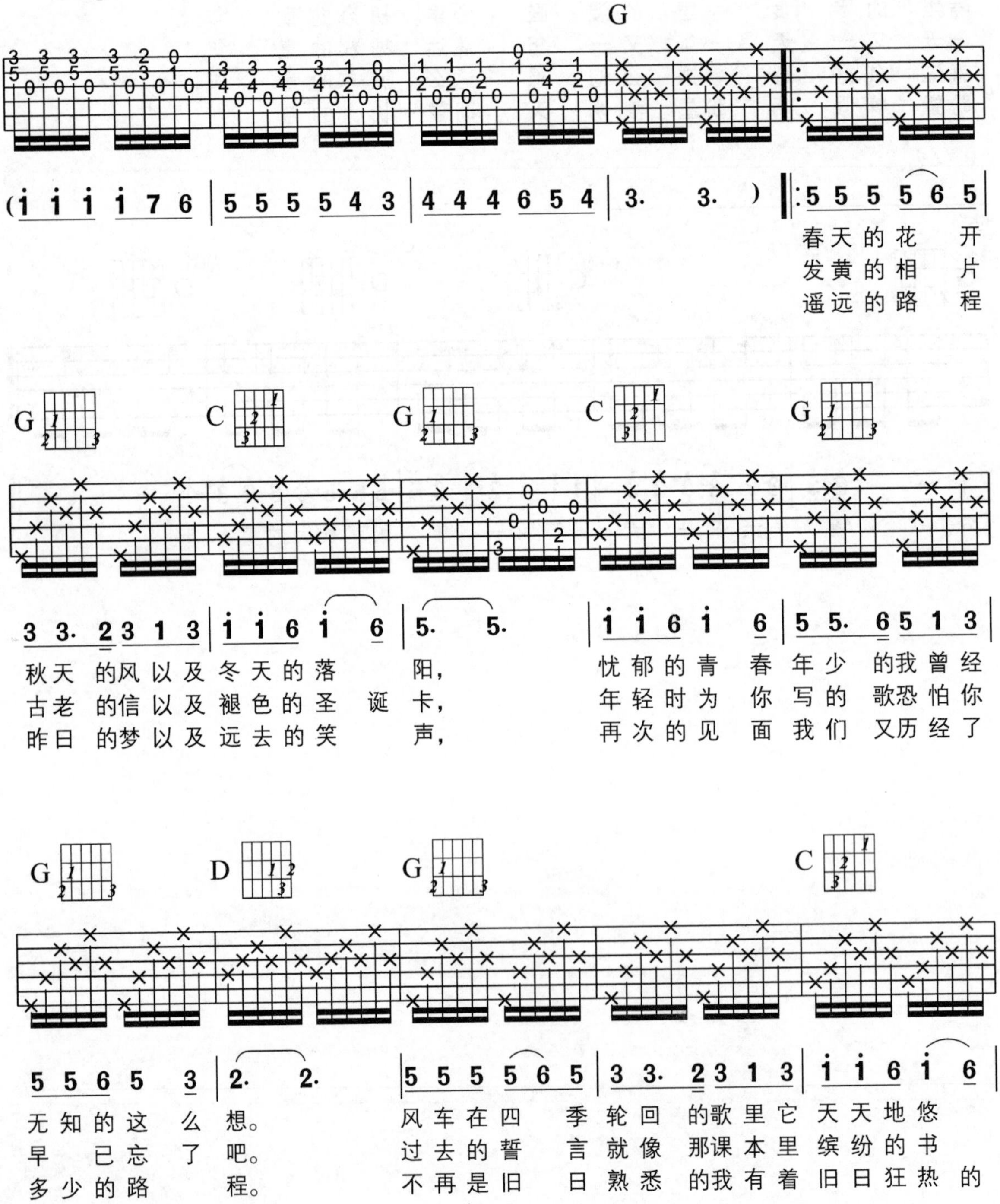
G
(1 1 1 1 7 6 | 5 5 5 5 4 3 | 4 4 4 6 5 4 | 3. 3.) |: 5 5 5 5 6 5 |
春天的花 开
发黄的相 片
遥远的路 程
G C G C G
3 3. 2 3 1 3 | 1 1 6 1 6 | 5. 5. | 1 1 6 1 6 | 5 5. 6 5 1 3 |
秋天 的风 以 及 冬 天 的 落 阳，忧 郁 的 青 春 年 少 的我 曾 经
古老 的信 以 及 褪 色 的 圣 诞 卡，年 轻 时 为 你 写 的 歌恐 怕 你
昨日 的梦 以 及 远 去 的 笑 声，再 次 的 见 面 我 们 又历 经 了
G D G C
5 5 6 5 3 | 2. 2. | 5 5 5 5 6 5 | 3 3. 2 3 1 3 | 1 1 6 1 6 |
无 知 的 这 么 想。风 车 在 四 季 轮 回 的歌 里 它 天 天 地 悠
早 已 忘 了 吧。过 去 的 誓 言 就 像 那课 本 里 缤 纷 的 书
多 少 的 路 程。不 再 是 旧 日 熟 悉 的我 有 着 旧 日 狂 热 的

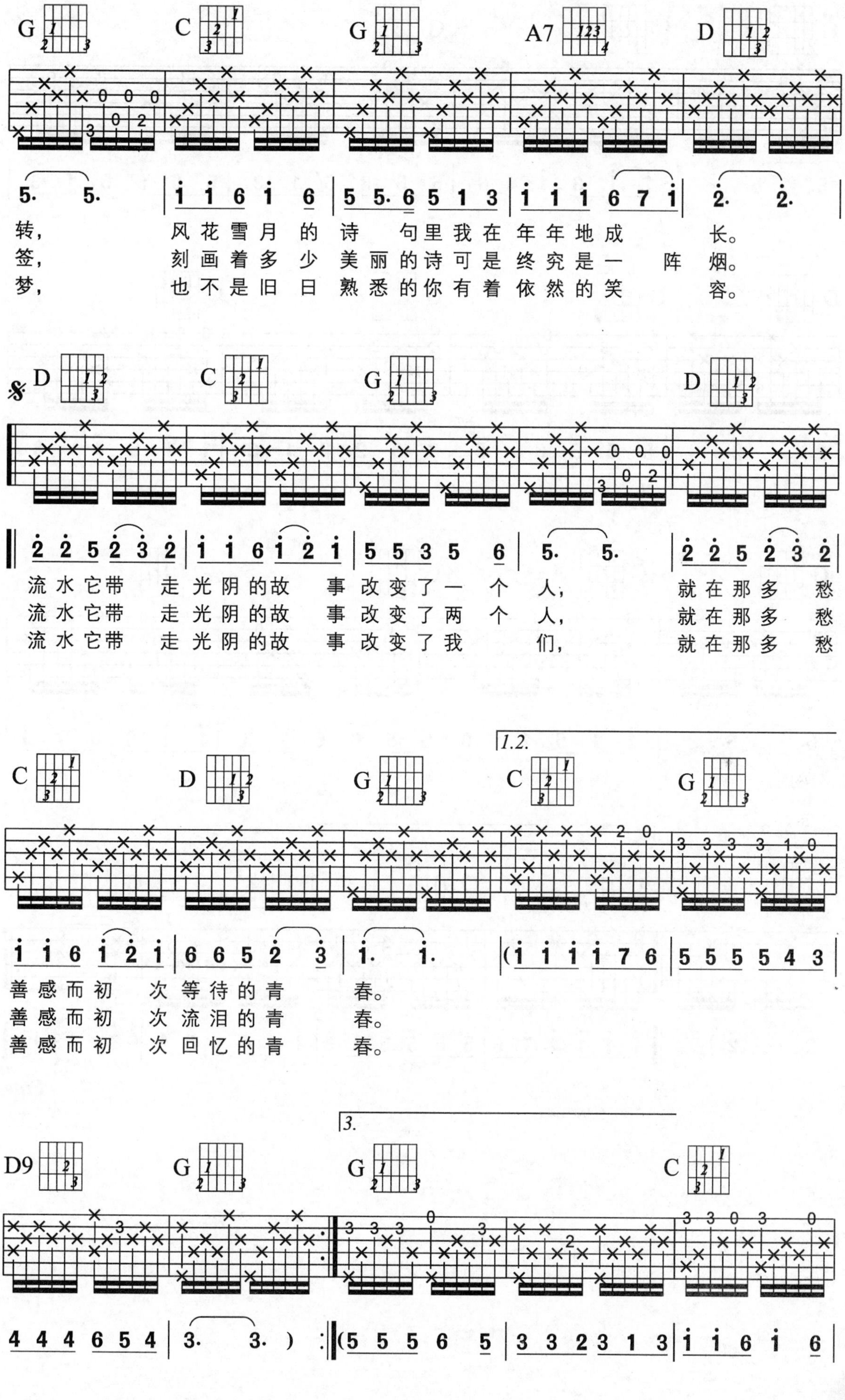
G C G A7 D
转， 风花雪月的诗 句里我在年年地成 长。
签， 刻画着多少美丽的诗可是终究是一 阵 烟。
梦， 也不是旧日 熟悉的你有着依然的笑 容。
D C G D
流水它带 走光阴的故 事改变了一 个 人， 就在那多 愁
流水它带 走光阴的故 事改变了两 个 人， 就在那多 愁
流水它带 走光阴的故 事改变了我 们， 就在那多 愁
C D G C G
1.2.
善感而初 次等待的青 春。
善感而初 次流泪的青 春。
善感而初 次回忆的青 春。
D9 G G C
3.

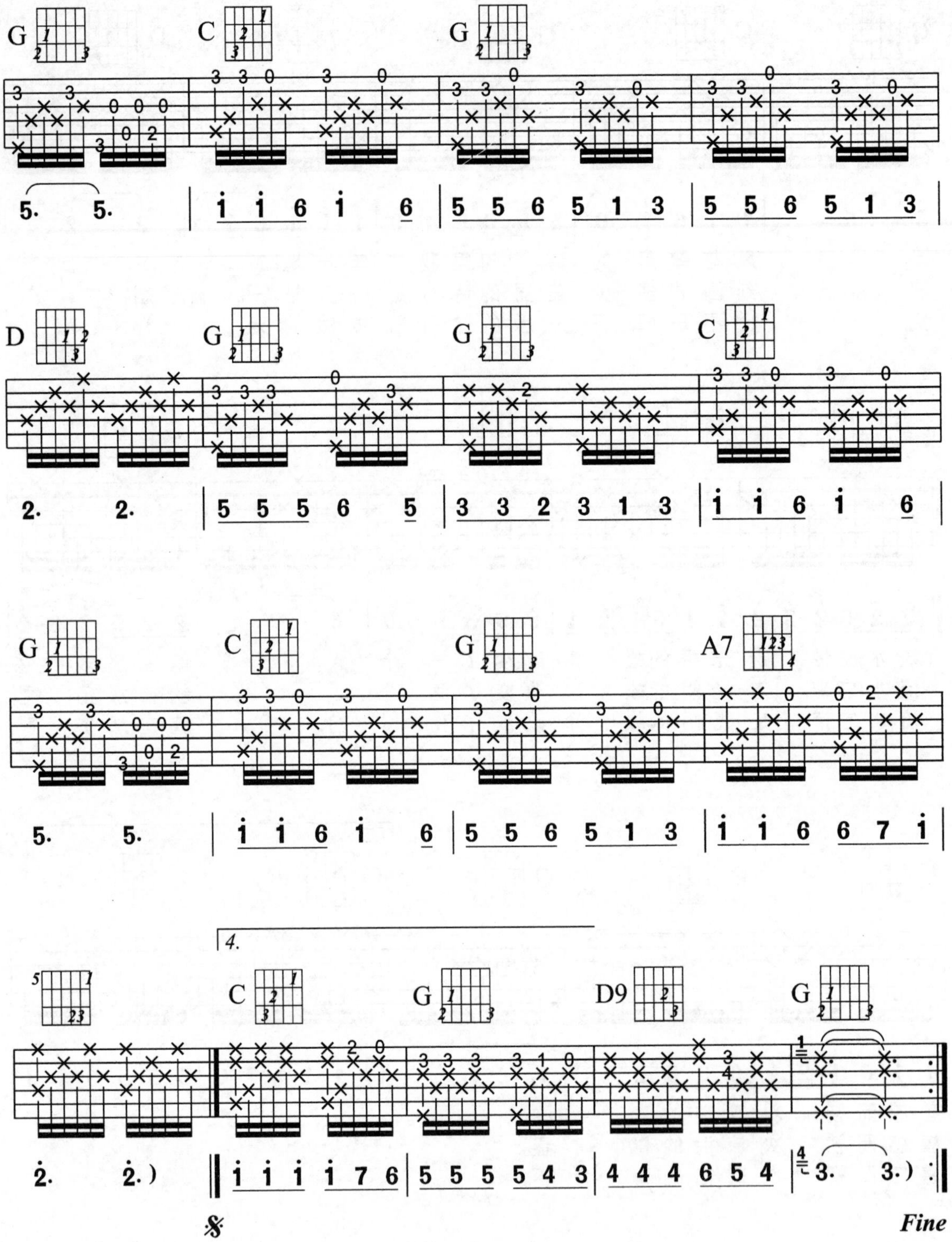
G
C
G
D
G
G
C
G
C
G
A7
C
G
D9
G
Fine

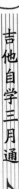

丁 香 花

1=G $\frac{3}{4}$

唐 磊 词曲

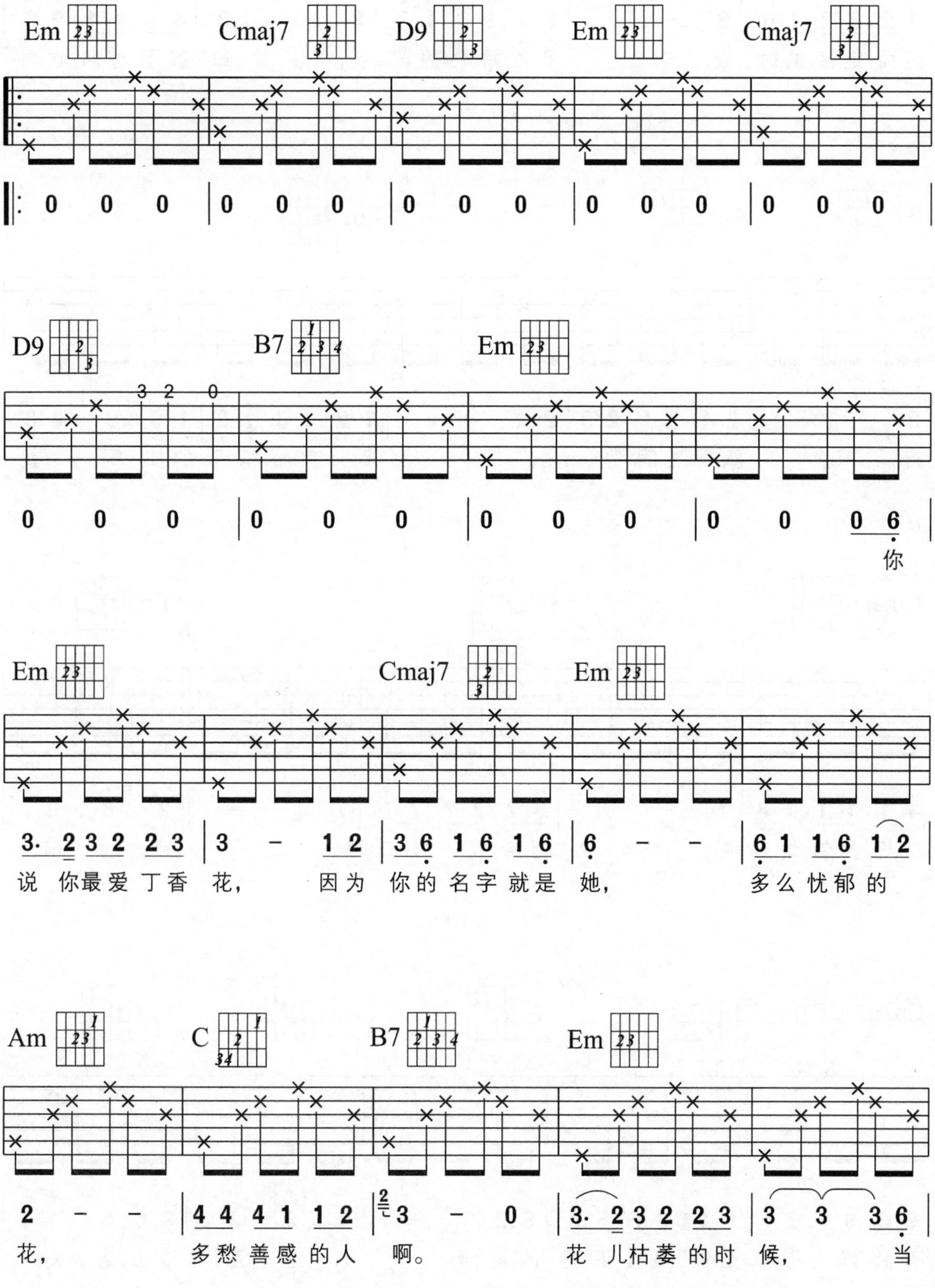

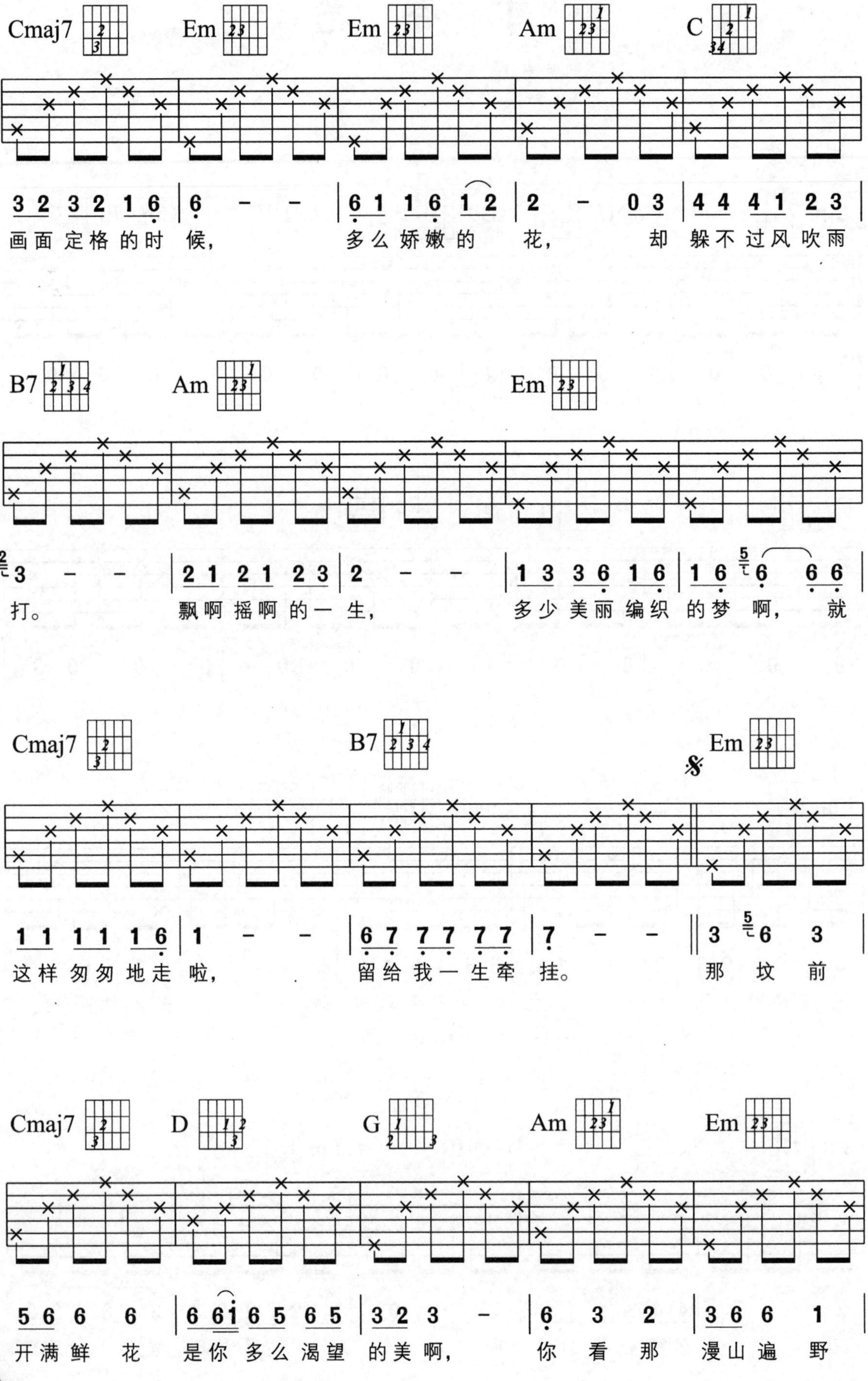

Cmaj7　　Em　　Em　　Am　　C

3 2 3 2 1 6 | 6 - - | 6 1 1 6 1 2 | 2 - 0 3 | 4 4 4 1 2 3 |
画面定格的时候，　　多么娇嫩的　花，　　却　躲不过风吹雨

B7　　Am　　Em

3 - - | 2 1 2 1 2 3 | 2 - - | 1 3 3 6 1 6 | 1 6 6 6 6 |
打。　　飘啊摇啊的一生，　　多少美丽编织的梦啊，　就

Cmaj7　　B7　　Em

1 1 1 1 1 6 | 1 - - | 6 7 7 7 7 7 | 7 - - | 3 6 3 |
这样匆匆地走啦，　　留给我一生牵挂。　　那 坟前

Cmaj7　　D　　G　　Am　　Em

5 6 6 6 | 6 6 1 6 5 6 5 | 3 2 3 - | 6 3 2 | 3 6 6 1 |
开满鲜花 是你多么渴望的美啊，　你看那 漫山遍野

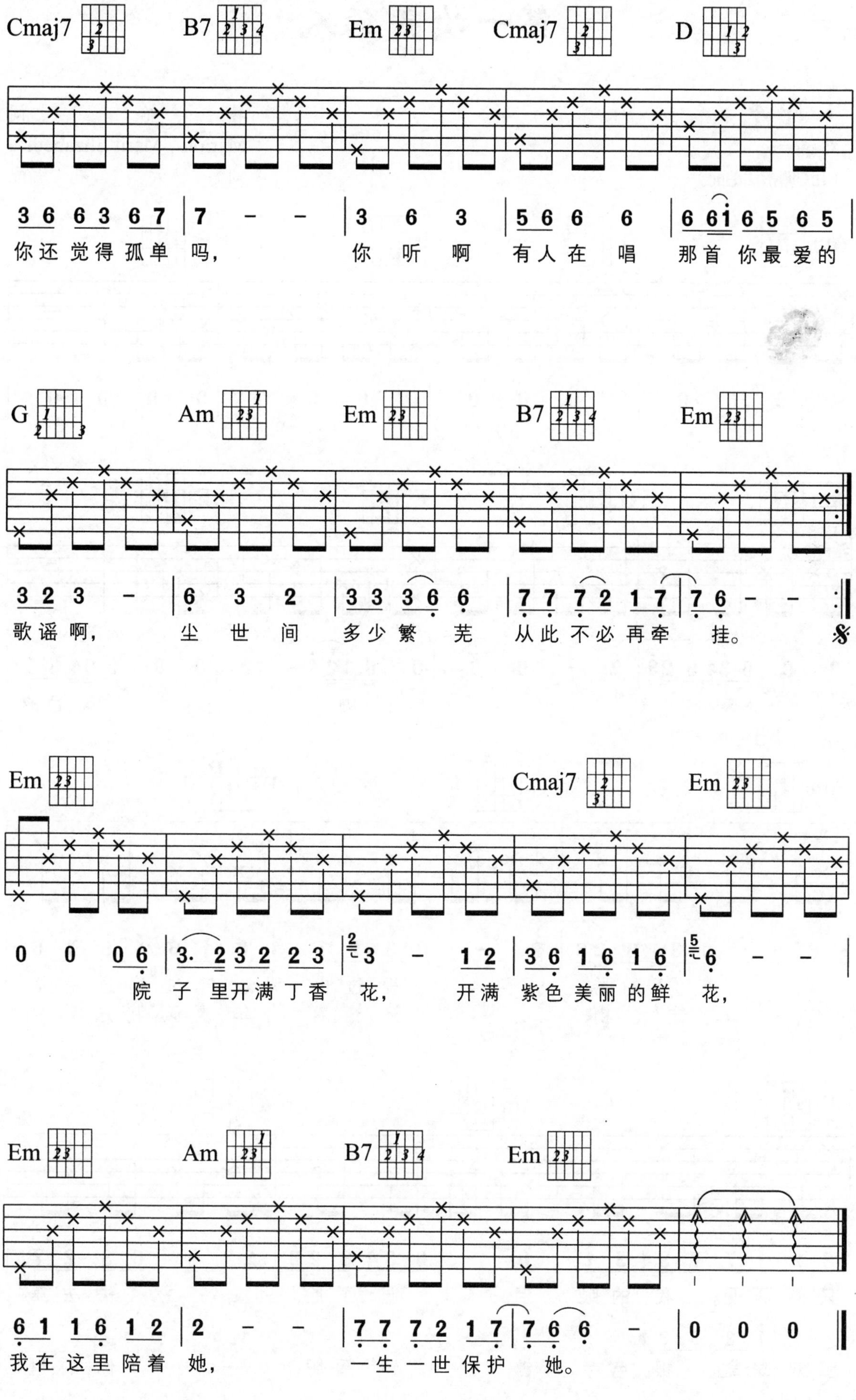
Cmaj7 B7 Em Cmaj7 D
你还觉得孤单吗，你听啊有人在唱那首你最爱的
G Am Em B7 Em
歌谣啊，尘世间多少繁芜从此不必再牵挂。
Em Cmaj7 Em
院子里开满丁香花，开满紫色美丽的鲜花，
Em Am B7 Em
我在这里陪着她，一生一世保护她。

第一次爱的人

1= ♭D 4/4
Capo=3
（用C调指法编配）

林　怡　芬 词
Marion、Marit Elizabeth 曲
刘　天　礼 编配

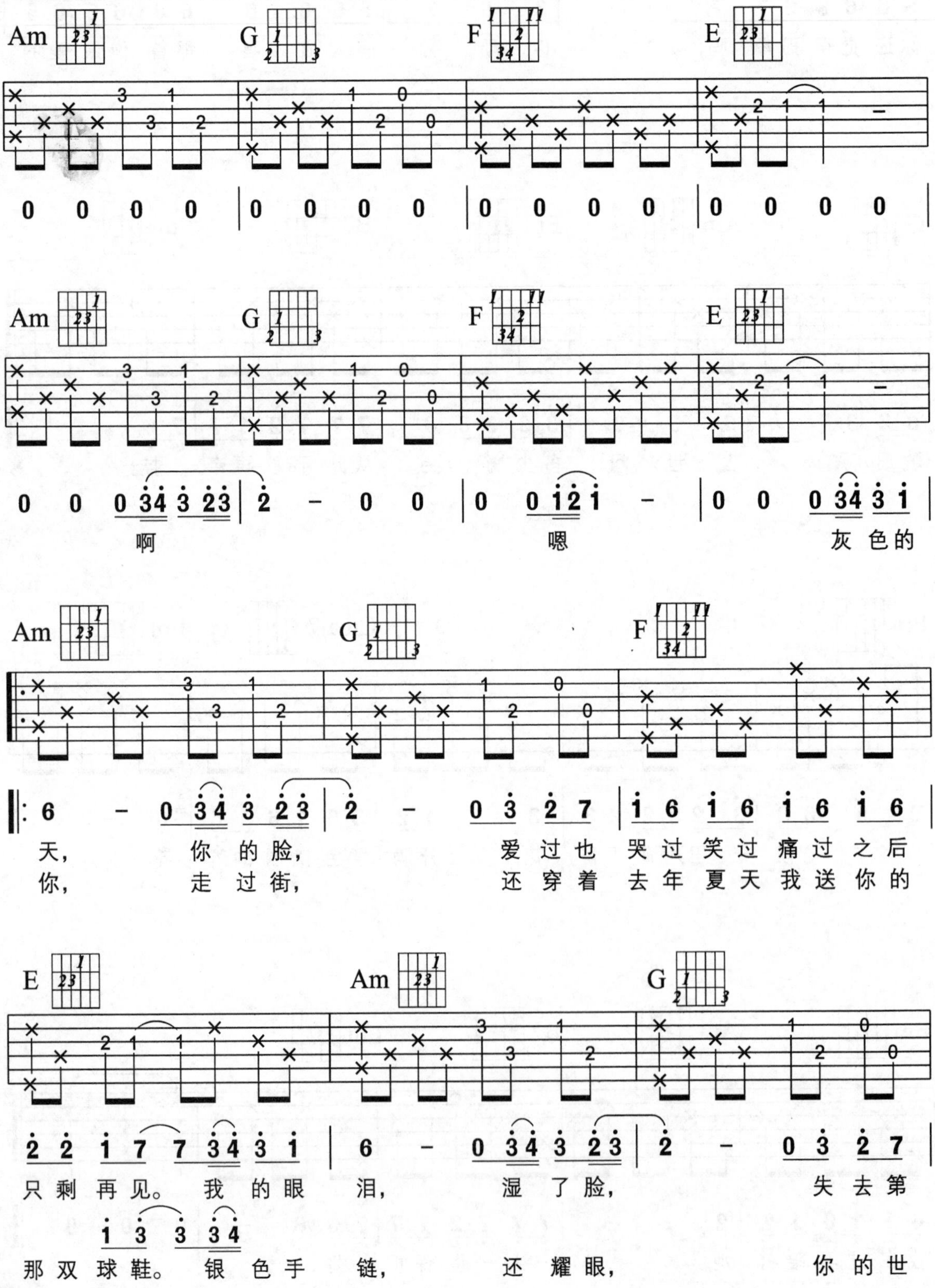

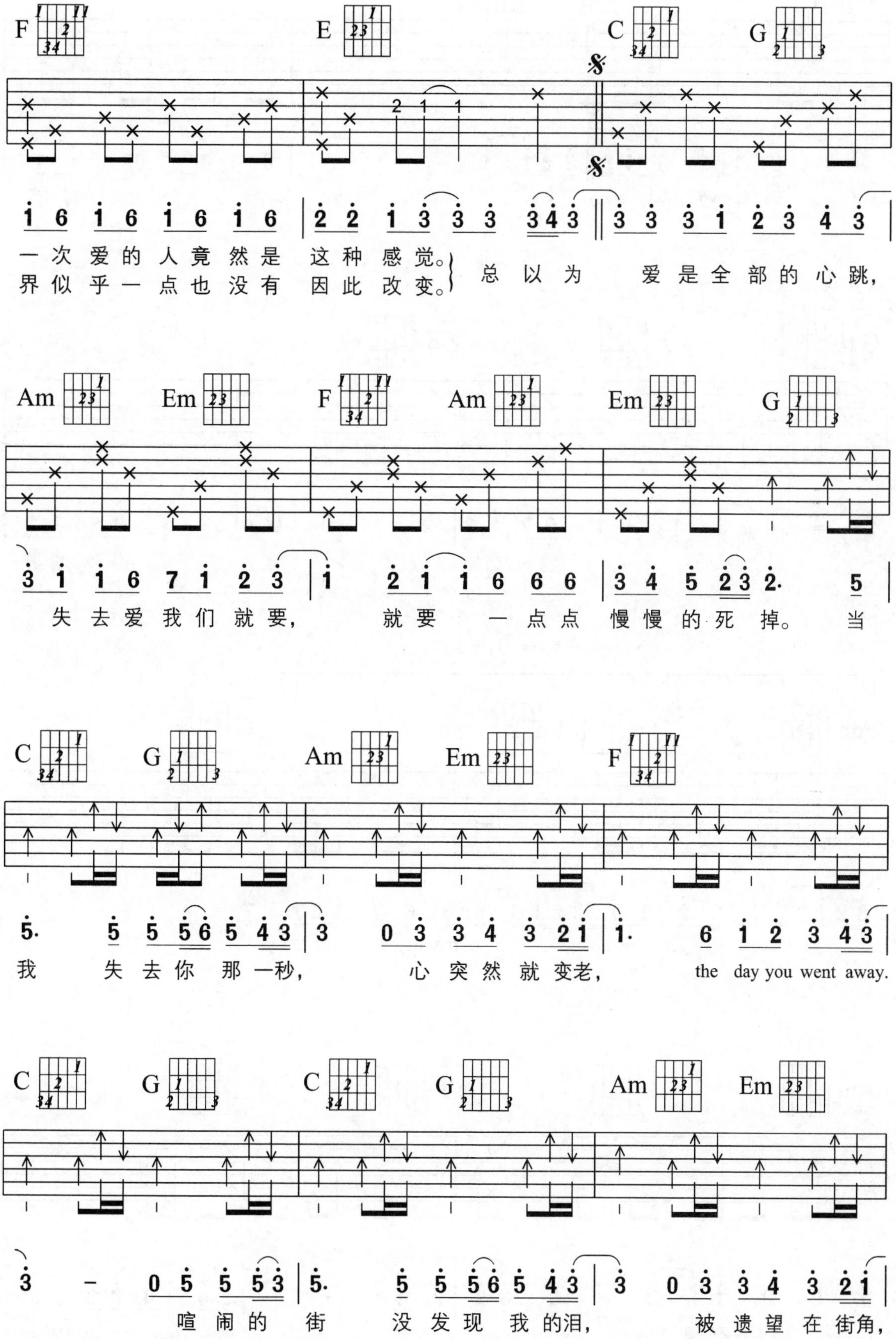
F E C G
一次爱的人竟然是这种感觉。
界似乎一点也没有因此改变。
总以为 爱是全部的心跳，
Am Em F Am Em G
失去爱我们就要，就要一点点慢慢的死掉。当
C G Am Em F
我失去你那一秒，心突然就变老，the day you went away.
C G C G Am Em
喧闹的街 没发现我的泪，被遗望在街角，

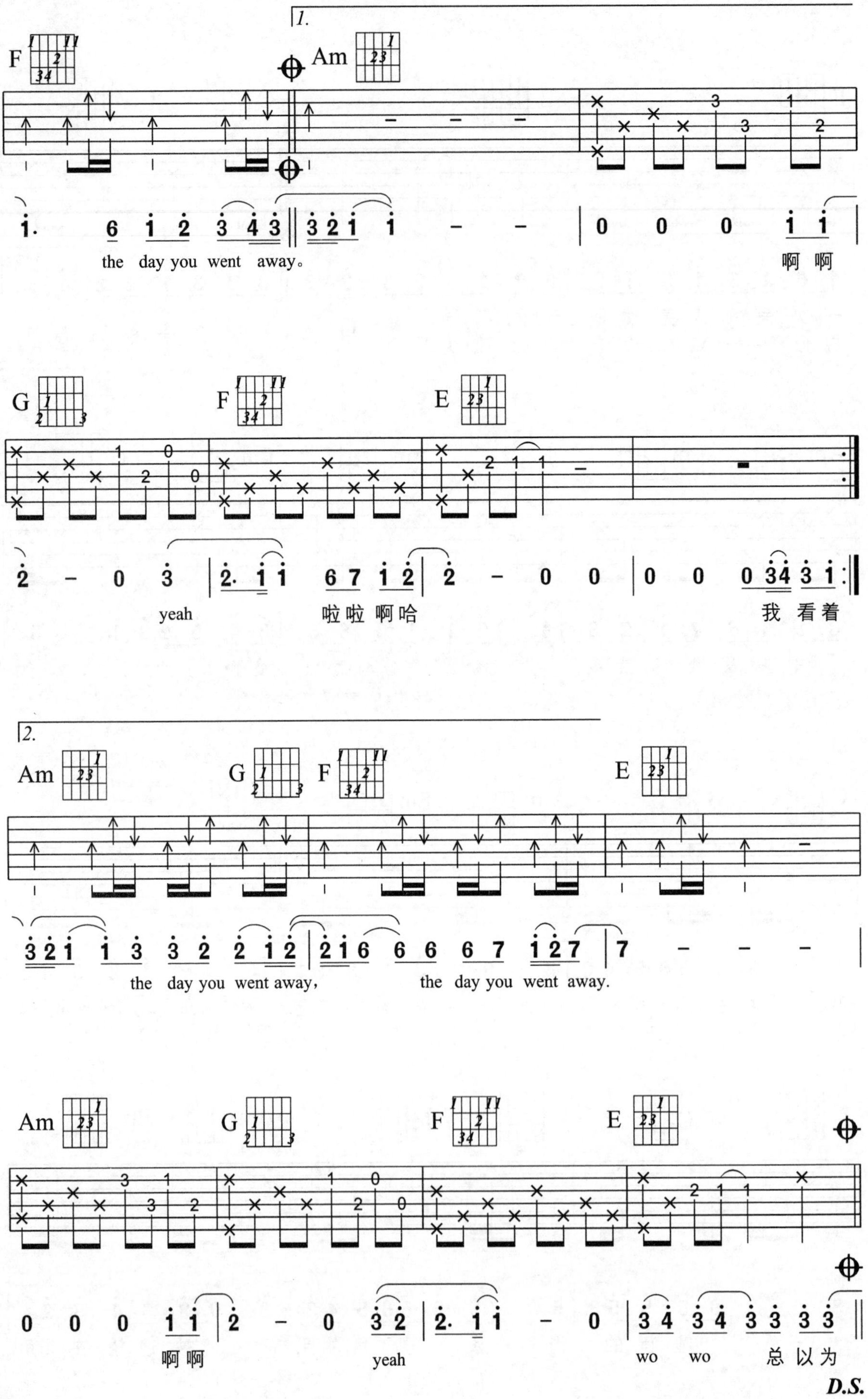
1.
F
Am
the day you went away。
啊 啊
G
F
E
yeah
啦 啦 啊 哈
我 看 着
2.
Am
G
F
E
the day you went away,
the day you went away.
Am
G
F
E
啊 啊
yeah
wo wo 总 以 为
D.S.

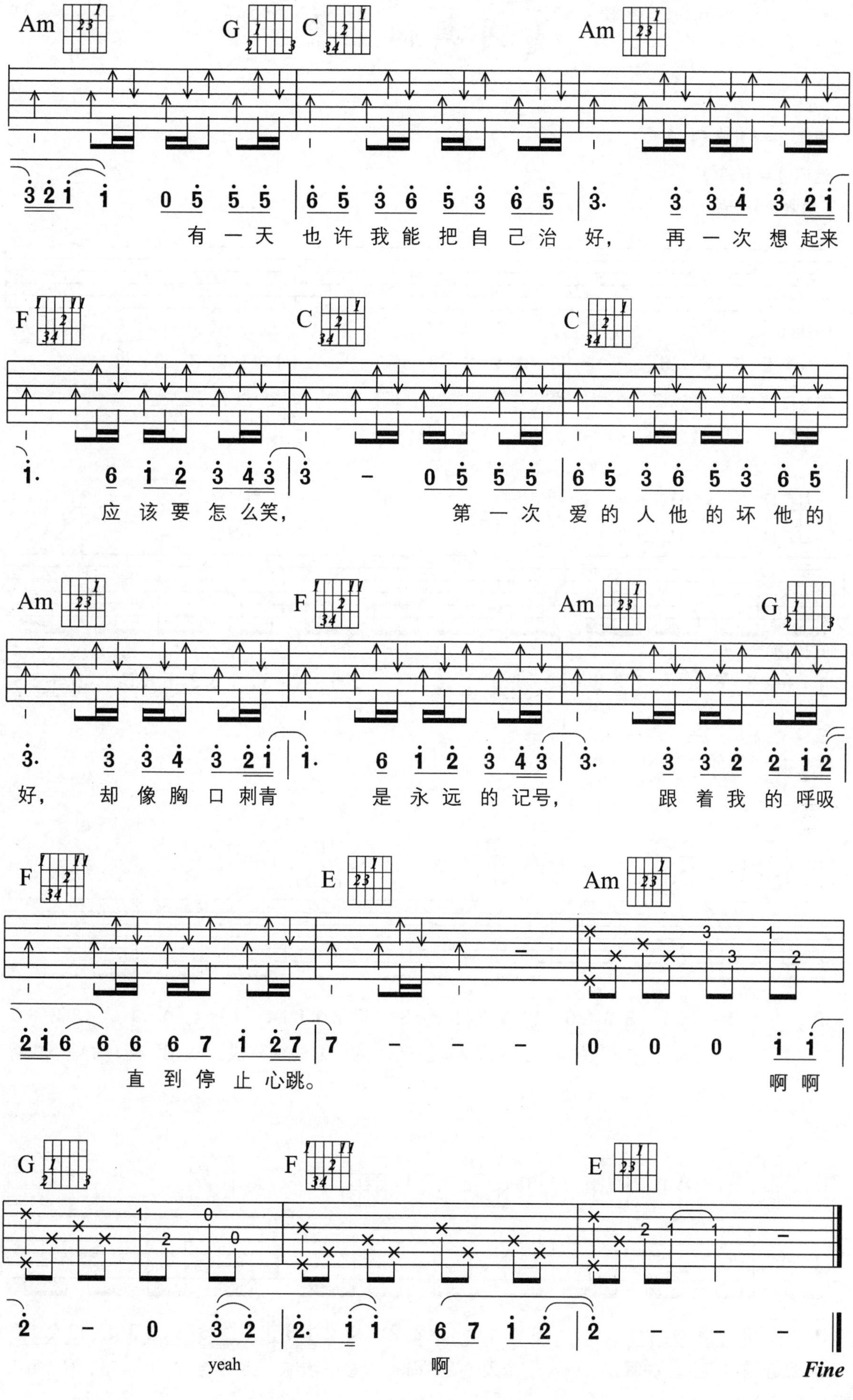
有 一 天 也 许 我 能 把 自 己 治 好， 再 一 次 想 起来
应 该 要 怎 么笑， 第 一 次 爱 的 人 他 的 坏 他 的
好， 却 像 胸 口 刺青 是 永 远 的 记号， 跟 着 我 的 呼吸
直 到 停 止 心跳。 啊 啊
yeah
啊
Fine

看月亮爬上来

原调 1=♯F转G 4/4

选调 1=F转♯F
（变调夹夹一品）

陆 虎 词曲

（稍自由地）　　　　　　　　　　　　　　　　　　　　　　　　（5 6 1 6

1 1 2 3 6 5　－　｜　1 1 2 3 6 5　－　｜　1 1 2 3 6 6　－

看 月亮爬 上 来，　　看 月亮爬 上 来，　　看 月亮爬 上

（回原速）

1 1 2 3 6 5　5 3 2 1　｜　2 2 3 2 1 0　2 6 1 2　｜　3 1 3 3 5 6 5　5 3 2 3　｜

5　－　－　－　｜

来。

2. 1 1　1 0）　3 2 1 6　｜　1 1 6 1 3 3　3 2 1 6　｜　1 1 6 1 1 1　1　3 2 1 6　｜

失 眠的 夜 漫漫 飘过 来，想 念的 心 没什么 阻碍， 好 像听

1 1 2 3 4 3 1 1 3 1 1 1　｜　6 1 1 1 2 2　3 2 1 6　｜：1 1 6 1 2 3　3　3 2 1 6　｜

说 最近你 也在 失眠，　　一个 人 发呆。　喜 欢你 笑得 像个 小 孩，想 每天

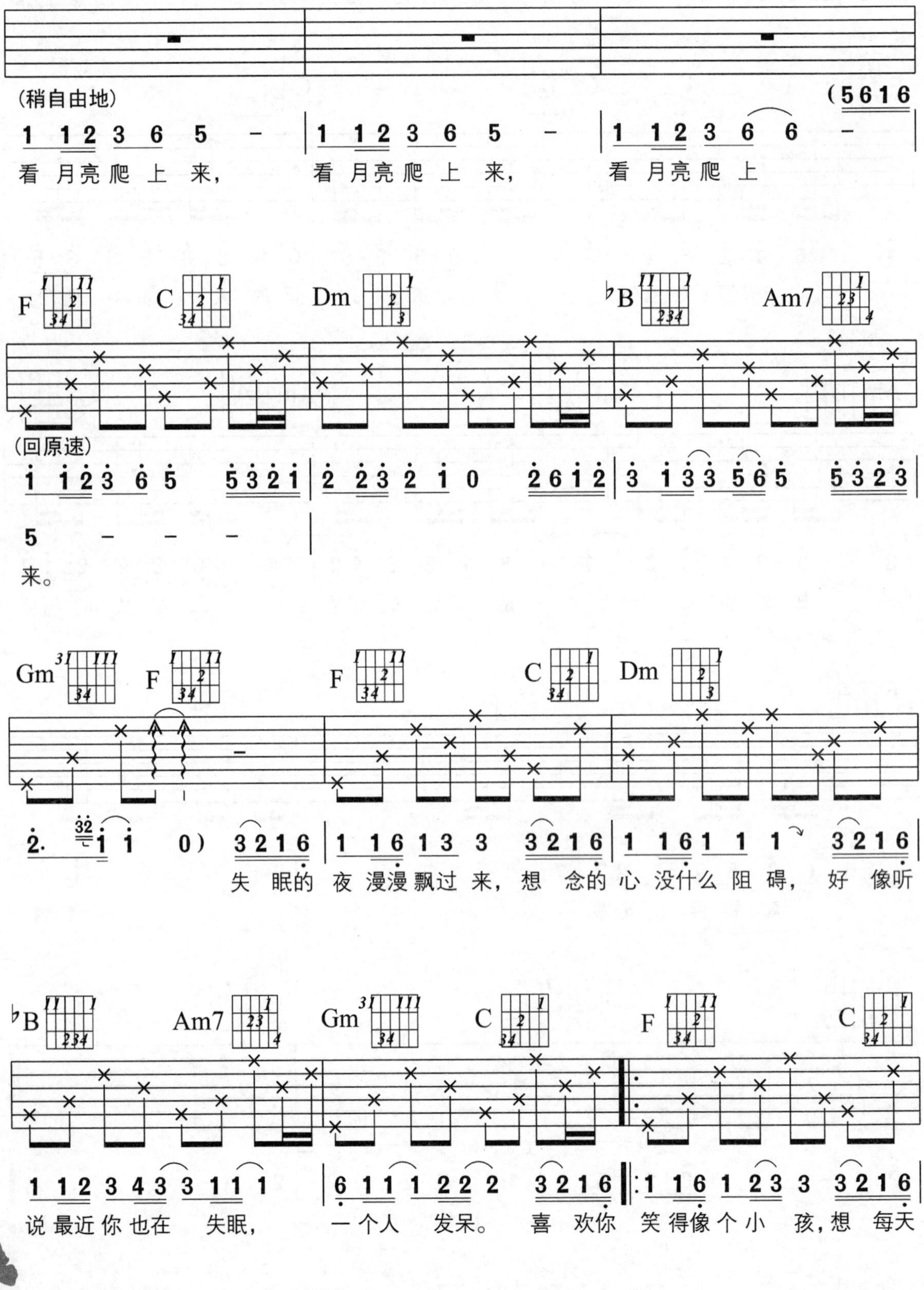

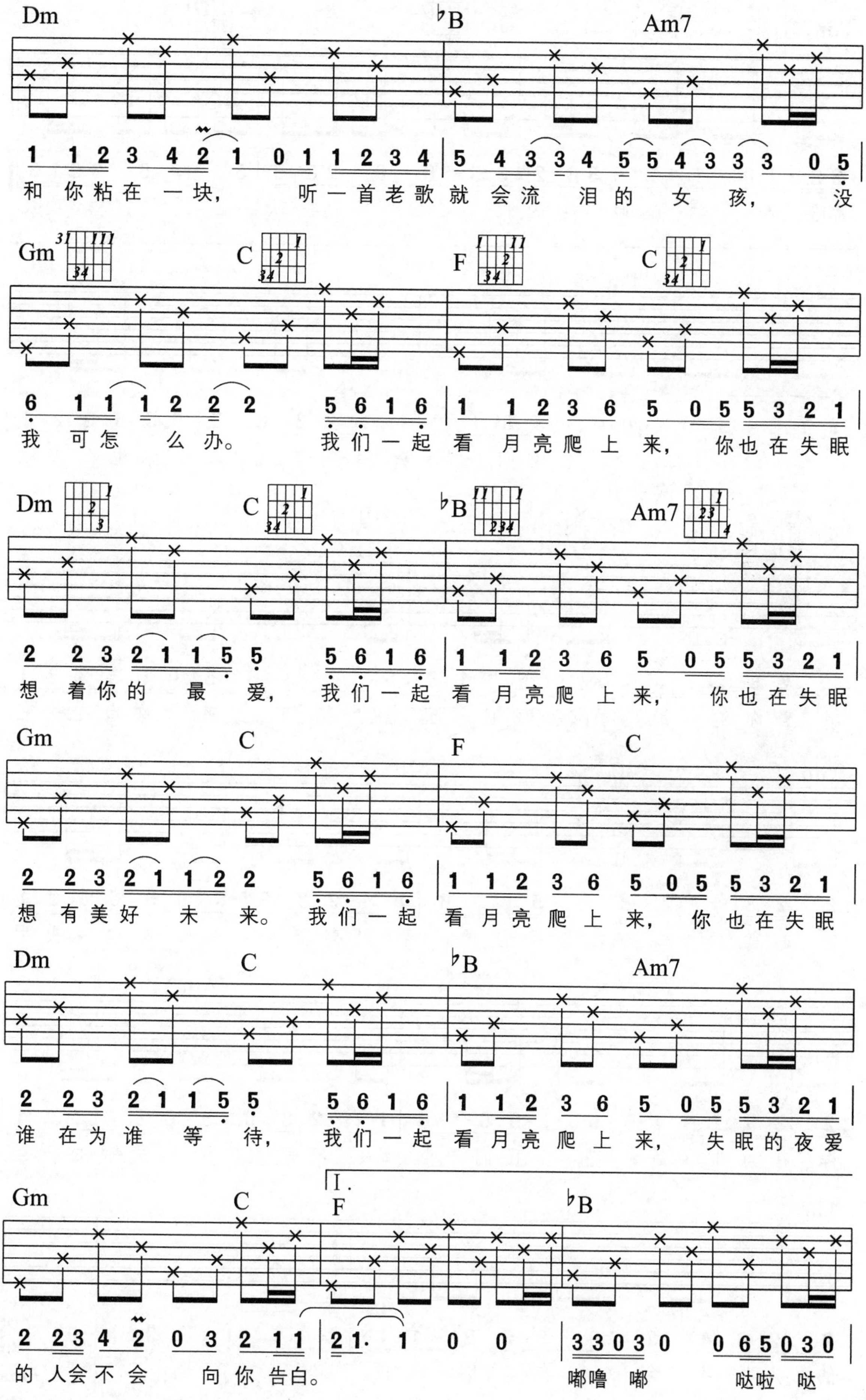
Dm ♭B Am7
和你粘在一块，听一首老歌就会流泪的女孩，没
Gm C F C
我可怎么办。我们一起看月亮爬上来，你也在失眠
Dm C ♭B Am7
想着你的最爱，我们一起看月亮爬上来，你也在失眠
Gm C F C
想有美好未来。我们一起看月亮爬上来，你也在失眠
Dm C ♭B Am7
谁在为谁等待，我们一起看月亮爬上来，失眠的夜爱
Gm C F ♭B
的人会不会向你告白。嘟噜嘟 哒啦哒

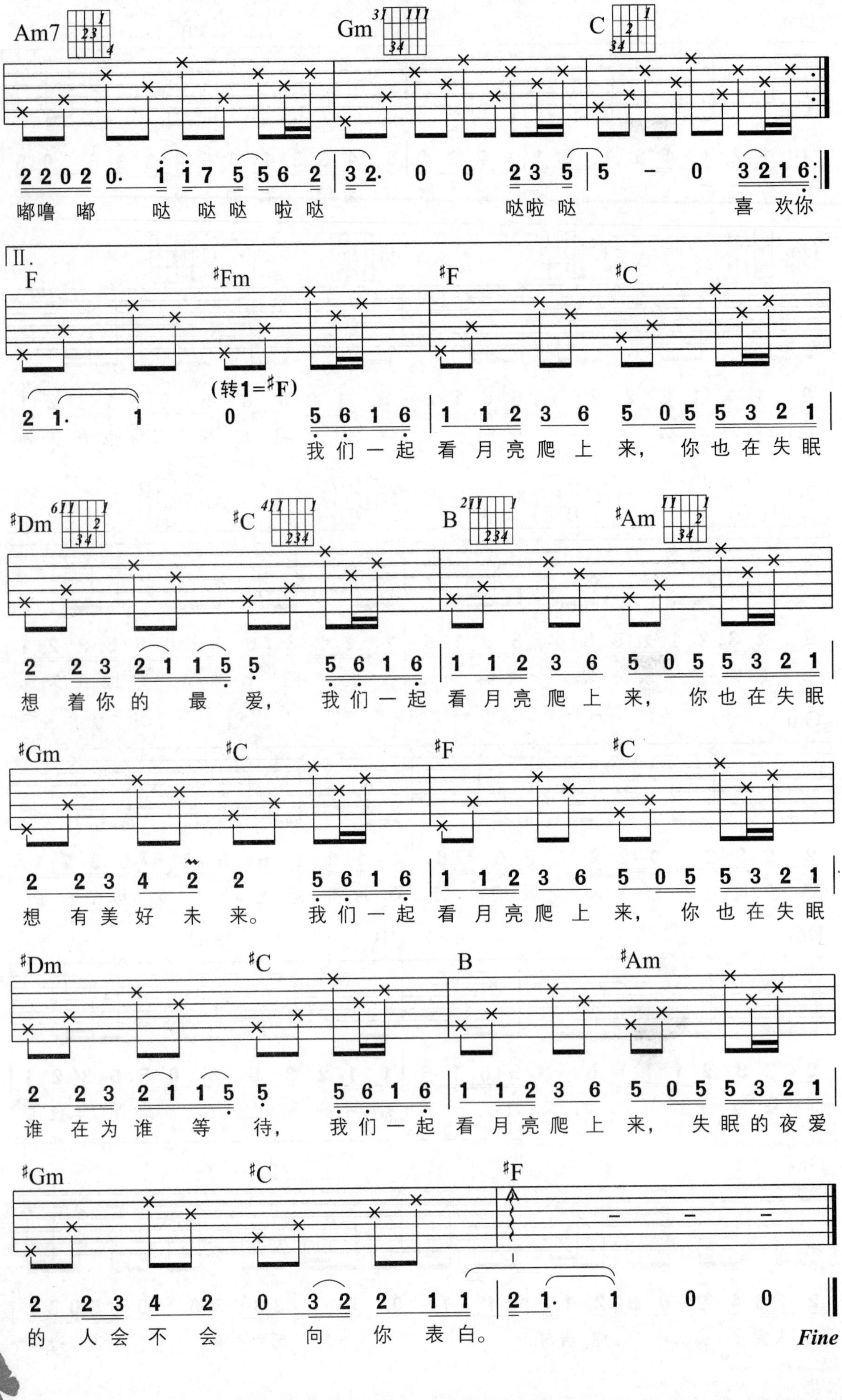
Am7
Gm
C
嘟噜 嘟 哒 哒哒 啦哒 哒啦 哒 喜 欢你
II.
F
#Fm
#F
#C
(转1=#F)
我们一起 看月亮爬上 来， 你也在失眠
#Dm
#C
B
#Am
想 着你的 最 爱， 我们一起 看月亮爬上 来， 你也在失眠
#Gm
#C
#F
#C
想 有美好 未 来。 我们一起 看月亮爬上 来， 你也在失眠
#Dm
#C
B
#Am
谁 在为谁 等 待， 我们一起 看月亮爬上 来， 失眠的夜爱
#Gm
#C
#F
的 人会不 会 向 你 表白。
Fine

明天过后

葛佳慧 词
梁伟丰 曲

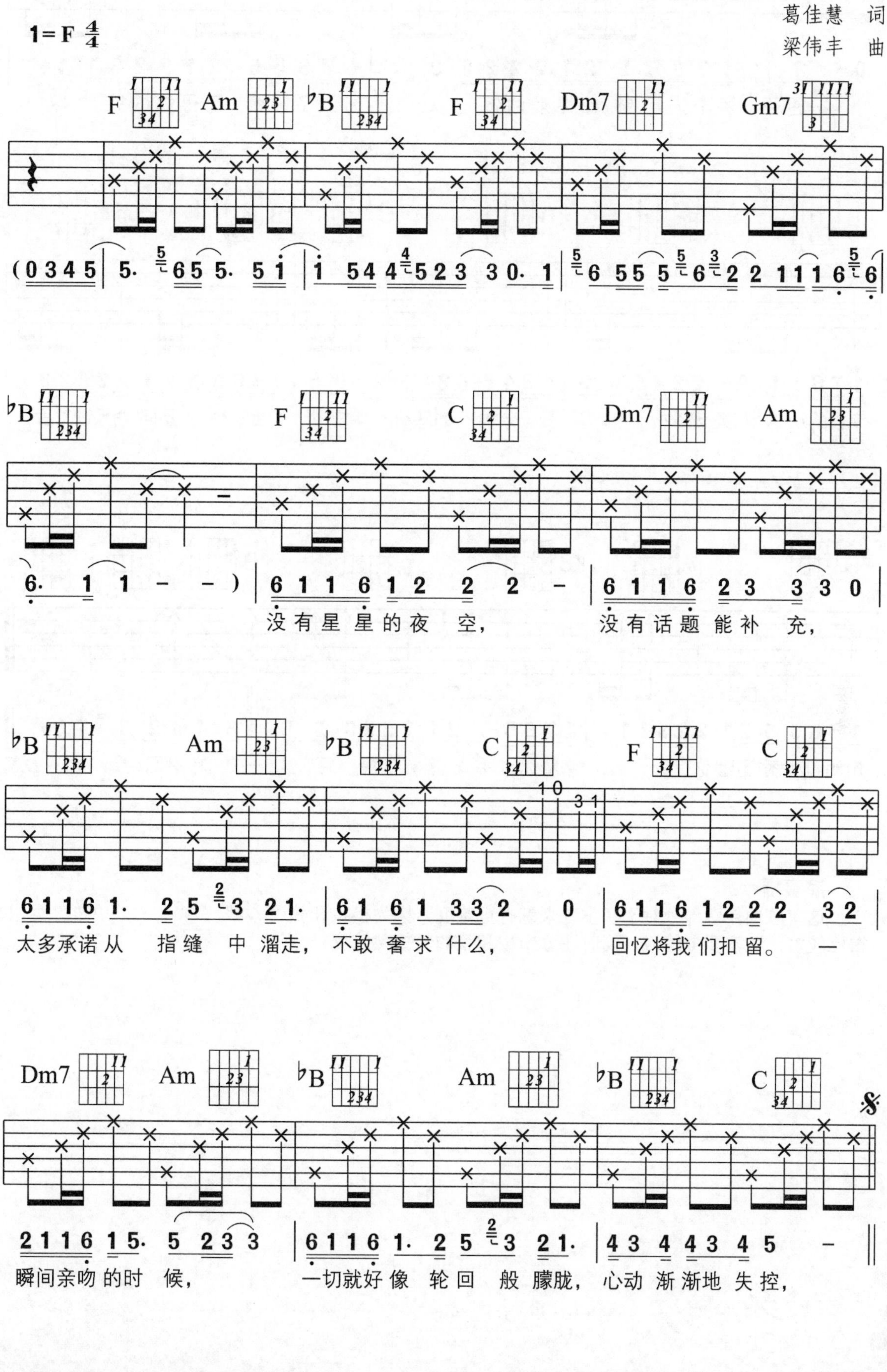
1=F 4/4
F Am ♭B F Dm7 Gm7
♭B F C Dm7 Am
没有星星的夜空，没有话题能补充，
♭B Am ♭B C F C
太多承诺从指缝中溜走，不敢奢求什么，回忆将我们扣留。一
Dm7 Am ♭B Am ♭B C
瞬间亲吻的时候，一切就好像轮回般朦胧，心动渐渐地失控，

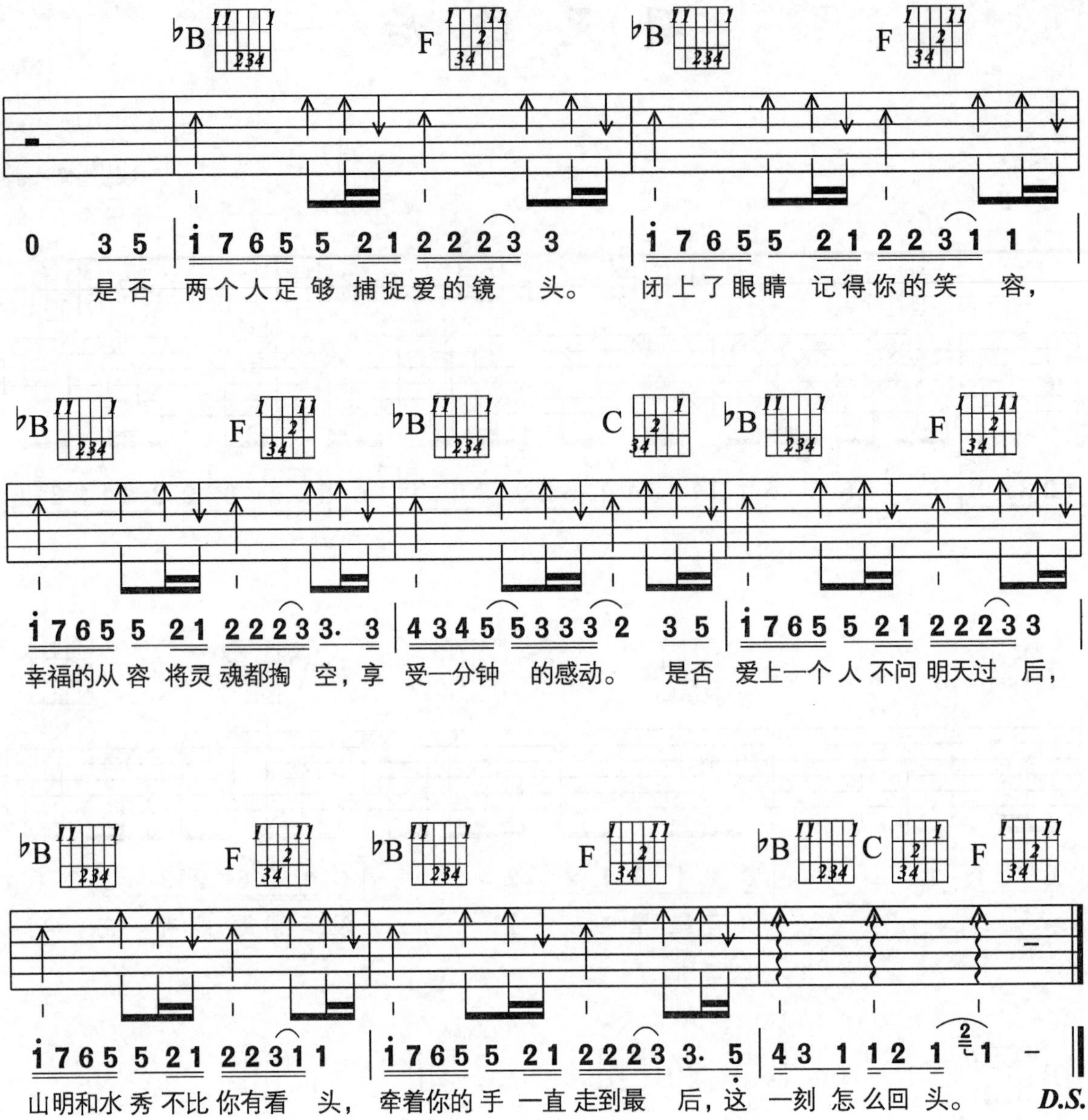
♭B F ♭B F
是否 两个人足够 捕捉爱的镜 头。闭上了眼睛 记得你的笑 容，
♭B F ♭B C ♭B F
幸福的从容 将灵魂都掏 空，享 受一分钟 的感动。是否 爱上一个人 不问 明天过 后，
♭B F ♭B F ♭B C F
山明和水秀 不比 你有看 头，牵着你的手 一直 走到最 后，这 一刻 怎么回 头。
D.S.

演奏提示：

这首歌曲伴奏部分对于初学者来说有点难度，因为横按和弦“♭B”“F”“Gm7”运用得比较多，大家要多练习，同时注意横按和弦的转换熟练度。

故 事

1=D 4/4

许 巍 词曲

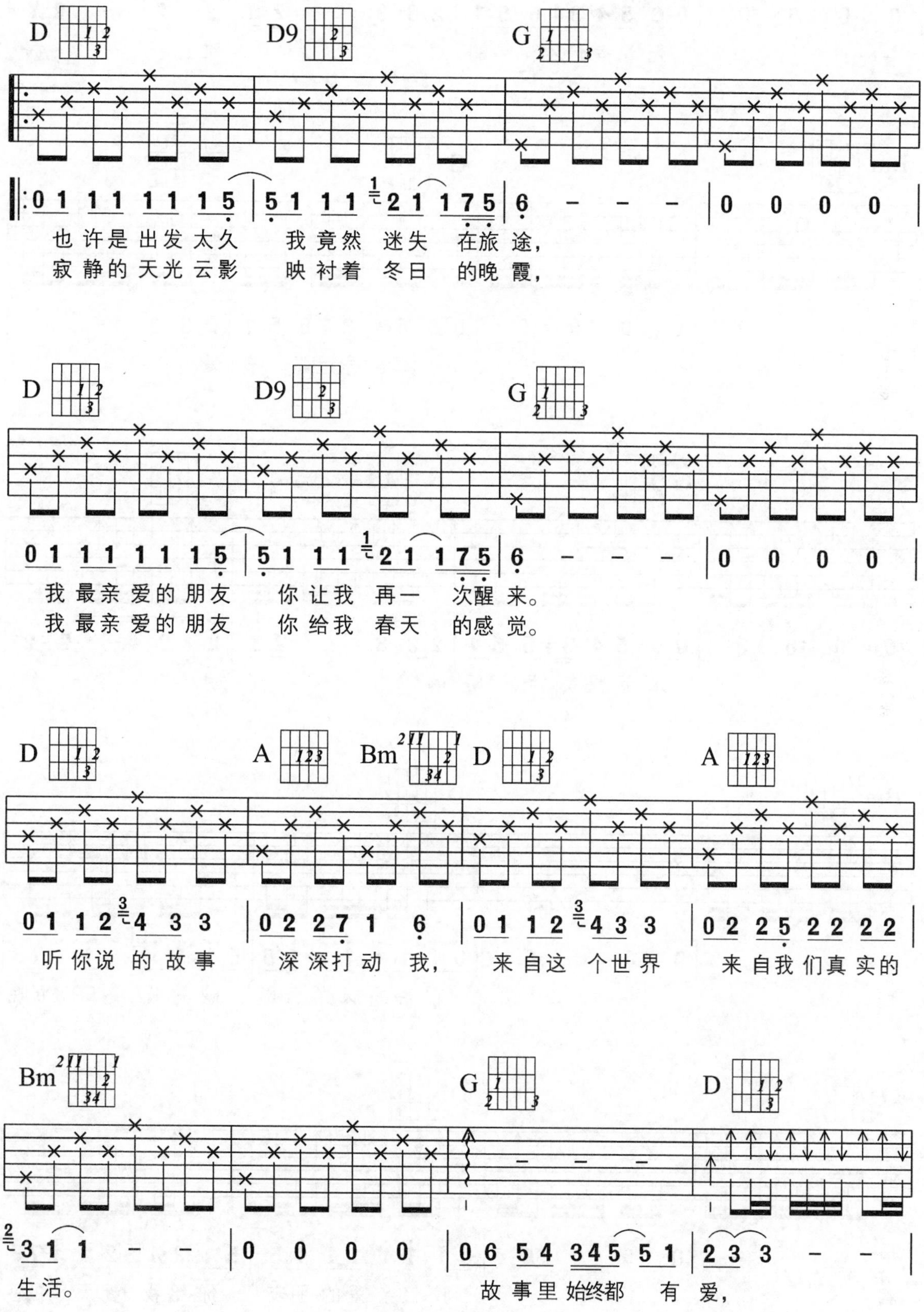
D
D9
G
也许是出发太久 我竟然 迷失 在旅途，
寂静的天光云影 映衬着 冬日 的晚霞，
D
D9
G
我最亲爱的朋友 你让我 再一 次醒来。
我最亲爱的朋友 你给我 春天 的感觉。
D
A
Bm
D
A
听你说 的故事 深深打动 我， 来自这 个世界 来自我们真实的
Bm
G
D
生活。 故事里始终都 有爱，

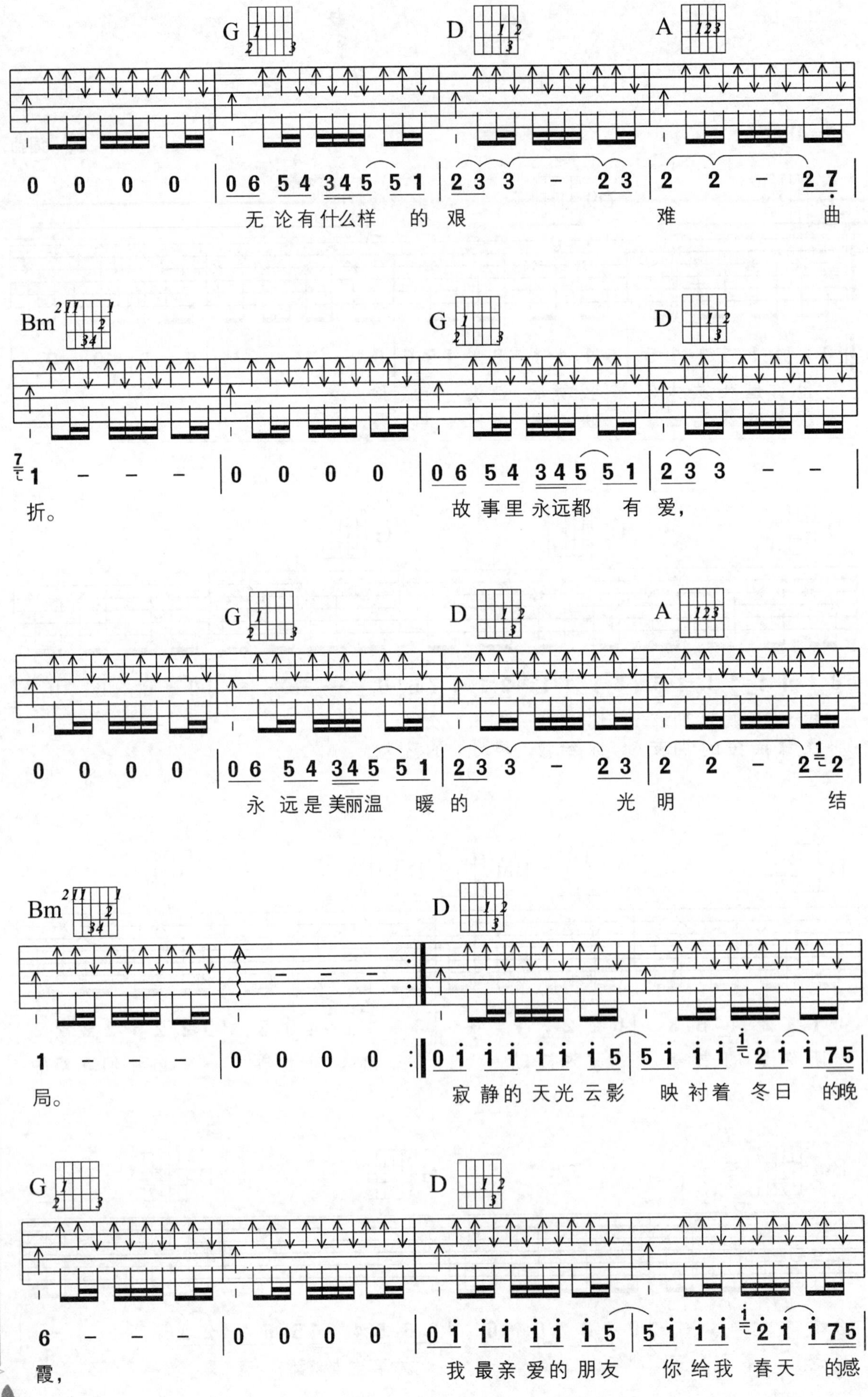
G
D
A
无论有什么样的艰难曲
Bm
G
D
折。
故事里永远都有爱，
G
D
A
永远是美丽温暖的光明结
Bm
D
局。
寂静的天光云影映衬着冬日的晚
G
D
霞，
我最亲爱的朋友你给我春天的感

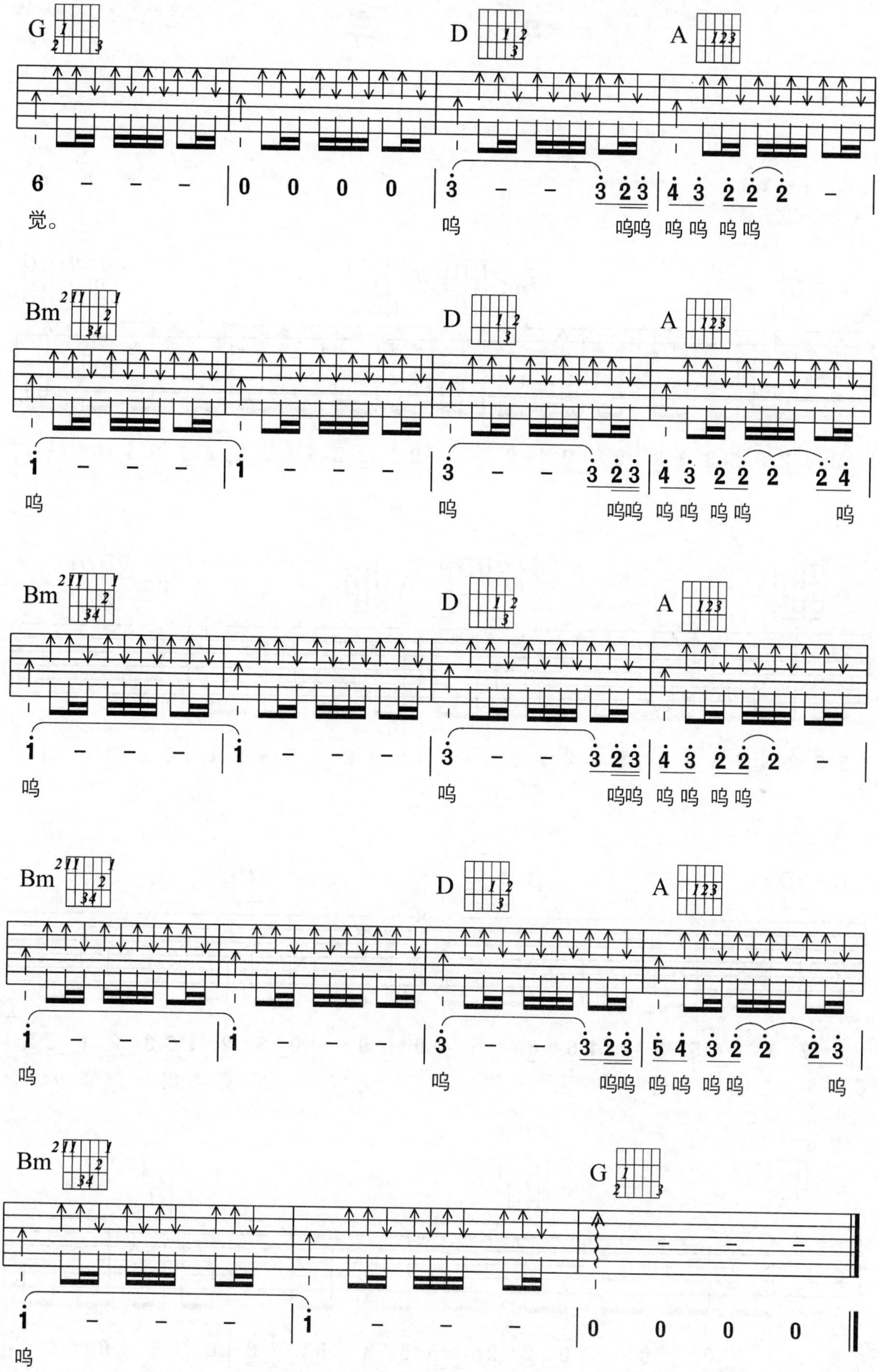
G
D
A
6 – – – | 0 0 0 0 | 3 – – 3 23 | 43 22 2 – |
觉。
呜
呜呜 呜呜 呜呜
Bm
D
A
1 – – – | 1 – – – | 3 – – 3 23 | 43 22 2 24 |
呜
呜
呜呜 呜呜 呜呜
呜
Bm
D
A
1 – – – | 1 – – – | 3 – – 3 23 | 43 22 2 – |
呜
呜
呜呜 呜呜 呜呜
Bm
D
A
1 – – – | 1 – – – | 3 – – 3 23 | 54 32 2 23 |
呜
呜
呜呜 呜呜 呜呜
呜
Bm
G
1 – – – | 1 – – – | 0 0 0 0 ‖
呜

四 季

原调 1=♭B $\frac{4}{4}$

选调 1= A

（变调夹夹一品）

许 巍 词曲

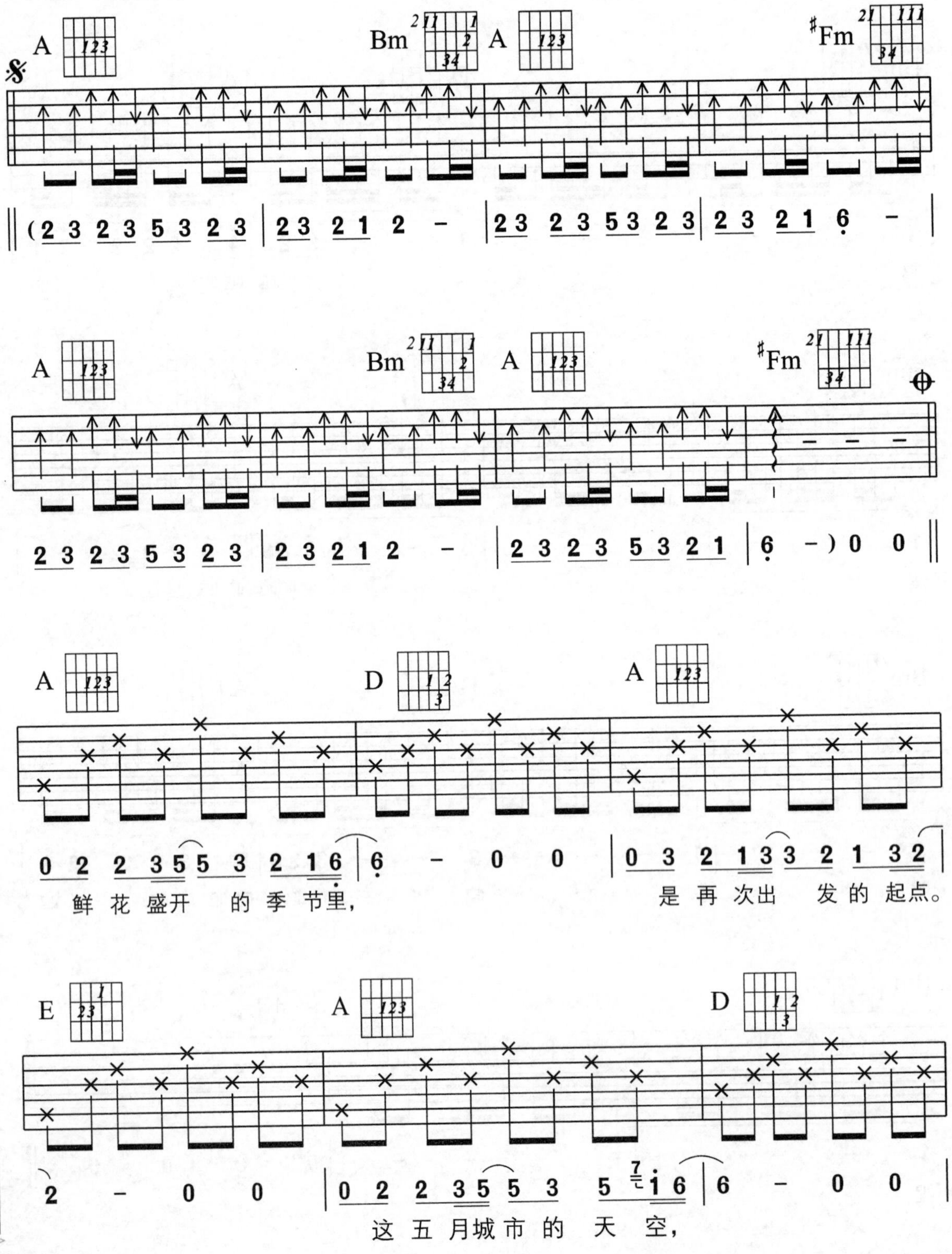
A
Bm
A
♯Fm
(2 3 2 3 5 3 2 3 | 2 3 2 1 2 - | 2 3 2 3 5 3 2 3 | 2 3 2 1 6 - |
A
Bm
A
♯Fm
2 3 2 3 5 3 2 3 | 2 3 2 1 2 - | 2 3 2 3 5 3 2 1 | 6 -) 0 0 ||
A
D
A
0 2 2 3 5 5 3 2 1 6 | 6 - 0 0 | 0 3 2 1 3 3 2 1 3 2 |
鲜 花 盛开 的 季 节里，
是 再 次出 发 的 起点。
E
A
D
2 - 0 0 | 0 2 2 3 5 5 3 5 7 1 6 | 6 - 0 0 |
这 五 月城 市 的 天 空，

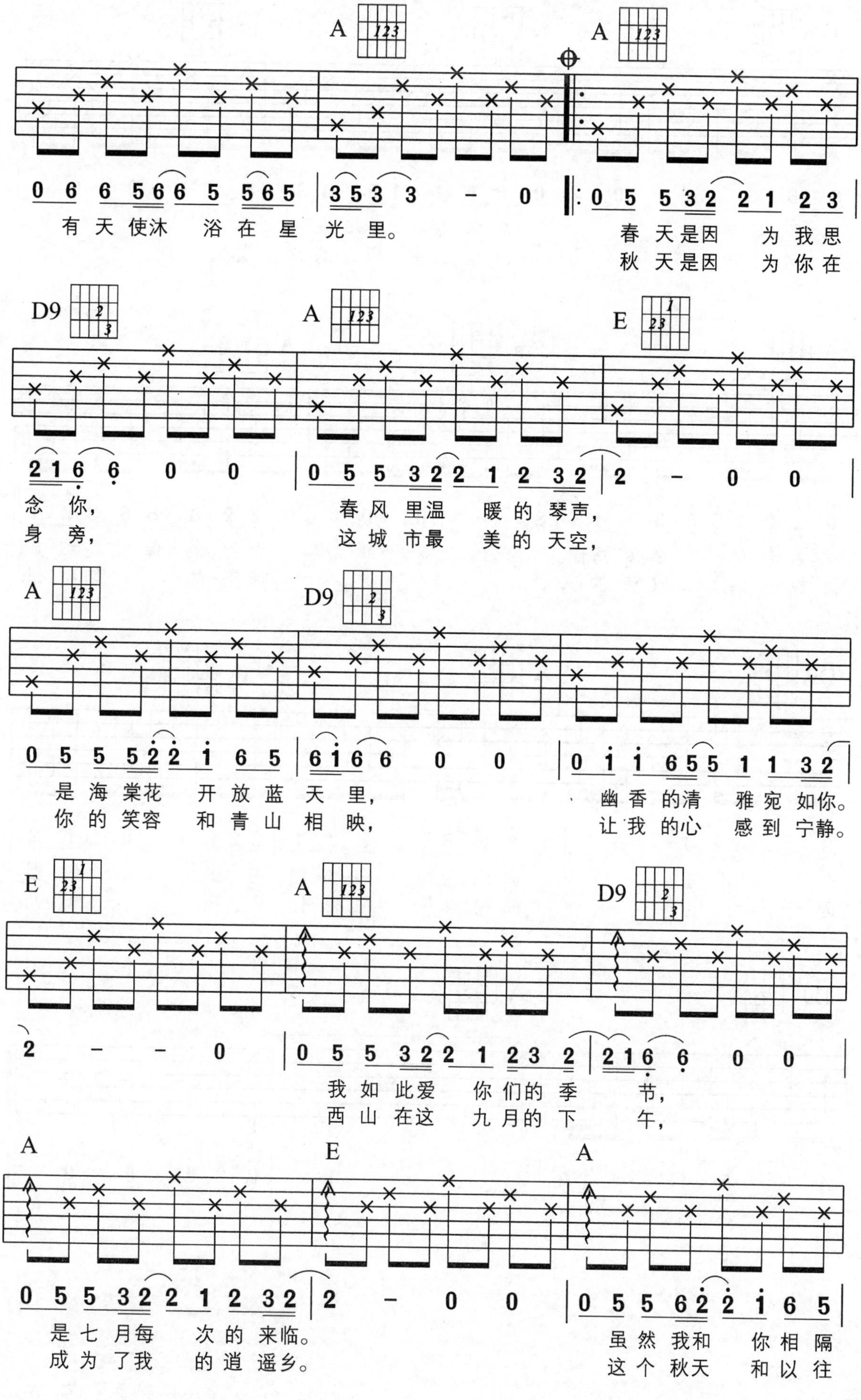
A
A
有天使沐浴在星光里。
春天是因为我思
秋天是因为你在
D9
A
E
念你，
身旁，
春风里温暖的琴声，
这城市最美的天空，
A
D9
是海棠花开放蓝天里，
你的笑容和青山相映，
幽香的清雅宛如你。
让我的心感到宁静。
E
A
D9
我如此爱你们的季节，
西山在这九月的下午，
A
E
A
是七月每次的来临。
成为了我的逍遥乡。
虽然我和你相隔
这个秋天和以往

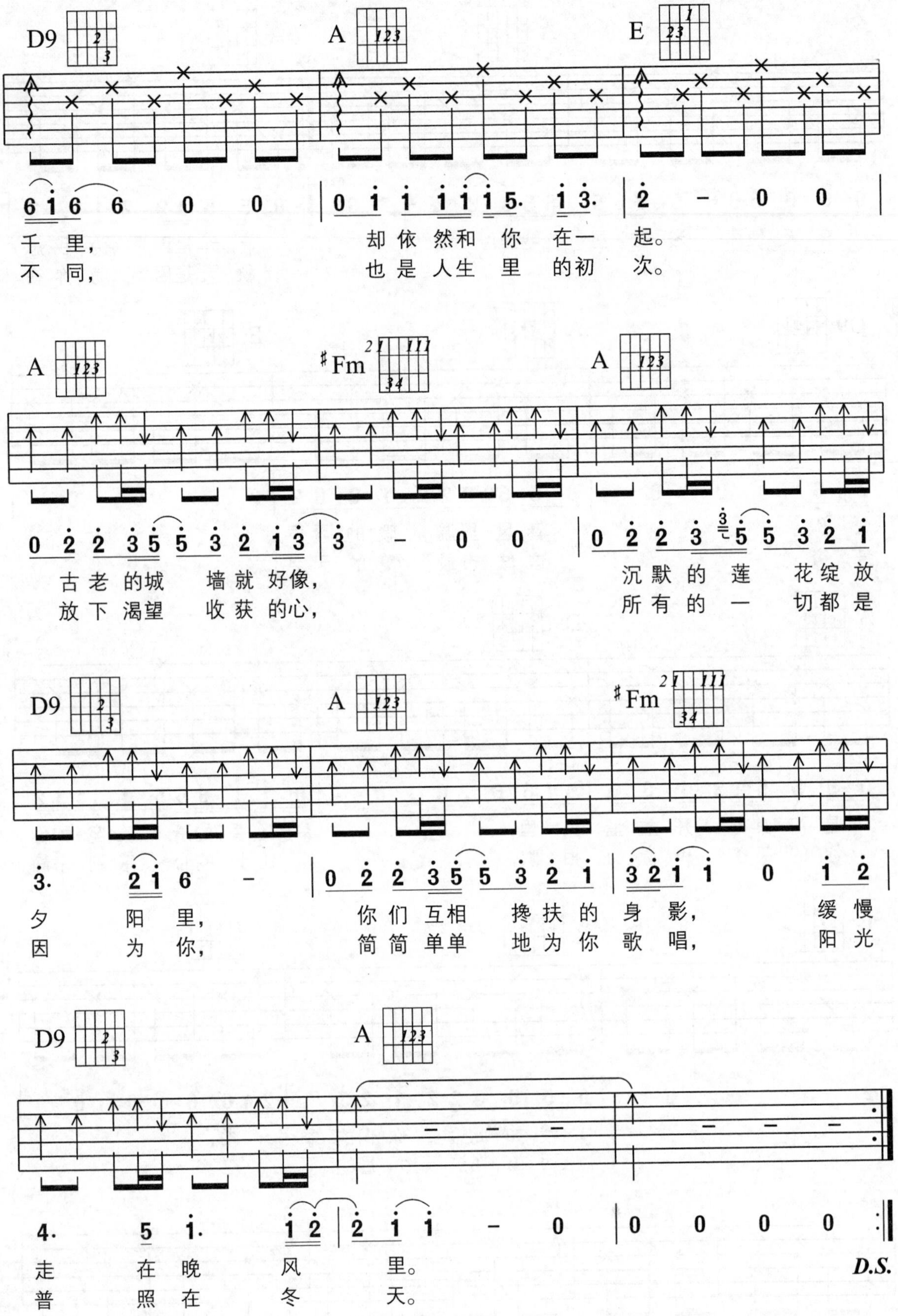
D9
A
E
千 里，
不 同，
却依 然和 你 在一 起。
也 是 人生 里 的初 次。
A
#Fm
A
古 老 的城 墙 就 好像，
放 下 渴望 收 获 的心，
沉 默 的 莲 花 绽 放
所 有 的 一 切 都 是
D9
A
#Fm
夕 阳 里，
因 为 你，
你 们 互相 搀 扶 的 身 影，
简 简 单单 地 为 你 歌 唱，
缓 慢
阳 光
D9
A
走 在 晚 风 里。
普 照 在 冬 天。
D.S.

礼　物

许　巍　词曲

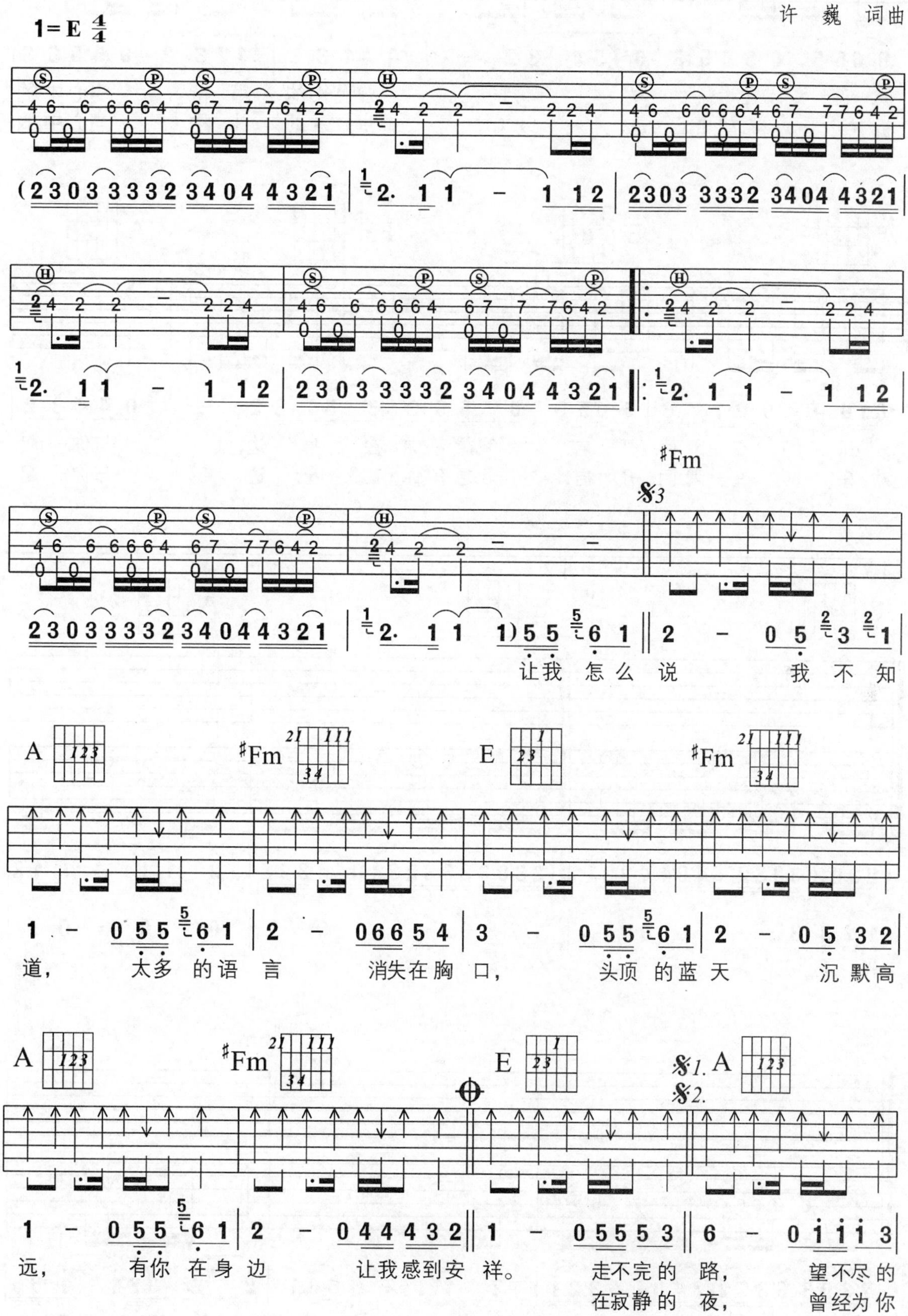
1=E 4/4
♯Fm
A
E
让我 怎么说　我不知
道，太多的语言　消失在胸口，头顶的蓝天　沉默高
远，有你在身边　让我感到安祥。走不完的路，望不尽的
在寂静的夜，曾经为你

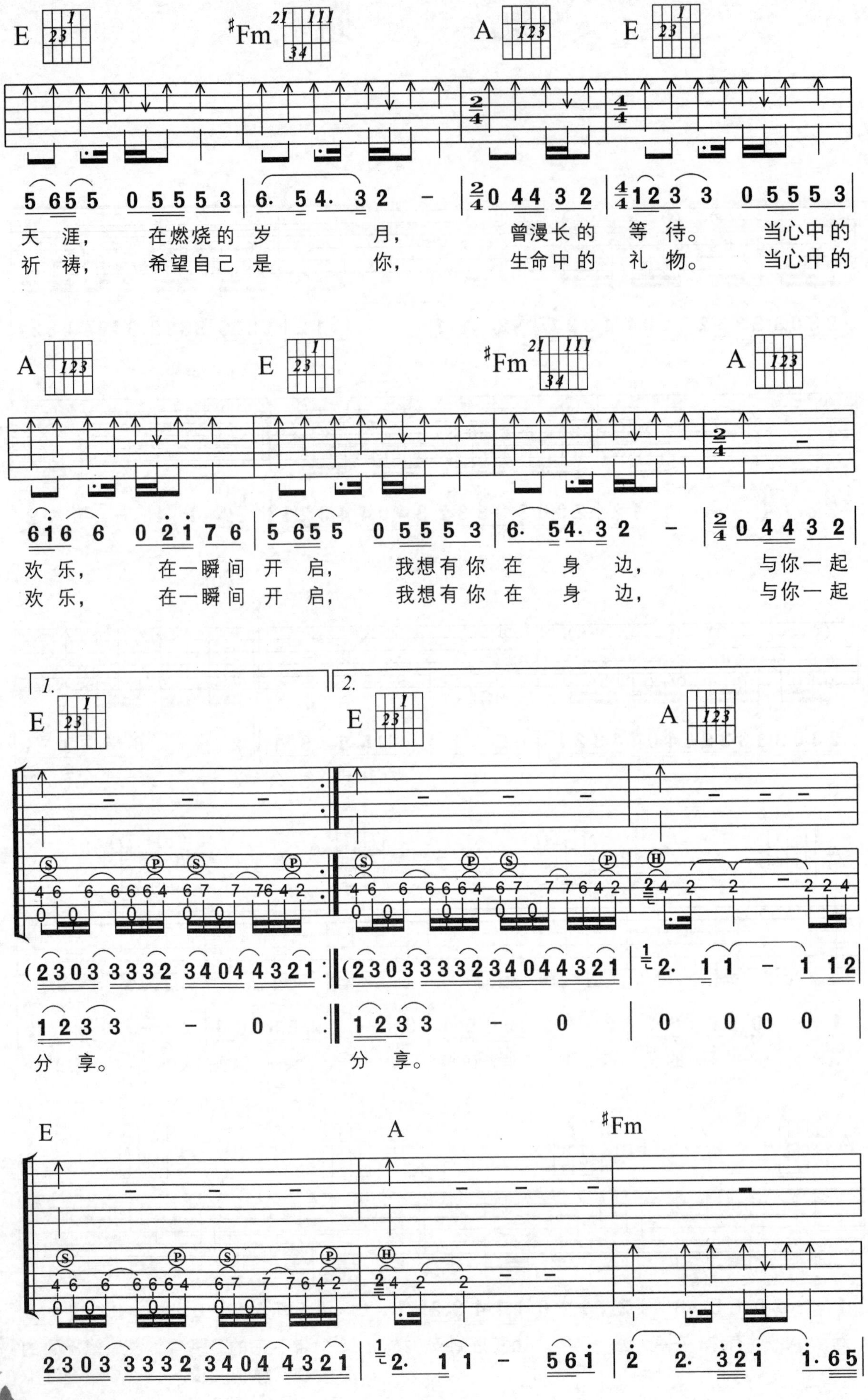
E
♯Fm
A
E
天 涯， 在燃烧的 岁 月， 曾漫长的 等 待。 当心中的
祈 祷， 希望自己 是 你， 生命中的 礼 物。 当心中的
A
E
♯Fm
A
欢 乐， 在一瞬间 开 启， 我想有你 在 身 边， 与你一起
欢 乐， 在一瞬间 开 启， 我想有你 在 身 边， 与你一起
1.
2.
E
E
A
分 享。
分 享。
E
A
♯Fm

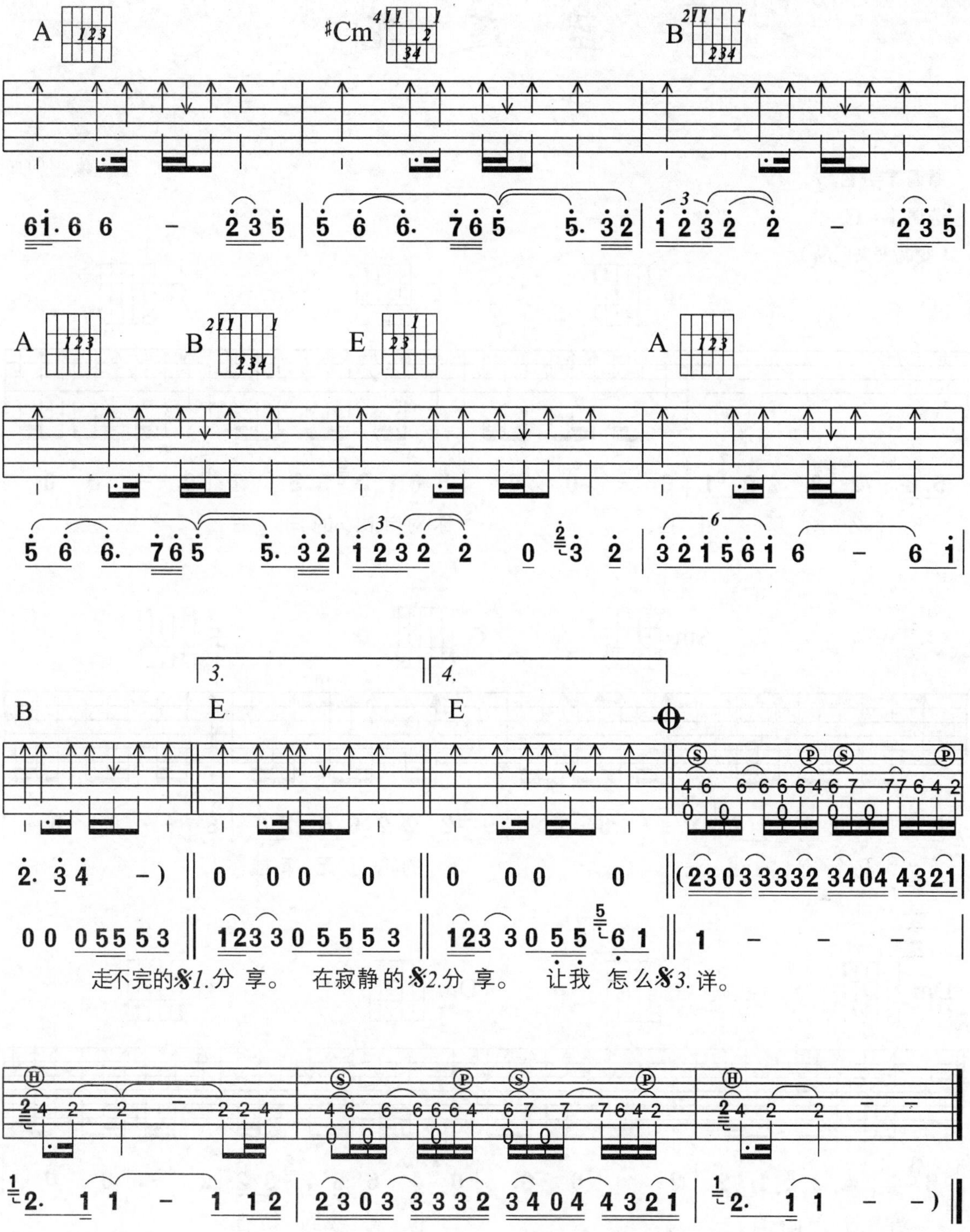
A
#Cm
B
A
B
E
A
3.
4.
B
E
E
走不完的𝄋1.分 享。 在寂静的𝄋2.分 享。 让我 怎么𝄋3.详。

蓝 莲 花

许 巍 词曲

原调 1=♭E $\frac{4}{4}$

选调 1=C

（变调夹夹三品）

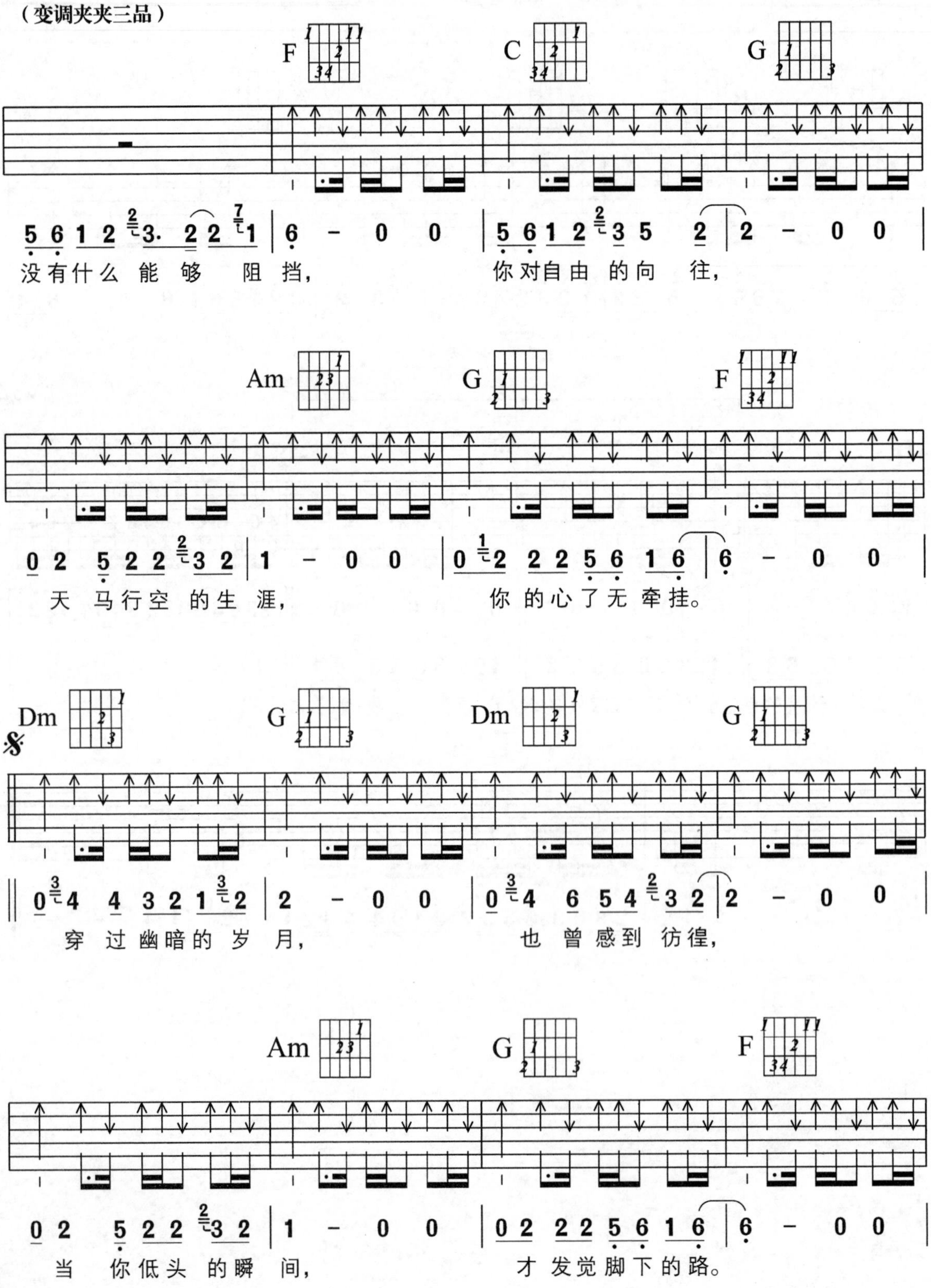

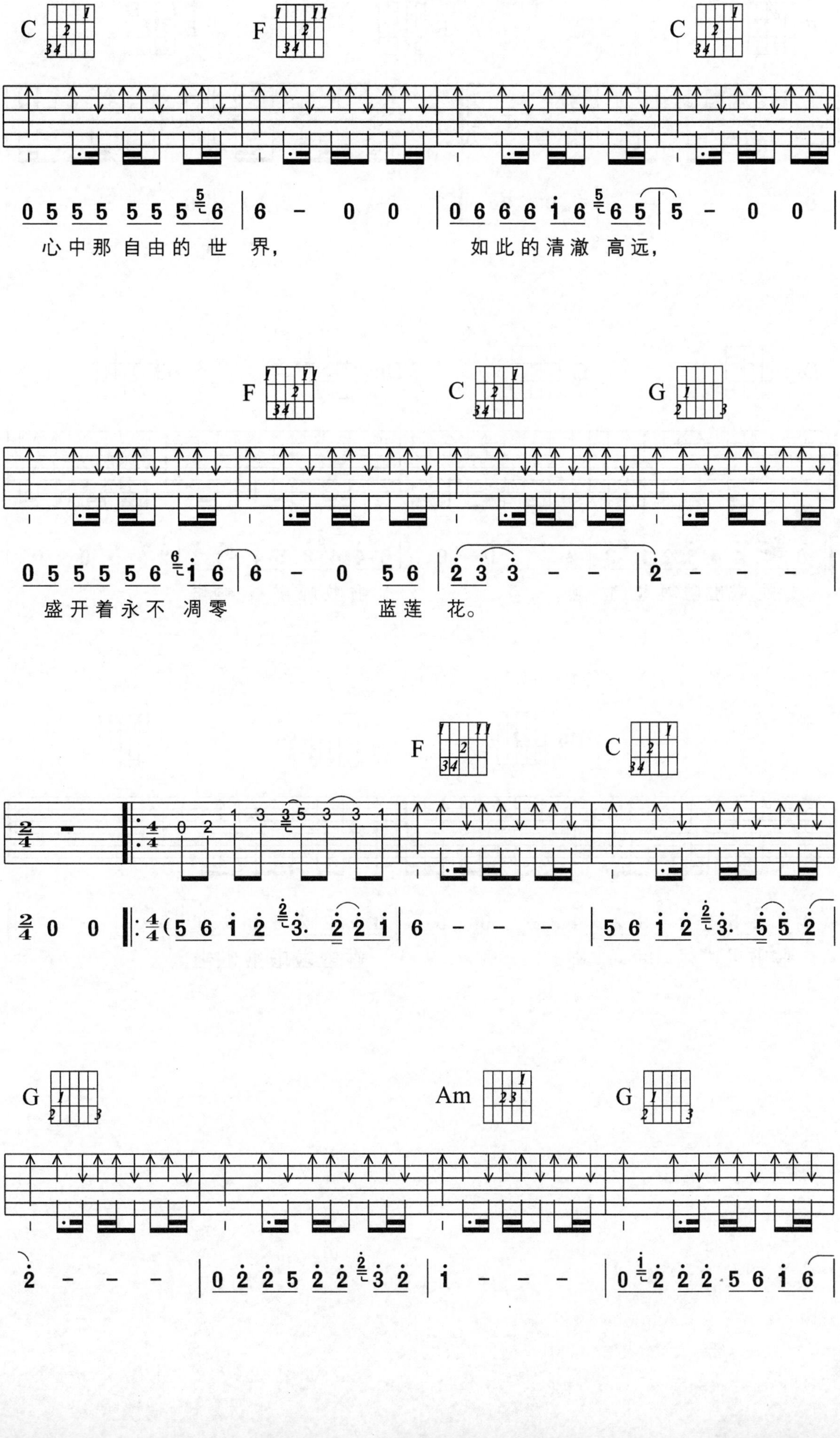
C
F
C
心中那自由的世界，
如此的清澈高远，
F
C
G
盛开着永不凋零
蓝莲花。
F
C
G
Am
G

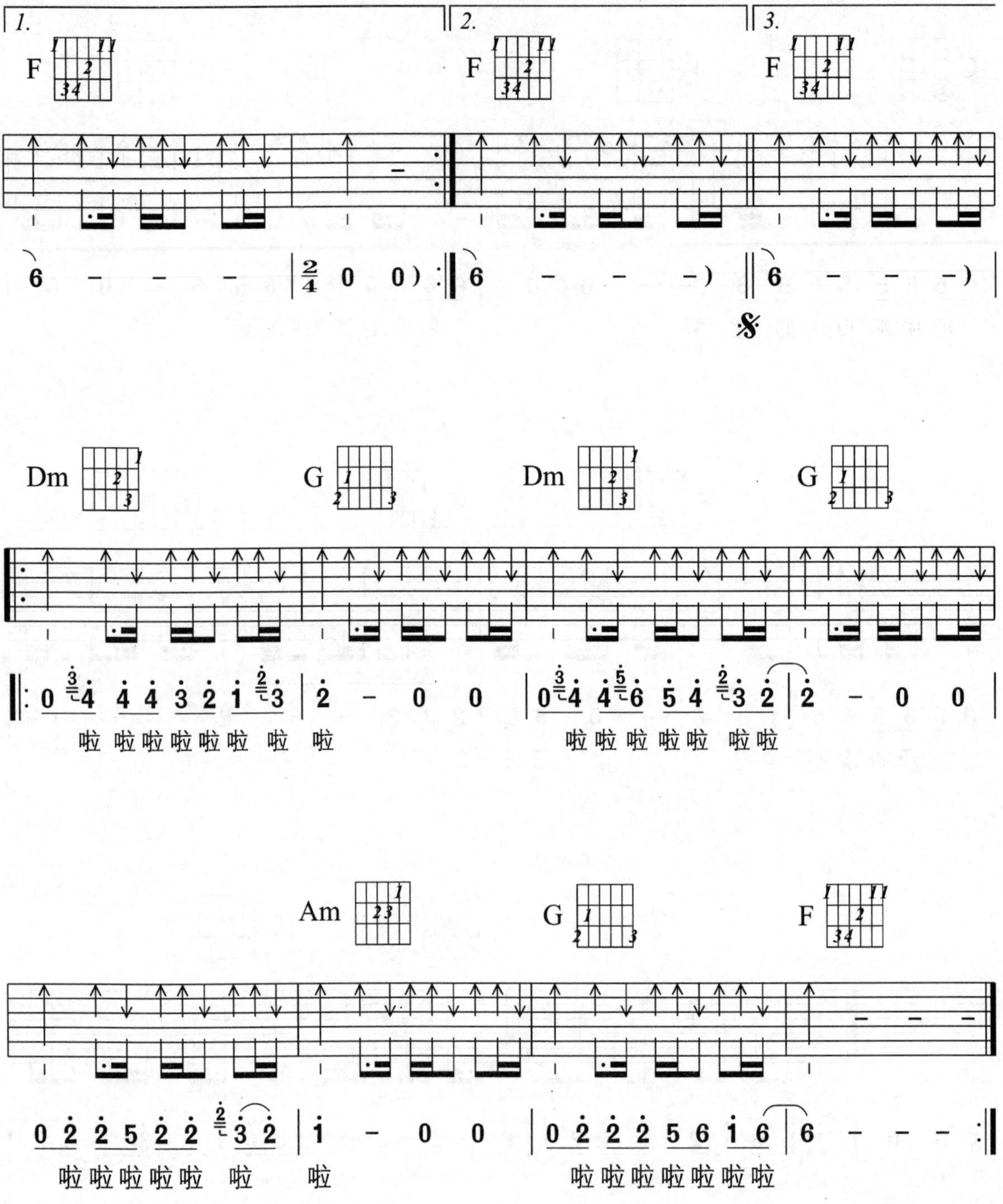
1.
2.
3.
F
F
F
Dm
G
Dm
G
啦 啦啦啦啦啦 啦 啦
啦啦啦啦啦 啦啦
Am
G
F
啦啦啦啦啦 啦 啦
啦啦啦啦啦啦啦

爱情买卖

何 欣 词
周宏涛 曲

1=C $\frac{4}{4}$

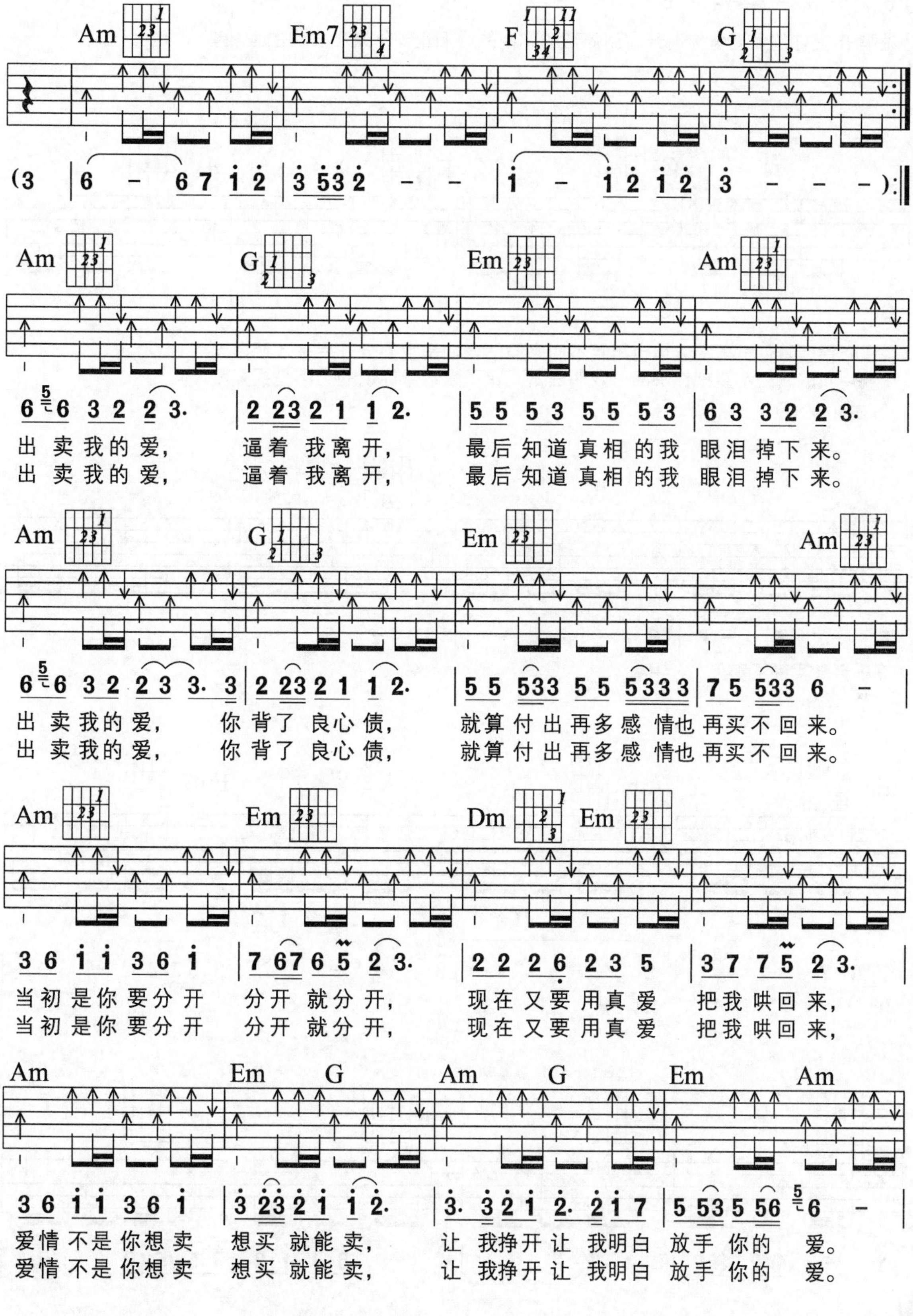

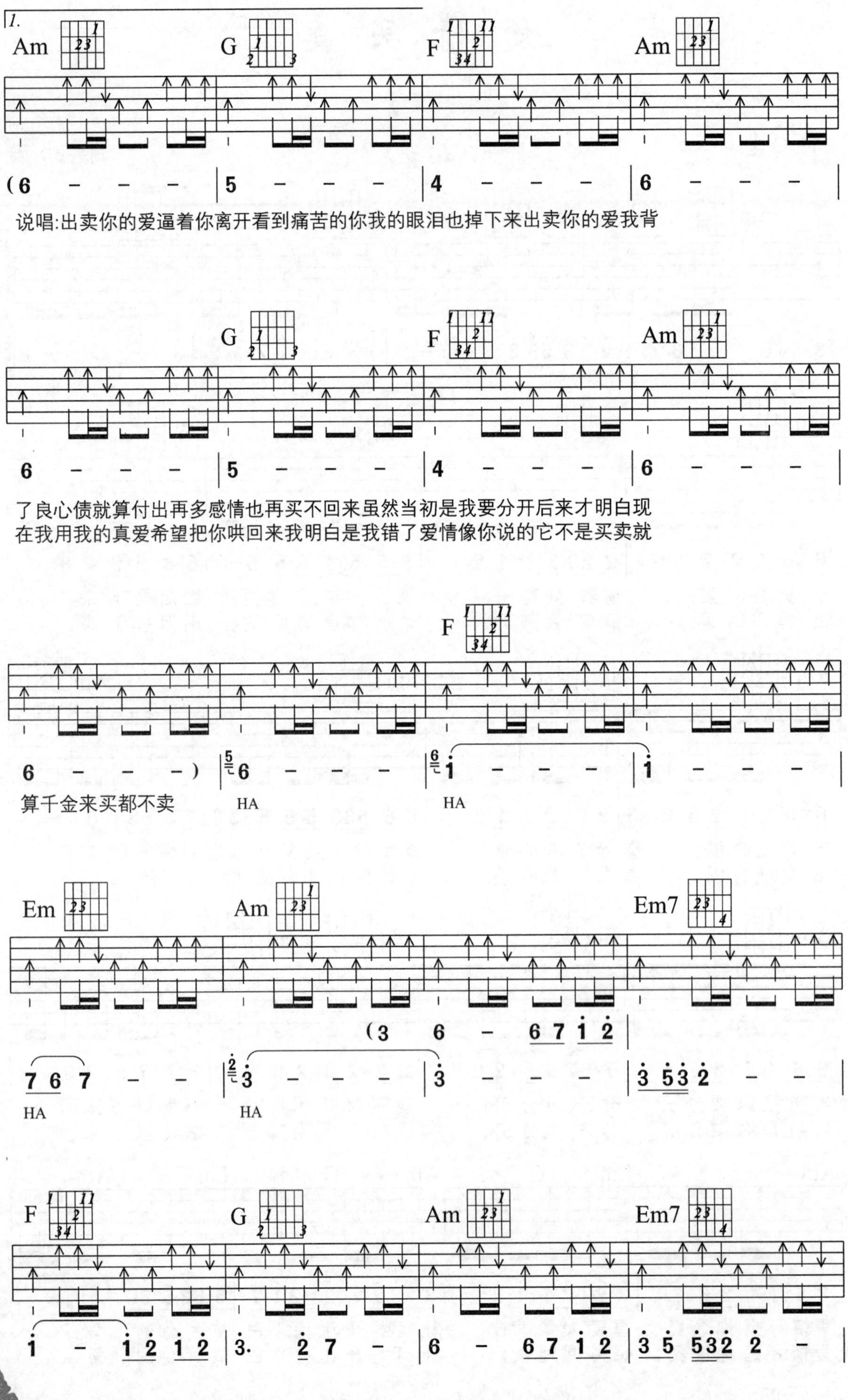

说唱:出卖你的爱逼着你离开看到痛苦的你我的眼泪也掉下来出卖你的爱我背

6 — — — | 5 — — — | 4 — — — | 6 — — — |

了良心债就算付出再多感情也再买不回来虽然当初是我要分开后来才明白现
在我用我的真爱希望把你哄回来我明白是我错了爱情像你说的它不是买卖就

6 — —) | 5̲6 — — — | 6̲1̇ — — 1̇ | 1̇ — — — |

算千金来买都不卖　　 HA　　　　 HA

(3̇ 6̇ — 6̲7̲1̇̇2̇ |
7̲6̲7 — — | 2̲3̇ — — — | 3̇ — — — | 3̇ 5̲3̇2̇ — — |
HA　　　　 HA

1̇ — 1̲2̲1̲2̲ | 3̇. 2̲7 — | 6 — 6̲7̲1̇̇2̇ | 3̇ 5̲ 5̲3̇2̇ 2 — |

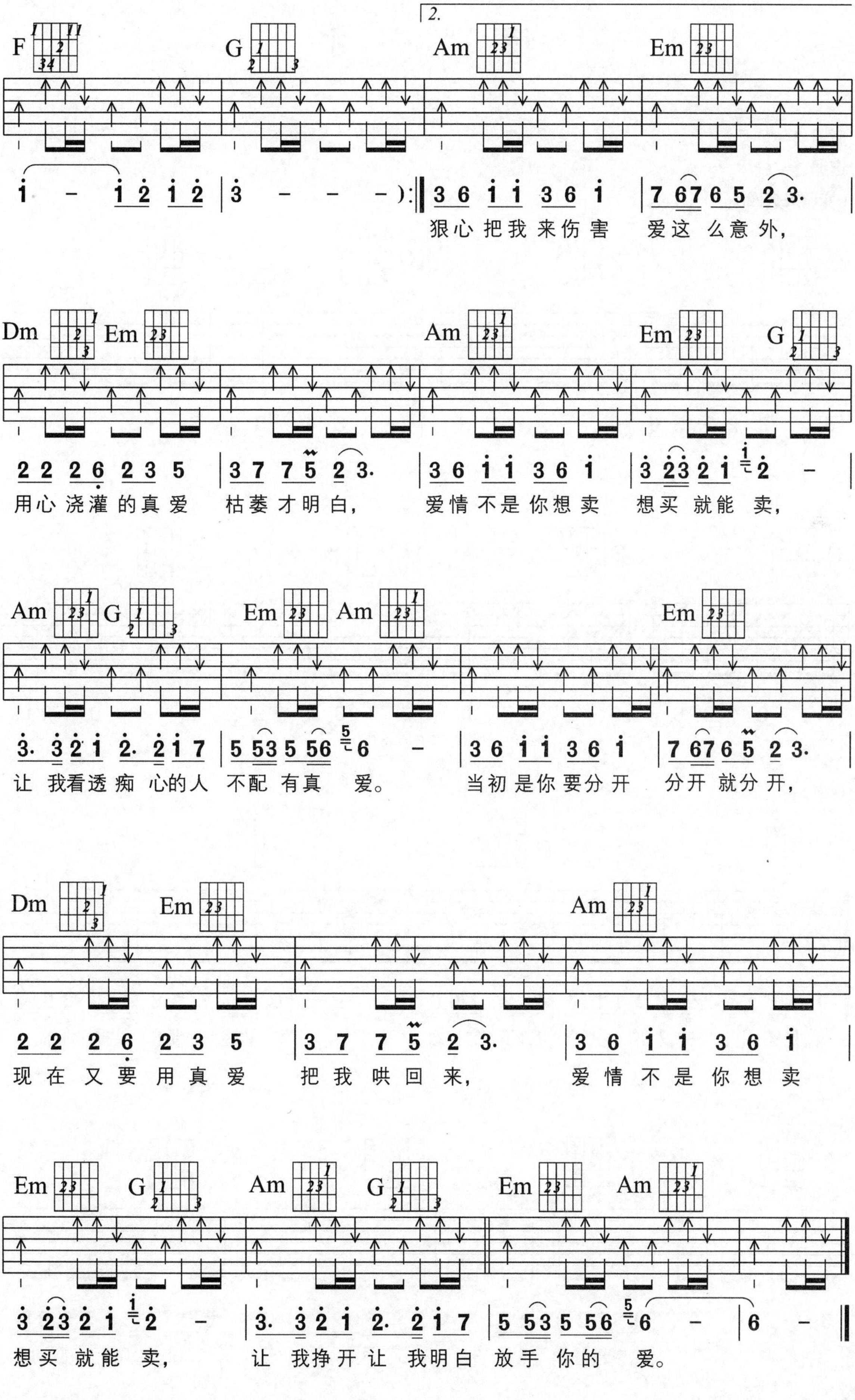

狠心把我来伤害　　爱这么意外,

2 2 2 6 2 3 5 | 3 7 7 5 2̂ 3. | 3 6 i i 3 6 i | 3 2̂ 3 2 i 1͡2 - |
用心浇灌的真爱　枯萎才明白,　爱情不是你想卖　想买就能卖,

3. 3̂ 2 i 2. 2̂ i 7 | 5 5̂ 3 5 5 6 5͡6 - | 3 6 i i 3 6 i | 7 6̂ 7 6 5 2̂ 3. |
让我看透痴心的人　不配有真　爱。　当初是你要分开　分开就分开,

2 2 2 6 2 3 5 | 3 7 7 5̂ 2̂ 3. | 3 6 i i 3 6 i |
现在又要用真爱　把我哄回来,　爱情不是你想卖

3 2̂ 3 2 i 1͡2 - | 3. 3̂ 2 i 2. 2̂ i 7 | 5 5̂ 3 5 5 6 5͡6 - | 6 - ‖
想买就能卖,　让我挣开让我明白　放手你的　爱。

传　奇

左　右　词

李　健　曲

原调 1 = E 4/4
选调 1 = C

（变调夹夹四品）

（5.　3 2 3 5 6　6 - - - | 2.　3 4 3 2　3 - - - |

5.　3 2 3 5 6　6 - - 0 | 2.　3 4 3 7　1 - 0 0）|

0 1 1 1 3　2 2 2 1 1 1 | 2 2 1 6 6　6　- | 0 7 7 7 1 2 2　7 6 5　3

只是因为在人群 中多 看了你一眼，　　再也没能忘 掉你容

3 - 0 0 | 0 3 2 3 3 2 2 2 1 1 | 2 6 6 6 2 1 1　0 | 0 7 7 7 1 2 2 2 6 5.

颜，　　梦想着偶 然能有 一天再相 见，　　从此我开始 孤单思

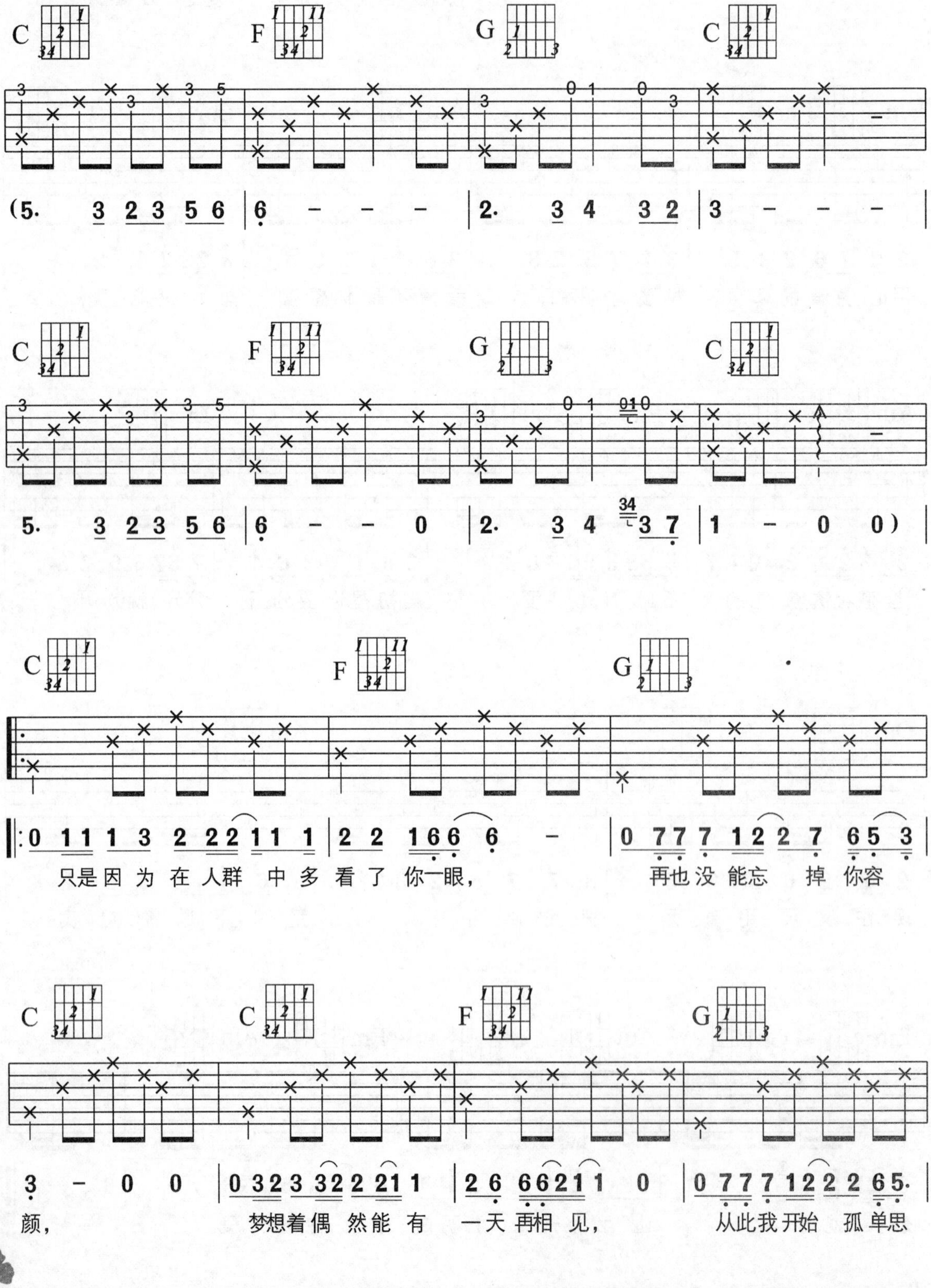

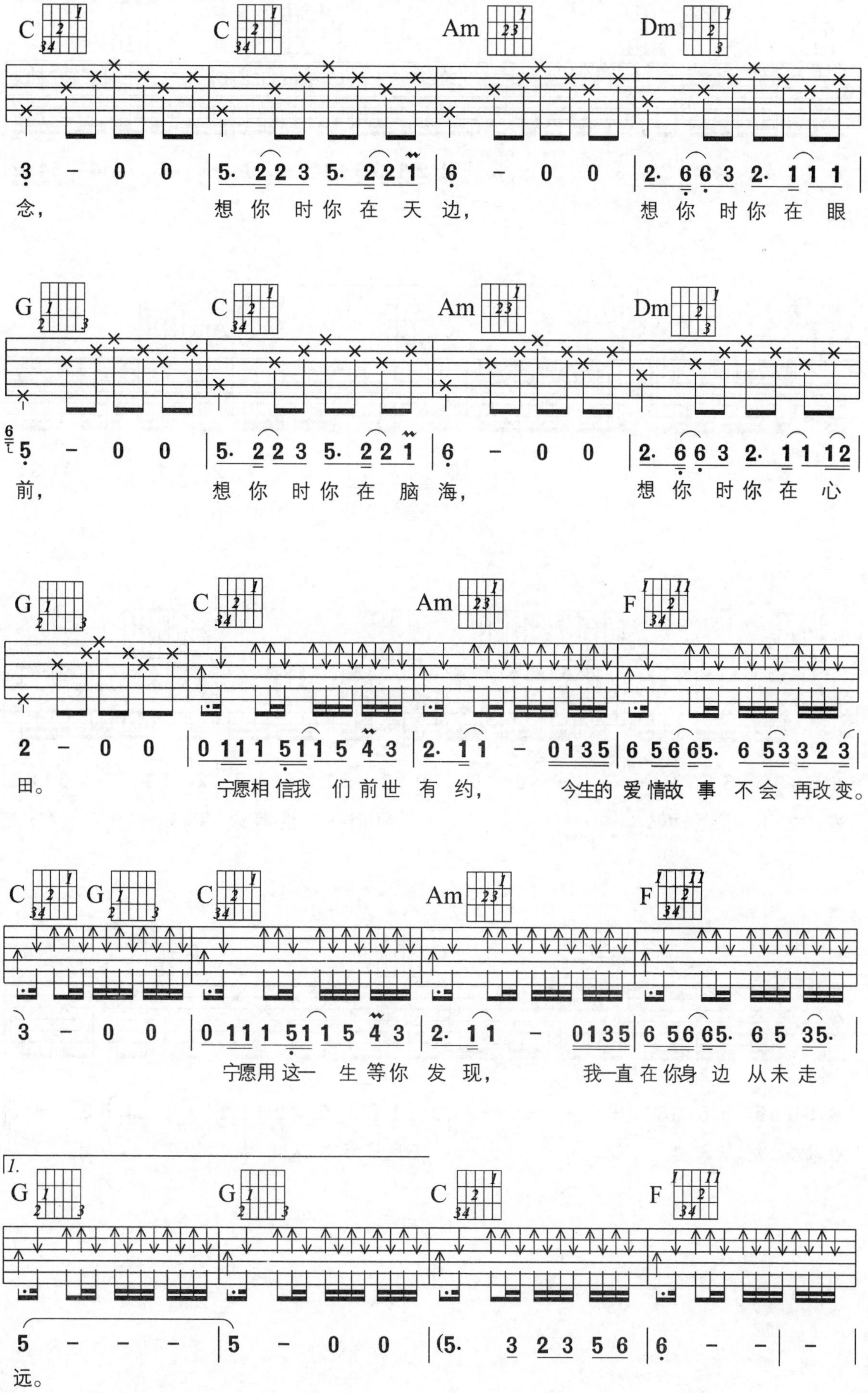

$3 \quad - \quad 0 \quad 0 \mid \overset{\frown}{5} \cdot \underline{2} \underline{2} 3 \quad 5 \cdot \underline{2} \underline{2} \overset{\smile}{1} \mid 6 \quad - \quad 0 \quad 0 \mid \underline{2} \cdot \underline{6} \underline{6} 3 \quad \underline{2} \cdot \underline{1} \underline{1} \underline{1} \mid$

念， 想你时你在天边， 想你时你在眼

$\overset{6}{5} \quad - \quad 0 \quad 0 \mid \overset{\frown}{5} \cdot \underline{2} \underline{2} 3 \quad 5 \cdot \underline{2} \underline{2} \overset{\smile}{1} \mid 6 \quad - \quad 0 \quad 0 \mid \underline{2} \cdot \underline{6} \underline{6} 3 \quad \underline{2} \cdot \underline{1} \underline{1} \underline{1} \underline{2} \mid$

前， 想你时你在脑海， 想你时你在心

$2 \quad - \quad 0 \quad 0 \mid \underline{0} \underline{1} \underline{1} \underline{1} \underline{5} \underline{1} \underline{1} 5 \overset{\smile}{\underline{4}} 3 \mid 2 \cdot \underline{1} 1 \quad - \mid \underline{0} \underline{1} \underline{3} \underline{5} 6 \quad \underline{5} \underline{6} \underline{6} \underline{5} \cdot 6 \underline{5} \underline{3} \underline{3} \underline{2} 3 \mid$

田。 宁愿相信我们前世有约， 今生的爱情故事不会再改变。

$3 \quad - \quad 0 \quad 0 \mid \underline{0} \underline{1} \underline{1} \underline{1} \underline{5} \underline{1} \underline{1} 5 \overset{\smile}{\underline{4}} 3 \mid 2 \cdot \underline{1} 1 \quad - \mid \underline{0} \underline{1} \underline{3} \underline{5} 6 \quad \underline{5} \underline{6} \underline{6} \underline{5} \cdot 6 \underline{5} \underline{3} 5 \cdot \mid$

宁愿用这一生等你发现， 我一直在你身边从未走

1.

$5 \quad - \quad - \quad - \mid 5 \quad - \quad 0 \quad 0 \mid (5 \cdot \quad \underline{3} \underline{2} \underline{3} \underline{5} \underline{6} \mid 6 \quad - \quad - \mid - \parallel$

远。

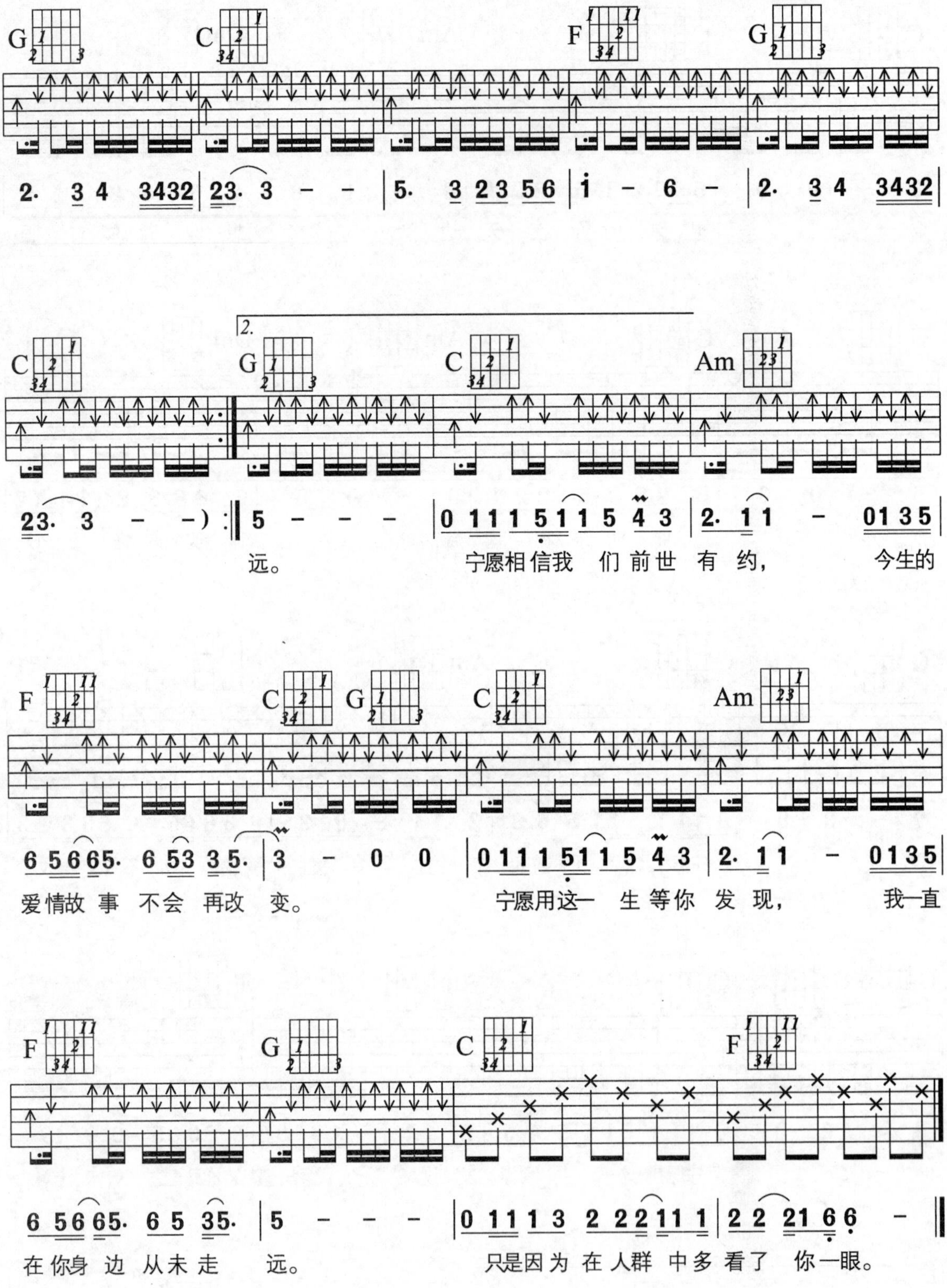

2. 3 4 3432 | 23 3 − − | 5. 3 2356 | i − 6 − | 2. 3 4 3432 |

23. 3 − −) ‖: 5 − − − | 0 1 1 1 5 1 1 5 4 3 | 2. 1 1 − 0 1 3 5 |

远。　　　　　　　宁愿相信我 们前世有 约，　　　今生的

6 5 6 6 5. 6 53 35. | 3 − 0 0 | 0 1 1 1 5 1 1 5 4 3 | 2. 1 1 − 0 1 3 5 |

爱情故 事 不会 再改 变。　　　　　宁愿用这一 生 等你 发 现，　　　我一直

6 5 6 6 5. 6 5 35. | 5 − − − | 0 1 1 1 3 2 2 2 1 1 1 | 2 2 2 1 6 6 − ‖

在你身 边 从未走 远。　　　　只是因为 在人群 中多 看了 你一眼。

偏爱

原调 1=A $\frac{4}{4}$
选调 1=G
（变调夹夹二品）

葛大为 词
陈 伟 曲

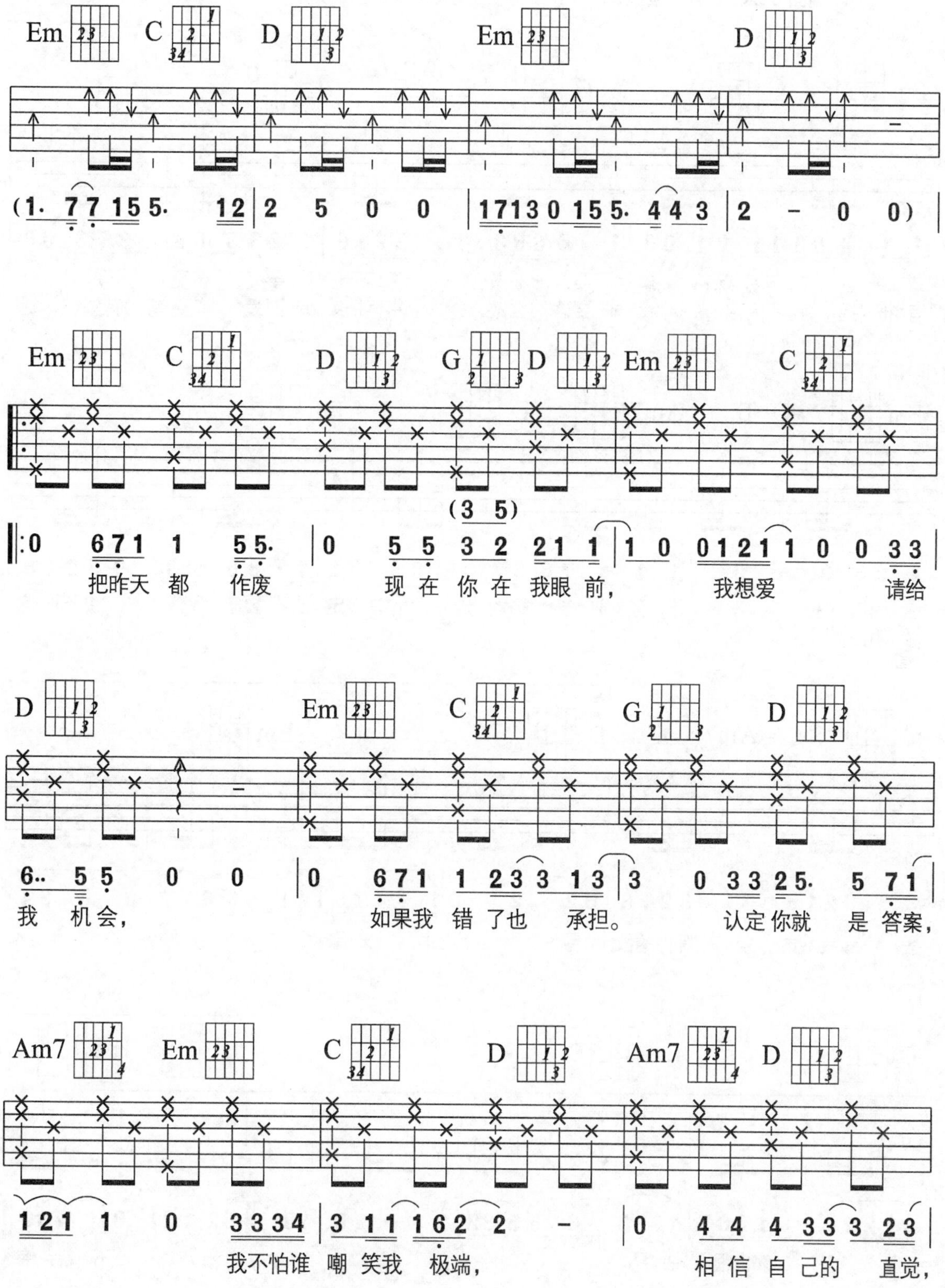

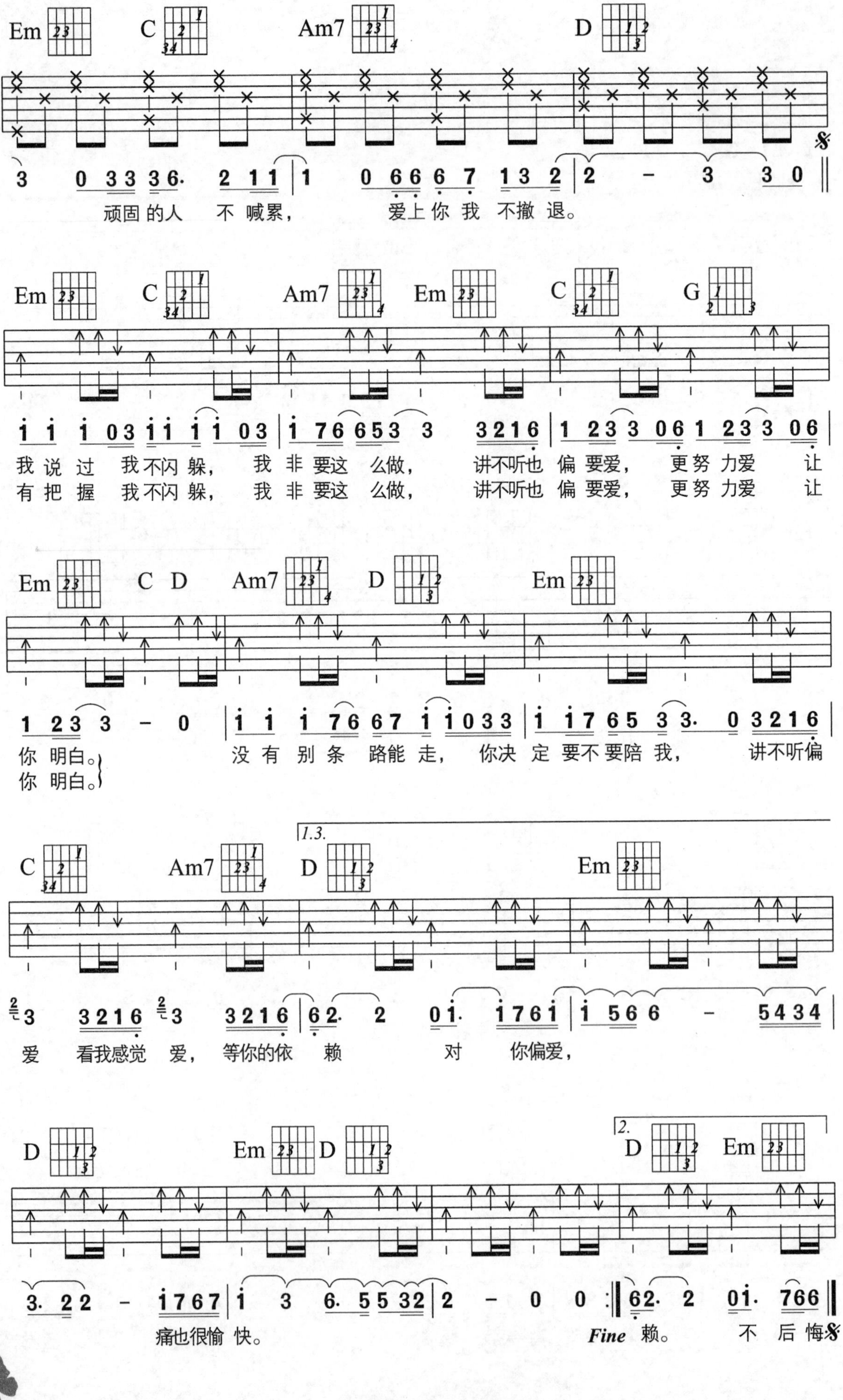
Em C Am7 D
顽固的人 不喊累，爱上你 我 不撤退。
Em C Am7 Em C G
我说过 我不闪躲，我 非 要这 么做，讲不听也 偏 要爱，更努 力爱 让
有把握 我不闪躲，我 非 要这 么做，讲不听也 偏 要爱，更努 力爱 让
Em C D Am7 D Em
你 明白。
你 明白。
没 有 别 条 路能 走，你决 定 要不要陪 我，讲不听偏
1.3.
C Am7 D Em
爱 看我感觉 爱，等你的依 赖 对 你偏爱，
2.
D Em D D Em
痛也很愉 快。
Fine
赖。 不 后 悔

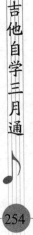

小 酒 窝

原调 1=♭E $\frac{4}{4}$
选调 1=D
（变调夹夹一品）

王雅君 词
林俊杰 曲

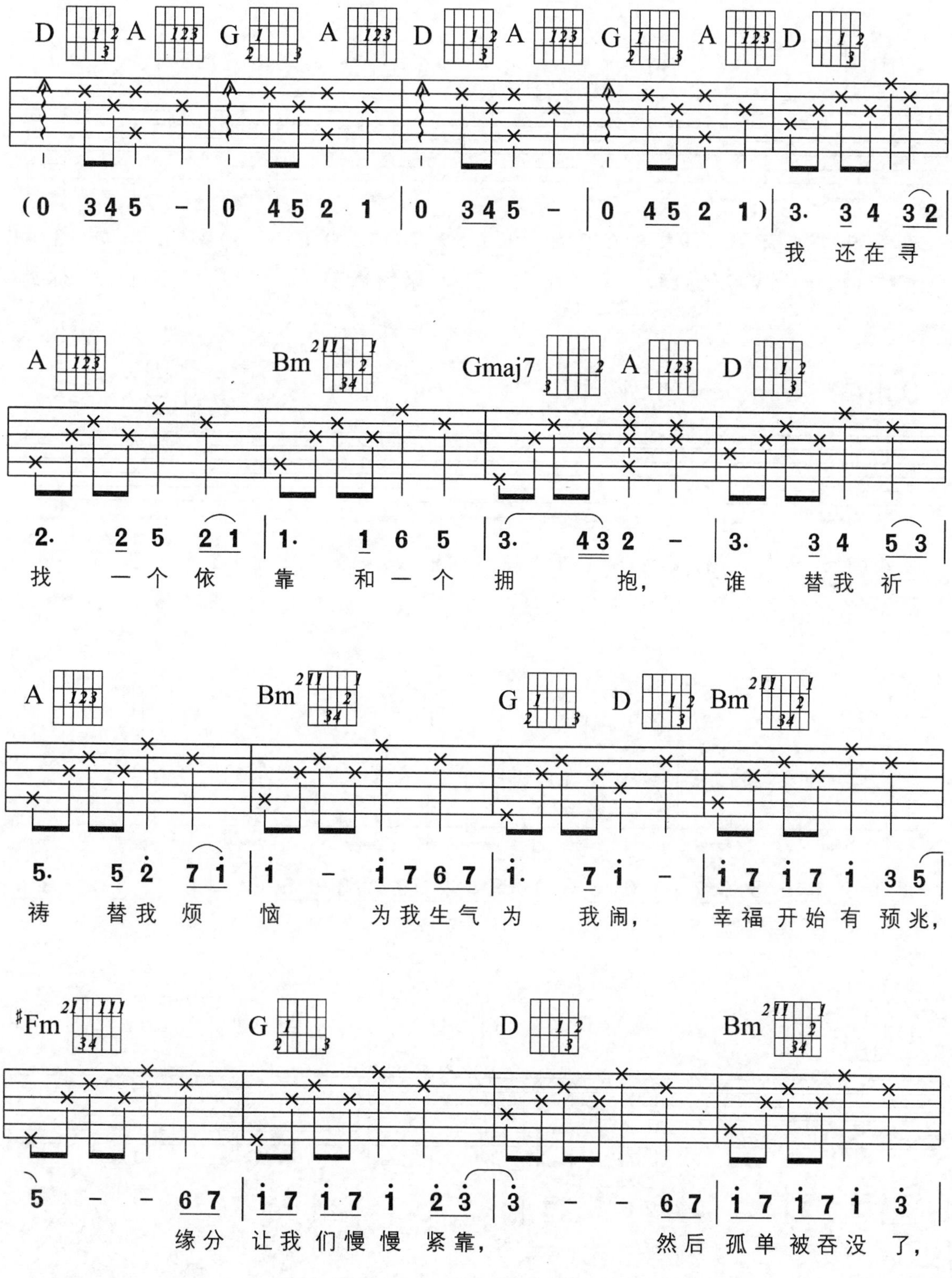

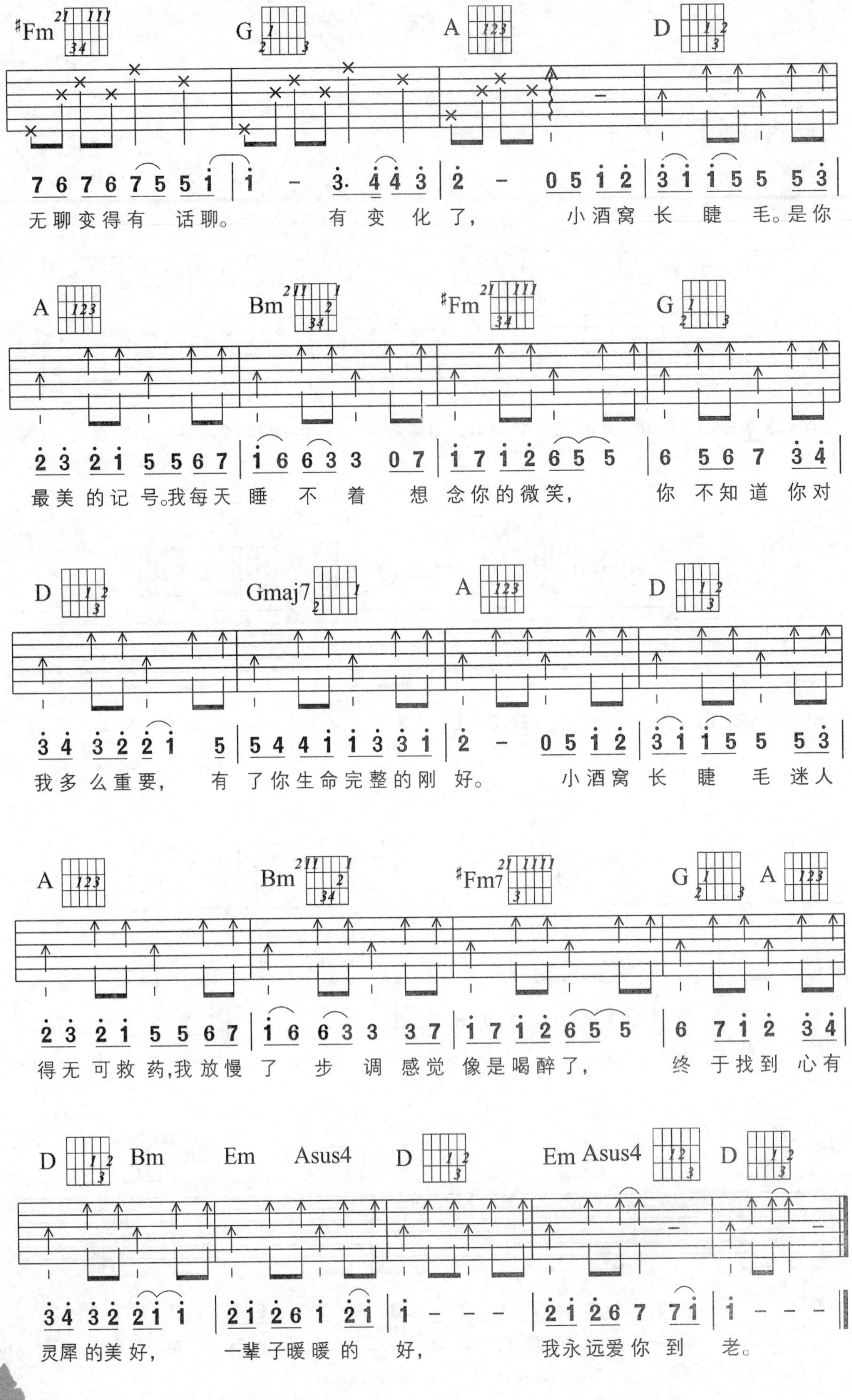
#Fm G A D
无聊变得有 话聊。 有 变 化 了， 小酒窝 长 睫 毛。是你
A Bm #Fm G
最美 的记 号。我每天 睡 不 着 想 念你的微笑， 你 不知道 你对
D Gmaj7 A D
我多 么重要， 有 了你生命完整的刚 好。 小酒窝 长 睫 毛 迷人
A Bm #Fm7 G A
得无 可救 药，我 放慢 了 步 调 感觉 像是喝醉了， 终 于找到 心有
D Bm Em Asus4 D Em Asus4 D
灵犀 的美 好， 一辈 子暖 暖 的 好， 我永远爱 你 到 老。

启　　程

原调 1=♭A $\frac{4}{4}$
选调 1=G
（变调夹夹一品）

佚　名　词曲

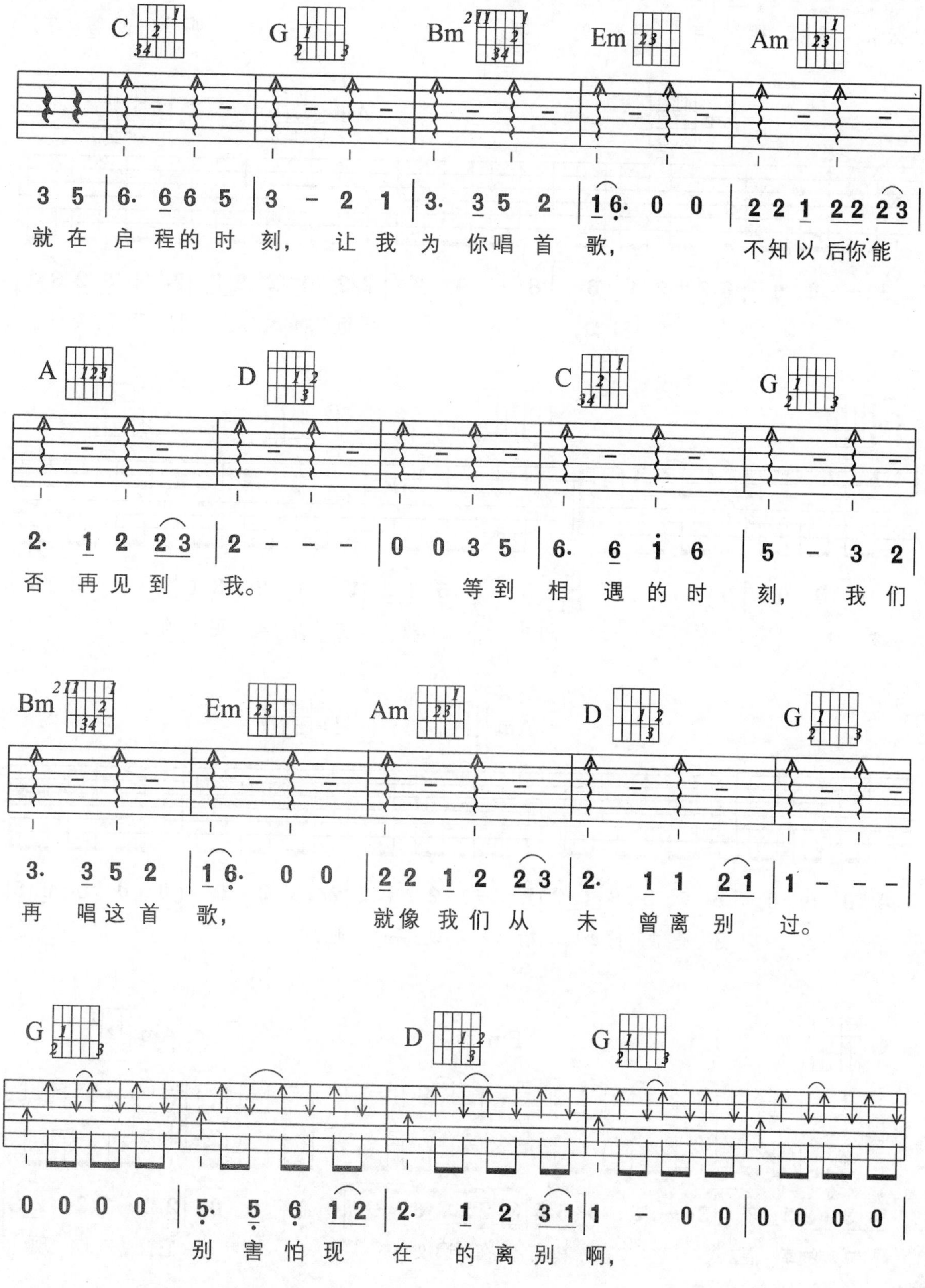

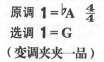

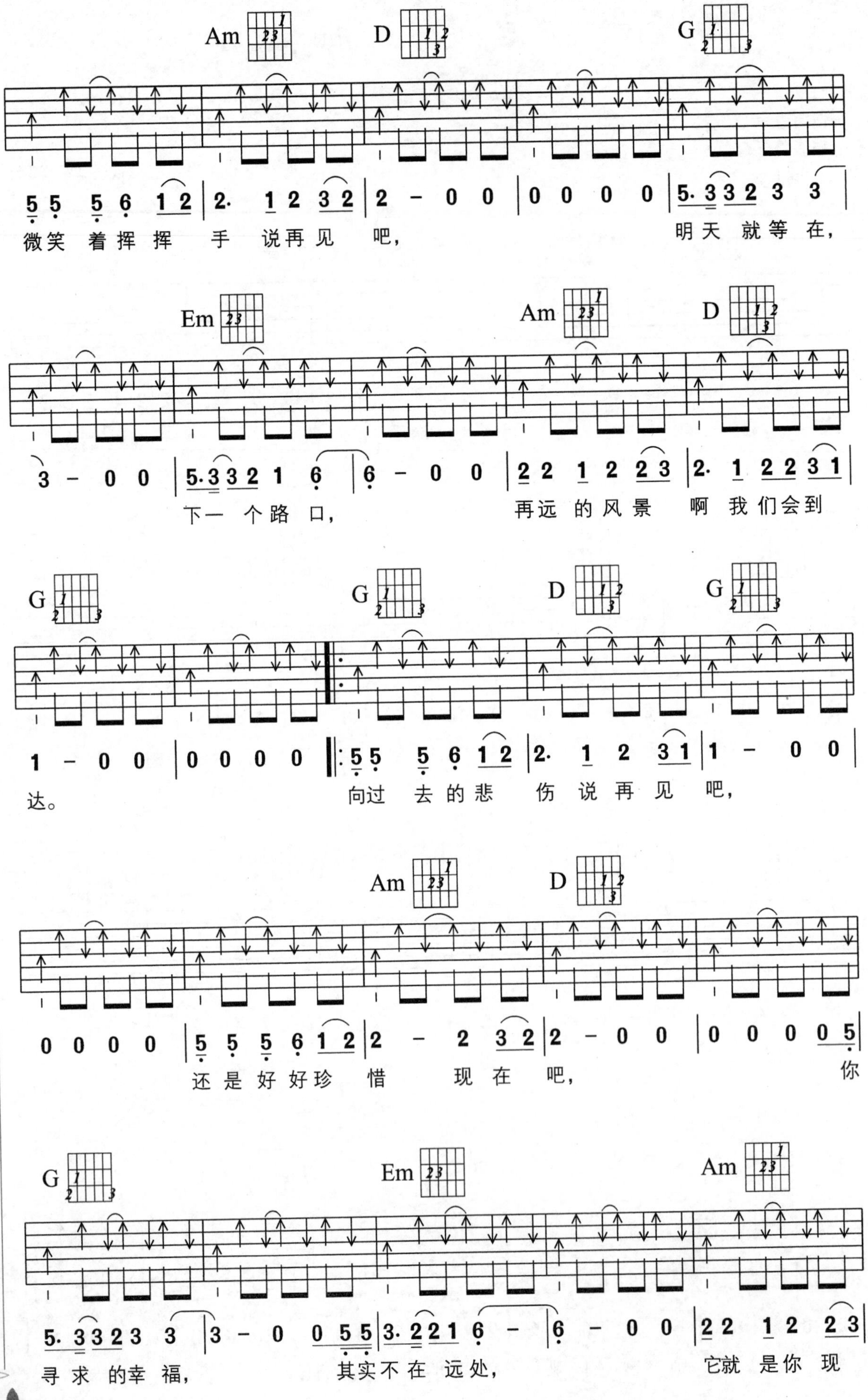
Am D G
微笑 着挥挥 手 说再见 吧，明天 就等 在，
Em Am D
下一 个路 口，再远 的风景 啊 我们会到
G G D G
达。向过 去的悲 伤 说 再 见 吧，
Am D
还 是 好 好珍 惜 现 在 吧，你
G Em Am
寻 求 的幸 福，其实不 在 远处，它就 是你 现

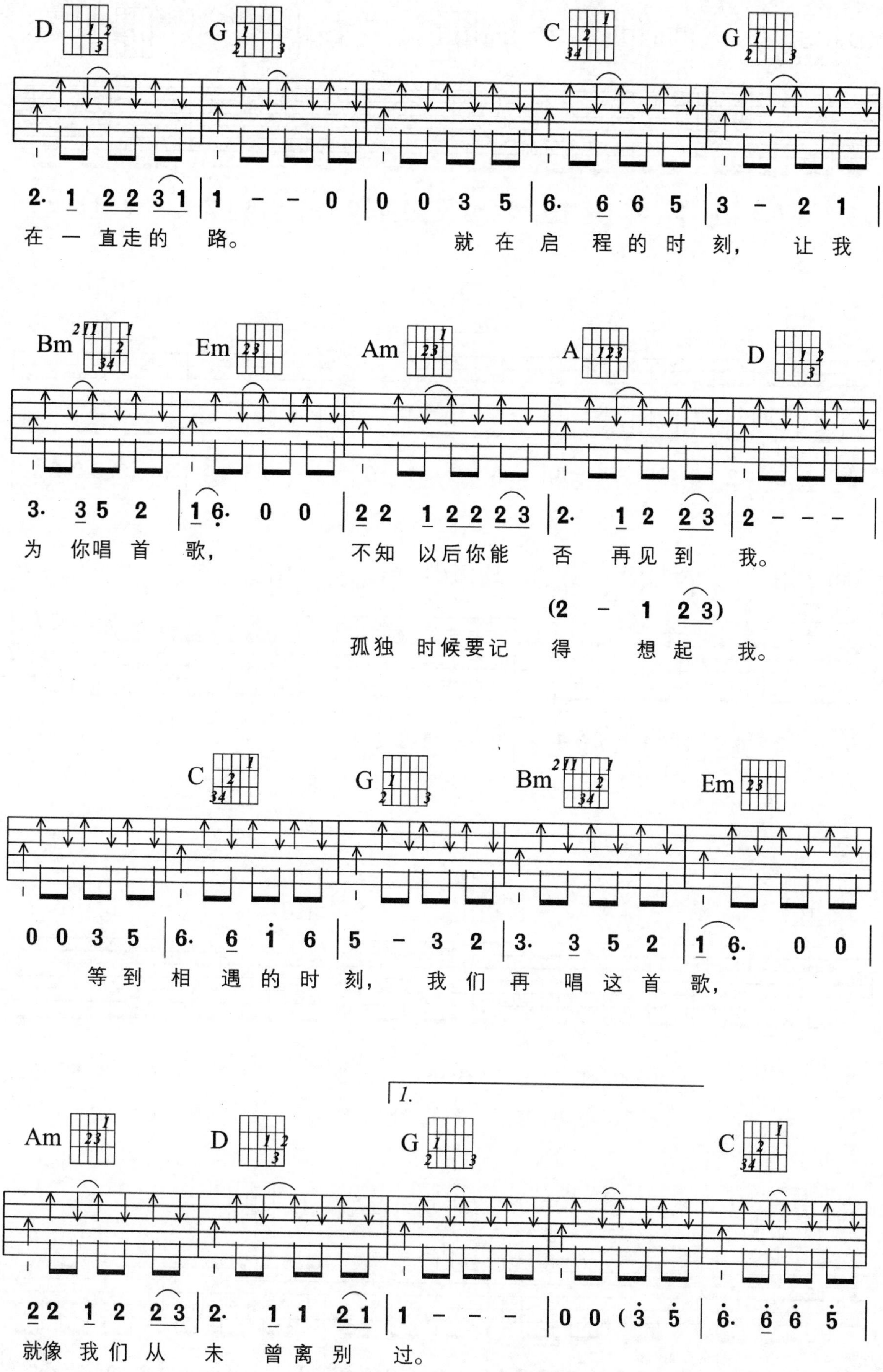
D G C G
在一直走的 路。 就在启 程的时 刻，让我
Bm Em Am A D
为 你唱首 歌， 不知 以后你能 否 再见到 我。
孤独 时候要记 得 想起 我。
C G Bm Em
等到 相 遇的时 刻， 我们再 唱这首 歌，
1.
Am D G C
就像我们从 未 曾离别 过。

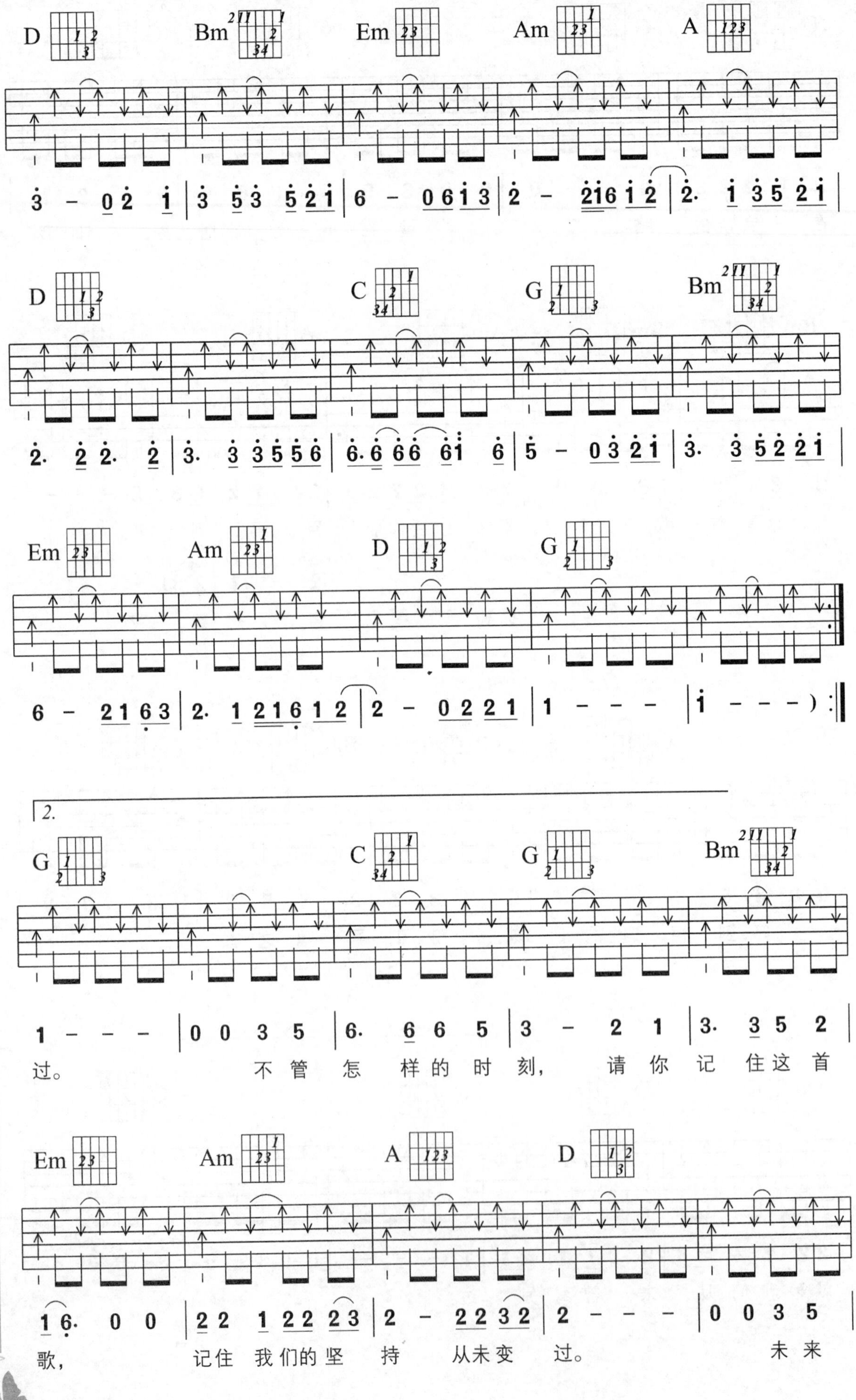
D Bm Em Am A
D C G Bm
Em Am D G
2.
G C G Bm
过。 不管怎样的时刻，请你记住这首
Em Am A D
歌，记住我们的坚持从未变过。未来

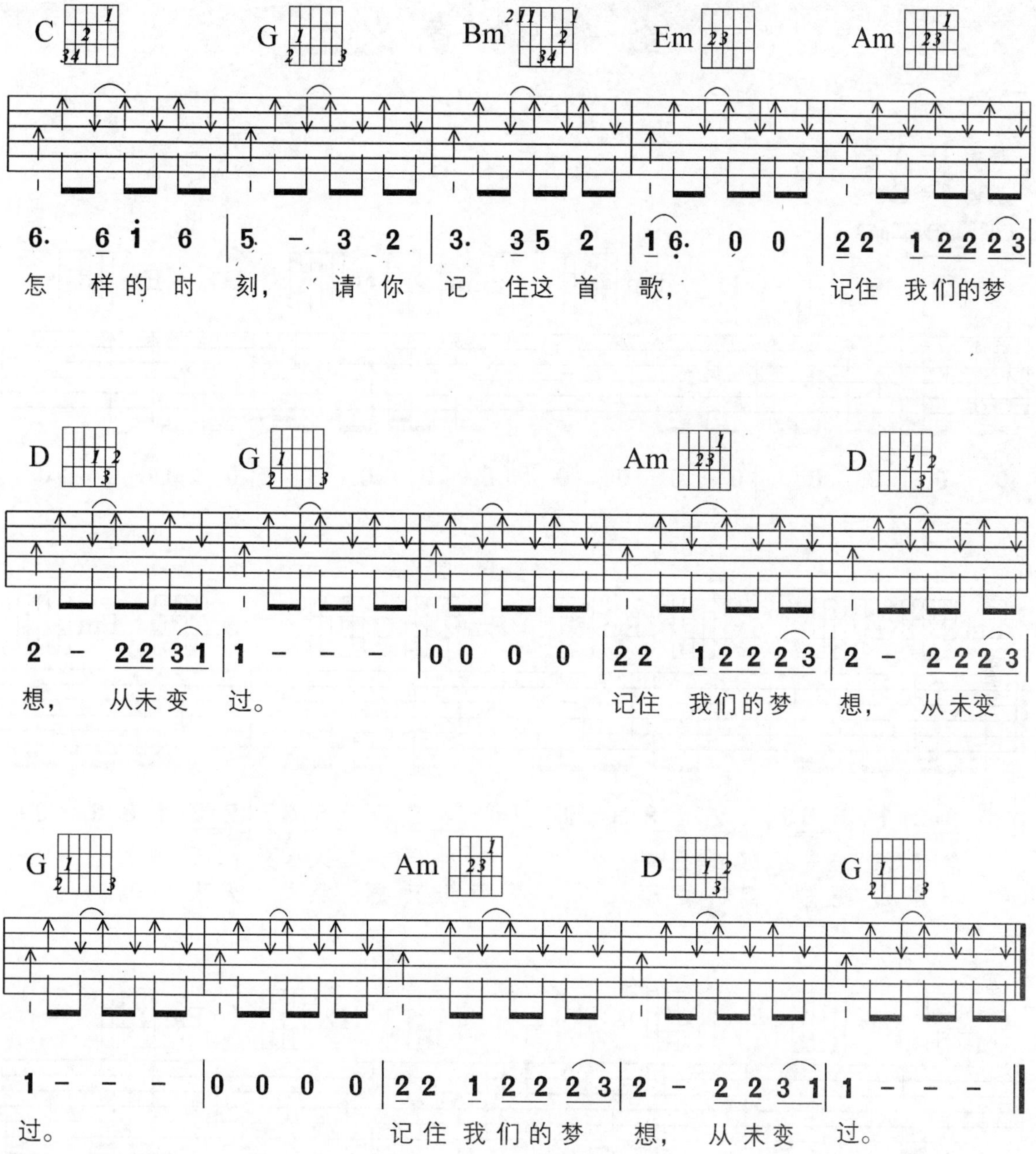
C G Bm Em Am
6· 6 i 6 | 5 - 3 2 | 3· 3 5 2 | 1 6· 0 0 | 2 2 1 2 2 2 3 |
怎样的时刻，请你记住这首歌，记住我们的梦
D G Am D
2 - 2 2 3 1 | 1 - - - | 0 0 0 0 | 2 2 1 2 2 2 3 | 2 - 2 2 2 3 |
想，从未变过。记住我们的梦想，从未变
G Am D G
1 - - - | 0 0 0 0 | 2 2 1 2 2 2 3 | 2 - 2 2 3 1 | 1 - - - ‖
过。记住我们的梦想，从未变过。

生命的意义

原调 1=A $\frac{4}{4}$

选调 1=G

（变调夹夹二品）

曹 秦 词曲

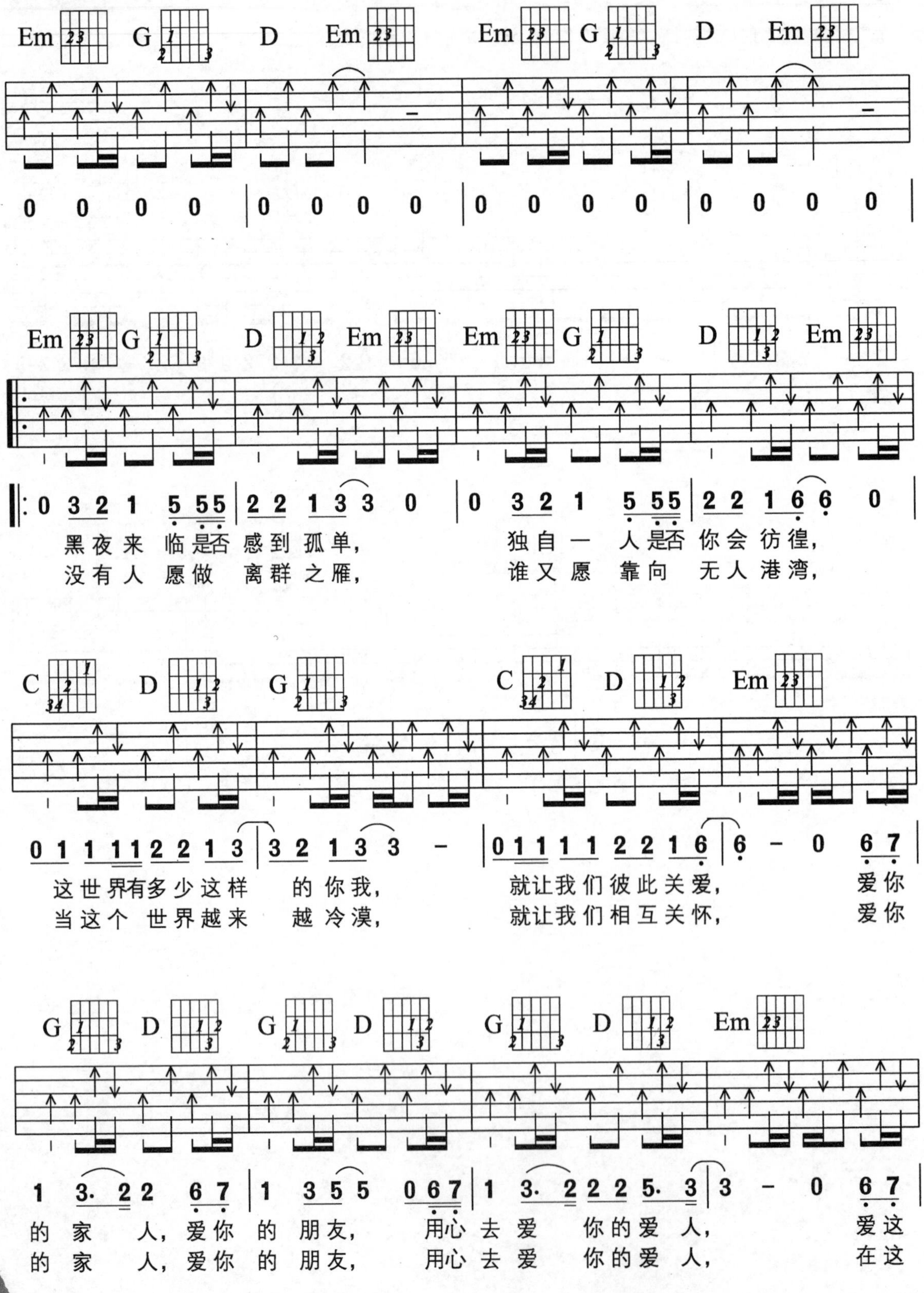

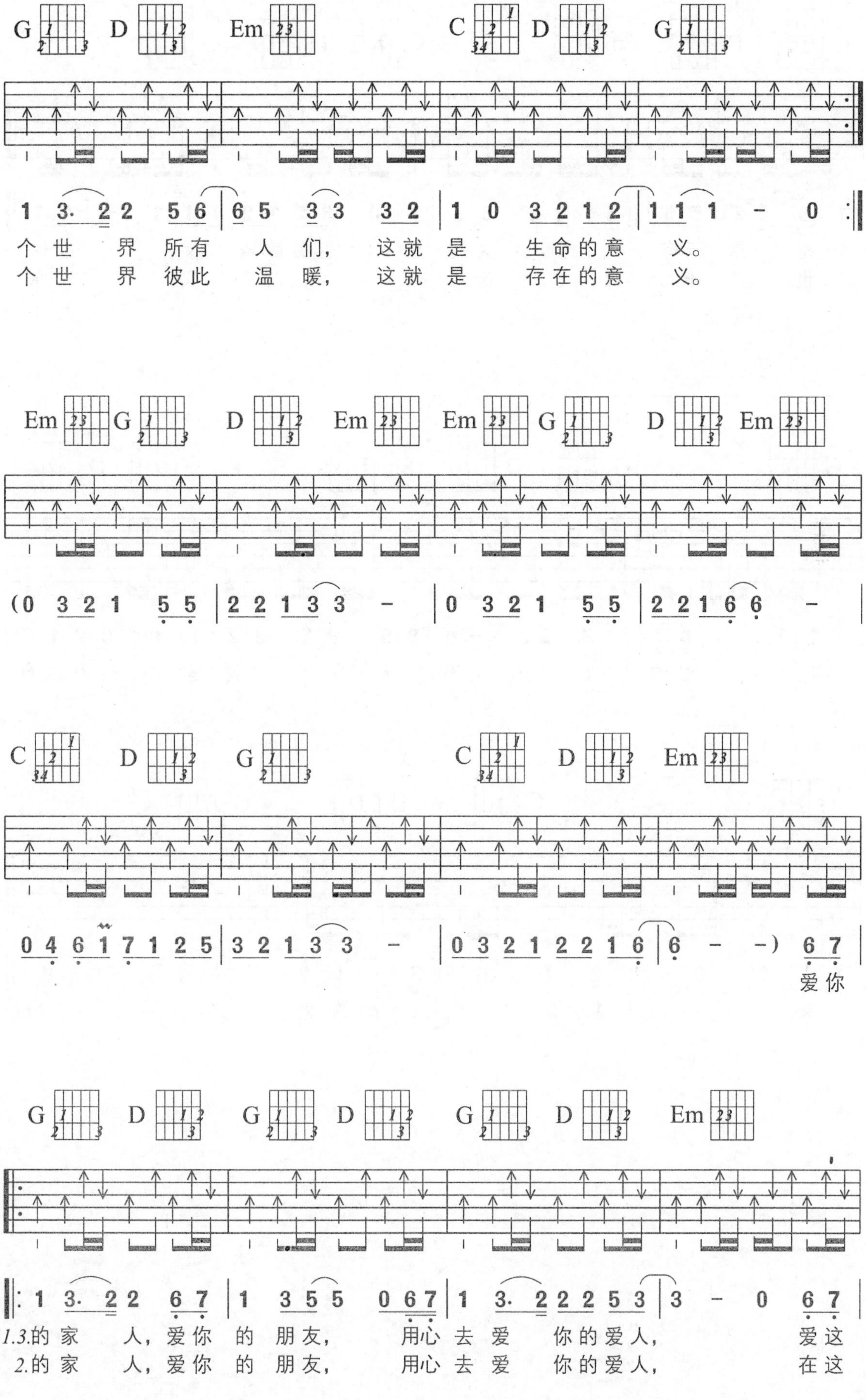

个 世 界 所 有 人 们， 这 就 是 生 命 的 意 义。
个 世 界 彼 此 温 暖， 这 就 是 存 在 的 意 义。

(0 3 2 1 5 5 | 2 2 1 3 3 — | 0 3 2 1 5 5 | 2 2 1 6 6 —

0 4 6 1 7 1 2 5 3 2 1 3 3 — | 0 3 2 1 2 2 1 6 6 — —) 6 7
　　　　　　　　　　　　　　　　　　　　　　　　　　　　　爱 你

1 3. 2 2 6 7 | 1 3 5 5 0 6 7 | 1 3. 2 2 2 5 3 | 3 — 0 6 7
1.3.的 家 人， 爱 你 的 朋 友， 用 心 去 爱 你 的 爱 人， 爱 这
2.的 家 人， 爱 你 的 朋 友， 用 心 去 爱 你 的 爱 人， 在 这

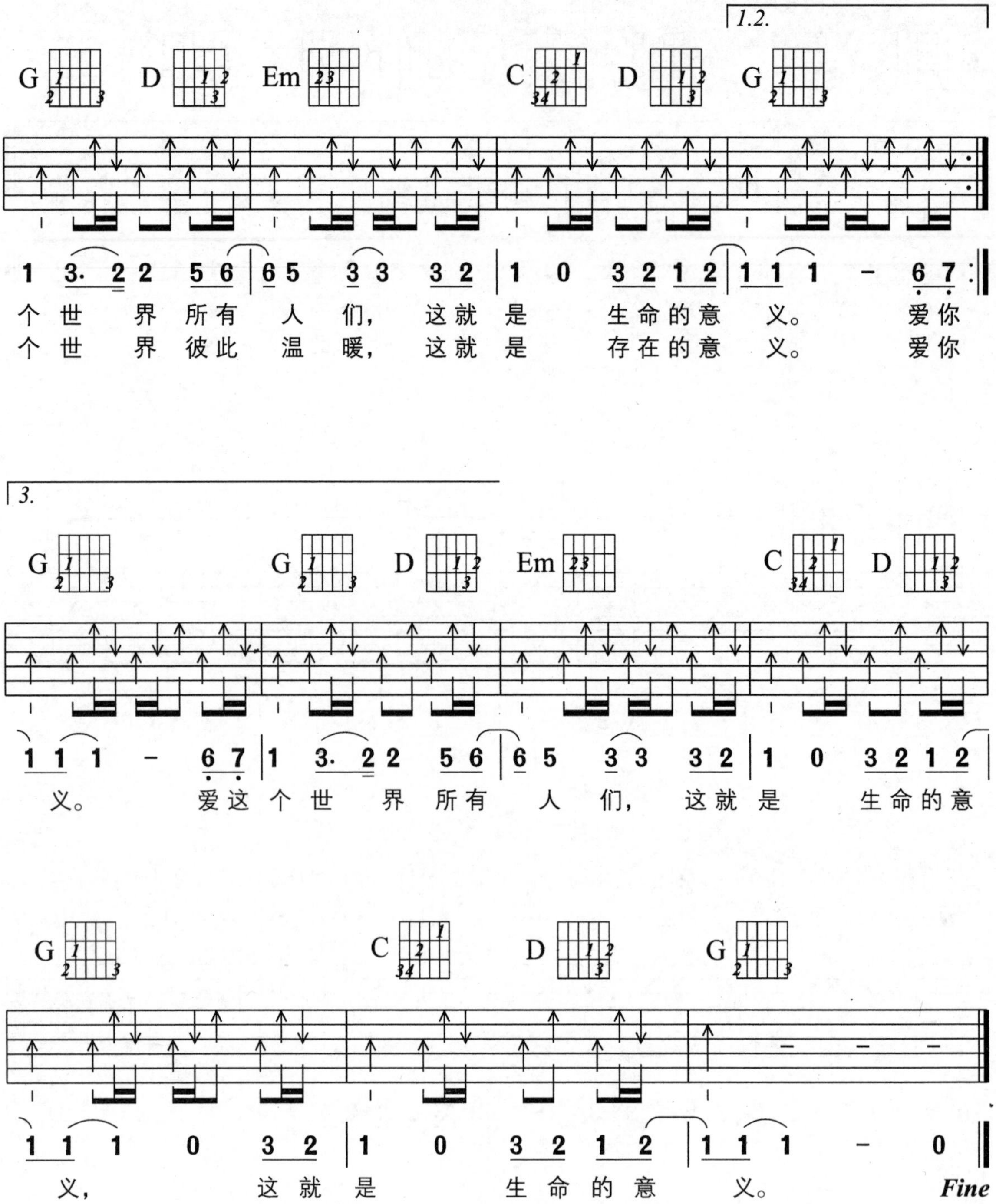
1.2.
G D Em C D G
个世界所有人们，这就是生命的意义。爱你
个世界彼此温暖，这就是存在的意义。爱你
3.
G G D Em C D
义。爱这个世界所有人们，这就是生命的意
G C D G
义，这就是生命的意义。
Fine

没有人比我更爱你

原调 **1=♭D转♭E** $\frac{4}{4}$
选调 **1=C转D**
（变调夹夹一品）

卢庚戌　词
王　筝　曲

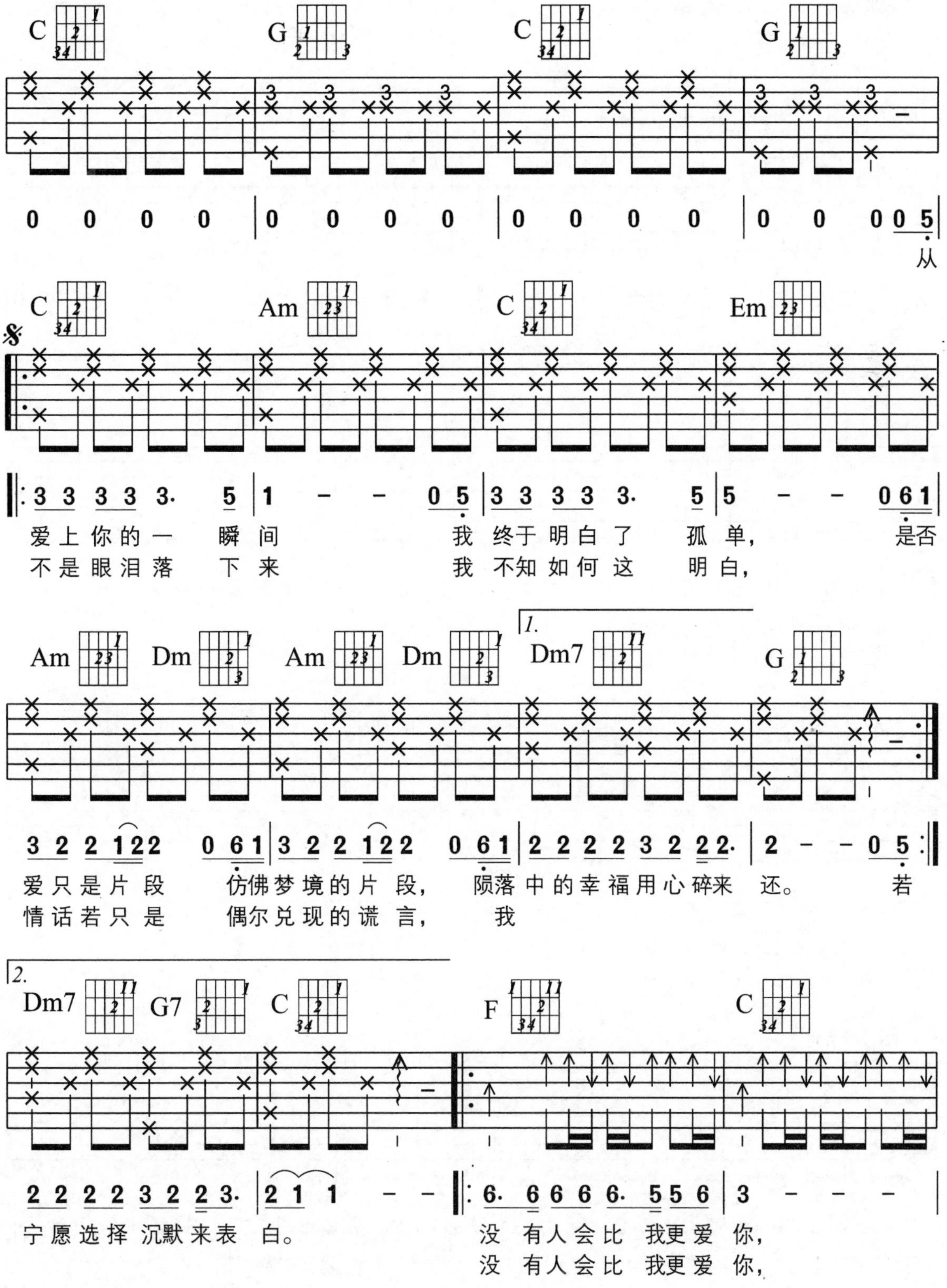
C G C G
从
C Am C Em
爱上你的一 瞬 间 我 终于 明白 了 孤 单， 是否
不是眼泪落 下 来 我 不知 如 何 这 明 白，
1.
Am Dm Am Dm Dm7 G
爱只是片 段 仿佛梦境的片 段， 陨落 中 的幸 福用心碎来 还。 若
情话若只 是 偶尔兑现的谎 言， 我
2.
Dm7 G7 C F C
宁愿选择 沉默来表 白。
没 有人会比 我更爱 你，
没 有人会比 我更爱 你，

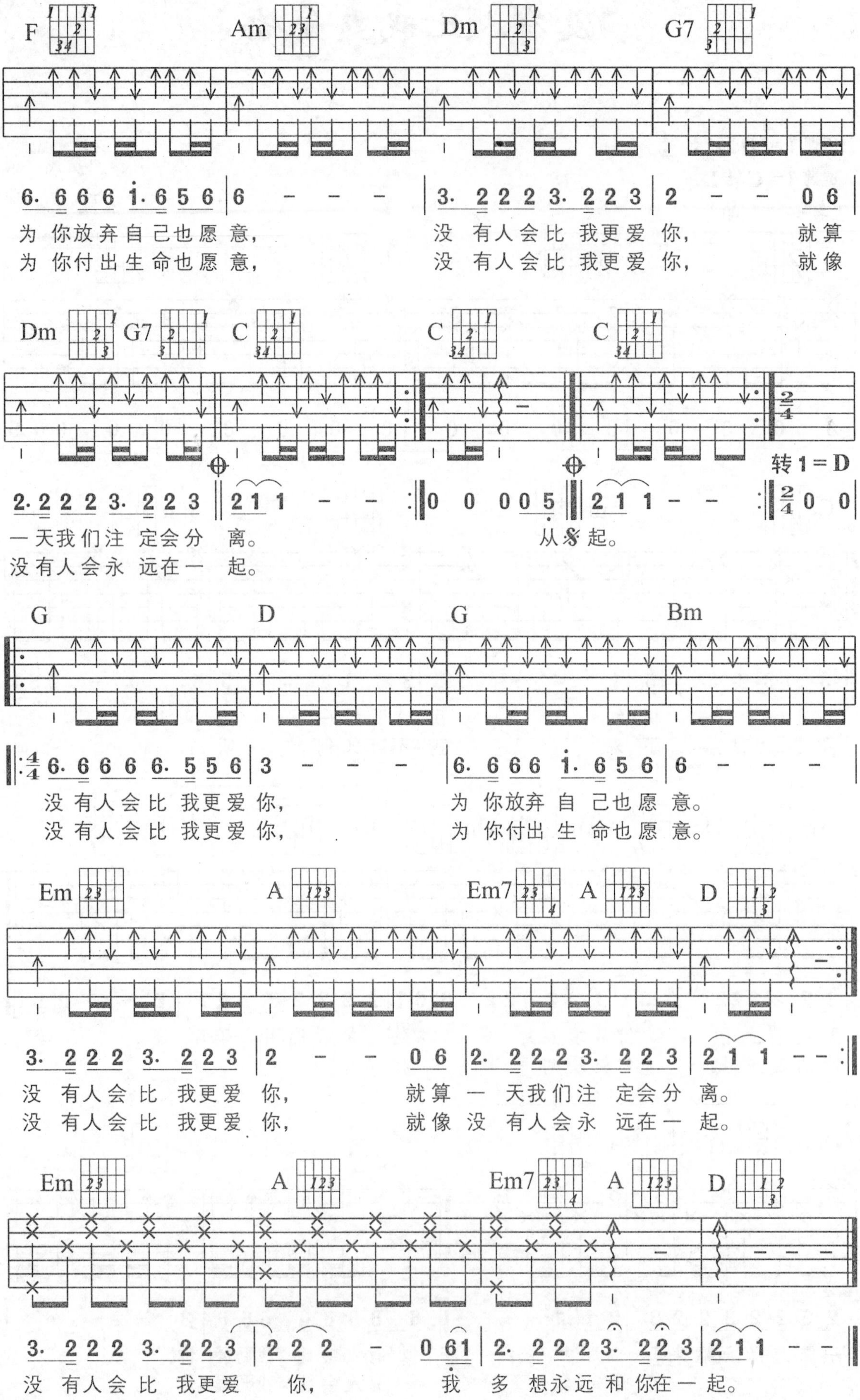
F Am Dm G7
为你放弃自己也愿意，没有人会比我更爱你，就算
为你付出生命也愿意，没有人会比我更爱你，就像
Dm G7 C C C
一天我们注定会分离。
没有人会永远在一起。
从𝄋起。
转1＝D
G D G Bm
没有人会比我更爱你，为你放弃自己也愿意。
没有人会比我更爱你，为你付出生命也愿意。
Em A Em7 A D
没有人会比我更爱你，就算一天我们注定会分离。
没有人会比我更爱你，就像没有人会永远在一起。
Em A Em7 A D
没有人会比我更爱你，我多想永远和你在一起。

画 心

原调 **1=E** $\frac{4}{4}$
选调 **1=D**
（变调夹夹二品）

陈少琪 词
藤原育郎 曲

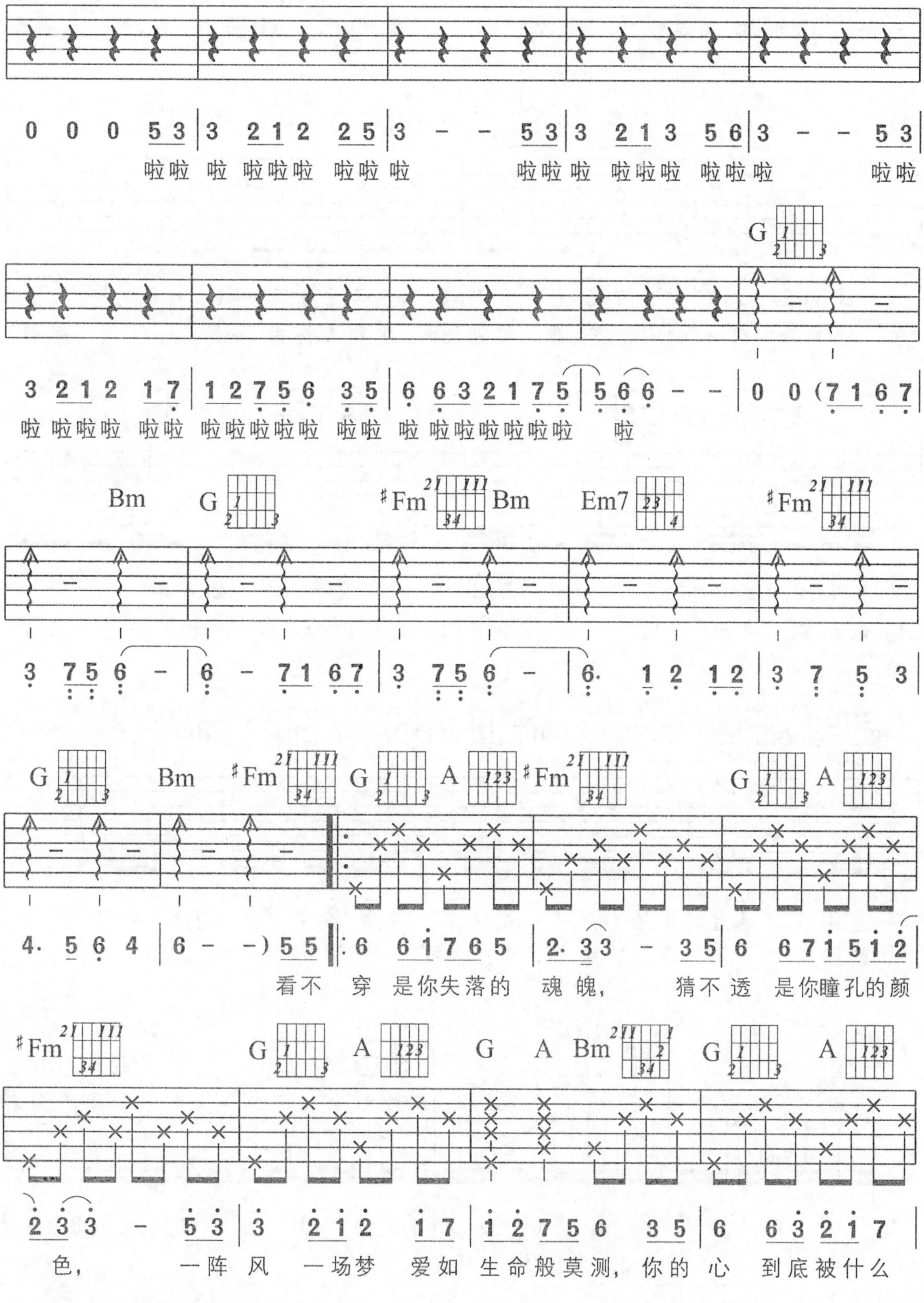
啦啦 啦 啦啦啦 啦啦 啦 啦啦 啦 啦啦啦 啦啦啦 啦啦
G
啦 啦啦啦 啦啦 啦啦啦啦啦 啦啦 啦 啦啦啦啦啦啦啦 啦
Bm G #Fm Bm Em7 #Fm
G Bm #Fm G A #Fm G A
看不 穿 是你失落的 魂 魄， 猜不透 是你瞳孔的颜
#Fm G A G A Bm G A
色， 一阵 风 一场梦 爱如 生命般莫测，你的 心 到底被什么

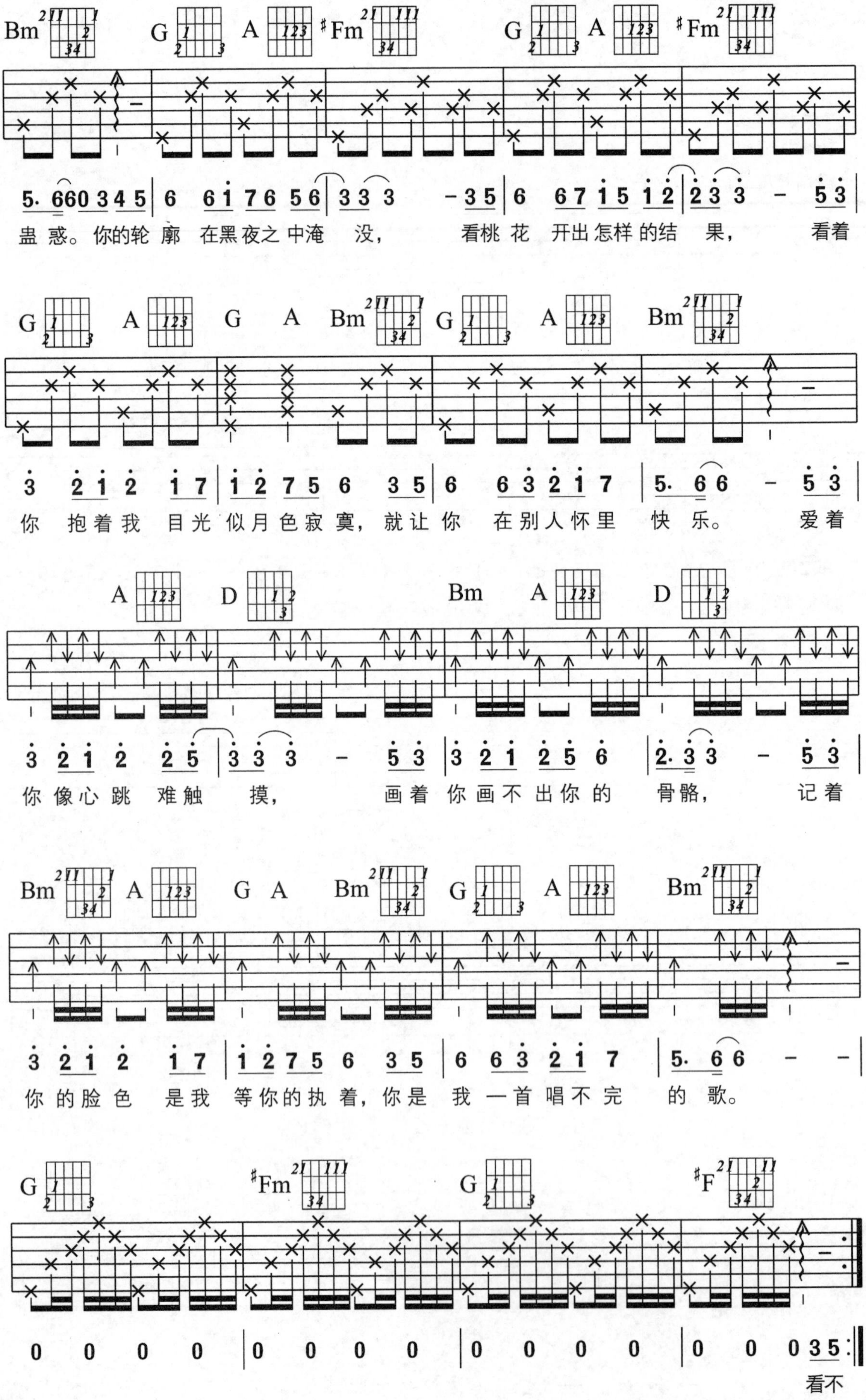
Bm G A #Fm G A #Fm
蛊惑。你的轮廓 在黑夜之中淹 没， 看桃花 开出怎样的结 果， 看着
G A G A Bm G A Bm
你 抱着我 目光 似月色寂 寞，就让 你 在别人怀里 快 乐。 爱着
A D Bm A D
你像心跳 难触 摸， 画着 你画不出你的 骨骼， 记着
Bm A G A Bm G A Bm
你的脸色 是我 等你的执 着，你是 我 一首 唱不完 的 歌。
G #Fm G #F
看不

姑娘我爱你

原调 1=♭A $\frac{2}{4}$

选调 1=G

（变调夹夹一品）

余启翔 词

绍 兵 曲

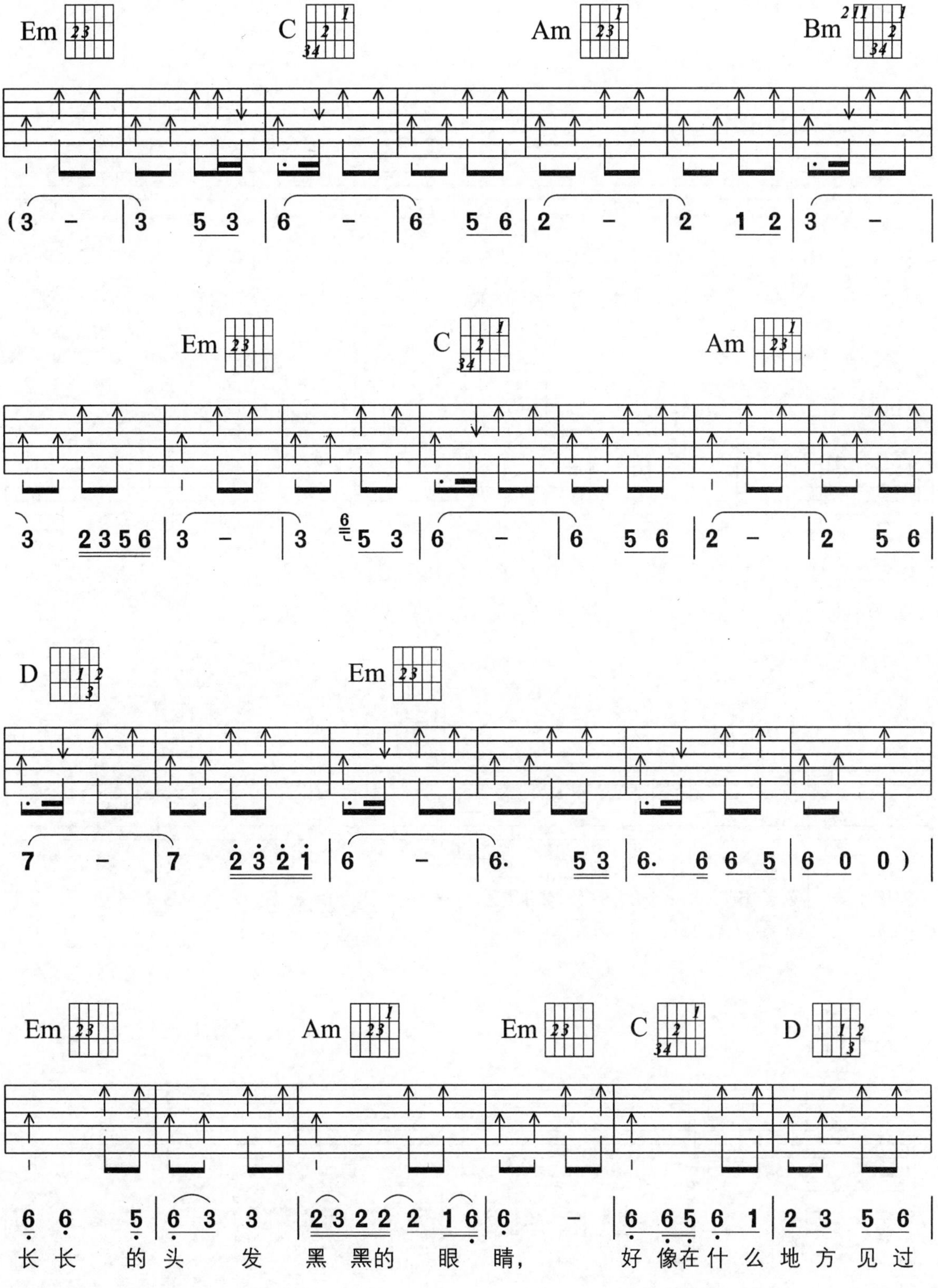

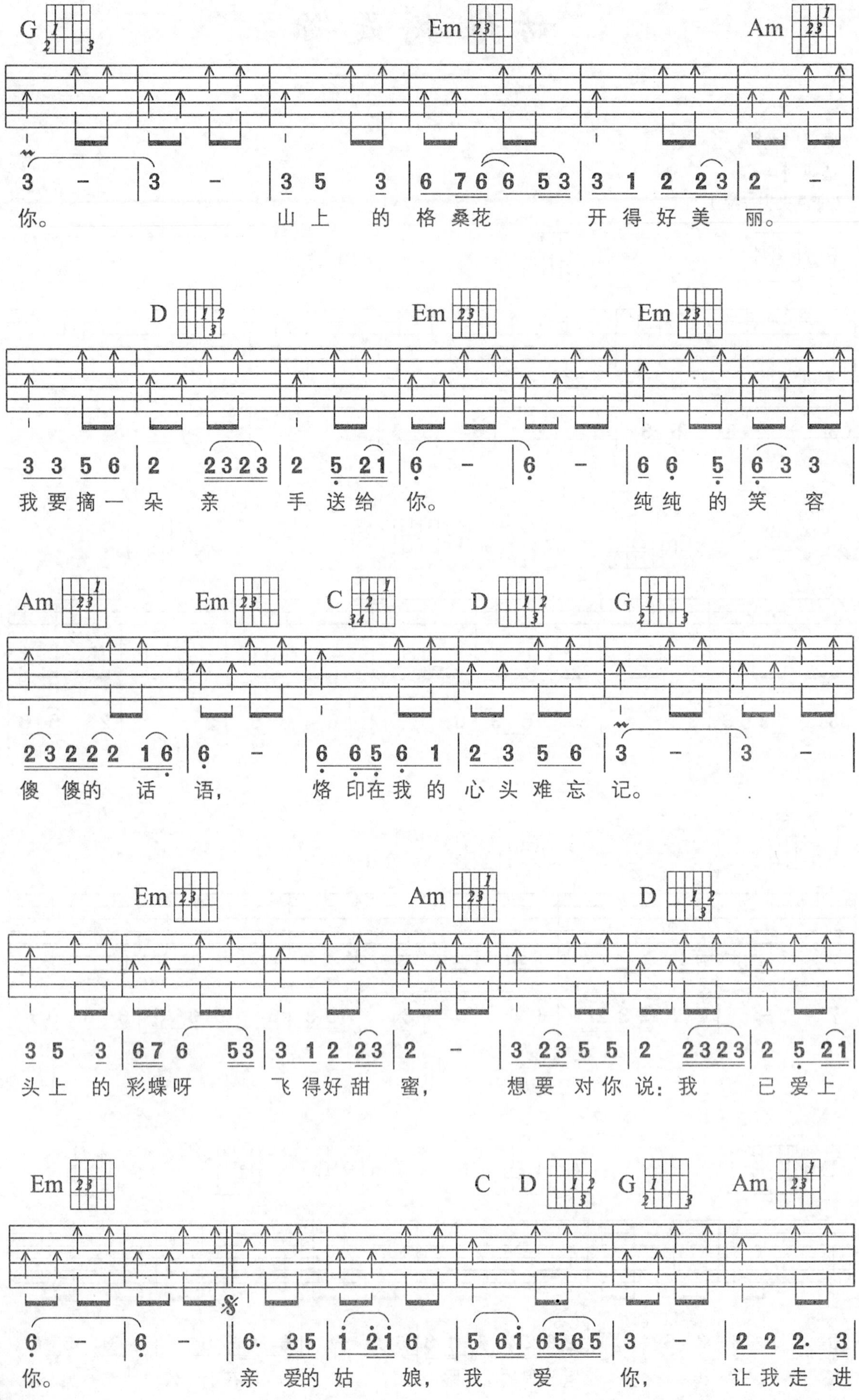

你。 山上的格桑花 开得好美丽。
我要摘一朵亲手送给你。 纯纯的笑容
傻傻的话语， 烙印在我的心头难忘记。
头上的彩蝶呀 飞得好甜蜜， 想要对你说：我 已爱上
你。 亲爱的姑娘，我爱你， 让我走进

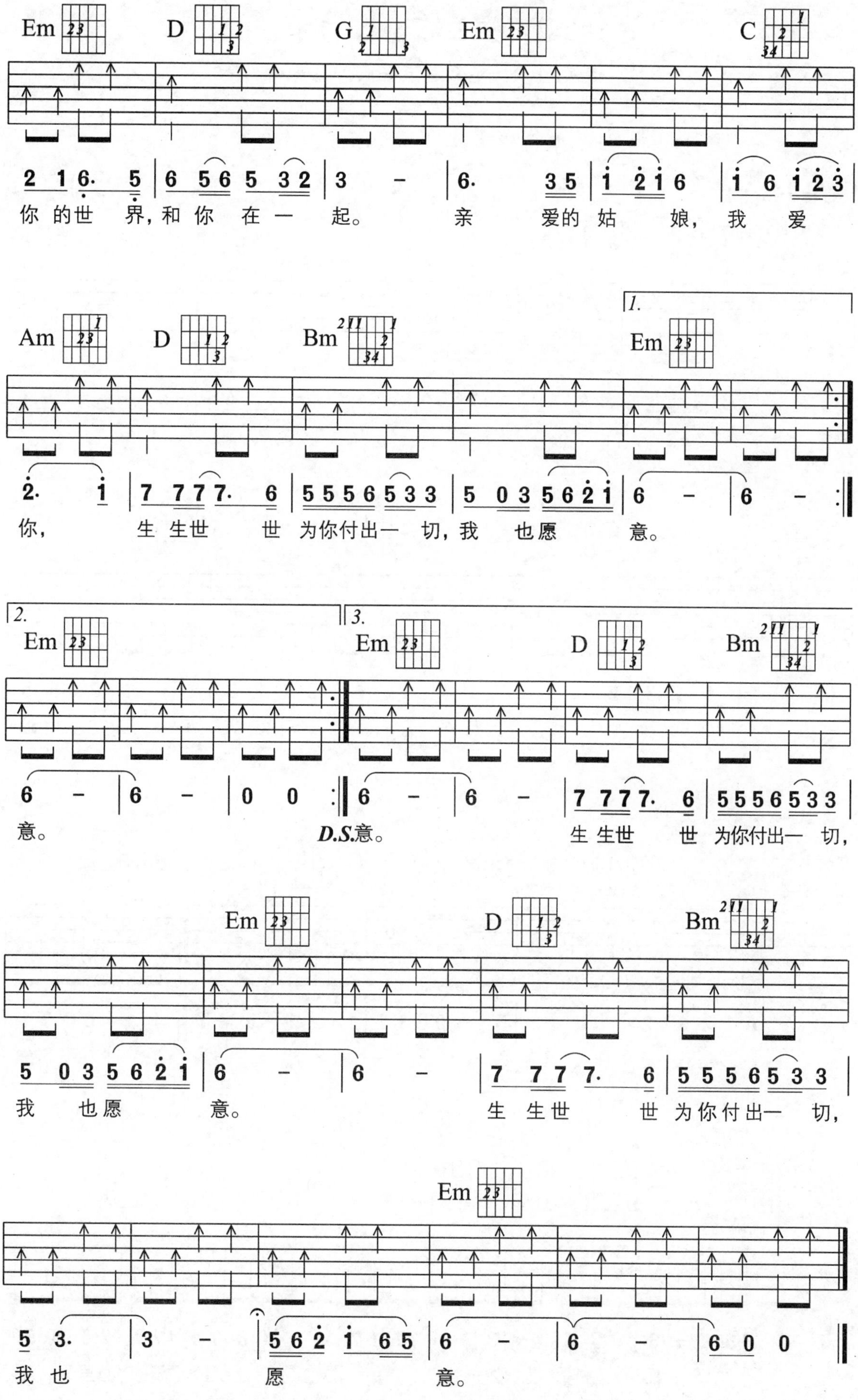
Em D G Em C
你的世界，和你在一起。亲爱的姑娘，我爱
Am D Bm 1. Em
你，生生世世为你付出一切，我也愿意。
2. Em 3. Em D Bm
意。 D.S.意。 生生世世为你付出一切，
Em D Bm
我也愿意。 生生世世为你付出一切，
Em
我也愿意。

我要的飞翔

连续剧《一起来看流星雨》片尾曲

原调 1=♭A $\frac{4}{4}$
选调 1=G
（变调夹夹一品）

翼楚忱 词
谭伊哲 曲

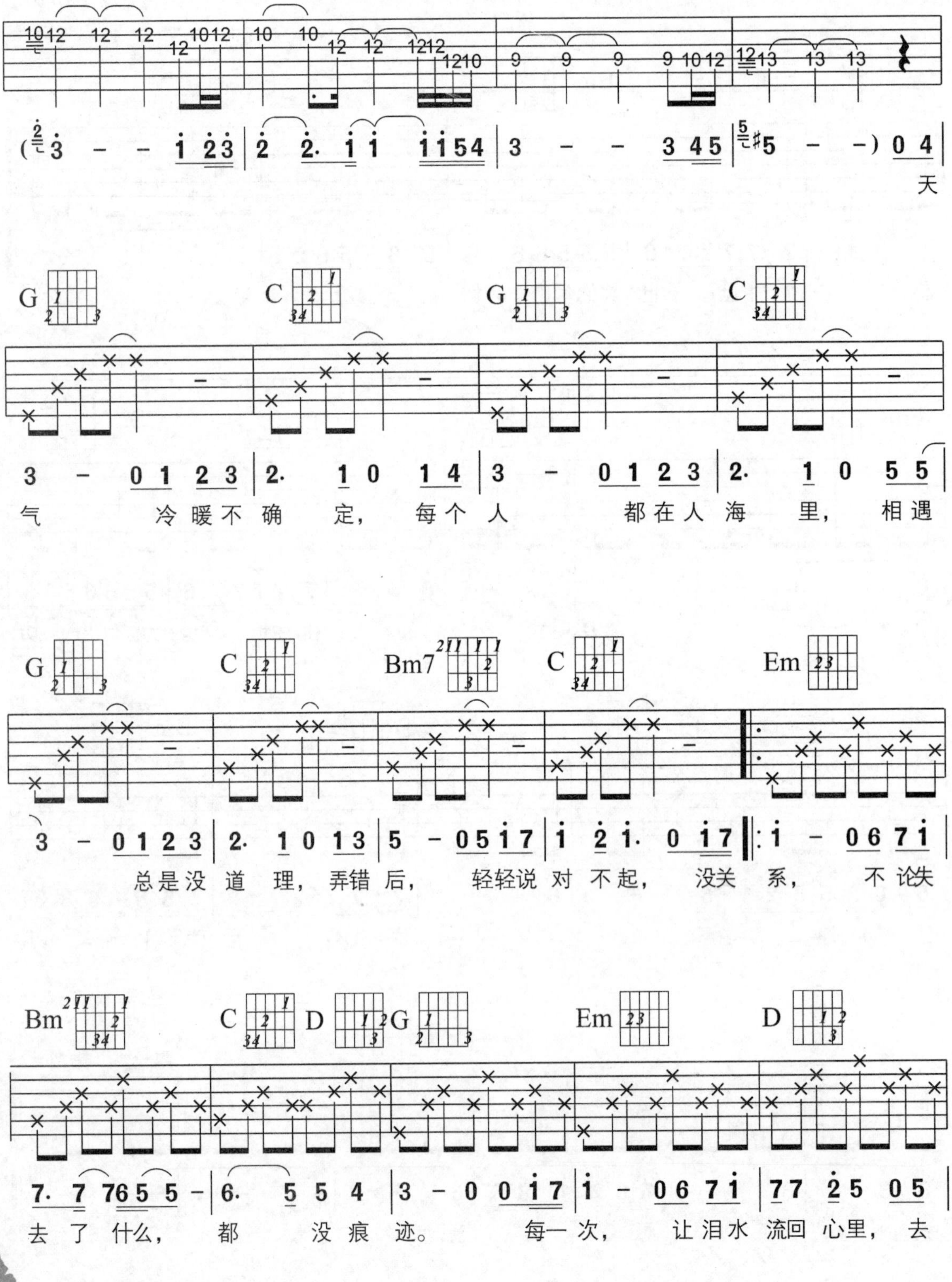
天
G C G C
气 冷暖不确定，每个人都在人海里，相遇
G C Bm7 C Em
总是没道理，弄错后，轻轻说对不起，没关系，不论失
Bm C D G Em D
去了什么，都没痕迹。每一次，让泪水流回心里，去

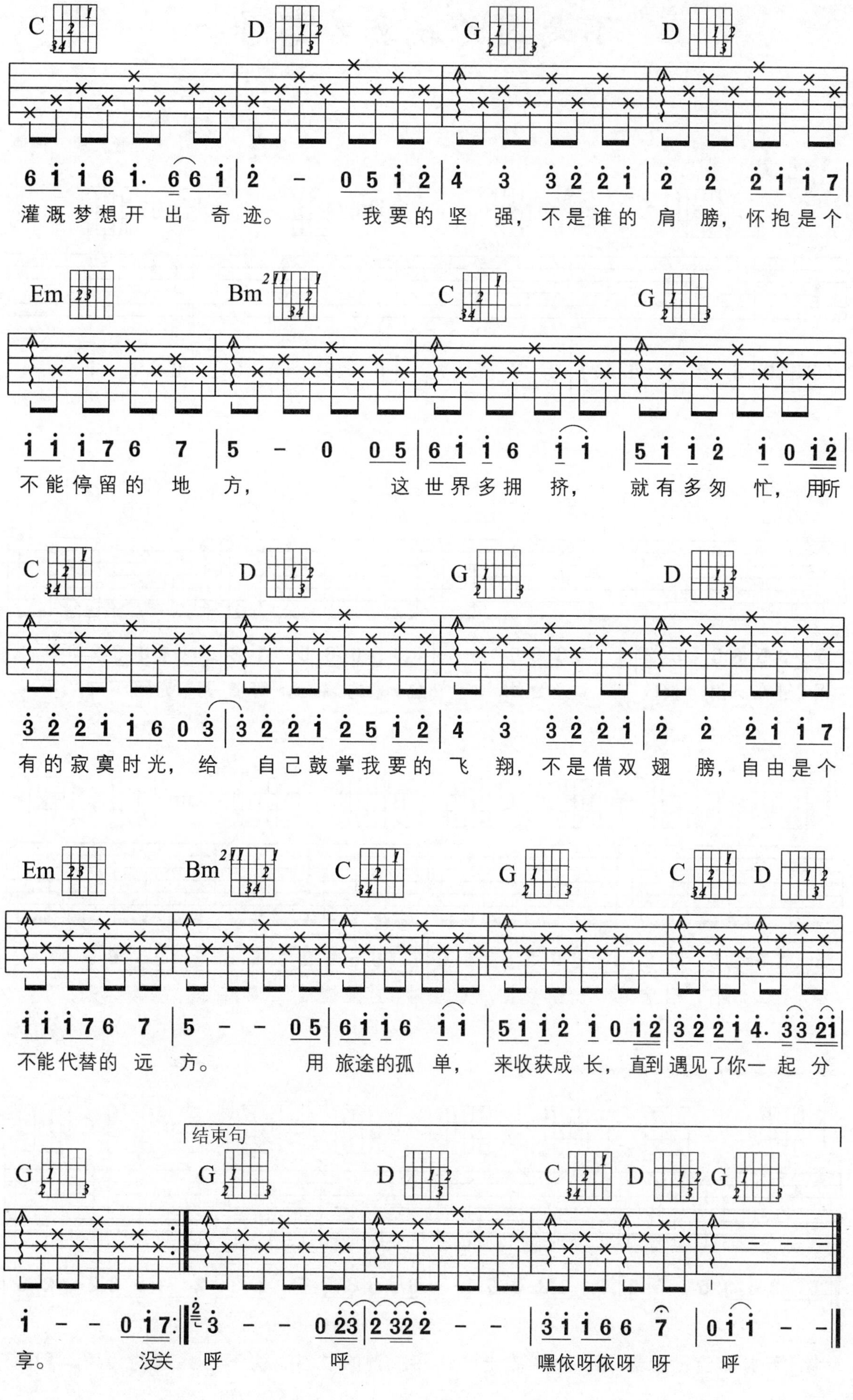
C D G D
灌溉梦想开出奇迹。我要的坚强，不是谁的肩膀，怀抱是个
Em Bm C G
不能停留的地方，这世界多拥挤，就有多匆忙，用所
C D G D
有的寂寞时光，给自己鼓掌我要的飞翔，不是借双翅膀，自由是个
Em Bm C G C D
不能代替的远方。用旅途的孤单，来收获成长，直到遇见了你一起分
结束句
G G D C D G
享。没关呼 呼 嘿依呀依呀呀 呼

不是因为寂寞才想你

张 超 词曲

1=F 4/4

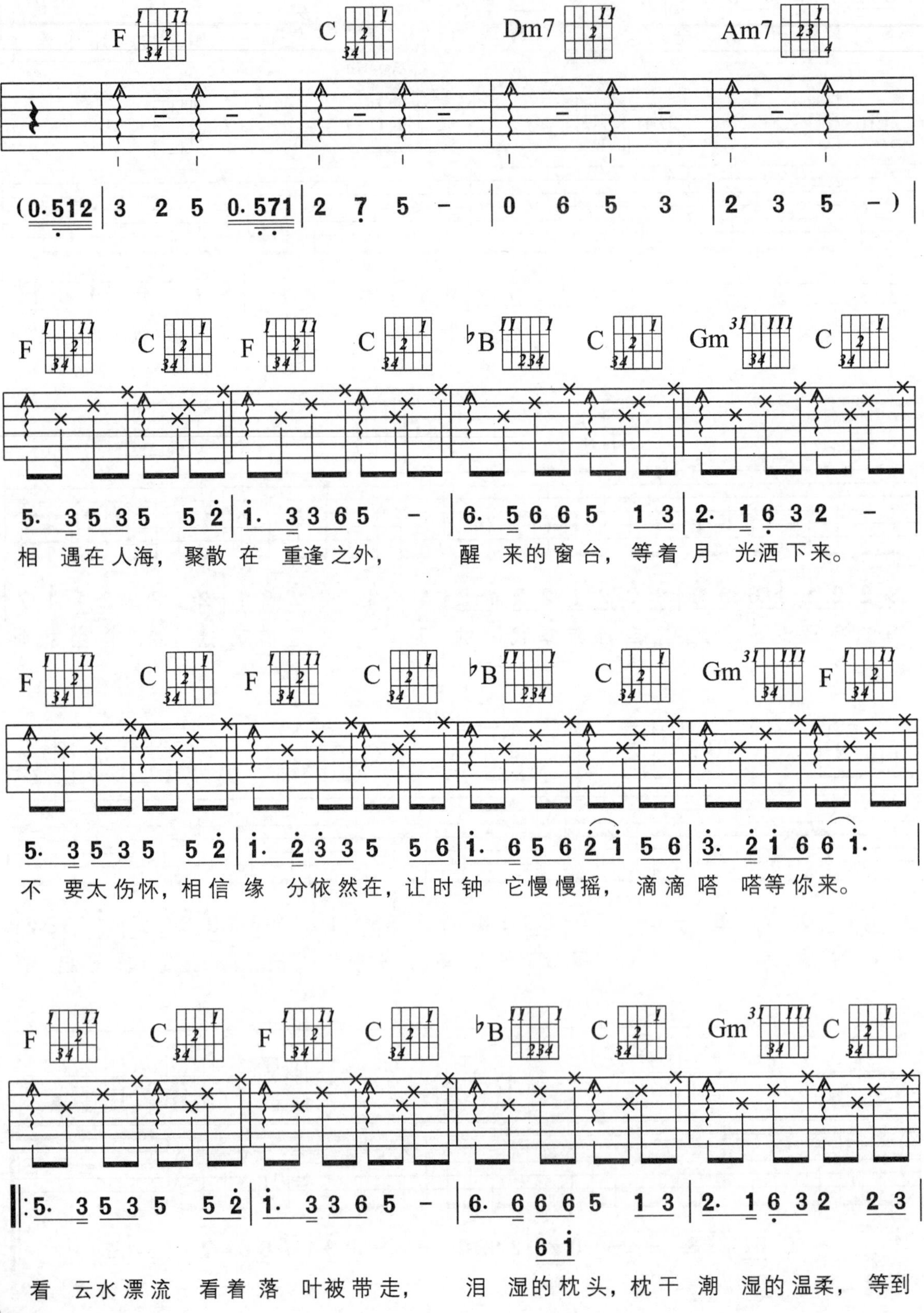
F C Dm7 Am7
F C F C ♭B C Gm C
相 遇在人海，聚散 在 重逢之外， 醒 来的窗台，等着 月 光洒下来。
F C F C ♭B C Gm F
不 要太伤怀，相信 缘 分依然在，让时钟 它慢慢摇， 滴滴嗒 嗒等你来。
F C F C ♭B C Gm C
看 云水漂流 看着 落 叶被带走， 泪 湿的枕头，枕干 潮 湿的温柔， 等到

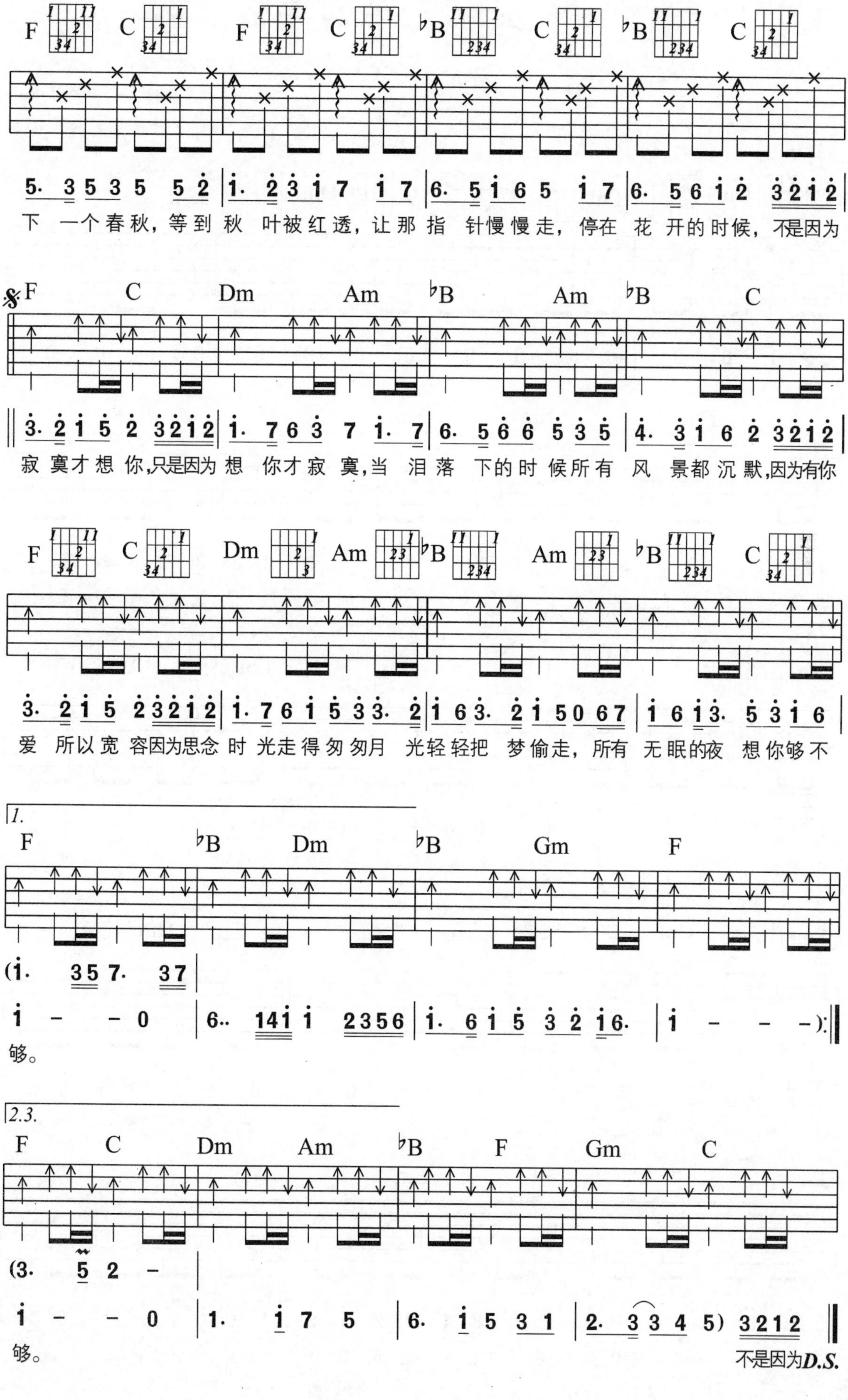
F C F C ♭B C ♭B C
下 一个春秋，等到 秋 叶被红透，让那指 针慢慢走，停在 花 开的时候，不是因为
F C Dm Am ♭B Am ♭B C
寂 寞才想 你，只是因为 想 你才寂 寞，当 泪落 下的时 候所有 风 景都沉默，因为有你
F C Dm Am ♭B Am ♭B C
爱 所以宽 容因为思念 时 光走得匆匆月 光轻轻把 梦偷走，所有 无眠的夜 想你够不
1.
F ♭B Dm ♭B Gm F
够。
2.3.
F C Dm Am ♭B F Gm C
够。
不是因为D.S.

彩 虹

周杰伦 词曲

1=C $\frac{4}{4}$

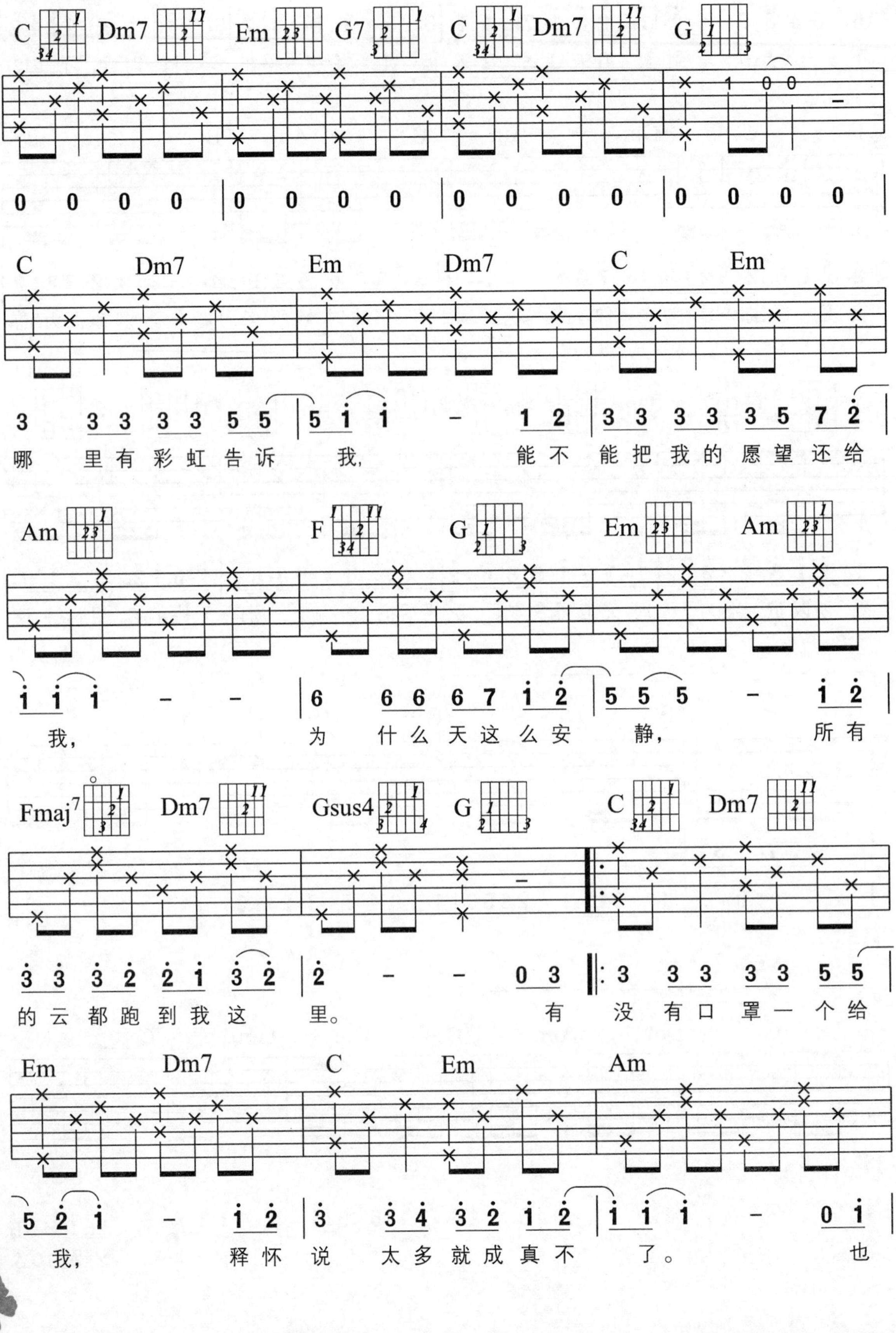

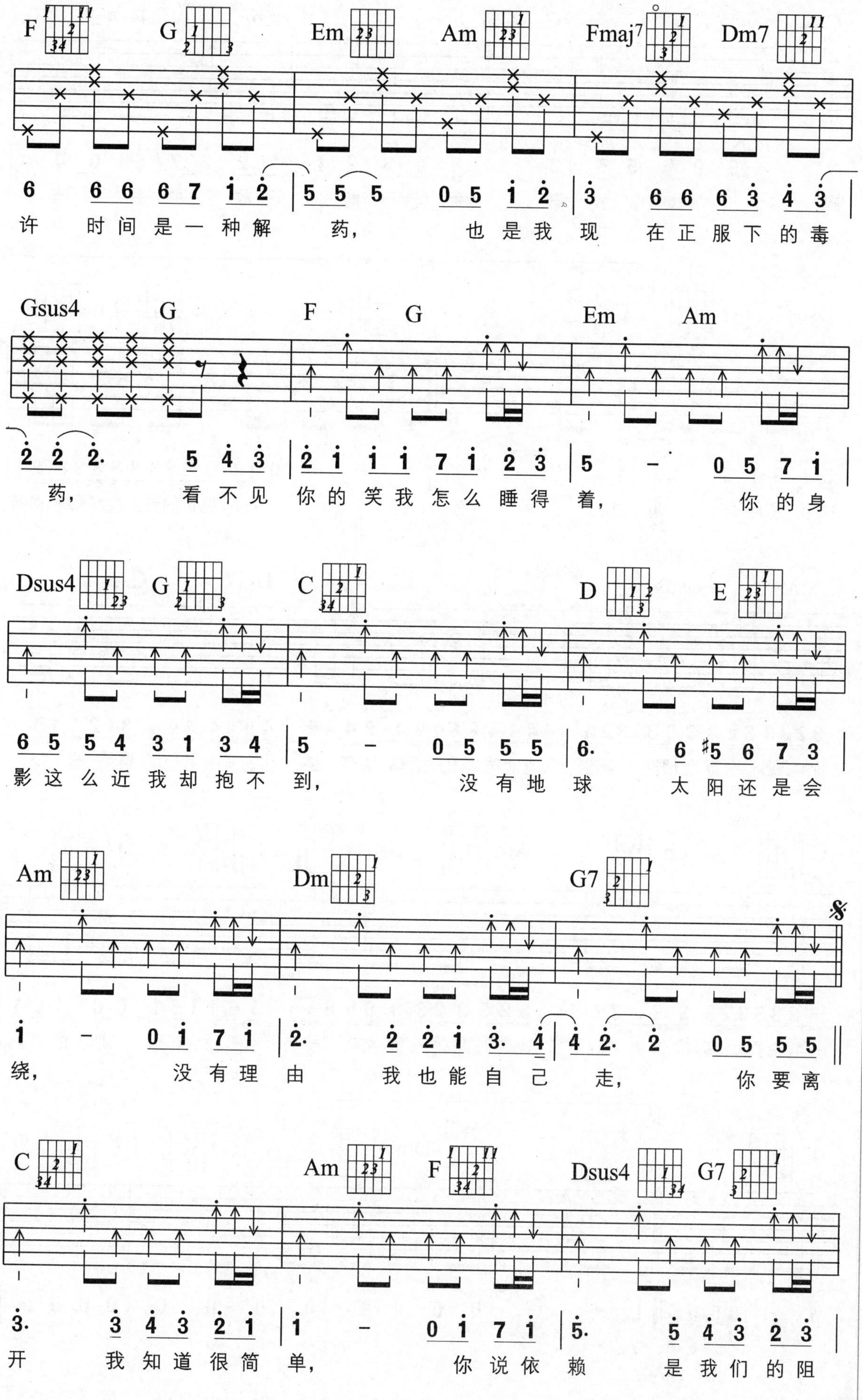

6 66 67 1 2 | 5 5 5 | 0 5 1 2 | 3 66 6 3 4 3 |
许 时 间 是 一 种 解 药，　 也 是 我 现 在 正 服 下 的 毒

2 2 2. | 5 4 3 | 2 1 1 1 7 1 2 3 | 5 — 0 5 7 1 |
药，　 看 不 见 你 的 笑 我 怎 么 睡 得 着，　 你 的 身

6 5 5 4 3 1 3 4 | 5 — 0 5 5 5 | 6. 6 #5 6 7 3 |
影 这 么 近 我 却 抱 不 到，　 没 有 地 球 太 阳 还 是 会

1 — 0 1 7 1 | 2. 2 2 1 3. 4 | 4 2. 2 0 5 5 5 |
绕，　 没 有 理 由 我 也 能 自 己 走，　 你 要 离

3. 3 4 3 2 1 | 1 — 0 1 7 1 | 5. 5 4 3 2 3 |
开 我 知 道 很 简 单，　 你 说 依 赖 是 我 们 的 阻

第九章
歌曲部分

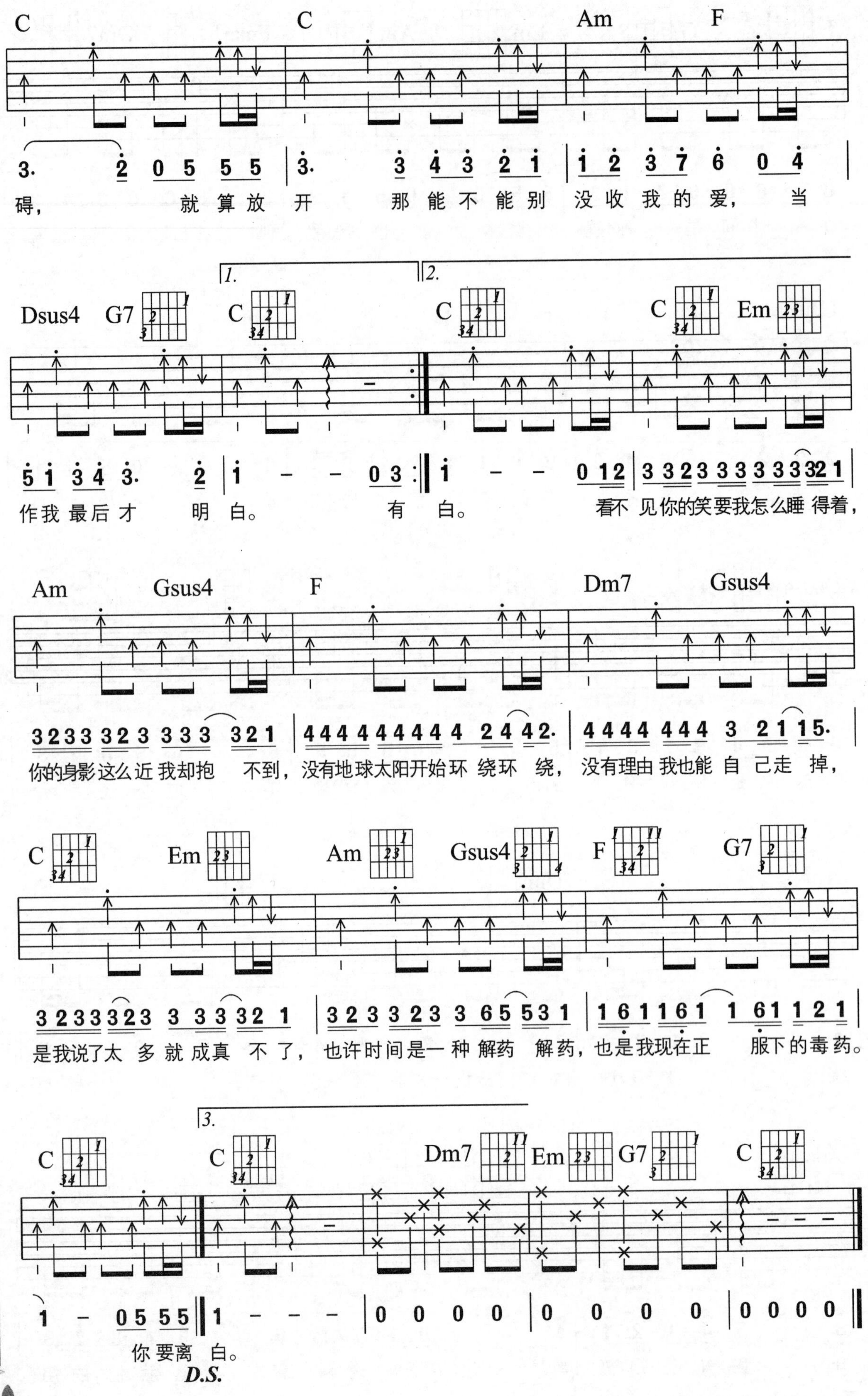
C C Am F
碍， 就算放开 那能不能别 没收我的爱， 当
Dsus4 G7 C C C Em
作我 最后才 明 白。 有 白。 看不 见你的笑要我怎么睡 得着，
Am Gsus4 F Dm7 Gsus4
你的身影这么近 我却抱 不到，没有地球太阳开始环 绕环 绕，没有理由 我也能 自 己走 掉，
C Em Am Gsus4 F G7
是我说了太 多 就 成真 不 了， 也许时间是一 种 解药 解药，也是我现在正 服下的毒 药。
C C Dm7 Em G7 C
你 要离 白。
D.S.

青花瓷

原调1=A转♯A $\frac{4}{4}$
选调1=G转♯G
（变调夹夹二品）

方文山 词
周杰伦 曲

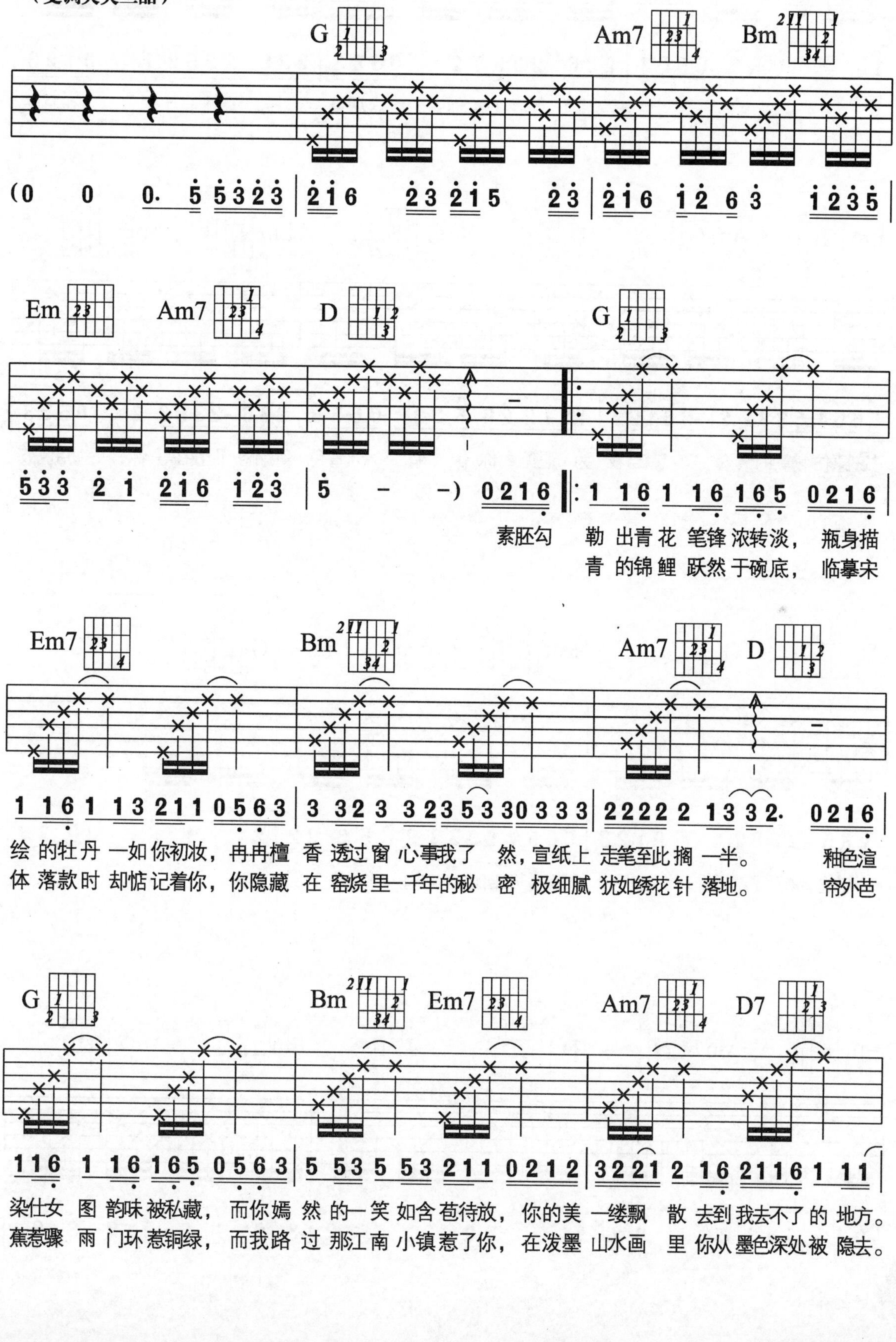
G
Am7
Bm
Em
Am7
D
G
素胚勾 勒 出青花 笔锋 浓转淡， 瓶身描
青 的锦鲤 跃然 于碗底， 临摹宋
Em7
Bm
Am7
D
绘 的牡丹 一如 你初妆，冉冉檀 香 透过 窗 心事我了 然，宣纸上 走笔至此 搁 一半。 釉色渲
体 落款时 却惦记着你，你隐藏 在 窑烧 里一千年的秘 密 极细腻 犹如绣花 针 落地。 帘外芭
G
Bm
Em7
Am7
D7
染仕女 图 韵味 被私藏， 而你嫣 然 的一笑 如含 苞待放， 你的美 一缕飘 散 去到 我去不了 的 地方。
蕉惹骤 雨 门环 惹铜绿， 而我路 过 那江南 小镇 惹了你， 在泼墨 山水画 里 你从 墨色深处被 隐去。

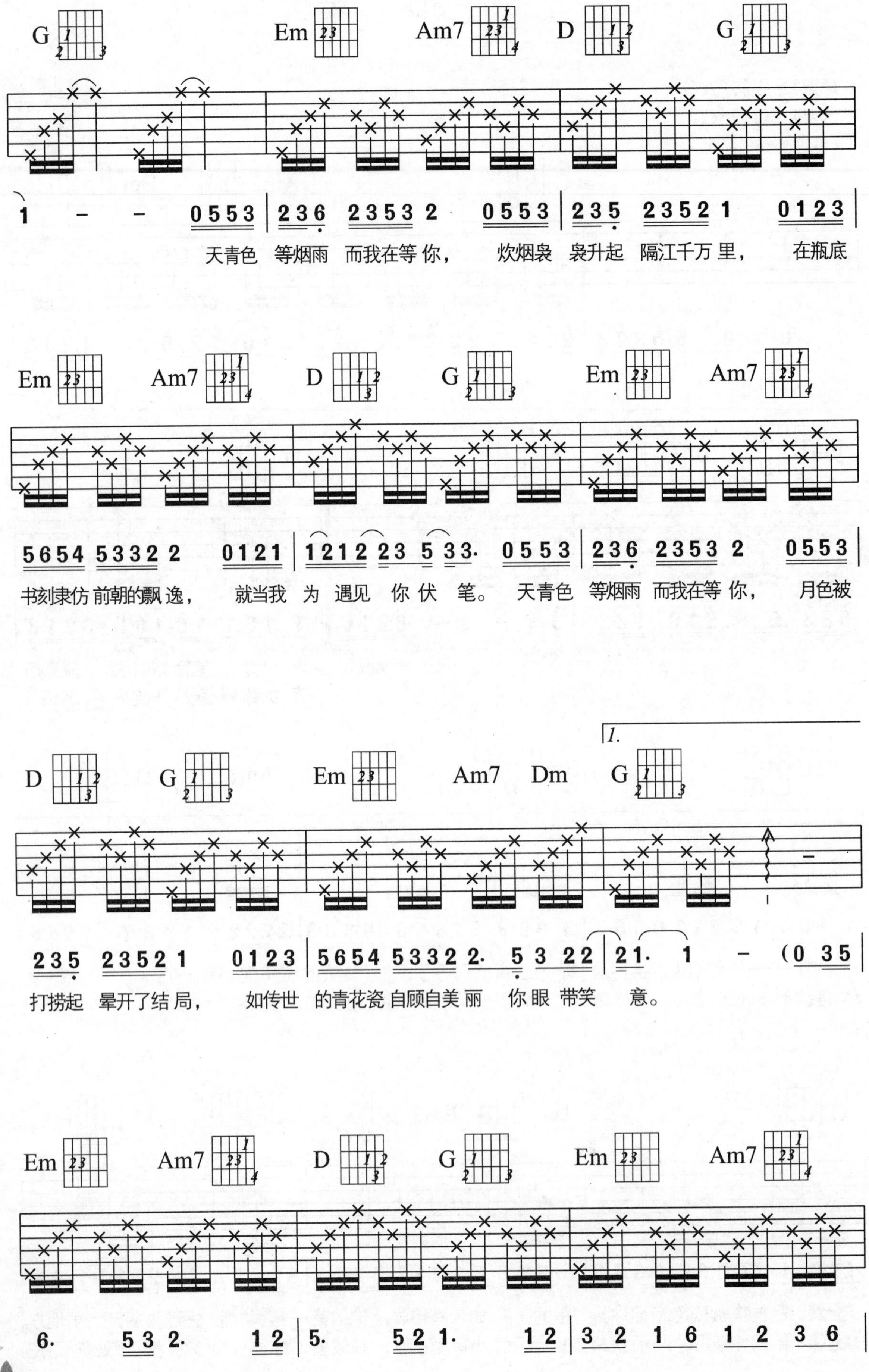
G Em Am7 D G
1 – – 0553 | 236 23532 0553 | 235 23521 0123 |
天青色 等烟雨 而我在等 你， 炊烟袅 袅升起 隔江千万 里， 在瓶底
Em Am7 D G Em Am7
5654 53322 0121 | 1212 23 5 33. 0553 | 236 23532 0553 |
书刻隶仿 前朝的飘 逸， 就当我 为 遇见 你 伏 笔。 天青色 等烟雨 而我在等 你， 月色被
1.
D G Em Am7 Dm G
235 23521 0123 | 5654 53322. 5 3 22 | 21. 1 – (0 35 |
打捞起 晕开了结 局， 如传世 的青花瓷 自顾自美 丽 你 眼 带笑 意。
Em Am7 D G Em Am7
6. 53 2. 12 | 5. 52 1. 12 | 3 2 1 6 1 2 3 6 |

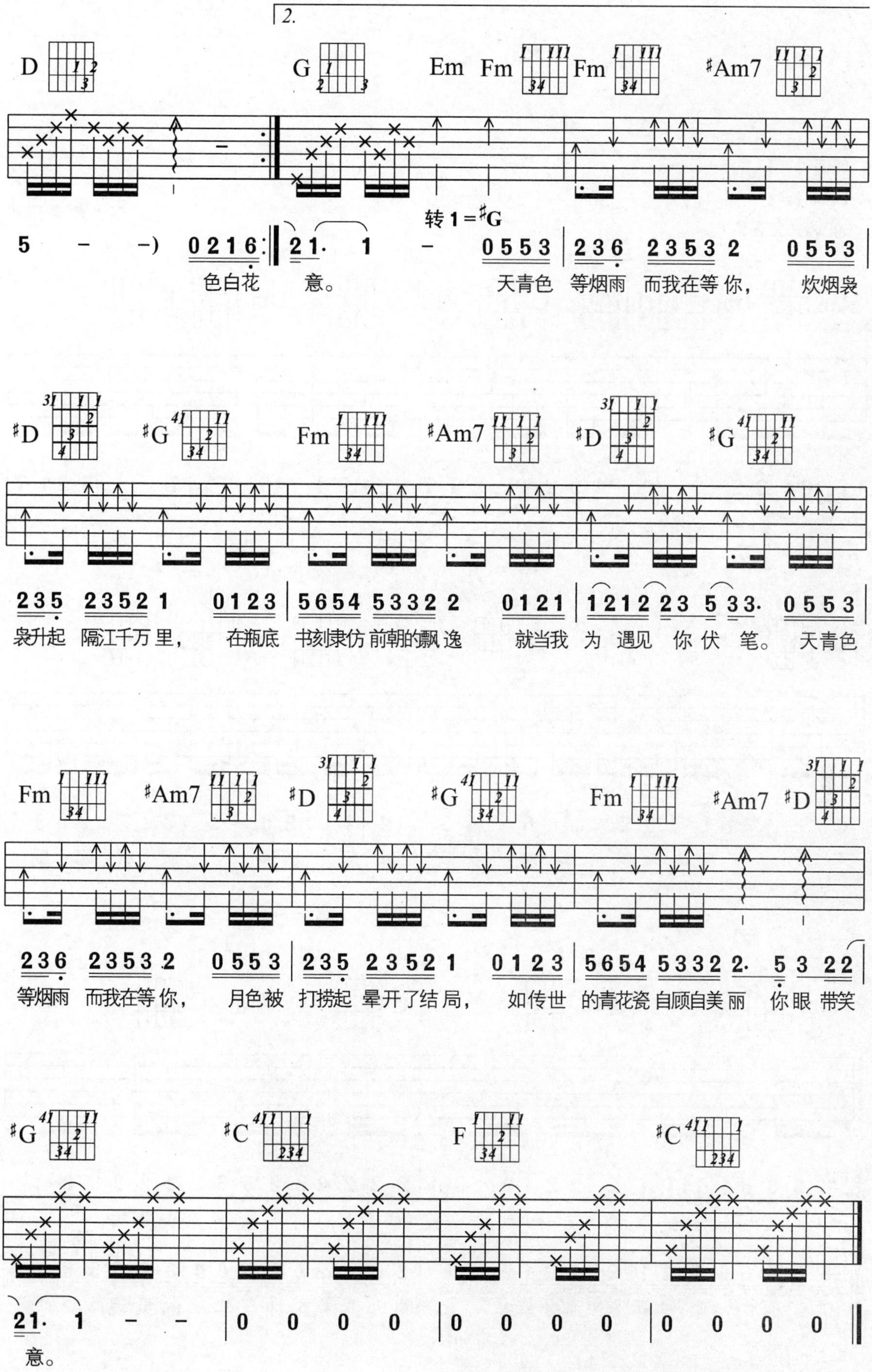
2.
D G Em Fm Fm #Am7
转1=#G
色白花 意。 天青色 等烟雨 而我在等你， 炊烟袅
#D #G Fm #Am7 #D #G
袅升起 隔江千万里， 在瓶底 书刻隶仿前朝的飘逸 就当我 为 遇见 你伏 笔。 天青色
Fm #Am7 #D #G Fm #Am7 #D
等烟雨 而我在等你， 月色被 打捞起 晕开了结局， 如传世 的青花瓷 自顾自美丽 你眼 带笑
#G #C F #C
意。

城 府

原调 1=F $\frac{4}{4}$

选调 1=C

（变调夹夹五品）

许 嵩 词曲

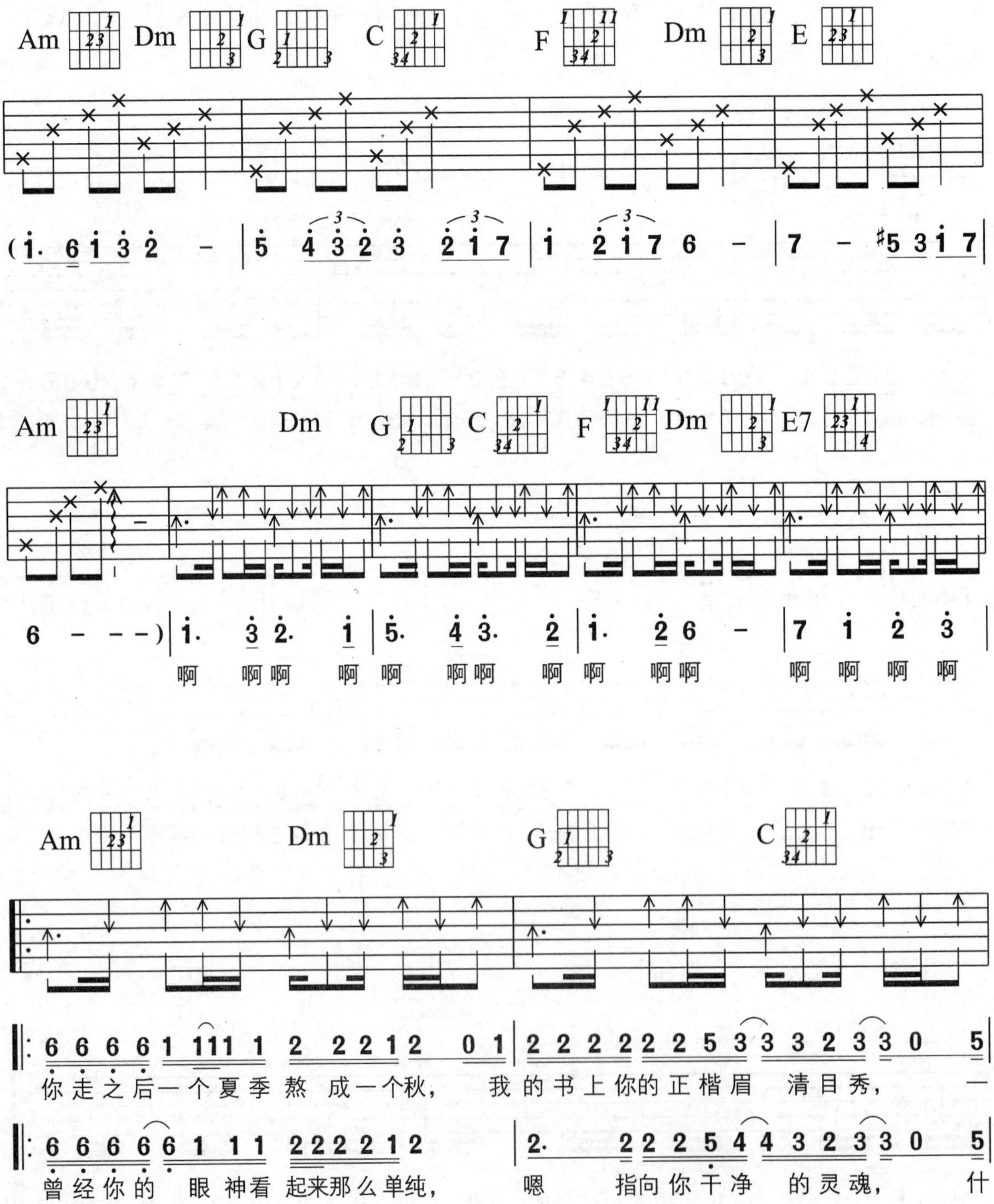
Am Dm G C F Dm E
Am Dm G C F Dm E7
啊 啊 啊 啊 啊 啊 啊 啊 啊 啊 啊 啊 啊 啊 啊
Am Dm G C
你走之后一个夏季熬成一个秋， 我的书上你的正楷眉清目秀， 一
曾经你的眼神看起来那么单纯， 嗯 指向你干净的灵魂， 什

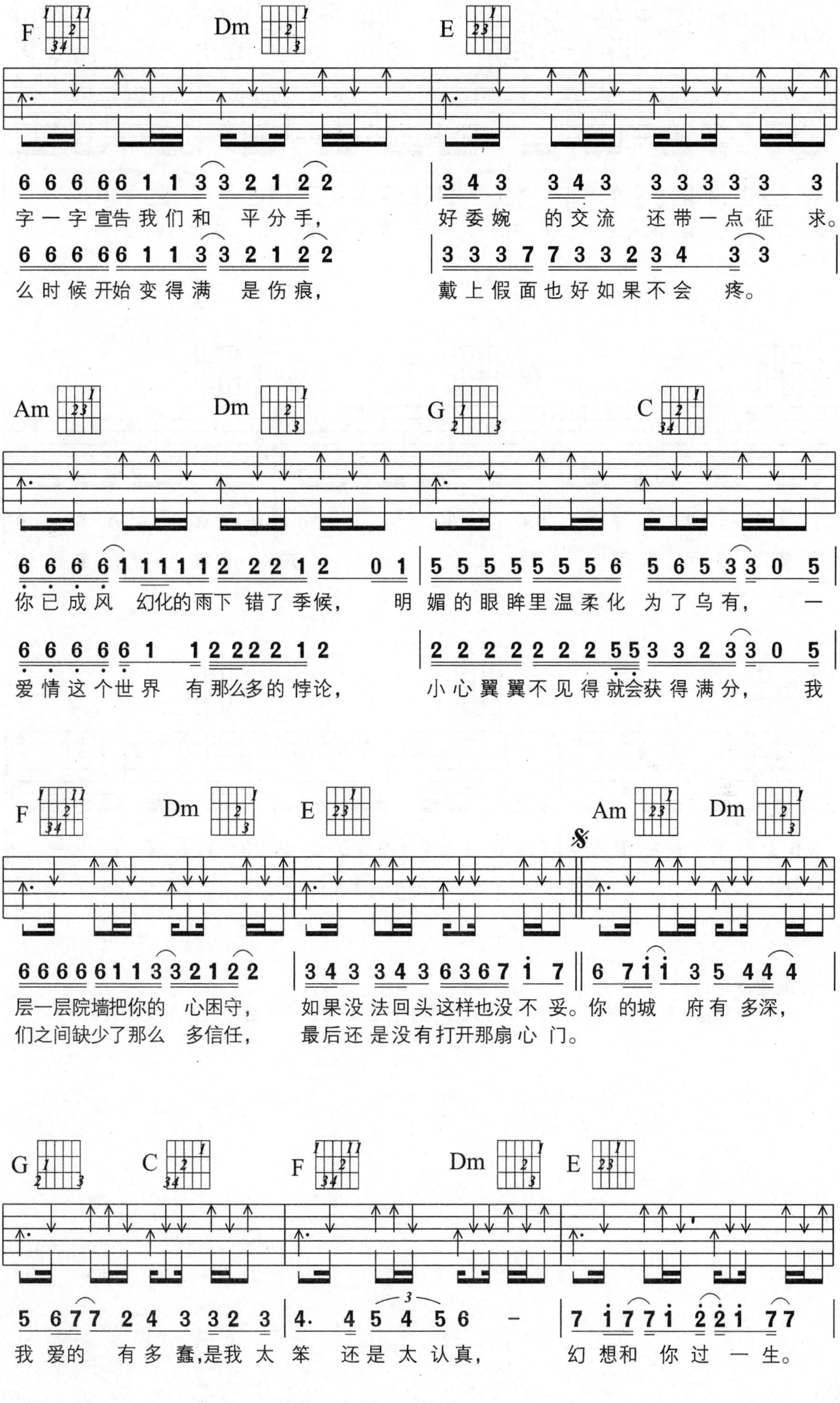
F Dm E
字一字宣告我们和 平分手，好委婉 的交流 还带一点征 求。
么时候开始变得满 是伤痕，戴上假面也好如果不会 疼。
Am Dm G C
你已成风 幻化的雨下 错了季候， 明 媚的眼眸里温柔化 为了乌有， 一
爱情这个世界 有那么多的悖论， 小心翼翼不见得就会获得满分， 我
F Dm E Am Dm
层一层院墙把你的 心困守， 如果没法回头这样也没不妥。你 的城 府有 多深，
们之间缺少了那么 多信任， 最后还是没有打开那扇心 门。
G C F Dm E
我 爱的 有多蠢,是我太 笨 还是 太认真， 幻 想和 你过 一生。

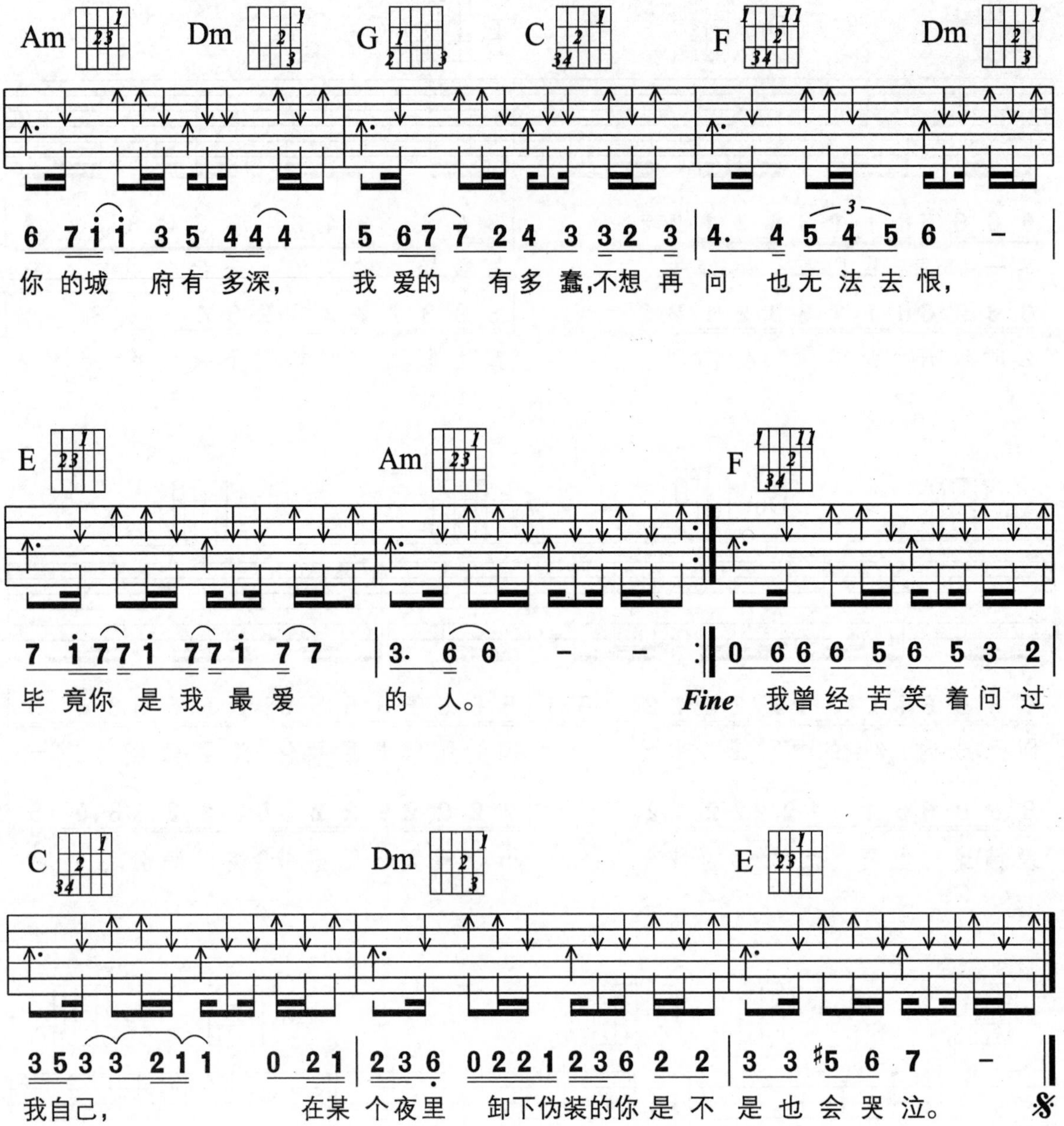
Am Dm G C F Dm
你的城 府有多深, 我爱的 有多蠢,不想再问 也无法去恨,
E Am F
毕竟你是我最爱 的 人。
Fine
我曾经苦笑着问过
C Dm E
我自己, 在某个夜里 卸下伪装的你是不是也会哭泣。

演奏提示：

此曲非常适合自弹自唱，弹唱时请注意节奏的把握即可，调不合适可使用变调夹。

叹 服

原调 1 = D转♯D $\frac{2}{4}$
选调 1 = C转♯C
（变调夹夹二品）

许 嵩 词曲

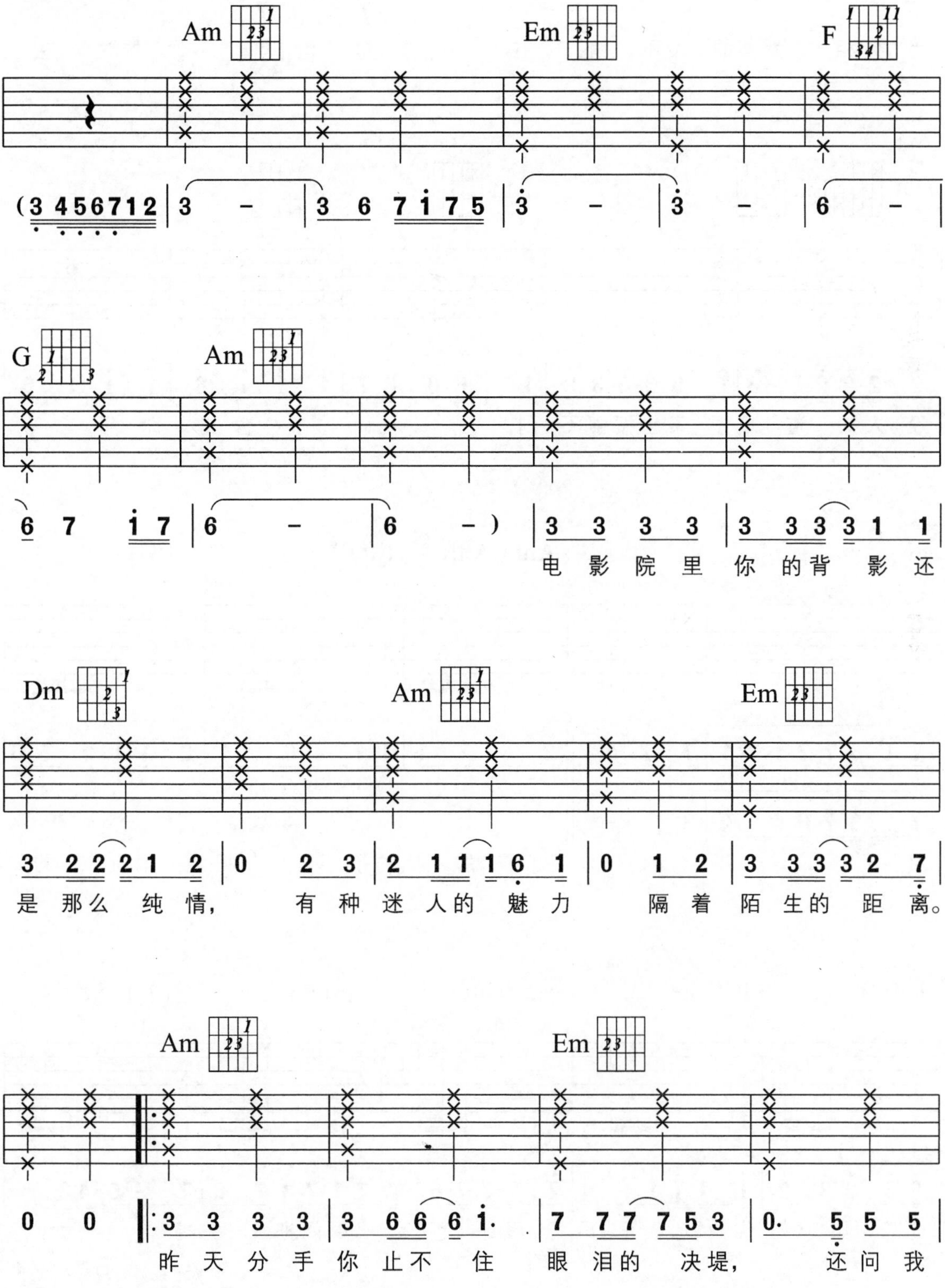

Am
Em
F
G
Am
电影院里你的背影还
Dm
Am
Em
是那么纯情，有种迷人的魅力 隔着陌生的距离。
Am
Em
昨天分手你止不住眼泪的决堤，还问我

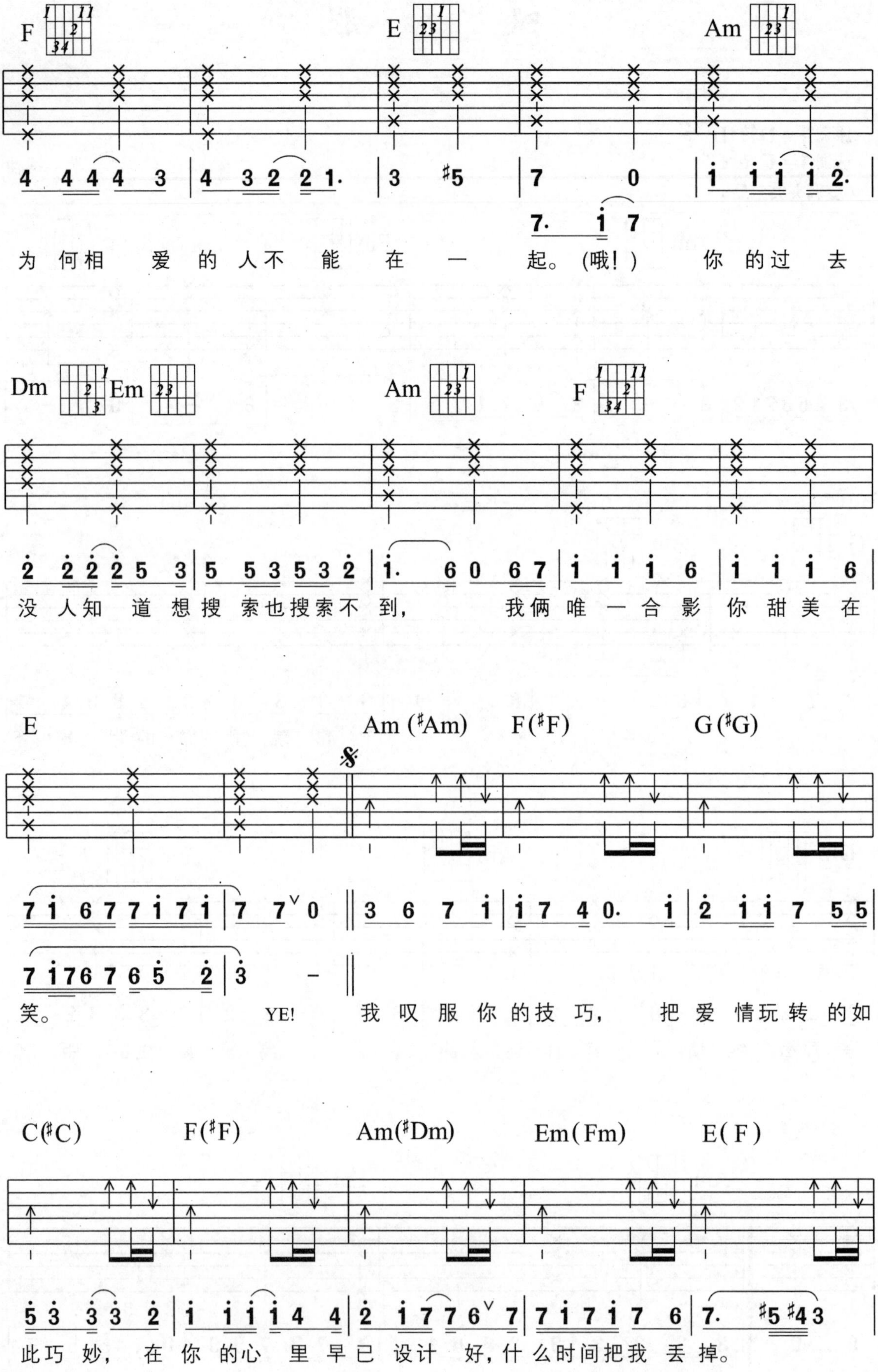
F E Am
为何相爱的人不能在一起。(哦!) 你的过去
Dm Em Am F
没人知道想搜索也搜索不到, 我俩唯一合影你甜美在
E Am (#Am) F (#F) G (#G)
笑。 YE! 我叹服你的技巧, 把爱情玩转的如
C(#C) F(#F) Am(#Dm) Em(Fm) E(F)
此巧妙, 在你的心里早已设计好, 什么时间把我丢掉。

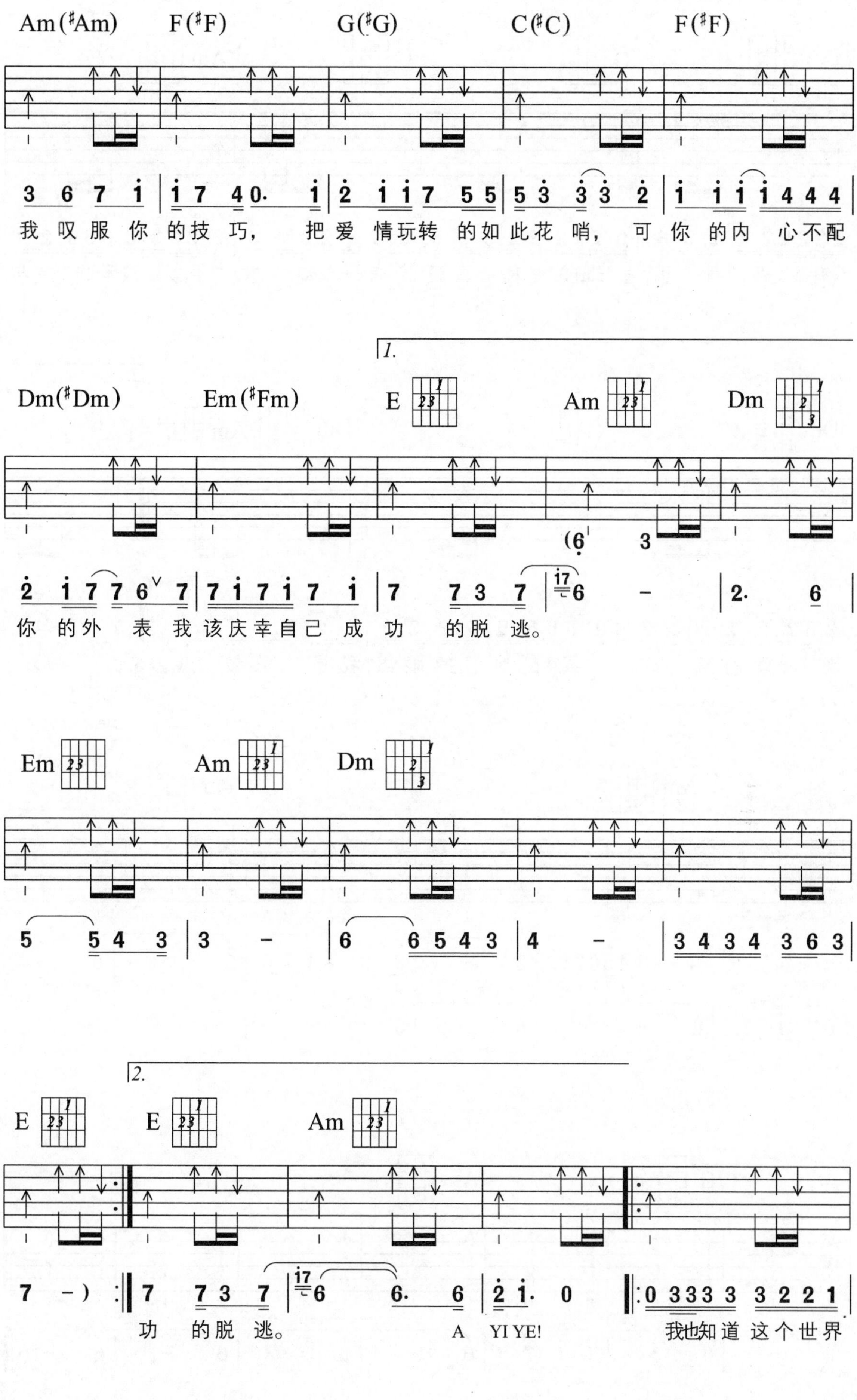

Am(♯Am)　　F(♯F)　　　　G(♯G)　　　　C(♯C)　　　F(♯F)

3 6 7 1 | 1̇ 7 4 0. 1̇ | 2̇ 1̇ 1̇ 7 5 5 | 5 3 3̇ 3 | 2̇ 1̇ 1̇ 1̇ 1 4 4 4 |

我 叹服 你的技巧，　把爱情玩转 的如此花 哨，可你的内 心不配

Dm(♯Dm)　　　　Em(♯Fm)　　　E　　　Am　　　Dm

1.

2̇ 1̇ 7 7 6 7 | 7 1̇ 7 1̇ 7 1̇ | 7 7 3 7 | 1̇7͡6 － | 2. 6 |

你的外 表 我该庆幸自己 成 功 的脱逃。

Em　　　Am　　　Dm

5 5 4 3 | 3 － | 6 6 5 4 3 | 4 － | 3 4 3 4 3 6 3 |

2.

E　　　E　　　Am

7 －) :|| 7 7 3 7 | 1̇7͡6 | 6. 6 | 2̇ 1̇. 0 | :| 0 3 3 3 3 3 2 2 1 |

功 的脱逃。　　A YI YE!　　　我也知道 这个世界

287

第九章

歌曲部分

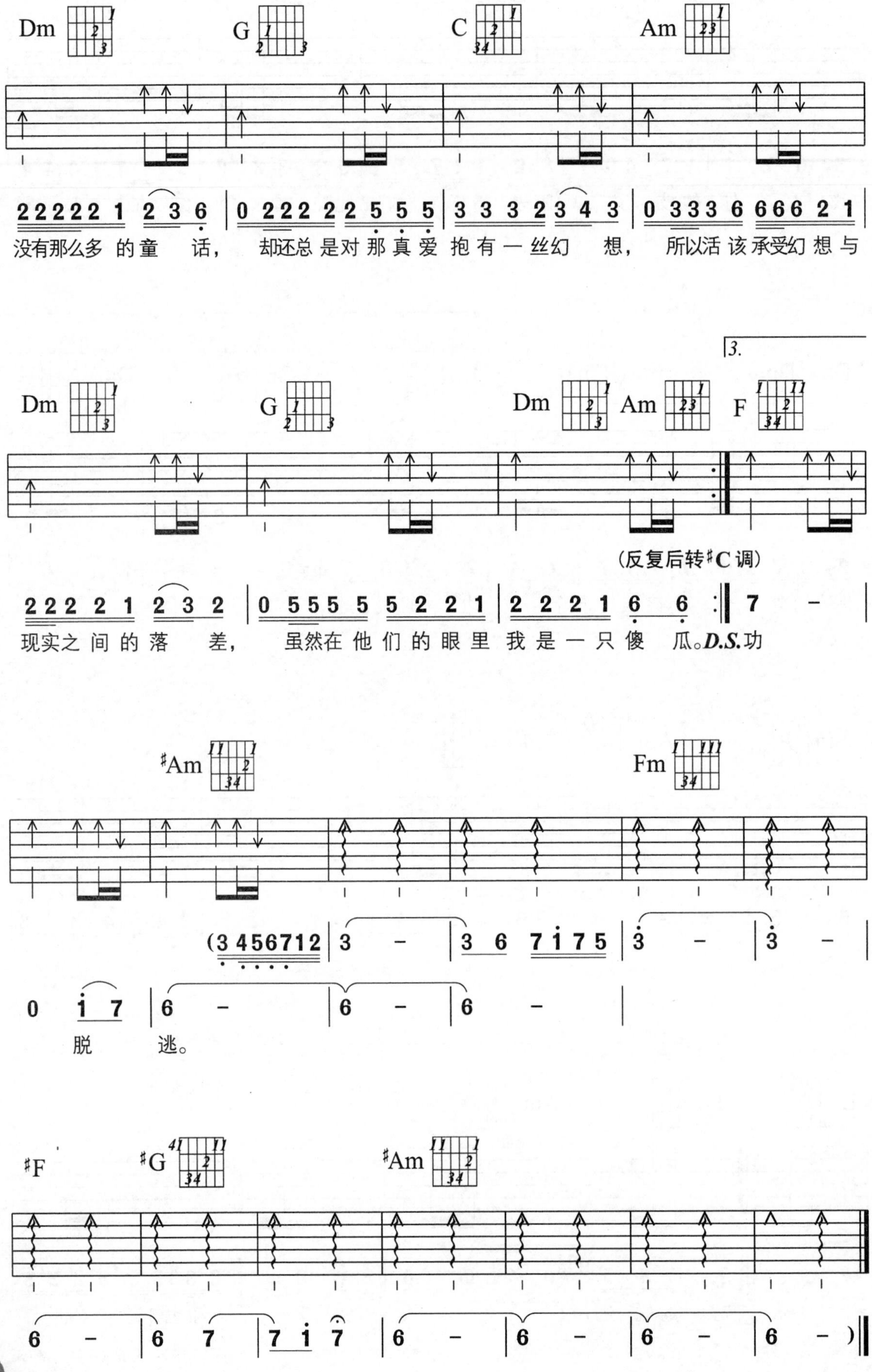
Dm G C Am
没有那么多的童话，却还总是对那真爱抱有一丝幻想，所以活该承受幻想与
Dm G Dm Am F
3.
(反复后转♯C调)
现实之间的落差，虽然在他们的眼里我是一只傻瓜。D.S.功
♯Am Fm
脱逃。
♯F ♯G ♯Am

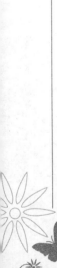

犯　　错

原调 1=♭E 4/4
选调 1= C
（变调夹夹三品）

顾　峰　词曲

(3 3 3　3　3 2̂3 | 5 5　6 5 5　0 3 5 | 3 2 2·　2　1 6 | 1 2 1 1　1) 5 6 1 2
　　　　　　　　　　　　　　　　　　　　　　　　　　　　　　　　　　沉 默 不 是

‖: 5 3 3 2 3 3　1 2 3 5 | 6　5 5 3 5 5　3 2 1 3 | 2 1 2 2 6 0 6　6 5 5 3 2 |
代 表 我 的 错，　分 手 不 是 唯 一 的 结 果，　我 只 是 还 没 有 想 好 该 怎 么 对 你

3　—　0　5 6 1 2 | 5 3 3　2̂3 3　1 2 3 5 | 6　5 5　3 5 5　3 2 1 2 |
说。　　　　沉 默 不 是　代 表 我 的 错，　分 手 不 是 唯 一 的 结 果，　只 想 再 听

2 1 2 2 6 0 6　6 5 2 3 2 1 | 1　—　0　i 7 6 | 6　6 6 3　5 6 5　0 5 5 |
你 说 一　次 你 依 然 爱 着 我。　　　既 然　你 并 没 有 犯 错，　为 什

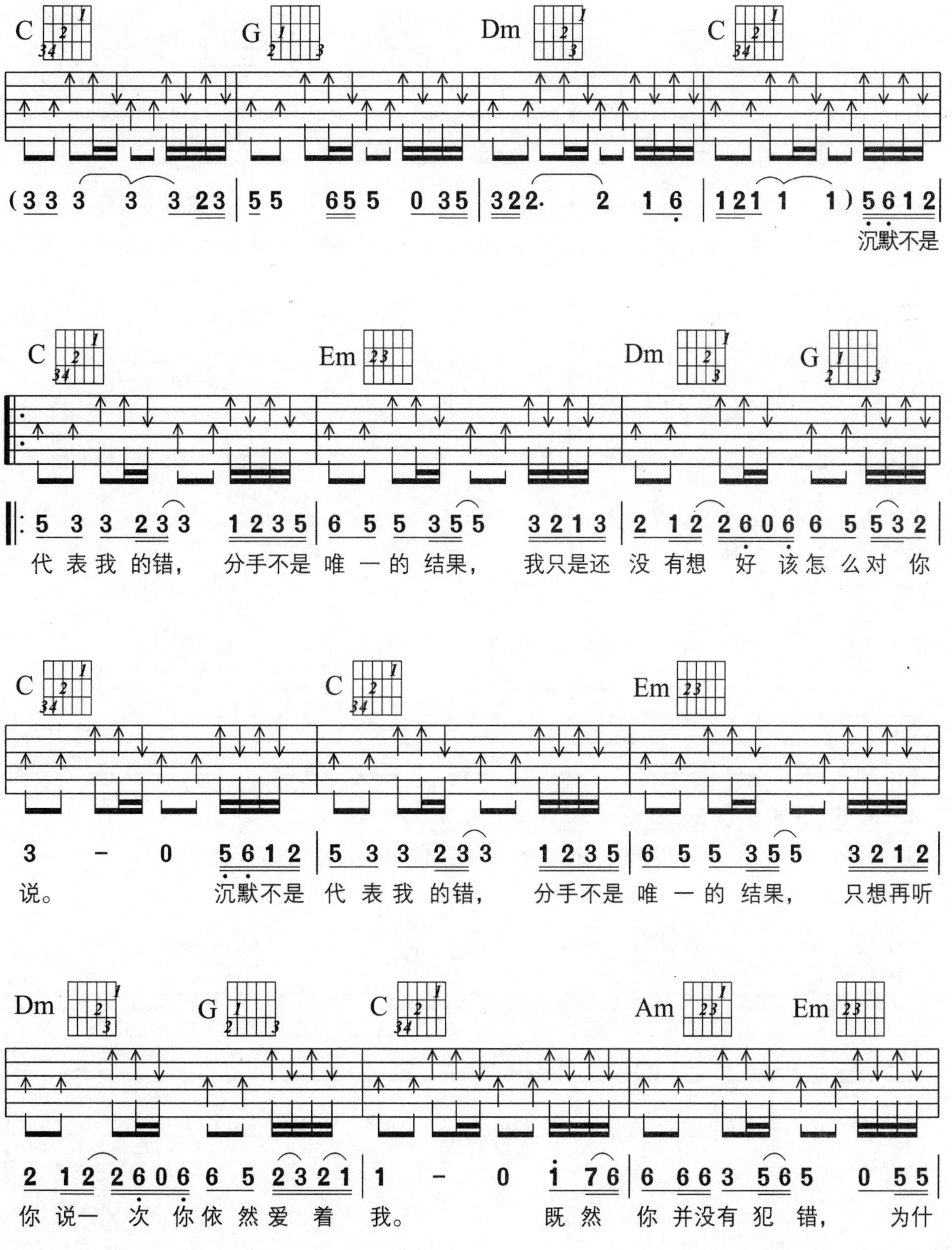

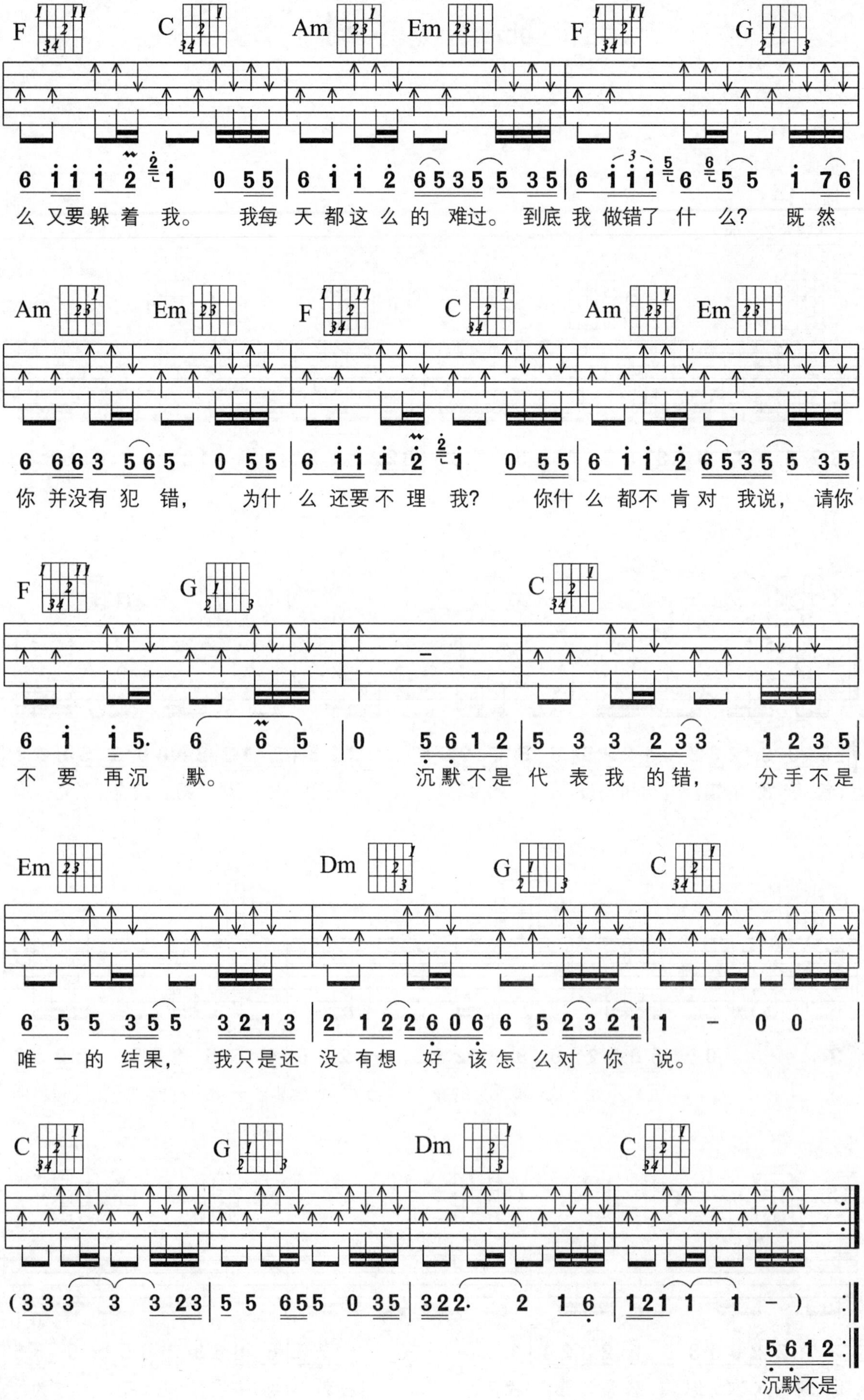
F C Am Em F G
么又要躲着 我。 我每 天都这么的 难过。 到底我做错了什 么? 既然
Am Em F C Am Em
你并没有犯 错， 为什 么还要不理 我? 你什 么都不肯对 我说，请你
F G C
不要 再沉 默。 沉默不是代 表我 的错， 分手不是
Em Dm G C
唯一的 结果， 我只是还 没有想 好 该怎么对 你 说。
C G Dm C
沉默不是

真的爱你

小　　美 词
黄 家 驹 曲
刘天礼　记谱编配

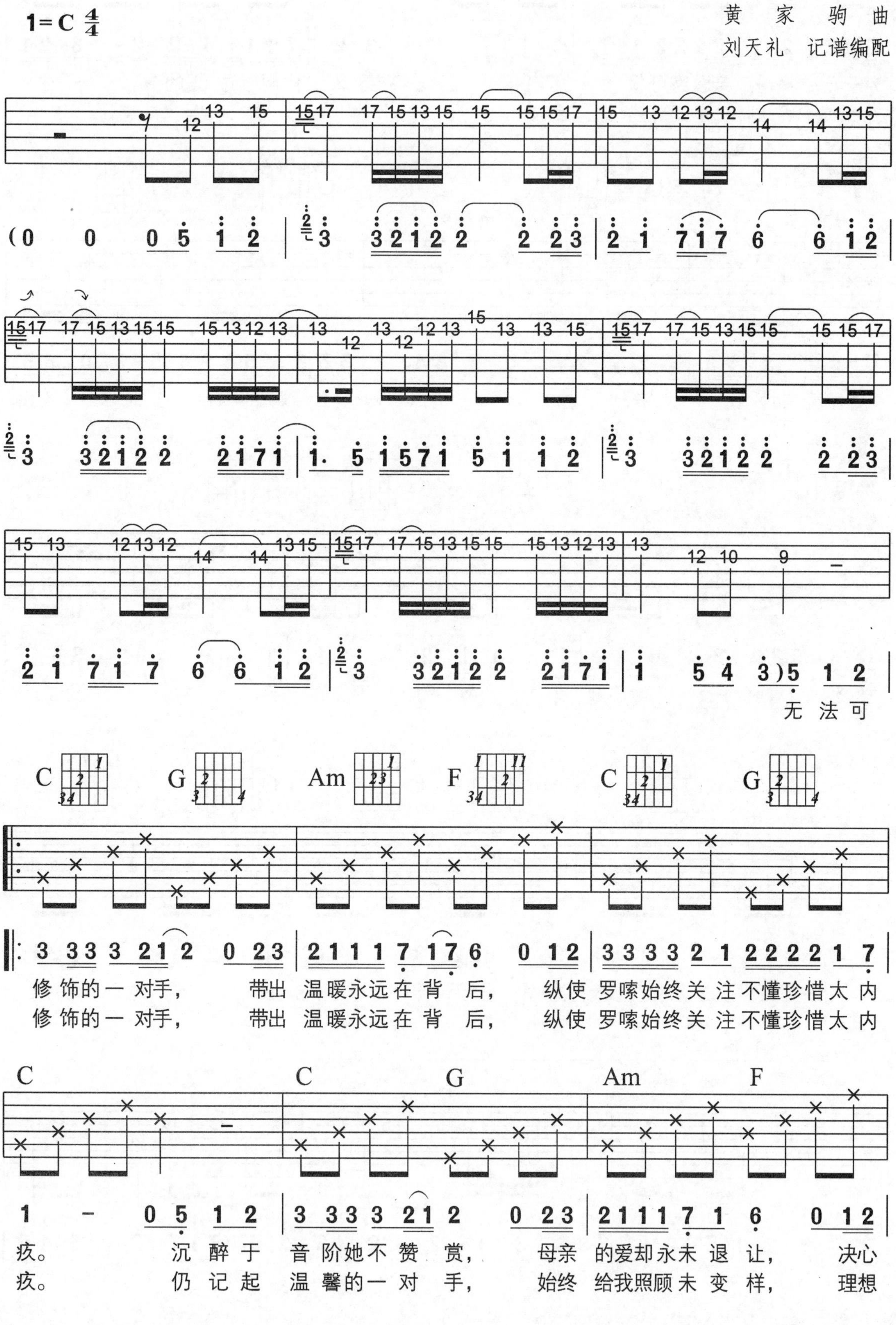

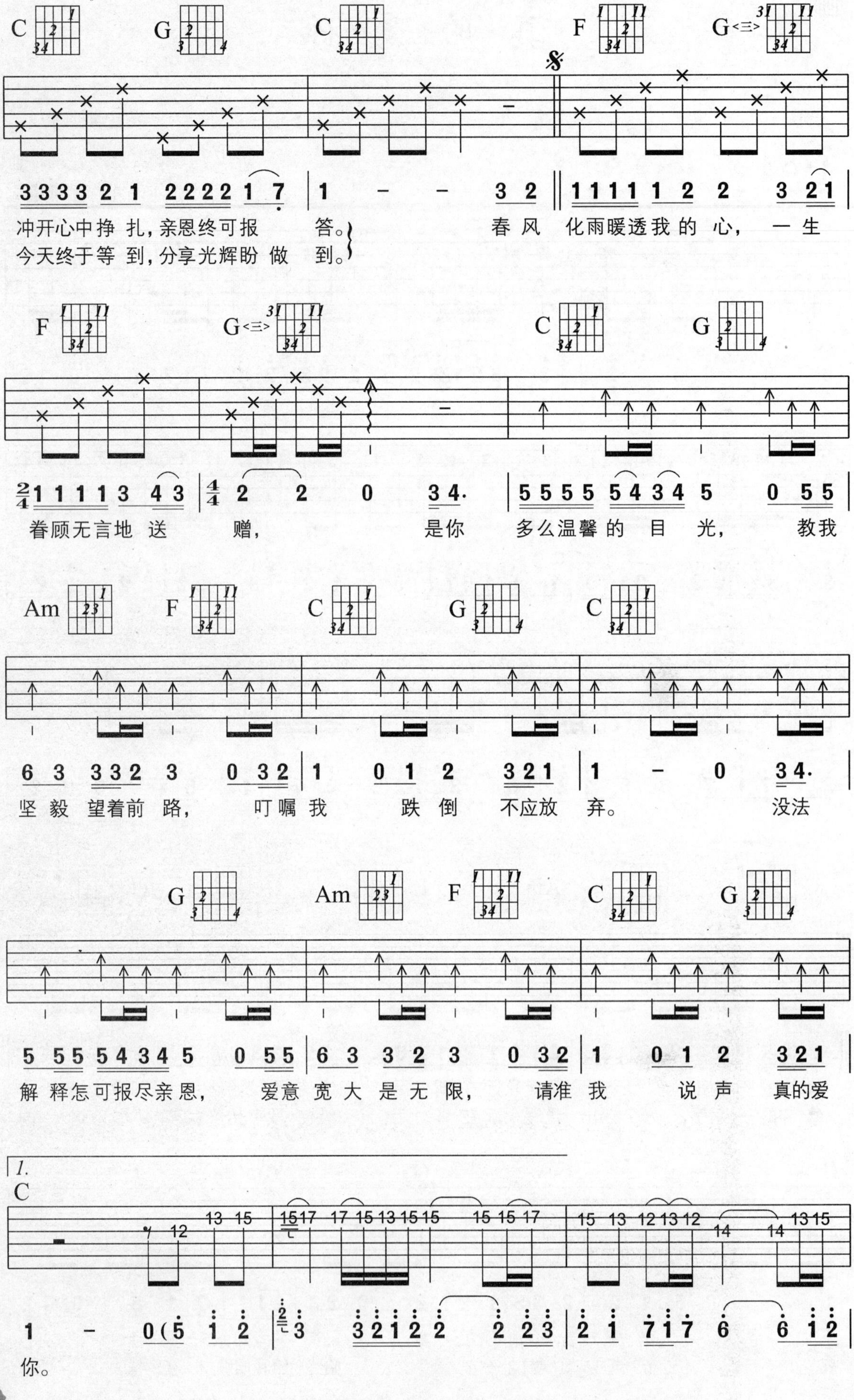
C G C F G<三>
冲开心中挣扎，亲恩终可报答。
今天终于等到，分享光辉盼做到。
春风化雨暖透我的心，一生
F G<三> C G
眷顾无言地送赠，是你多么温馨的目光，教我
Am F C G C
坚毅望着前路，叮嘱我跌倒不应放弃。没法
G Am F C G
解释怎可报尽亲恩，爱意宽大是无限，请准我说声真的爱
1.
C
你。

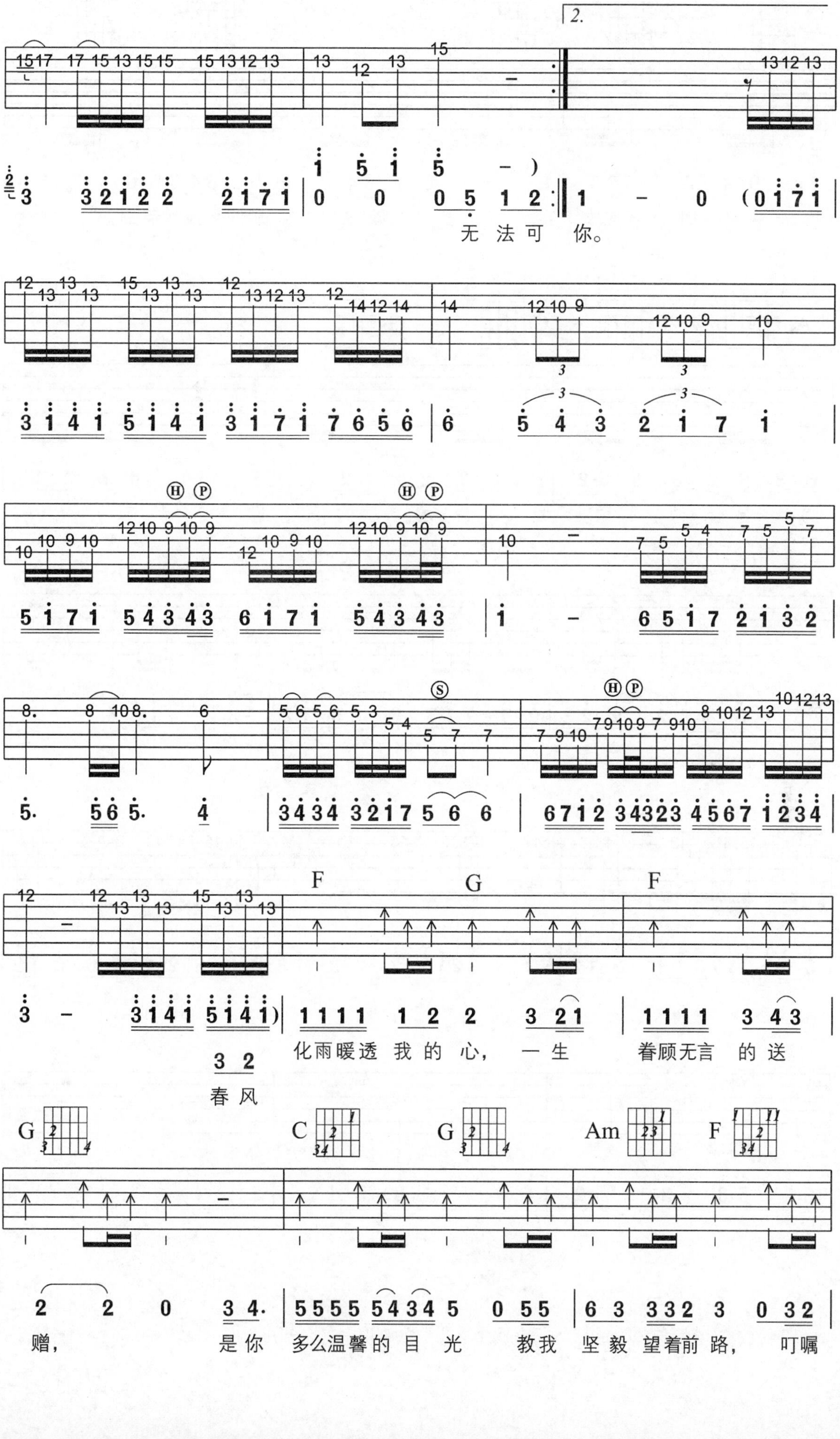
2.
无法可 你。
F
G
F
化雨暖透 我的 心，一生
眷顾无言 的送
春风
G
C
G
Am
F
赠，
是你
多么温馨的 目 光
教我
坚毅 望着前 路，
叮嘱

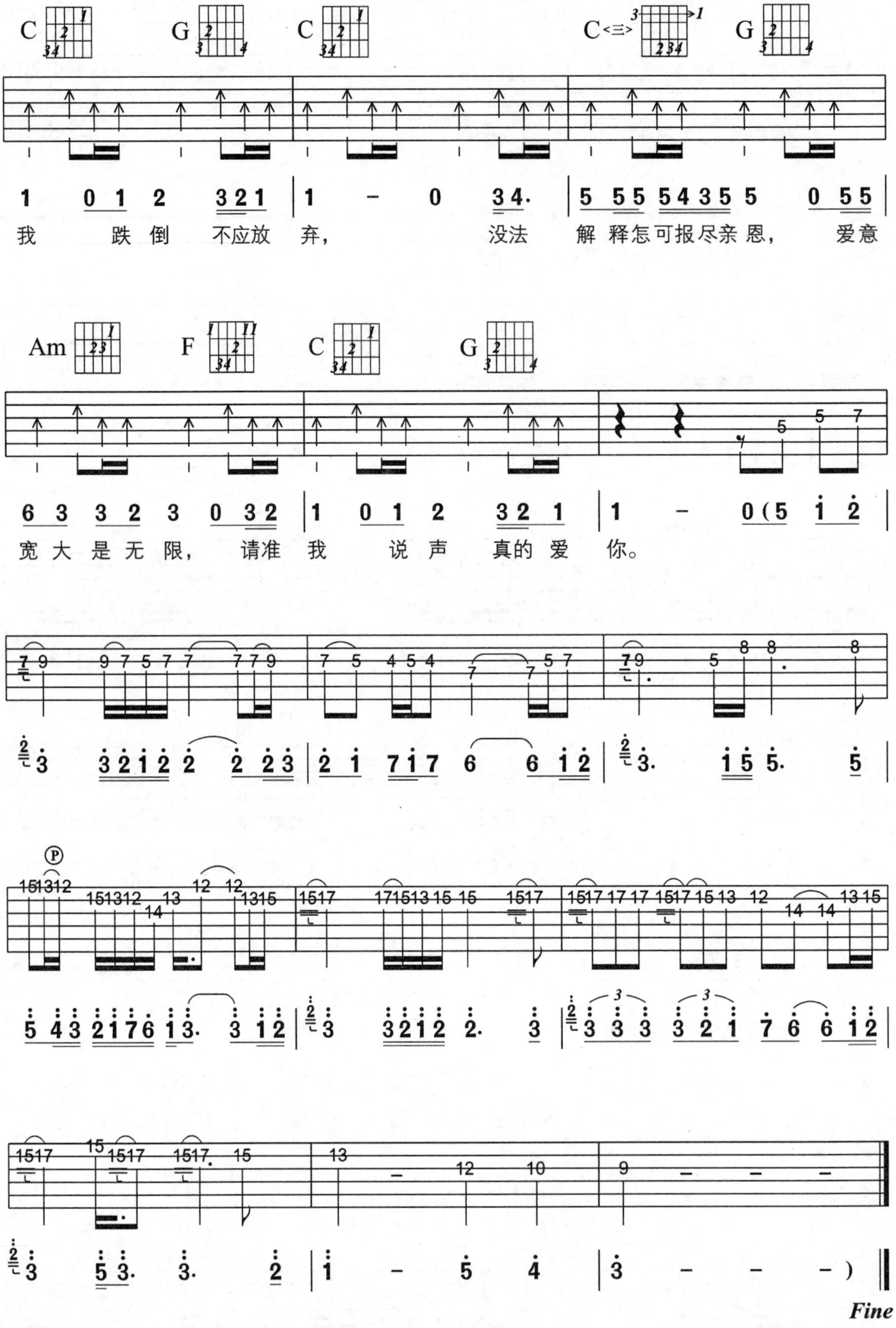
C G C C G
我 跌 倒 不应放 弃，没法 解 释怎可报尽亲 恩，爱意
Am F C G
宽 大 是 无 限，请准 我 说 声 真的 爱 你。
Fine

不再犹豫

小　　美 词
黄 家 驹 曲
刘天礼 记谱编配

1=G $\frac{4}{4}$

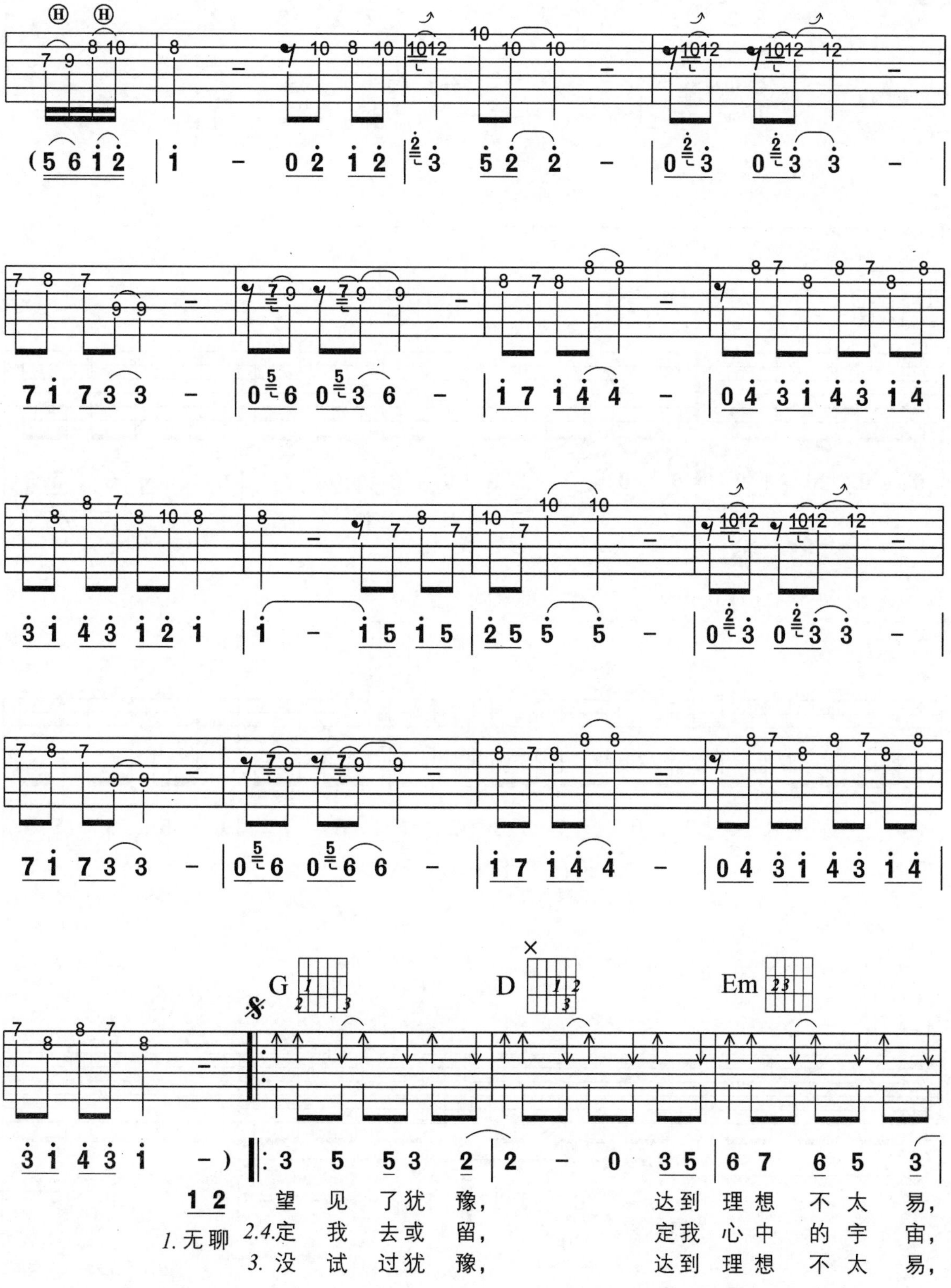
G
D
Em
1 2
1. 无聊
望 见 了犹 豫，　达到 理想 不太 易，
2.4.定 我 去或 留，　定我 心中 的宇 宙，
3. 没 试 过犹 豫，　达到 理想 不太 易，

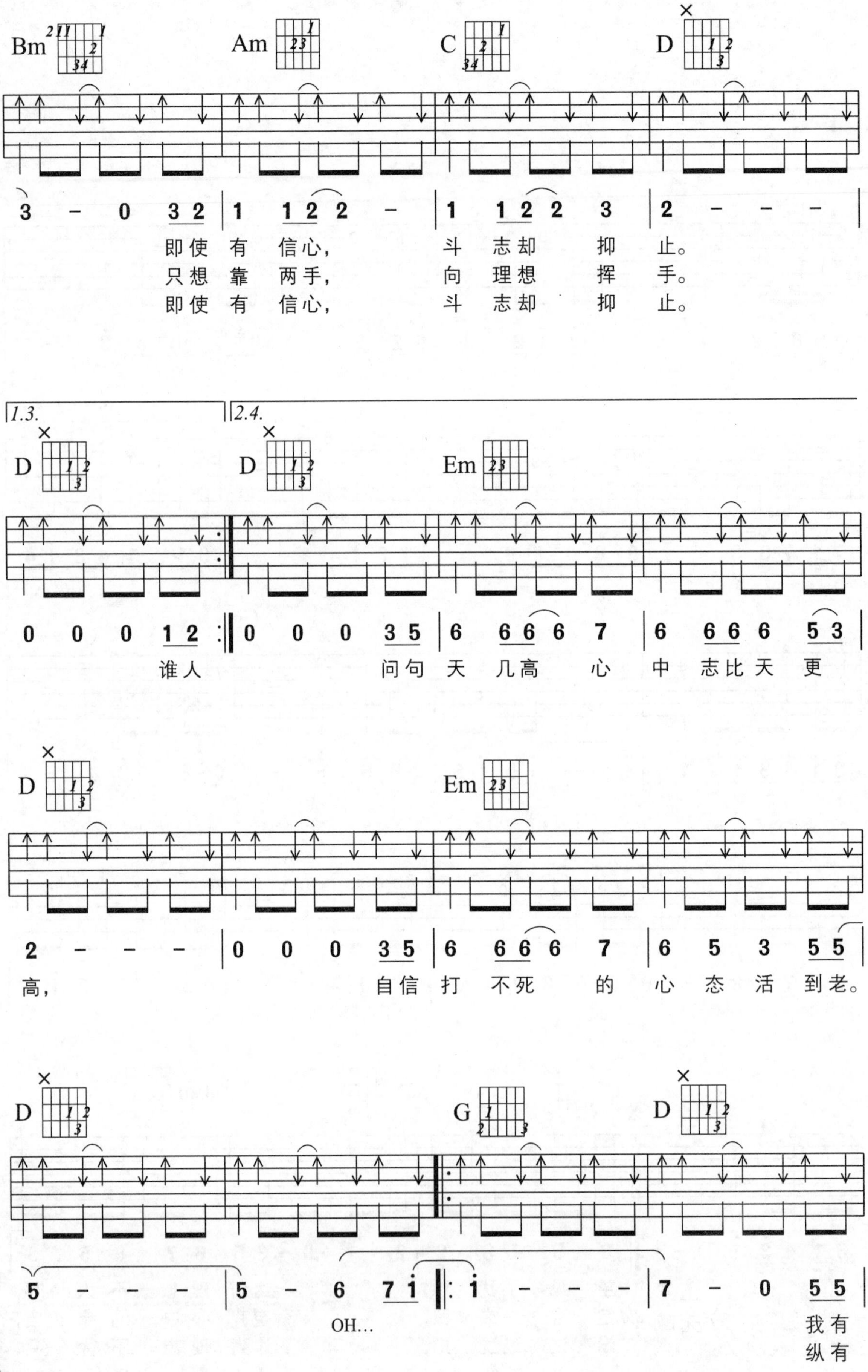
Bm
Am
C
D
即使有信心，斗志却抑止。
只想靠两手，向理想挥手。
即使有信心，斗志却抑止。
1.3.
2.4.
D
D
Em
谁人
问句天几高心中志比天更
D
Em
高，
自信打不死的心态活到老。
D
G
D
OH…
我有
纵有

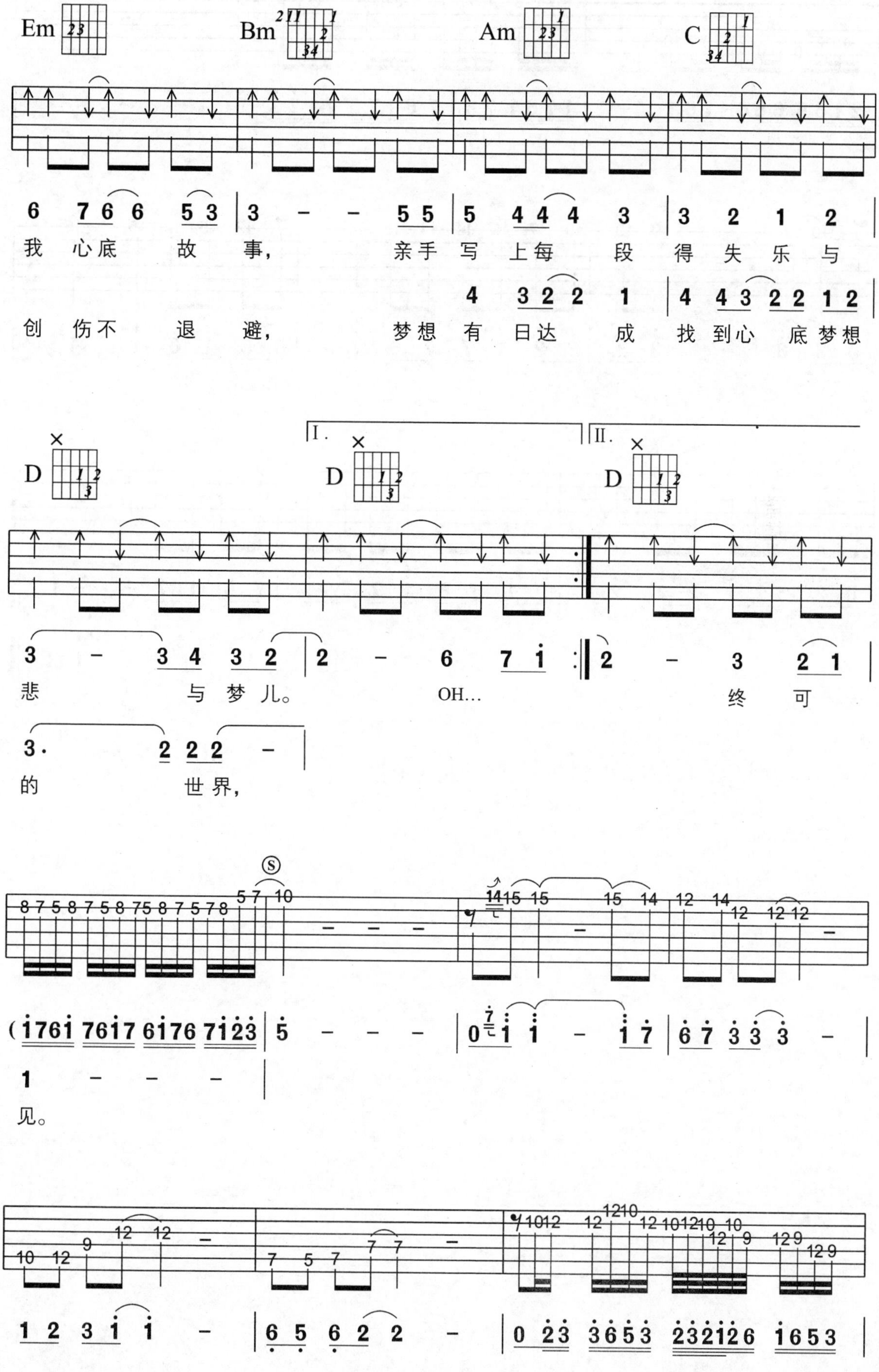
Em Bm Am C
我心底故事，亲手写上每段得失乐与
创伤不退避，梦想有日达成找到心底梦想
D
I. D
II. D
悲与梦儿。
OH…
终可
的世界，
见。

298

0 2̇ i 2̇ i 2̇ 2̇ 2̇ | 0 i 7 5 i 7 5 i | 7 5 i 7 5 —) ||

1 2 ‖
谁人 𝄋

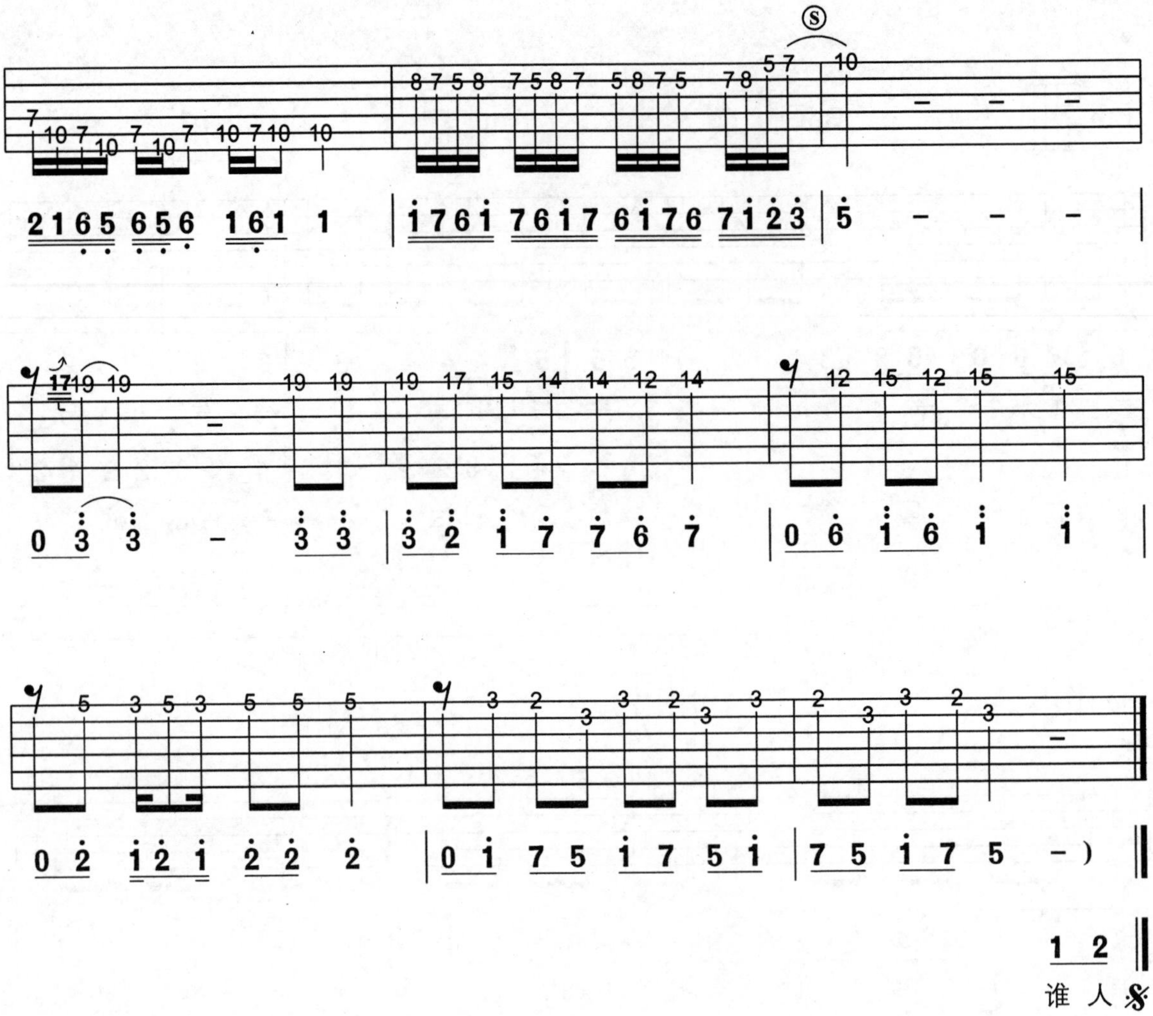

看得最远的地方

原调 1=♯C $\frac{4}{4}$
选调 1=C
（变调夹夹一品）

姚若龙 词
陈小霞 曲

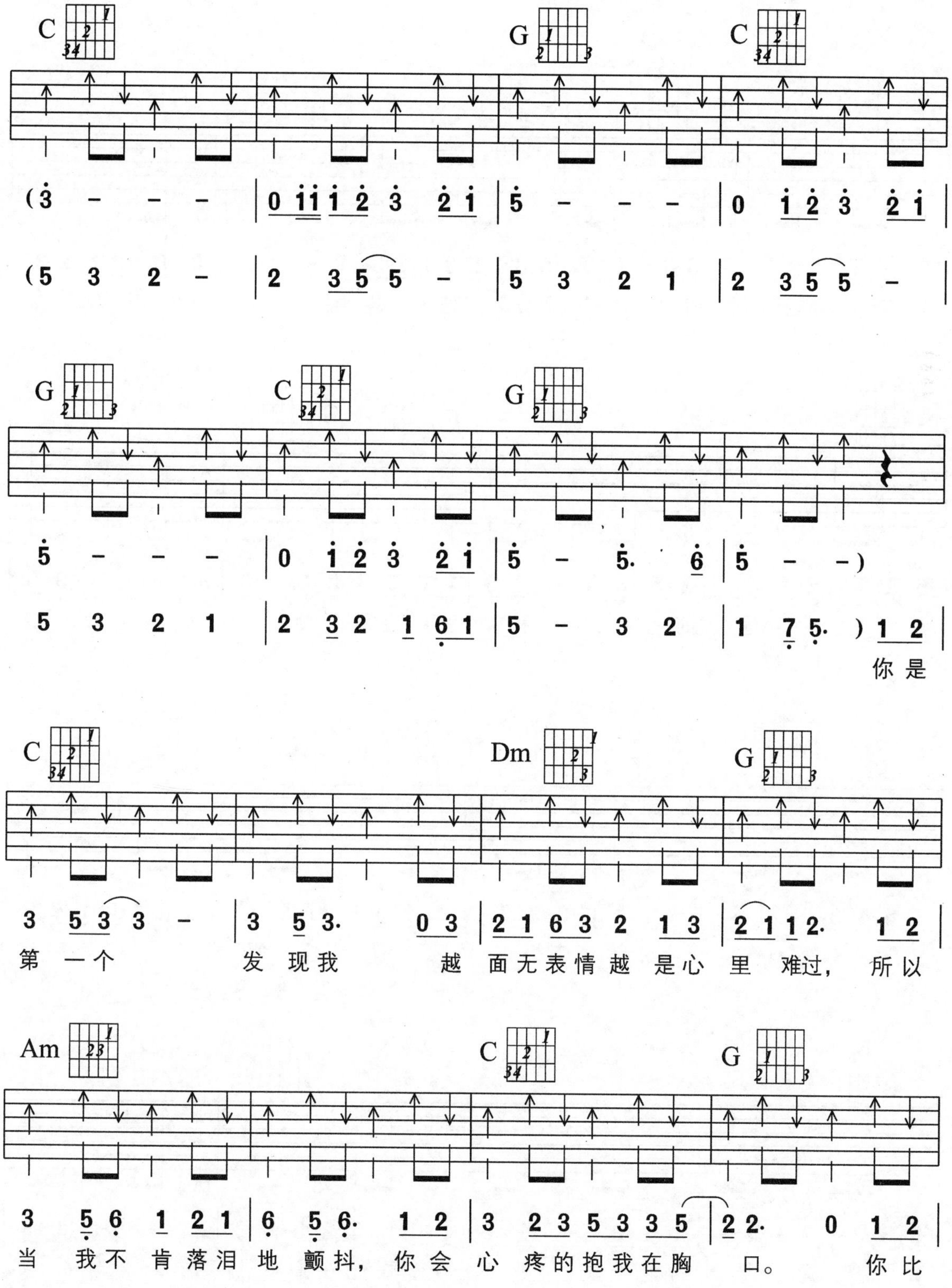

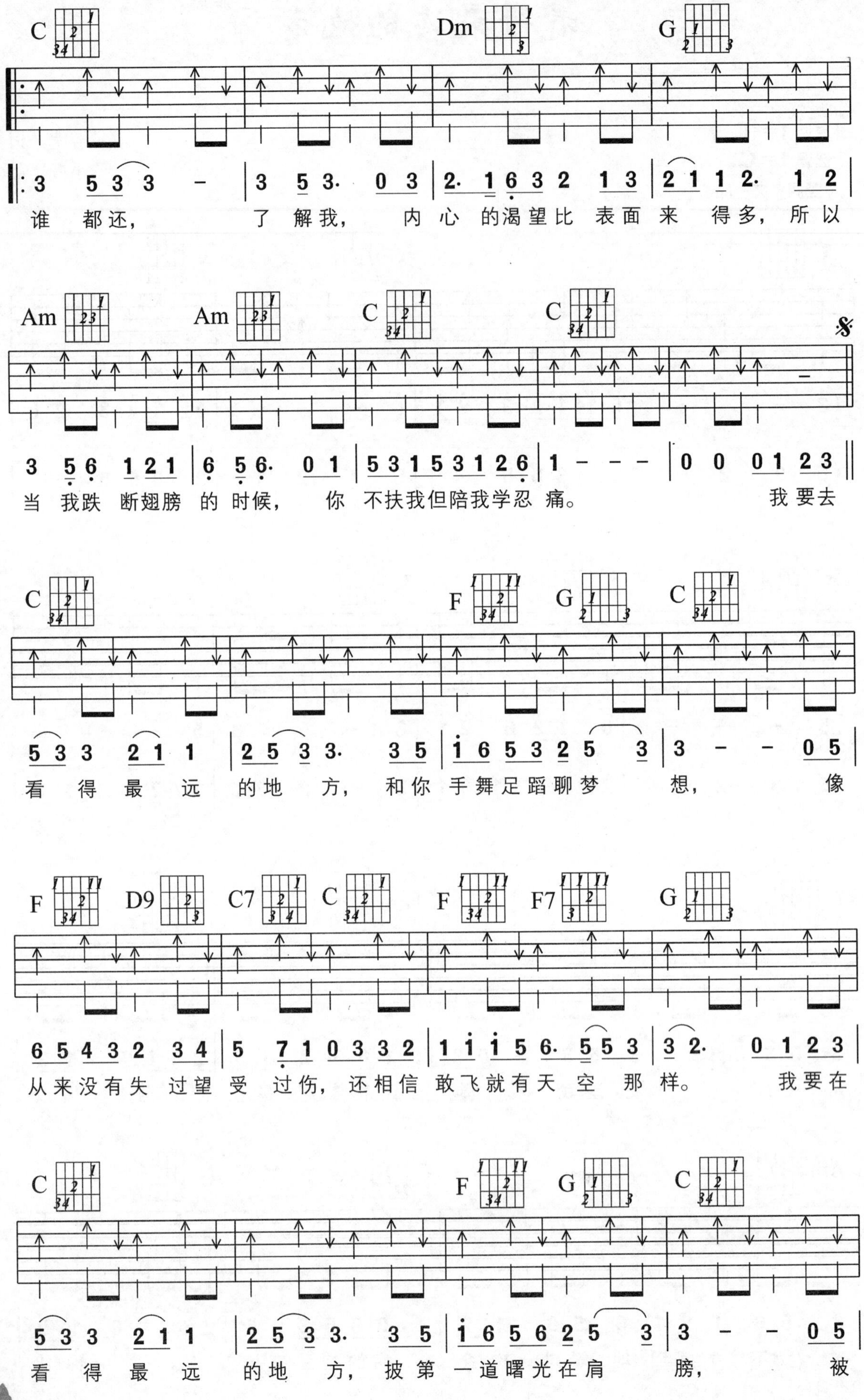
C Dm G
谁 都还, 了 解我, 内 心 的渴望比 表面 来 得多, 所以
Am Am C C
当 我跌 断翅膀 的 时候, 你 不扶我但陪我学忍 痛。 我 要去
C F G C
看 得 最 远 的地 方, 和你 手舞足蹈聊梦 想, 像
F D9 C7 C F F7 G
从来没有失 过望 受 过伤, 还相信 敢飞就有天 空 那 样。 我要在
C F G C
看 得 最 远 的地 方, 披 第 一道曙光在肩 膀, 被

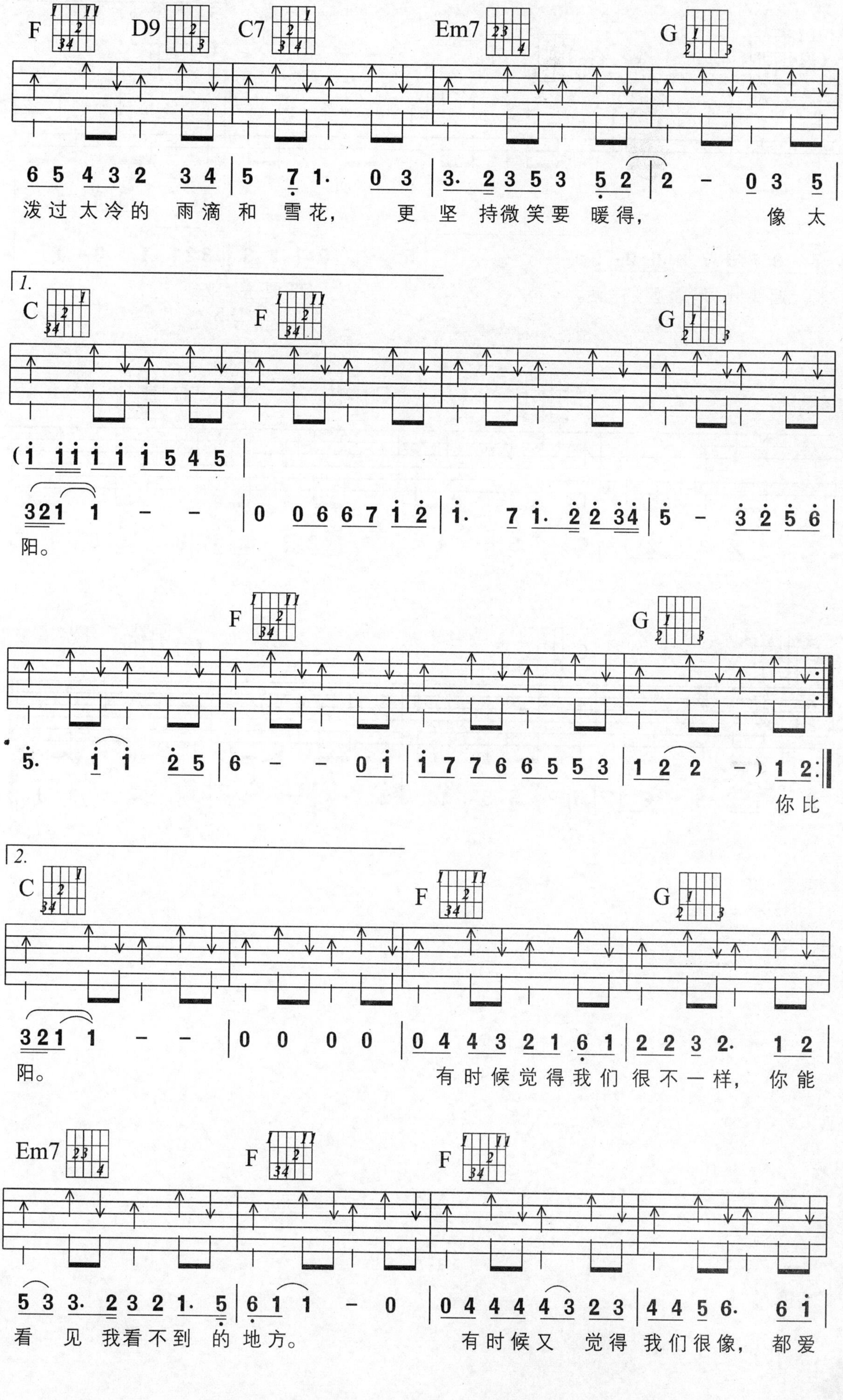

6 5 4 3 2   3 4 | 5   7̇ 1.   0 3 | 3.   2̣ 3 5 3   5̣ 2 | 2   —   0 3 5 |
泼过太冷的 雨滴和雪花,   更 坚 持微 笑要 暖得,   像 太

1.

(i̇ i̇i̇ i̇i̇ i̇i̇ 5 4 5 |

3̣2̣1̣ 1̣   —   — | 0   0 6 6 7 1̇ 2̇ | 1̇.   7̇ 1̇.   2̇ 2̇ 3̇ 4̇ | 5̇   —   3̇ 2̇ 5̇ 6̇ |
阳。

5̇.   i̇   i̇ 2̇ 5̇ | 6̇   —   — 0 i̇ | i̇ 7̇ 7̇ 6̇ 6̇ 5̇ 5̇ 3̇ | 1̇ 2̇ 2̇   —) 1̇ 2̇ :|
                                                                         你 比

2.

3̣2̣1̣ 1̣   —   — | 0 0 0 0 | 0 4̣ 4̣ 3̣ 2̣ 1̣ 6̣ 1 | 2 2 3 2.   1 2 |
阳。   有时候觉得我们 很不一样, 你能

5̣ 3̣ 3̣.   2̣ 3̣ 2̣ 1̣.   5̣ | 6̣ 1 1   —   0 | 0 4̣ 4̣ 4̣ 4̣ 3̣ 2̣ 3̣ | 4̣ 4̣ 5̣ 6̣.   6̣ 1 |
看 见 我看不到 的 地方。   有时候又 觉得我们很像, 都爱

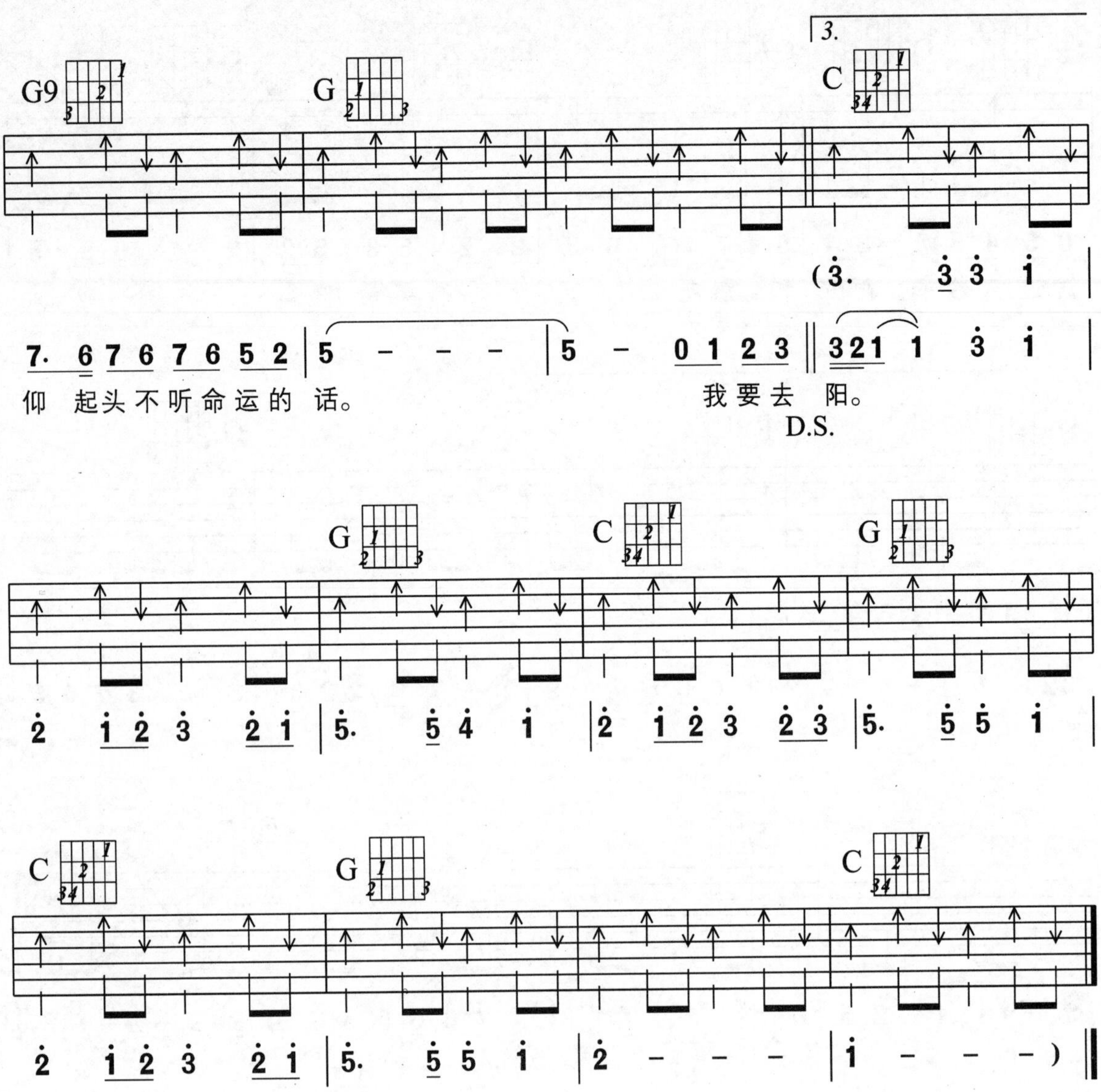
G9
G
3.
C
仰 起头不听命运的 话。
我要去 阳。
D.S.
G
C
G
C
G
C

隐形的翅膀

王雅君 词曲

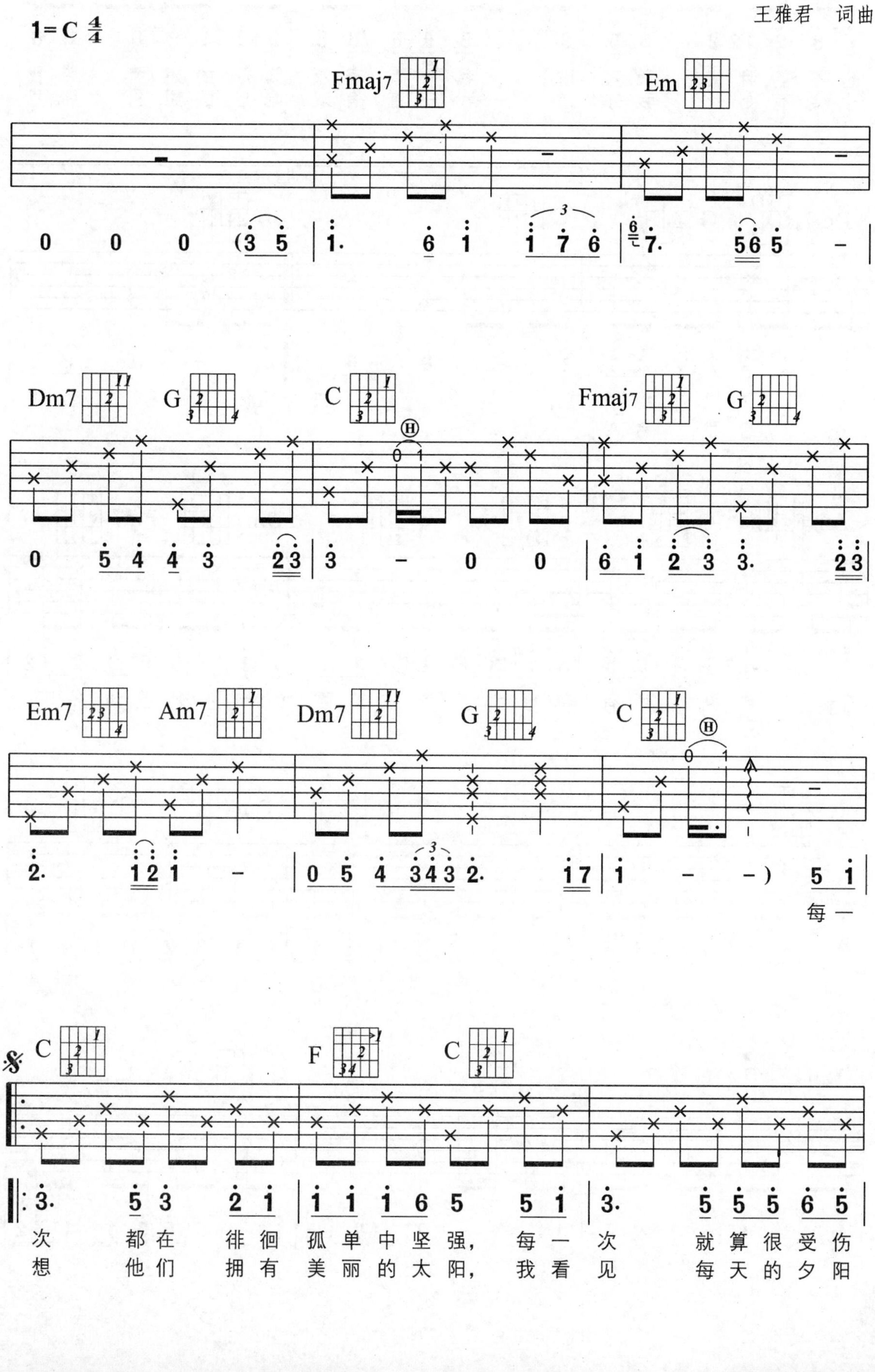
1=C 4/4
Fmaj7 Em
Dm7 G C Fmaj7 G
Em7 Am7 Dm7 G C
每一
C F C
次 都在 徘徊 孤单中坚强， 每一 次 就算很受伤
想 他们 拥有 美丽的太阳， 我看 见 每天的夕阳

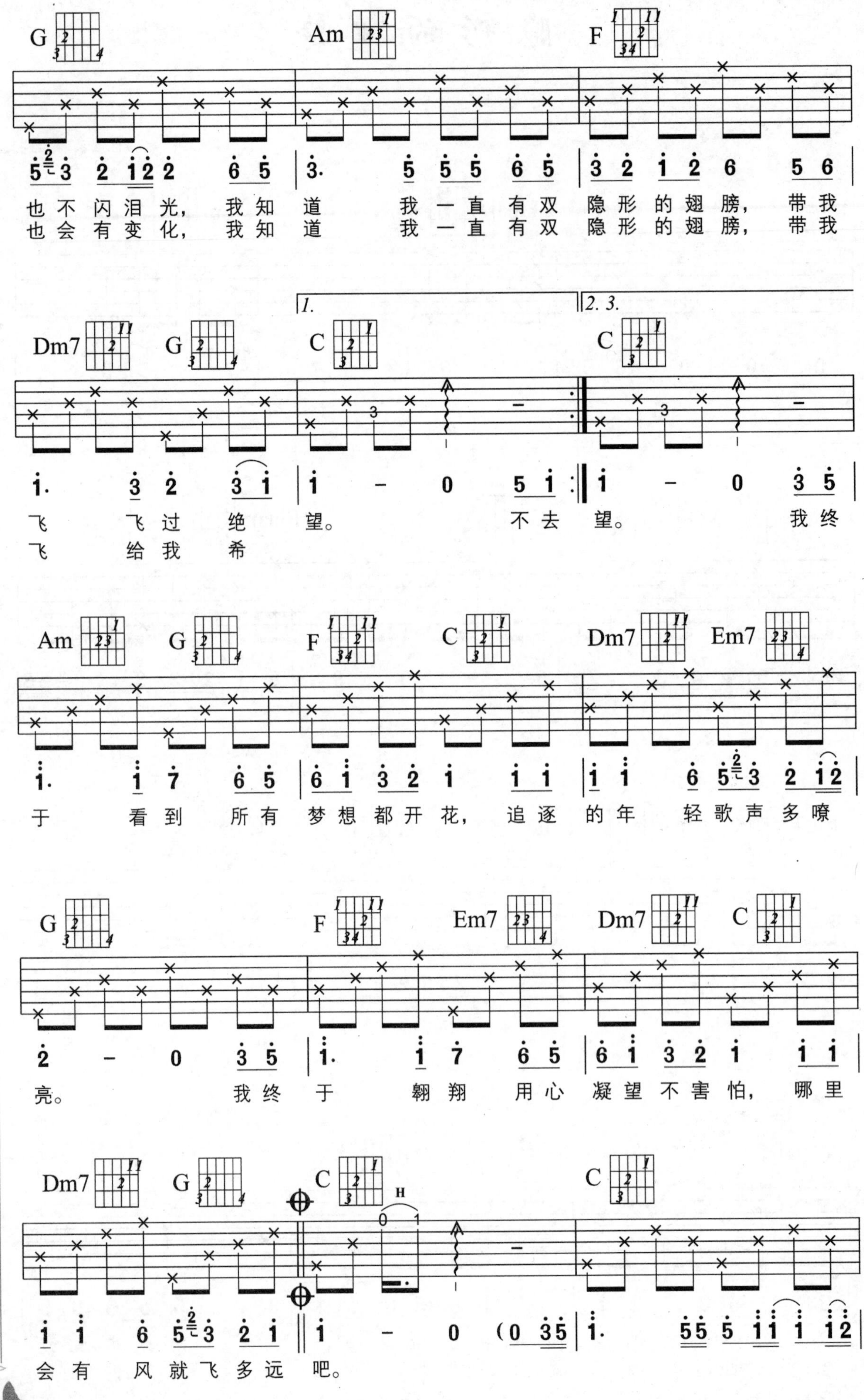
G Am F
也不闪泪光，我知道 我一直有双隐形的翅膀，带我
也会有变化，我知道 我一直有双隐形的翅膀，带我
1. 2. 3.
Dm7 G C C
飞 飞过绝望。不去 望。我终
飞 给我希
Am G F C Dm7 Em7
于 看到 所有梦想都开花，追逐的年 轻歌声多嘹
G F Em7 Dm7 C
亮。 我终于 翱翔 用心凝望不害怕，哪里
Dm7 G C C
H
会有 风就飞多远 吧。

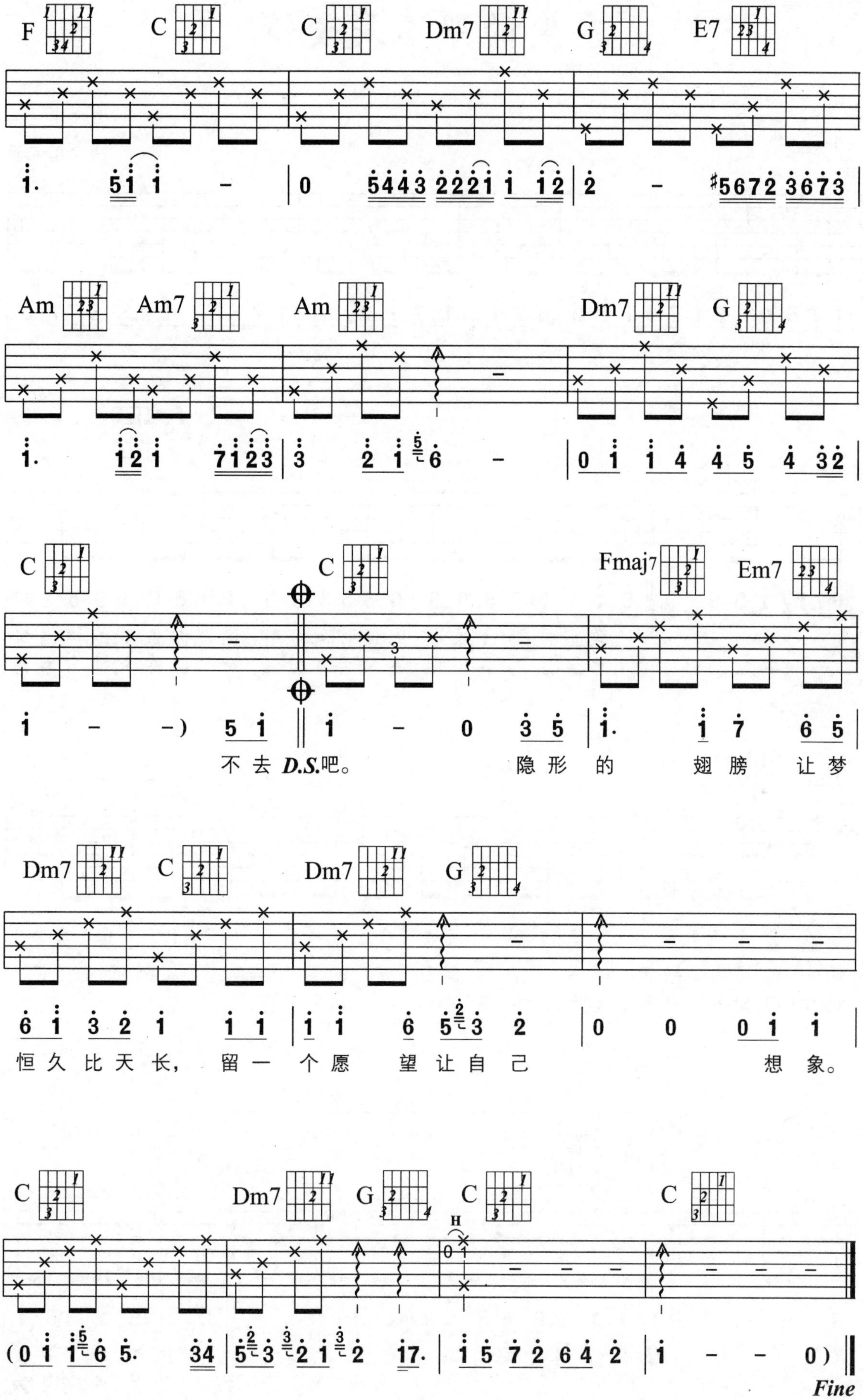
F C C Dm7 G E7
Am Am7 Am Dm7 G
C C Fmaj7 Em7
不去 D.S.吧。
隐形的翅膀让梦
Dm7 C Dm7 G
恒久比天长，留一个愿望让自己想象。
C Dm7 G C C
Fine

亲爱的那不是爱情

方文山　词

周杰伦　曲

1 = A 4/4

(**1 7 6 7 1 2 1 7 6 7 1 5** | **6 7 1 7 1 7 1 2 3 4** | **1 7 6 7 1 2 1 7 6 7 1 5** |

6 7 1 7 1 5 5 —) ‖: **0 1 1 1 7 6 6 5** | **6 5 5 3 3 5 1** | **6 6 6 6 5 1 3** |

教室里那台风琴　叮咚叮咚叮咛，像　你告白的声音动

§1.那温热的牛奶瓶　在我手中握紧，有　你在的地方我总

D9

Bm7

3 2 2 1 2 3 2 | **1 7 1 5 5 5 1** | **6 5 5 4 5 5 6 7** | **1 1 1 5 4 3 2 1** |

作一直很轻。微笑　看你送完信　转身　离开的背　影，喜欢　你字迹清秀的关

感觉很窝心。日子　像旋转木马　在脑　海里转不　停，出现

1.

2.

Bm7   A9

1 — — — :‖ **1 1 1 5 5 4 3 4 2** | **2 — — —** ‖: **3 3 5 2 3 5 7**

心。　　　　那些你对我好的场　景。　　　　你说过牵了手就

§2.太美的承诺因为

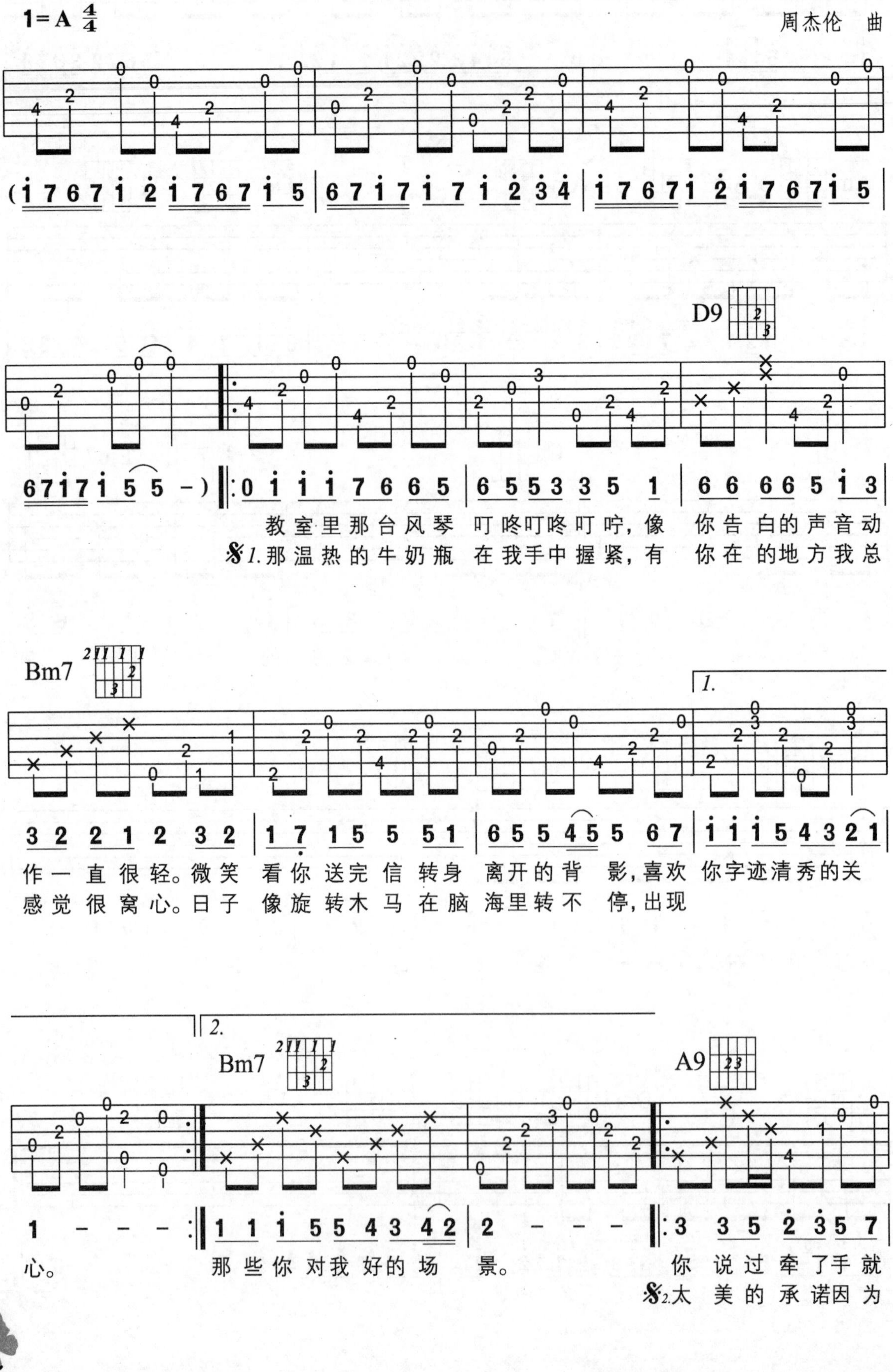

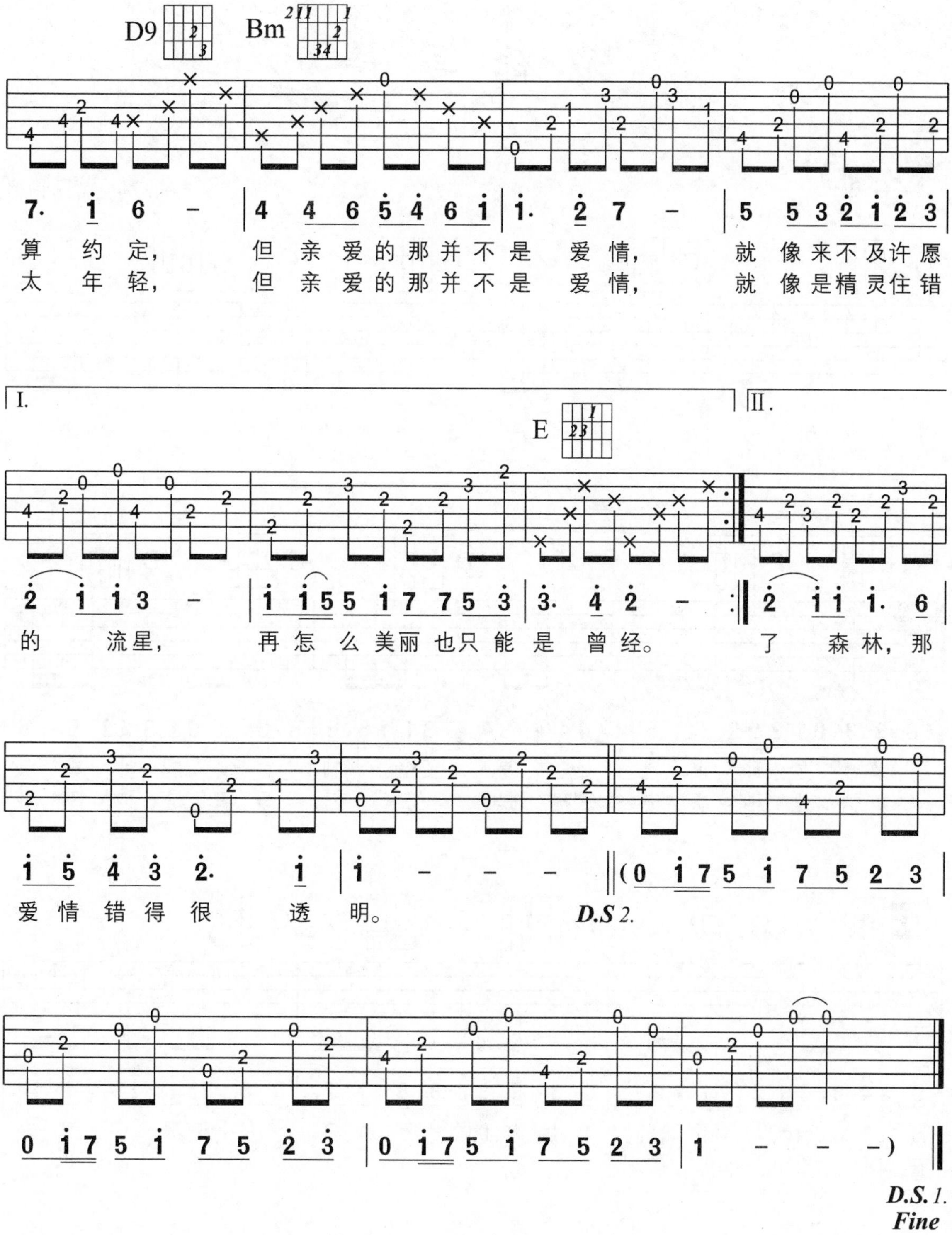

D9　Bm

7. i̊ 6 — | 4 4 6 5̇ 4 6 i̊ | i̊. 2̇ 7 — | 5 5 3 2̇ 1 2 3 |

算　约定，　　但 亲 爱 的 那 并 不 是 爱 情，　　就 像 来 不 及 许 愿

太　年轻，　　但 亲 爱 的 那 并 不 是 爱 情，　　就 像 是 精 灵 住 错

I.　　　　　　　　　　　　　　　　　　　　E　　　　II.

2̇ i̊ 1 3 — | i̊ i̊ 1 5 5 i̊ 7 7 5 3 | 3̇. 4 2 — :| 2̇ i̊ 1 i̊. 6 |

的　流星，　　再 怎 么 美 丽 也 只 能 是 曾 经。　　　了　森 林，那

i̊ 5 4 3 2̇. i̊ | i̊ — — — ||(0 i̊ 7 5 i̊ 7 5 2̇ 3 |

爱 情 错 得 很　透 明。　　　　　　　　D.S 2.

0 i̊ 7 5 i̊ 7 5 2̇ 3 | 0 i̊ 7 5 i̊ 7 5 2 3 | 1 — — —) ||

D.S. 1.
Fine

为 你 写 诗

吴克群　词曲

1=G 4/4

（1 － 5 － ｜ 4 － 6 － ｜ 5 － 7. i ｜ i － － －）｜

‖: 0 3 3 0 1 3 2 2 5. 5 ｜ 5 4 4 4 3 4 4 3 1 1 6 5 ｜ 5 3 3 0 1 3 2 2 5. 5 ｜

爱情是一种怪事 我 开始全 身不受控 制， 爱情是一种本事 我

爱情是一种怪事 你 的笑容是唯 一宗 旨， 爱情是一种本事 我

5 4 4 4 4 3 2 2 2 1 1 2. ｜ 0 3 3 3 3 3 6 i 7 5 5 7 i i ｜ i i

开始连 自己 都不 是， 为你我做 了太多 的傻事， 第一

在你心 里什 么位 置，

Bm C D | C D

5 5 5 5 5 3 3 1 4 ｜ 5 － 0 5 5 1 1 ｜ 5 6 6 5 3 2 2. 2 3 4 ｜

件就是为 你写诗。 为你写诗 为你静 止，为你做

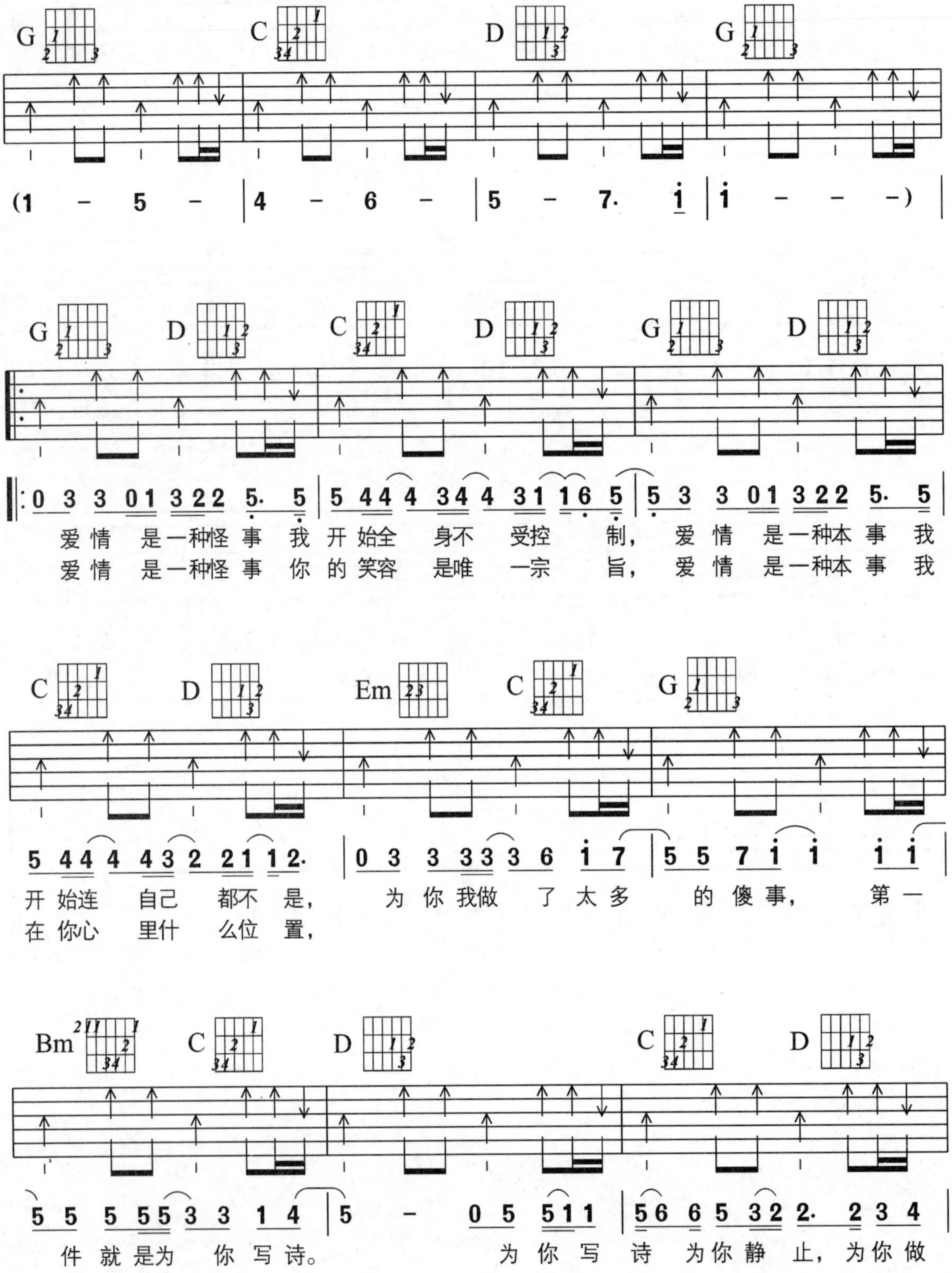

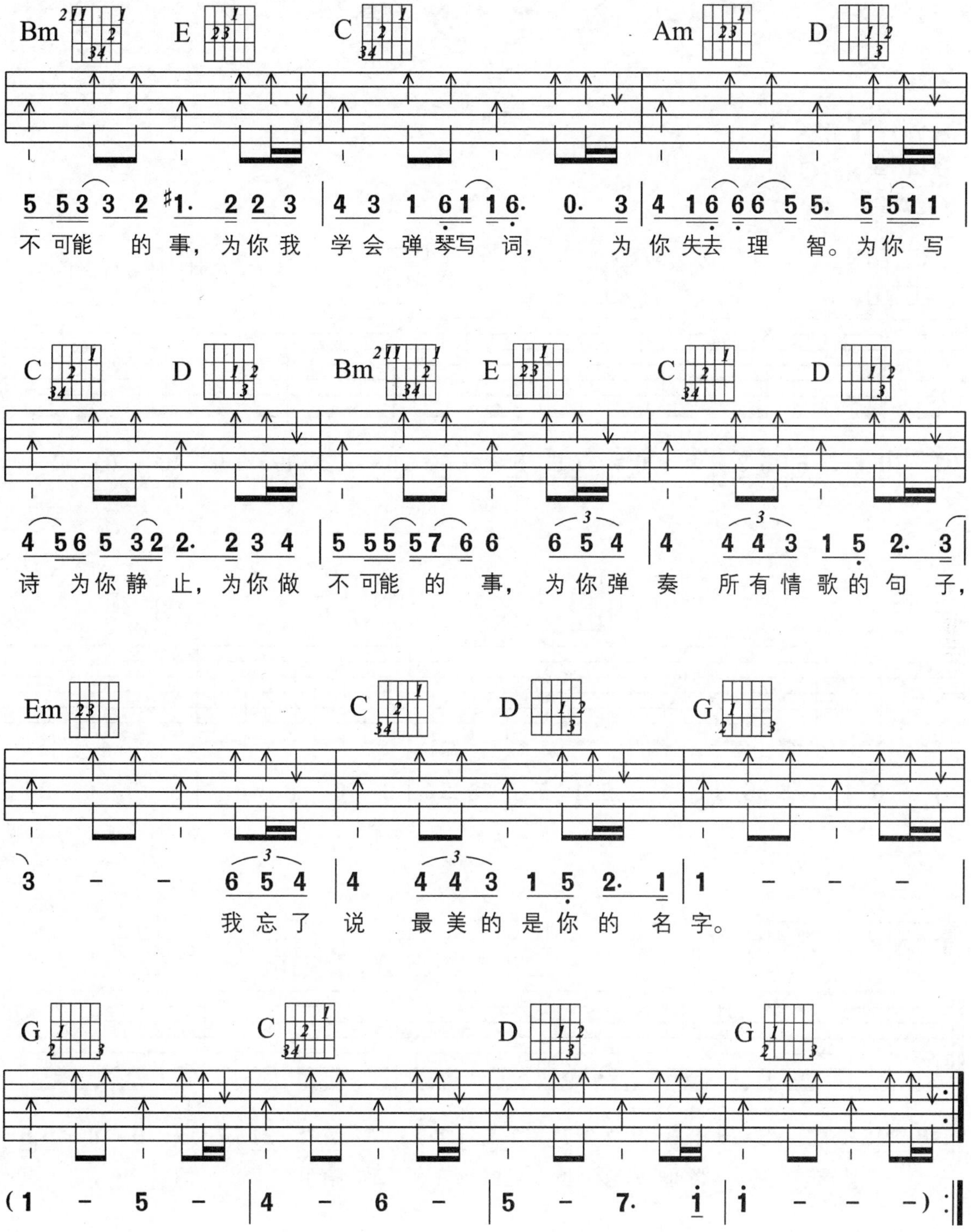
Bm E C Am D
不可能 的 事，为你我 学会 弹琴写 词， 为 你失去 理 智。为你 写
C D Bm E C D
诗 为你静 止，为你做 不可能 的 事， 为你弹 奏 所有情歌的句 子，
Em C D G
我忘了 说 最美的是你的 名字。
G C D G

爱 是 力 量

原调 **1 = F** 转 **ᵇA** $\frac{4}{4}$
选调 **1 = E** 转 **G**
（变调夹夹一品）

吴克群　词曲

(i　0 i 7 5　5 3 | i　0 i 7 5　5 3 | 5　0　0　0 | 0　0　0　0 |

i　0 i 7 5　5 3 1 | i　0 i 7 5　5 3 1 | 0　0　0　0 | 0　0　0　0)

0　2 3 3　2　5 | 4 3　2 1 2 1　1 1 | 1 i　i 7 i　2 6 7 | 5　0　0　5 5

一 路 走 来　路 也 许 漫 长，但 好 在 有　你 陪 我 一 起　闯。　　一起

6　6 6　2 3　2 5 5 | 5 3 3 1　1 3 3 | 4 5 5　5 6 3 | 2　0　0　0 |

哭 一 起 笑 从 来 不 欺 谎，没 有 光 也 看 见 对 方。

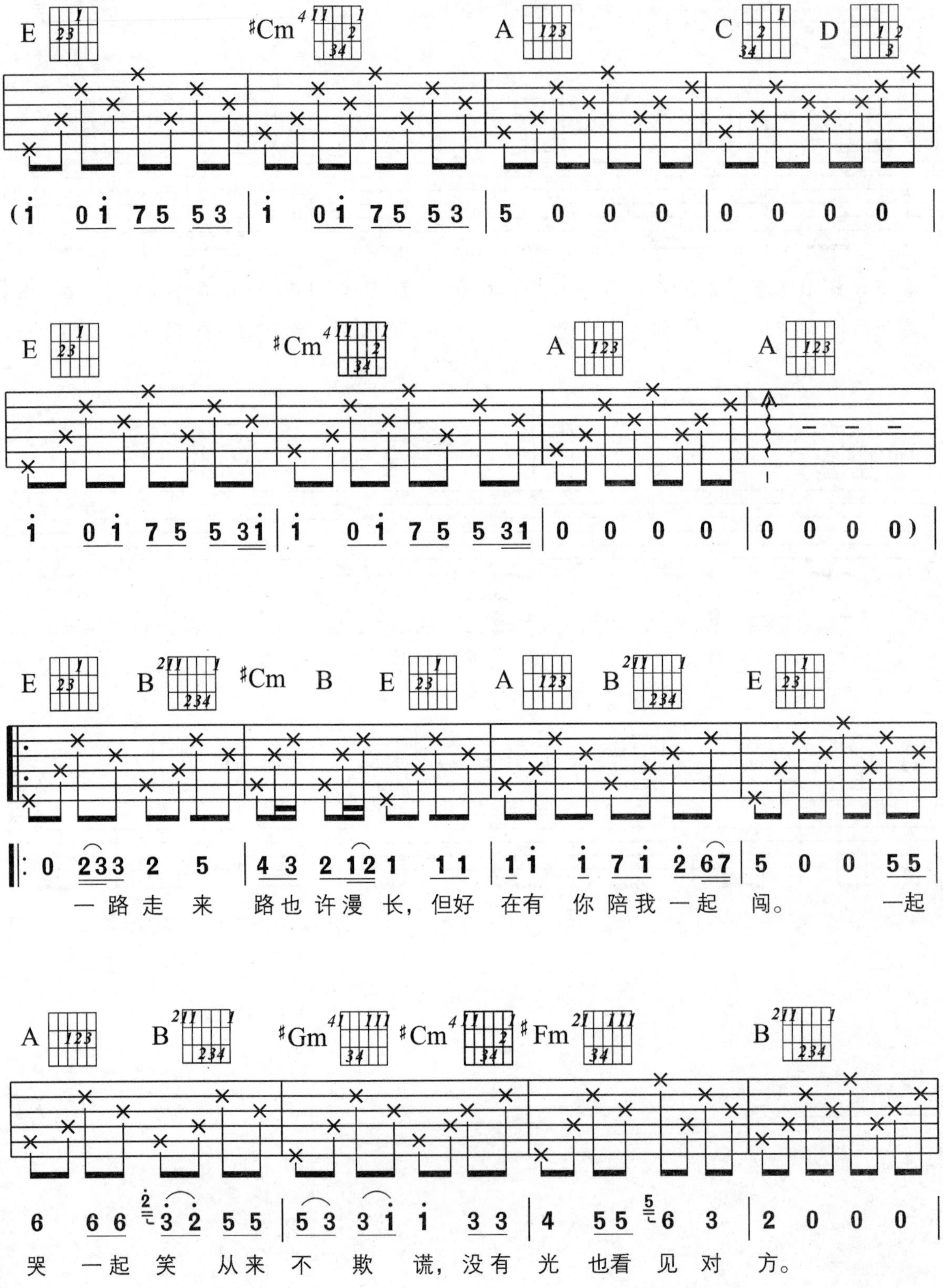

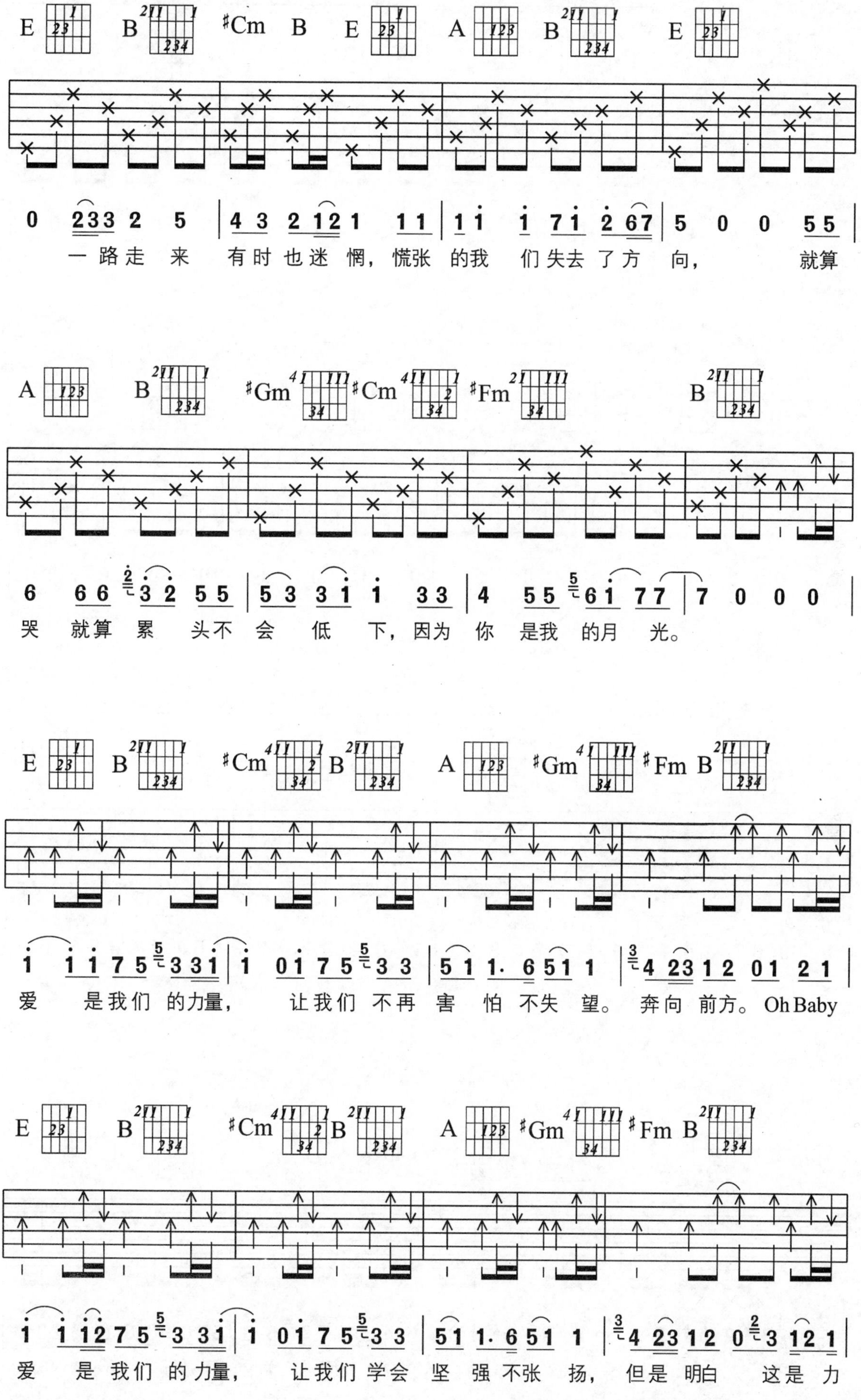
E B #Cm B E A B E
一路走来 有时也迷惘，慌张的我们失去了方向， 就算
A B #Gm #Cm #Fm B
哭 就算累 头不会低下，因为你是我的月光。
E B #Cm B A #Gm #Fm B
爱 是我们的力量， 让我们不再害怕不失望。奔向前方。Oh Baby
E B #Cm B A #Gm #Fm B
爱 是我们的力量， 让我们学会坚强不张扬，但是明白 这是力

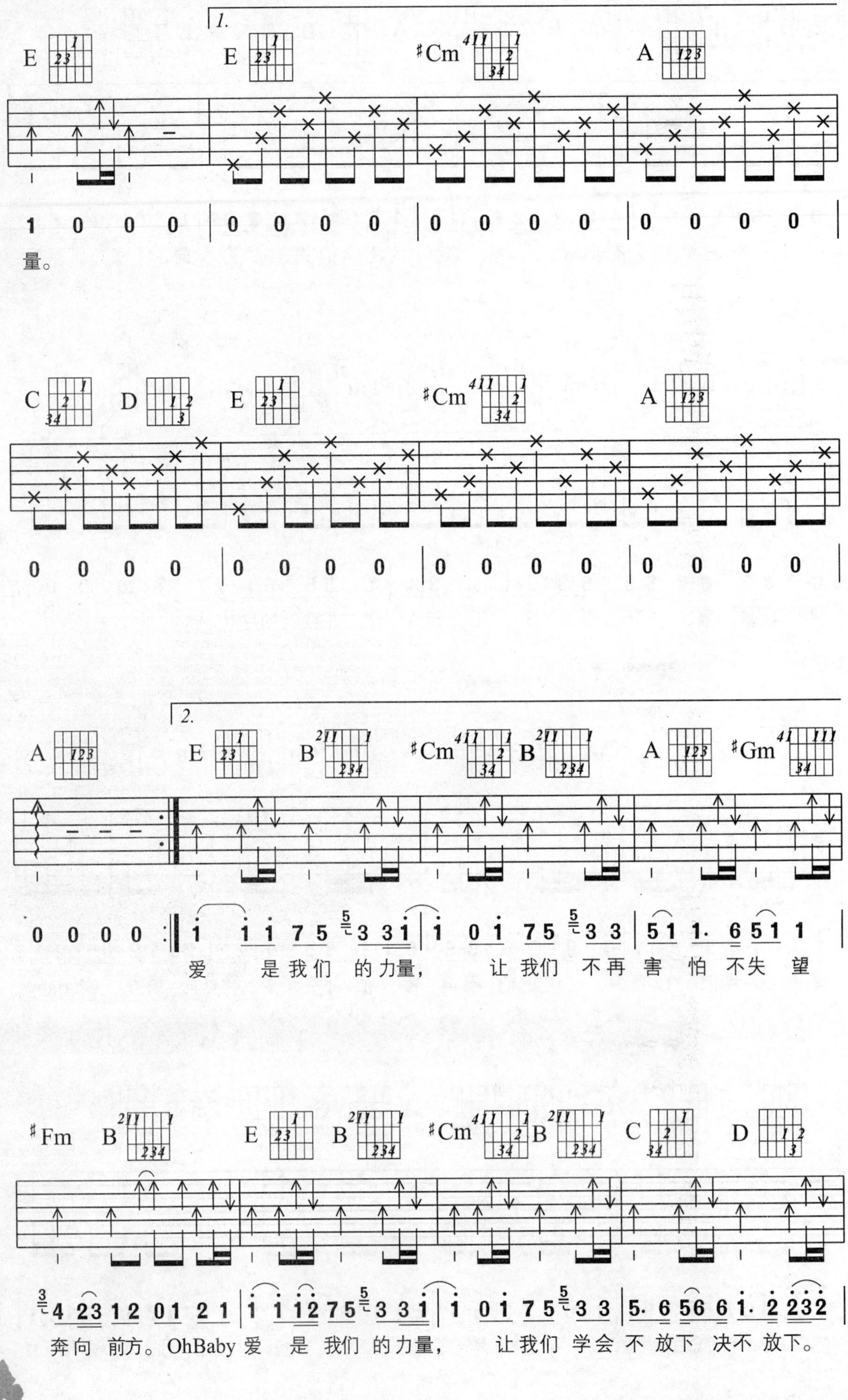
1.
E E #Cm A
量。
C D E #Cm A
2.
A E B #Cm B A #Gm
爱 是我们 的力量， 让我们 不再害 怕 不失 望
#Fm B E B #Cm B C D
奔向 前方。OhBaby 爱 是 我们 的力量， 让我们 学会 不 放下 决不 放下。

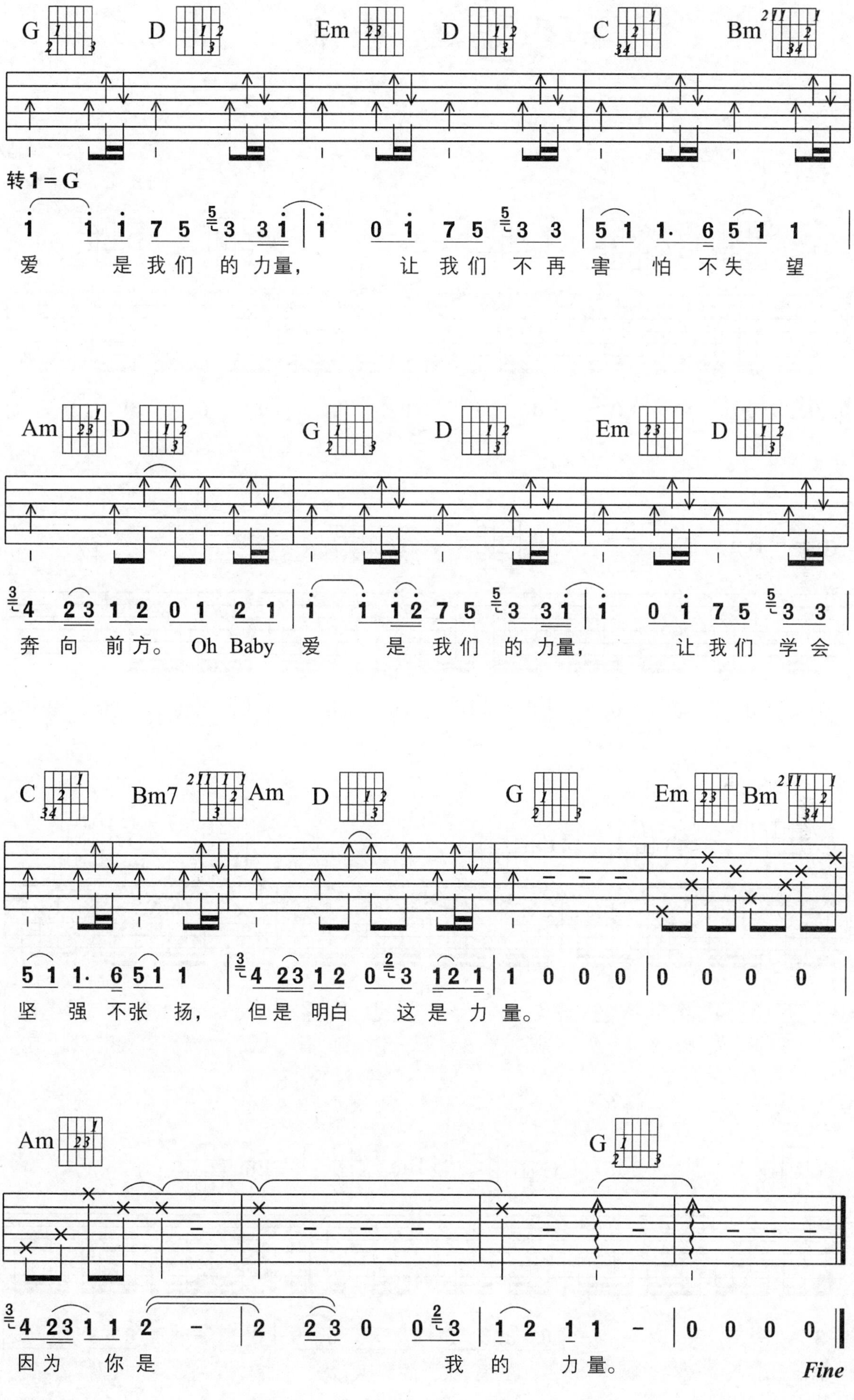

转 1 = G

i i i i 7 5 ⌐5⌐ 3 3 1 | i 0 i 7 5 ⌐5⌐ 3 3 | 5 1 1. 6 5 1 1
爱　是 我 们 的 力 量，　　　　让 我 们 不 再 害 怕 不 失 望

⌐3⌐4 2 3 1 2 0 1 2 1 | i i i 2 7 5 ⌐5⌐ 3 3 i | i 0 i 7 5 ⌐5⌐ 3 3 |
奔 向 前 方。 Oh Baby 爱　是 我 们 的 力 量，　　　让 我 们 学 会

5 1 1. 6 5 1 1 | ⌐3⌐4 2 3 1 2 0 ⌐2⌐3 1 2 1 | 1 0 0 0 0 0 0 0
坚 强 不 张 扬， 但 是 明 白　这 是 力 量。

⌐3⌐4 2 3 1 1 2 — | 2 2 3 0 0 ⌐2⌐3 | 1 2 1 1 — | 0 0 0 0 ‖
因 为 你 是　　　　　我 的 力 量。　　　　　　　　　Fine

313

第九章 歌曲部分

外面的世界

齐　　秦　词曲
刘天礼　记谱编配

1=G $\frac{4}{4}$

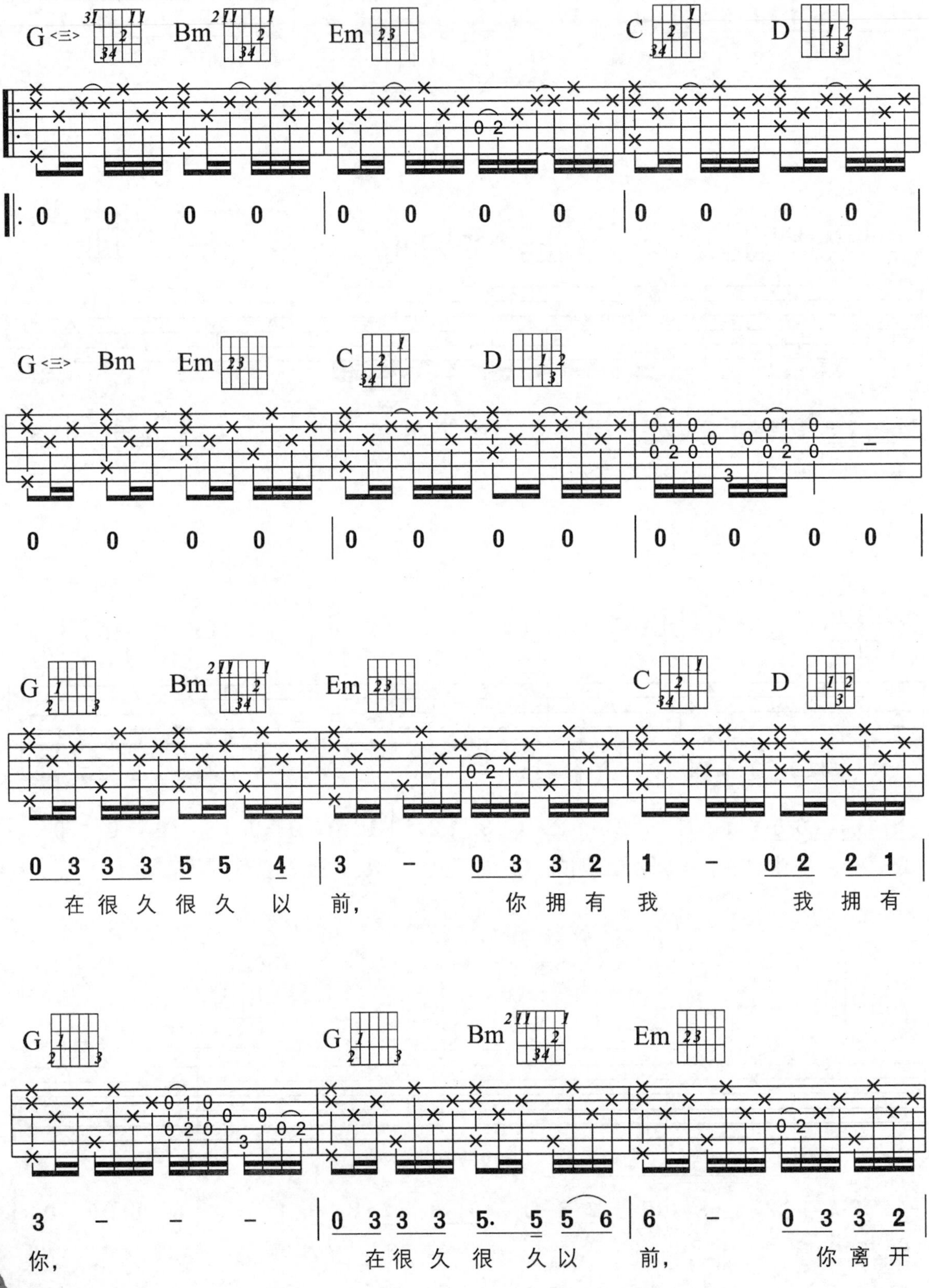

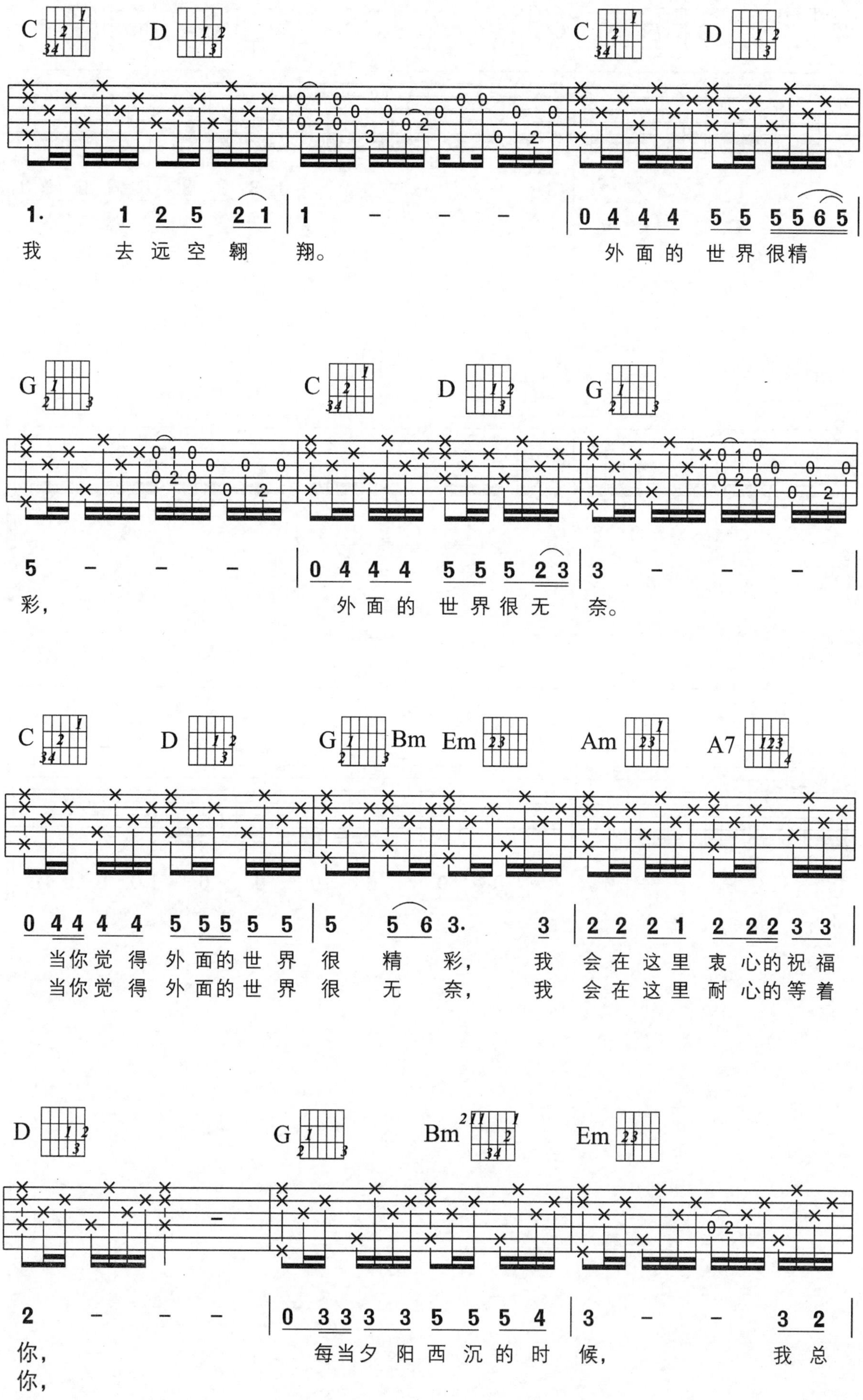
C D C D
我 去远空翱 翔。 外面的 世界很精
G C D G
彩， 外面的 世界很无 奈。
C D G Bm Em Am A7
当你觉得 外面的世界 很 精 彩， 我 会在这里 衷心的祝福
当你觉得 外面的世界 很 无 奈， 我 会在这里 耐心的等着
D G Bm Em
你， 每当夕 阳西沉的时 候， 我 总
你，

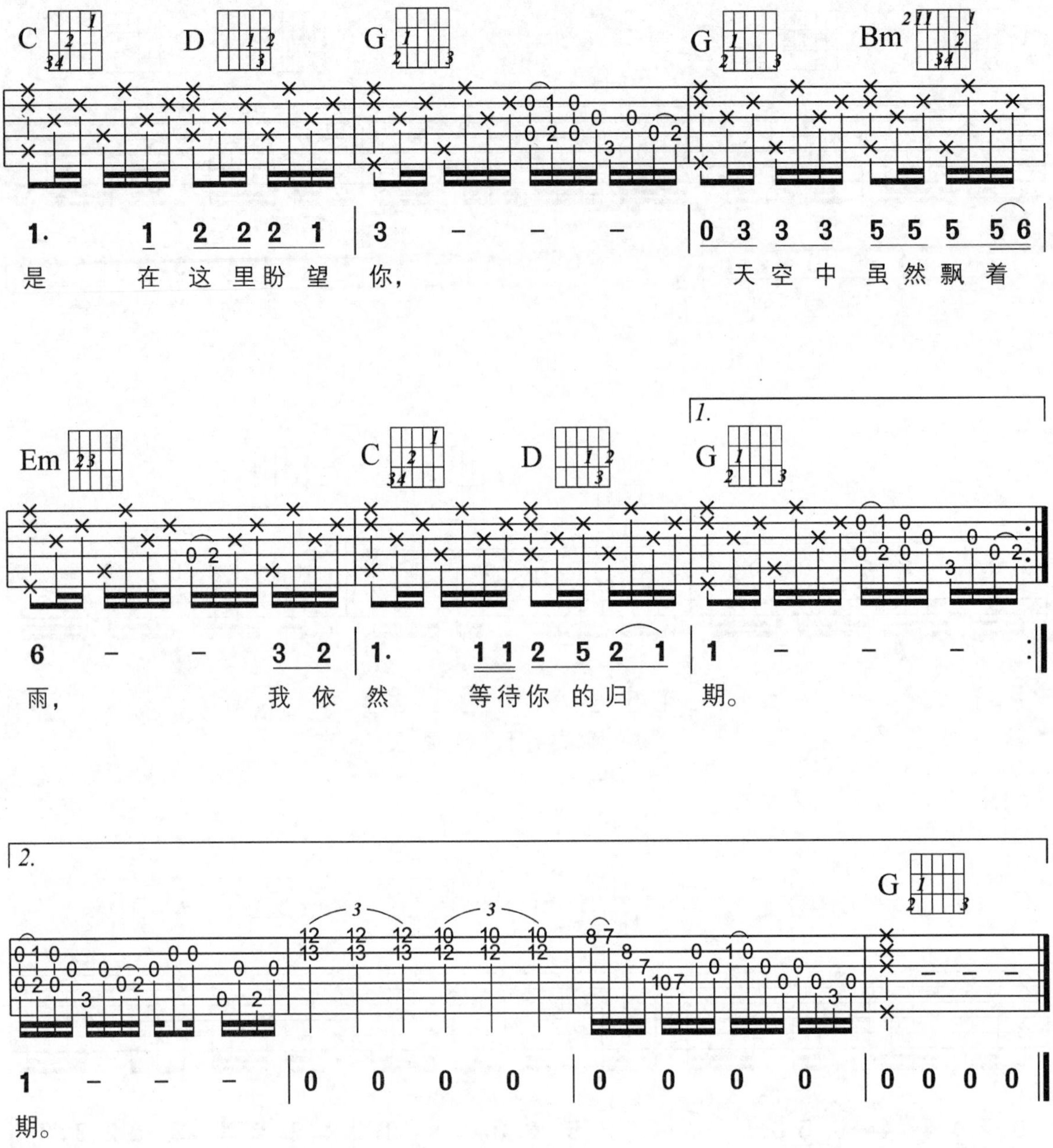
C D G G Bm
1· 1 2 2 2 1 | 3 – – – | 0 3 3 3 5 5 5 5 6
是 在 这 里 盼 望 你， 天 空 中 虽 然 飘 着
1.
Em C D G
6 – – 3 2 | 1· 1 1 2 5 2 1 | 1 – – – :
雨， 我 依 然 等 待 你 的 归 期。
2.
G
1 – – – | 0 0 0 0 | 0 0 0 0 | 0 0 0 0
期。

我真的受伤了

1=G $\frac{2}{4}$

王菀之　词曲

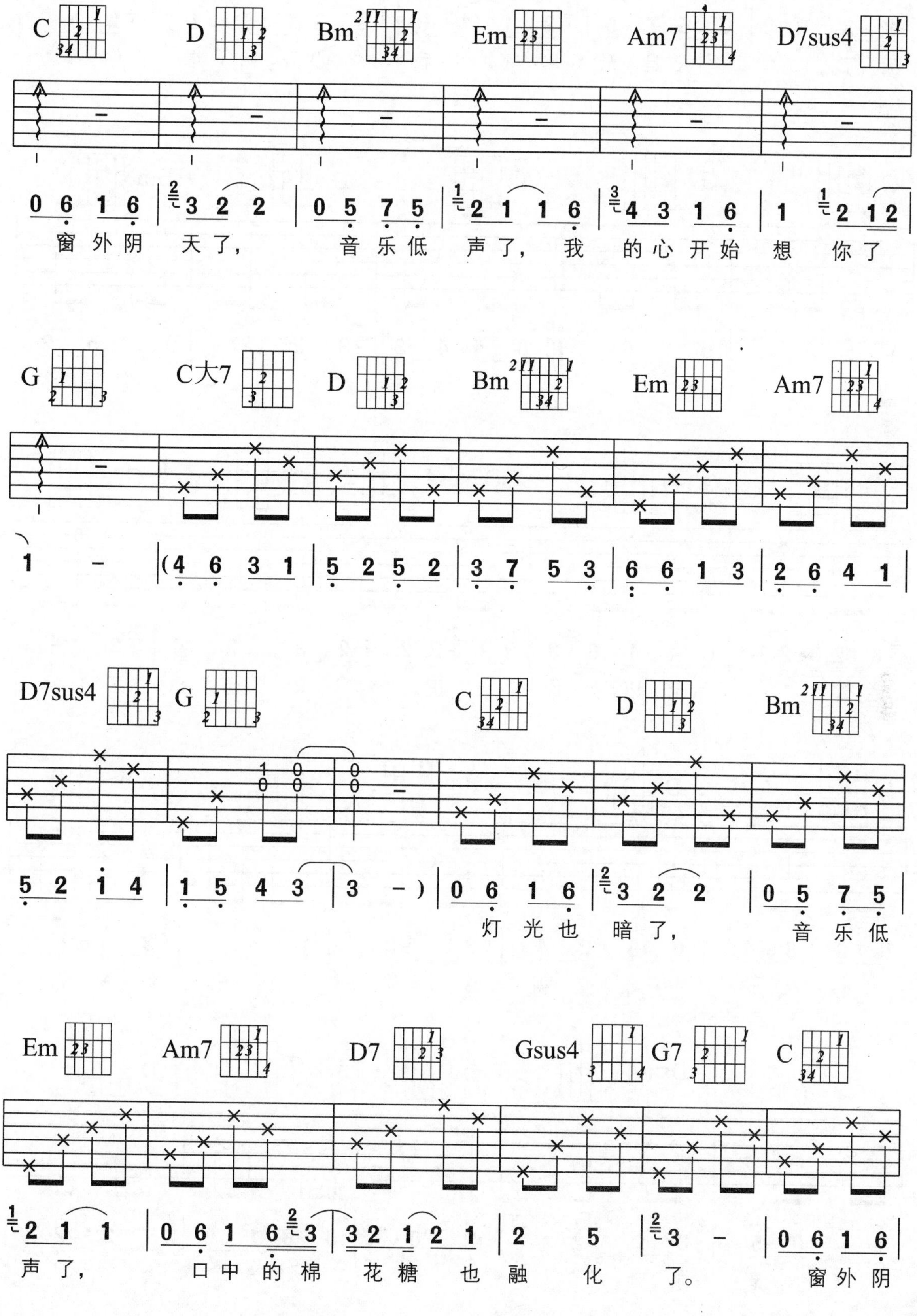

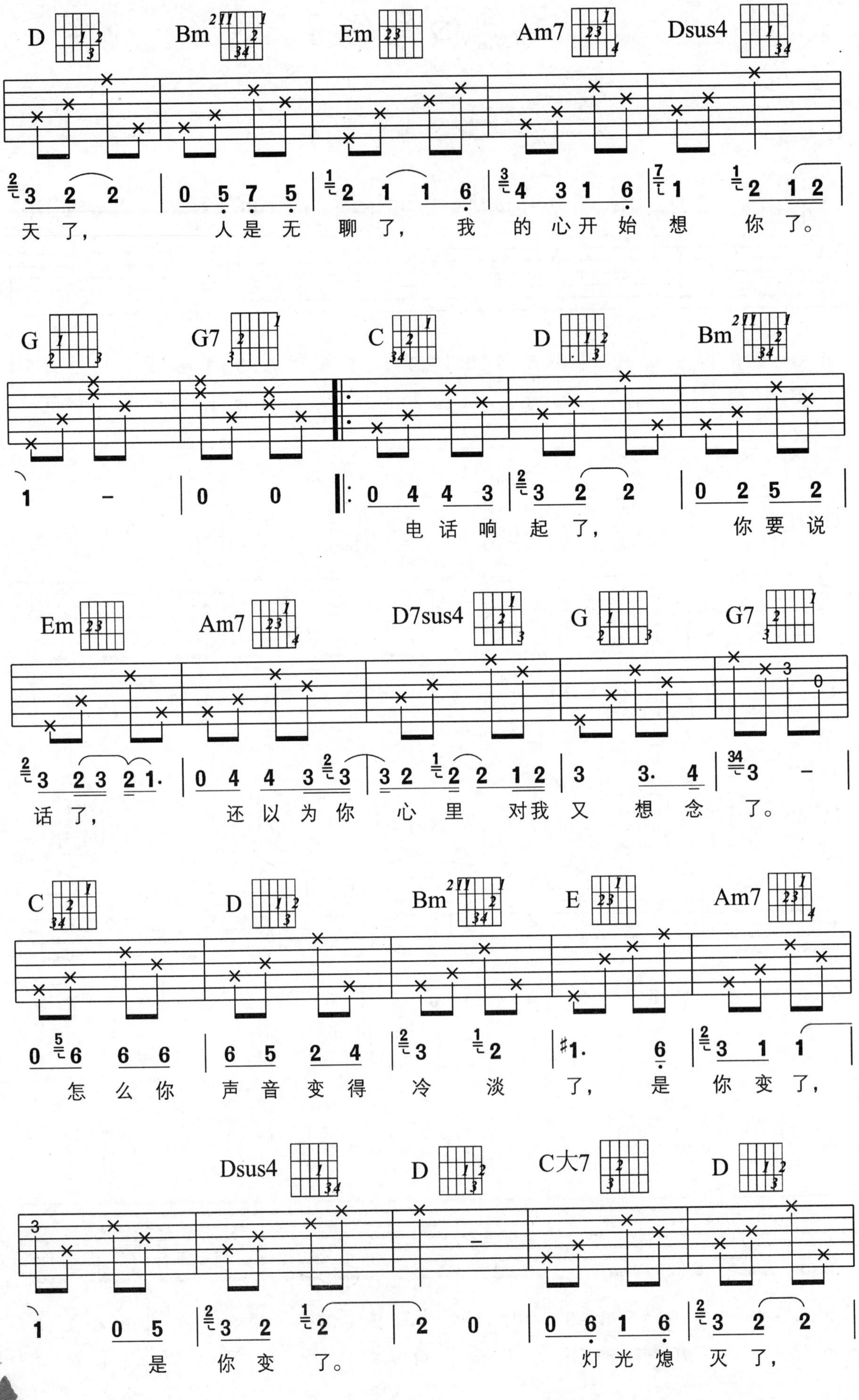
D Bm Em Am7 Dsus4
天了，人是无聊了，我的心开始想你了。
G G7 C D Bm
电话响起了，你要说
Em Am7 D7sus4 G G7
话了，还以为你心里对我又想念了。
C D Bm E Am7
怎么你声音变得冷淡了，是你变了，
Dsus4 D C大7 D
是你变了。灯光熄灭了，

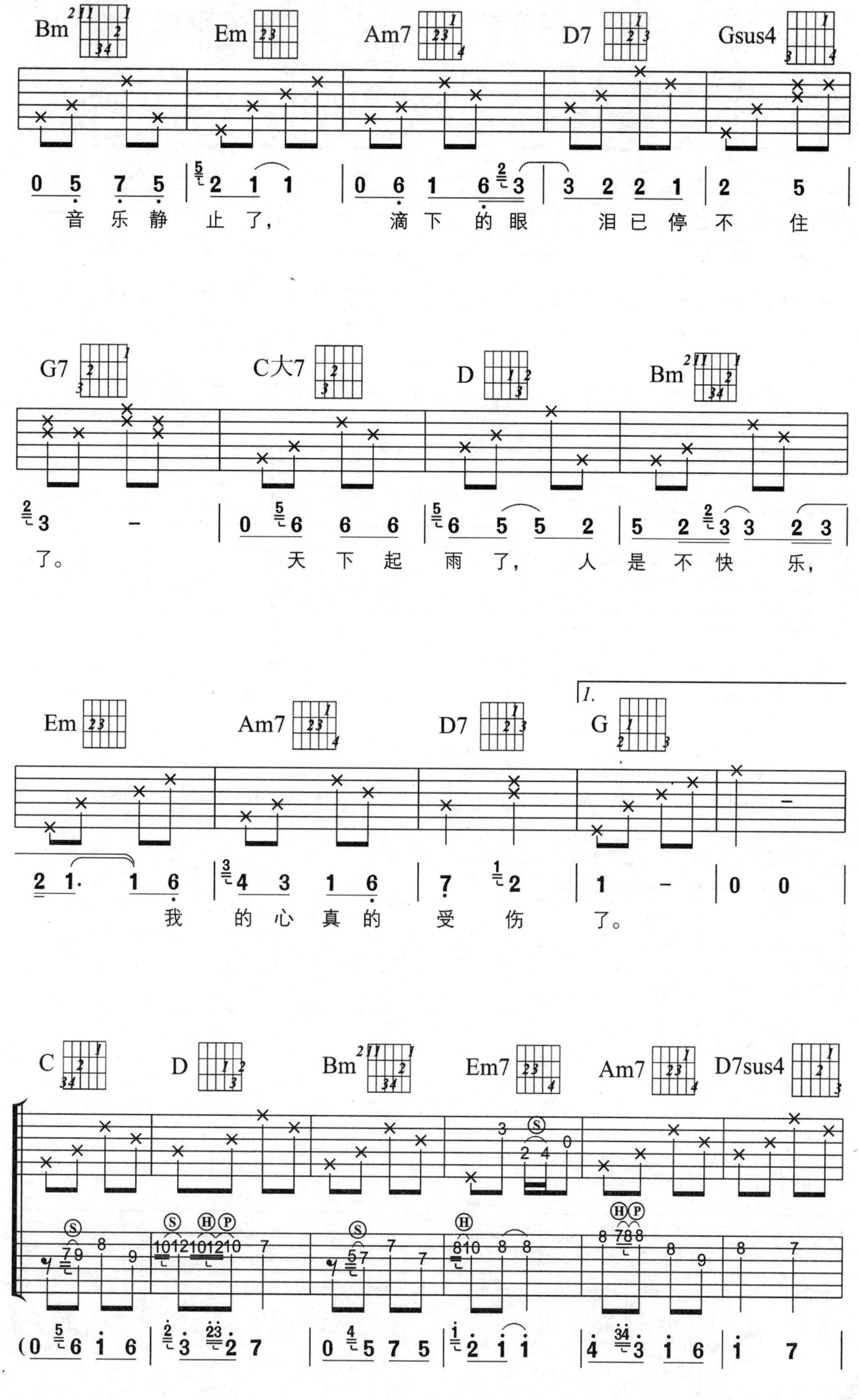
Bm Em Am7 D7 Gsus4
音乐静止了，滴下的眼泪已停不住
G7 C大7 D Bm
了。天下起雨了，人是不快乐，
Em Am7 D7 G
1.
我的心真的受伤了。
C D Bm Em7 Am7 D7sus4

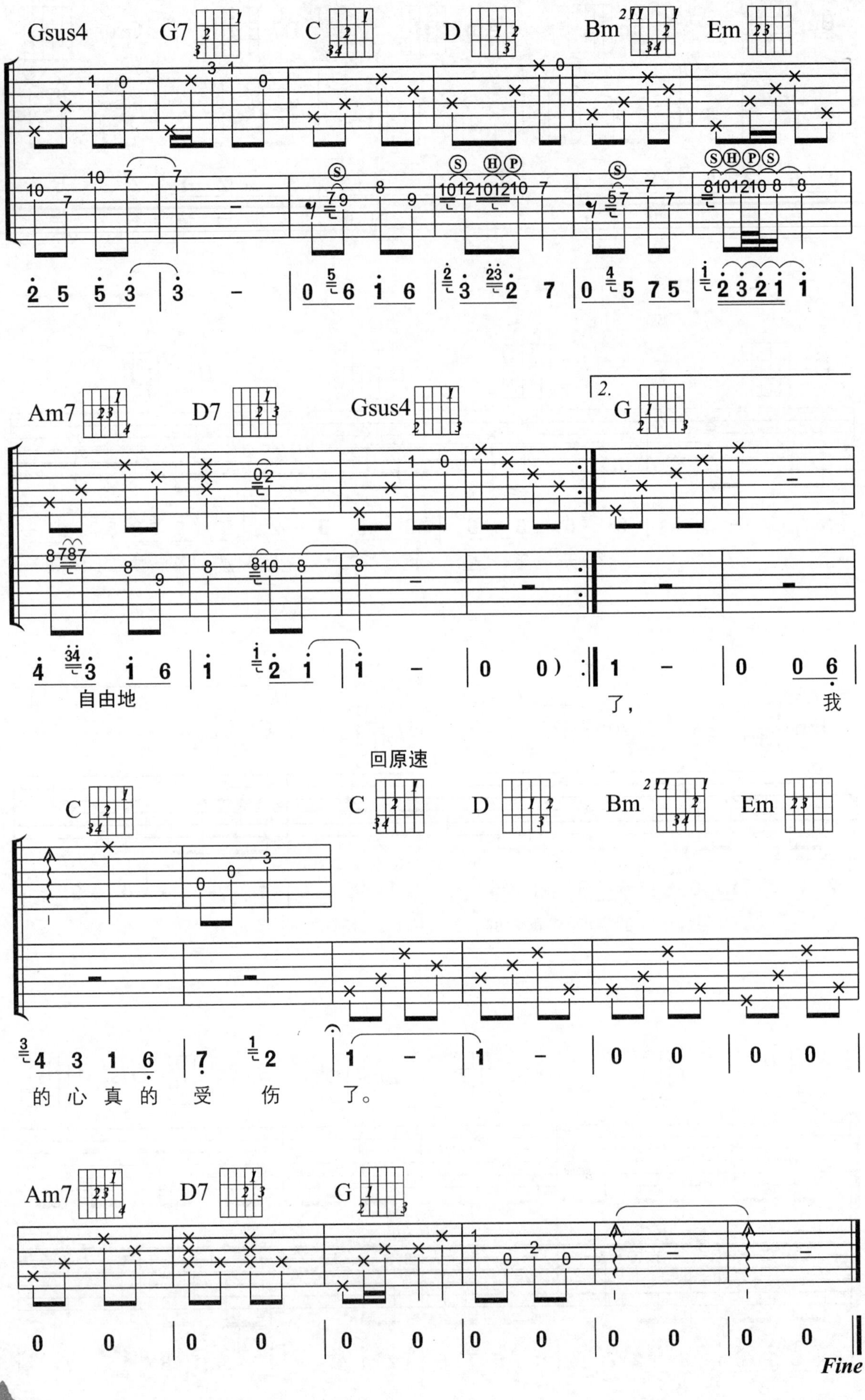
Gsus4
G7
C
D
Bm
Em
Am7
D7
Gsus4
2.
G
自由地
了，
我
回原速
C
C
D
Bm
Em
的心真的受伤了。
Am7
D7
G
Fine

女人花

李安修 词
陈耀川 曲
刘天礼 记谱编配

1=G 2/4

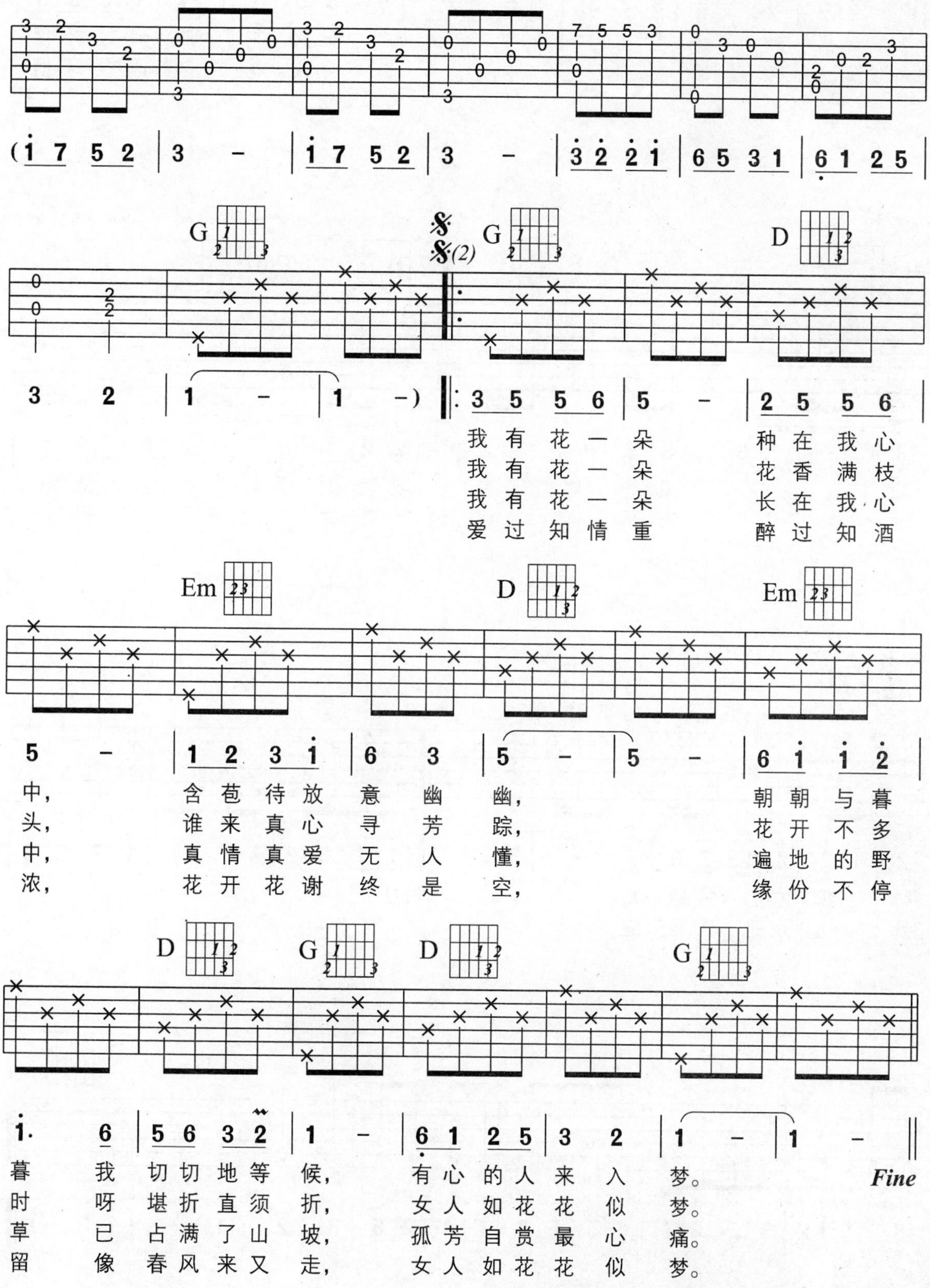
G
G
D
Em
D
Em
D
G
D
G
我有花一朵 种在我心中，含苞待放意幽幽，朝朝与暮暮 我切切地等候，有心的人来入梦。
我有花一朵 花香满枝头，谁来真心寻芳踪，花开不多时 呀堪折直须折，女人如花花似梦。
我有花一朵 长在我心中，真情真爱无人懂，遍地的野草 已占满了山坡，孤芳自赏最心痛。
爱过知情重 醉过知酒浓，花开花谢终是空，缘份不停留 像春风来又走，女人如花花似梦。
Fine

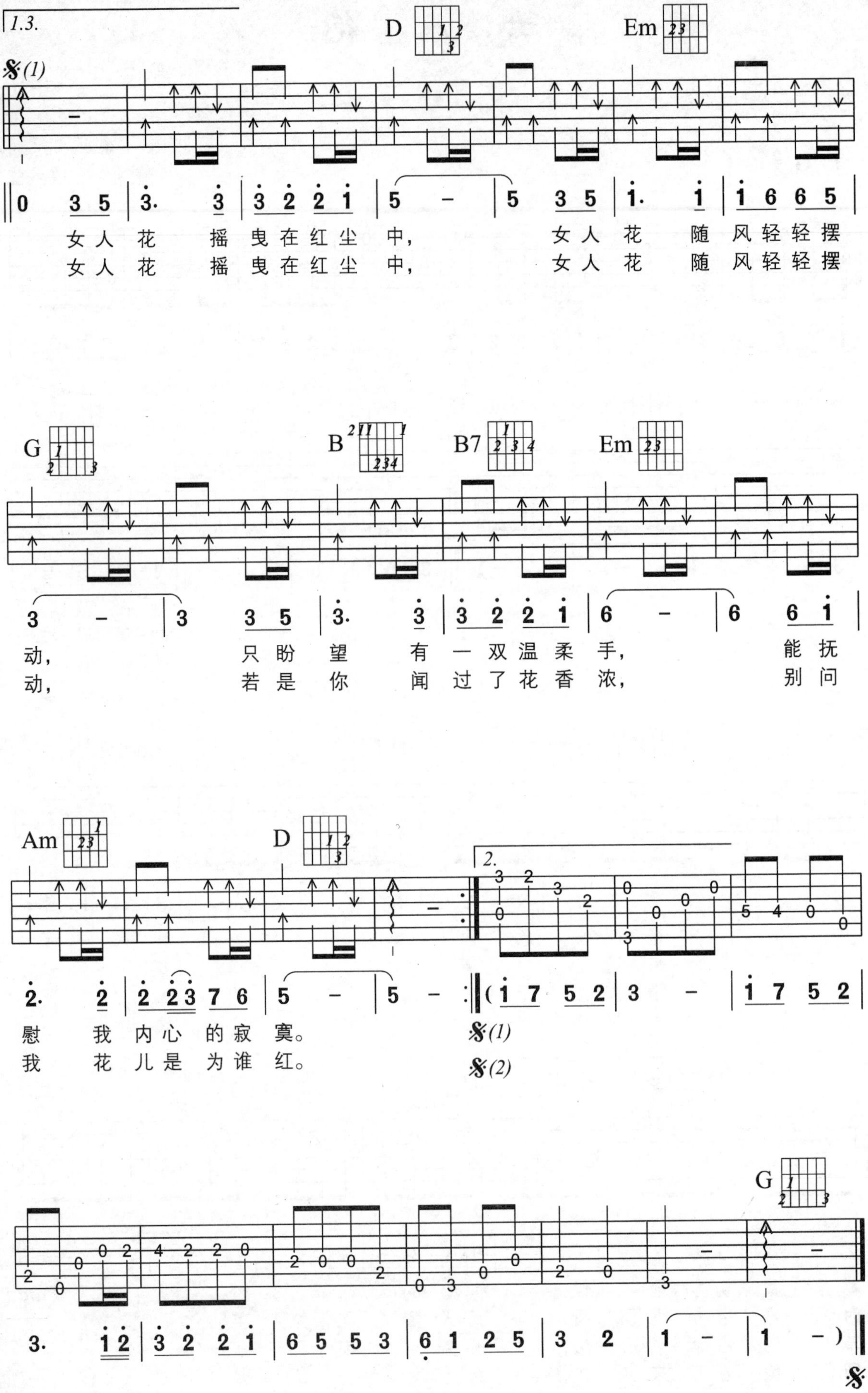
1.3.
D
Em
女人花 摇曳在红尘中, 女人花 随风轻轻摆
女人花 摇曳在红尘中, 女人花 随风轻轻摆
G
B
B7
Em
动, 只盼望 有一双温柔手, 能抚
动, 若是你 闻过了花香浓, 别问
Am
D
2.
慰 我内心 的寂寞。
我 花儿是 为谁红。
G

爱我别走

1=C $\frac{4}{4}$

张震岳 词曲

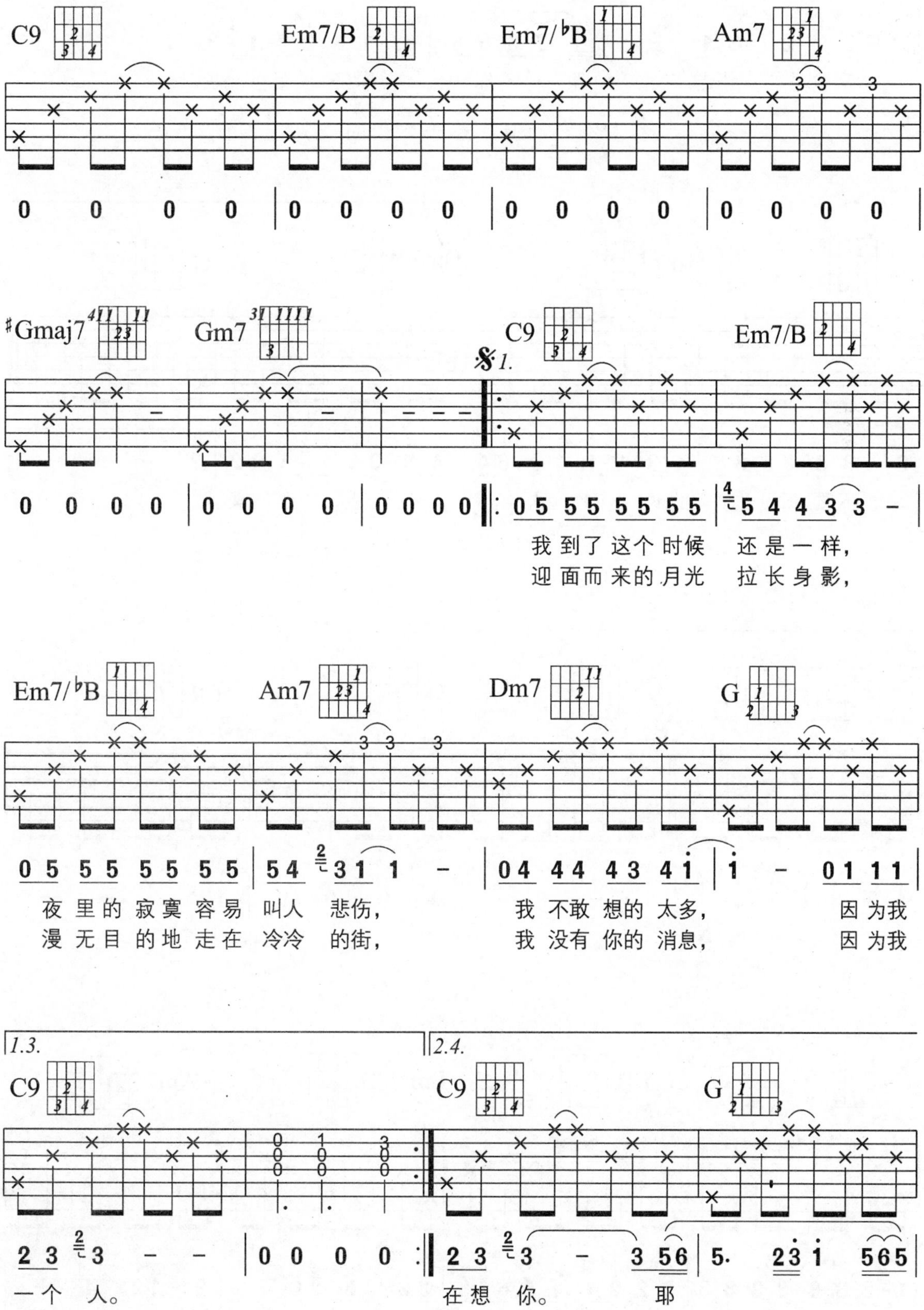

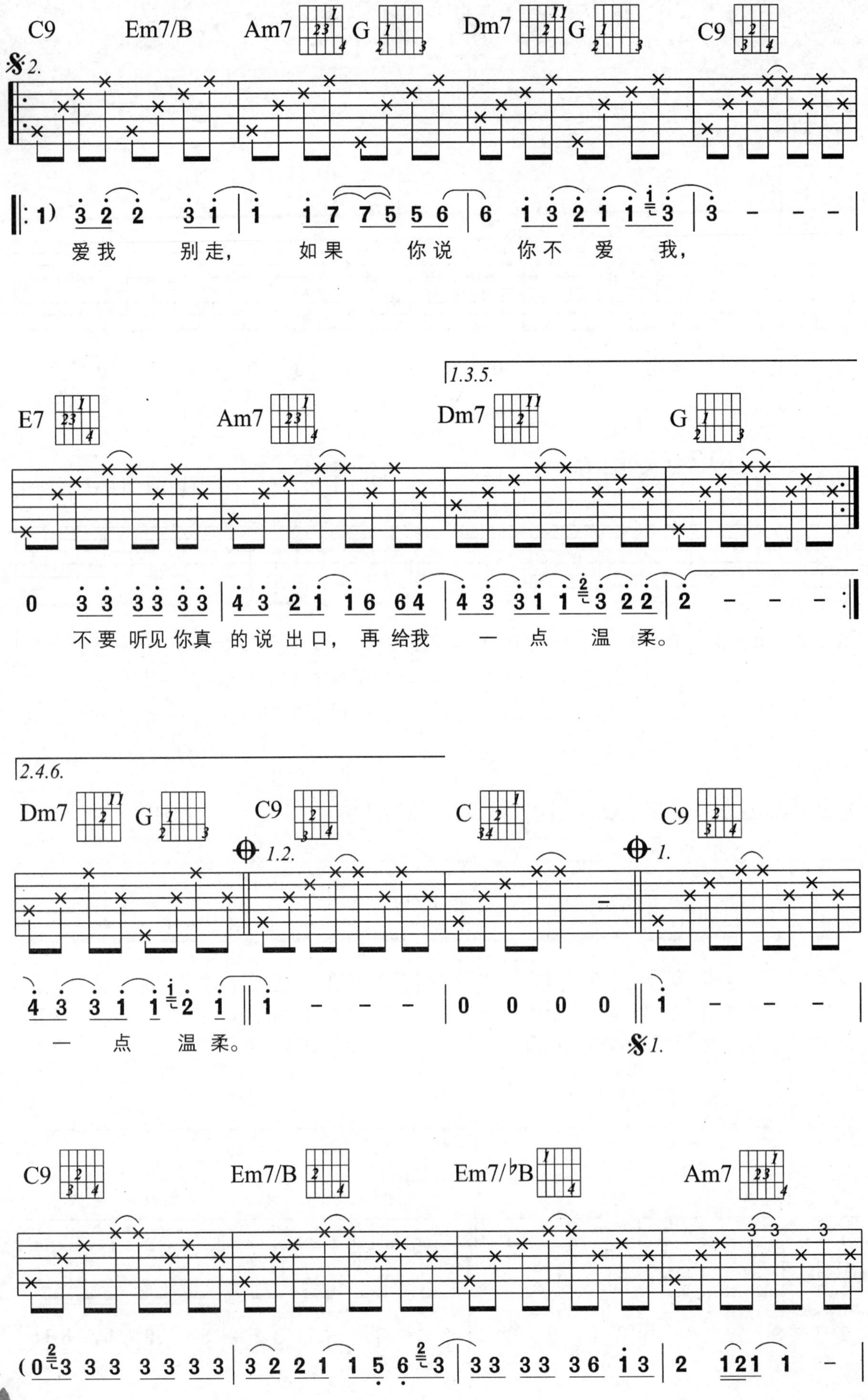

1) 3 2 2 3 1 | 1 1 7 7 5 5 6 | 6 1 3 2 1 1 3 | 3 — — — |
爱我　别走，　如果　你说　你不　爱　我，

0 3 3 3 3 3 3 | 4 3 2 1 1 6 6 4 | 4 3 3 1 1 3 2 2 | 2 — — — |
不要　听见你真　的说出口，再给我　一点　温柔。

4 3 3 1 1 2 1 || 1 — — — | 0 0 0 0 || 1 — — — |
一点　温柔。

(0 3 3 3 3 3 3 3 | 3 2 2 1 1 5 6 6 3 | 3 3 3 3 3 6 1 3 | 2 1 2 1 1 — |

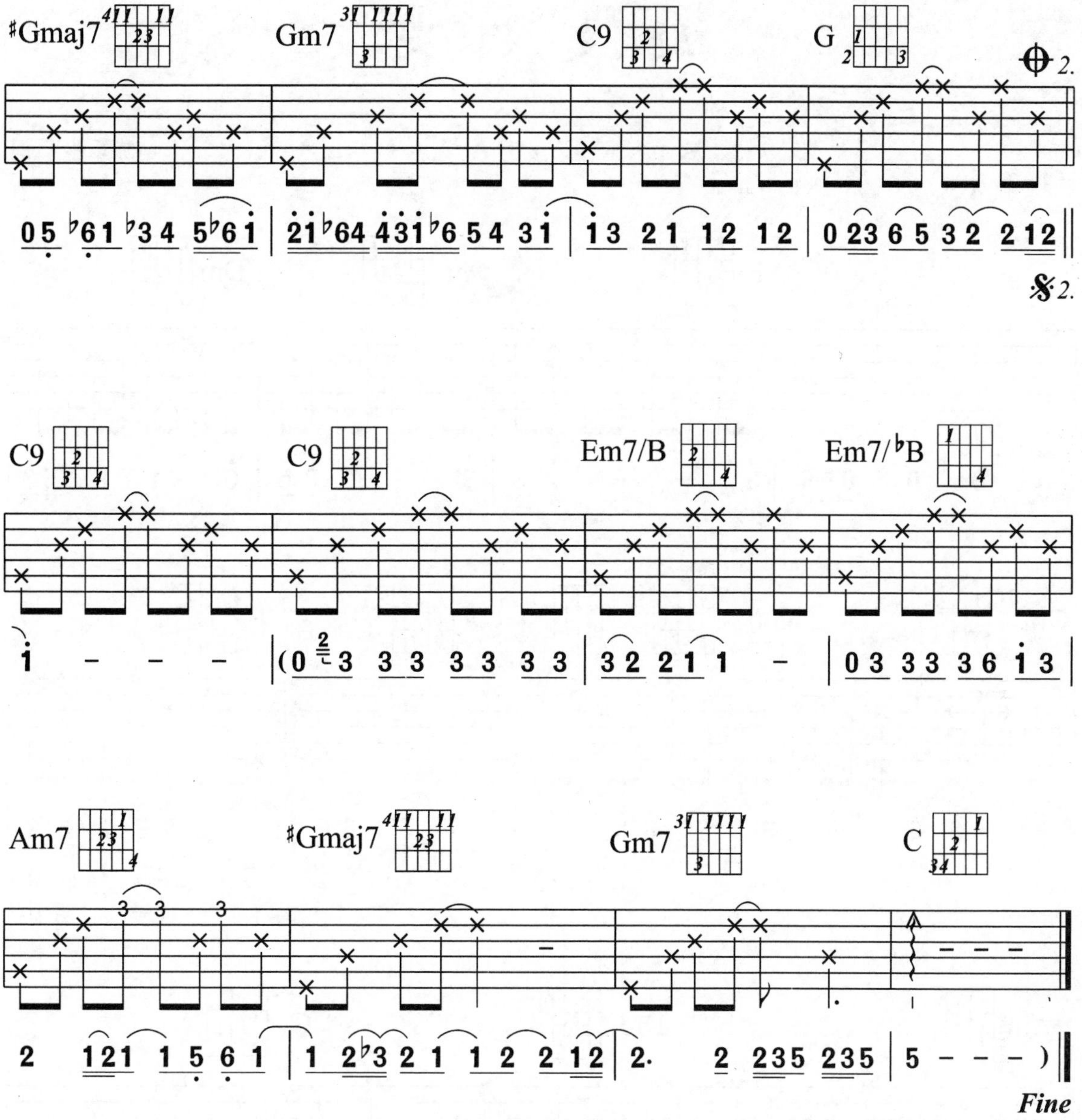
♯Gmaj7
Gm7
C9
G
C9
C9
Em7/B
Em7/♭B
Am7
♯Gmaj7
Gm7
C
Fine

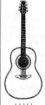

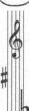

朋友别哭

陈乐融　词
莫　凡　曲

1=F $\frac{4}{4}$

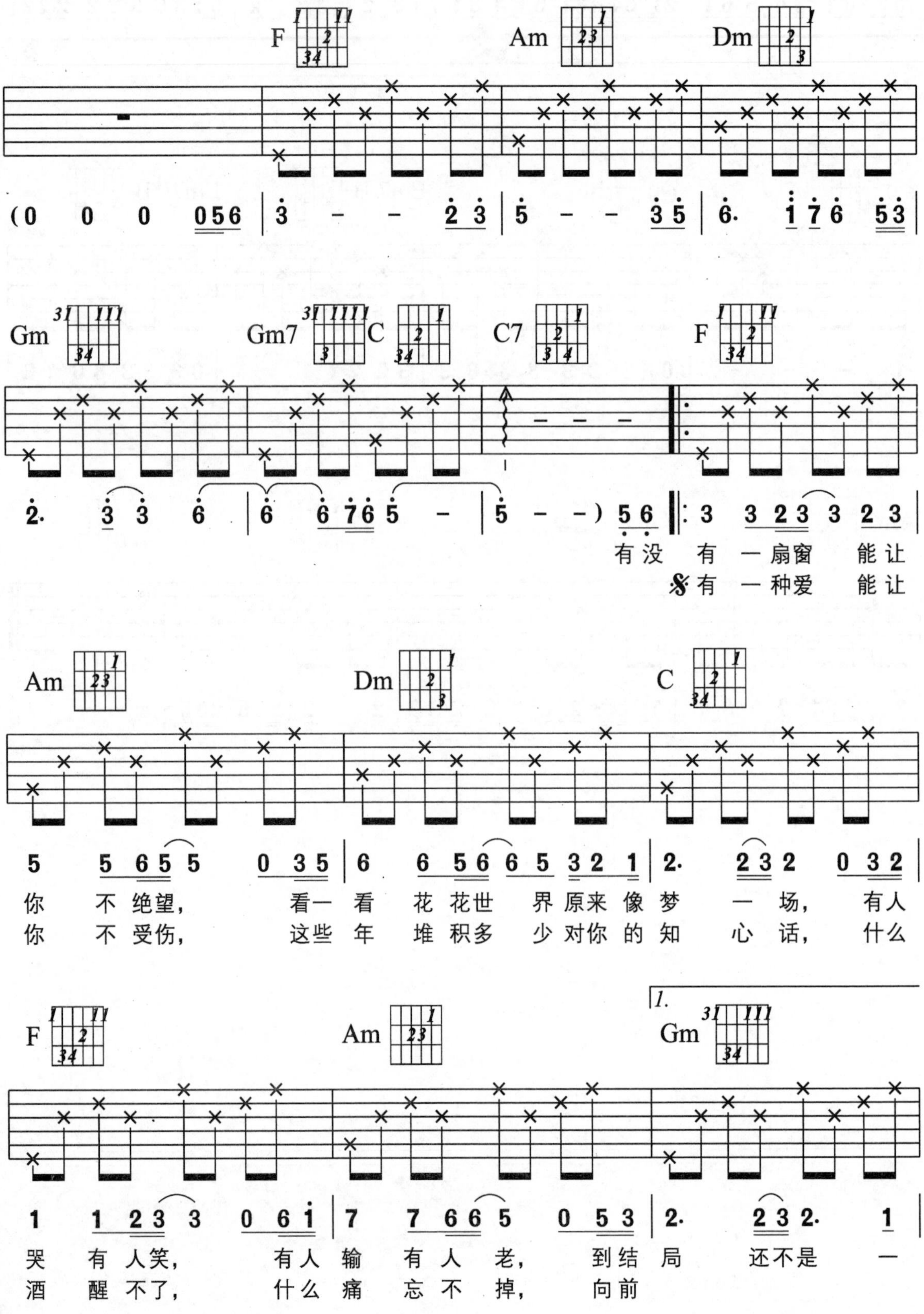

F
Am
Dm
Gm
Gm7
C
C7
F
有没　有　一扇窗　能让
𝄋有　一种爱　能让
Am
Dm
C
你　不　绝望，　看一　看　花　花世　界原来像梦　一　场，　有人
你　不　受伤，　这些　年　堆　积多　少对你的知　心　话，　什么
F
Am
1.
Gm
哭　有　人笑，　有人　输　有　人　老，　到结　局　还不是　一
酒　醒　不了，　什么　痛　忘　不　掉，　向前

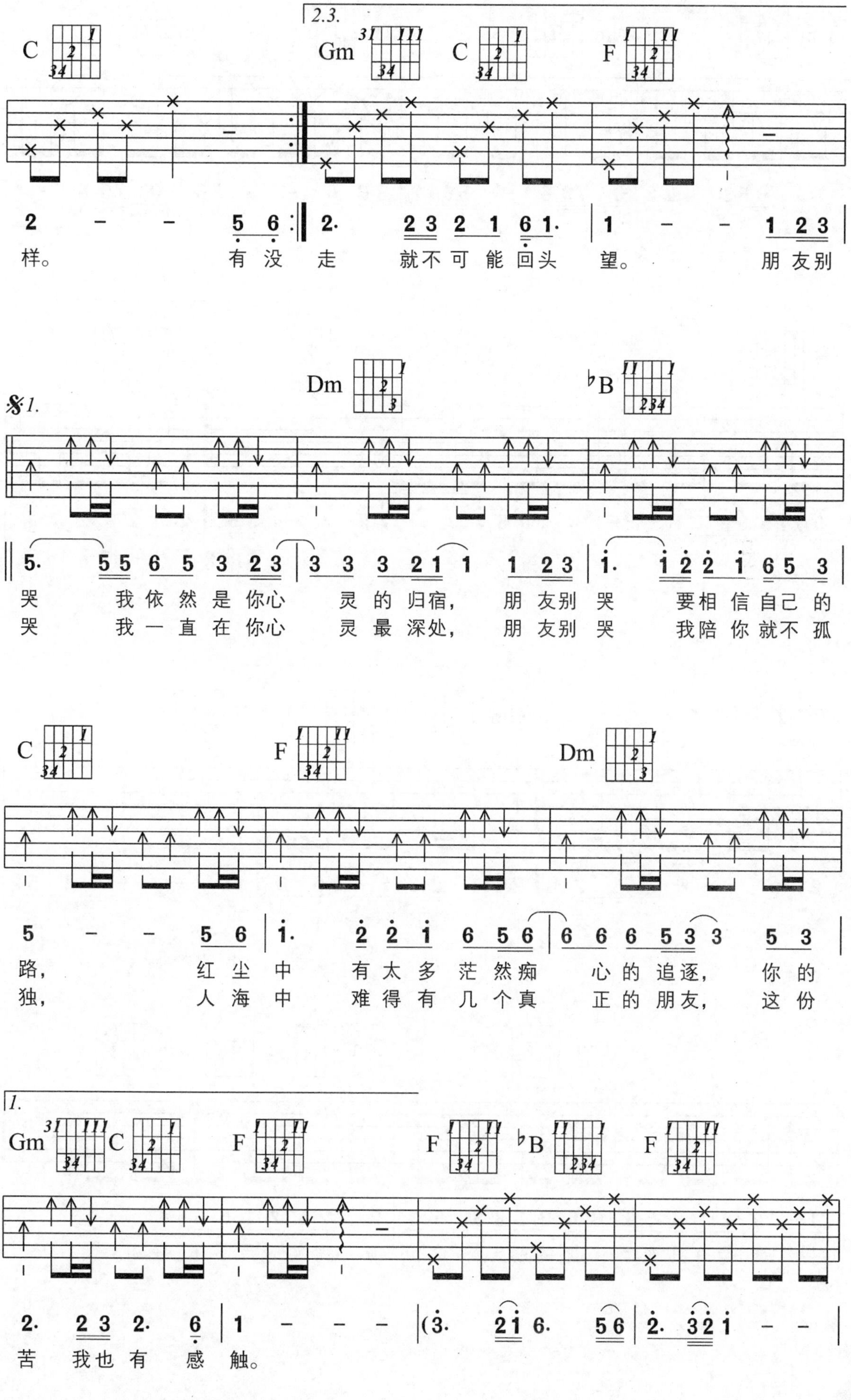
2.3.
C Gm C F
样。 有没 走 就不可能回头 望。 朋友别
𝄋1.
Dm ♭B
哭 我依然是你心 灵的归宿， 朋友别 哭 要相信自己的
哭 我一直在你心 灵最深处， 朋友别 哭 我陪你就不孤
C F Dm
路， 红尘中 有太多茫然痴 心的追逐， 你的
独， 人海中 难得有几个真 正的朋友， 这份
1.
Gm C F F ♭B F
苦 我也有 感 触。

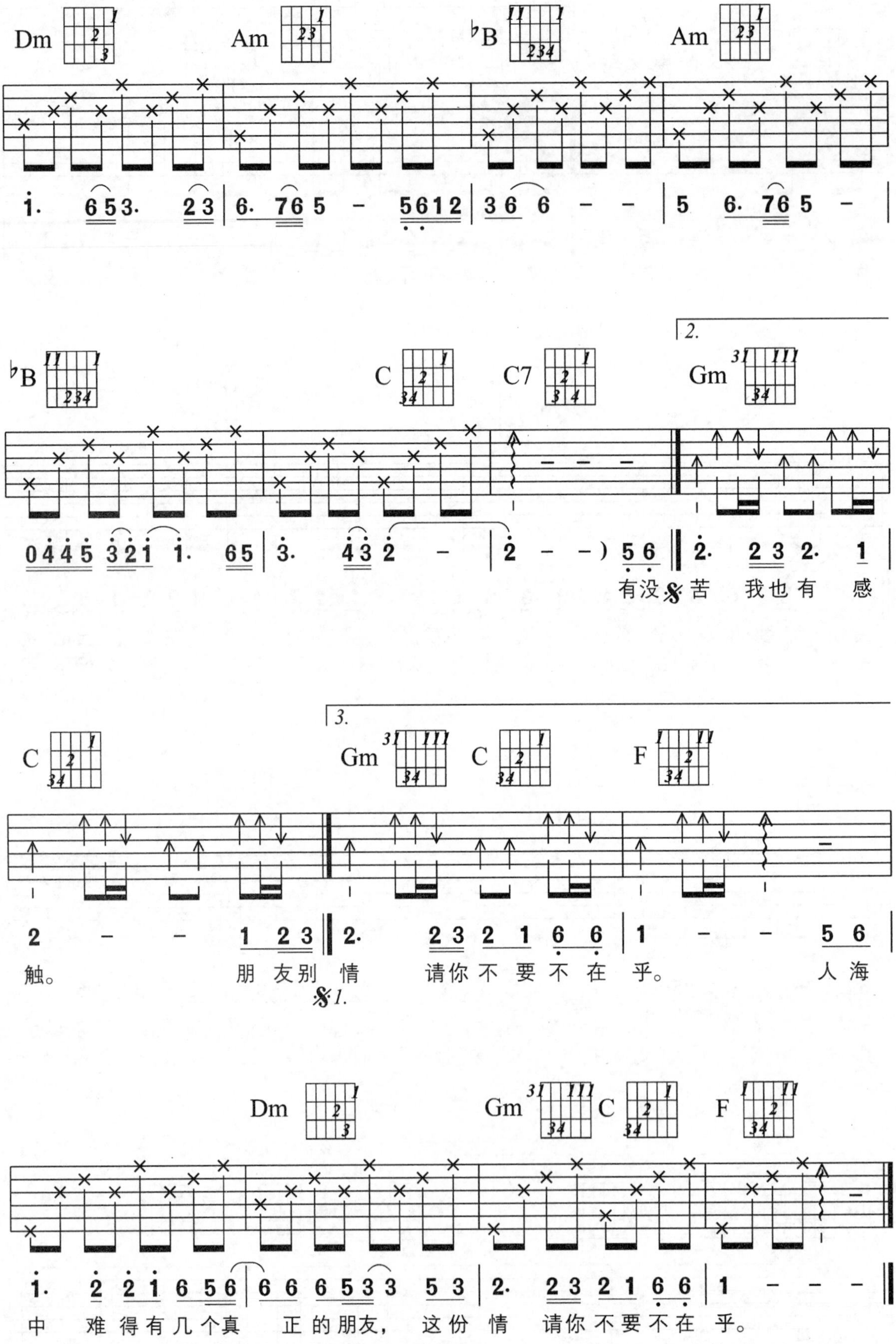
Dm Am ♭B Am
♭B C C7 2. Gm
有没 苦 我也有 感
C 3. Gm C F
触。 朋友别 情 请你不要不在乎。 人海
1.
Dm Gm C F
中 难得有几个真正的朋友，这份情 请你不要不在乎。

感恩的心

陈乐融　词
陈志远　曲

1=F $\frac{4}{4}$

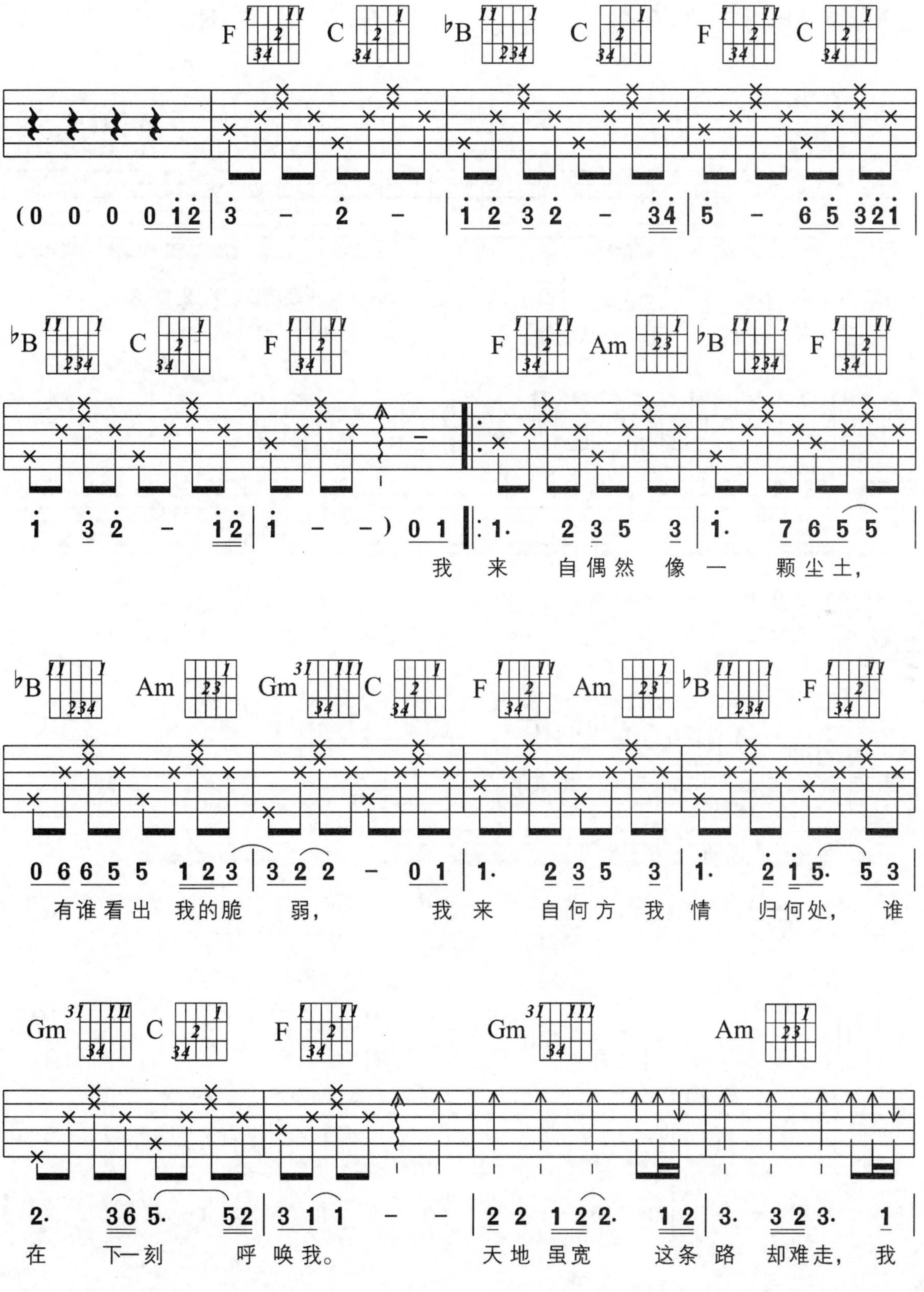

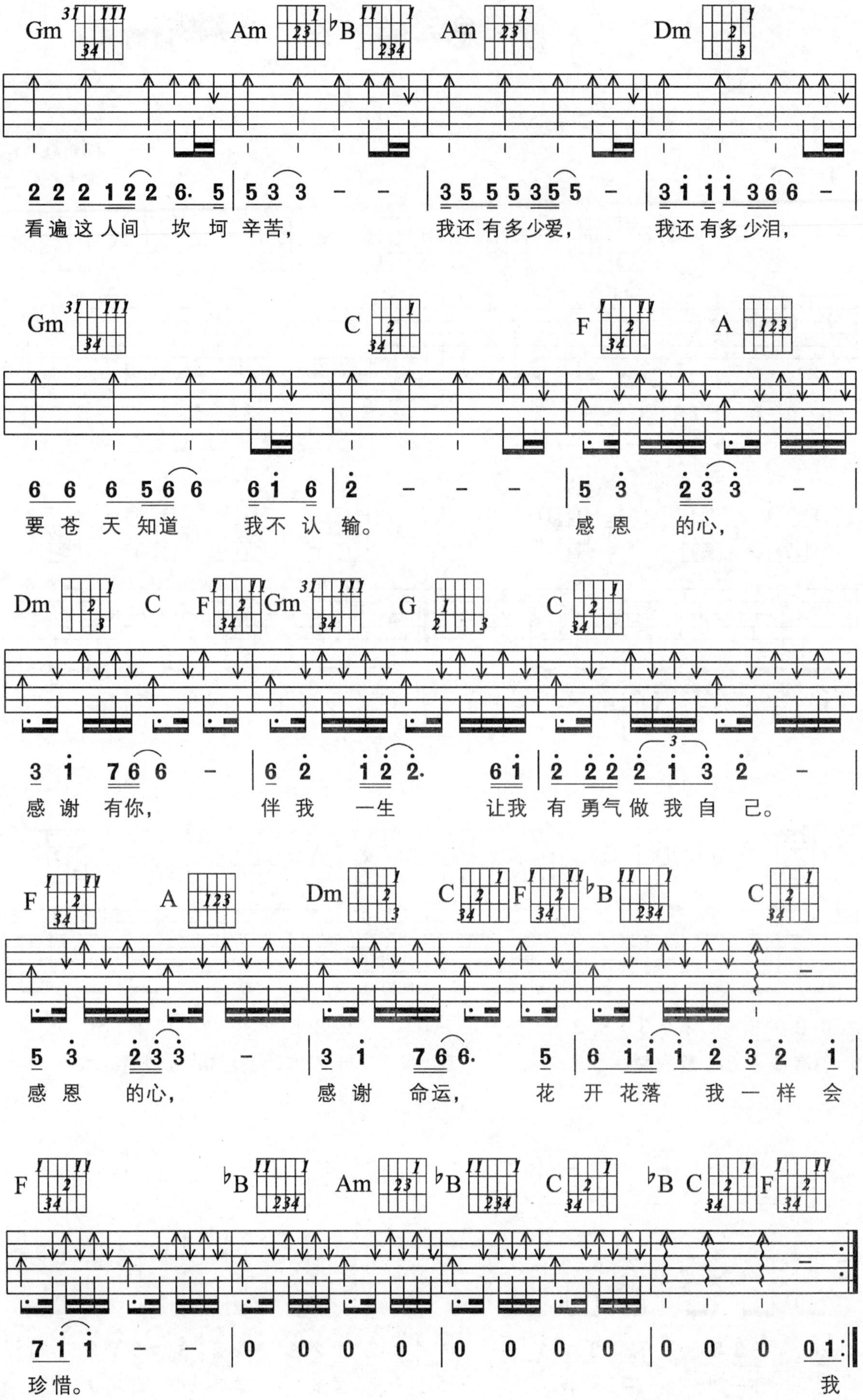
看遍这人间 坎 坷 辛苦，
我还 有多少爱，
我还 有多少泪，
要 苍 天 知道 我不 认 输。
感 恩 的心，
感 谢 有你，
伴 我 一生
让我 有 勇气 做 我 自 己。
感 恩 的心，
感 谢 命运，
花 开 花落 我 一 样 会
珍 惜。
我

天使的翅膀

1=G $\frac{4}{4}$

徐誉滕 词曲

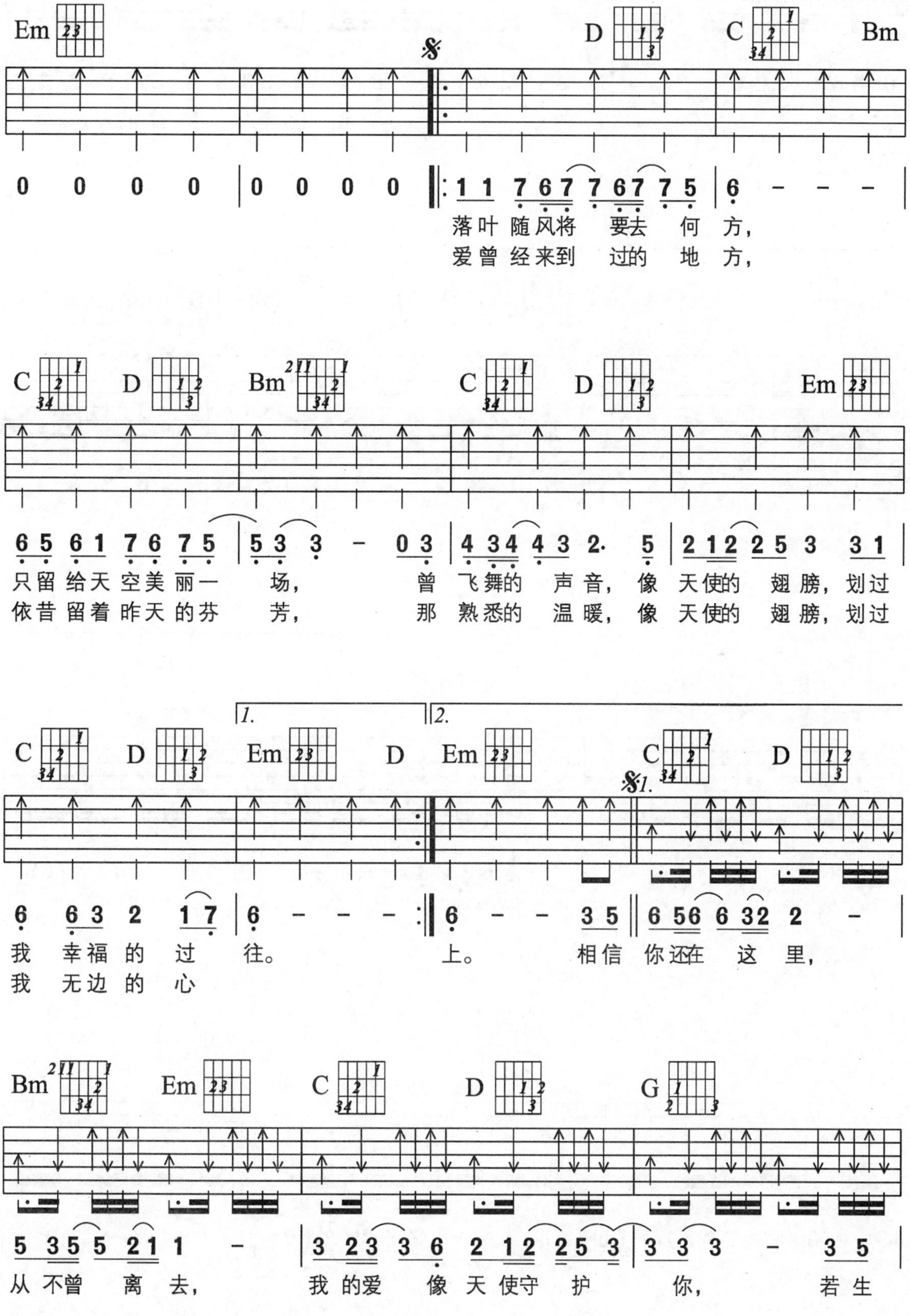
Em D C Bm
落叶随风将 要去 何 方,
爱曾经来到 过的 地 方,
C D Bm C D Em
只留给天空美丽一 场, 曾 飞舞的 声 音, 像 天使的 翅 膀, 划过
依昔 留着 昨天 的芬 芳, 那 熟悉的 温 暖, 像 天使的 翅 膀, 划过
1. 2.
C D Em D Em C D
我 幸福 的 过 往。 上。 相信 你还在 这 里,
我 无边 的 心
Bm Em C D G
从 不曾 离 去, 我 的爱 像 天 使守 护 你, 若 生

6 5 6 6 3 2 2 — │ 5 3 5 5 2 1 1 6 1 │ 3 2 3 3 6 2 1 2 2 1 6

命 直到 这里， 从 此没 有 我， 我 会 找 个天 使替 我去 爱

6 6 6 — (3 5 │ 6 5 6 3 2 7 2 7 1 │ 7 5 6 2 3 │

你。

4 3 5 2 — │ 6 — — —) ‖ 6 6 6 — — │ 0 0 (1 7 1 7 7 6 5

你。

3 3. 6 6 7 7 1 1 7 6 5 │ 5 — 7 1 2 2 1 7 │ 6 — — — │

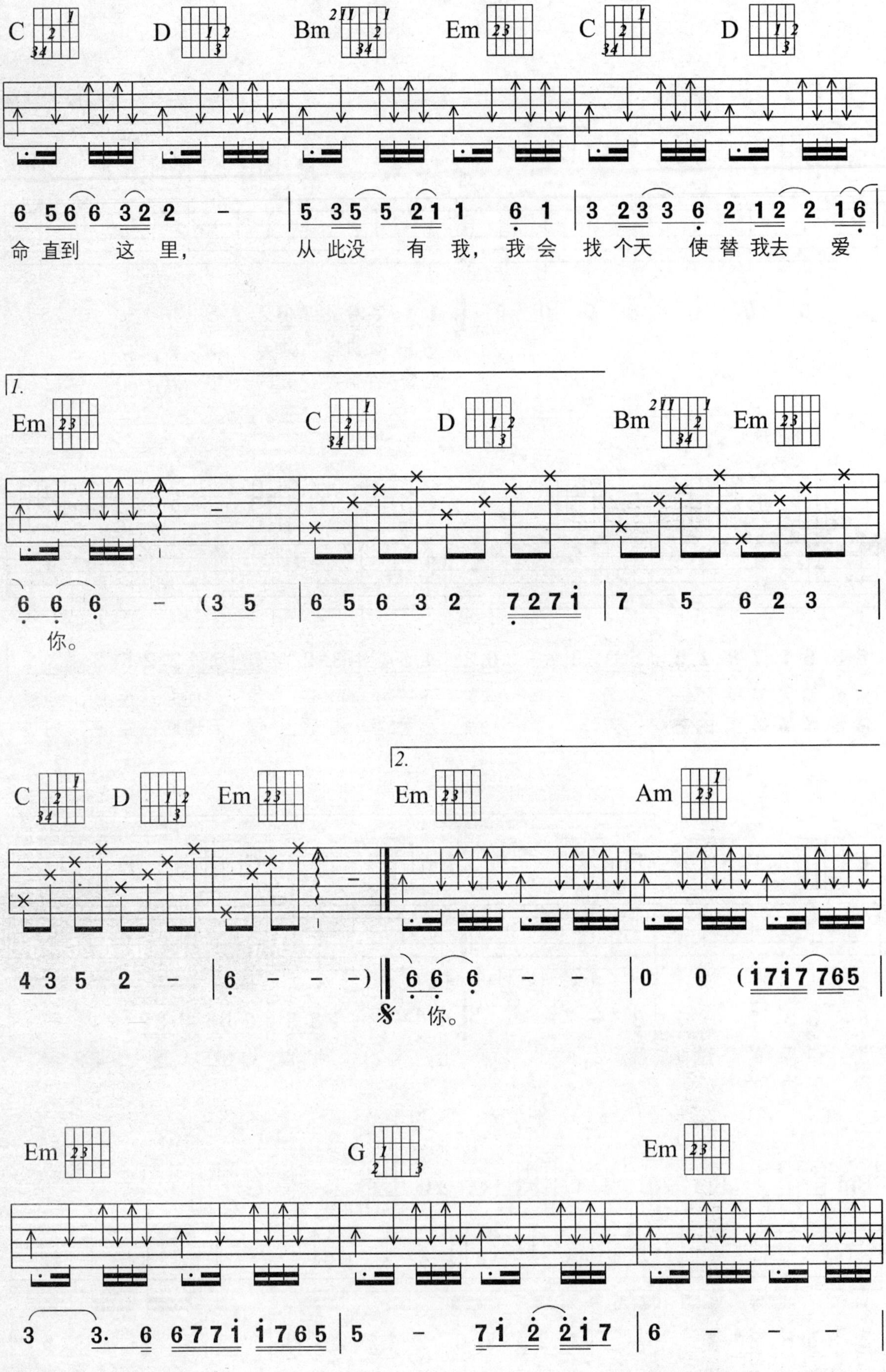

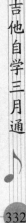

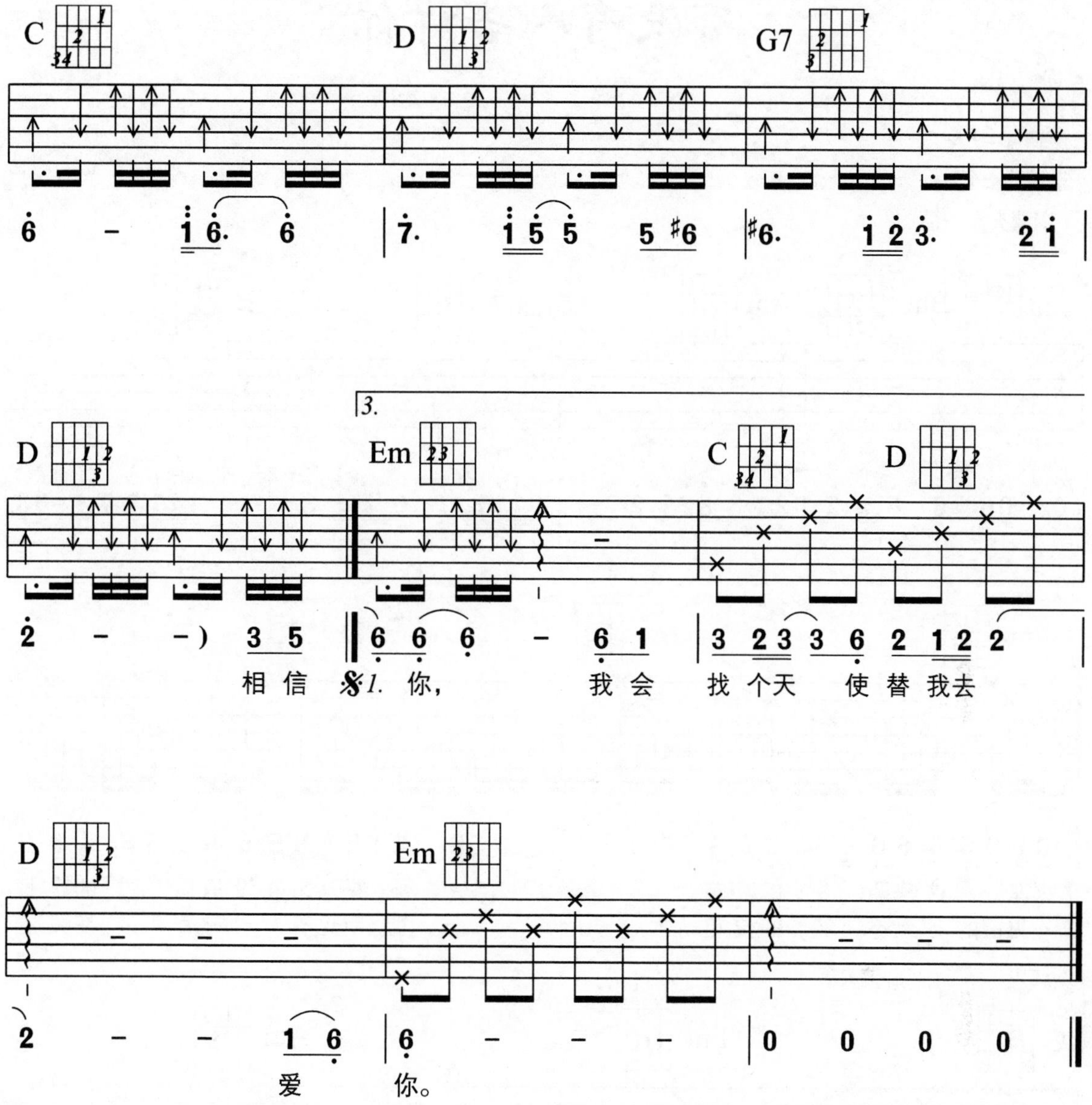
C
D
G7
D
3.
Em
C
D
相信 1. 你， 我会 找个天 使替我去
D
Em
爱 你。

有没有人告诉你

原调 1=♭A $\frac{4}{4}$
选调 1=G
（变调夹夹一品）

陈楚生　词曲

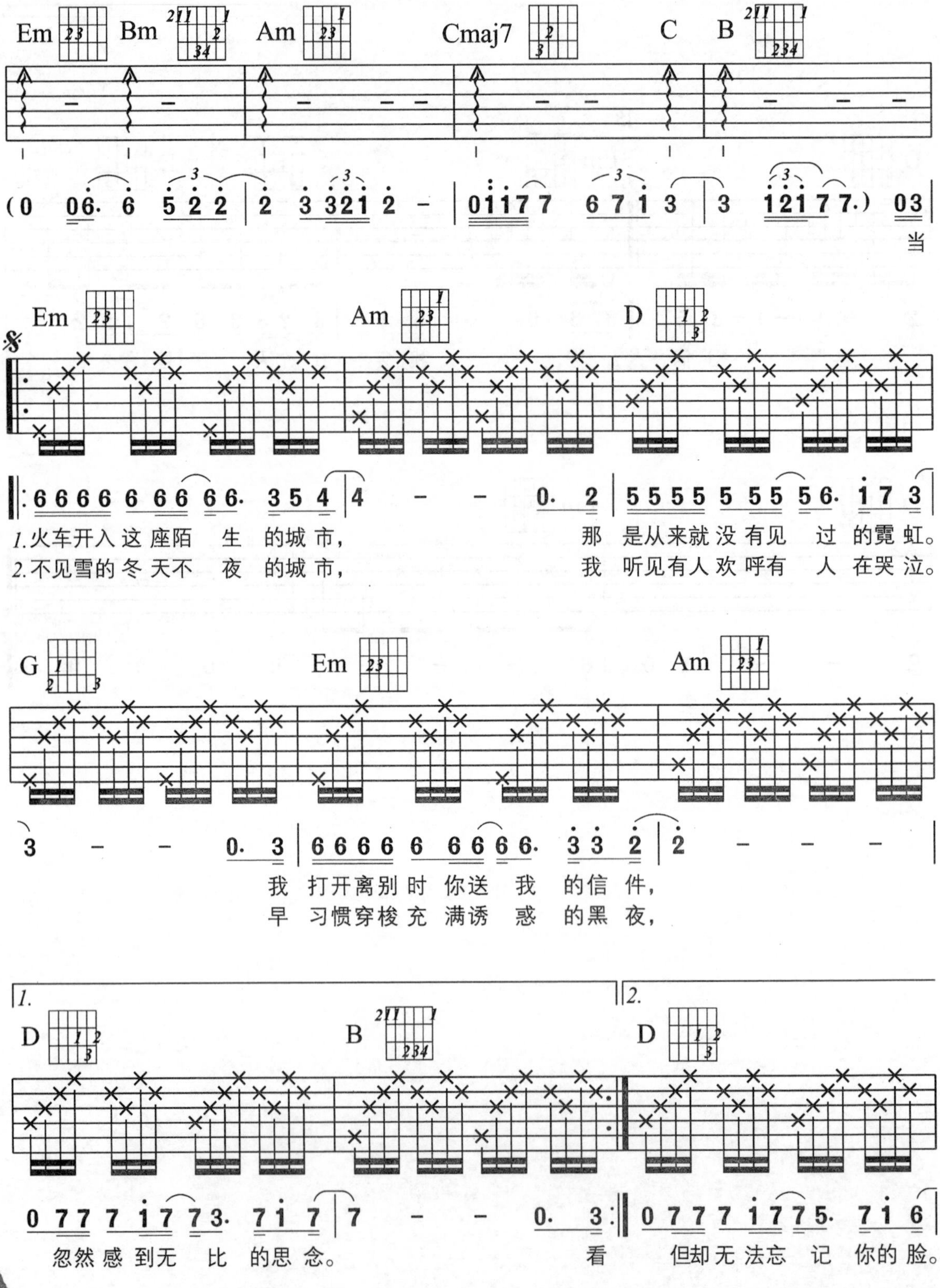
Em　Bm　Am　Cmaj7　C　B
当
Em　Am　D
1.火车开入这座陌生　的城市，　那是从来就没有见过的霓虹。
2.不见雪的冬天不夜　的城市，　我听见有人欢呼有人在哭泣。
G　Em　Am
我打开离别时你送我　的信件，
早习惯穿梭充满诱惑　的黑夜，
1.　D　B　2.　D
忽然感到无比　的思念。　看　但却无法忘记你的脸。

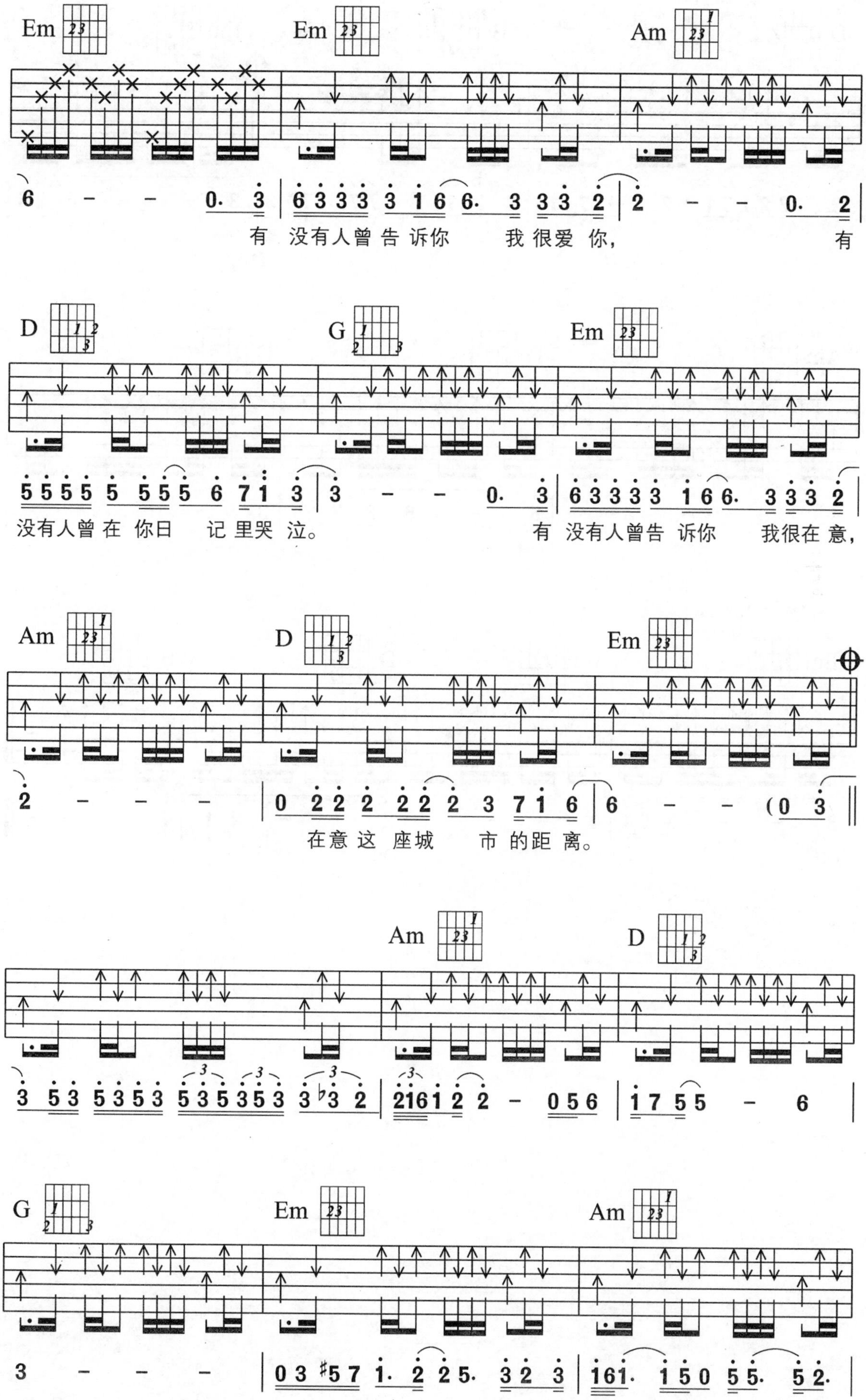
Em Em Am
有 没有人曾 告 诉你 我 很爱 你， 有
D G Em
没有人曾 在 你日 记 里哭 泣。 有 没有人曾告 诉你 我很在 意，
Am D Em
在意 这 座城 市 的距 离。
Am D
G Em Am

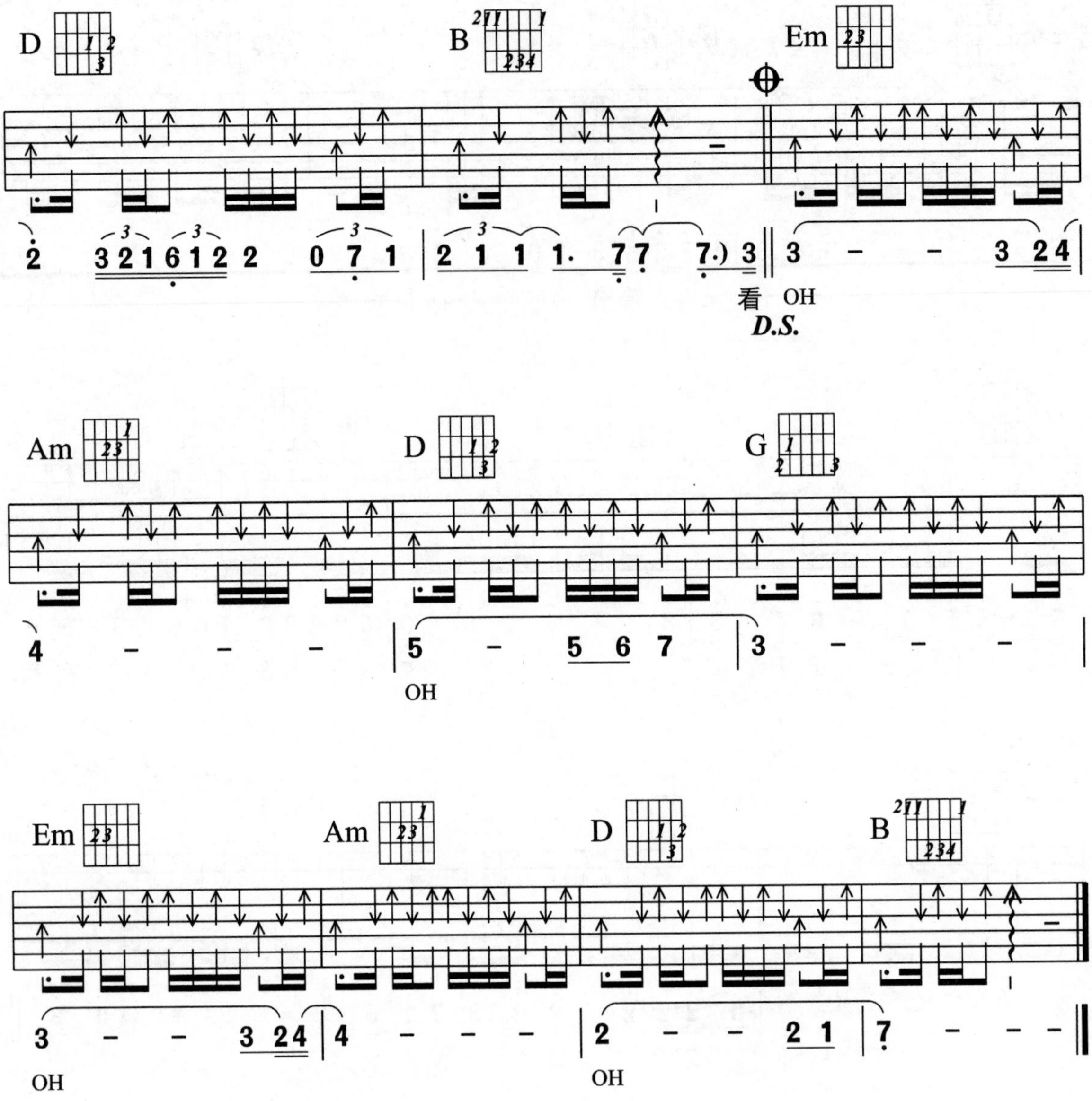
D
B
Em
看
OH
D.S.
Am
D
G
OH
Em
Am
D
B
OH
OH

棉花糖

原调 1=B $\frac{4}{4}$

选调 1=A

（变调夹夹二品）

马雪阳 词曲

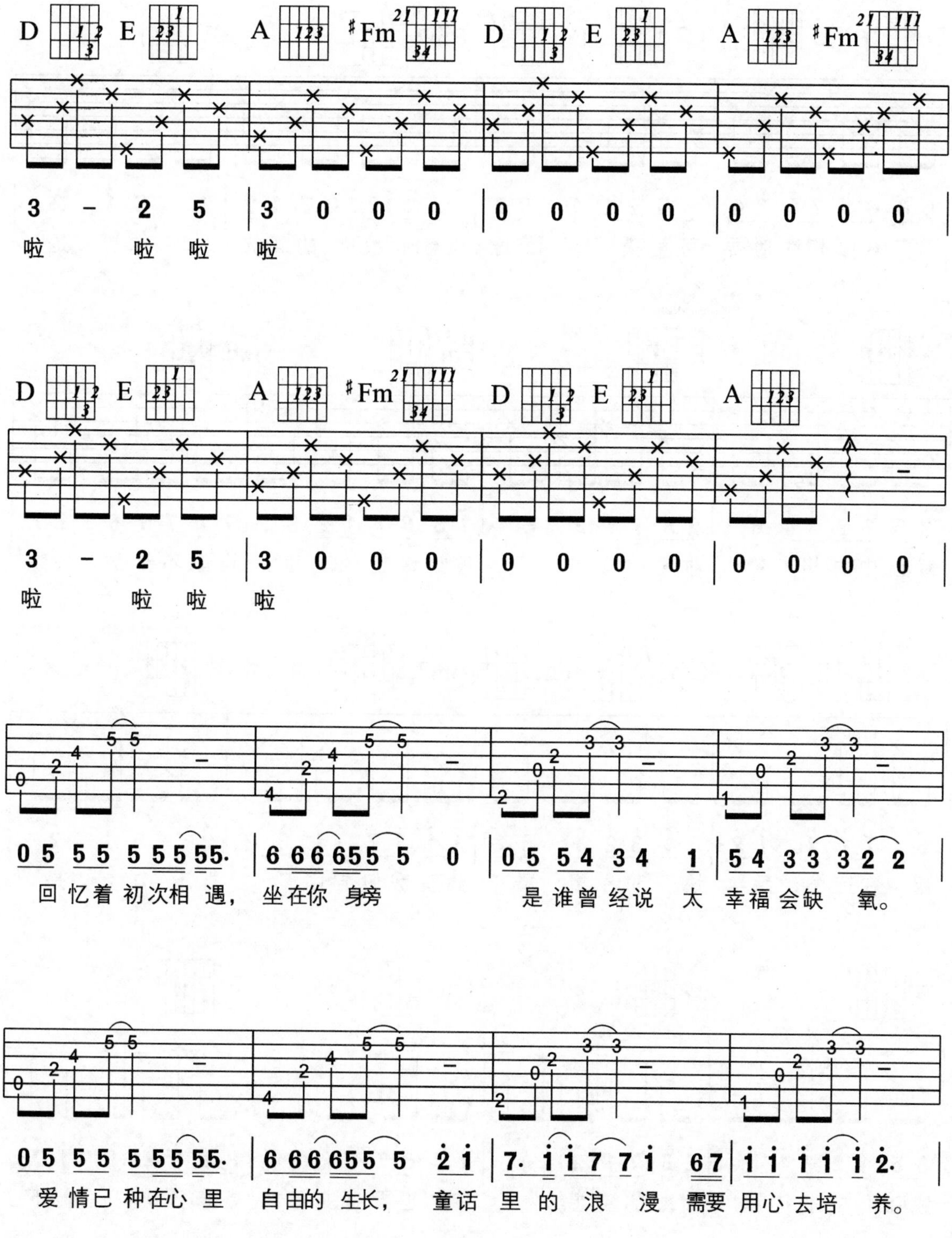

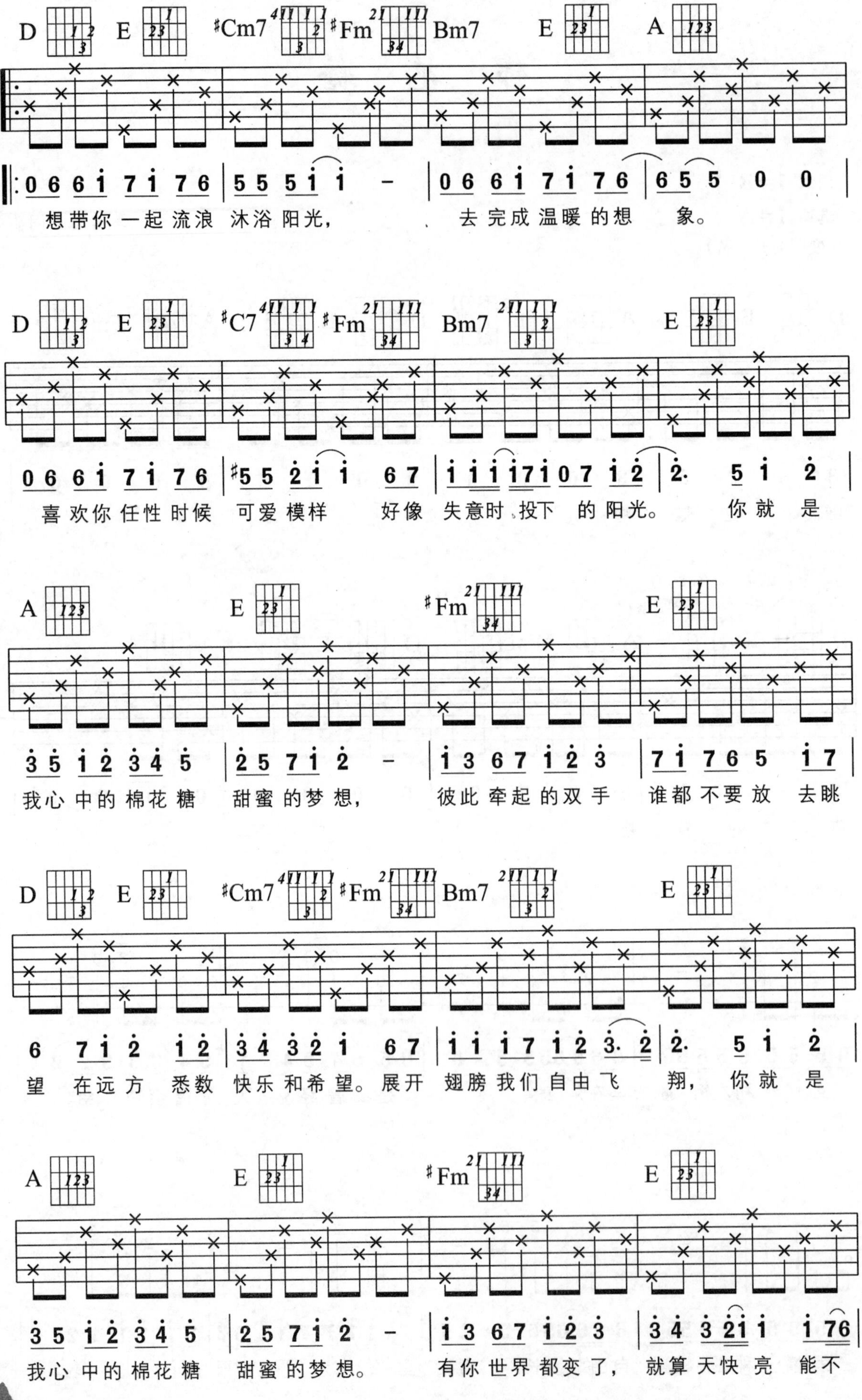
D E ♯Cm7 ♯Fm Bm7 E A
想带你一起流浪 沐浴阳光, 去完成温暖的想 象。
D E ♯C7 ♯Fm Bm7 E
喜欢你任性时候 可爱模样 好像 失意时 投下 的阳光。 你就 是
A E ♯Fm E
我心中的棉花糖 甜蜜的梦想, 彼此牵起的双手 谁都不要放 去眺
D E ♯Cm7 ♯Fm Bm7 E
望 在远方 悉数 快乐和希 望。展开 翅膀我们自由飞 翔, 你就 是
A E ♯Fm E
我心 中的 棉花 糖 甜蜜 的梦 想。 有你 世界 都变 了, 就算 天快 亮 能不

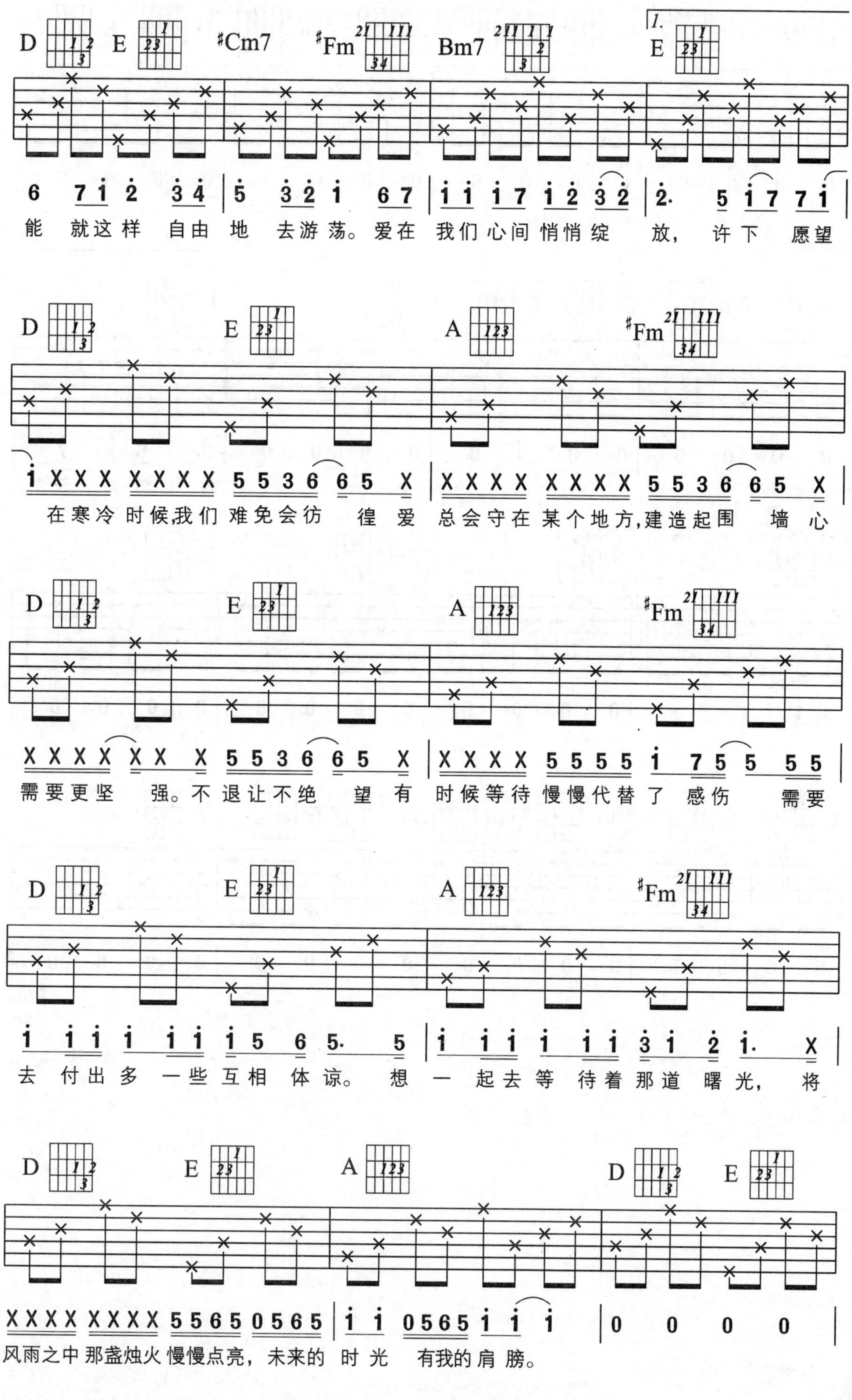
D E #Cm7 #Fm Bm7 1. E
能就这样自由地去游荡。爱在我们心间悄悄绽放，许下愿望
D E A #Fm
在寒冷时候,我们难免会彷徨 爱总会守在某个地方,建造起围墙 心
D E A #Fm
需要更坚强。不退让不绝望 有时候等待慢慢代替了感伤 需要
D E A #Fm
去付出多一些互相体谅。 想一起去等待着那道曙光，将
D E A D E
风雨之中那盏烛火慢慢点亮，未来的时光 有我的肩膀。

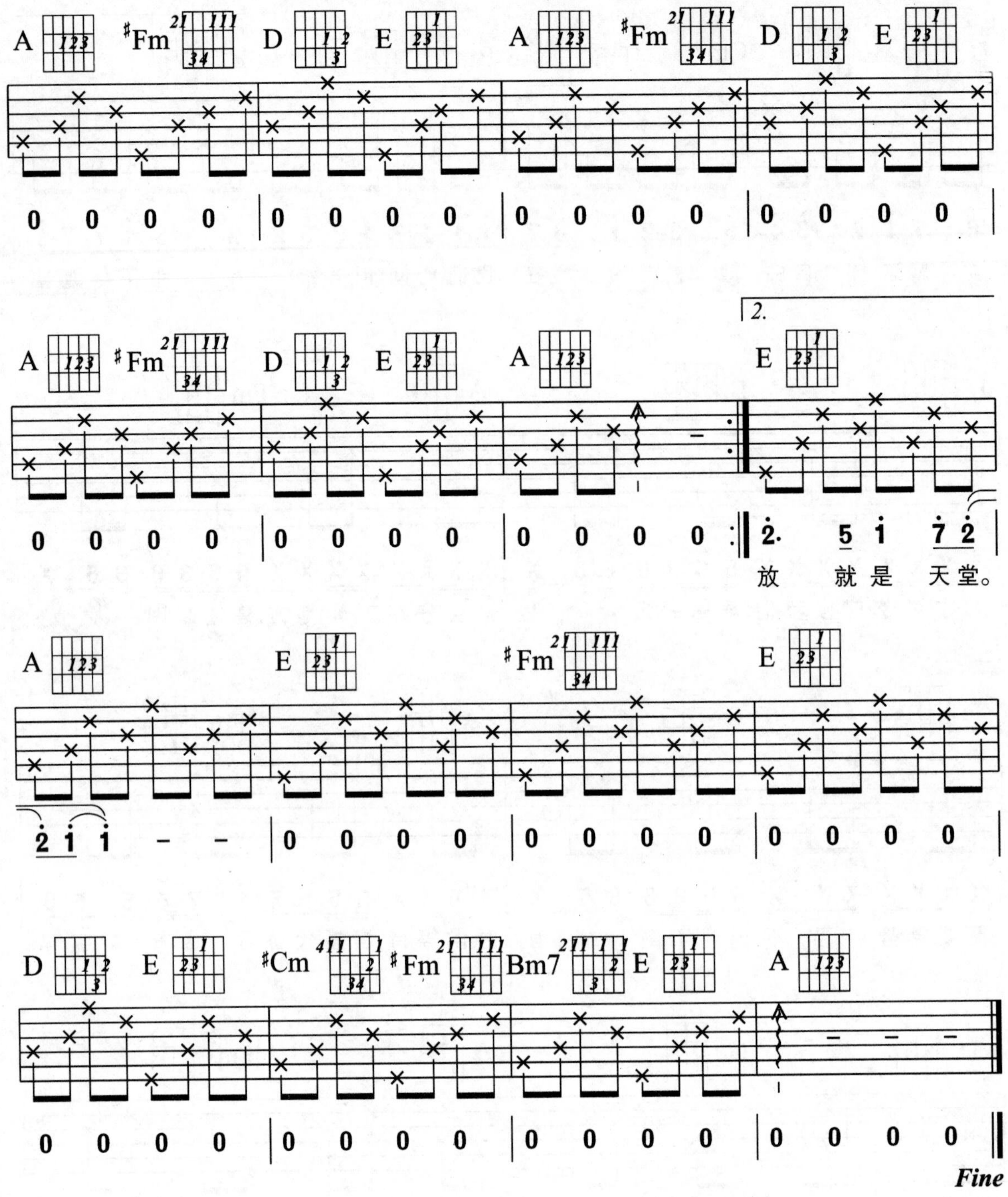
A ♯Fm D E A ♯Fm D E
A ♯Fm D E A
2.
E
放 就是 天堂。
A E ♯Fm E
D E ♯Cm ♯Fm Bm7 E A
Fine

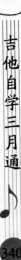

突然想爱你

原调 $1=A$转$^{\flat}B$ $\frac{4}{4}$

选调 $1=G$转$^{\flat}A$

（变调夹夹二品）

李焯雄 词

李玖哲 等曲

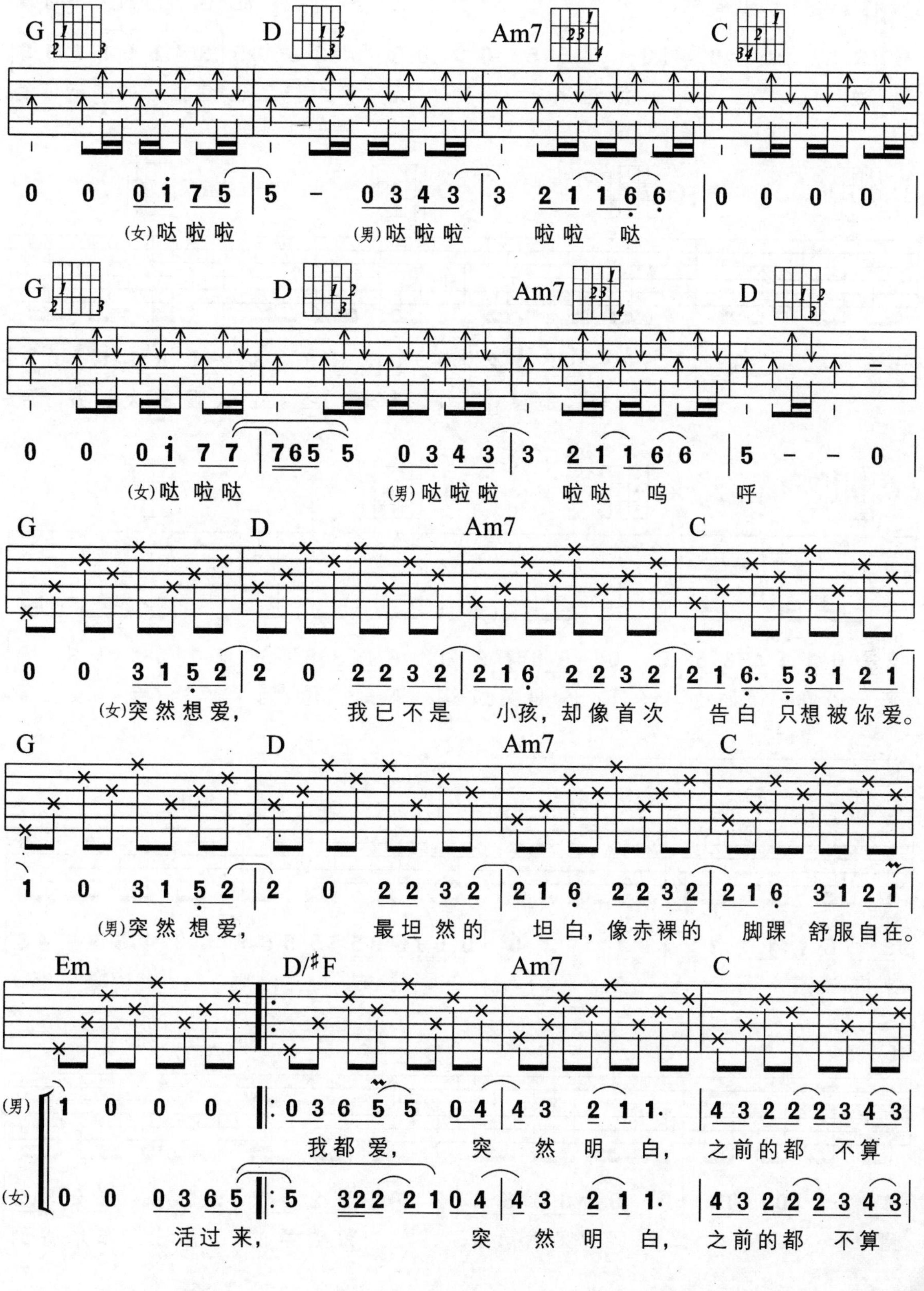

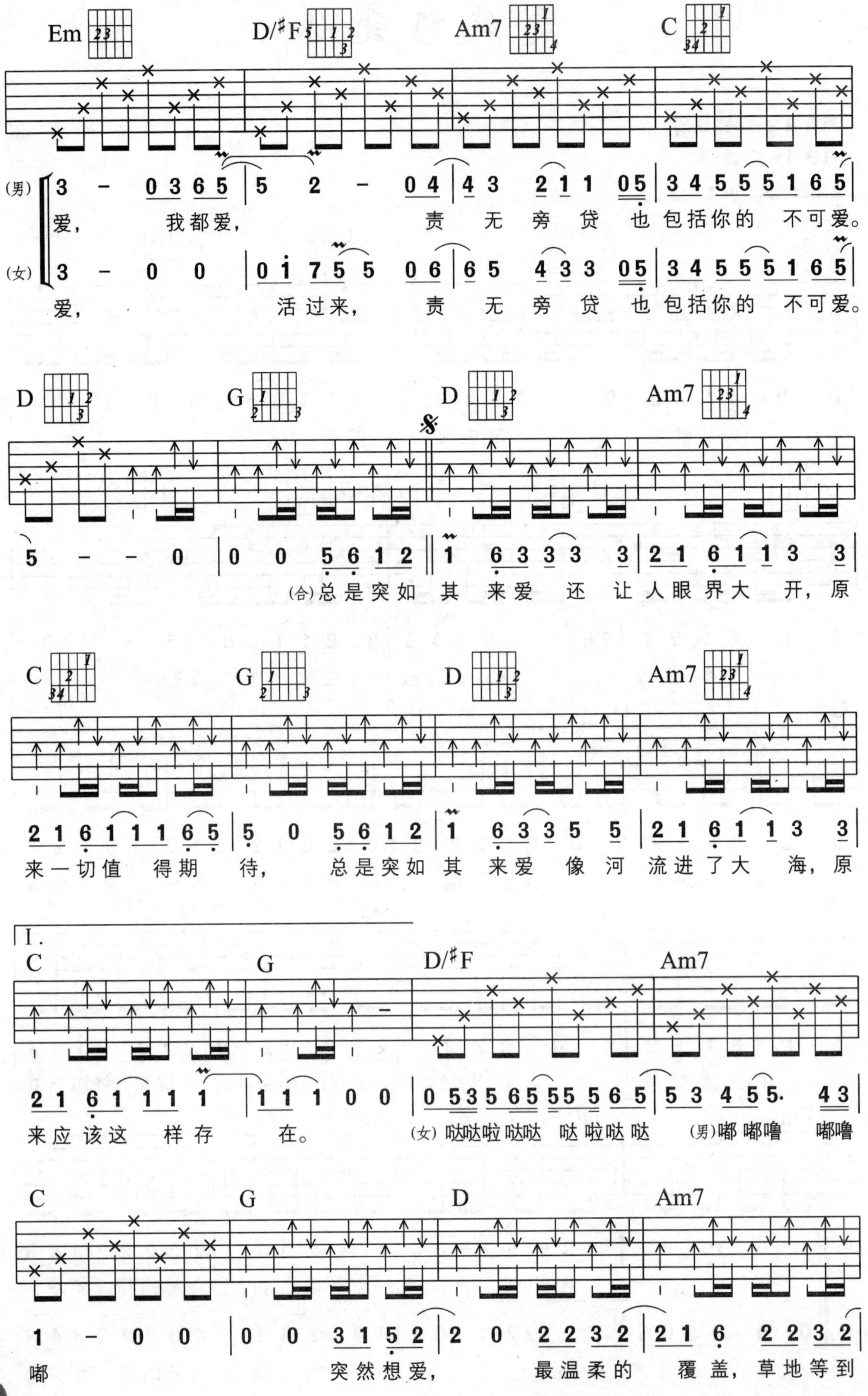

Em D/♯F Am7 C
(男) 爱，我都爱，责无旁贷也包括你的不可爱。
(女) 爱，活过来，责无旁贷也包括你的不可爱。
D G D Am7
(合)总是突如其来爱还让人眼界大开，原
C G D Am7
来一切值得期待，总是突如其来爱像河流进了大海，原
1.
C G D/♯F Am7
来应该这样存在。(女)哒哒啦哒哒哒啦哒哒(男)嘟嘟噜嘟噜
C G D Am7
嘟突然想爱，最温柔的覆盖，草地等到

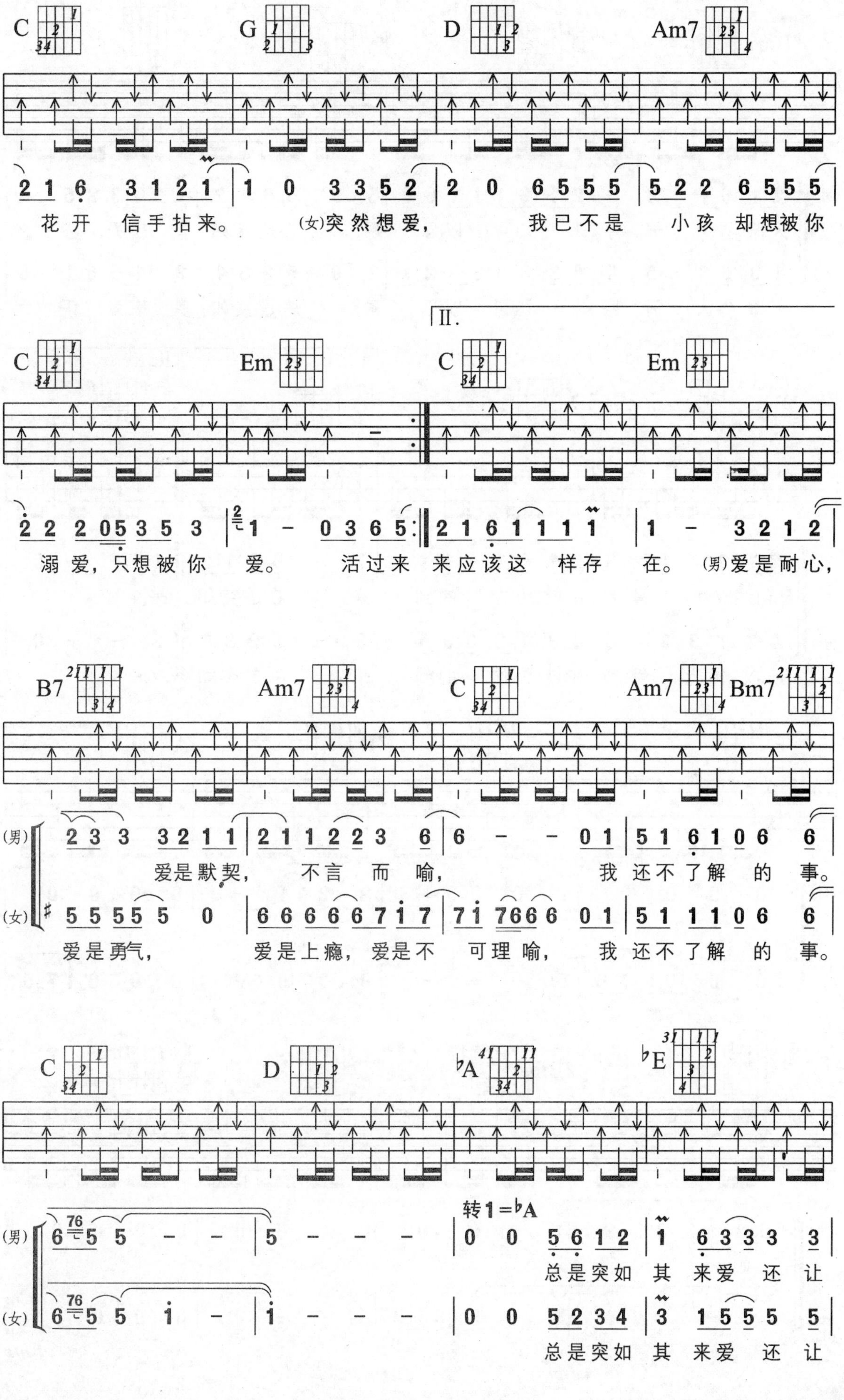
C G D Am7
花开 信手拈来。(女)突然想爱， 我已不是 小孩 却想被你
II.
C Em C Em
溺爱，只想被你 爱。 活过来 来应该这 样存 在。(男)爱是耐心，
B7 Am7 C Am7 Bm7
(男)
爱是默契， 不言 而 喻， 我还不了解 的 事。
(女)
爱是勇气， 爱是上瘾，爱是不 可理 喻， 我还不了解 的 事。
C D ♭A ♭E
转1=♭A
(男)
总是突如 其 来爱 还 让
(女)
总是突如 其 来爱 还 让

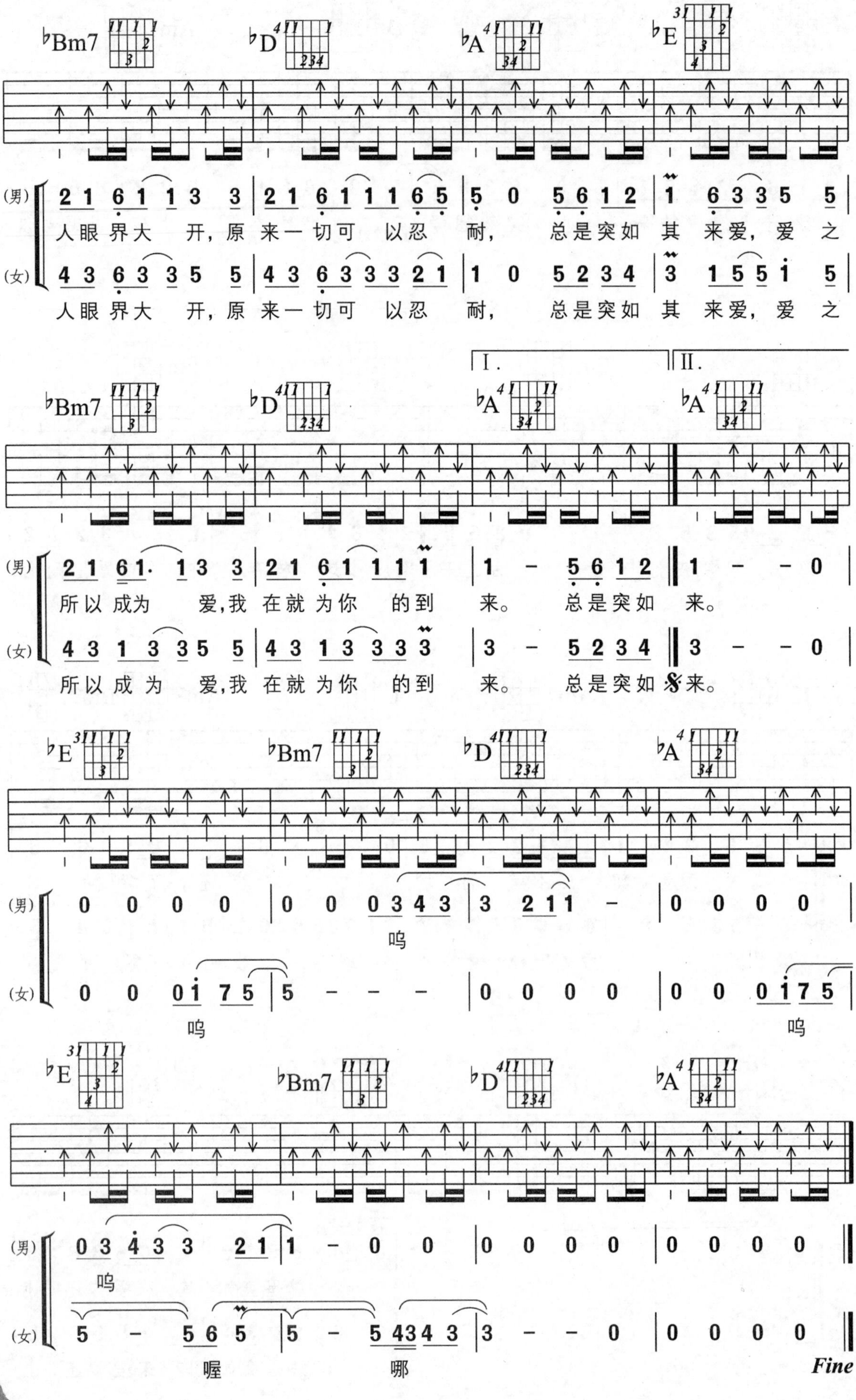
♭Bm7
♭D
♭A
♭E
(男)
人眼界大 开，原 来一切可 以忍 耐， 总是突如 其 来爱，爱 之
(女)
人眼界大 开，原 来一切可 以忍 耐， 总是突如 其 来爱，爱 之
I.
II.
(男)
所以 成为 爱，我 在就 为你 的到 来。 总是突如 来。
(女)
所以 成为 爱，我 在就 为你 的到 来。 总是突如 来。
呜
呜
呜
呜
喔
哪
Fine

让我为你唱首歌

（连续剧《一起来看流星雨》片尾曲）

严 丹 丹 词
严丹丹、刘佳 曲

1=G $\frac{4}{4}$

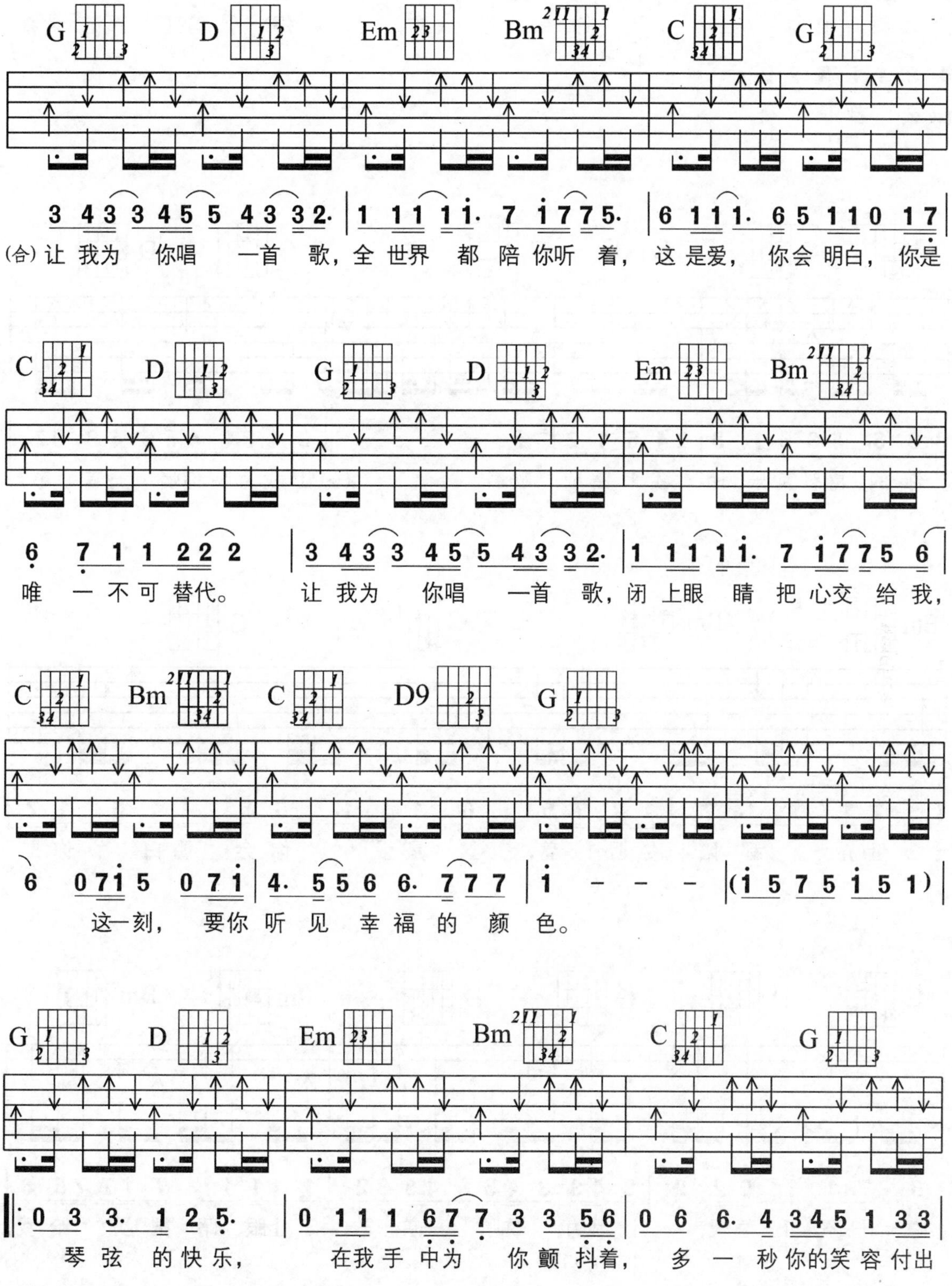
G D Em Bm C G
(合) 让 我为 你唱 一首 歌，全 世界 都 陪 你听 着， 这 是爱， 你会 明白， 你是
C D G D Em Bm
唯 一 不 可 替 代。 让 我为 你唱 一首 歌，闭 上眼 睛 把 心交 给 我，
C Bm C D9 G
这一 刻， 要你 听 见 幸 福 的 颜 色。
G D Em Bm C G
琴 弦 的 快 乐， 在我 手 中为 你 颤 抖着， 多 一 秒 你的笑 容 付出

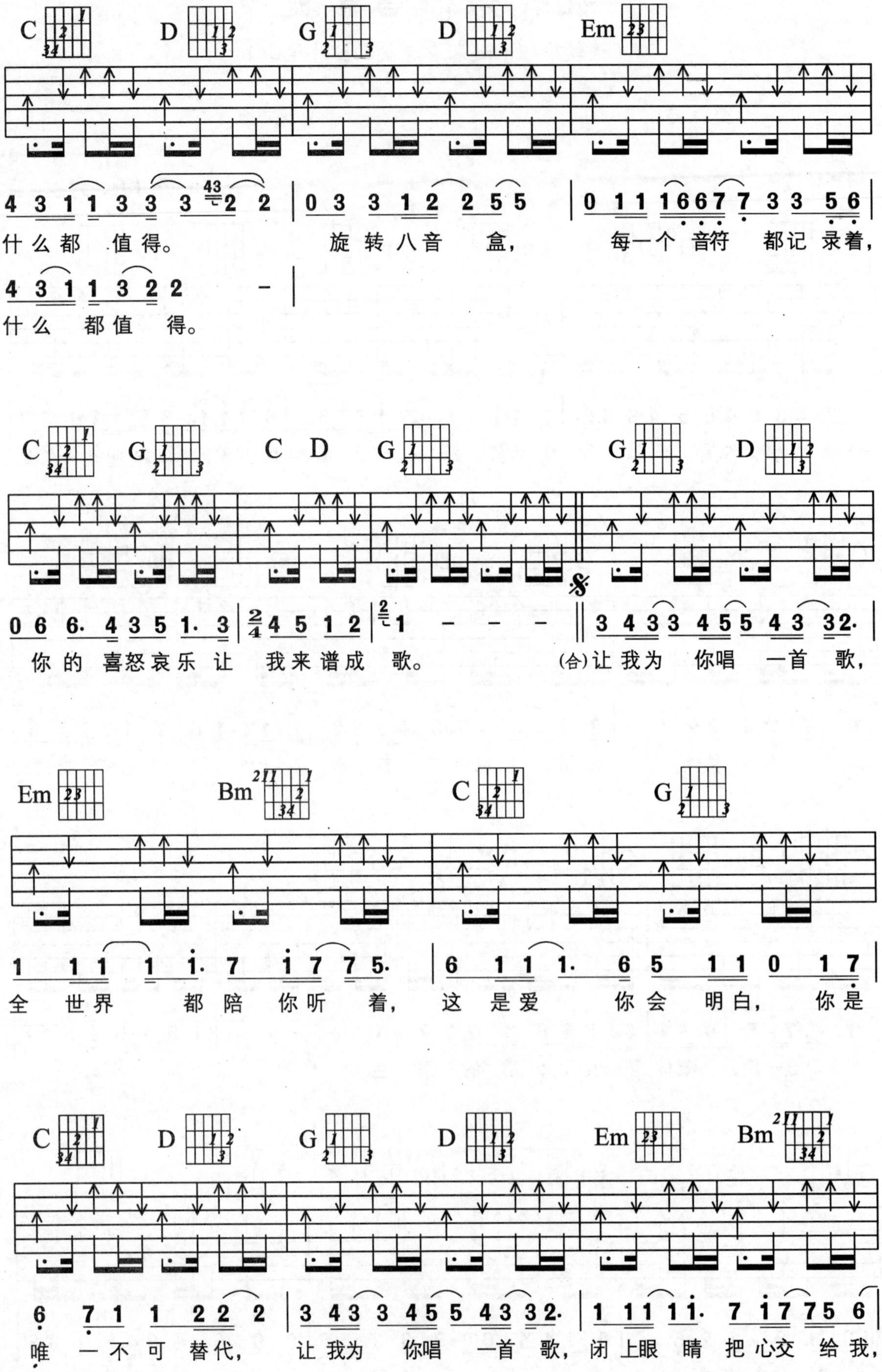

4 3 1 1 3 3 3 4̂3̂ 2̂ 2 | 0 3 3 1 2 2 5 5 | 0 1 1 1 6 6 7̇ 7̇ 3 3 5 6̇ |

什么都 值得。 旋转八音 盒， 每一个音符 都记录着，

4 3 1 1 3 2 2 - |

什么 都值 得。

0 6 6̇ 4 3 5 1̇ 3 | 2/4 4 5 1 2 | 2/2 1 - - - || 3 4 3 3 4 5 5 4 3 3 2̇ |

你的 喜怒哀乐让 我来谱成 歌。 (合)让我为 你唱 一首 歌，

1 1 1 1 1̇ 7 1̂ 7̇ 7 5̇ | 6 1 1 1̇ 6 5 1 1 0 1 7 |

全 世界 都陪你听 着， 这是爱 你会 明白， 你是

6̇ 7̇ 1 1 1 2 2 2 | 3 4 3 3 4 5 5 4 3 2̇ | 1 1 1 1 1̇ 7 1̂ 7̇ 7 5̇ 6 |

唯 一不可替代， 让我为 你唱 一首歌，闭上眼睛把心交 给我，

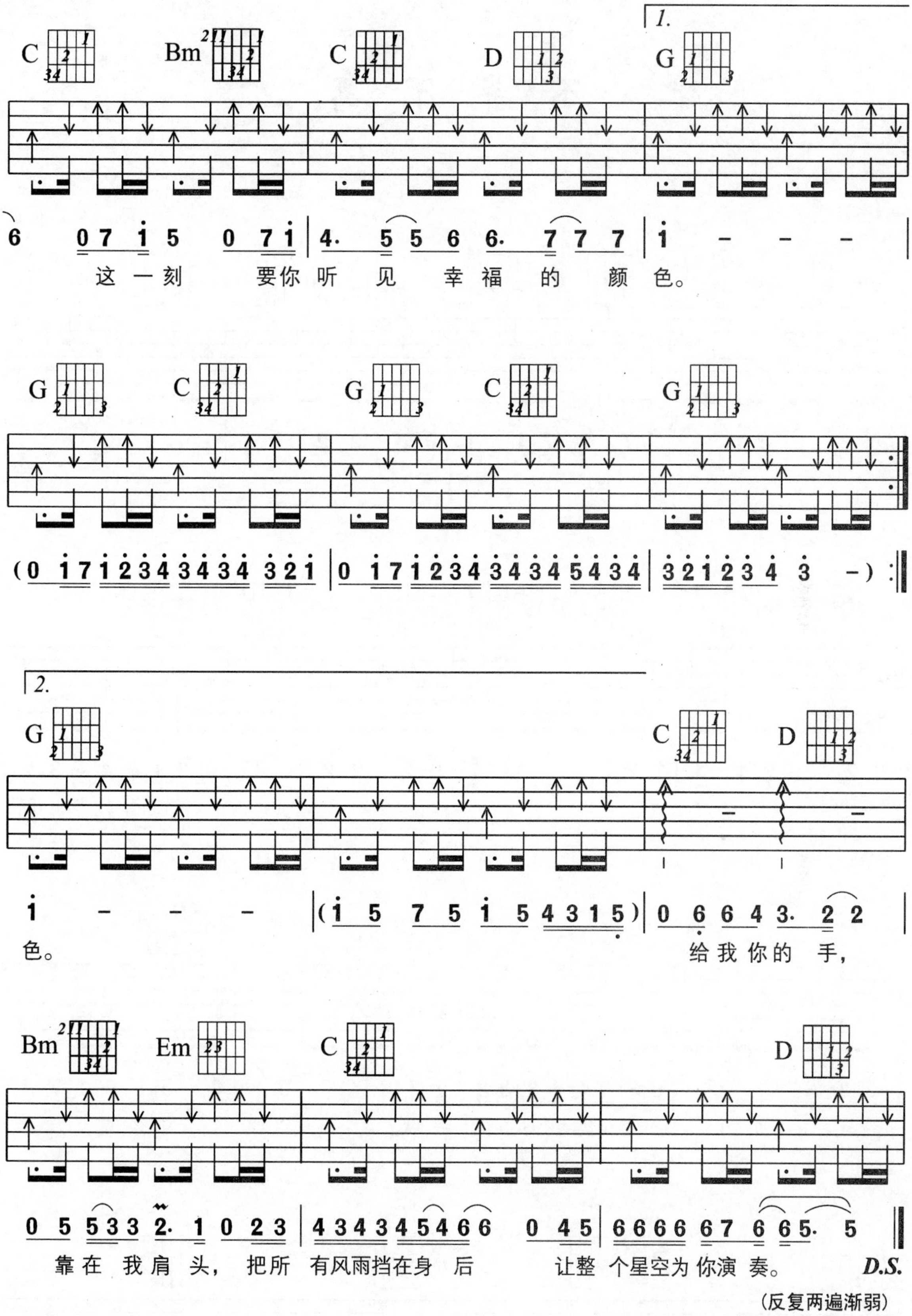
C Bm C D G
1.
这一刻 要你听见幸福的颜色。
G C G C G
2.
G C D
色。 给我你的手，
Bm Em C D
靠在我肩头，把所有风雨挡在身后 让整个星空为你演奏。
D.S.
(反复两遍渐弱)

不弃不离

1=D $\frac{4}{4}$

羽泉 词曲

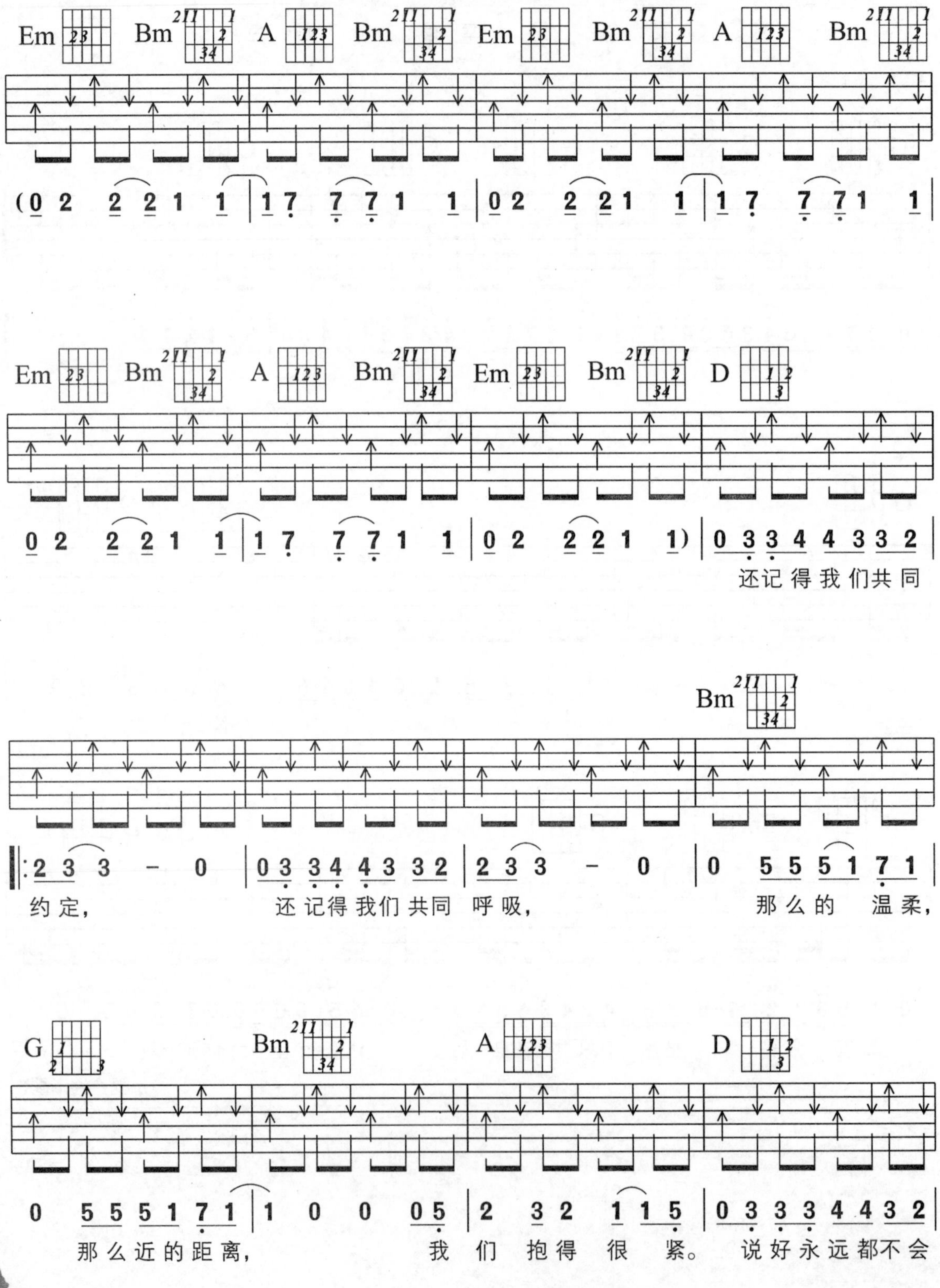

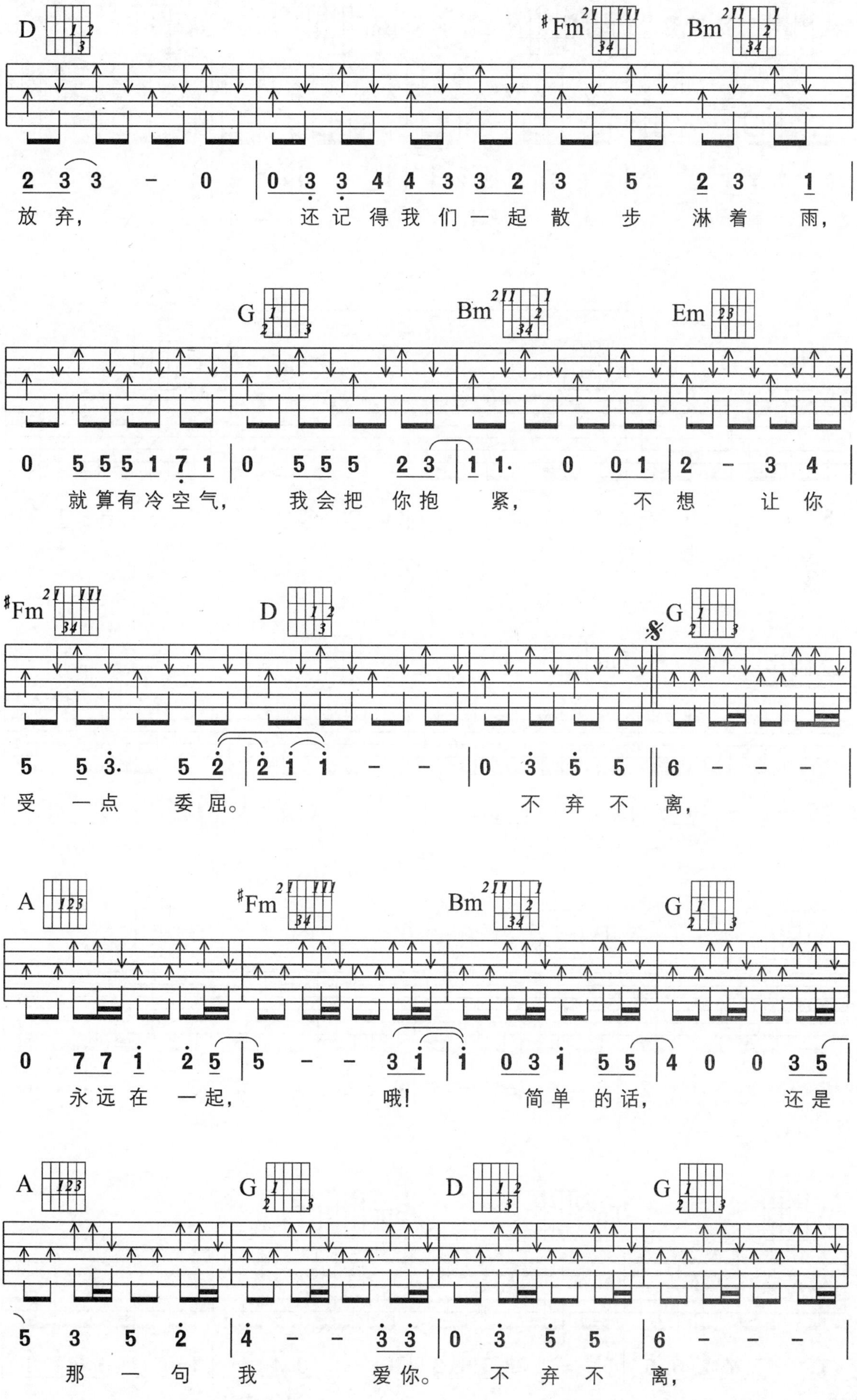
D ♯Fm Bm
放弃，还记得我们一起散步淋着雨，
G Bm Em
就算有冷空气，我会把你抱紧，不想让你
♯Fm D G
受一点委屈。不弃不离，
A ♯Fm Bm G
永远在一起，哦！简单的话，还是
A G D G
那一句我爱你。不弃不离，

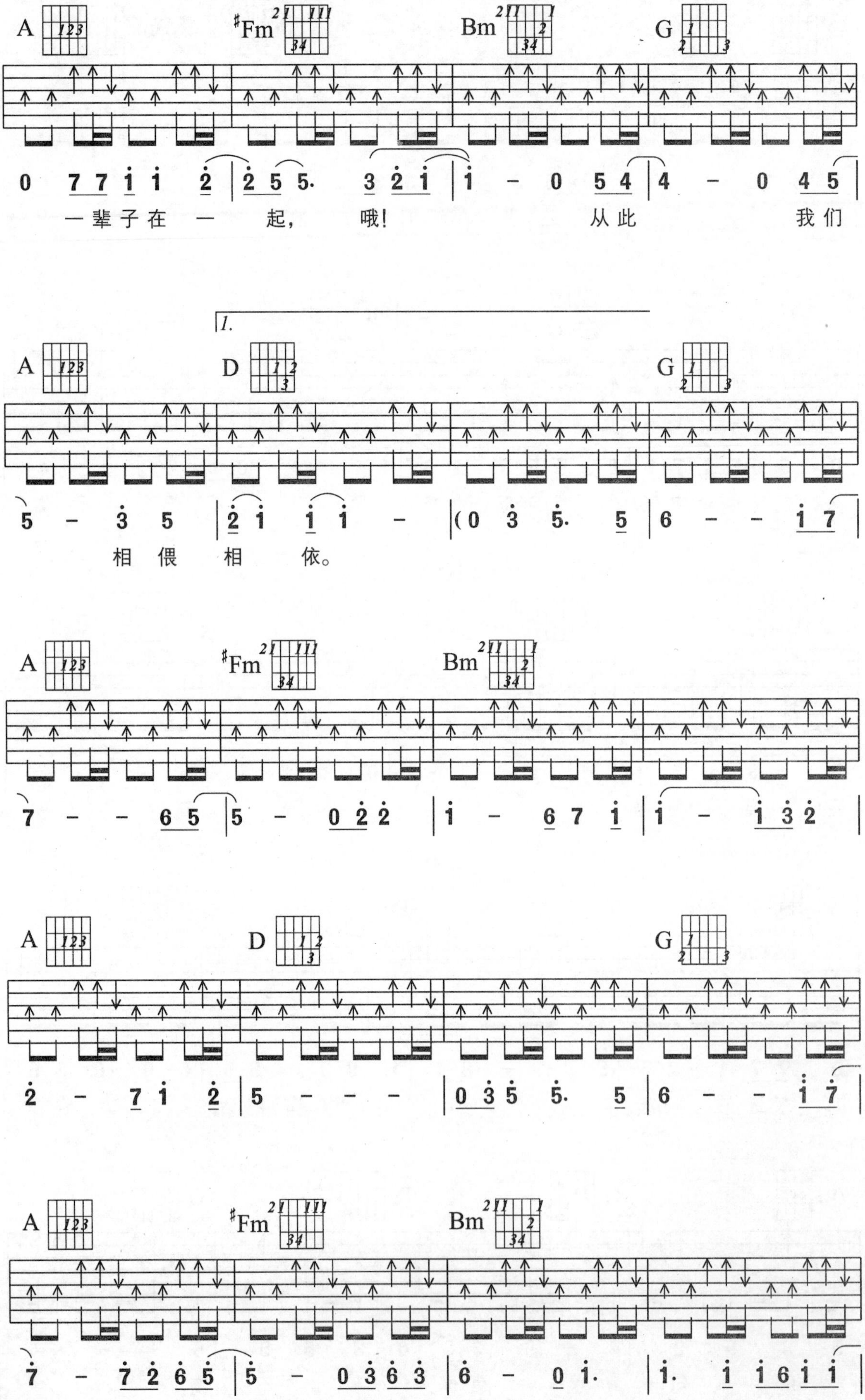
A
♯Fm
Bm
G
一辈子在一起，
哦！
从此
我们
1.
A
D
G
相偎相依。
A
♯Fm
Bm
A
D
G
A
♯Fm
Bm

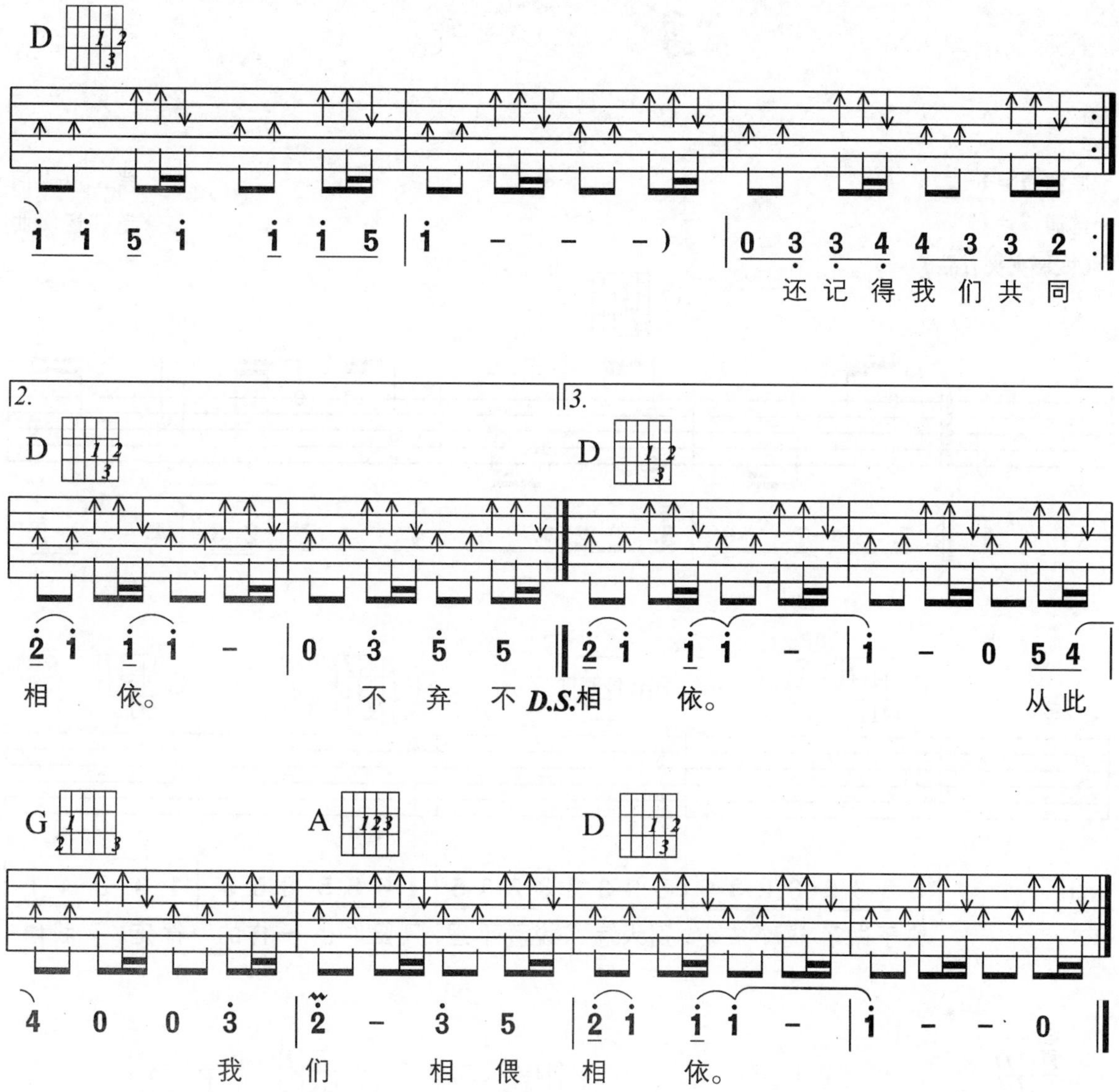

演奏提示：

歌曲前奏和A段部分用了扫弦伴奏，但一定要注意第一遍扫弦一定要轻，进入B段副歌部分扫弦可以加大力度、第一遍结束反复到A段，这时A段部分扫弦力度可以比第一遍适度加大，进入副歌就与第一遍一样了。

勇 气

原调 1=F $\frac{2}{4}$
选调 1=C
（变调夹夹五品）

瑞 业 词
光 良 曲

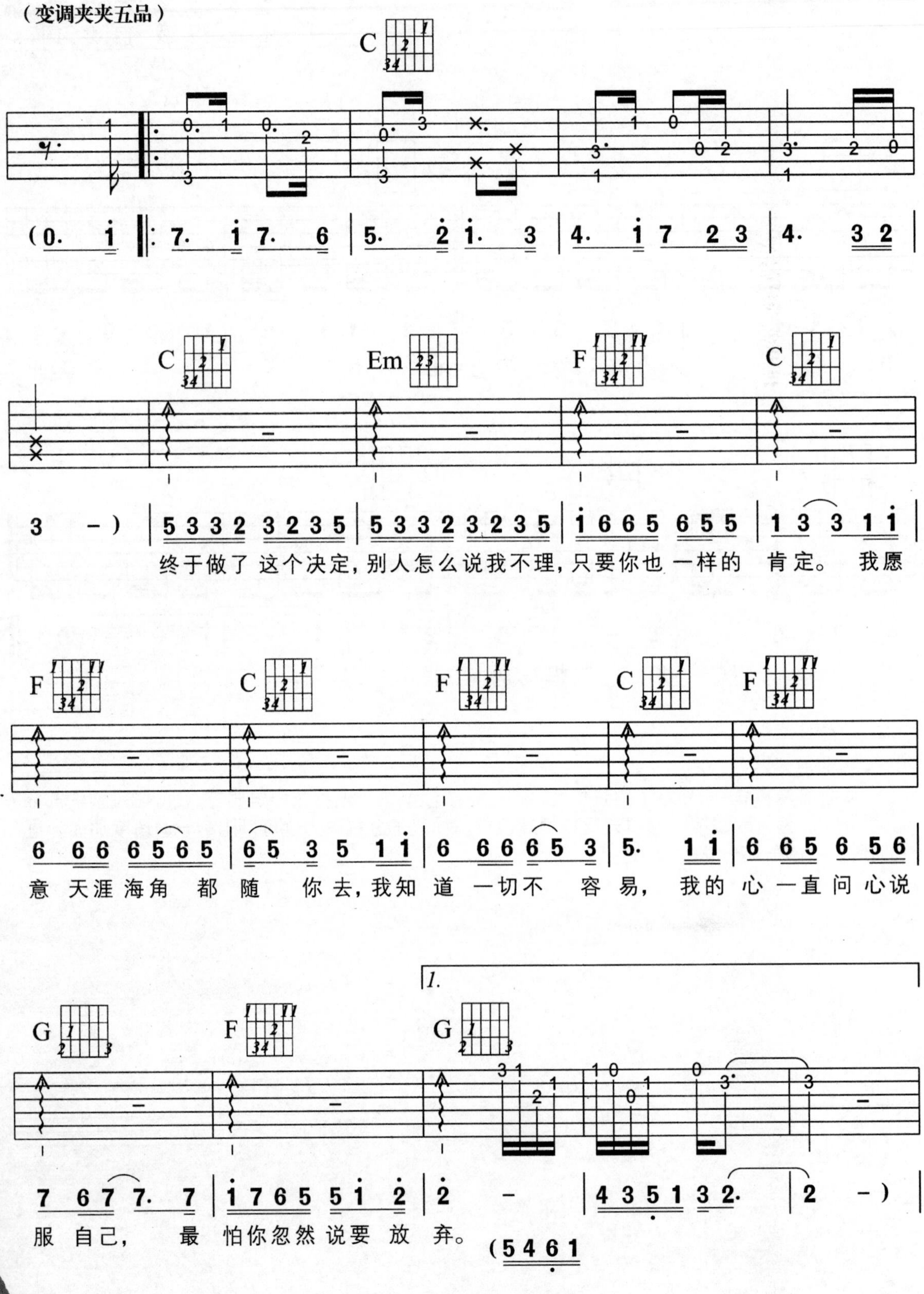

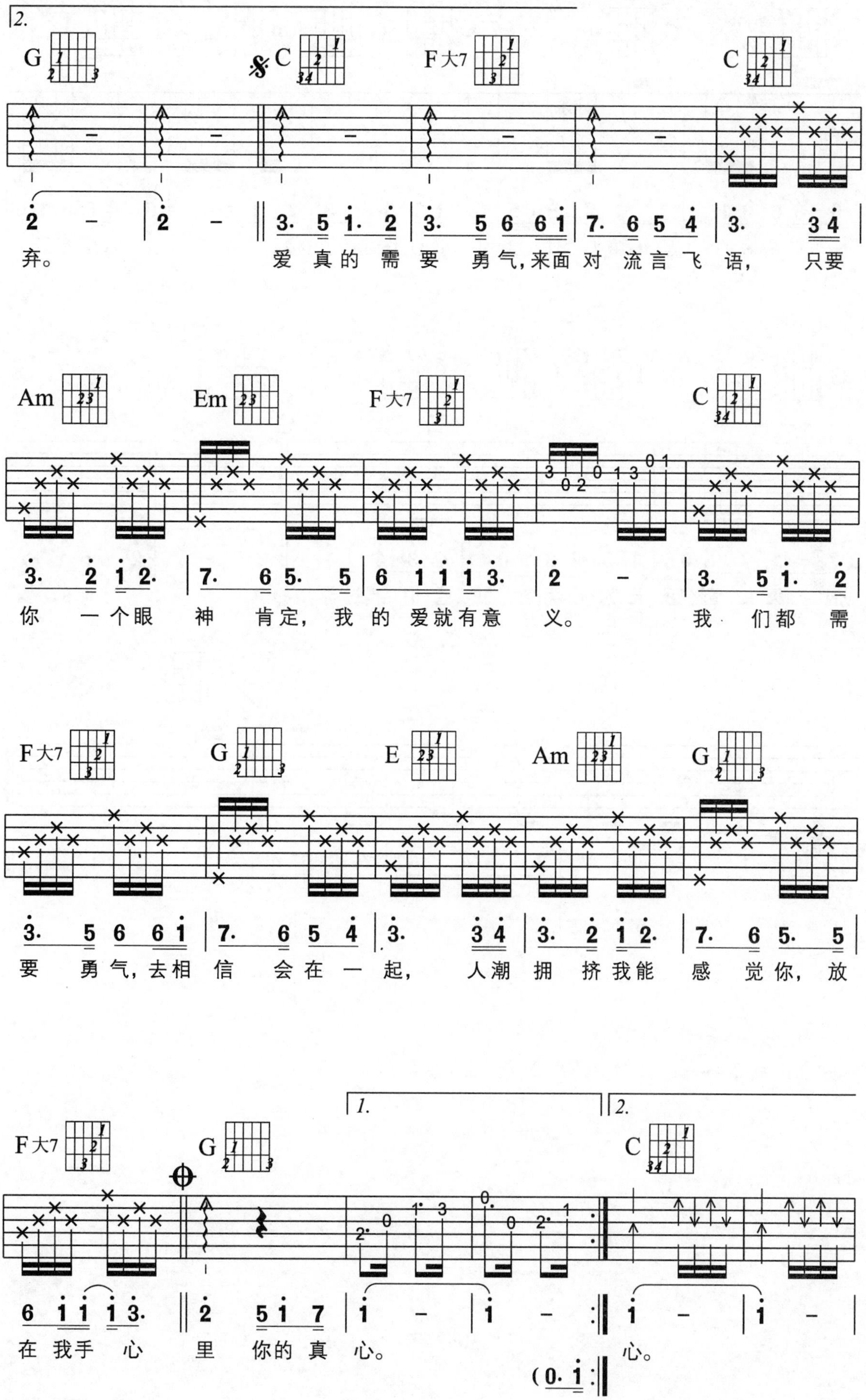
2.
G C F大7 C
弃。 爱 真 的 需 要 勇 气，来 面 对 流 言 飞 语， 只 要
Am Em F大7 C
你 一 个 眼 神 肯 定， 我 的 爱 就 有 意 义。 我 们 都 需
F大7 G E Am G
要 勇 气，去 相 信 会 在 一 起， 人 潮 拥 挤 我 能 感 觉 你， 放
1. 2.
F大7 G C
在 我 手 心 里 你 的 真 心。 心。

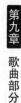

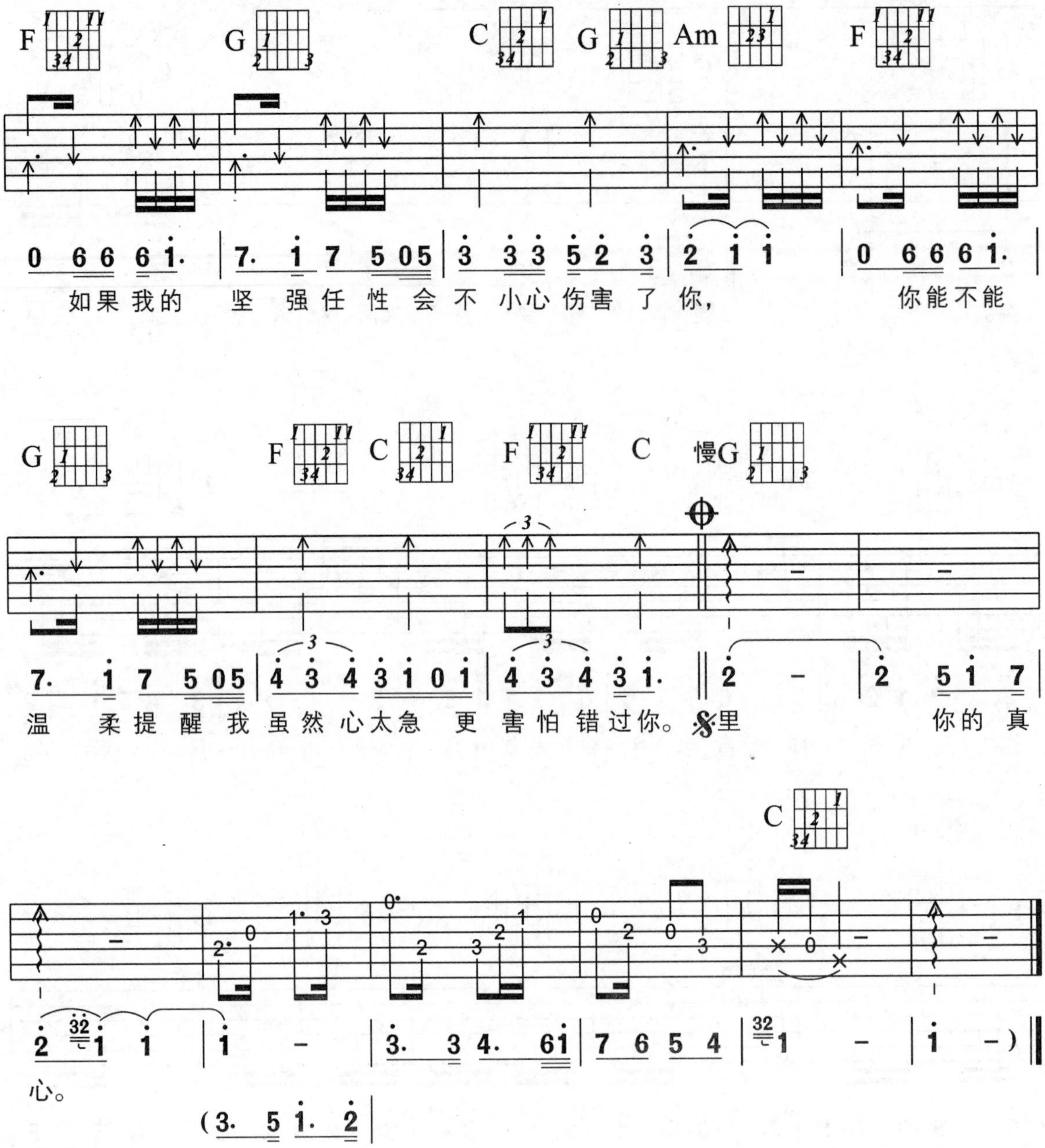

吉他自学三月通

| F | G | C | G | Am | F |

```
0 666 1·  | 7· 1 7 5 0 5 | 3 33 5 2 3 | 2 1 1  | 0 666 1· |
如果 我的   坚 强任性会不 小心 伤害了 你，      你能不能
```

| G | F | C | F | C | 慢G |

```
7· 1 7 5 0 5 | 4 3 4 3 1 0 1 | 4 3 4 3 1· ‖ 2 — 2 5 1 7 |
温 柔提 醒我虽然 心太急  更害怕错 过你。  里        你的 真
```

| | | | | | | C |

```
2 32 1 1 | 1 — | 3· 3 4· 6 1 | 7 6 5 4 | 32 1 — | 1 —）‖
心。
```

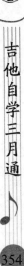

我 决 定

原调1＝E转#F $\frac{4}{4}$
选调1＝C转D
（变调夹夹四品）

林志年、黄 婷 词
鸦 片 丹 曲

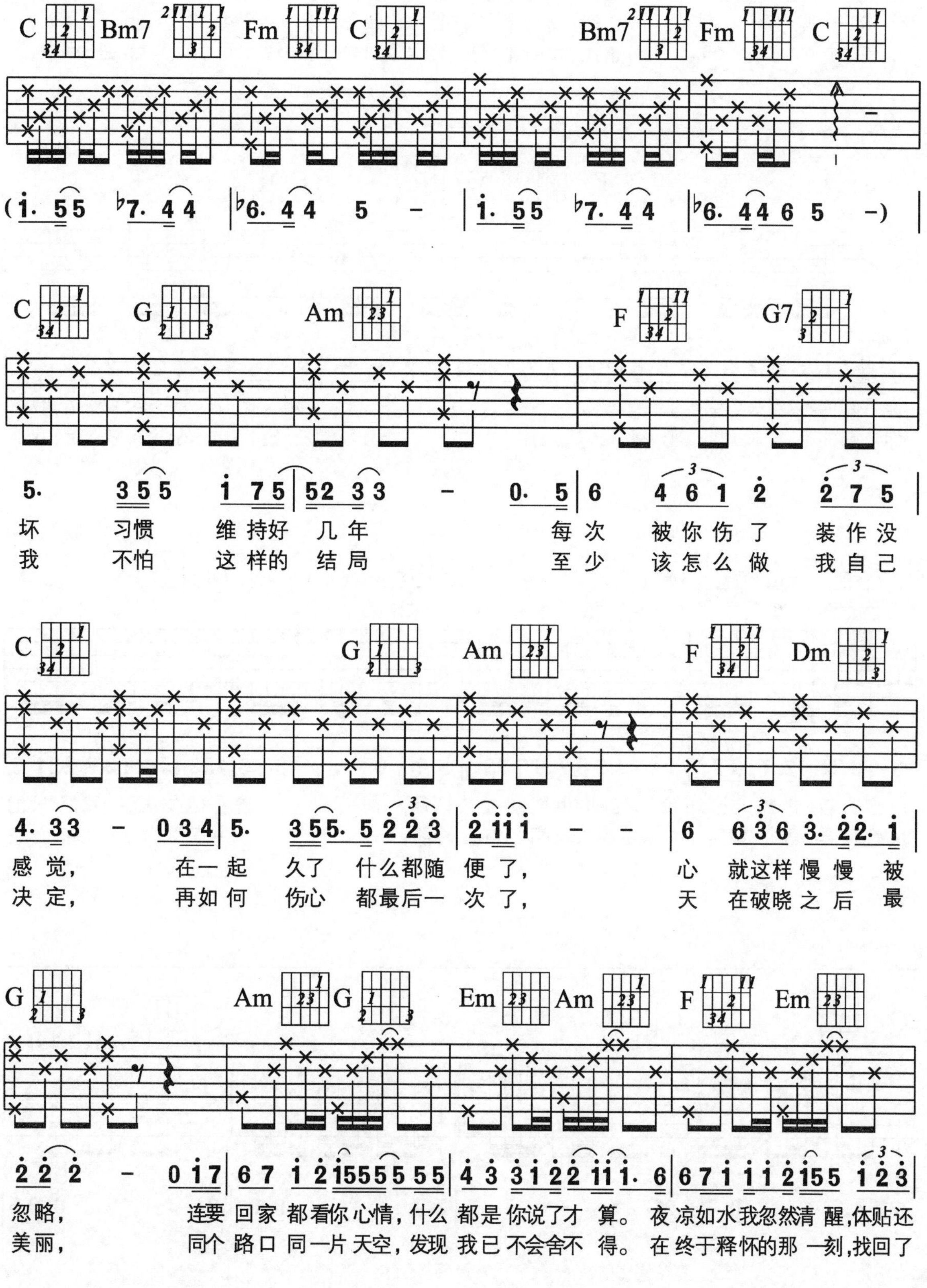

坏 习惯 维持好 几年 每次 被你伤了 装作没
我 不怕 这样的 结局 至少 该怎么做 我自己

感觉, 在一起 久了 什么都随 便了, 心 就这样慢 慢 被
决 定, 再如 何 伤心 都最后一 次 了, 天 在破晓之 后 最

忽略, 连要 回家 都看你心情,什么 都是 你说了才 算。 夜凉如水我忽然清 醒,体贴还
美丽, 同个 路口 同一片 天空,发现 我已 不会舍不 得。 在终于释怀的那 一刻,找回了

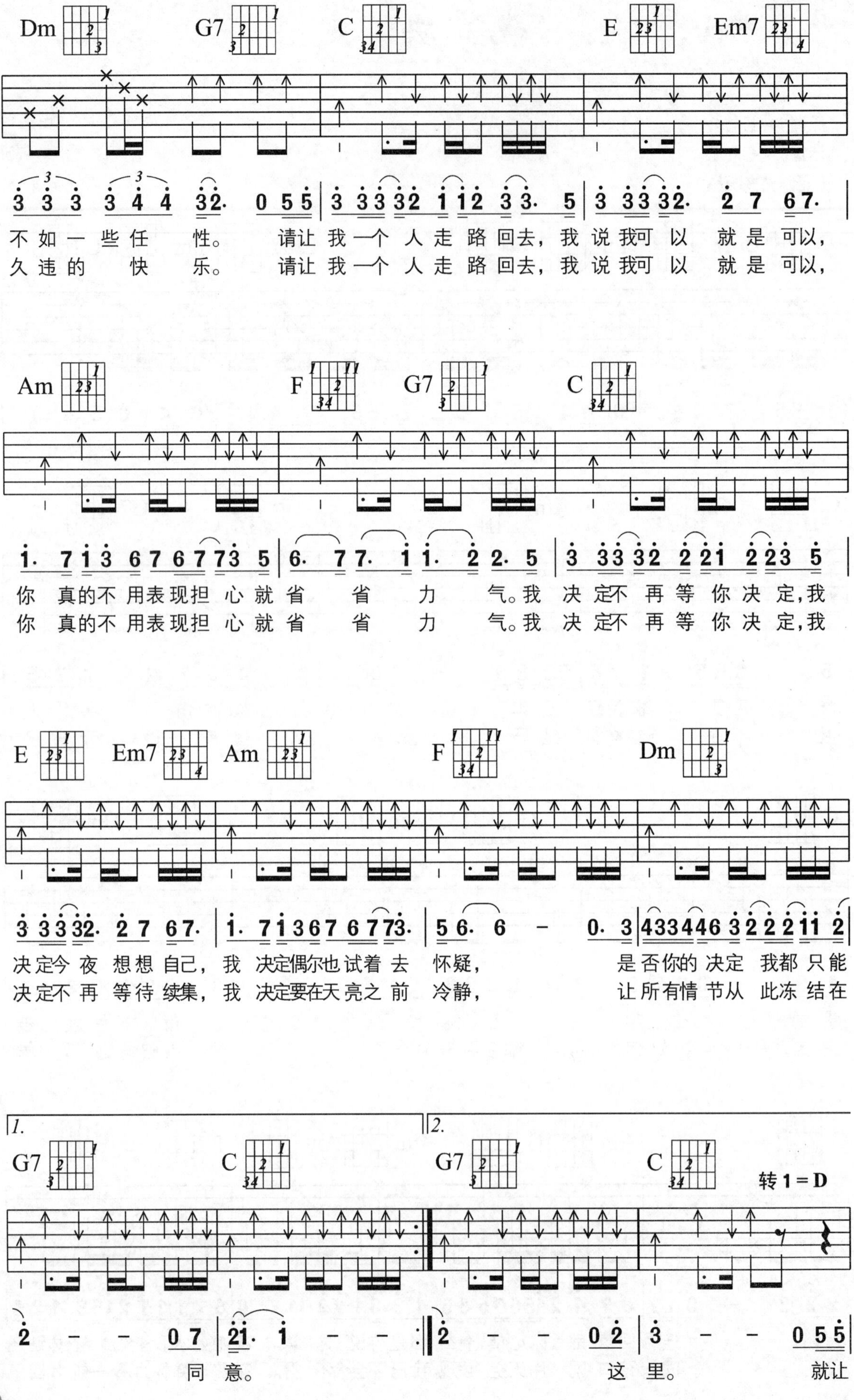

3 3 3 3 4 4 3 2. 0 5 5 | 3 3 3 3 2 1 1 2 3 3. 5 | 3 3 3 3 2. 2 7 6 7. |

不如一些任 性。   请让我一个人走路回去，我说我可以   就是可以，

久违的 快 乐。   请让我一个人走路回去，我说我可以   就是可以，

i. 7 i 3 6 7 6 7 7 3 5 | 6. 7 7. i i. 2 2. 5 | 3 3 3 3 2 2 2 1 2 2 3 5 |

你 真的不用表现担 心就省 省 力 气。我 决定不再等你决定，我

你 真的不用表现担 心就省 省 力 气。我 决定不再等你决定，我

3 3 3 3 2. 2 7 6 7. | i. 7 i 3 6 7 6 7 7 3. | 5 6. 6 — 0. 3 | 4 3 3 4 4 6 3 2 2 2 1 1 2 |

决定今 夜 想想自己，我 决定偶尔也试着 去 怀疑，   是否你的决定 我 都只能

决定不 再 等待续集，我 决定要在天亮之 前 冷静，   让所有情节从 此冻结在

1.		2.	转 1 = D

G7 C   G7 C

2 — — 0 7 | 2 i. i — — : | 2 — — 0 2 | 3 — — 0 5 5 |

同 意。   这 里。   就让

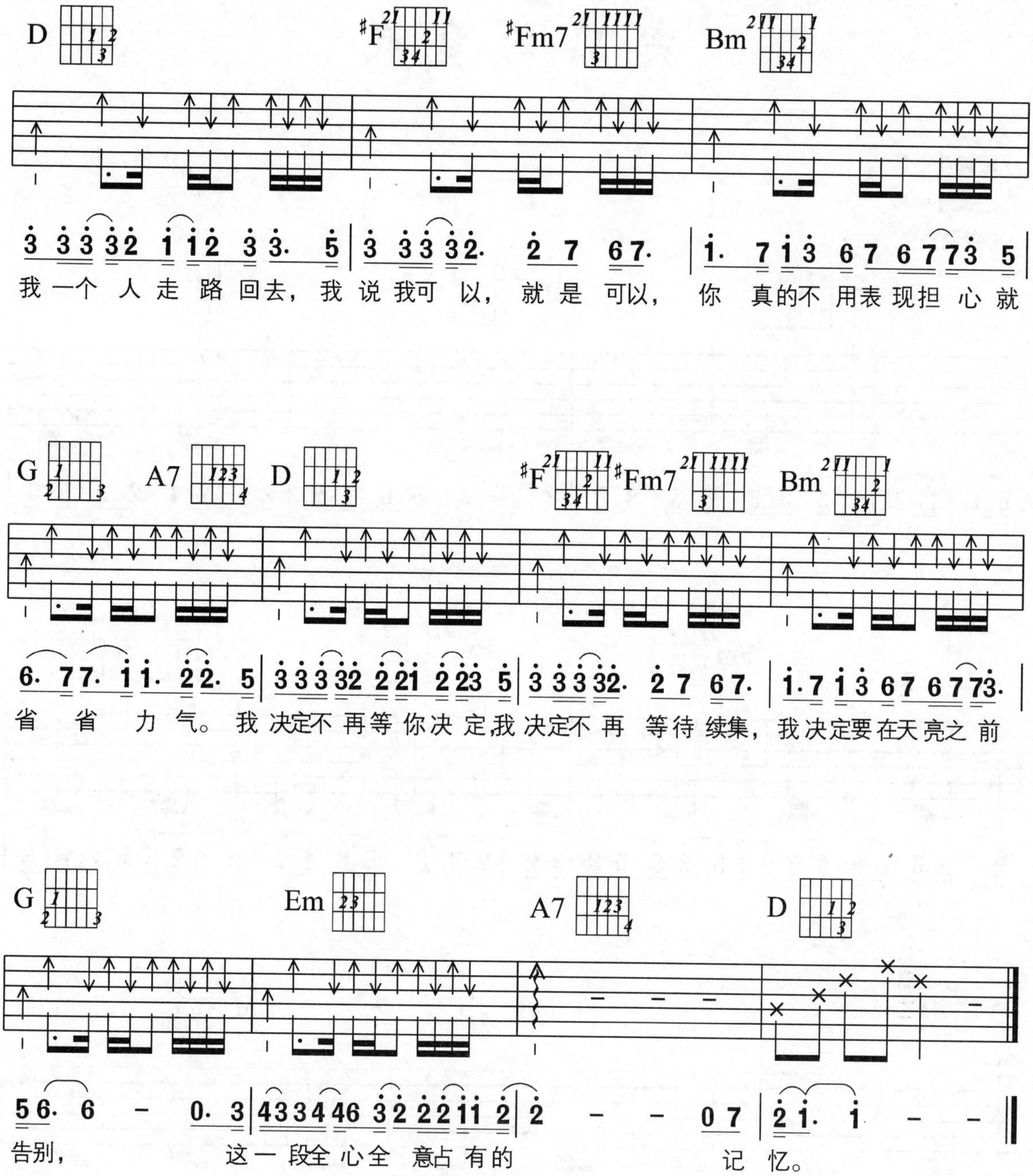

3 3 3 3 2 1 1 2 3 3. 5 | 3 3 3 3 2. 2 7 6 7. | 1. 7 1 3 6 7 6 7 7 3 5 |

我 一个 人 走 路 回 去，我 说 我 可 以，就 是 可 以， 你 真 的 不 用 表 现 担 心 就

6. 7 7. 1 1. 2 2. 5 | 3 3 3 3 2 2 1 2 2 3 5 | 3 3 3 3 2. 2 7 6 7. | 1. 7 1 3 6 7 6 7 7 3. |

省 省 力 气。我 决 定 不 再 等 你 决 定 我 决 定 不 再 等 待 续集，我 决 定 要 在 天 亮 之 前

5 6. 6 — 0. 3 | 4 3 3 4 4 6 3 2 2 2 1 1 2 2 — — 0 7 | 2 1. 1 — — |

告别，这 一 段 全 心 全 意 占 有 的 记 忆。

357

第九章 歌曲部分

突然的自我

原调 1=E $\frac{4}{4}$
选调 1=D
（变调夹夹二品）

伍佰、徐克 词
伍 佰 曲

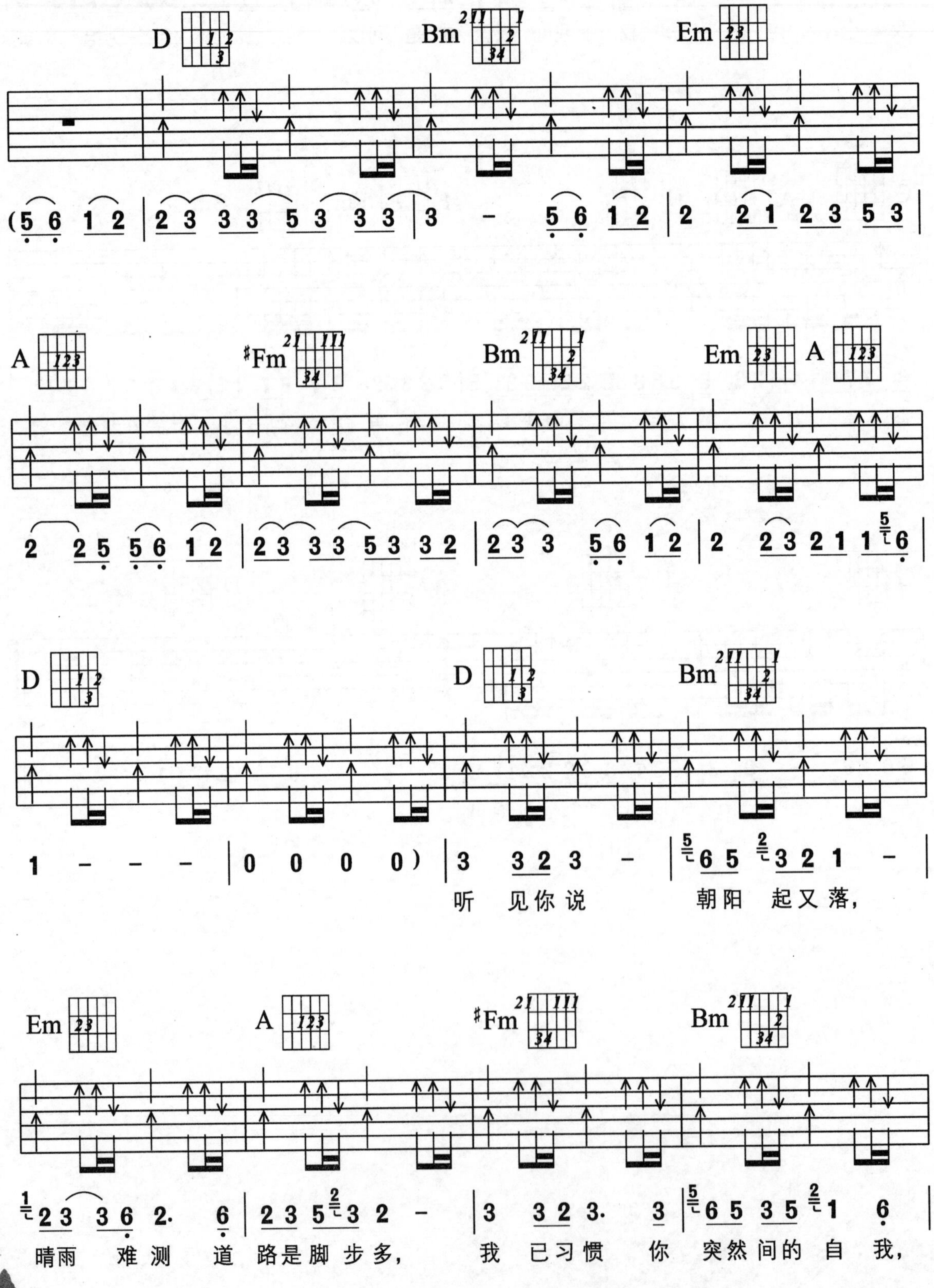

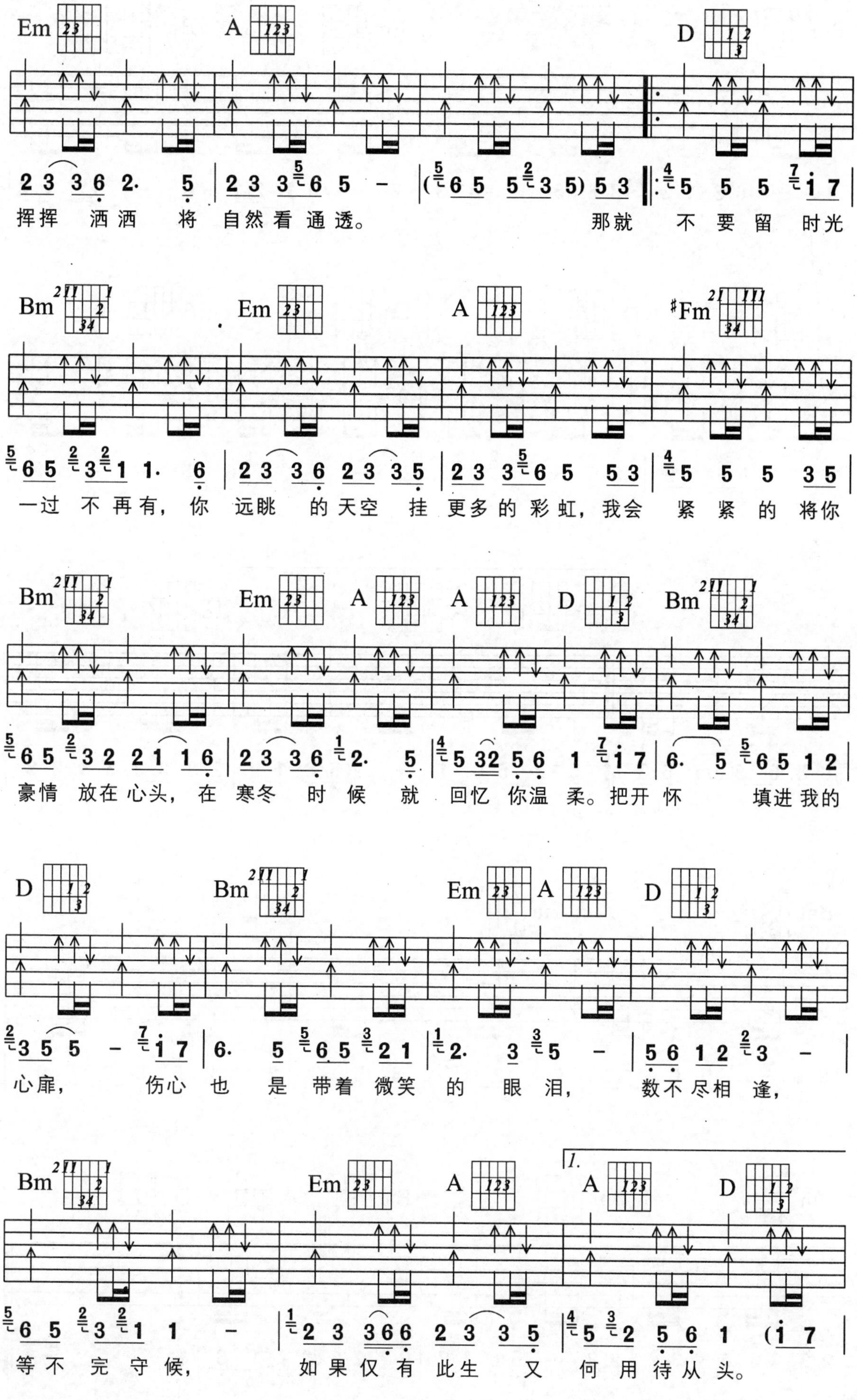
Em A D
挥挥 洒洒 将 自然看 通透。 那就 不要留 时光
Bm Em A #Fm
一过 不再有，你 远眺 的天空 挂 更多的 彩虹，我会 紧紧 的 将你
Bm Em A A D Bm
豪情 放在心头，在 寒冬 时 候 就 回忆 你温 柔。把开 怀 填进 我的
D Bm Em A D
心扉， 伤心 也 是 带着 微笑 的 眼 泪， 数不尽相 逢，
Bm Em A 1. A D
等不 完 守 候， 如果仅 有 此生 又 何 用 待 从 头。

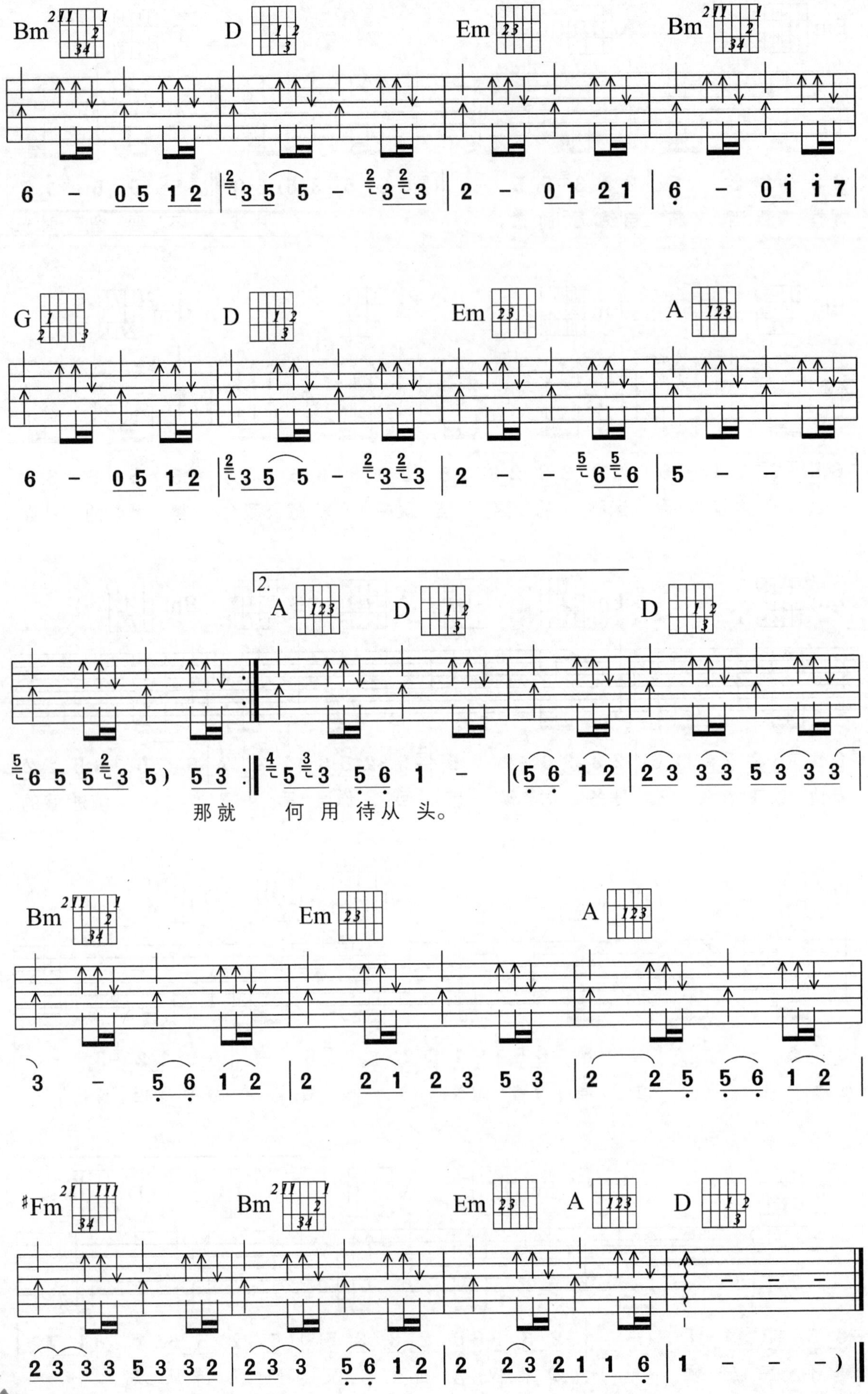
Bm D Em Bm
G D Em A
2.
A D D
那就 何用 待从头。
Bm Em A
♯Fm Bm Em A D

小小的太阳

十一郎 词
张 宇 曲

1=D $\frac{4}{4}$

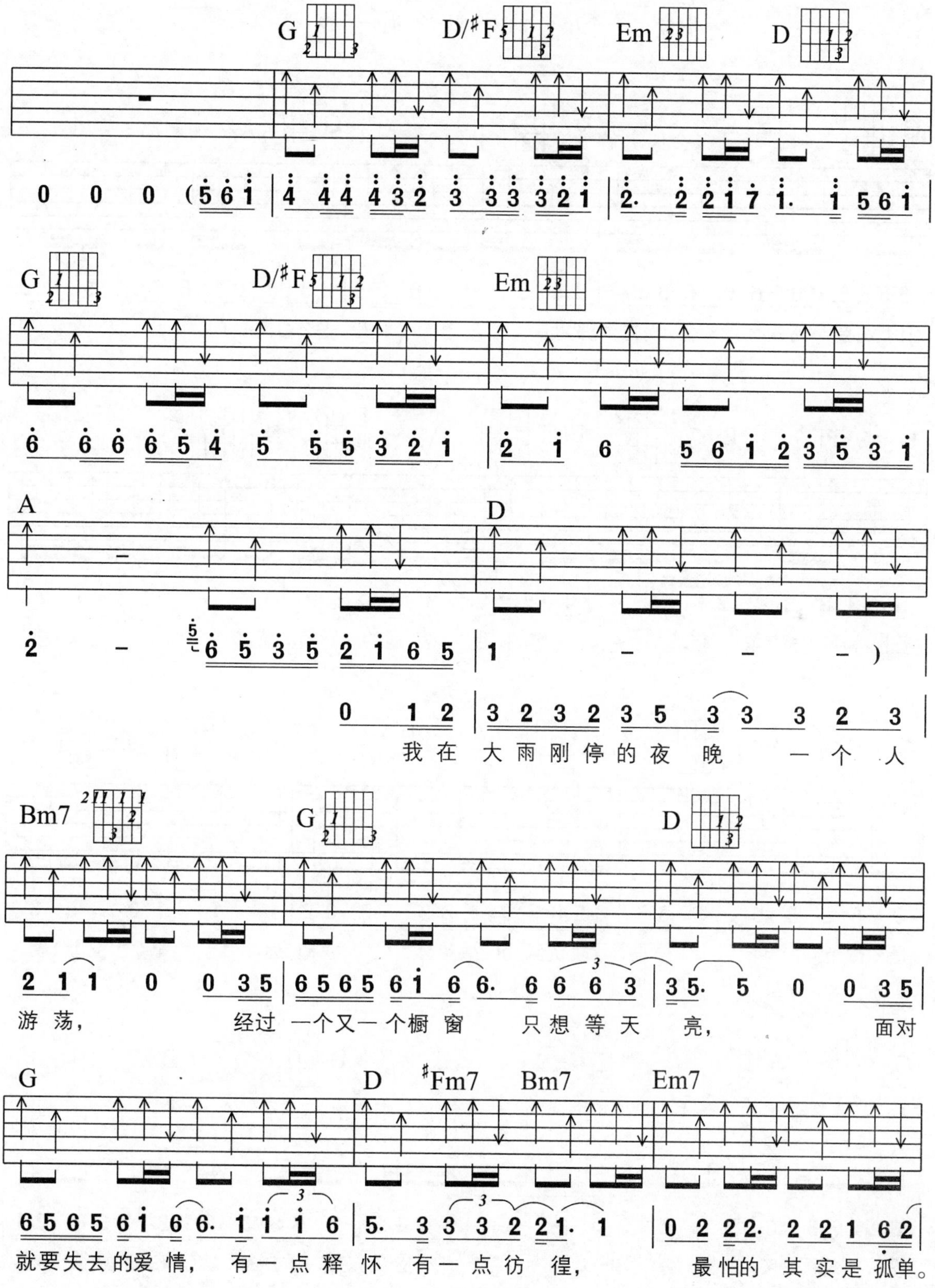

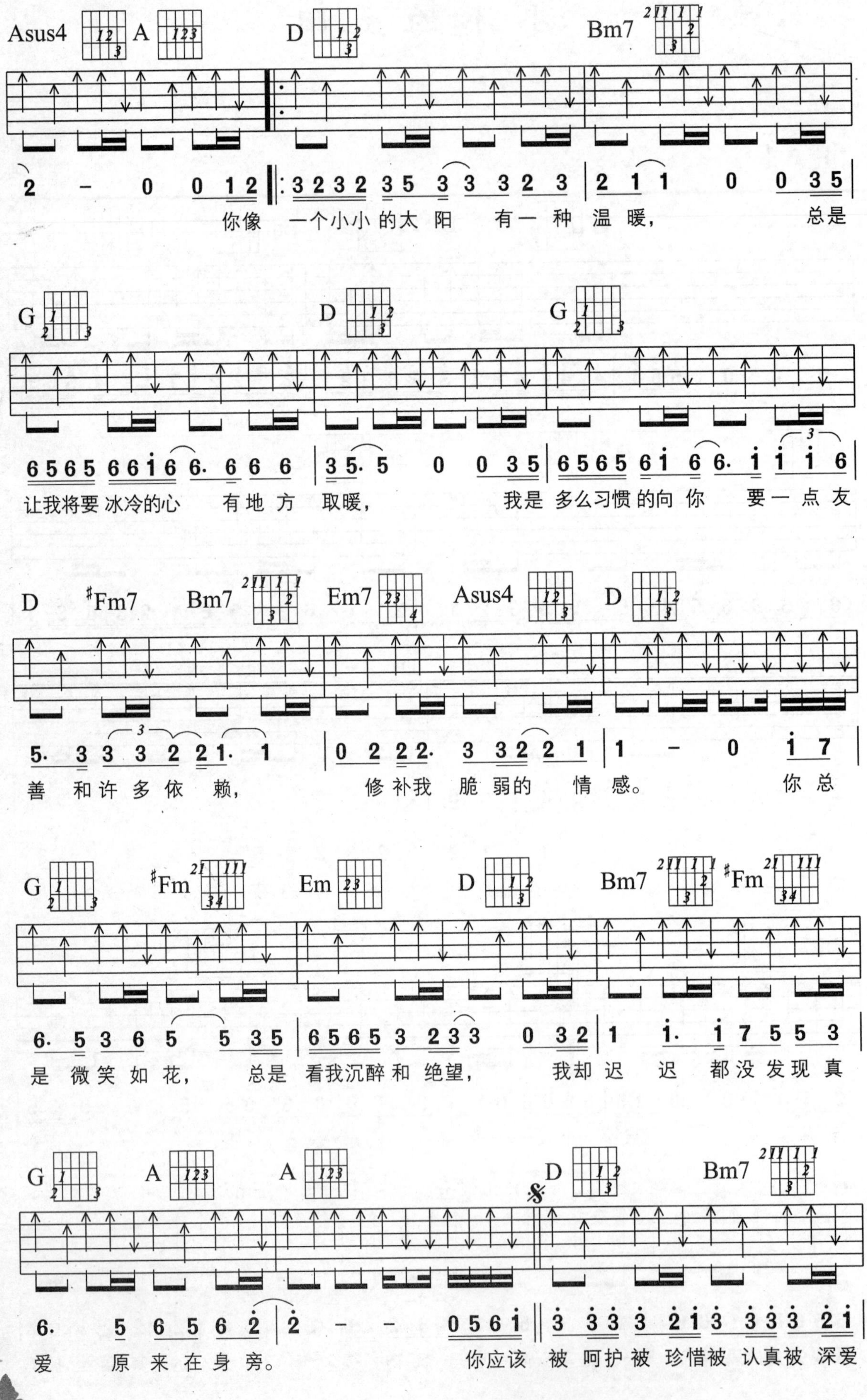
Asus4 A D Bm7
你像 一个小小 的太 阳 有一 种 温 暖, 总是
G D G
让我将要 冰冷的心 有地 方 取暖, 我是 多么习惯 的向 你 要一 点 友
D #Fm7 Bm7 Em7 Asus4 D
善 和许 多 依 赖, 修 补我 脆 弱的 情 感。 你 总
G #Fm Em D Bm7 #Fm
是 微 笑 如 花, 总是 看我沉醉 和 绝望, 我却 迟 迟 都没 发现 真
G A A D Bm7
爱 原 来 在 身 旁。 你应该 被 呵护 被 珍惜被 认真被 深爱

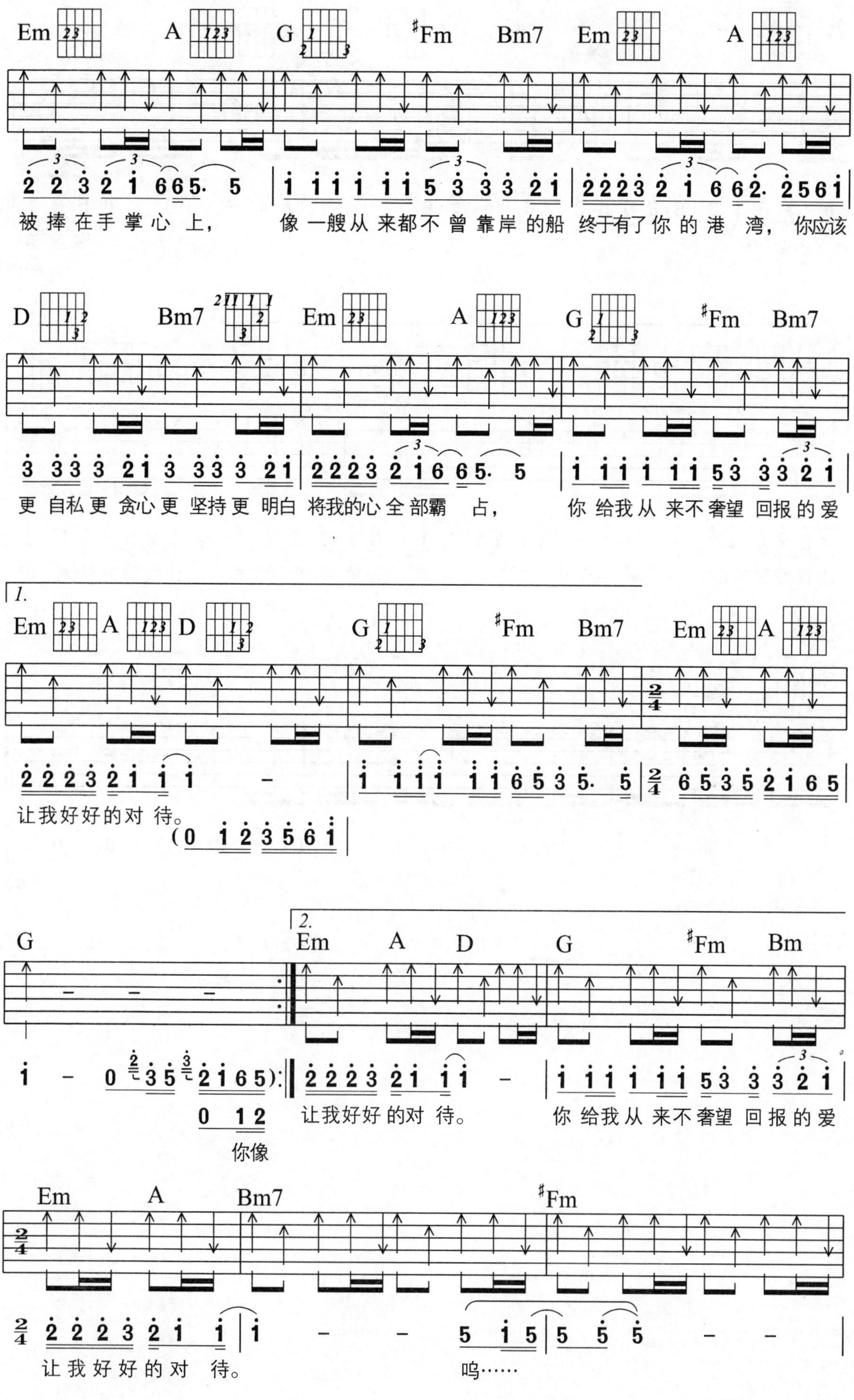
Em A G #Fm Bm7 Em A
被捧在手掌心上，像一艘从来都不曾靠岸的船 终于有了你的港湾，你应该
D Bm7 Em A G #Fm Bm7
更自私更贪心更坚持更明白 将我的心全部霸占，你给我从来不奢望回报的爱
1.
Em A D G #Fm Bm7 Em A
让我好好的对待。
G
2.
Em A D G #Fm Bm
让我好好的对待。你给我从来不奢望回报的爱
你像
Em A Bm7 #Fm
让我好好的对待。
呜……

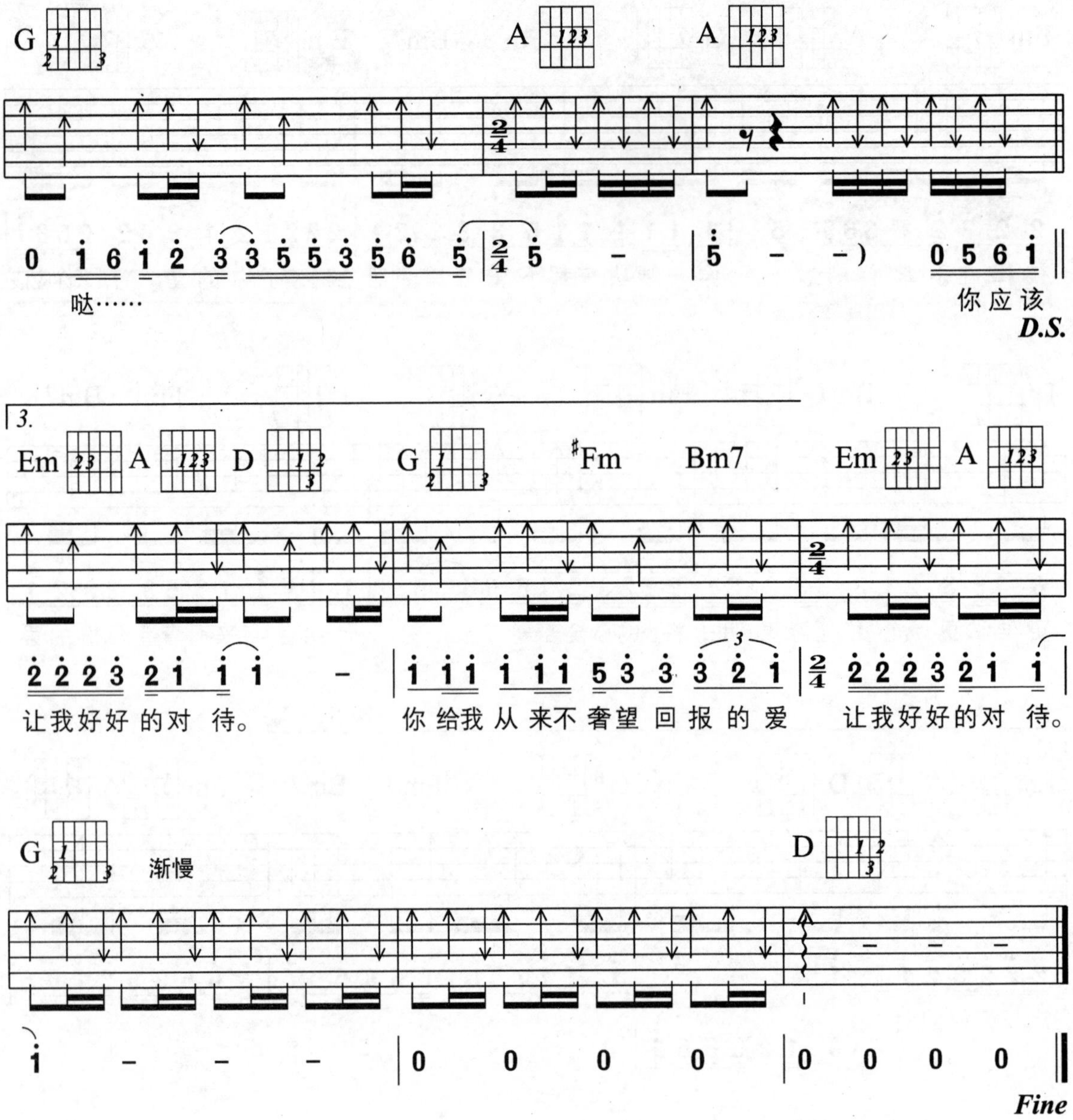
G A A
哒……
你应该
D.S.
3.
Em A D G #Fm Bm7 Em A
让我好好的对 待。
你给我从来不奢望回报的爱
让我好好的对 待。
G 渐慢 D
Fine

死了都要爱

1=C $\frac{4}{4}$

姚若龙　词
柳海准　曲

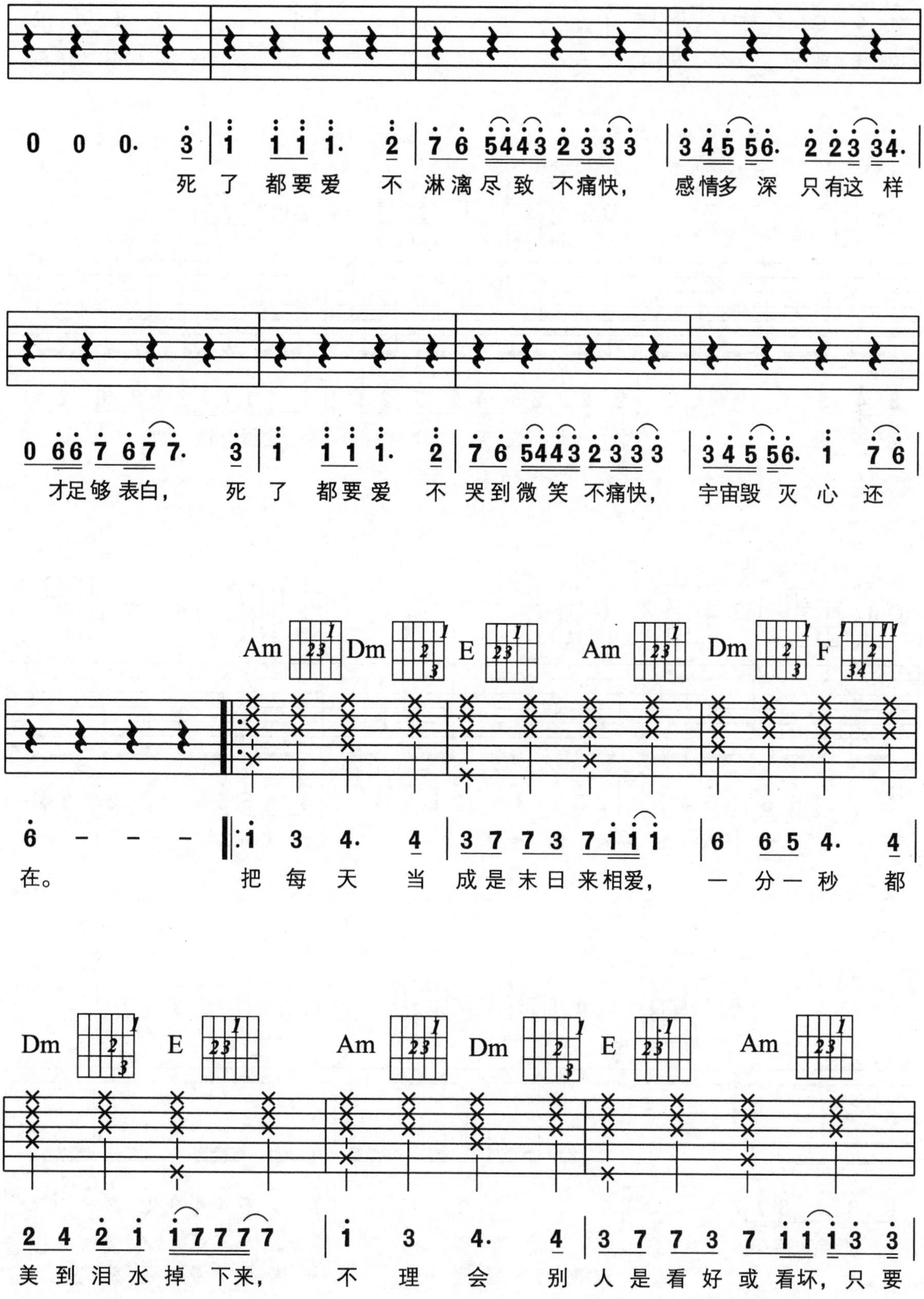
死了都要爱 不淋漓尽致不痛快，感情多深只有这样
才足够表白，死了都要爱 不哭到微笑不痛快，宇宙毁灭心还
Am Dm E Am Dm F
在。把每天当成是末日来相爱，一分一秒都
Dm E Am Dm E Am
美到泪水掉下来，不理会别人是看好或看坏，只要

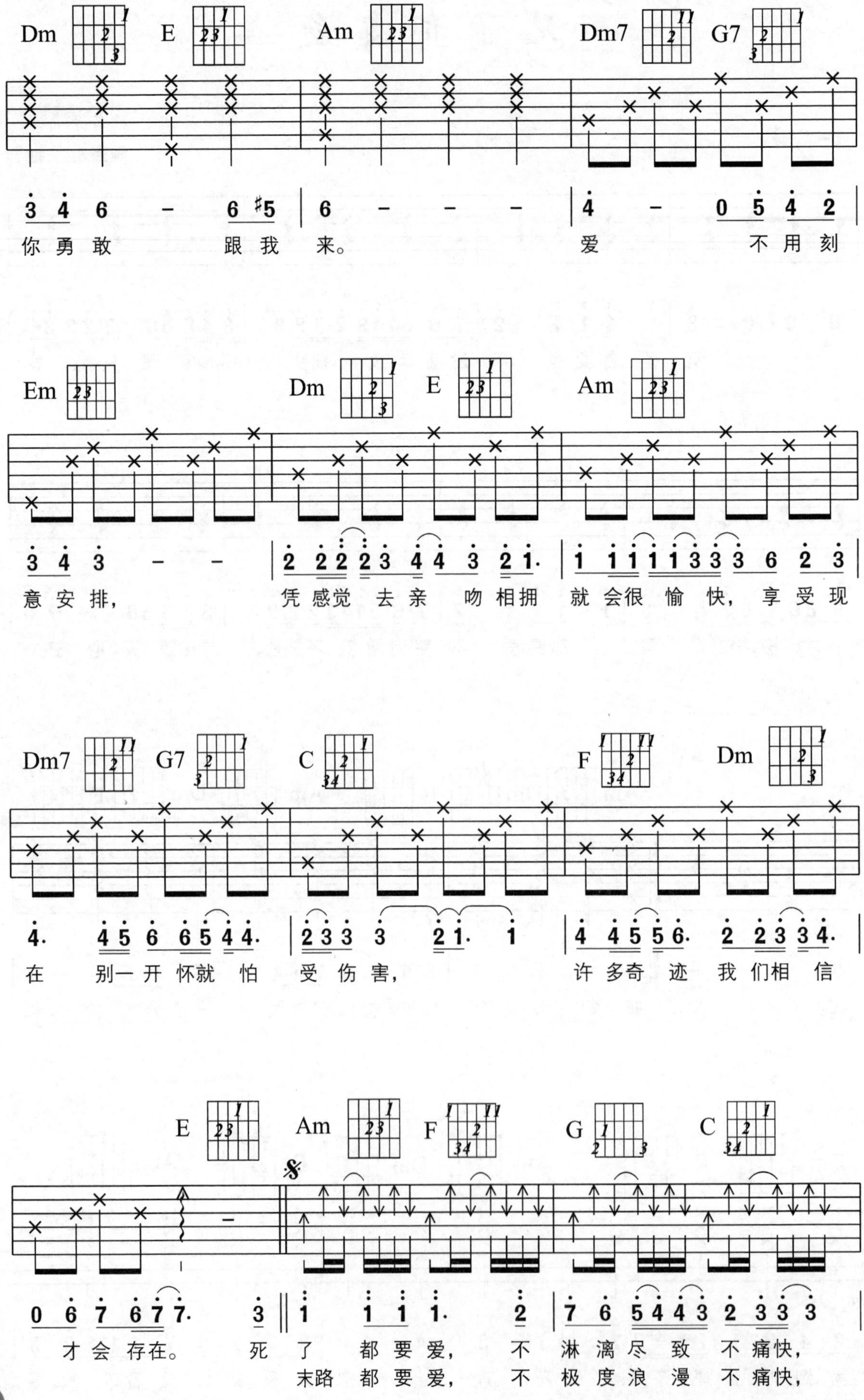
Dm E Am Dm7 G7
你勇敢 跟我来。爱 不用刻
Em Dm E Am
意安排，凭感觉去亲吻相拥就会很愉快，享受现
Dm7 G7 C F Dm
在别一开怀就怕受伤害，许多奇迹我们相信
E Am F G C
才会存在。死了都要爱，不淋漓尽致不痛快，
末路都要爱，不极度浪漫不痛快，

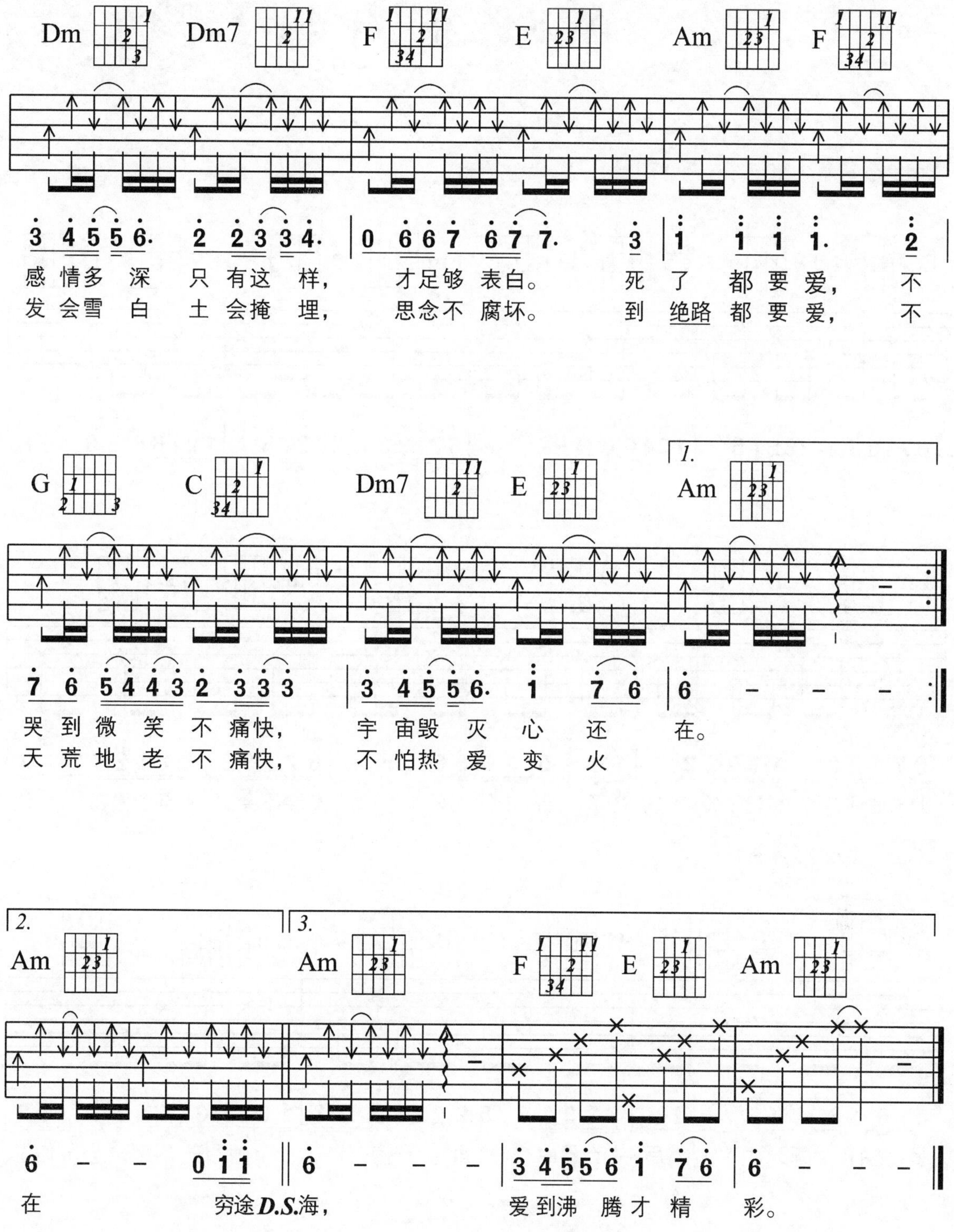
Dm Dm7 F E Am F
感情多深 只有这样，才足够表白。死了都要爱，不
发会雪白 土会掩埋，思念不腐坏。到绝路都要爱，不
G C Dm7 E
1.
Am
哭到微笑不痛快，宇宙毁灭心还在。
天荒地老不痛快，不怕热爱变火
2.
Am
3.
Am F E Am
在
穷途D.S.海，
爱到沸腾才精彩。

等一分钟

1=G $\frac{4}{4}$

徐誉滕　词曲

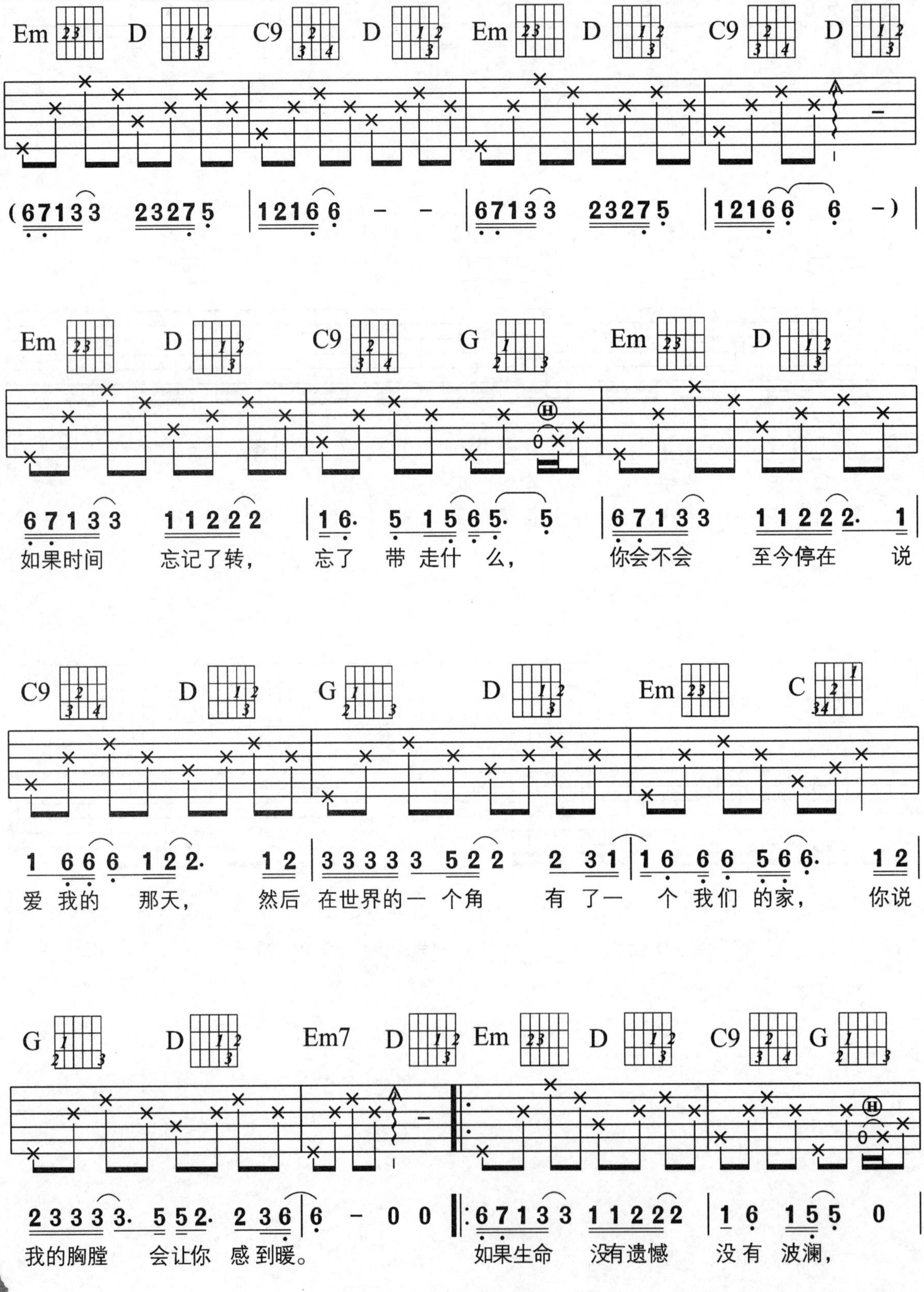

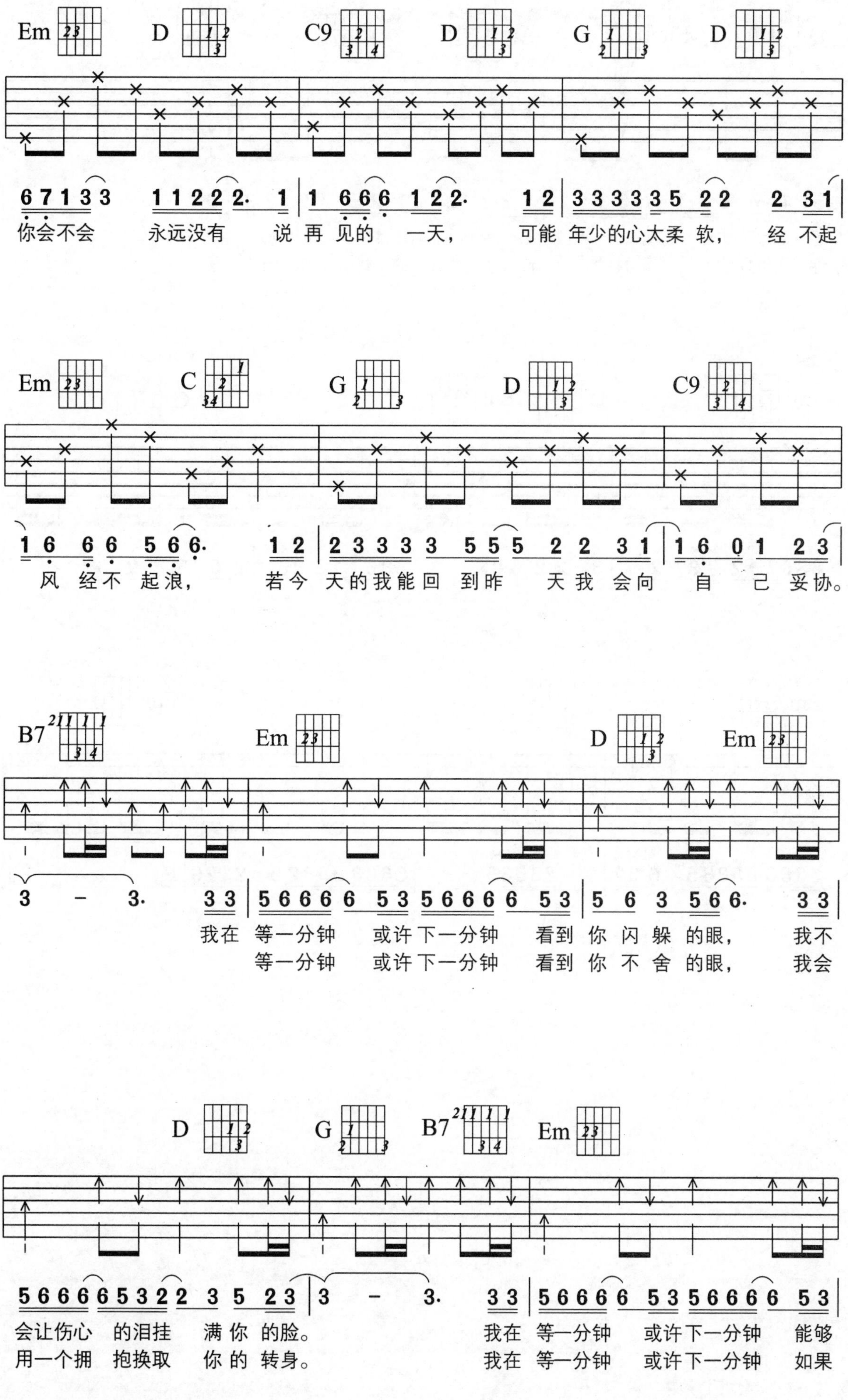
Em D C9 D G D
6 7 1 3 3 1 1 2 2 2. 1 1 6 6 6 6 1 2 2. 1 2 3 3 3 3 3 5 2 2 2 3 1
你会不会 永远没有 说 再 见的 一天， 可能 年少的心太柔 软， 经 不起
Em C G D C9
1 6 6 6 5 6 6. 1 2 2 3 3 3 3 5 5 5 2 2 3 1 1 6 0 1 2 3
风 经不 起浪， 若今 天的我能回 到昨 天我 会向 自 己 妥协。
B7 Em D Em
3 – 3. 3 3 5 6 6 6 6 5 3 5 6 6 6 6 5 3 5 6 3 5 6 6. 3 3
我在 等一分钟 或许下一分钟 看到 你 闪 躲 的眼， 我不
等一分钟 或许下一分钟 看到 你 不 舍 的眼， 我会
D G B7 Em
5 6 6 6 6 5 3 2 2 3 5 2 3 3 – 3. 3 3 5 6 6 6 6 5 3 5 6 6 6 6 5 3
会让伤心 的泪挂 满 你 的脸。 我在 等一分钟 或许下一分钟 能够
用一个拥 抱换取 你 的 转身。 我在 等一分钟 或许下一分钟 如果

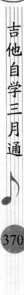

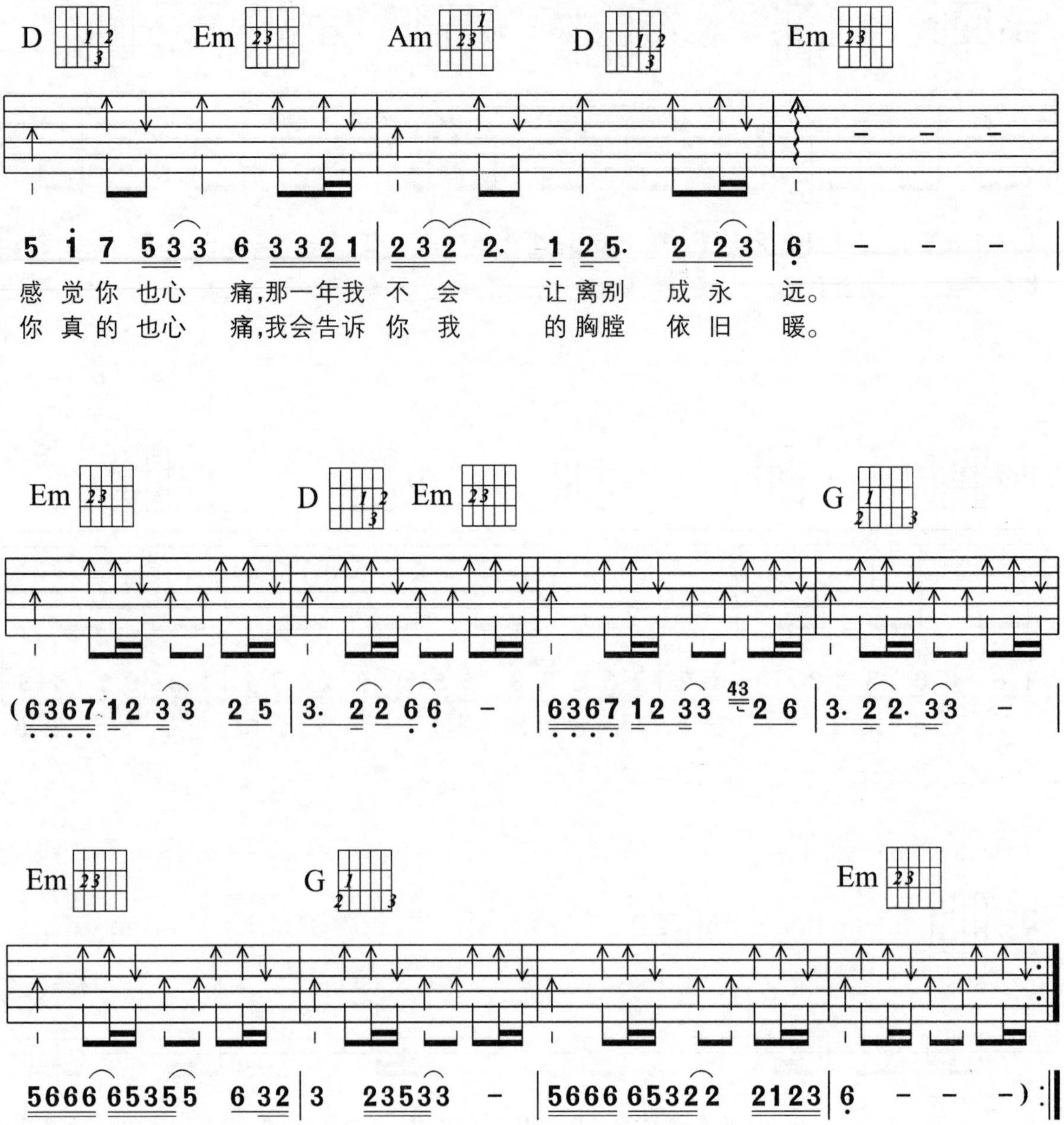
D Em Am D Em
5 i 7 5 3 3 6 3 3 2 1 | 2 3 2 2. 1 2 5. 2 2 3 | 6 - - - |
感觉你也心 痛,那一年我不会 让离别 成永 远。
你真的也心 痛,我会告诉你我 的胸膛 依旧 暖。
Em D Em G
(6367 12 3 3 2 5 | 3. 2 2 6 6 - | 6367 12 33 2 6 | 3. 2 2. 33 - |
Em G Em
5666 65355 6 32 | 3 23533 - | 5666 65322 2123 | 6 - - -):||

有多少爱可以重来

何 厚 华 词
黄 卓 颖 曲
刘天礼 记谱编配

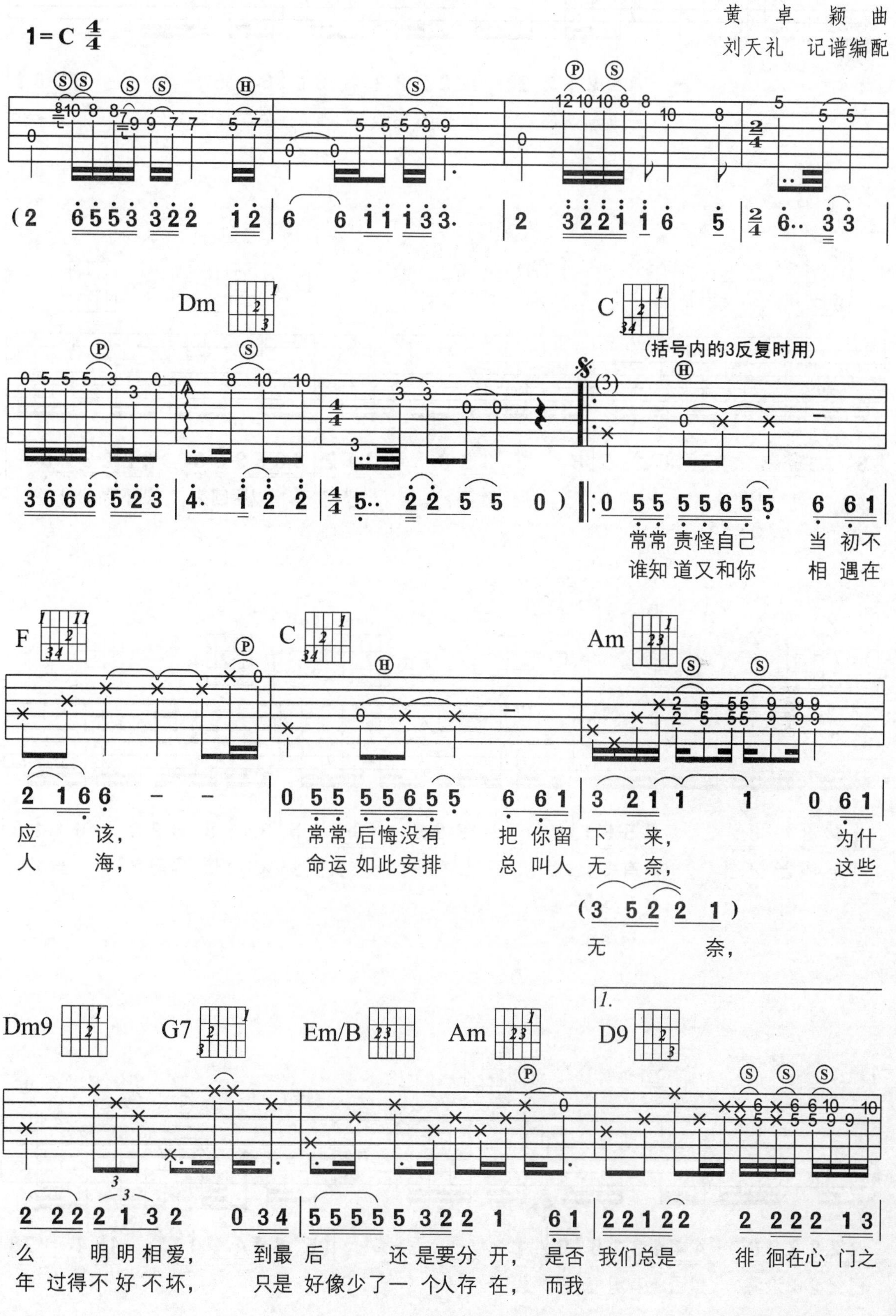
1=C 4/4
Dm
C
(括号内的3反复时用)
常常责怪自己 当初不
谁知道又和你 相遇在
F
C
Am
应 该,
人 海,
常常后悔没有 把你留下来, 为什
命运如此安排 总叫人无奈, 这些
无 奈,
Dm9
G7
Em/B
Am
D9
么 明明相爱, 到最后 还是要分开, 是否 我们总是 徘徊在心门之
年 过得不好不坏, 只是好像少了一个人存在, 而我

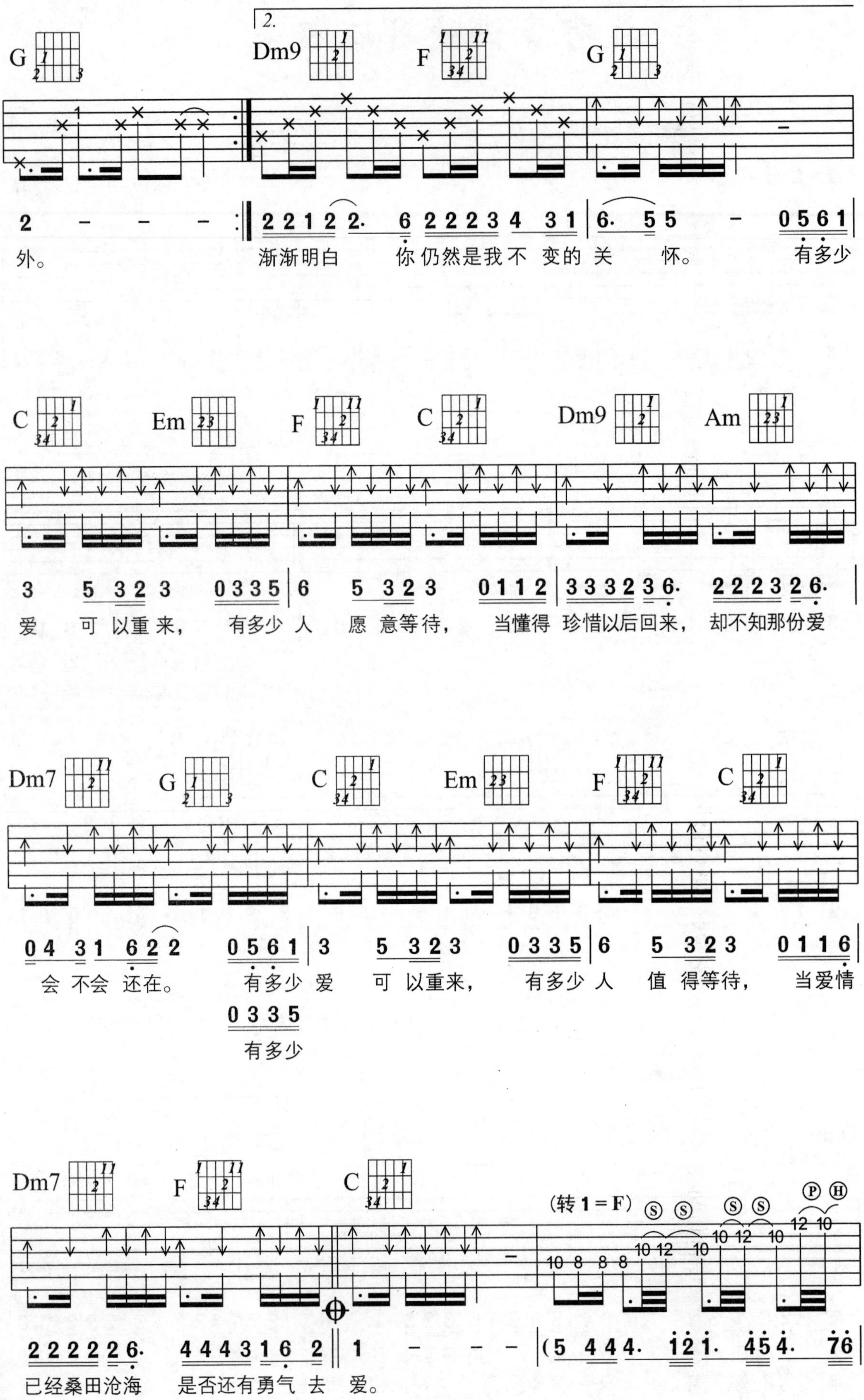

2 - - - : 2 2 1 2 2. 6 2 2 2 3 4 3 1 | 6. 5 5 - 0 5 6 1 |

外。　　　　渐渐明白　　　你仍然是我不变的关怀。　　　有多少

3　5 3 2 3　0 3 3 5 | 6　5 3 2 3　0 1 1 2 | 3 3 3 2 3 6.　2 2 2 3 2 6. |

爱　可以重来，　有多少人　愿意等待，　当懂得　珍惜以后回来，　却不知那份爱

0 4 3 1 6 2 2　0 5 6 1 | 3　5 3 2 3　0 3 3 5 | 6　5 3 2 3　0 1 1 6 |

会 不会 还在。　有多少爱 可以重来，　有多少人 值 得等待，　当爱情
　　　　　　　　　　　　　　　　　　　0 3 3 5
　　　　　　　　　　　　　　　　　　　有多少

2 2 2 2 2 6.　4 4 4 3 1 6 2 | 1 - - - |(5 4 4 4. 1 2 1. 4 5 4. 7 6 |

已经桑田沧海　是否还有勇气 去 爱。

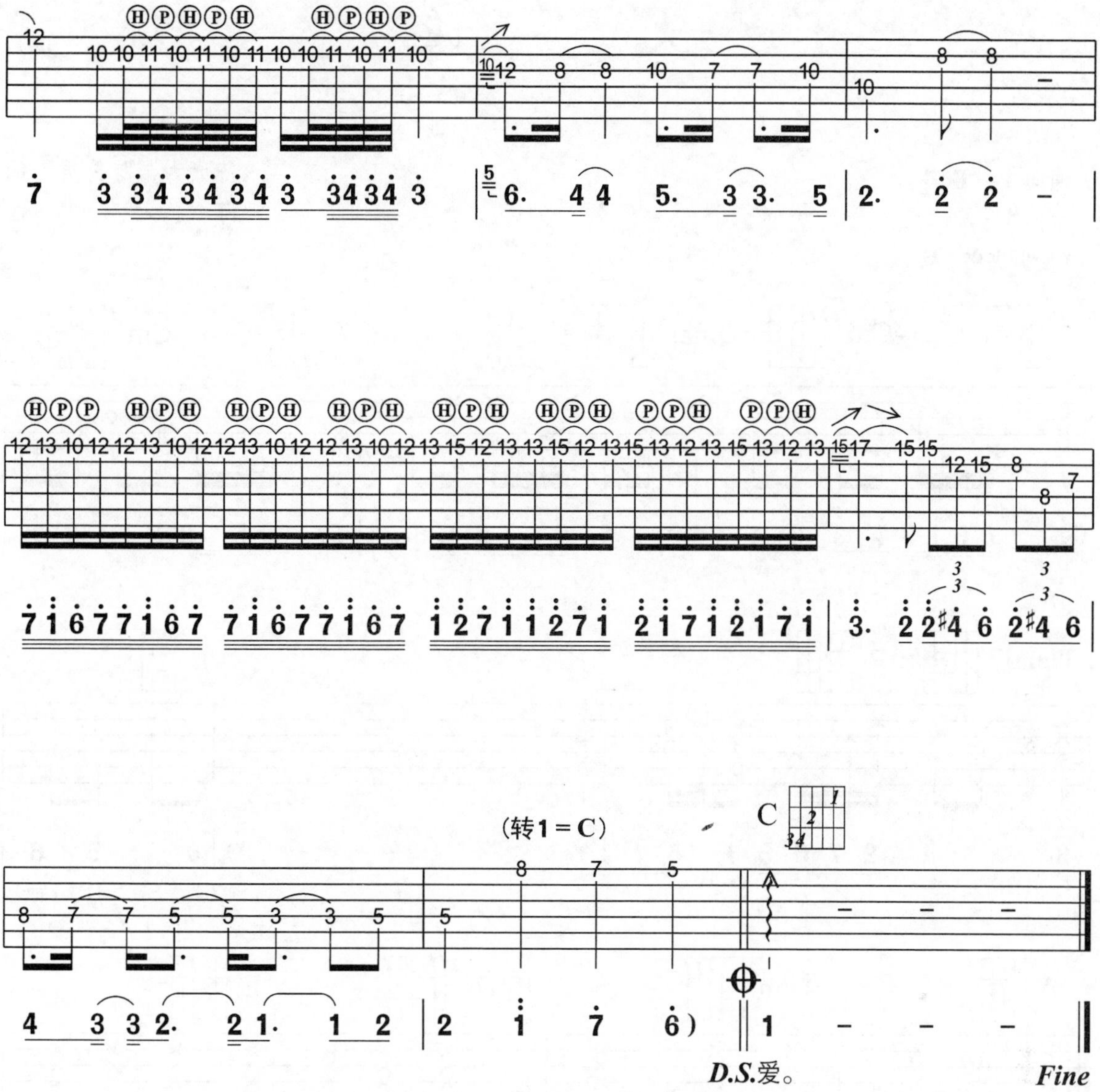
(转1＝C)
C
D.S.爱。
Fine

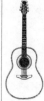

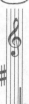

大　海

原调 1=♭B 4/4　　陈大力、陈秀男 词
选调 1=A　　陈　大　力曲
（变调夹夹一品）

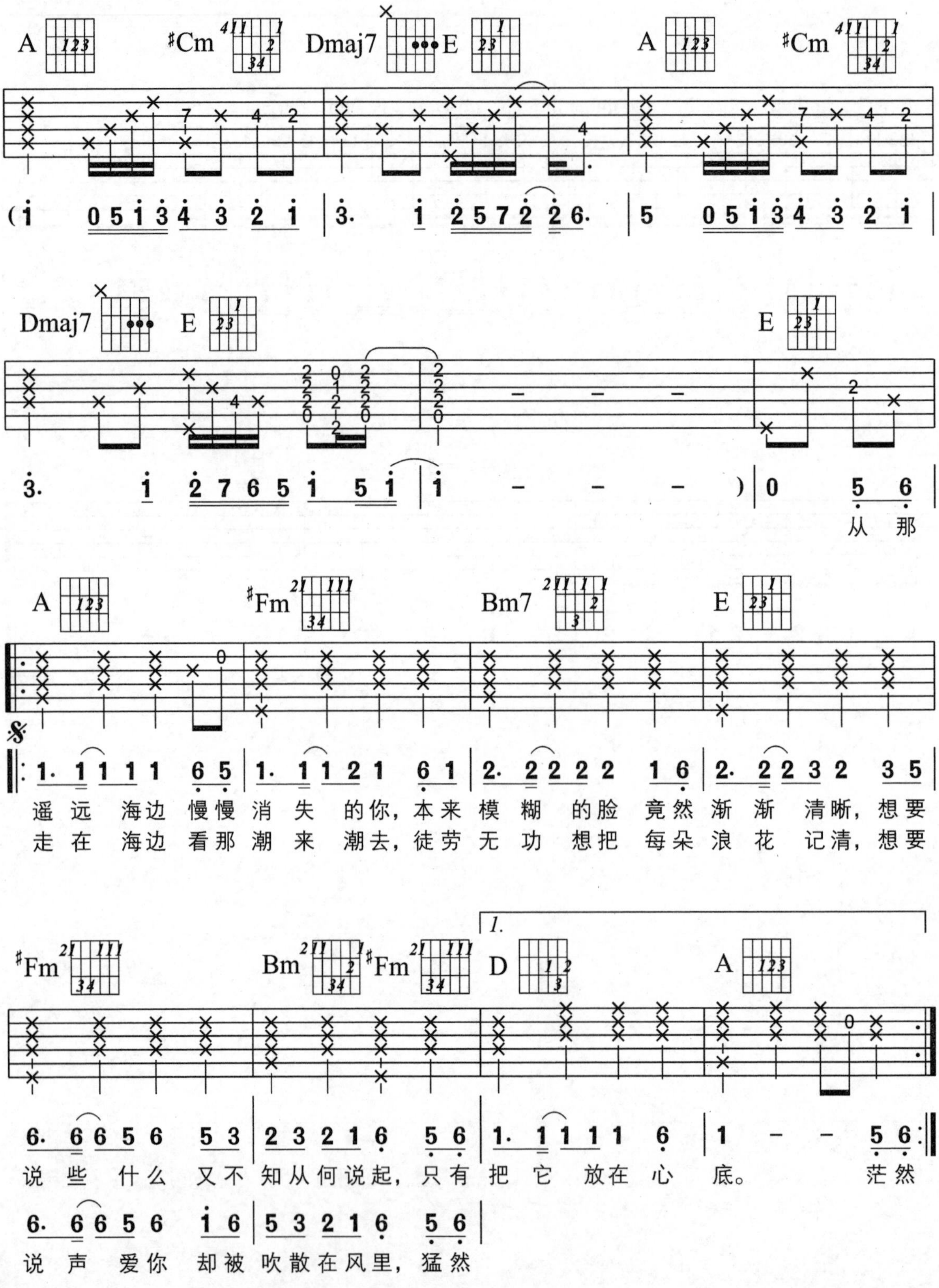

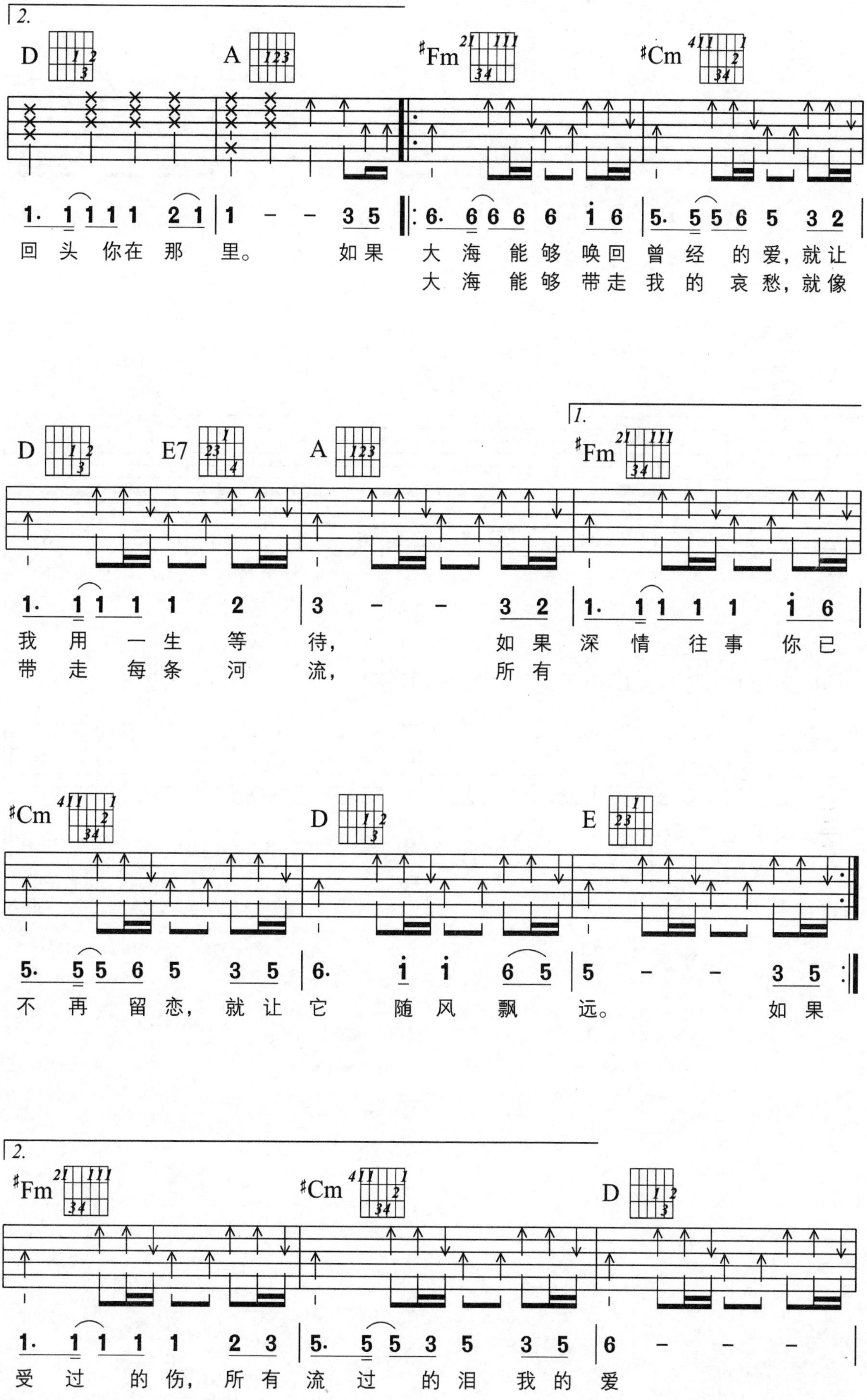
2.
D A ♯Fm ♯Cm
1· 1 1 1 1 2 1 | 1 – – 3 5 ‖: 6· 6 6 6 6 i 6 | 5· 5 5 6 5 3 2 |
回头你在那里。 如果大海能够唤回曾经的爱，就让
大海能够带走我的哀愁，就像
D E7 A 1. ♯Fm
1· 1 1 1 1 2 | 3 – – 3 2 | 1· 1 1 1 1 i 6 |
我用一生等待， 如果深情往事你已
带走每条河流， 所有
♯Cm D E
5· 5 5 6 5 3 5 | 6· i i 6 5 | 5 – – 3 5 :‖
不再留恋，就让它随风飘远。 如果
2.
♯Fm ♯Cm D
1· 1 1 1 1 2 3 | 5· 5 5 3 5 3 5 | 6 – – – |
受过的伤，所有流过的泪我的爱

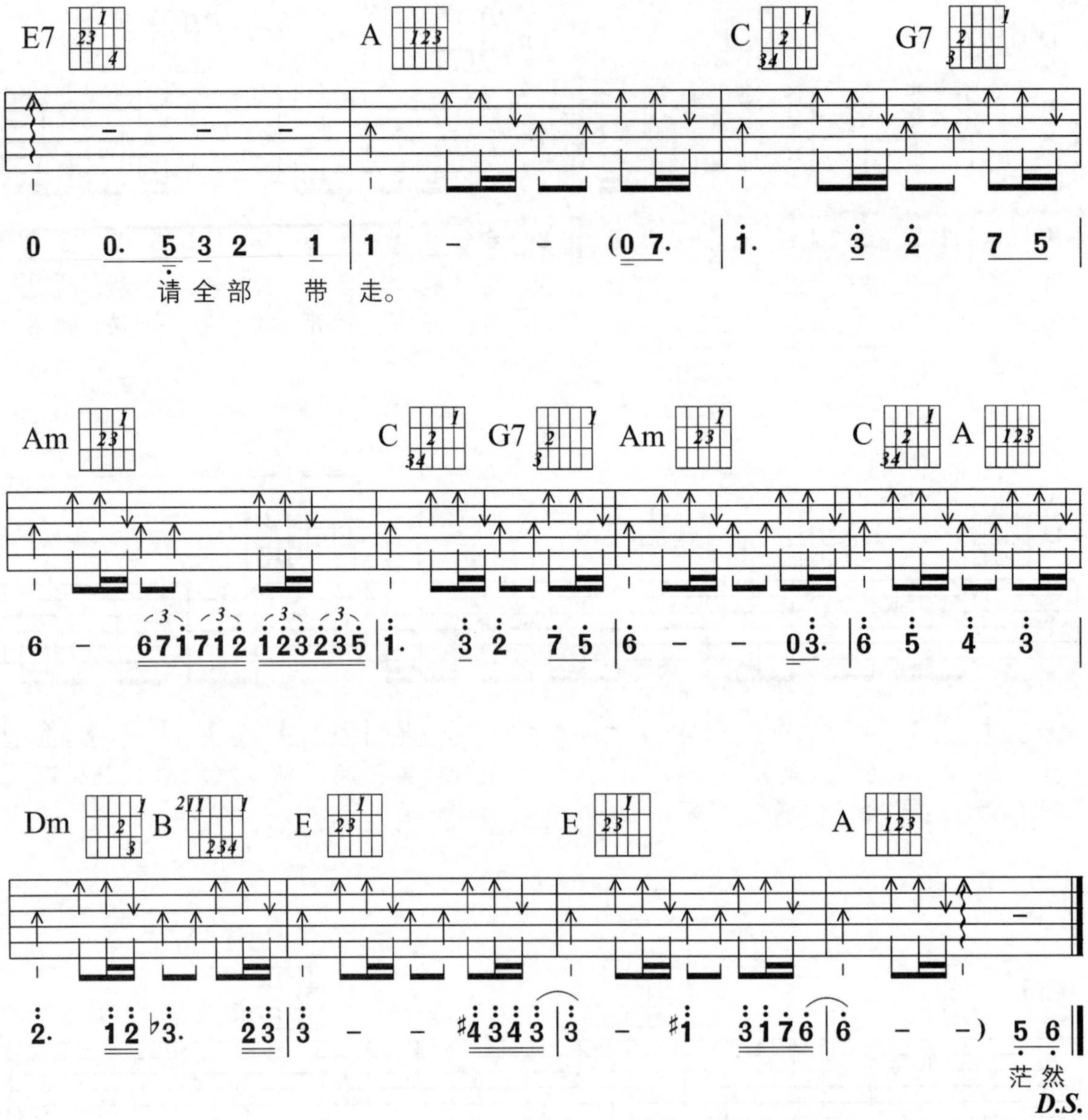
E7
A
C
G7
请全部 带 走。
Am
C
G7
Am
C
A
Dm
B
E
E
A
茫然
D.S.

心 墙

原调 1=♭E 转 E 4/4
选调 1=D
（变调夹夹一品）

姚若龙 词
林俊杰 曲

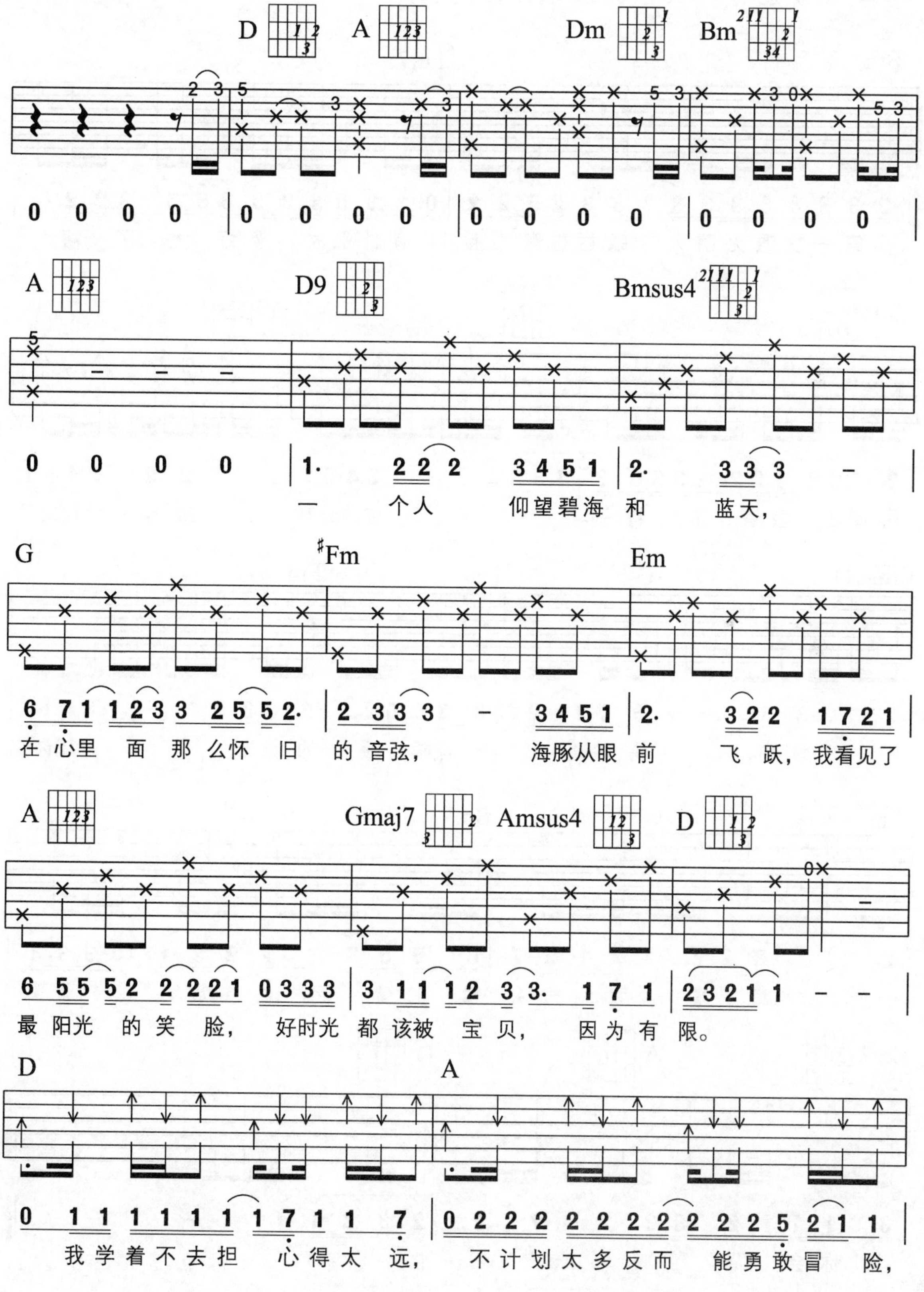

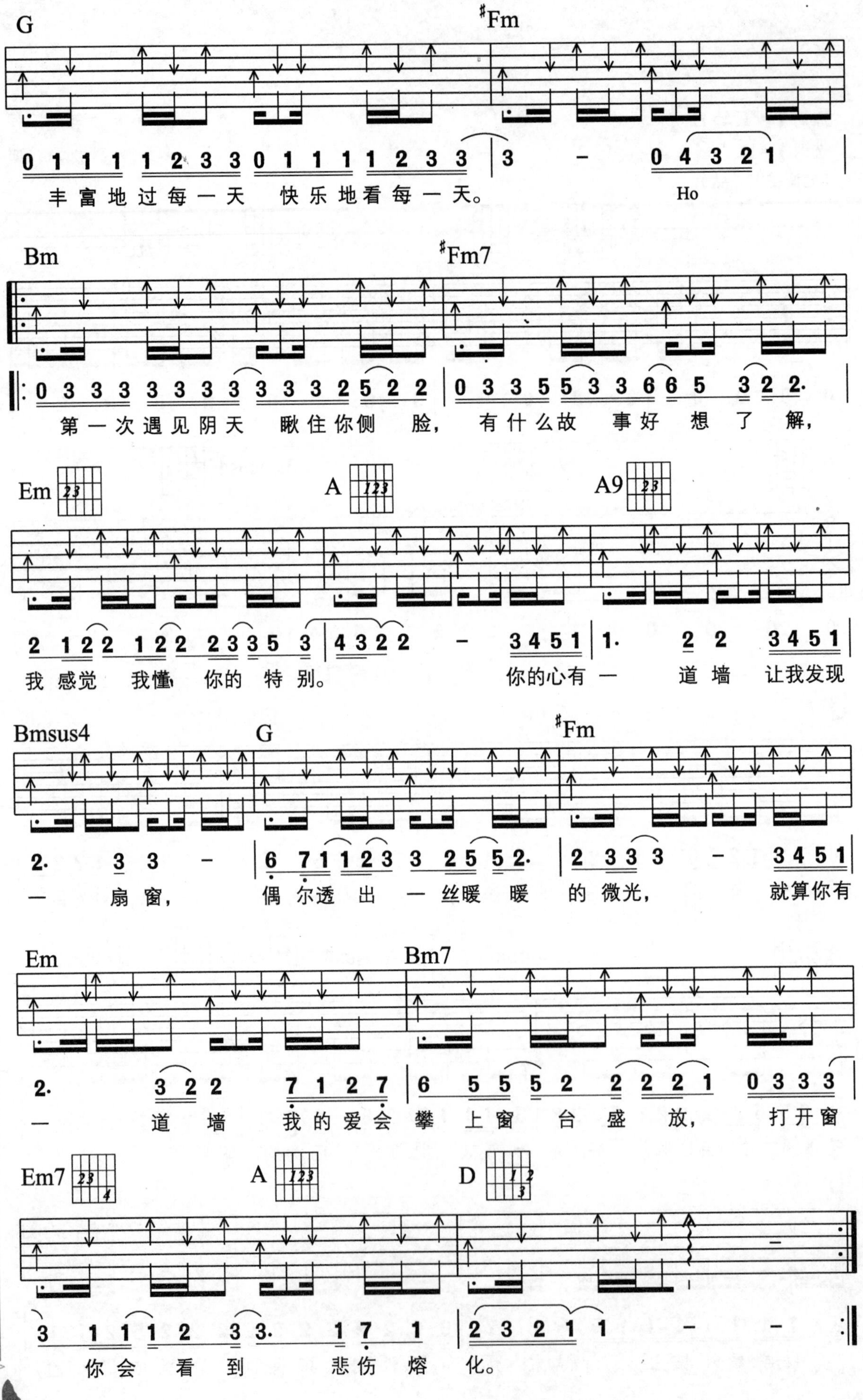
G
#Fm
丰富地过每一天 快乐地看每一天。
Ho
Bm
#Fm7
第一次遇见阴天 瞅住你侧 脸，有什么故 事好 想 了 解，
Em
A
A9
我感觉 我懂 你的 特 别。 你的心有一 道 墙 让我发现
Bmsus4
G
#Fm
一 扇 窗， 偶 尔透 出 一丝暖 暖 的 微光， 就算你有
Em
Bm7
一 道 墙 我的爱会 攀 上 窗 台 盛 放， 打开窗
Em7
A
D
你 会 看 到 悲 伤 熔 化。

醉 清 风

1=C $\frac{4}{4}$

薛永嘉　词
朱振声　曲

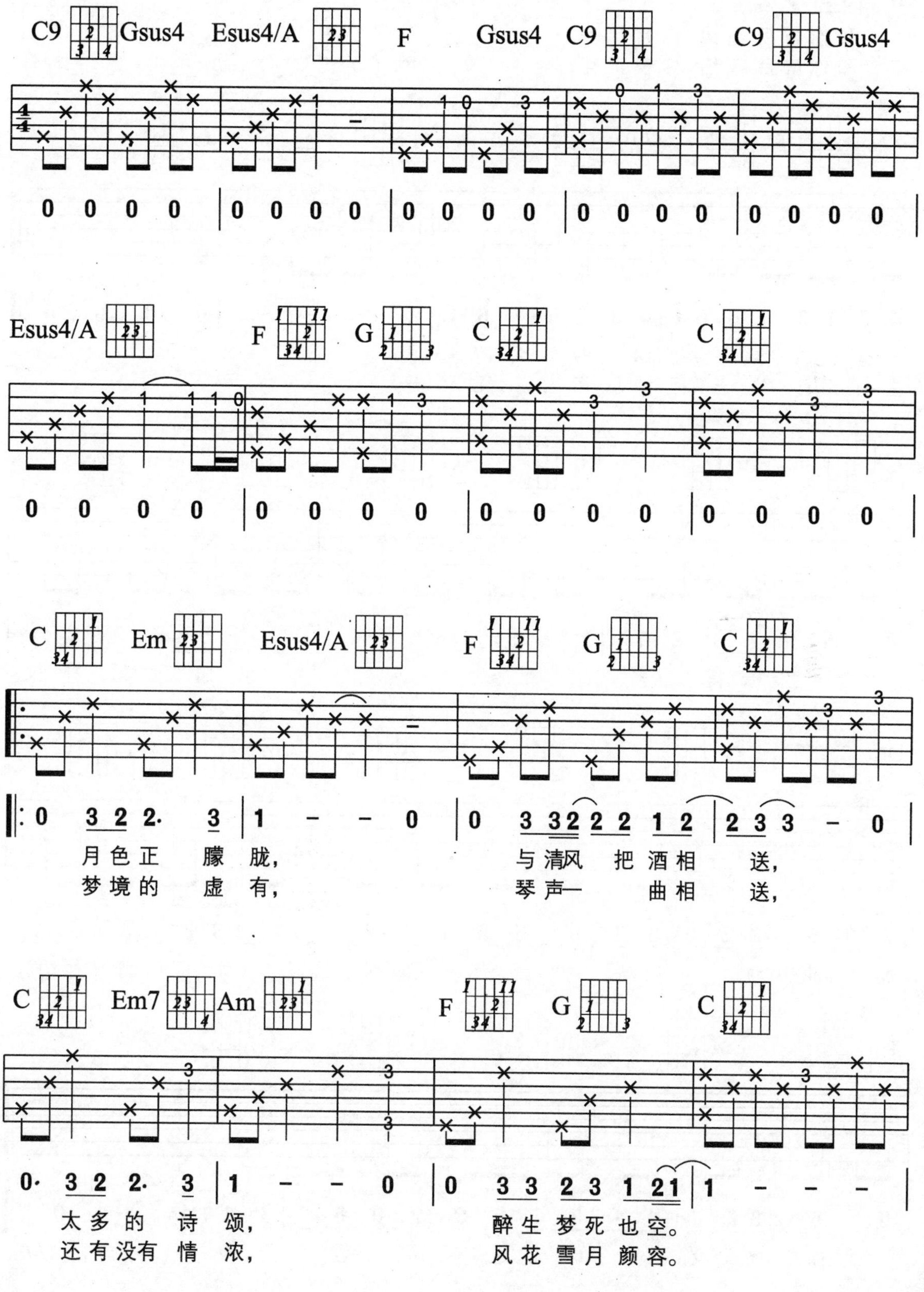

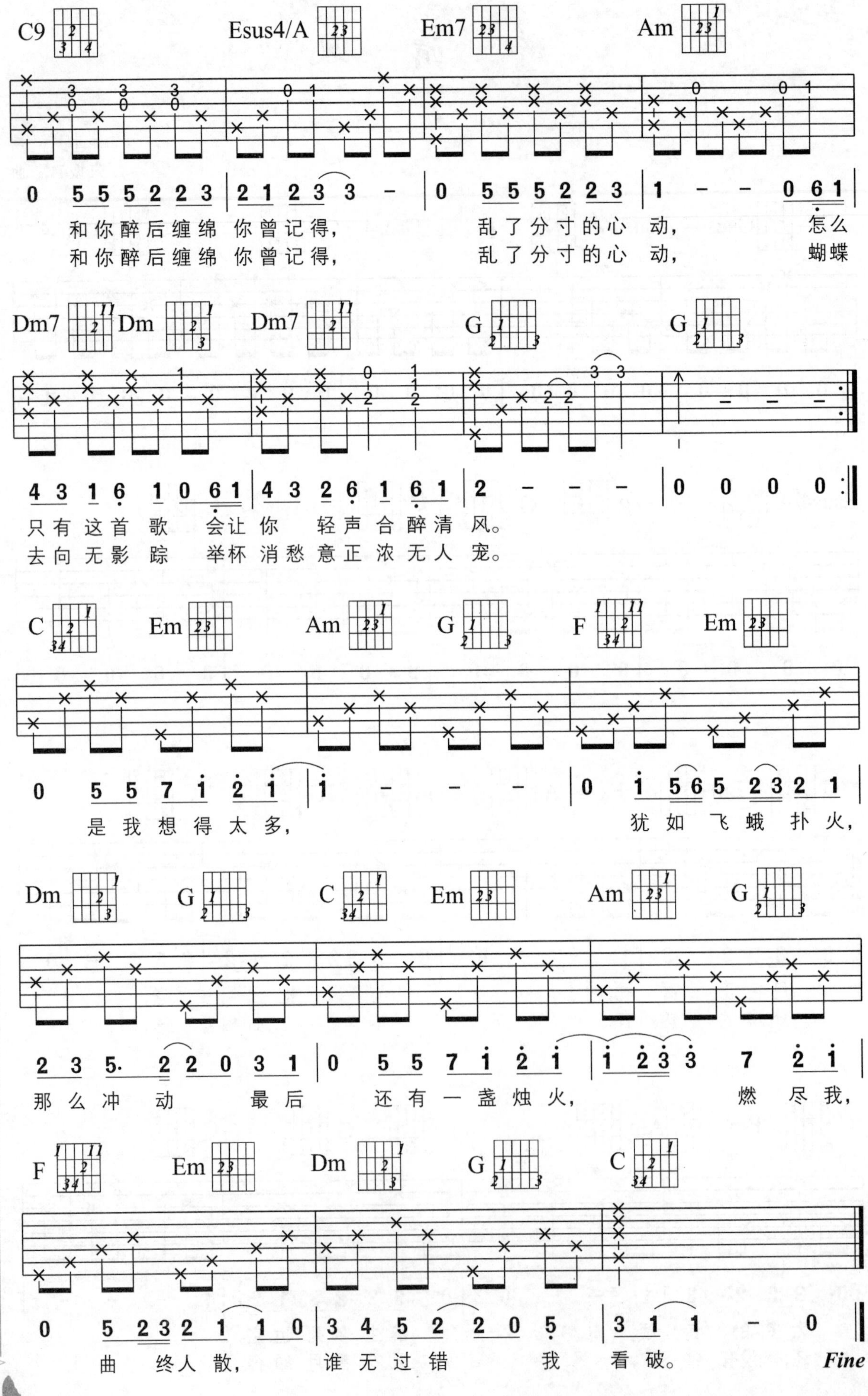
C9 Esus4/A Em7 Am
和你醉后缠绵 你曾记得, 乱了分寸的心 动, 怎么
和你醉后缠绵 你曾记得, 乱了分寸的心 动, 蝴蝶
Dm7 Dm Dm7 G G
只有这首 歌 会让你 轻声合醉清 风。
去向无影 踪 举杯消愁意正浓无人 宠。
C Em Am G F Em
是我想得太多, 犹如 飞 蛾 扑 火,
Dm G C Em Am G
那么冲 动 最后 还有一盏烛火, 燃 尽我,
F Em Dm G C
曲 终人散, 谁无过错 我 看破。
Fine

小　情　歌

原调 1=D $\frac{4}{4}$

选调 1=C

（变调夹夹二品）

吴青峰　词曲

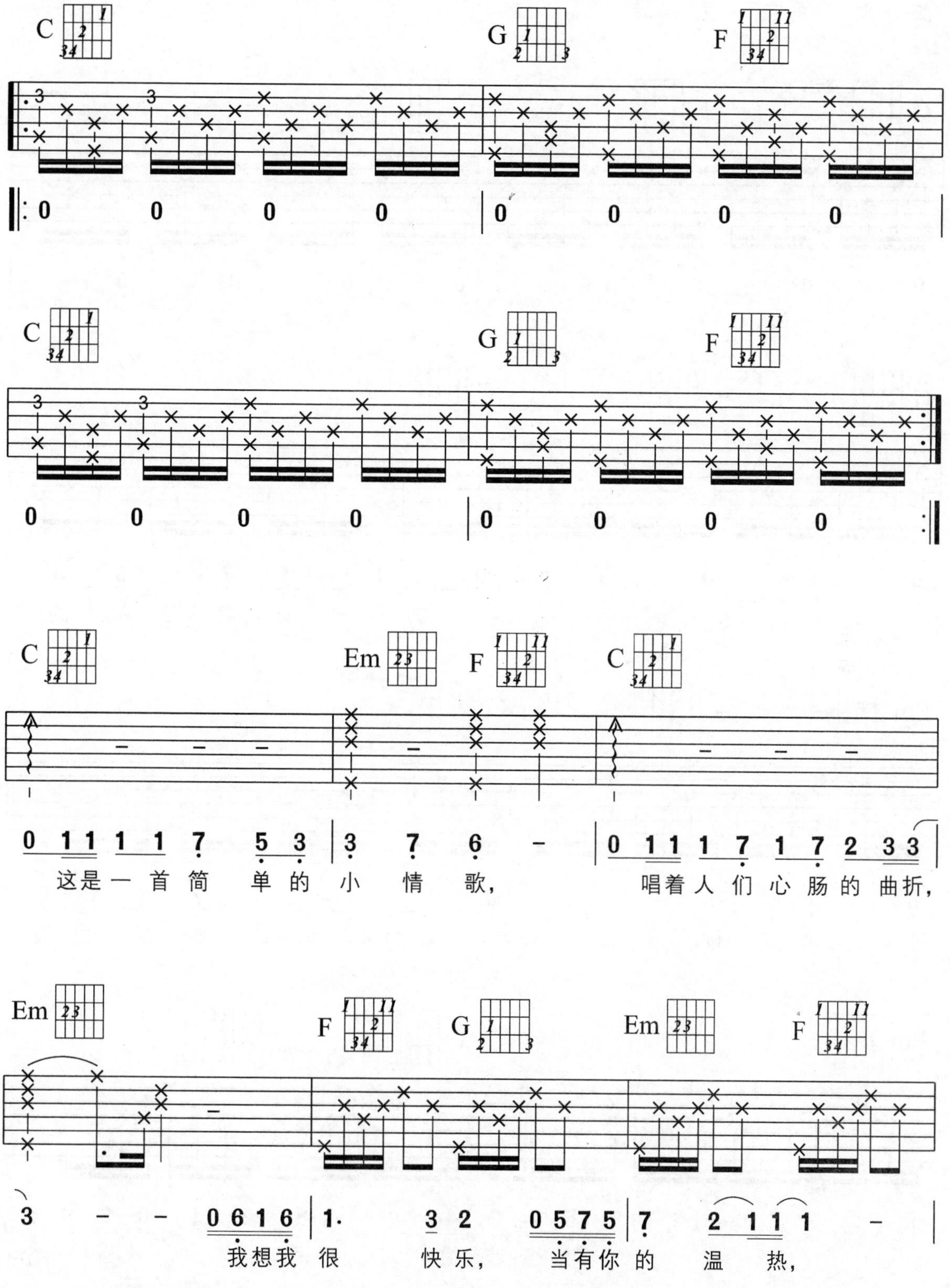

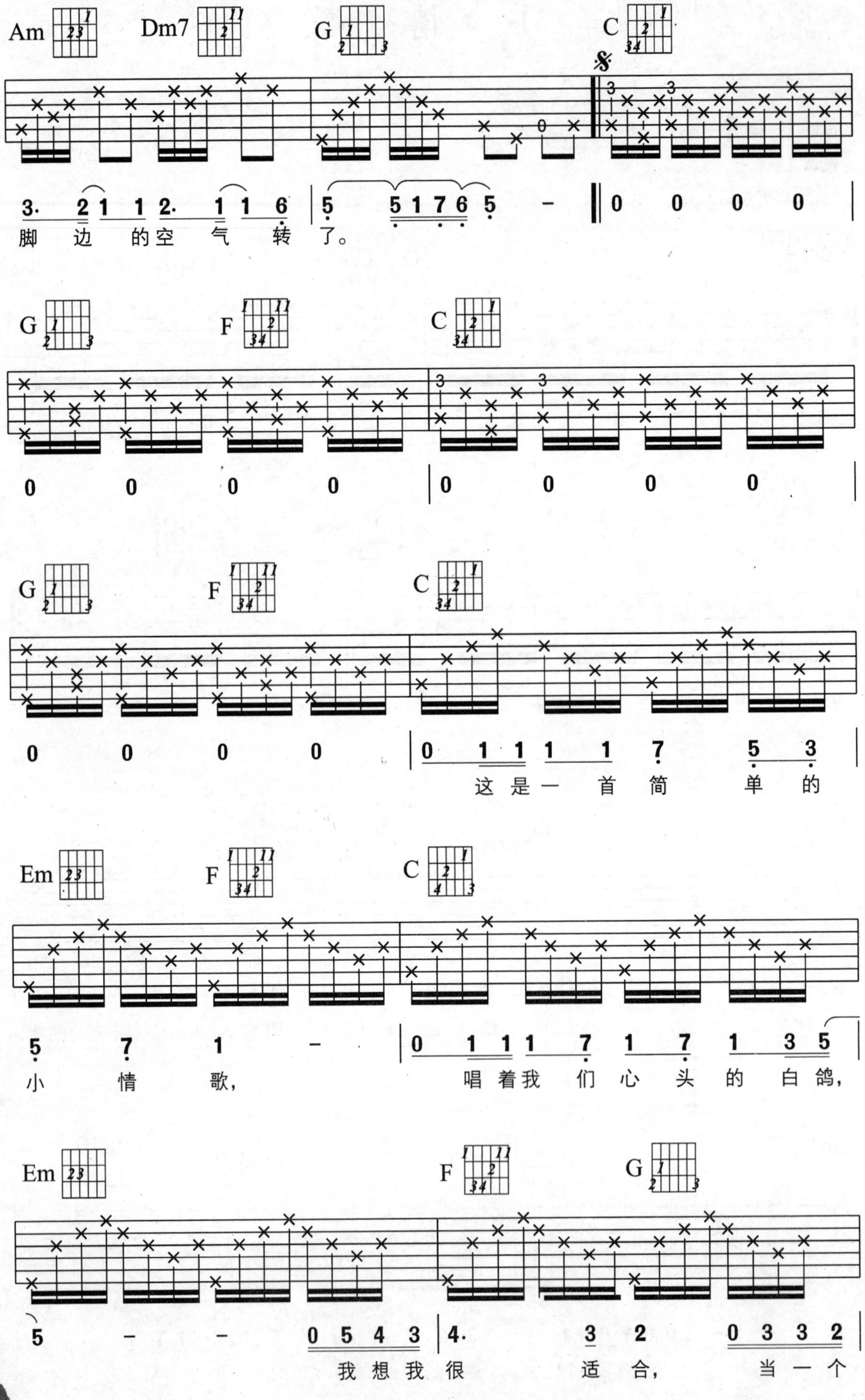
Am Dm7 G C
脚边的空气转了。
G F C
G F C
这是一首简单的
Em F C
小情歌，
唱着我们心头的白鸽，
Em F G
我想我很适合，当一个

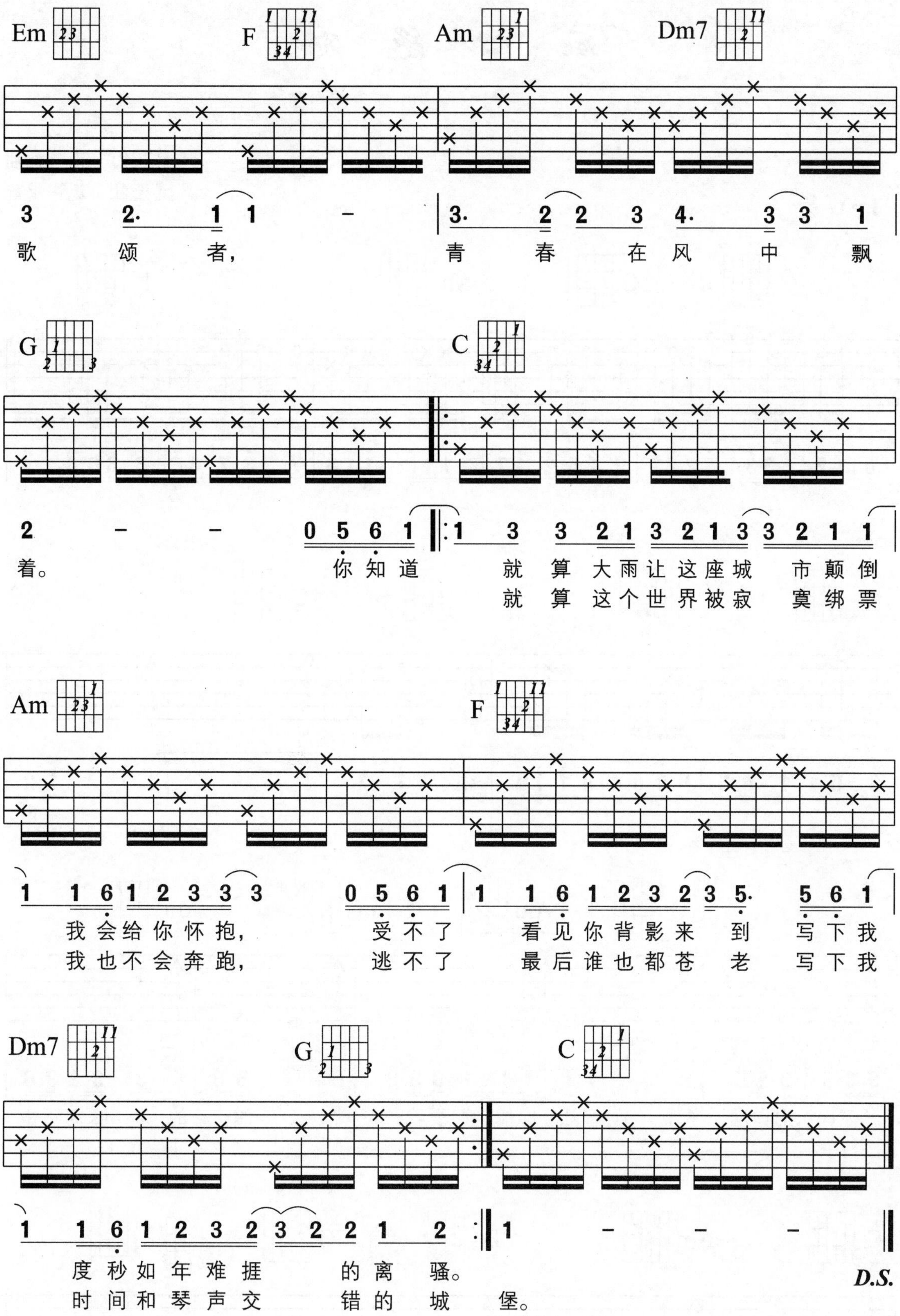

Em
F
Am
Dm7
歌 颂 者，
青 春 在风 中 飘
G
C
着。
你知道
就 算 大雨让这座城 市颠倒
就 算 这个世界被寂 寞绑票
Am
F
我会给你怀抱，
受不了
看见你背影来 到 写下我
我也不会奔跑，
逃不了
最后谁也都苍 老 写下我
Dm7
G
C
度秒如年难捱 的离 骚。
时间和琴声交 错的 城 堡。
D.S.

痴心绝对

蔡伯南 词曲
刘天礼 记谱编配

1=G $\frac{2}{4}$

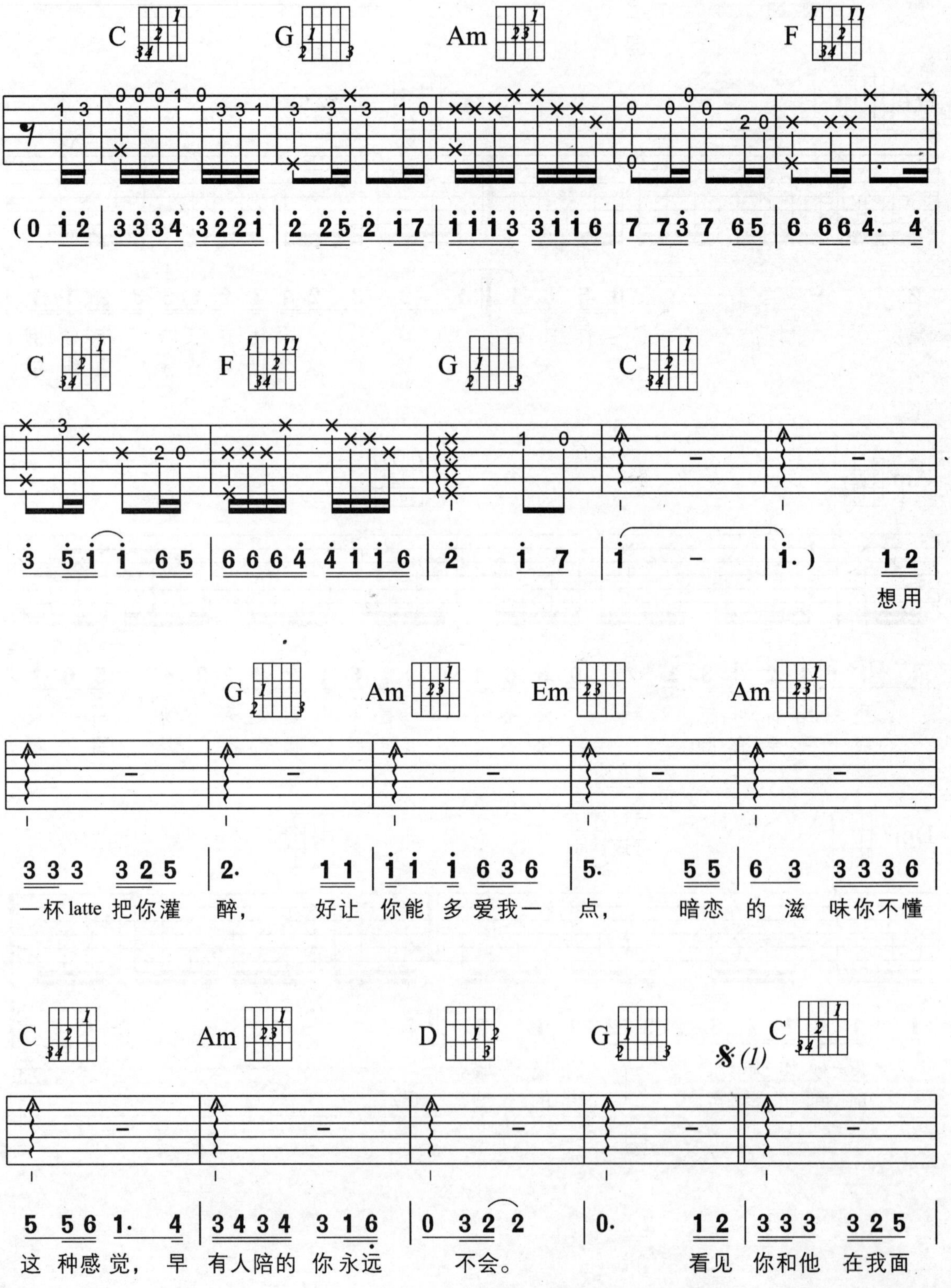

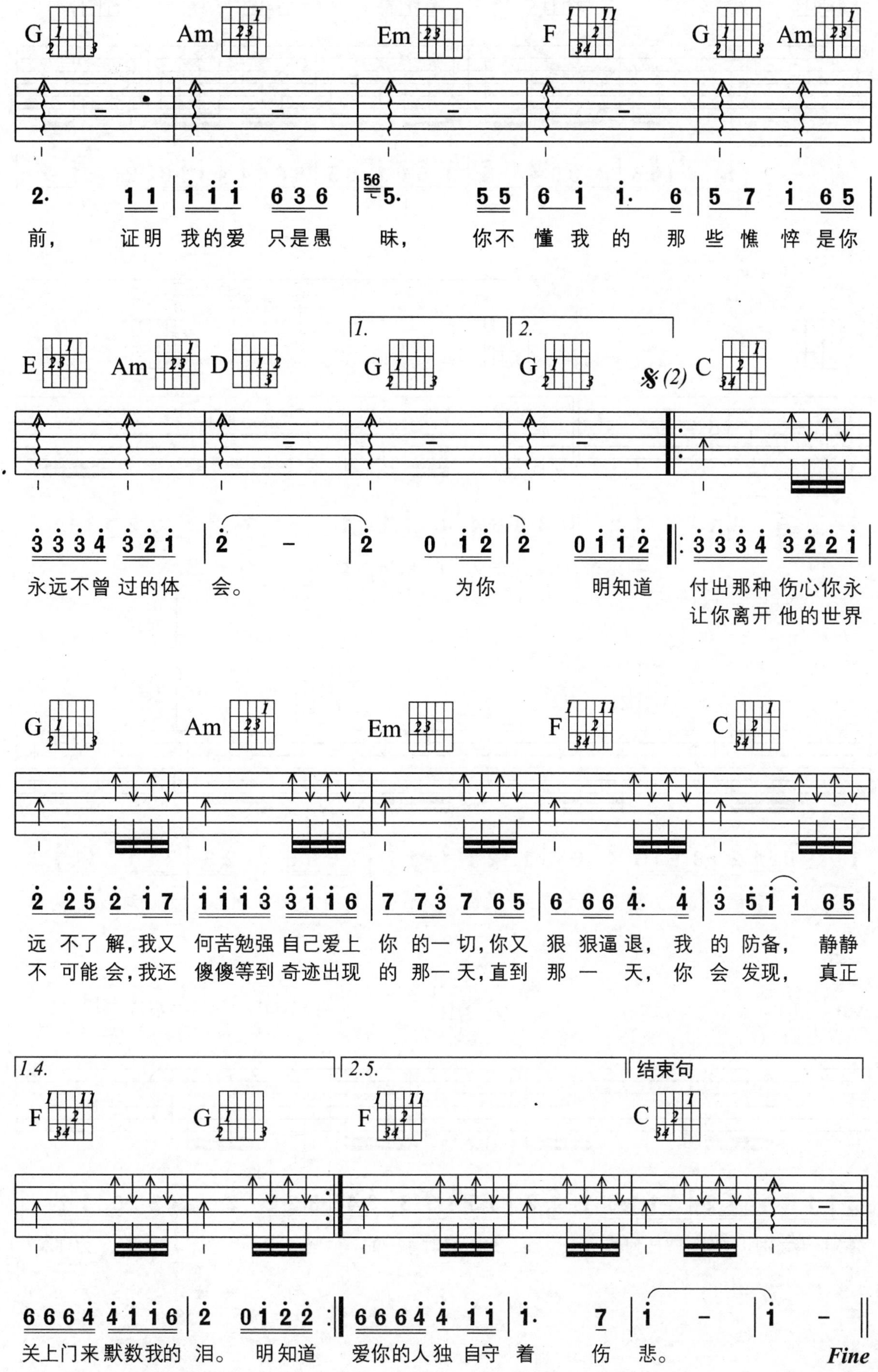

前， 证明 我的爱 只是 愚 昧， 你不懂 我的 那些 憔 悴 是你

3334 321 i |2 — |2 0 i2 |2 0 i i2 :|3334 3221|
永远不曾 过的体 会。 为你 明知道 付出那种 伤心你永
让你离开 他的世界

2 25 2 i7 |iii 3 3ii6 |7 73 7 65 |6 66 4. 4 |3 5i i 65|
远 不了解，我又 何苦勉强 自己爱上 你的一切，你又 狠 狠逼退， 我 的 防备， 静 静
不 可能 会，我还 傻傻等到 奇迹出现 的那一天，直到 那 一 天， 你 会 发现， 真正

1.4.   2.5.   结束句
6664 4ii6 |2 0i22 :|6664 4ii |i. 7 |i — |i —||
关上门来默数我的 泪。 明知道 爱你的人独 自守 着 伤 悲。   Fine

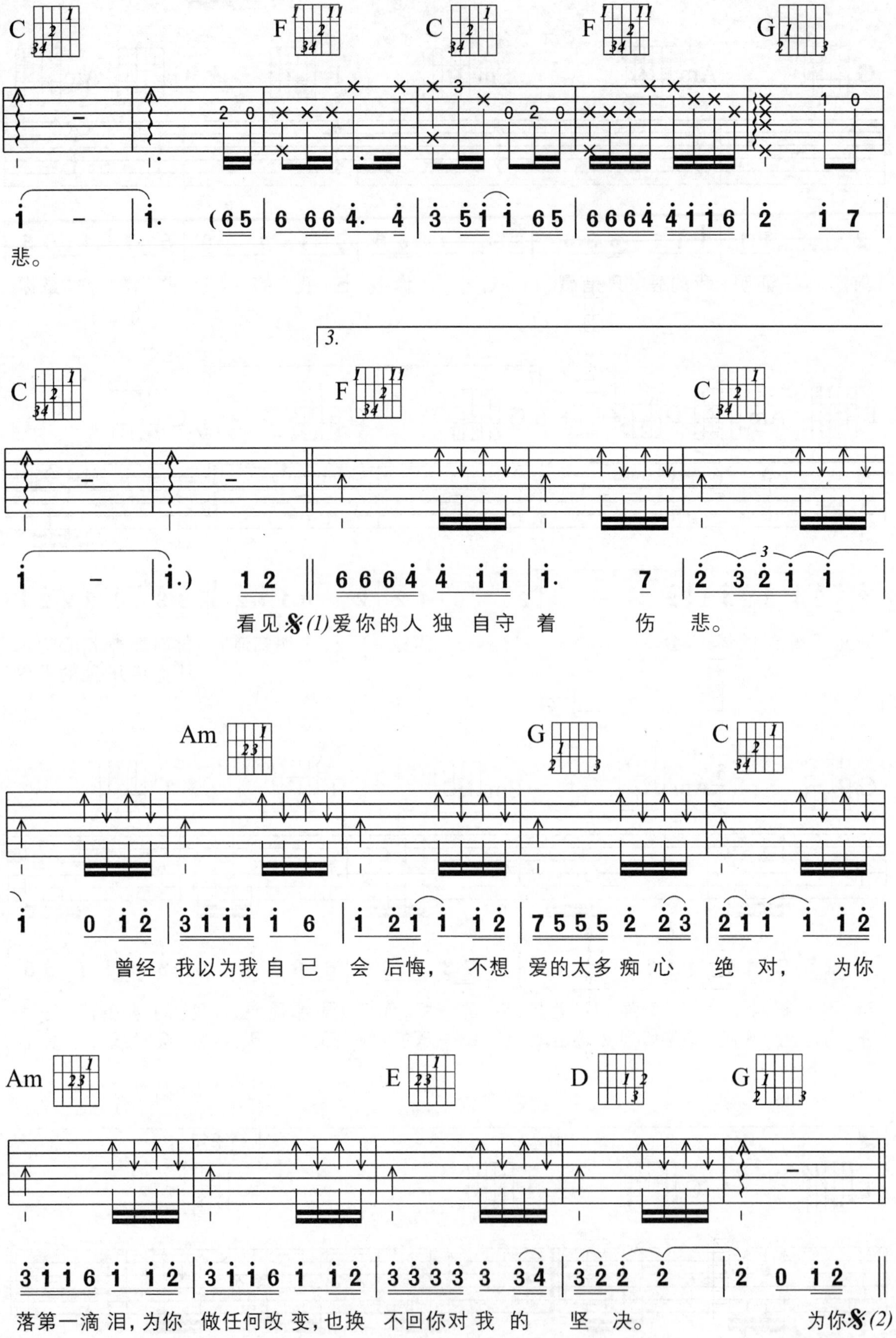
C F C F G
悲。
3.
C F C
看见𝄋(1)爱你的人独自守着伤悲。
Am G C
曾经 我以为我自己会后悔，不想爱的太多痴心绝对，为你
Am E D G
落第一滴泪，为你做任何改变，也换不回你对我的坚决。
为你𝄋(2)

和你一样

原调1=♭D $\frac{4}{4}$

选调1=C

（变调夹夹一品）

任 淼 词曲

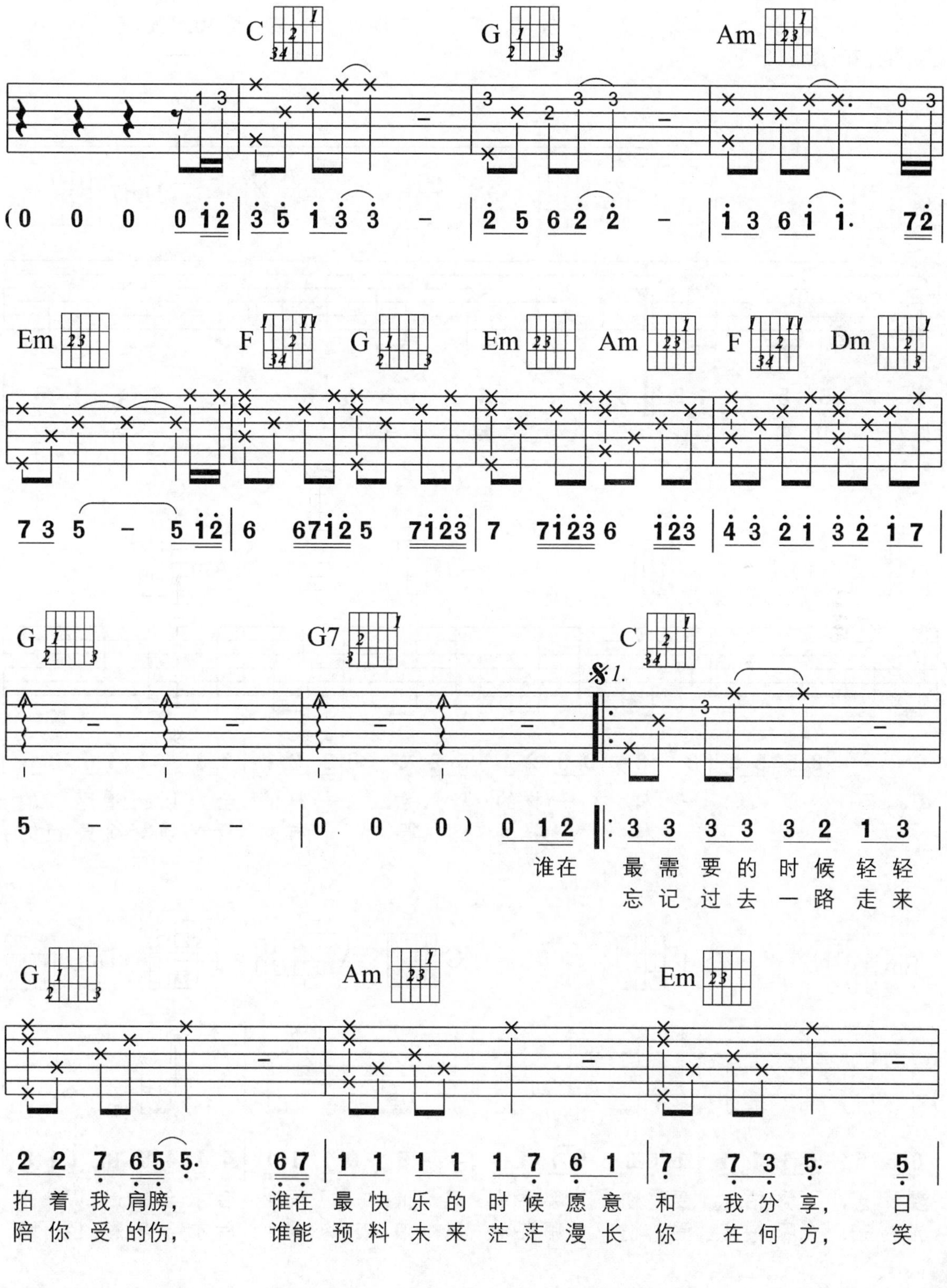

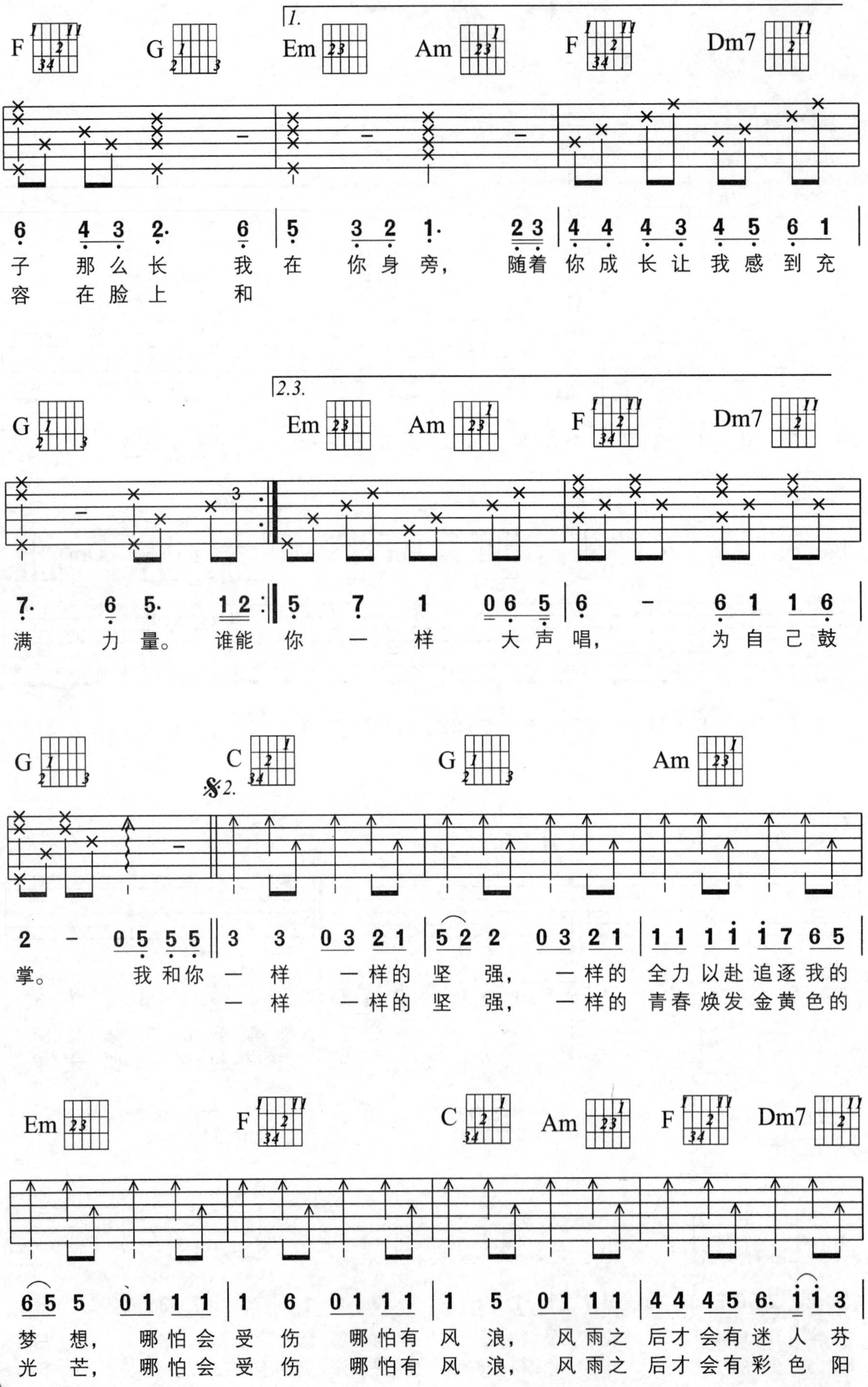
F G 1. Em Am F Dm7
子 那么 长 我 在 你身旁， 随着 你成长让我感到充
容 在脸上 和
G 2.3. Em Am F Dm7
满 力量。谁能 你 一 样 大声唱， 为自己鼓
G C 2. G Am
掌。 我和你 一 样 一样的 坚 强， 一样的 全力以赴追逐我的
一 样 一样的 坚 强， 一样的 青春焕发金黄色的
Em F C Am F Dm7
梦 想， 哪怕会 受 伤 哪怕有 风 浪， 风雨之 后才会有迷人芬
光 芒， 哪怕会 受 伤 哪怕有 风 浪， 风雨之 后才会有彩色阳

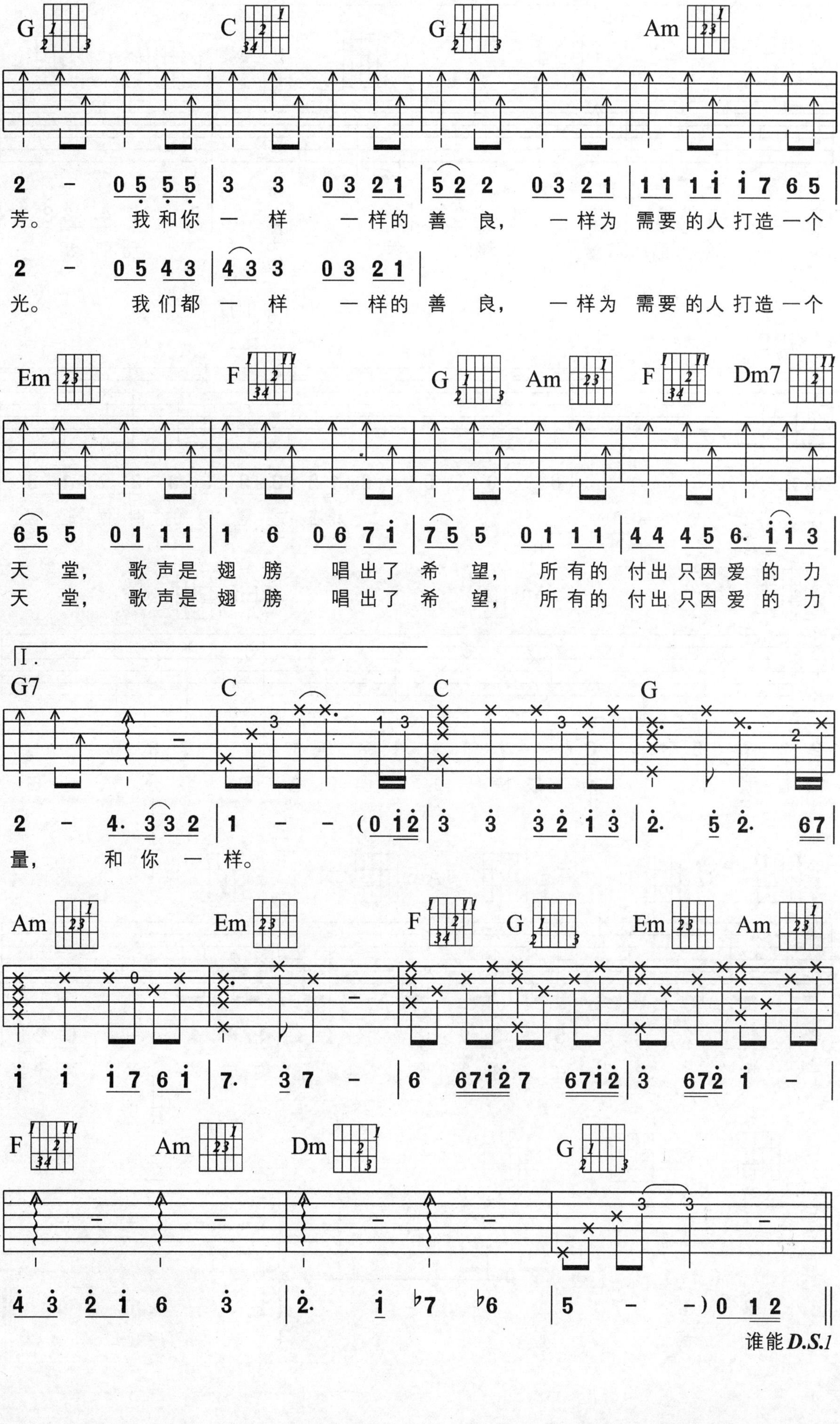
G C G Am
芳。 我和你 一 样 一样的 善 良， 一样为 需要 的人 打造 一个
光。 我们都 一 样 一样的 善 良， 一样为 需要 的人 打造 一个
Em F G Am F Dm7
天 堂， 歌声是 翅 膀 唱出了 希 望， 所有的 付出只因爱 的 力
天 堂， 歌声是 翅 膀 唱出了 希 望， 所有的 付出只因爱 的 力
G7 C C G
量， 和 你 一 样。
Am Em F G Em Am
F Am Dm G
谁能 D.S.1

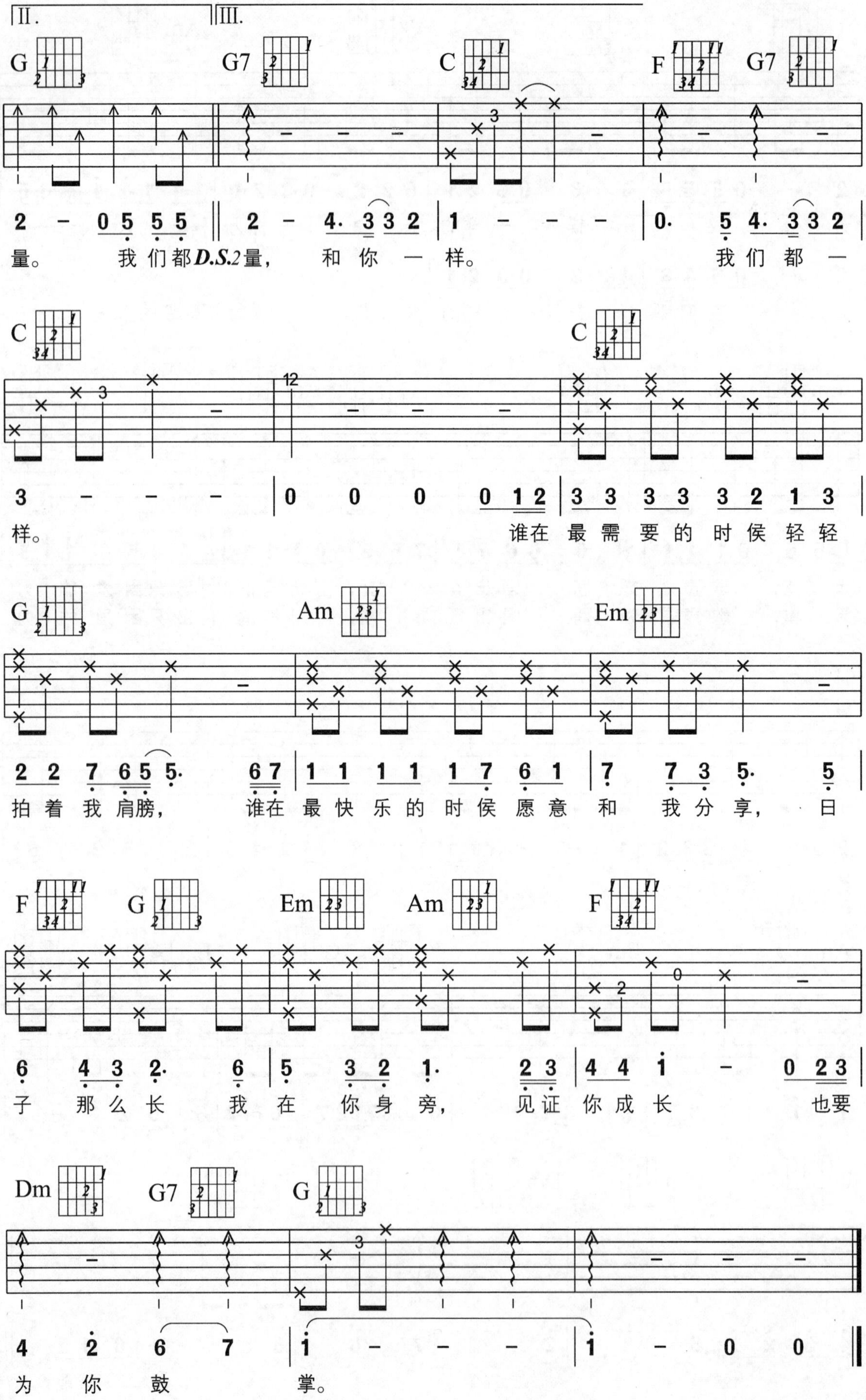

II.
III.
G G7 C F G7
量。我们都D.S.2量，和你一样。我们都一
C C
样。谁在最需要的时侯轻轻
G Am Em
拍着我肩膀，谁在最快乐的时侯愿意和我分享，日
F G Em Am F
子那么长我在你身旁，见证你成长也要
Dm G7 G
为你鼓掌。

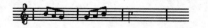

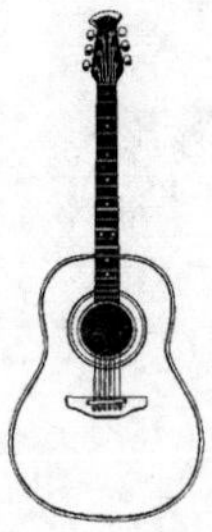